MATHÉMATIQUE 103

Calcul différentiel et intégral I

4e
édition

MATHÉMATIQUE 103

Calcul différentiel et intégral I

4e édition

Gilles Charron

Pierre Parent

Éditions Études Vivantes

Groupe Éducalivres inc.
955, rue Bergar
Laval (Québec) H7L 4Z6
Téléphone : (514) 334-8466
Télécopieur : (514) 334-8387
Internet : http://www.educalivres.com

Mathématique 103, 4e édition
Calcul différentiel et intégral I

Gilles Charron
Pierre Parent

 Éditions Études Vivantes
Groupe Éducalivres inc.
955, rue Bergar, Laval (Québec) H7L 4Z6
Téléphone : (514) 334-8466
Télécopieur : (514) 334-8387

CODE PRODUIT 2120
ISBN 2-7607-0579-X

Dépôt légal : 2e trimestre 1995
Bibliothèque nationale du Québec, 1995
Bibliothèque nationale du Canada, 1995

Imprimé au Canada

5 6 7 8 9 0 II 7 6 5 4 3 2 1 0 9 8

Avant-propos

Cette 4ᵉ édition de *Mathématique 103*, de Gilles Charron et Pierre Parent, propose un outil à la fois simple, concis et complet, conçu spécifiquement pour un premier cours de calcul différentiel et intégral. Elle permettra aux élèves de bien comprendre les concepts fondamentaux de limite, de dérivée et d'intégrale.

De nombreuses améliorations

Soucieux d'améliorer un manuel qui a déjà fait ses preuves, les auteurs ont consulté de nombreux utilisateurs afin de bien saisir les besoins qu'ils manifestaient. Leurs remarques et commentaires ont permis aux auteurs d'apporter les modifications suivantes à leur ouvrage :

1. ajout d'un chapitre (chapitre 1) permettant aux élèves de réviser les notions préalables au cours ;

2. ajout d'une série d'exercices récapitulatifs **sans corrigé** dans le manuel de l'élève ;

3. **clarification** de la présentation visuelle ;

4. **simplification** de la structure de l'ouvrage ;

5. utilisation de la **couleur** comme outil pédagogique permettant de mettre en évidence les notions importantes dans les graphiques et dans le texte ;

6. **ajout de notions** jugées importantes par les utilisateurs ou de problèmes sur ces notions : la continuité sur un intervalle, des problèmes de taux de variation liés, etc. ;

7. **simplification** de la présentation **de certaines notions** : l'analyse de fonctions, la dérivée des fonctions trigonométriques, etc.

Structure d'un chapitre

Les auteurs, suite aux suggestions des utilisateurs, ont choisi de simplifier la structure même des chapitres. Leur structure se présente donc maintenant comme suit :

1. *Introduction*

   Un court texte de présentation donne aux élèves un aperçu des concepts qui seront abordés dans le chapitre.

2. *Test préliminaire*

   Chaque chapitre débute par un test préliminaire. Divisé en deux parties, ce test permet de vérifier les connaissances acquises, soit au niveau secondaire (Partie A), soit dans les chapitres précédents (Partie B).

3. *Sections*

   Chaque chapitre est divisé en sections, et chaque section est redécoupée en fonction des objectifs intermédiaires.

Les objectifs intermédiaires sont mis en évidence, ce qui permet d'orienter les élèves dans leurs apprentissages.

De plus, comme il est crucial que les élèves puissent repérer facilement les concepts qu'il importe de comprendre et de retenir, dans *Mathématique 103*, 4e édition, les définitions et les propositions sont mises en évidence à l'intérieur d'un encadré de couleur. Aussi, de nombreux exemples et questions permettent à l'élève de mieux comprendre ces définitions et ces propositions, qui sont d'ailleurs presque toutes démontrées.

Finalement, chacune de ces sections se termine par une série d'exercices dont nous retrouvons toutes les réponses et plusieurs solutions complètes dans le corrigé du manuel.

4. *Problèmes de synthèse*

À la fin de chaque chapitre, nous retrouvons une série de problèmes de synthèse. Ces problèmes font avant tout appel à des habiletés de résolution de problèmes. Ils permettront ainsi de vérifier de façon globale l'atteinte des objectifs visés. Le corrigé de ces problèmes se trouve à la fin du manuel.

5. *Exercices récapitulatifs*

Les exercices récapitulatifs permettent de vérifier les acquis des élèves. Ces exercices se trouvent à la fin de chaque chapitre ; contrairement aux autres exercices et problèmes du manuel, les élèves n'ont pas les réponses à ces exercices.

6. *Test récapitulatif*

Situé à la fin du chapitre, le test récapitulatif, dont les réponses et plusieurs solutions complètes se trouvent à la fin du manuel, permet à l'élève de revoir l'ensemble des connaissances et des habiletés acquises.

Les auteurs espèrent que cette nouvelle édition de *Mathématique 103* se révélera un outil commode et efficace tant pour les enseignants que pour les élèves, et qu'elle suscitera un plus grand intérêt pour ce domaine de la mathématique.

Gilles Charron
Pierre Parent

Remerciements

Les auteurs tiennent à remercier les nombreuses personnes ressources qui ont collaboré à l'élaboration de cet ouvrage :

Michel Baril, cégep de Chicoutimi,
Suzanne Cayer, cégep de la Gaspésie et des Îles,
Alain Chevanelle, cégep de Drummondville,
Michel Laramée, cégep Édouard-Montpetit,
Chantal Leclerc, cégep Marie-Victorin,
Alain Raymond, cégep de Saint-Jérôme,
Webster Gaétant, cégep de Bois-de-Boulogne.

Plus particulièrement, les auteurs tiennent à remercier Robert Bradley, du cégep d'Ahuntsic, et Diane Paquin, du cégep Édouard-Montpetit, pour leurs commentaires et leur participation à la production de ce volume. Ils ne sauraient non plus passer sous silence le soutien des professeurs du département de mathématique du cégep André-Laurendeau.

Finalement, les auteurs remercient les personnes suivantes qui ont travaillé à l'édition ou à la production de l'ouvrage :

Martine Bouthillier, chargée de projet,
Roland Fortin, réviseur,
Diane Trudeau, correctrice d'épreuves,
Dominique Gagnon, graphiste.

Gilles Charron
Pierre Parent

Table des matières

Chapitre 1

Fonctions

Introduction

Dans le présent chapitre, nous étudierons quelques fonctions utilisées dans différents domaines. Nous donnerons la définition d'une fonction, déterminerons le domaine et l'image de certaines fonctions et finalement nous donnerons la représentation graphique de quelques-unes d'entre elles.

Nous étudierons les fonctions trigonométriques, trigonométriques inverses, exponentielles et logarithmiques dans des chapitres ultérieurs.

TEST PRÉLIMINAIRE

1. Évaluer les expressions suivantes.

   a) $20 - (5 - 13)$

   b) $4 - (5 - 7)^2$

   c) $8 - [7 + 5 - (4 - 9) + 10]$

   d) 5×3^2

   e) -4^2

   f) $(-4)^2$

   g) $(-5)^3$

   h) $5(-4)^3 + 3(-4)^2 - 5(-4) + 1$

   i) $(5 - 4^2) [8 - (-2)^3] [19 - (-3)^2]$

2. Évaluer, si possible, les expressions suivantes.

   a) $\sqrt{25}$

   b) $\sqrt{-64}$

   c) $\sqrt[3]{-64}$

   d) $-\sqrt{64}$

   e) $\sqrt{100} - \sqrt[4]{81}$

   f) $\dfrac{\sqrt{1369}\ \sqrt[3]{1331}}{\sqrt[3]{-3375}}$

3. Calculer, si possible, les expressions suivantes en remplaçant x par 3, -2 et 0.

   a) $\sqrt{x + 1}$

   b) $\sqrt{x^2 + 1}$

   c) $\dfrac{5x}{x + 2}$

   d) $5x^3 - 2x^2 + 5x + 10$

   e) $\sqrt{2 - x}$

   f) $\dfrac{\sqrt{x - 1}}{x - 3}$

4. Évaluer les expressions suivantes.

   a) $|5|$

   b) $|3{,}7|$

   c) $|0|$

   d) $|-7|$

   e) $\left|\dfrac{-3}{5}\right|$

   f) $-\left|\dfrac{8}{3}\right|$

   g) $|5 - 7|$

   h) $|5| - |7|$

   i) $|9 + (-3)|$

   j) $|9| + |-3|$

5. Calculer, si possible, les expressions suivantes en remplaçant x par 4, -3 et 0.

   a) $|x - 4|$

   b) $\dfrac{|5 + x|}{|x + 3|}$

   c) $\dfrac{|x^2|}{|x|}$

   d) $\dfrac{|x|}{x}$

6. Dans les expressions suivantes, remplacer le ? par $\leq$, $\geq$ ou par $=$.

   a) $|ab|$? $|a||b|$

   b) $|a - b|$? $|a| - |b|$

   c) $|a - b|$? $|a| + |b|$

   d) $|a - b|$? $|b - a|$

   e) $\left|\dfrac{a}{b}\right|$? $\dfrac{|a|}{|b|}$

   f) $|a^2|$? a^2

   g) $|a + b|$? $|a| + |b|$

   h) $|a + b|$? $|a| - |b|$

1.1 NOTION DE FONCTION

À la fin de la présente section, l'étudiant connaîtra la définition d'une fonction et pourra déterminer le domaine de certaines fonctions.

Objectif 1.1.1   Connaître la définition d'une fonction.

Les notes obtenues par un étudiant à chacun des tests servent à calculer sa note finale pour un cours ; ainsi, cette note finale est fonction des notes obtenues à chacun des tests, puisqu'elle dépend de ces notes. Nous disons que les notes obtenues à chacun des tests sont les variables indépendantes et que la note finale est la variable dépendante.

De même, l'aire d'un carré dépend de la longueur du côté de ce carré. L'aire est alors la variable dépendante et la longueur du côté est la variable indépendante.

| *Définition* | Une **fonction** f d'un ensemble A vers un ensemble B est une règle qui associe à chaque élément du domaine (dom f) *un et un seul élément* de l'image (ima f). |

Remarque A est l'ensemble de départ et B est l'ensemble d'arrivée.

De plus, dom $f \subseteq$ A et ima $f \subseteq$ B.

■ *Exemple* Soit f, une fonction de l'ensemble A vers l'ensemble B, représentée par le *graphique sagittal* ci-contre.

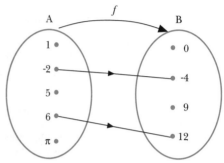

Ensemble de départ : A = { 1, -2, 5, 6, π }

Ensemble d'arrivée : B = {0, -4, 9, 12}
dom f = {-2, 6}
ima f = {-4, 12}

■ *Exemple* Le graphique ci-contre ne représente pas une fonction, car à l'élément b de l'ensemble de départ sont associés deux éléments de l'ensemble d'arrivée.

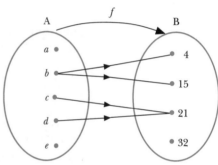

Nous exprimons en général une fonction de A vers B sous la forme $y = f(x)$, où x est la variable indépendante et y est la variable dépendante.

Le *graphique cartésien* est un moyen fréquemment utilisé pour représenter une fonction. Chaque couple (x, y), défini par la fonction f, est représenté par le point correspondant P(x, y) du plan cartésien.

■ *Exemple* Soit la fonction f, telle que $f : \mathbb{R} \to \mathbb{R}$, définie par $f(x) = x - 1$.

Construisons un tableau en donnant à x quelques valeurs du dom f, où dom $f = \mathbb{R}$.

x	...	-3	-1,5	0	2	4	...
$f(x)$	...	-4	-2,5	-1	1	3	...

Après avoir situé les points qui représentent ces couples dans le plan cartésien, nous pouvons relier ces points, puisque dom $f = \mathbb{R}$. En effet, pour chaque valeur de x, nous pourrions calculer l'image $f(x)$, et placer le point $(x, f(x))$ correspondant dans le graphique cartésien.

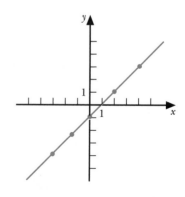

Objectif 1.1.2   Déterminer le domaine et l'image de certaines fonctions.

Lorsque nous déterminons le domaine d'une fonction f, il faut exclure du dom f les valeurs
a) qui annulent le dénominateur de la fonction f ;
b) qui donnent une quantité négative sous une racine paire (racine carrée, quatrième, etc.).

■ *Exemple* Soit $f(x) = \dfrac{5}{x-3}$.

Puisque le dénominateur de la fonction est égal à 0 si $x = 3$, alors
dom $f = \mathbb{R} \setminus \{3\}$.

■ *Exemple* Soit $f(x) = \sqrt{x+1}$.

Puisque nous ne pouvons pas extraire la racine carrée d'un nombre négatif, alors
dom $f = \{x \in \mathbb{R} \,|\, (x+1) \geq 0\}$
    $= \{x \in \mathbb{R} \,|\, x \geq \text{-}1\}$.

Remarque Nous pouvons également noter le domaine de la fonction précédente par
dom $f = [\text{-}1, {}^{+}\infty$.

■ *Exemple* Soit $f(x) = \dfrac{x}{\sqrt[6]{9-3x}}$.

Puisque nous ne pouvons pas diviser par zéro ni extraire la racine sixième d'un nombre négatif, alors
dom $f = \{x \in \mathbb{R} \,|\, (9-3x) > 0\}$
    $= \{x \in \mathbb{R} \,|\, x < 3\}$,
que nous pouvons également écrire sous la forme dom $f = \text{-}\infty, 3[$.

Question 1   Déterminer le domaine des fonctions suivantes.
a) $f(x) = \dfrac{3x+1}{(2x+6)(8x-4)}$ b) $f(x) = \sqrt[3]{5-2x}$ c) $f(x) = \dfrac{5x^3}{\sqrt[4]{7x+18}}$

Pour une fonction $f : \mathbb{R} \to \mathbb{R}$, dont nous connaissons le graphique cartésien, il suffit de projeter ce graphique sur l'axe des x pour déterminer le domaine de cette fonction.

■ *Exemple*

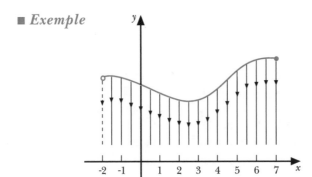

dom $f = \,]\text{-}2, 7]$

Il s'agit d'un intervalle ouvert à gauche et fermé à droite.

Remarque Par convention, nous représentons l'extrémité d'une courbe par ○ si l'intervalle est ouvert à cette extrémité et par ● si l'intervalle est fermé à cette extrémité.

Question 2   Déterminer le domaine de chacune des fonctions représentées par les graphiques cartésiens ci-dessous.

a)

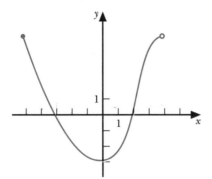

c)

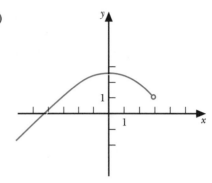

b)

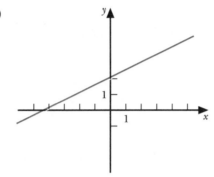

Pour une fonction $f : \mathbb{R} \to \mathbb{R}$, dont nous connaissons le graphique cartésien, il suffit de projeter ce graphique sur l'axe des y pour déterminer l'image de cette fonction.

■ *Exemple*

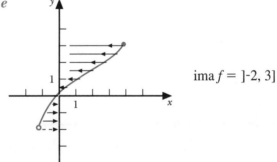

$\text{ima } f = \;]\text{-}2, 3]$

Question 3   Déterminer l'image de chacune des fonctions représentées par les graphiques cartésiens suivants.

a)

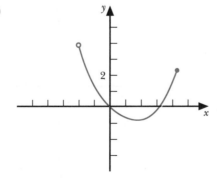

b)

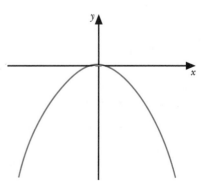

c)

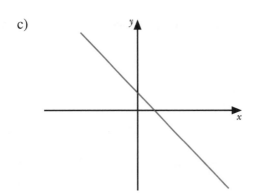

Exercices 1.1

1. Parmi les graphiques ci-dessous, identifier ceux qui représentent une fonction.

a)

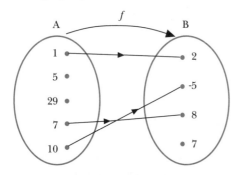

c)

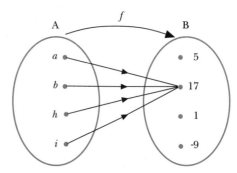

b)

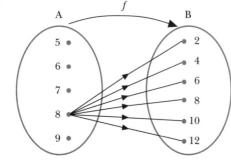

d)

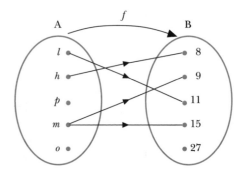

2. Déterminer le domaine et l'image de chacune des fonctions suivantes.

a)

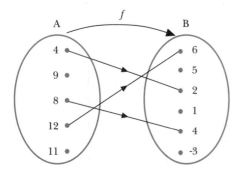

b)

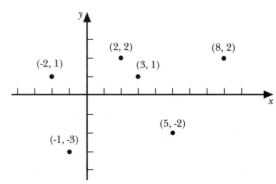

c)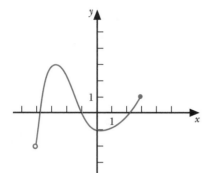

d)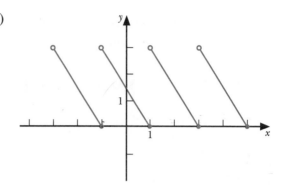

3. Soit la fonction f définie par
    $$f : M \to P$$
    $$x \mapsto 3x^2 - 2x + 1,$$
    où M = {-3, -1, 0, 2, 5, 8, 10} et P = {-2, 0, 1, 6, 9, 35, 281, 300}.

    a) Déterminer l'ensemble de départ.

    b) Déterminer l'ensemble d'arrivée.

    c) Construire le graphique sagittal de f.

    d) Déterminer dom f.

    e) Déterminer ima f.

4. Évaluer, si possible, les fonctions suivantes pour $x = -2$, $x = 0$ et $x = 5$.

    a) $f(x) = 7x^3 - 2x^2 + 3x - 1$

    b) $f(x) = \dfrac{6x + 1}{(2x + 1)(3x - 15)}$

    c) $f(x) = \dfrac{\sqrt{x + 3}}{x^2 - 1}$

    d) $f(x) = \dfrac{5}{\sqrt{x + 1}}$

    e) $f(x) = \dfrac{(3x^2 + 1)(1 - 2x)}{\sqrt{x}}$

    f) $f(x) = \dfrac{\sqrt{-1 - 2x}}{(2x + 3)(x + 2)}$

5. Déterminer le domaine de chacune des fonctions ci-dessous.

    a) $f(x) = 5x + 3$

    b) $f(x) = \dfrac{28x}{(3x + 10)}$

    c) $f(x) = \dfrac{5}{\sqrt{3x^2 + 1}}$

    d) $f(x) = \sqrt{x - 3}$

    e) $f(x) = \dfrac{7x - 2}{(x + 3)\sqrt{x}}$

    f) $f(x) = \dfrac{7x - 2}{(x - 3)\sqrt{x}}$

6. Un manufacturier produit trois types de pneus : réguliers, à neige et quatre-saisons. Le prix de vente des pneus réguliers est de 50 $, celui des pneus quatre-saisons est de 68 $ et celui des pneus à neige, 74 $.

    a) Après avoir déterminé les variables indépendantes et la variable dépendante, puis symbolisé ces variables par des lettres, exprimer sous la forme d'une fonction le revenu de ce manufacturier.

    b) Déterminer son revenu pour une vente de 400 pneus réguliers, 560 pneus quatre-saisons et 320 pneus à neige.

7. Au jeu de Boggle, les concurrents doivent construire des mots de trois à seize lettres. Nous accordons un point pour chaque mot de trois ou quatre lettres, deux points pour chaque mot de cinq lettres, trois points pour chaque mot de six lettres, cinq points pour chaque mot de sept lettres et onze points pour chaque mot de huit lettres ou plus.

    a) Déterminer la variable indépendante et la variable dépendante, puis symboliser ces variables par des lettres et exprimer la situation sous la forme d'une fonction.

b)   Tracer le graphique sagittal de cette fonction $f : A \rightarrow B$, où $A = \{0, 1, 2, ..., 16\}$ et $B = \{1, 2, 3, ..., 11\}$.

c)   Déterminer dom f et ima f.

1.2 FONCTION CONSTANTE

À la fin de la présente section, l'étudiant pourra identifier et représenter graphiquement les fonctions constantes, et déterminer leur domaine et leur image.

Objectif 1.2.1   Définir et représenter graphiquement une fonction constante.

Définition	Une **fonction** est dite **constante** lorsque, pour toutes les valeurs de la variable indépendante, la variable dépendante conserve la même valeur. En général, une fonction constante est exprimée sous la forme $f(x) = c$ (ou $y = c$), où c est une constante réelle.

■ *Exemple* Un joueur de hockey a un salaire garanti de 485 000 $ par année, quel que soit le nombre de parties auxquelles il participe au cours d'une saison de 84 parties.

Le graphique sagittal qui représente cette situation est illustré ci-contre.

Dans ce cas, dom $f = \{0, 1, 2, ..., 83, 84\}$ et ima $f = \{485\,000\}$.

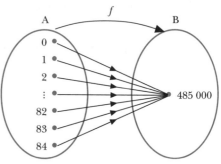

Remarque Lorsqu'il n'y a aucune indication particulière, nous considérons que les fonctions sont de $\mathbb{R} \rightarrow \mathbb{R}$.

■ *Exemple* Soit la fonction f définie par $f(x) = 6$.

Le graphique cartésien qui représente cette fonction est illustré ci-contre.

Dans ce cas, dom $f = \mathbb{R}$ et ima $f = \{6\}$.

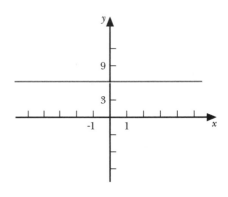

Remarque Le graphique d'une fonction constante $f(x) = c$, de domaine $\mathbb{R}$, est une droite horizontale passant par le point $(0, c)$.

Question 1   Soit la fonction f définie par $f(x) = -4$.

a)   Évaluer $f(-3)$; $f\left(\dfrac{1}{2}\right)$; $f(2)$; $f(a)$.

b)   Tracer le graphique cartésien de cette fonction.

c)   Déterminer dom f et ima f.

Nous pouvons également avoir une fonction constante sur un intervalle donné.

■ *Exemple* Dans la table provinciale des revenus imposables de 1992, nous remarquons qu'une personne, dont le revenu imposable est supérieur à 32 000 $ mais inférieur ou égal à 32 020 $, doit payer 6412 $ d'impôts. Le graphique ci-contre représente cette situation, où

dom f =]32 000, 32 020] et
ima f = {6412}.

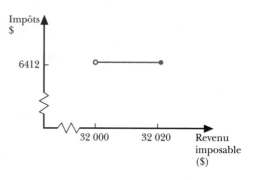

Exercices 1.2

1. Identifier, parmi les fonctions suivantes, celles qui sont constantes.

   a) $f(x) = x$

   b) $y = 7$

   c) $f(x) = h$

   d) $d(t) = x$

   e) $f(x) = \pi x^2$

   f) $f(x) = \pi^5$

2. Parmi les graphiques suivants, identifier celui qui représente une fonction constante.

   a)
   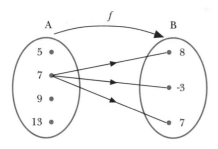

   b)
   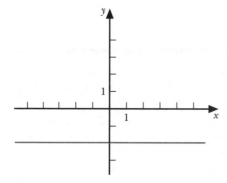

   c)
   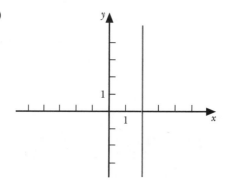

3. Soit f, la fonction définie par $f(x) = 3$.

   a) Évaluer $f(-3)$; $f(0)$; $f(4)$.

   b) Tracer le graphique cartésien de cette fonction.

   c) Déterminer dom f et ima f.

4. Soit f, la fonction définie par $f(x) = -2$, si $x \in [-5, 4[$ et $x \neq 2$.

   a) Évaluer, si possible, $f(-5)$; $f(0)$; $f(2)$; $f(3,9)$; $f(4)$.

b) Tracer le graphique cartésien de cette fonction.

c) Déterminer dom f et ima f.

5. Déterminer l'équation de chacune des fonctions constantes suivantes si

a) le graphique cartésien est

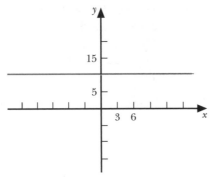

b) le graphique cartésien de la fonction passe par P(1, 5).

c) $f(2) = -4$.

d) le graphique cartésien est

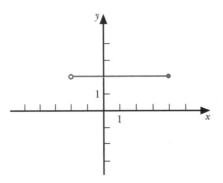

1.3 FONCTION AFFINE

À la fin de la présente section, l'étudiant pourra identifier et représenter graphiquement les fonctions affines, et calculer la pente d'une droite.

Objectif 1.3.1 Définir et représenter graphiquement une fonction affine.

Définition	Une **fonction affine** est une fonction de degré un, généralement exprimée sous la forme $f(x) = mx + b$ (ou $y = mx + b$), où m et b sont des constantes réelles et $m \neq 0$.

La représentation graphique d'une fonction affine est une droite.

■ *Exemple* Soit la fonction $y = 2x + 1$.

Pour représenter graphiquement une telle fonction, il suffit de choisir deux points de la courbe.

Si $x = 0$, alors $y = 0 + 1 = 1$;
nous obtenons le point $P_1(0, 1)$.

Si $x = 3$, alors $y = 6 + 1 = 7$;
nous obtenons le point $P_2(3, 7)$.

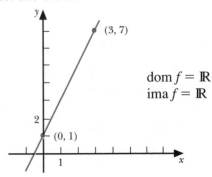

dom $f = \mathbb{R}$
ima $f = \mathbb{R}$

Objectif 1.3.2   Calculer la pente d'une droite d'après la définition.

Définition	Soit D, une droite. Soit (x_1, y_1) et (x_2, y_2), les coordonnées de deux points distincts faisant partie de cette droite. Alors, la **pente** de la droite D, notée m, est définie par le rapport suivant : $$m = \frac{y_2 - y_1}{x_2 - x_1} \left(\text{ou } m = \frac{\Delta y}{\Delta x} \right).$$

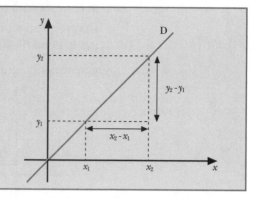

■ *Exemple* Soit une droite D. Soit deux points de cette droite, $P_1(-1, -3)$ et $P_2(2, 3)$.

Pente de D $= m = \dfrac{y_2 - y_1}{x_2 - x_1}$ (par définition)

$\qquad = \dfrac{3 - (\text{-}3)}{2 - (\text{-}1)}$

$\qquad = \dfrac{6}{3}$

$\qquad = 2$

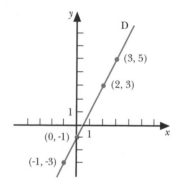

Remarque La pente d'une droite est indépendante du choix des points de cette droite.

Question 1   Calculer la pente de la droite ci-dessus en utilisant deux autres points.

Question 2   Calculer la pente de la droite ci-contre.

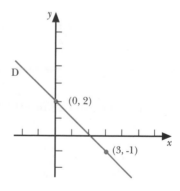

Nous pouvons également calculer la pente d'une droite dont nous connaissons l'équation.

■ *Exemple* Soit la droite d'équation $y = \text{-}3x + 1$. Choisissons deux points distincts sur cette droite.

Soit $x = 0$, alors $y = 0 + 1 = 1$, d'où $P_1(0, 1)$. Soit $x = 2$, alors $y = \text{-}6 + 1 = \text{-}5$, d'où $P_2(2, \text{-}5)$. Ainsi,

$$m = \frac{\text{-}5 - 1}{2 - 0} = \text{-}3.$$

Remarque Lorsqu'une droite est définie par l'équation $y = mx + b$, nous avons que

a) m correspond à la pente de cette droite.

b) b correspond à l'ordonnée à l'origine de cette droite, c'est-à-dire que la droite passe par le point $(0, b)$.

La représentation graphique d'une droite de pente m et passant par le point $(0, b)$ est

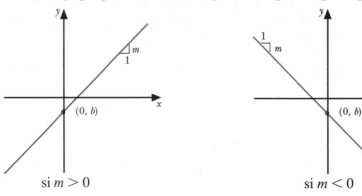

Objectif 1.3.3   Déterminer l'équation d'une droite.

■ *Exemple* Trouvons l'équation de la droite de pente $m = 3$ et qui passe par le point $(-2, 5)$.

Nous savons que l'équation générale est
$y = mx + b$.

Puisque $m = 3$, nous avons ici
$y = 3x + b$.

De plus, puisque la droite passe par le point $(-2, 5)$, il suffit de remplacer x par -2 et y par 5 dans l'équation $y = 3x + b$, pour déterminer la valeur de b.
$5 = 3(-2) + b$
d'où $b = 11$.

L'équation de la droite est donc
$y = 3x + 11$.

Remarque Soit m_1 et m_2, les pentes respectives de deux droites D_1 et D_2.

a) D_1 est parallèle à D_2 (D_1 // D_2) si et seulement si $m_1 = m_2$.

b) D_1 est perpendiculaire à D_2 ($D_1 \perp D_2$) si et seulement si $m_1 m_2 = -1$.

■ *Exemple* Soit la droite D définie par $y = 2x - 1$.

a) Déterminons l'équation de la droite D_1, passant par $P(-2, 3)$, qui est parallèle à D.
$D_1 : y = mx + b$ (équation générale)
$D_1 : y = 2x + b$ (car la pente de D est 2 et que D_1 // D)

En remplaçant x par -2 et y par 3, nous obtenons $b = 7$, d'où l'équation de D_1 est
$y = 2x + 7$.

b) Déterminons l'équation de la droite D_2, passant par $P(-2, 3)$, qui est perpendiculaire à D.
$D_2 : y = mx + b$ (équation générale)
$D_2 : y = -\dfrac{1}{2} x + b$ ($2m = -1$, puisque $D_2 \perp D$)

En remplaçant x par -2 et y par 3, nous obtenons $b = 2$, d'où l'équation de D_2 est $y = -\dfrac{1}{2}x + 2$.

Exercices 1.3

1. À l'aide de la définition, calculer si possible la pente des droites suivantes.

a)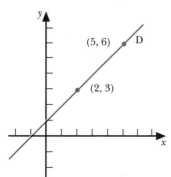

c)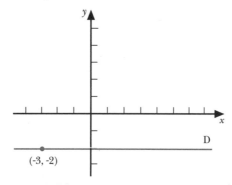

b)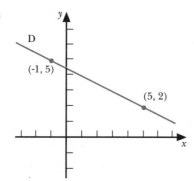

d)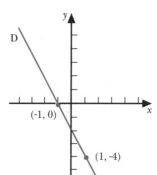

e)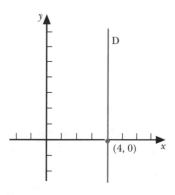

2. À l'aide de la définition, calculer si possible la pente des droites définies par les équations suivantes.
    a) $y = -3x + 4$
    b) $f(x) = 4x - 3$
    c) $x = -2$
    d) $5y + 4x - 10 = 0$
    e) $y = 3$
    f) $5(4x + 1) - 3(3y + 1) = y$

3. Parmi les droites ci-contre, identifier celle(s) dont la pente est
    a) positive ;
    b) nulle ;
    c) négative ;
    d) la plus grande ;
    e) la plus petite ;
    f) non définie.

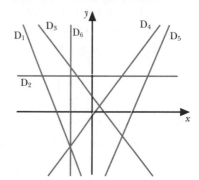

4. Pour chaque fonction, tracer le graphique et calculer la pente de la droite.
    a) $y = 7{,}3x - 8{,}3$
    b) $f(x) = 3(2x - 4) + 7$
    c) $3y - 2x = 1$

5. Soit les fonctions définies par
    a) $f(x) = 5x + 3$;
    b) $f(x) = 5x - 3$;
    c) $f(x) = -5x + 3$;
    d) $f(x) = -5x - 3$;
    e) $f(x) = 5x$;
    f) $f(x) = -5x$.

Soit les graphiques suivants qui représentent les fonctions précédentes. Associer chaque fonction à sa représentation graphique.

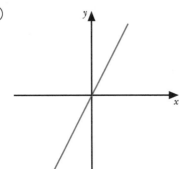

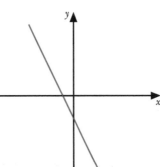

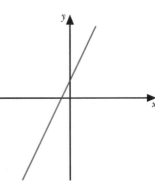

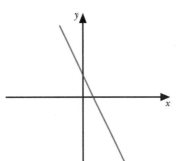

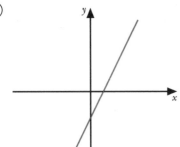

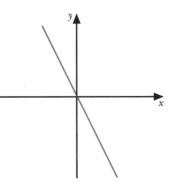

6. Déterminer l'équation de chacune des droites définies par les données suivantes :

a) pente = 4, passe par P(0, -3) ;

b) pente = -7, passe par P(2, 3) ;

c) passe par O(0, 0) et P(3, 7) ;

d) passe par P(-2, 7) et R(5, -2) ;

e) passe par P(1, 3) et est parallèle à D : $y = -3x + 1$;

f) passe par P(-5, 2) et est perpendiculaire à D : $6x - 3y = 1$.

7. a) Calculer la valeur de b, si la droite passant par P(2, 4) et R(-2, b) est de pente 4.

b) Calculer la valeur de a, si la droite passant par P(a, 2) et R(1, -6) est de pente -5.

8. À l'aide de la notion de pente, déterminer si les trois points sont situés sur une même droite.

a) (-2, 0), (1, 3) et (15, 17)

b) (-2, -8), (0, 0) et (8, -32)

c) (-3, 7), (1, -1) et (17, -33)

9. Le point de congélation de l'eau est de 0 °C, ou 32 °F, et son point d'ébullition est de 100 °C, ou 212 °F. La fonction qui permet de transformer des degrés Celsius en degrés Fahrenheit est une fonction affine.

a) Représenter graphiquement les deux données ci-dessus, et tracer la droite qui relie ces deux points.

b) Déterminer l'équation de cette droite.

c) Transformer en degrés Fahrenheit : 30 °C.

d) Transformer en degrés Celsius : 23 °F.

e) Déterminer à quelle température un thermomètre indique le même nombre de degrés Celsius et de degrés Fahrenheit.

f) Une certaine marque d'antigel (éthylène glycol) gèle à -12 °C et bout à 388,4 °F. Déterminer le point de congélation en degrés Fahrenheit et le point d'ébullition en degrés Celsius.

1.4 FONCTION QUADRATIQUE

À la fin de la présente section, l'étudiant pourra identifier et représenter graphiquement les fonctions quadratiques, en déterminer les zéros, les coordonnées du sommet, le domaine et l'image.

Objectif 1.4.1   Identifier une fonction quadratique.

Définition	Une **fonction quadratique** est une fonction de degré deux, que nous exprimons généralement sous la forme $$f(x) = ax^2 + bx + c,$$ où a, b et c sont des constantes réelles et $a \neq 0$.

La représentation graphique d'une fonction quadratique est une parabole tournée vers le haut si $a > 0$, et tournée vers le bas si $a < 0$.

■ *Exemple*

Cas où
$a > 0$

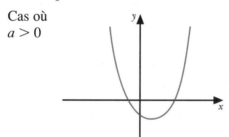

Cas où
$a < 0$

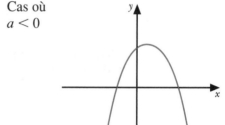

Question 1   Parmi les équations suivantes, identifier les fonctions quadratiques.

a) $y = 3x + 7$

b) $f(x) = 2x^2 - 3x + 4$

c) $y = 5x - 2x^2 + 7$

d) $y = x^2$

e) $f(x) = 5^2$

f) $y = (5x - 1)^2$

Objectif 1.4.2   Déterminer les zéros d'une fonction quadratique.

Définition	Une valeur x est **zéro** d'une fonction f quelconque si et seulement si $f(x) = 0$.

■ *Exemple* Soit $f(x) = (x + 5)(2x - 8)(5 - 3x)$.

Les zéros de cette fonction sont

$x = -5$, car $f(-5) = 0$;

$x = 4$, car $f(4) = 0$;

$x = \dfrac{5}{3}$, car $f\left(\dfrac{5}{3}\right) = 0$.

Remarque Les zéros d'une fonction quelconque correspondent aux valeurs de x pour lesquelles la représentation graphique de f rencontre l'axe des x.

■ *Exemple*

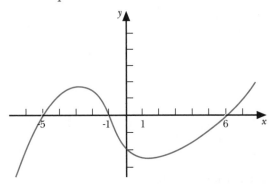

Les zéros de cette fonction sont
$x = -5$, car $f(-5) = 0$;
$x = -1$, car $f(-1) = 0$;
$x = 6$, car $f(6) = 0$.

Pour déterminer les zéros d'une fonction quadratique, nous pouvons soit factoriser cette fonction ou utiliser la formule des zéros.

■ *Exemple* Soit $f(x) = x^2 - 5x + 6$.

En factorisant cette fonction, nous obtenons : $f(x) = (x - 3)(x - 2)$.

Les zéros de cette fonction sont $x = 3$ et $x = 2$.

Remarque Les formules suivantes permettent de déterminer les zéros réels x_1 et x_2, s'ils existent, de $ax^2 + bx + c$.

$$x_1 = \frac{-b + \sqrt{b^2 - 4ac}}{2a} \quad \text{et} \quad x_2 = \frac{-b - \sqrt{b^2 - 4ac}}{2a}$$

Les trois cas suivants peuvent se présenter.
a) Si $b^2 - 4ac > 0$, alors
    il y a deux zéros réels distincts ; la parabole rencontre l'axe des x en deux points.
b) Si $b^2 - 4ac = 0$, alors
    il y a un zéro réel ; la parabole rencontre l'axe des x en un seul point.
c) Si $b^2 - 4ac < 0$, alors
    il n'y a aucun zéro réel ; la parabole ne rencontre pas l'axe des x.

Le tableau de la page suivante présente les six types de parabole que nous pouvons retrouver selon les valeurs de a et de $(b^2 - 4ac)$.

Question 2   Déterminer, si possible, les zéros des fonctions quadratiques suivantes.
a) $f(x) = x^2 + 10x + 25$ b) $f(x) = 3x^2 - 2x + 1$ c) $f(x) = 4 - 10x - 14x^2$

Objectif 1.4.3   Déterminer les coordonnées du sommet d'une parabole.

Dans le cas où $a > 0$, le sommet est le point le plus bas de la parabole. Ce point est également appelé *minimum* de la fonction.

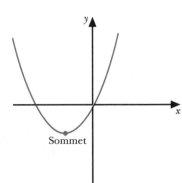

Sommet

Dans le cas où $a < 0$, le sommet est le point le plus haut de la parabole. Ce point est également appelé *maximum* de la fonction.

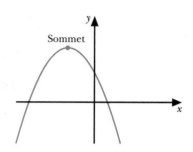

Pour trouver les coordonnées (x, y) du sommet d'une parabole, il suffit de poser $x = -\dfrac{b}{2a}$ et de calculer $y = f\left(-\dfrac{b}{2a}\right)$.

Les coordonnées du sommet sont donc $\left(-\dfrac{b}{2a}, f\left(-\dfrac{b}{2a}\right)\right)$.

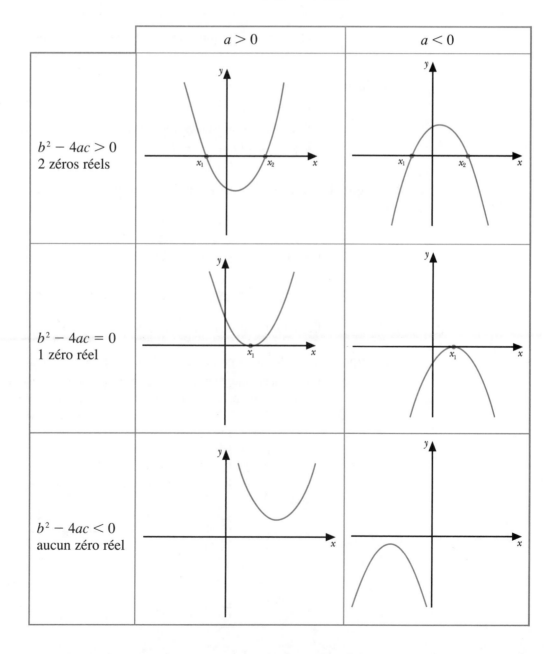

■ *Exemple* Déterminons les coordonnées du sommet de la parabole définie par la fonction $f(x) = 6x - 4 - 3x^2$.

Nous avons ici $a = -3$ et $b = 6$.

Par conséquent, $x = -\dfrac{b}{2a} = -\dfrac{6}{2(-3)} = 1$ et $y = f(1) = 6 - 4 - 3 = -1$.

Les coordonnées du sommet sont donc $(1, -1)$.

Question 3   Déterminer les coordonnées du sommet des paraboles définies par les fonctions suivantes.

a) $f(x) = x^2 - 4$ b) $f(x) = 5x - 3x^2$

Objectif 1.4.4   Représenter graphiquement une fonction quadratique.

■ *Exemple* Représentons graphiquement la fonction f définie par $f(x) = -x^2 - x + 12$.

1ʳᵉ étape : Déterminer les zéros.

$f(x) = -x^2 - x + 12$

En factorisant, nous obtenons $f(x) = (-x + 3)(x + 4)$.

Les zéros sont donc $x = 3$ et $x = -4$.

Remarque La formule suivante permet également de déterminer les zéros.

$$\frac{-b \pm \sqrt{b^2 - 4ac}}{2a}$$

2ᵉ étape : Déterminer les coordonnées du sommet.

$$x = -\frac{b}{2a} = -\frac{(-1)}{2(-1)} = -\frac{1}{2} \text{ et } y = f\left(-\frac{1}{2}\right) = -\frac{1}{4} + \frac{1}{2} + 12 = \frac{49}{4}$$

Les coordonnées du sommet sont donc $\left(-\dfrac{1}{2}, \dfrac{49}{4}\right)$.

3ᵉ étape : Situer les trois points ainsi déterminés dans un plan cartésien.

Pour tracer une esquisse du graphique, nous pouvons construire un tableau de valeurs, ce qui permet d'identifier d'autres points du graphique.

	x	y
	-5	-8
Zéro	-4	0
	-2	10
Sommet	$-\dfrac{1}{2}$	$\dfrac{49}{4}$
	0	12
	$\dfrac{3}{4}$	$\dfrac{171}{16}$
	1	10
Zéro	3	0
	4	-8

Représentation graphique

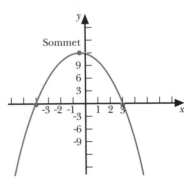

Question 4   a) Déterminer le domaine et l'image de la fonction de l'exemple précédent.

b) Déterminer les valeurs du domaine pour lesquelles l'image est strictement positive.

c) Déterminer les valeurs du domaine pour lesquelles l'image est négative ou nulle.

Exercices 1.4

1. Parmi les fonctions suivantes, identifier les fonctions quadratiques.

a) $y = -5$

b) $f(x) = 3 - 5x + x^2$

c) $y = -8x + 2x^2$

d) $f(x) = \left(\dfrac{x - 1}{5}\right)^2$

e) $y = \sqrt{x^2 - 2x + 1}$

f) $f(x) = (5x + 1)(3 - 4x)$

g) $y = 5x^2 + 3x - 4x^3$

h) $f(x) = (x^2 - 4x + 1)(x^2 + x + 4)$

i) $f(x) = (x^2 - x + 1)^2$

2. Déterminer, si possible, les zéros des fonctions quadratiques ci-dessous.

a) $f(x) = 15x^2 - x - 2$

b) $f(x) = 8 - 6x + 9x^2$

c) $f(x) = -x^2 + 10x - 25$

d) $f(x) = 4(2x - 1)^2 - 9$

e) $f(x) = x^2 - 7$

f) $f(x) = 288x^2 + 1068x + 555$

3. Déterminer les coordonnées du sommet des paraboles définies par les fonctions suivantes.

a) $y = 5 + 2x^2 - 4x$

b) $y = (5 + 2x)^2$

c) $y = (2x + 1)(x - 3)$

4. Représenter graphiquement chacune des fonctions suivantes en indiquant les zéros, les coordonnées du sommet, le domaine et l'image.

a) $f(x) = x^2 - x - 20$

b) $f(x) = 9 - x^2$

c) $f(x) = -(x + 1)^2$

d) $f(x) = x^2 + 4x + 5$

5. Soit les fonctions définies par

a) $f(x) = (x + 1)^2 + 5$;

b) $f(x) = 5x^2$;

c) $f(x) = 4x - x^2$.

Associer chacune des fonctions ci-dessus à sa représentation graphique.

①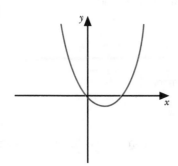

③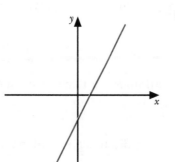

⑤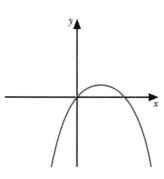

②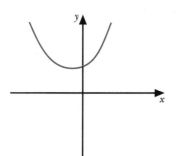

④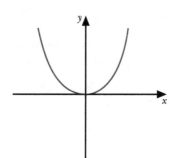

⑥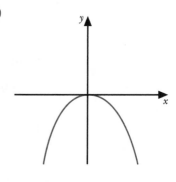

6. Déterminer l'ensemble des valeurs de k pour lesquelles $4x^2 + kx + 9$

    a) a deux zéros réels ;   b) a un zéro réel ;   c) n'a aucun zéro réel.

7. Construire une fonction quadratique dont les zéros sont -6 et 2 et pour laquelle ima f = -∞, 32].

8. Soit une manufacture dont le profit P en fonction du nombre d'unités produites est donné par $P(q) = -q^2 + 104q - 430$, où q désigne le nombre d'unités produites et $P(q)$, le profit en dollars.

    a) Déterminer la valeur de q qui maximise le profit (sommet).

    b) Évaluer le profit maximal.

    c) Représenter graphiquement cette fonction.

1.5 FONCTIONS POLYNOMIALE, RATIONNELLE ET ALGÉBRIQUE

À la fin de la présente section, l'étudiant pourra identifier les fonctions polynomiale, rationnelle et algébrique, et en déterminer le domaine.

Objectif 1.5.1   Identifier une fonction polynomiale et déterminer son domaine.

Définition	Une **fonction polynomiale** de degré n est une fonction de la forme $$f(x) = a_n x^n + a_{n-1} x^{n-1} + ... + a_1 x + a_0,$$ où $a_i \in \mathbb{R}$, $n \in \mathbb{N}$ et $a_n \neq 0$.

■ *Exemple* $f(x) = -7x^6 + 5x^4 - 2$ est une fonction polynomiale de degré 6.

■ *Exemple* $f(x) = -\dfrac{2x}{3} - \dfrac{5x^3}{7} - 4\sqrt{5}x^5$ est une fonction polynomiale de degré 5.

Remarque Si f est une fonction polynomiale, alors dom f = $\mathbb{R}$.

Objectif 1.5.2   Identifier une fonction rationnelle et déterminer son domaine.

Définition	Une **fonction rationnelle** est une fonction de la forme $$f(x) = \dfrac{P(x)}{Q(x)},$$ où $P(x)$ et $Q(x)$ sont des fonctions polynomiales, et $Q(x)$ n'est pas la fonction zéro.

■ *Exemple* $f(x) = \dfrac{5x^2 - 4}{2 - x^3 + 5x}$ est une fonction rationnelle.

Puisque la division par 0 est impossible, la fonction rationnelle $f(x) = \dfrac{P(x)}{Q(x)}$ n'est pas définie pour les valeurs de x pour lesquelles $Q(x) = 0$.

Par conséquent, dom f = $\mathbb{R} \setminus \{x | Q(x) = 0\}$.

■ *Exemple* Soit $f(x) = \dfrac{5x^2 - 4x + 3}{2x + 5}$.

Puisque $2x + 5 = 0$ lorsque $x = -\dfrac{5}{2}$, alors dom $f = \mathbb{R} \setminus \left\{ -\dfrac{5}{2} \right\}$.

■ *Exemple* Soit $f(x) = \dfrac{7x + 1}{x^2 + 2x - 35}$.

Cherchons les valeurs de x pour lesquelles $x^2 + 2x - 35 = 0$.

En factorisant $x^2 + 2x - 35 = (x + 7)(x - 5)$ ou en utilisant $\dfrac{-b \pm \sqrt{b^2 - 4ac}}{2a}$, nous obtenons $x = -7$ et $x = 5$.

Puisque ce sont les zéros du dénominateur, alors dom $f = \mathbb{R} \setminus \{-7, 5\}$.

Question 1   Déterminer le domaine des fonctions ci-dessous.

a) $f(x) = \dfrac{4}{x}$

b) $f(x) = \dfrac{5x^2 - 4x + 1}{2x^2 + x - 3}$

c) $f(x) = \dfrac{5}{3x - 7} + \dfrac{6}{3 + 5x}$

d) $f(x) = \dfrac{x^2 - 1}{x^2 + 1}$

Objectif 1.5.3   Identifier une fonction algébrique et déterminer son domaine.

Définition Une **fonction algébrique** est une fonction obtenue à partir d'additions, de soustractions, de multiplications, de divisions ou de puissances réelles constantes de polynômes.

■ *Exemple* $f(x) = \sqrt{2x + 1}$ est une fonction algébrique.

■ *Exemple* $f(x) = \left(\dfrac{4x^3 - 5}{3x + 4} \right)^{-\frac{3}{2}}$ est une fonction algébrique.

Puisque nous ne pouvons pas extraire une racine paire d'une valeur négative, nous conservons, pour dom f, toutes les valeurs de x qui rendent l'expression sous la racine positive ou nulle. Par contre, nous pouvons sans restriction extraire une racine impaire, dans la mesure où l'expression sous la racine est définie.

■ *Exemple* Si $f(x) = \sqrt[5]{4 - x}$, alors dom $f = \mathbb{R}$.

■ *Exemple* Si $f(x) = \dfrac{7}{\sqrt[5]{4 - x}}$, alors dom $f = \mathbb{R} \setminus \{4\}$.

■ *Exemple* Si $f(x) = \sqrt{7 - 3x}$, alors dom $f = \{x \in \mathbb{R} \mid 7 - 3x \geq 0\} = \left] -\infty, \dfrac{7}{3} \right]$.

■ *Exemple* Si $f(x) = \dfrac{5}{\sqrt[4]{5x - 10}}$, alors dom $f = \{x \in \mathbb{R} \mid 5x - 10 > 0\} = \,]2, +\infty[$.

Question 2   Déterminer le domaine des fonctions suivantes.

a) $f(x) = \sqrt{5x + 2} + 7x$

b) $f(x) = \dfrac{5x - 3}{\sqrt{7 - 14x}}$

c) $f(x) = \sqrt[3]{5 - x}$

■ *Exemple* Déterminons dom f si $f(x) = \sqrt{x^2 - 3x - 4}$.

Il faut déterminer, à l'aide d'un tableau de signes, les valeurs de x qui rendent

$x^2 - 3x - 4 \geq 0$.

1re étape :   Factoriser l'expression.

$$x^2 - 3x - 4 = (x - 4)(x + 1)$$

2e étape :   Déterminer les zéros.

$$x^2 - 3x - 4 = (x - 4)(x + 1) = 0 \text{ si } x = 4 \text{ ou } x = \text{-}1.$$

3e étape :   Construire un tableau de signes.

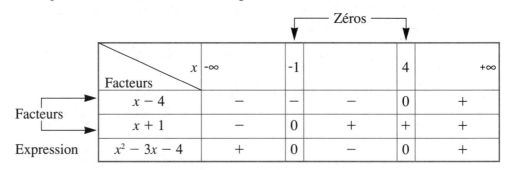

Facteurs \ x	$-\infty$		-1		4		$+\infty$
$x - 4$		$-$		$-$		$-$	0		$+$
$x + 1$		$-$		0		$+$		$+$		$+$
$x^2 - 3x - 4$		$+$		0		$-$		0		$+$

Dans ce tableau, nous retrouvons :

a)   sur la première ligne, les zéros de l'expression ;

b)   dans la première colonne, les facteurs de l'expression et l'expression elle-même ;

c)   sur chaque ligne attribuée aux facteurs, le signe ou la valeur du facteur, $+$, $-$ ou 0, selon la valeur de x ;

d)   sur la dernière ligne, le signe (ou la valeur) de l'expression, qui est le résultat des opérations.

4e étape :   Déterminer dom f à l'aide du tableau.

Le tableau indique que $x^2 - 3x - 4 \geq 0$ pour $x \in \text{-}\infty, \text{-}1] \cup [4, {}^{+}\infty$.

Par conséquent, dom $f = \text{-}\infty, \text{-}1] \cup [4, {}^{+}\infty$.

Question 3   Déterminer le domaine des fonctions ci-dessous.

a) $f(x) = \sqrt{4x - x^3}$ b) $g(x) = \dfrac{1}{\sqrt{4x - x^3}}$

Exercices 1.5

1.   Parmi les fonctions suivantes, identifier les fonctions polynomiales, et en déterminer le degré.

a) $f(x) = \dfrac{3}{4}x^4 - \dfrac{5}{\sqrt{2}}x^3 + \pi$ d) $f(x) = (5x - 8x^2)(15x^3 - 7x)^{\frac{1}{3}}$

b) $y = \dfrac{x^2 + 1}{x + 1}$ e) $f(x) = \sqrt{7} - 5x + 28x^2$

c) $f(x) = (4x^3 - 7x)^3(5x - 8x^2)$ f) $y = \sqrt{x^2 - x + 1}$

2.   Parmi les fonctions du numéro 1 précédent, identifier les fonctions rationnelles.

3.   Parmi les fonctions du numéro 1 précédent, identifier les fonctions algébriques.

4. Déterminer le domaine des fonctions ci-dessous.

   a) $f(x) = 3x^4 - \sqrt{5}x^3 + 7x$

   b) $f(x) = \dfrac{5x^7 - 7x^6 + 4}{4}$

   c) $f(x) = x(x + 1)(x^2 - 4)$

5. Déterminer le domaine des fonctions ci-dessous.

   a) $f(x) = \dfrac{5x^3 - 1}{(2x - 4)(5 + 3x)}$

   b) $f(x) = \dfrac{x^2 - 1}{x^2 + 1}$

   c) $f(x) = \dfrac{7}{x^4 - 4x^2}$

   d) $f(x) = x^2 + (x - 5)^{-2}$

6. Déterminer le domaine des fonctions ci-dessous.

   a) $f(x) = \sqrt{4x - 7}$

   b) $f(x) = \dfrac{5x}{\sqrt[7]{4x - 7}}$

   c) $f(x) = \sqrt{2x - 10} + \sqrt{12 - 3x}$

   d) $f(x) = \dfrac{22}{\sqrt{x^2 - 9}}$

   e) $f(x) = \sqrt{-6x^2 + x + 12}$

   f) $f(x) = \sqrt[8]{\dfrac{3 - x}{x - 1}}$

1.6 FONCTION DÉFINIE PAR PARTIES

À la fin de la présente section, l'étudiant pourra identifier les fonctions définies par parties et en déterminer le domaine. Il pourra également représenter graphiquement certaines de ces fonctions.

Objectif 1.6.1   Identifier une fonction définie par parties.

Définition	Une **fonction définie par parties** est une fonction dont la loi de correspondance diffère selon les valeurs de la variable indépendante.

■ *Exemple* Soit $f(x) = \begin{cases} x - 4 & \text{si} \quad x \le -1 \\ x^2 & \text{si} \quad x > -1 \end{cases}$

Évaluons cette fonction pour différentes valeurs de x.

$f(-5) = -5 - 4 = -9$, puisque $f(x) = x - 4$ lorsque $x \le -1$;

$f(-1) = -1 - 4 = -5$, puisque $f(x) = x - 4$ lorsque $x \le -1$;

$f(0) = 0^2 = 0$, puisque $f(x) = x^2$ lorsque $x > -1$;

$f(10) = 10^2 = 100$, puisque $f(x) = x^2$ lorsque $x > -1$.

Question 1   Soit $f(x) = \begin{cases} x^2 + 1 & \text{si} \quad x < 0 \\ 4 & \text{si} \quad 0 < x \le 2 \\ 3x + 5 & \text{si} \quad x > 3 \end{cases}$

Évaluer, si possible,

   a) $f(0)$;   b) $f(-4)$;   c) $f(2)$;   d) $f(2,5)$;   e) $f(3)$;   f) $f(5)$.

La fonction *valeur absolue* est un exemple d'une fonction définie par parties.

Définition

La **fonction valeur absolue** de x, notée $|x|$, est définie par
$$|x| = \begin{cases} x & \text{si} \quad x \geq 0 \\ \text{-}x & \text{si} \quad x < 0 \end{cases}$$

Nous utiliserons la définition précédente pour exprimer la valeur absolue de certaines expressions, selon les valeurs de la variable indépendante.

■ *Exemple* $|x - 7| = \begin{cases} (x - 7) & \text{si} \quad (x - 7) \geq 0 \\ \text{-}(x - 7) & \text{si} \quad (x - 7) < 0 \end{cases}$ (par définition)

c'est-à-dire

$$|x - 7| = \begin{cases} x - 7 & \text{si} \quad x \geq 7 \\ 7 - x & \text{si} \quad x < 7 \end{cases}$$

De façon analogue, nous obtenons, par exemple,

$$|8 - 3x| = \begin{cases} 8 - 3x & \text{si} \quad x \leq \dfrac{8}{3} \\ 3x - 8 & \text{si} \quad x > \dfrac{8}{3} \end{cases}$$

La fonction *partie entière* est également un exemple d'une fonction définie par parties.

Définition

La **fonction partie entière** de x, notée $[x]$, qui correspond au plus grand entier plus petit ou égal à x, est définie par
$$[x] = k \quad \text{si} \quad k \leq x < k + 1,$$
où $k \in \mathbb{Z}$.

■ *Exemple* Évaluons $[x]$ pour différentes valeurs de x.
$[2,3] = 2$ car $2 \leq 2,3 < 3$; $[0,5] = 0$ car $0 \leq 0,5 < 1$;
$[4] = 4$ car $4 \leq 4 < 5$; $[\text{-}3,7] = \text{-}4$ car $\text{-}4 \leq \text{-}3,7 < \text{-}3$.

Objectif 1.6.2   Déterminer le domaine d'une fonction définie par parties et la représenter graphiquement.

Le domaine d'une fonction définie par parties est la réunion des domaines de chaque sous-fonction considérée uniquement sur son intervalle de définition.

■ *Exemple* Soit $f(x) = \begin{cases} x - 4 & \text{si} \quad x \leq \text{-}1 \\ x^2 & \text{si} \quad x > \text{-}1 \end{cases}$

Le domaine de cette fonction est :
$\text{dom } f = \text{-}\infty, \text{-}1] \cup] \text{-}1, {}^+\infty$, d'où $\text{dom } f = \mathbb{R}$.

La représentation
graphique de cette
fonction est :

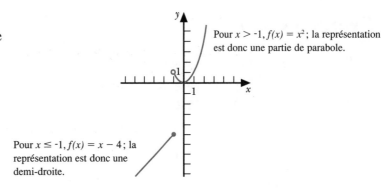

Pour $x > -1$, $f(x) = x^2$; la représentation
est donc une partie de parabole.

Pour $x \leq -1$, $f(x) = x - 4$; la
représentation est donc une
demi-droite.

■ *Exemple* Soit $f(x) = |x + 2|$.

Ainsi,

$$f(x) = |x + 2| = \begin{cases} x + 2 & \text{si} \quad x \geq -2 \\ -x - 2 & \text{si} \quad x < -2 \end{cases} \qquad \text{(par définition)}$$

Le domaine de cette fonction est :

$\text{dom } f = \mathbb{R}$.

La représentation graphique
de cette fonction est :

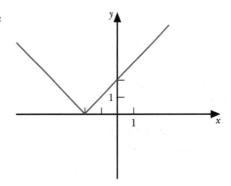

■ *Exemple* Soit $f(x) = [x]$.

Puisque $[x] = k$ si $k \leq x < k + 1$, où $k \in \mathbb{Z}$, alors $\text{dom } f = \mathbb{R}$.

La représentation graphique
de cette fonction est :

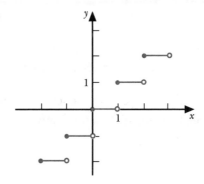

Remarque Une telle fonction est dite une fonction *en escalier*.

Exercices 1.6

1. Déterminer le domaine des fonctions suivantes.

   a) $f(x) = \begin{cases} 3x + 4 & \text{si} \quad x < \text{-}3 \\ 5x^2 + 1 & \text{si} \quad x \geq 0 \end{cases}$

   b) $g(x) = \begin{cases} x^2 - 1 & \text{si} \quad \text{-}4 < x < 5 \\ 4 & \text{si} \quad x = 5 \\ 22x + 1 & \text{si} \quad x \geq 6 \end{cases}$

   c) $h(x) = \begin{cases} 3x^2 - 4 & \text{si} \quad \text{-}3 < x < 4 \\ 5x + 9 & \text{si} \quad 4 < x \leq 7 \end{cases}$

   d) $f(x) = \begin{cases} 2 - x & \text{si} \quad x < 2 \\ 5 & \text{si} \quad x = 2 \\ x - 2 & \text{si} \quad x > 2 \end{cases}$

   e) $g(x) = \begin{cases} 1 - x^3 & \text{si} \quad x < 4 \\ 5 & \text{si} \quad 4 < x < 7 \\ 3x^4 + 1 & \text{si} \quad x > 7 \end{cases}$

   f) $h(x) = \begin{cases} x & \text{si} \quad x < 1 \\ x^2 & \text{si} \quad 1 < x \leq 2 \\ \text{-}1 & \text{si} \quad x > 2 \text{ et } x \neq 3 \end{cases}$

2. Soit $f(x) = \begin{cases} x^2 - 1 & \text{si} \quad x < \text{-}1 \\ 3x + 5 & \text{si} \quad \text{-}1 < x < 4 \\ 7 & \text{si} \quad x = 4 \\ 5 - 3x^2 & \text{si} \quad x > 4 \text{ et } x \neq 7 \end{cases}$

   Calculer, si possible,

   a) $f(\text{-}5)$;   b) $f(10)$;   c) $f(0)$;   d) $f(\text{-}1)$;   e) $f(4)$;   f) $f(7)$.

3. Représenter graphiquement les fonctions suivantes.

   a) $f(x) = \begin{cases} 5 & \text{si} \quad \text{-}7 \leq x < 1 \\ 3 & \text{si} \quad x = 1 \\ \text{-}2 & \text{si} \quad x > 1 \text{ et } x \neq 3 \end{cases}$

   b) $g(x) = \begin{cases} \text{-}2x + 1 & \text{si} \quad x < \text{-}1 \\ \text{-}2 & \text{si} \quad x = \text{-}1 \\ x^2 - 9 & \text{si} \quad x > 2 \end{cases}$

   c) $h(x) = \begin{cases} x - 3 & \text{si} \quad x \neq 4 \\ 6 & \text{si} \quad x = 4 \end{cases}$

4. Définir les fonctions suivantes par parties, déterminer leur domaine et les représenter graphiquement.

   a) $f(x) = |3 - x|$

   b) $g(x) = |3x + 5|$

5. Soit $f(x) = [x]$, $g(x) = [\text{-}x]$ et $h(x) = x - [x]$.
   Évaluer chacune des fonctions précédentes en

   a) $x = 2$;   b) $x = \text{-}2$;   c) $x = 5{,}9$;   d) $x = \text{-}5{,}9$.

6. Représenter graphiquement les fonctions suivantes.

   a) $f(x) = [x]$ si $x \in \,]\text{-}3, 2]$

   b) $f(x) = [x]$ si $x \in [\text{-}2{,}5, 3{,}7]$

7. Le tableau ci-contre donne les tarifs postaux, en 1990, pour l'expédition d'une lettre de première classe, en fonction du poids de celle-ci.

Jusqu'à	30 g	50 g	100 g	200 g
Prix	0,37 $	0,57 $	0,74 $	1,11 $

   a) Trouver le tarif d'affranchissement d'une lettre de 25 g.

   b) Trouver le tarif d'affranchissement d'une lettre de 128 g.

c) Déterminer la fonction qui donne le tarif d'affranchissement d'une lettre en fonction de son poids.

d) Représenter graphiquement cette fonction.

8. Une compagnie qui demande à ses employés de faire des heures supplémentaires leur assure un minimum garanti de 100 $ si la durée du travail est inférieure à quatre heures. Par contre, si, au cours de la journée, ils travaillent quatre heures ou plus en heures supplémentaires, ils reçoivent 25 $ de l'heure.

a) Évaluer le salaire s d'un employé qui fait des heures supplémentaires pendant :
    30 minutes ; 2,5 heures ; 4 heures ; 6 heures.

b) Déterminer la fonction s, en fonction de h, où h représente le nombre d'heures de travail.

c) Déterminer le domaine de cette fonction.

d) Représenter graphiquement cette fonction.

Problèmes de synthèse

1. Soit le graphique sagittal suivant.

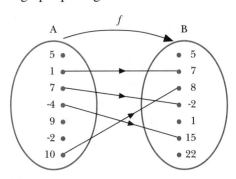

Déterminer

a) l'ensemble de départ ;

b) l'ensemble d'arrivée ;

c) dom f ;

d) ima f.

2. Parmi les représentations suivantes, identifier les fonctions et donner leur domaine et leur image.

a)

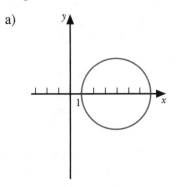

b)

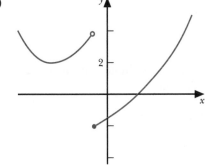

c)

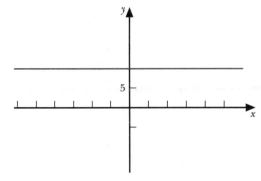

d)

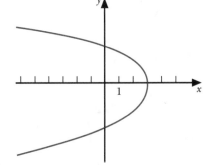

e)

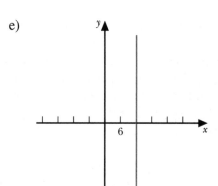

f)

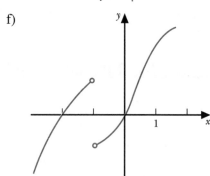

3. Déterminer le domaine de chacune des fonctions suivantes.

a) $f(x) = \dfrac{4}{3x + 2}$

b) $f(x) = \dfrac{3x + 2}{4}$

c) $f(x) = \dfrac{x}{x^2 - 2x + 1}$

d) $f(x) = \dfrac{5x + 1}{-2x^2 + 5x + 3}$

e) $f(x) = \sqrt[4]{3x + 8}$

f) $f(x) = x^{-2} + 4x^2$

g) $f(x) = \dfrac{x^2 - 1}{\sqrt{x^2 + 1}}$

h) $f(x) = \dfrac{\sqrt{x}}{\sqrt{4 - x}}$

i) $f(x) = \dfrac{\sqrt{5 - x}}{\sqrt{x - 5}}$

j) $g(x) = \dfrac{10}{(x - 5)\sqrt{x - 4}}$

k) $h(x) = (x^2 - x - 2)^{\frac{4}{3}}$

l) $f(x) = (x^2 - x - 2)^{\frac{3}{2}}$

m) $g(x) = \sqrt[3]{8 - x^3}$

n) $f(x) = \sqrt{\dfrac{-x^2}{x^2 + 1}}$

o) $f(x) = \dfrac{x}{\sqrt{16 + x^2} - 5}$

p) $f(x) = \begin{cases} \dfrac{4}{x + 5} & \text{si} \quad x < 0 \\[2mm] \dfrac{2x + 1}{x^2 - 5x + 4} & \text{si} \quad x > 0 \end{cases}$

q) $g(x) = \begin{cases} \dfrac{-2}{x(x^2 - 1)} & \text{si} \quad x \le 0 \\[2mm] \sqrt{x - 1} & \text{si} \quad x > 0 \end{cases}$

r) $h(x) = \begin{cases} \dfrac{3}{x - 3} & \text{si} \quad x < 0 \\[2mm] 5x & \text{si} \quad x \ge 0 \end{cases}$

s) $f(x) = \begin{cases} \sqrt{-x^2 + 5x - 6} & \text{si} \quad x < 0 \\[2mm] \dfrac{x^2 + 1}{x^2 - 1} & \text{si} \quad 0 \le x \le 2 \\[2mm] \dfrac{1}{\sqrt{3 - x}} & \text{si} \quad x > 2 \end{cases}$

4. Donner la caractéristique du graphique cartésien qui représente une fonction constante de domaine $\mathbb{R}$.

5. Parmi les situations suivantes, lesquelles peuvent être exprimées sous la forme d'une fonction constante ?

a) Le prix d'un billet de métro, à Montréal, pour une personne, en fonction de la distance parcourue.

b) Le prix payé pour le nettoyage des vêtements.

c) La consommation d'essence d'une auto en fonction du nombre de kilomètres parcourus.

d) La redevance d'abonnement facturée mensuellement par Hydro-Québec aux consommateurs en fonction du nombre de kilowatts utilisés.

e) Le coût d'une course en taxi en fonction des kilomètres parcourus.

f) Les coûts fixes d'une compagnie en fonction du nombre d'articles produits.

6. Pour chacune des droites suivantes, déterminer la pente, l'ordonnée à l'origine, le domaine, l'image et représenter graphiquement.

a) $f(x) = 2x + 7$

b) $y = -3x + 5$

c) $4y - 3x = 4$

d) $y = -7$

7.   Répondre par vrai ou faux.

   a)   Toute droite a une pente définie.

   b)   Si D_1 et D_2 sont parallèles distinctes, alors elles ont un point d'intersection.

   c)   Si D_1 est perpendiculaire à D_2, alors D_1 et D_2 se rencontrent en un point.

   d)   Chaque pente détermine une et une seule droite.

8.   Déterminer l'équation de chaque droite définie par les données suivantes :

   a)   pente = 0, passe par P(0, -4) ;

   b)   passe par P(1, 7), et est parallèle à la droite d'équation $2y - 12x = -4$;

   c)   passe par P(-3, 7), et est horizontale ;

   d)   passe par P(-3, 7), et est verticale ;

   e)   passe par P(1, 7), et est perpendiculaire à la droite d'équation $2y - 12x = -4$;

   f)   passe par P(3, -4), et est perpendiculaire à la droite passant par R(2, 7) et Q(5, -2).

9.   Pour chacune des fonctions suivantes :
   $f(x) = x^2 - 3x - 10$ et $g(x) = -2x^2 + 8x - 17$,

   a)   déterminer, si possible, les zéros ;

   b)   déterminer les coordonnées du sommet ;

   c)   tracer le graphique qui la représente ;

   d)   déterminer le domaine et l'image.

10.   a)   Représenter sur un même graphique les fonctions suivantes :

   $f(x) = x^2 - 4x - 5$ et $g(x) = -2x + 3$.

   b)   Déterminer les points d'intersection de ces courbes.

11.   Soit f, la fonction représentée par le graphique suivant.

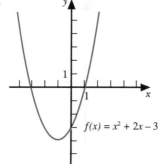

$f(x) = x^2 + 2x - 3$

a)   Calculer la pente de la droite qui passe par les points $(-2, f(-2))$ et $(1, f(1))$, puis représenter graphiquement cette droite.

b)   Déterminer les valeurs de x pour lesquelles $f(x) \geq 0$.

c)   Déterminer les valeurs de x pour lesquelles $f(x) < 0$.

12.   Répondre par vrai (V) ou faux (F).
   Les fonctions suivantes sont des fonctions constantes ; affines ; quadratiques ; polynomiales ; rationnelles ; algébriques.

   a) $f(x) = \dfrac{2x(x^2 - 4)}{x^2 + 4}$

   b) $f(x) = \dfrac{1}{5}(5x + 3)$

   c) $f(x) = 4x^0 + 1$

   d) $f(x) = \sqrt{x^2 + x^4}$

   e) $f(x) = x^{-2} + 4x^{-1} + 2$

   f) $f(x) = \dfrac{4x^{\frac{3}{2}} + 5x}{3x - 1}$

   g) $f(x) = (2x + 4)^2$

   h) $f(x) = 5^x$

   i) $f(x) = \dfrac{(x - 1)(x - 2)}{(x - 1)}$

13.   Représenter graphiquement les fonctions suivantes, puis en déterminer le domaine et l'image.

   a) $f(x) = \dfrac{x^2 - 4}{x - 2}$

   b) $g(x) = \begin{cases} \dfrac{x^2 - 4}{x - 2} & \text{si} \quad x \neq 2 \\ 1 & \text{si} \quad x = 2 \end{cases}$

   c) $h(x) = \begin{cases} \dfrac{x^2 - 9}{x + 3} & \text{si} \quad x \neq -3 \\ -6 & \text{si} \quad x = -3 \end{cases}$

   d) $f(x) = 4 - |x|$

   e) $f(x) = |x^2 - 4|$

   f) $f(x) = x - [x]$

14.   Déterminer les valeurs de x qui vérifient les inéquations suivantes.

   a) $(x - 2)(x + 5) \geq 0$

   b) $x^2 - 9 < 0$

   c) $\dfrac{(3x - 5)^2(x + 4)}{(3x - 1)} \leq 0$

d) $|x| \le 5$

e) $|x - 3| < 7$

f) $0 < |x - 2| < 1$

15. Une course en taxi coûte 2,00 $, plus 0,70 $ par kilomètre parcouru.

a)   Déterminer le prix d'une course en fonction de la distance parcourue.

b)   Calculer le prix d'une course de 22 km.

c)   Calculer la distance parcourue si le prix de la course est de 30,00 $.

d)   Calculer le prix moyen par kilomètre d'une course de 20 km.

e)   Calculer la distance parcourue si le prix moyen est de 0,95 $/km.

16. Une compagnie débourse 900 $ pour produire 100 articles et 1125 $ pour en produire 250. Si le coût en fonction du nombre d'articles produits est une fonction affine,

a)   déterminer l'équation qui représente les coûts en fonction du nombre d'articles produits ;

b)   calculer le coût pour une production de 150 articles ;

c)   déterminer le nombre d'articles produits si le coût est de 1233 $;

d)   déterminer les coûts fixes de cette compagnie.

17. Une succursale bancaire offre à ses clients un taux d'intérêt annuel de 8 % pour les dépôts à terme de 1000 $ à 5000 $, un taux d'intérêt de 8,5 % pour les dépôts supérieurs à 5000 $ et n'excédant pas 25 000 $, et un taux de 9 % pour les dépôts supérieurs à 25 000 $.

a)   Déterminer la fonction qui donne le taux d'intérêt en fonction du montant investi.

b)   Représenter graphiquement cette fonction.

c)   Déterminer la fonction qui donne le montant des intérêts annuels perçus en fonction du montant investi.

d)   Représenter graphiquement cette fonction.

Exercices récapitulatifs

1. Évaluer, si possible, les fonctions suivantes pour les valeurs de x données.

a) $f(x) = 2x^3 - x^2 + x - 1$; pour $x = -5$ et $x = 2$.

b) $f(x) = \dfrac{2x - 1}{x - 3}$; pour $x = \dfrac{1}{2}$ et $x = 3$.

c) $f(x) = \sqrt{5x + 2}$; pour $x = -4$ et $x = 0$.

d) $f(x) = \begin{cases} 4 - x^2 & \text{si} \quad -3 \le x < 0; \\ 3 & \text{si} \quad 0 < x < 2 \ ; \\ 7 - x & \text{si} \quad 2 \le x < 7; \end{cases}$
pour $x = -4$, $x = -1$, $x = 0$, $x = 2$ et $x = 7$.

e) $f(x) = |5 - 2x|$; pour $x = -4$ et $x = 6$.

f) $f(x) = x + [x]$; pour $x = -5$, $x = -0,1$ et $x = 7,2$.

g) $f(x) = \dfrac{x}{[x]}$; pour $x = -7$, $x = 0$ et $x = \pi$.

2. Soit la fonction f définie par
$$f : A \to B$$
$$x \mapsto 1 - x^2,$$

où A = {-3, -2, -1, 0, 1, 2, 3}

et B = {-4, -3, -2, -1, 0, 1, 2, 3, 4}.

a)   Déterminer l'ensemble de départ.

b)   Déterminer l'ensemble d'arrivée.

c)   Tracer le graphique sagittal de f.

d)   Déterminer dom f.

e)   Déterminer ima f.

f)   Tracer le graphique cartésien de f.

3. Trouver le domaine et l'image de chacune des fonctions suivantes.

a)

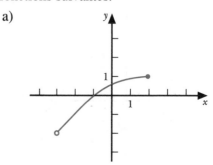

b)

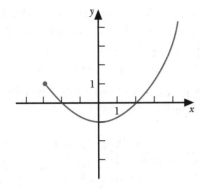

c)

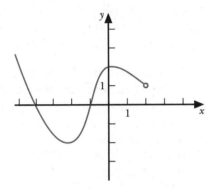

4. Répondre par vrai (V) ou faux (F).
    Les fonctions suivantes sont des fonctions constantes ; affines ; quadratiques ; polynomiales ; rationnelles ; algébriques ; définies par parties.

    a) $f(x) = \dfrac{3x - 1}{4}$

    b) $f(x) = (5 - x)(3x + 1)$

    c) $f(x) = \dfrac{3x^4 - 5x^2 + 4}{x^2}$

    d) $f(x) = \sqrt{\dfrac{3x^2 + 1}{4 - x}}$

    e) $f(x) = \begin{cases} 7x - 3 & \text{si} \quad x < 1 \\ 5 + 2x^2 & \text{si} \quad x \geq 1 \end{cases}$

    f) $f(x) = 7x^5 - 6x^7 + 4x^2 - 5\pi$

    g) $f(x) = 5$

    h) $f(x) = \dfrac{7}{x + 1}$

    i) $f(x) = |3x^2 - 2x - 1|$

    j) $f(x) = -[-x]$

5. Déterminer le domaine des fonctions suivantes.

    a) $f(x) = \dfrac{x + 5}{(3x + 5)(8 - 5x)(x - 1)}$

    b) $f(x) = \sqrt{(x + 2)(3x - 5)}$

    c) $f(x) = \begin{cases} x^2 + 1 & \text{si} \quad x \leq 0 \\ 2x + 7 & \text{si} \quad x > 2 \text{ et } x \neq 4 \end{cases}$

    d) $f(x) = 5x^4 - 2x^3 + 3x^2 - 5x + 1$

    e) $f(x) = \sqrt{x - 4 - 5x^2}$

    f) $f(x) = \dfrac{\sqrt{5 - x}}{x}$

    g) $f(x) = \dfrac{x^2 - 4}{4}$

    h) $f(x) = \dfrac{5}{|2x + 7|}$

    i) $f(x) = \dfrac{x}{x^3 - 5x}$

6. Déterminer les valeurs de x qui vérifient les inéquations suivantes.

    a) $3x + 4 \geq 5$

    b) $7 - 2x < 5$

    c) $|7 - 2x| < 5$

    d) $\dfrac{x^3 - x}{x^2 - 4} < 0$

    e) $0 < [x] \leq 5$

    f) $|x - a| < d$

7. Soit la représentation graphique suivante.

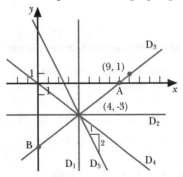

    a) Déterminer l'équation des droites ci-dessus.

    b) Déterminer les coordonnées des points A et B.

    c) Déterminer l'équation d'une droite passant par P(1, 2) et qui est parallèle à D_3.

    d) Déterminer l'équation d'une droite passant par P(9, 1) et qui est perpendiculaire à D_3.

8. Représenter graphiquement chacune des fonctions suivantes, donner leur domaine et leur image.

   a) $f(x) = x^2 - 2x - 8$

   b) $f(x) = \begin{cases} 3x + 1 & \text{si} & 0 \leq x < 2 \\ 16 & \text{si} & x = 2 \\ 9 - x^2 & \text{si} & x > 2 \end{cases}$

   c) $f(x) = |7 - 9x|$

   d) $f(x) = \begin{cases} 2x + 5 & \text{si} & x \leq \text{-}3 \\ \text{-}x^2 & \text{si} & \text{-}2 < x \leq 2 \\ 5 - 2x & \text{si} & x > 3 \end{cases}$

   e) $f(x) = 5 - [x]$

   f) $f(x) = \dfrac{|x|}{x}$

   g) $f(x) = \dfrac{x}{[x]}$

9. Le tableau suivant donne les tarifs domestiques, en 1991, applicables à la consommation d'électricité en fonction du nombre de kilowatts-heure (kW·h) consommés chaque jour.

La redevance d'abonnement quotidienne	30,4 ¢
Les 30 premiers kW·h consommés chaque jour (basés sur une moyenne mensuelle)	3,60 ¢/kW·h
Le reste de l'énergie consommée	4,26 ¢/kW·h

   a) Calculer le coût pour une consommation de 850 kW·h pendant le mois de septembre.

   b) Calculer le coût pour une consommation de 1900 kW·h pendant le mois de janvier.

   c) Déterminer la fonction qui donne le coût de la consommation d'électricité en fonction du nombre de kilowatts-heure consommés pendant une période de 30 jours.

   d) Représenter graphiquement cette fonction.

10. Une personne qui travaille pour une compagnie de location d'automobiles reçoit un salaire quotidien de 30 $; elle obtient de plus 4 $ de commission pour chaque automobile qu'elle loue.

    a) Déterminer son salaire quotidien si, au cours d'une journée, elle loue 22 automobiles.

    b) Déterminer la fonction qui donne son salaire quotidien en fonction du nombre d'automobiles louées.

    c) Représenter graphiquement cette fonction.

    d) Combien d'automobiles doit-elle louer pour que son salaire quotidien soit de 78 $?

    e) Si, au cours d'une semaine normale, cette personne travaille 5 jours, combien doit-elle, en moyenne, louer d'automobiles par jour pour que son salaire hebdomadaire soit de 570 $?

11. Dans le but d'augmenter le nombre de ses clients, une propriétaire de salle de cinéma de 500 sièges veut réduire son prix d'entrée, qui est actuellement de 6,00 $. Selon son estimation, le nombre de clients serait de $(75 + 100x)$ par jour, où x est la réduction, en dollars, du prix du billet d'entrée.

    a) Si elle réduit le prix d'entrée de 1 $, déterminer le nouveau prix d'entrée, le nombre de clients (selon son estimation) et son revenu.

    b) Déterminer la fonction qui donne son revenu en fonction de x.

    c) Déterminer la réduction accordée si son revenu quotidien est de 1125 $. Si vous étiez propriétaire, quelle option choisiriez-vous?

    d) Interpréter le nombre 75 dans l'expression $(75 + 100x)$.

    e) Déterminer la valeur de x qui maximise le revenu, puis évaluer ce revenu maximal.

12. Les villes calculent le montant de la taxe de mutation foncière, mieux connue sous le nom de taxe de bienvenue, de la façon suivante:

    • 0,5 % sur le premier 50 000 $ du prix d'achat;

    • 1 % sur la balance, jusqu'à 250 000 $;

    • 1,5 % sur le montant excédant 250 000 $.

    a) Déterminer la fonction qui donne le taux de cette taxe en fonction du prix d'achat, et représenter graphiquement cette fonction.

b) Déterminer la fonction qui donne le montant de la taxe en fonction du prix d'achat, et représenter graphiquement cette fonction.

13. Les coûts de location d'une automobile sont déterminés de la manière suivante :
- 55 $ par jour, avec 100 km gratuits, en moyenne, par jour ;
- 0,20 $ par kilomètre additionnel.

a) Identifier les variables.

b) Calculer le coût d'une location de 2 jours, pour un parcours de 175 km.

c) Calculer le coût d'une location de 3 jours, pour un parcours de 430 km.

d) Déterminer la fonction qui donne le coût de location en fonction du nombre de jours et des kilomètres parcourus.

14. Déterminer l'équation de la parabole passant par les points P(0, -5), Q(1, -3) et R(-1, -1).

15. a) Déterminer l'équation de la droite D dont le seul point d'intersection avec le cercle, défini par $x^2 + y^2 = 10$, est le point P(3, 1).

b) Calculer l'aire du triangle délimité par la droite D et les axes.

16. Représenter graphiquement les fonctions suivantes.

a) $f(x) = [x - [x]]$

b) $g(x) = [[x] - x]$

c) $h(x) = x - 5 \left[\dfrac{x}{5} \right]$ si $-11 \leq x \leq 16$.

Test récapitulatif

1. Parmi les représentations suivantes, identifier les fonctions, puis donner le domaine et l'image de ces fonctions.

a)

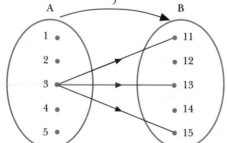

b)

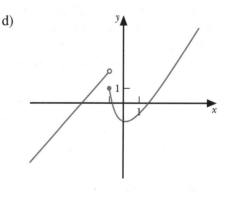

c)

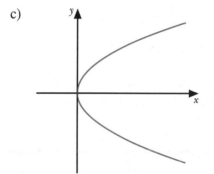

d)

2. Représenter graphiquement les fonctions suivantes, puis déterminer le domaine et l'image.

a) $f(x) = \begin{cases} 3 & \text{si} \quad x < \text{-}2 \\ \text{-}x & \text{si} \quad \text{-}2 < x < 1 \\ 2 & \text{si} \quad x = 1 \\ 4x - x^2 & \text{si} \quad x > 1 \end{cases}$

b) $f(x) = \dfrac{6 - 2x}{|x - 3|}$

c) $f(x) = 3\left[\dfrac{x}{2}\right] \quad \text{si} \quad \text{-}4 \le x \le 5$

3. Déterminer le domaine des fonctions suivantes.

a) $f(x) = \dfrac{(x - 4)}{(x + 3)(x^2 + 1)}$

b) $f(x) = \sqrt{1 - x^2}$

c) $f(x) = \dfrac{5}{\sqrt{x^2 - 1}}$

d) $f(x) = \dfrac{\sqrt{x + 3}}{\sqrt{1 - x}}$

e) $f(x) = \dfrac{x^2 + 1}{x^2 + x + 1}$

f) $f(x) = \begin{cases} \sqrt{\text{-}x - 2} & \text{si} \quad x \le 0 \\ \dfrac{x^2 - 4}{x - 2} & \text{si} \quad 0 < x < 3 \\ \sqrt{25 - x^2} & \text{si} \quad x \ge 3 \end{cases}$

4. Soit $f(x) = x^2 - 2x - 3$.

a) Déterminer les zéros de cette fonction.

b) Donner les coordonnées du sommet de f.

c) Déterminer le domaine et l'image de la fonction.

d) Déterminer la pente de la droite passant par les points $P(\text{-}1, f(\text{-}1))$ et $Q(4, f(4))$.

e) Déterminer l'équation de cette droite.

f) Déterminer l'équation de la droite passant par le point $R\left(\dfrac{3}{2}, f\left(\dfrac{3}{2}\right)\right)$ et qui est parallèle à la droite passant par les points P et Q.

g) Représenter graphiquement la fonction et les deux droites.

5. Une imprimerie exige 15 000 $ pour imprimer les 30 000 premiers exemplaires d'un journal; elle demande 0,35 $ par exemplaire pour les 20 000 exemplaires suivants, et 0,25 $ par exemplaire pour les autres.

a) Calculer le coût d'impression de 35 000 exemplaires d'un journal.

b) Calculer le coût d'impression de 60 000 exemplaires d'un journal.

c) Déterminer la fonction qui donne le coût d'impression en fonction du nombre d'exemplaires imprimés.

d) Déterminer le nombre d'exemplaires imprimés si le coût d'impression est de 60 750 $.

e) Représenter graphiquement cette fonction.

Chapitre 2

Pente, taux de variation et vitesse

Introduction

Les notions de vitesse moyenne et de vitesse instantanée sont deux principes physiques connus par la majorité des gens. En comparant la notion de vitesse moyenne à celle de la pente d'une sécante, et la notion de vitesse instantanée à celle de la pente d'une tangente, nous introduirons graduellement le principe mathématique de la limite et de la dérivée.

TEST PRÉLIMINAIRE

Partie A

1. Simplifier les expressions suivantes.

   a) $\dfrac{9 - 1}{10 - 6}$

   b) $\dfrac{4 - (\text{-}6)}{7 - 2}$

   c) $\dfrac{\text{-}3 - 6}{2 - (\text{-}1)}$

   d) $\dfrac{\text{-}4 - (\text{-}1)}{\text{-}1 - 2}$

Partie B

1. Représenter graphiquement chacune des fonctions suivantes sur un même système d'axes.

   a) $f(x) = 2x + 7$

   b) $y = \text{-}3x + 5$

   c) $4y - 3x = 4$

   d) $y = \text{-}7$

2. Représenter graphiquement chacune des fonctions ci-dessous, puis déterminer le domaine et l'image de chacune.

   a) $f(x) = x^2 - 2x - 3$

   b) $f(x) = 5 + 3x - 2x^2$

   c) $f(x) = x^3$

   d) $f(x) = \dfrac{1}{x}$

2.1 PENTE DE SÉCANTE, TAUX DE VARIATION MOYEN ET VITESSE MOYENNE

À la fin de la présente section, l'étudiant pourra calculer la pente d'une sécante, le taux de variation moyen d'une fonction sur un intervalle donné et la vitesse moyenne d'un mobile sur un intervalle de temps. De plus, il pourra comparer ce taux de variation moyen et cette vitesse moyenne à la pente d'une sécante.

Objectif 2.1.1   Définir une sécante et calculer sa pente.

> *Définition*   Une **sécante** est une droite qui coupe une courbe en un ou plusieurs points.

■ *Exemple* Dans la représentation ci-contre, la droite D est une sécante de la courbe.

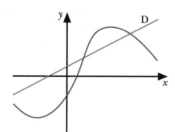

■ *Exemple* Soit $f(x) = \text{-}x^2 + 2x + 3$ dont le graphique est représenté par la figure ci-contre.

Calculons la pente de la sécante représentée qui passe par les points $(\text{-}1, f(\text{-}1))$ et $(2, f(2))$.

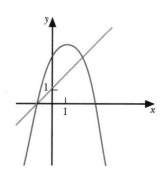

$$m_{sec} = \frac{f(2) - f(-1)}{2 - (-1)} \quad \text{(par définition de la pente d'une droite)}$$

$$= \frac{3 - 0}{3} \quad \text{(car } f(2) = 3 \text{ et } f(-1) = 0\text{)}$$

$$= 1$$

Question 1   Soit $f(x) = x^2$.

a) Représenter graphiquement la courbe.

b) Tracer la sécante D_1 passant par les points $(-1, f(-1))$ et $(2, f(2))$. Calculer la pente de cette sécante.

c) Tracer la sécante D_2 passant par les points $(-4, f(-4))$ et $(1, f(1))$. Calculer la pente de cette sécante.

Objectif 2.1.2   Définir et calculer le taux de variation moyen d'une fonction sur un intervalle.

Définition

Le **taux de variation moyen** d'une fonction f sur un intervalle $[a, b]$, noté $TVM_{[a, b]}$, est défini par
$$TVM_{[a, b]} = \frac{f(b) - f(a)}{b - a}.$$

Graphiquement, le taux de variation moyen d'une fonction f sur un intervalle $[a, b]$ correspond à la pente de la sécante passant par les points $(a, f(a))$ et $(b, f(b))$.

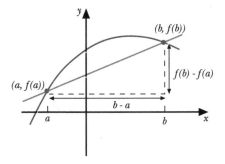

■ *Exemple* Soit $f(x) = x^3 + 3$.
Calculons $TVM_{[-2, 0]}$ et représentons la courbe ainsi que la sécante correspondante.

$$TVM_{[-2, 0]} = \frac{f(0) - f(-2)}{0 - (-2)}$$

$$= \frac{3 - (-5)}{2}$$

$$= 4$$

Nous avons donc que la pente de la sécante passant par les points $(-2, f(-2))$ et $(0, f(0))$ est égale à 4.

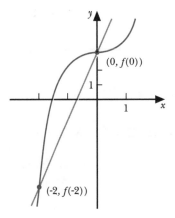

■ *Exemple* Un zoologiste soutient que, dans t années à compter d'aujourd'hui, la population totale P d'une espèce sera donnée par $P(t) = \frac{500t + 3000}{t + 4}$, où t désigne le nombre d'années.

a) Calculons la population initiale de cette espèce, c'est-à-dire la population à $t = 0$.
$P(0) = 750$, donc 750 individus.

b) Calculons la population de cette espèce après quatre années.

$P(4) = 625$, donc 625 individus.

c) Calculons le taux de variation moyen de la population de cette espèce durant les quatre premières années.

Ce taux de variation moyen est égal au $\text{TVM}_{[0, 4]}$.

Ainsi, nous avons :

taux de variation moyen sur [0 an, 4 ans] $= \text{TVM}_{[0, 4]}$

$$= \frac{P(4) - P(0)}{4 - 0}$$

$$= \frac{625 - 750}{4}$$

$$= \text{-}31,25,$$

donc le taux de variation moyen de la population correspond à une diminution moyenne de 31,25 ind./an.

d) Calculons le taux de variation moyen de la population de cette espèce entre la 4e et la 9e année.

Taux de variation moyen sur [4 ans, 9 ans] $= \text{TVM}_{[4, 9]}$

$$= \frac{P(9) - P(4)}{9 - 4}$$

$$\approx \text{-}9,62,$$

donc environ -9,62 ind./an.

■ *Exemple* Soit un cercle de rayon r. L'aire d'un cercle en fonction du rayon r, notée $A(r)$, est donnée par $A(r) = \pi r^2$, où r est en mètres et $A(r)$, en mètres carrés.

Calculons le taux de variation moyen de l'aire lorsque le rayon passe de 3 m à 6 m.

Taux de variation moyen sur [3 m, 6 m] $= \text{TVM}_{[3, 6]}$

$$= \frac{A(6) - A(3)}{6 - 3}$$

$$= 9\pi, \text{ donc } 9\pi \text{ m}^2/\text{m}.$$

Question 2   Calculer le taux de variation moyen de l'aire lorsque le rayon passe de 5 m à 8 m.

Objectif 2.1.3   Relier les notions de vitesse moyenne et de pente d'une sécante.

■ *Exemple* À 01:00, un avion décolle de Montréal ; à 02:00, il est à 400 km de Montréal ; à 06:00, il est à 4000 km de Montréal.

Calculons la vitesse moyenne sur les intervalles de temps suivants.

a) Entre 01:00 et 02:00.

$$v_{[01:00, 02:00]} = \frac{\text{position à 02:00} - \text{position à 01:00}}{02:00 - 01:00} = \frac{400 \text{ km} - 0 \text{ km}}{1 \text{ h}} = 400 \text{ km/h}$$

b) Entre 02:00 et 06:00.

$$v_{[02:00, 06:00]} = \frac{\text{position à 06:00} - \text{position à 02:00}}{06:00 - 02:00} = \frac{4000 \text{ km} - 400 \text{ km}}{4 \text{ h}} = 900 \text{ km/h}$$

c)   Entre 01:00 et 06:00.

$$v_{[01:00,\ 06:00]} = \frac{\text{position à 06:00} - \text{position à 01:00}}{06:00 - 01:00} = \frac{4000 \text{ km} - 0 \text{ km}}{5 \text{ h}} = 800 \text{ km/h}$$

> **Définition**
>
> De façon générale, la **vitesse moyenne** sur un intervalle de temps $[t_1, t_2]$, notée $v_{[t_1,\ t_2]}$, est définie par
>
> $$v_{[t_1,\ t_2]} = \frac{\text{position au temps final } t_2 - \text{position au temps initial } t_1}{\text{temps final } t_2 - \text{temps initial } t_1}.$$
>
> Par conséquent, lorsque la position d'un mobile en fonction du temps est donnée par une fonction s, nous avons :
>
> $$v_{[t_1,\ t_2]} = \frac{s(t_2) - s(t_1)}{t_2 - t_1}.$$

Graphiquement, la vitesse moyenne correspond à la pente de la sécante passant par les points $(t_1, s(t_1))$ et $(t_2, s(t_2))$.

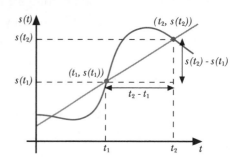

■ *Exemple* La position s d'un mobile en chute libre, par rapport à son point de départ, en fonction du temps t est donnée par $s(t) = \frac{1}{2}gt^2$, où $g = 9,8$ m/s² et t est en secondes.

a)   Calculons la vitesse moyenne de ce mobile sur l'intervalle de temps $[1\text{ s}, 3\text{ s}]$. Par la définition précédente, nous avons :

$$v_{[1\text{ s},\ 3\text{ s}]} = \frac{(\text{position au temps } t = 3\text{ s}) - (\text{position au temps } t = 1\text{ s})}{(t = 3\text{ s}) - (t = 1\text{ s})}$$

$$= \frac{s(3) - s(1)}{3\text{ s} - 1\text{ s}} \qquad (\text{car la position est donnée par } s(t))$$

$$= \frac{44,1 \text{ m} - 4,9 \text{ m}}{3\text{ s} - 1\text{ s}} \qquad (\text{car } s(t) = 4,9t^2)$$

$$= \frac{39,2 \text{ m}}{2\text{ s}} = 19,6 \text{ m/s}.$$

Donc, $v_{[1\text{ s},\ 3\text{ s}]} = 19,6$ m/s.

Graphiquement, ce nombre correspond à la pente de la sécante passant par les points $(1, s(1))$ et $(3, s(3))$, c'est-à-dire $(1, 4,9)$ et $(3, 44,1)$.

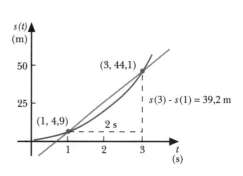

b)   Calculons la vitesse moyenne de ce mobile sur l'intervalle de temps [1 s, 2 s].

$$v_{[1\,s,\,2\,s]} = \frac{s(2) - s(1)}{2\,s - 1\,s} \quad \text{(par définition)}$$

$$= \frac{19{,}6\,m - 4{,}9\,m}{2\,s - 1\,s} = 14{,}7\,m/s.$$

Donc, $v_{[1\,s,\,2\,s]} = 14{,}7$ m/s.

Question 3   Compléter et illustrer graphiquement la phrase suivante.

Graphiquement, le nombre 14,7 correspond à la pente de la _____ passant par les points $(1, s(1))$ et $(2, s(2))$, c'est-à-dire (_____) et (_____).

Remarque Il est très important d'identifier les points par lesquels passe la sécante.

Question 4   Soit un troisième intervalle de temps [1 s, 1,4 s].

a)   Calculer la vitesse moyenne du mobile sur cet intervalle.

b)   Dire à quoi correspond cette vitesse sur un graphique.

Exercices 2.1

1. Calculer la pente de la sécante passant par les points

a) $(1, f(1))$ et $(5, f(5))$ si $f(x) = \text{-}7x + 2$, et illustrer par un graphique ;

b) $(0, f(0))$ et $(4, f(4))$ si $f(x) = x^2 - 5x + 4$, et illustrer par un graphique ;

c) $(\text{-}2, f(\text{-}2))$ et $(2, f(2))$ si $f(x) = 2x^3 + 4x^2 - 5x + 1$.

2. Soit un cube dont le volume V en fonction de la longueur x de l'arête est donné par $V(x) = x^3$, où x est en mètres et $V(x)$, en mètres cubes.
    Calculer le taux de variation moyen du volume lorsque la longueur de l'arête passe de

a)   1 m à 2 m ;   c)   2 m à 3 m ;

b)   1 m à 3 m ;   d) a m à b m.

3. À quelle notion de physique correspond la pente d'une sécante passant par les points $(t_1, s(t_1))$ et $(t_2, s(t_2))$, où s représente la position d'un mobile en fonction du temps t ?

4. Le graphique ci-contre donne l'altitude d'un avion en fonction du temps. Pour chaque segment de droite qui y figure,

a)   calculer la pente ;

b)   calculer la vitesse d'ascension (descente = ascension négative) ;

c)   comparer les réponses obtenues en **a)** et **b)**.

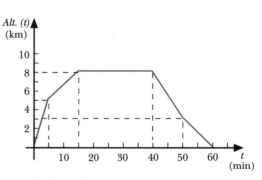

5. La position d'un mobile en fonction du temps est donnée par $s(t) = 10 - t^2$, où t est en secondes et $s(t)$, en mètres.

a)   Calculer la vitesse moyenne du mobile sur chacun des intervalles de temps suivants.

   i)   [1 s, 3 s]   ii)   [1 s, 2 s]   iii)   [1 s, 1,5 s]

b)   Comparer les réponses obtenues en **a)** avec celles qu'on obtient en calculant la pente de la sécante passant par les points suivants.

   i) $(1, s(1))$ et $(3, s(3))$ ii) $(1, s(1))$ et $(2, s(2))$ iii) $(1, s(1))$ et $(1,5, s(1,5))$

2.2 PENTE DE TANGENTE ET VITESSE INSTANTANÉE

À la fin de la présente section, l'étudiant pourra calculer la vitesse instantanée d'un mobile et pourra comparer cette vitesse à la pente de la tangente à la courbe représentant la position du mobile en fonction du temps.

Objectif 2.2.1   Comprendre la démarche suivie pour obtenir la valeur d'une vitesse instantanée et relier cette vitesse à la pente d'une tangente.

■ *Exemple* Soit un mobile dont la position *s* en fonction du temps *t* est donnée par $s(t) = t^2$, où *t* est en secondes et *s(t)*, en mètres.

Nous voulons calculer la vitesse du mobile au temps *t* = 3 s.

Remarque Cette vitesse n'est pas une vitesse moyenne. Nous l'appelons *vitesse instantanée*.

Pour trouver cette vitesse instantanée, nous calculerons d'abord la vitesse moyenne du mobile sur des intervalles de temps [3 s, *t* s], où nous choisirons *t* de plus en plus près de 3, et *t* le plus près possible de 3.

Calculons donc la vitesse moyenne sur les intervalles de temps suivants.

a) Sur [3 s, 5 s], $v_{[3\,s,\,5\,s]} = \dfrac{s(5) - s(3)}{5\,s - 3\,s} = \dfrac{25\,m - 9\,m}{2\,s} = \dfrac{16\,m}{2\,s} = 8\ m/s.$

b) Sur [3 s, 4 s], $v_{[3\,s,\,4\,s]} = \dfrac{s(4) - s(3)}{4\,s - 3\,s} = \dfrac{16\,m - 9\,m}{1\,s} = 7\ m/s.$

Question 1   Calculer la vitesse moyenne sur les intervalles de temps suivants.

a) [3 s, 3,5 s]   b) [3 s, 3,1s]   c) [3 s, 3,01 s]   d) [3 s, 3,001 s]

> Nous constatons que, *à la limite*, plus la deuxième borne de l'intervalle est près de 3, plus la vitesse moyenne sur l'intervalle semble s'approcher de 6 m/s.

Dans la section 2.1, nous avons vu que la vitesse moyenne sur un intervalle de temps [t_1, t_2] est égale à la pente de la sécante passant par les points (t_1, $s(t_1)$) et (t_2, $s(t_2)$).

Pour quelques intervalles de l'exemple précédent, représentons les sécantes correspondantes.

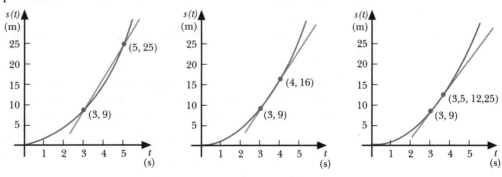

Graphiquement, nous voyons que, *à la limite*, plus la deuxième borne de l'intervalle est près de 3, plus la sécante correspondante tend vers une droite n'ayant que le point

(3, $s(3)$) en commun avec la courbe de la fonction s. Cette droite s'appelle la *tangente* à la courbe de la fonction s au point (3, $s(3)$).

Calculons maintenant la vitesse moyenne sur des intervalles de temps [t s, 3 s], où nous choisirons t de plus en plus près de 3, et t le plus près possible de 3.

a) Sur [1 s, 3 s], $v_{[1\,s,\,3\,s]} = \dfrac{s(3) - s(1)}{3\ s - 1\ s} = \dfrac{9\ m - 1\ m}{2\ s} = 4$ m/s.

b) Sur [2 s, 3 s], $v_{[2\,s,\,3\,s]} = \dfrac{s(3) - s(2)}{3\ s - 2\ s} = \dfrac{9\ m - 4\ m}{1\ s} = 5$ m/s.

Question 2   Calculer la vitesse moyenne sur les intervalles de temps suivants.

c) [2,9 s, 3 s]   d) [2,99 s, 3 s]   e) [2,999 s, 3 s]

Question 3   Compléter : Nous constatons donc que, *à la limite*, plus la première borne de l'intervalle est près de 3, plus la vitesse moyenne sur l'intervalle semble s'approcher de _____.

Graphiquement, nous pourrions constater que, *à la limite*, plus la première borne de l'intervalle est près de 3, plus la sécante correspondante tend vers une droite n'ayant que le point (3, $s(3)$) en commun avec la courbe de la fonction s.

Question 4   Compléter : Cette droite s'appelle _____.

Puisque les deux calculs précédents nous donnent, *à la limite*, le même nombre, c'est-à-dire 6 m/s, nous appelons ce nombre la vitesse instantanée au temps $t = 3$ s, notée v inst.$_{t\,=\,3\,s}$. Donc,

v inst.$_{t\,=\,3\,s} = 6$ m/s.

De plus, graphiquement, la vitesse instantanée au temps $t = 3$ s correspond à la pente de la tangente à la courbe de la fonction s au point (3, $s(3)$).

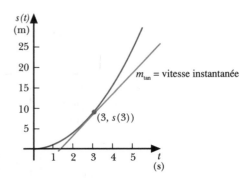

Objectif 2.2.2   Construire deux suites d'intervalles permettant d'obtenir, *à la limite*, la vitesse instantanée à un temps t donné, si cette vitesse est définie.

Remarque Dans l'intervalle [a, b], notons que b est « à droite » de a, et que a est « à gauche » de b.

■ *Exemple* Pour calculer la vitesse instantanée d'un mobile au temps 8 s, il faut construire des intervalles de la forme [t s, 8 s] et des intervalles de la forme [8 s, t s], où nous choisirons t de plus en plus près de 8, et t le plus près possible de 8.

Pour les intervalles de la forme [t s, 8 s], où t tend vers 8 par la gauche, nous notons : $t \to 8^-$, car t est moins grand que 8.

Par exemple,
   [7 s, 8 s], [7,5 s, 8 s], [7,9 s, 8 s], [7,99 s, 8 s], [7,999 s, 8 s], etc.

Pour les intervalles de la forme [8 s, t s], où t tend vers 8 par la droite, nous notons : $t \rightarrow 8^+$, car t est plus grand que 8.

Par exemple,
[8 s, 9 s], [8 s, 8,5 s], [8 s, 8,1 s], [8 s, 8,01 s], [8 s, 8,001 s], etc.

Question 5   Construire quatre intervalles de la forme [6, t] où $t \rightarrow 6^+$.

Question 6   Construire quatre intervalles de la forme [t, 1] où $t \rightarrow 1^-$.

Question 7   Construire quatre intervalles de la forme [-5, t] où $t \rightarrow (-5)^+$.

Question 8   Construire quatre intervalles de la forme [t, 0] où $t \rightarrow 0^-$.

Objectif 2.2.3   Calculer la vitesse instantanée d'un mobile à un temps t.

■ *Exemple* La position s d'un mobile en fonction du temps t est donnée par $s(t) = t^3$, où t est en secondes et $s(t)$, en mètres.

Calculons, *à la limite*, la vitesse instantanée du mobile au temps $t = 1$ s.

a) Construisons une suite d'intervalles de temps [1 s, t s], où $t \rightarrow 1^+$.
[1 s, 2 s], [1 s, 1,1 s], [1 s, 1,01 s], [1 s, 1,001 s], etc.

b) Calculons la vitesse moyenne du mobile sur chaque intervalle.

$$v_{[1\,s,\,2\,s]} = \frac{s(2) - s(1)}{2\,s - 1\,s} = \frac{8\,m - 1\,m}{1\,s} = 7\,m/s$$

$$v_{[1\,s,\,1,1\,s]} = \frac{s(1,1) - s(1)}{1,1\,s - 1\,s} = \frac{1,331\,m - 1\,m}{0,1\,s} = 3,31\,m/s$$

$$v_{[1\,s,\,1,01\,s]} = \frac{s(1,01) - s(1)}{1,01\,s - 1\,s} = \frac{1,030\,301\,m - 1\,m}{0,01\,s} = 3,0301\,m/s$$

$$v_{[1\,s,\,1,001\,s]} = \frac{s(1,001) - s(1)}{1,001\,s - 1\,s} = \frac{1,003\,003\,001\,m - 1\,m}{0,001\,s} = 3,003\,001\,m/s$$

c) *À la limite*, lorsque $t \rightarrow 1^+$, la vitesse moyenne sur l'intervalle s'approche de 3 m/s.

Question 9   a) Construire quatre intervalles de temps [t s, 1 s], où $t \rightarrow 1^-$.

b) Calculer la vitesse moyenne du mobile sur chacun des intervalles précédents.

c) Compléter : *À la limite*, lorsque $t \rightarrow 1^-$, la vitesse moyenne sur l'intervalle s'approche de _____.

Puisque les deux calculs précédents, où $t \rightarrow 1^+$ et $t \rightarrow 1^-$, nous donnent *à la limite* le même résultat, c'est-à-dire 3 m/s, nous avons donc *à la limite* que

v inst.$_{t\,=\,1\,s}$ = 3 m/s.

De plus, graphiquement, la vitesse instantanée au temps $t = 1$ s correspond à la pente de la tangente à la courbe de la fonction s au point $(1, s(1))$.

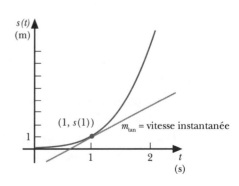

En résumé, pour obtenir la valeur d'une vitesse instantanée à un temps $t = a$, nous pouvons suivre les étapes suivantes.

1re étape :   **a)**   Construire une suite d'intervalles de la forme $[a, t]$, où $t \to a^+$.

              b)   Calculer la vitesse moyenne sur chacun de ces intervalles.

              c)   Évaluer, *à la limite* lorsque $t \to a^+$, le nombre duquel s'approchent les vitesses moyennes précédentes.

2e étape :   Procéder de façon analogue à la première étape avec une suite d'intervalles de la forme $[t, a]$, où $t \to a^-$.

3e étape :   Si les résultats obtenus en **c)** lors des deux étapes précédentes sont identiques, alors la vitesse instantanée au temps $t = a$ est égale au résultat obtenu.

Exercices 2.2

1.   Construire quatre intervalles de la forme

      a) $[4, t]$, où $t \to 4^+$;

      b) $[t, 7]$, où $t \to 7^-$;

      c) $[-3, t]$, où $t \to (-3)^+$;

      d) $[t, -5]$, où $t \to (-5)^-$.

2.   Parmi les droites suivantes, identifier celles qui, pour la portion de courbe représentée, sont des tangentes.

      a)
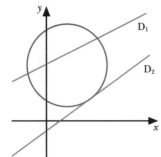

      b)
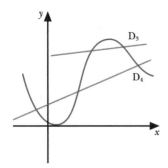

      c)
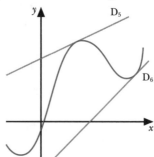

      d)
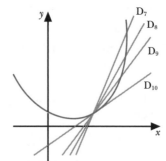

3.   Le graphique ci-contre représente la position s d'un mobile en fonction du temps t.

      a)   Déterminer à quoi correspond graphiquement la vitesse moyenne sur $[a, b]$.

      b)   Déterminer à quoi correspond graphiquement la vitesse instantanée à $t = a$.

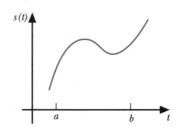

4. La position s d'un mobile en fonction du temps t est donnée par $s(t) = t^2 + 1$, où t est en secondes et $s(t)$, en mètres ; le départ du mobile s'effectue au temps $t = 2$ s.

   a) Quelle sera la vitesse moyenne du mobile s'il se déplace pendant

i)	8 s ?	iii)	2 s ?	v)	0,5 s ?	vii)	0,01 s ?
ii)	5 s ?	iv)	1 s ?	vi)	0,1 s ?	viii)	0,001 s ?

   b) *À la limite*, qu'obtient-on ?

5. La position s d'un mobile en fonction du temps t est donnée par $s(t) = (t - 1)^3$, où $s(t)$ est en kilomètres et t, en heures.

   Calculer, *à la limite*, la vitesse instantanée du mobile aux temps suivants, déterminer à quoi correspond cette vitesse instantanée et représenter graphiquement la courbe et la tangente correspondante.

   a) $t = 3$ h   b) $t = 1$ h

6. Voici un graphique illustrant la position s d'un mobile en fonction du temps t.

   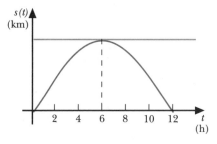

   a) À l'aide de ce graphique, calculer la vitesse instantanée à 6 h.

   b) Laquelle des trois affirmations suivantes est vraie et pourquoi ?

   i) v inst.$_{t = 3\,h} > 0$;

   ii) v inst.$_{t = 3\,h} < 0$;

   iii) v inst.$_{t = 3\,h} = 0$.

Problèmes de synthèse

1. Après 5 min, un marcheur est à 500 m de son point de départ ; après 10 min, il est à 600 m de son point de départ ; après 15 min, il est de retour à son point de départ.

   Calculer la vitesse moyenne du marcheur sur chacun des intervalles suivants.

   a) [0 min, 5 min]   c) [10 min, 15 min]

   b) [5 min, 10 min]   d) [0 min, 15 min]

2. La position s d'un mobile en fonction du temps est donnée par $s(t) = -4,9t^2 + 19,6t + 24,5$, où t est en secondes et $s(t)$, en mètres.

   Calculer les vitesses moyennes suivantes et représenter graphiquement.

   a) $v_{[0\,s,\,2\,s]}$ c) $v_{[2\,s,\,4\,s]}$

   b) $v_{[0\,s,\,4\,s]}$

3. Soit une ville dont la population N varie en fonction du nombre d'emplois x que créent les industries. Cette population est donnée approximativement par $N(x) = \dfrac{3x^2 + 4}{x + 1}$.

   a) Déterminer la population s'il y a 500 emplois.

   b) Déterminer le nombre d'emplois lorsque la population est de 1878 habitants.

   c) Déterminer la variation de la population de cette ville lorsque le nombre d'emplois passe de 650 à 750.

   d) Calculer le taux de variation moyen de la population lorsque le nombre d'emplois passe de 650 à 750.

4. Soit un mobile dont la position s en fonction du temps t est donnée par le graphique suivant.

   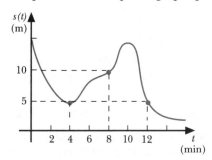

Déterminer les vitesses suivantes et dire à quoi elles correspondent sur un graphique.

a) $v_{[4\ min,\ 8\ min]}$

b) $v_{[8\ min,\ 12\ min]}$

c) $v_{[4\ min,\ 12\ min]}$

d) $v\ inst._{t\ =\ 4\ min}$

5. Calculer, si possible, pour chaque fonction, la vitesse instantanée au temps indiqué, la distance étant exprimée en mètres.

a) $s(t) = 3t^2 + 2$, à $t = 1$ s

b) $s(t) = 4t + 6$, à $t = 3$ s

c) $s(t) = \dfrac{1}{t}$, à $t = 2$ s

d) $s(t) = \dfrac{t^2}{3} + 1$, à $t = 1$ s

e) $s(t) = t^2 - 2{,}8t + 4$, à $t = 4$ s

f) $s(t) = \dfrac{3t^2 - 12}{t - 2}$, à $t = 1$ s

6. La position s d'un mobile en fonction du temps t est donnée par

$$s(t) = \begin{cases} 4t + 1 & \text{si} \quad 0 \le t \le 1 \\ 2t^2 + 3 & \text{si} \quad 1 < t < 2 \\ 23 - t^2 - 4t & \text{si} \quad 2 \le t \le 5 \end{cases}$$

où t est en secondes et $s(t)$, en mètres.

Calculer, si possible, la vitesse instantanée du mobile aux temps suivants.

a) $t = 1$ s

b) $t = 2$ s

7. Soit un mobile dont la position s en fonction du temps t est donnée par le graphique suivant.

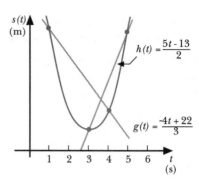

À l'aide de l'équation des droites sécantes à la courbe, déterminer

a) $v_{[1\ s,\ 4\ s]}$;

b) $v_{[3\ s,\ 5\ s]}$.

c)   À l'aide du graphique, déterminer $v_{[1\ s,\ 5\ s]}$.

8. Soit un mobile dont la position s en fonction du temps t est donnée par le graphique suivant.

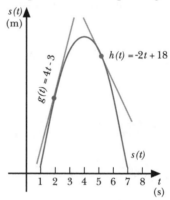

À l'aide de l'équation des droites tangentes à la courbe, déterminer

a) $v\ inst._{t\ =\ 2\ s}$;

b) $v\ inst._{t\ =\ 5\ s}$.

c)   À l'aide du graphique, déterminer $v\ inst._{t\ =\ 4\ s}$.

Exercices récapitulatifs

1. Soit $f(x) = x^2 + 2x - 8$.

a)   Représenter graphiquement la fonction f, puis déterminer son domaine et son image.

b)   Tracer la sécante passant par les points $(-5, f(-5))$ et $(1, f(1))$. Calculer la pente de cette sécante.

c)   Calculer $\text{TVM}_{[-3,\ 1]}$ pour cette fonction.

d)   Représenter graphiquement la pente de la tangente à la courbe de f au point $(-1, f(-1))$.

e)   Situer le point $(a, f(a))$ tel que $\text{TVM}_{[a,\ 3]} = 3$.

2. Soit un cube d'arête x, où x est en centimètres.

a)   Déterminer la fonction A qui représente l'aire totale des faces du cube en fonction de x.

b)   Calculer la variation de A lorsque x passe de 5 cm à 8 cm.

c) Calculer le taux de variation moyen de l'aire lorsque x passe de 6 cm à 9 cm.

d) Calculer $\text{TVM}_{[3\,\text{cm},\,6\,\text{cm}]}$.

e) Déterminer la valeur de b telle que $\text{TVM}_{[3,\,b]} = 2\,\text{TVM}_{[3,\,5]}$.

3. La position s d'un mobile en fonction du temps t est donnée par $s(t) = t^3 - 3t + 2$, où $s(t)$ est en centimètres et t est en secondes.

a) Calculer $v_{[0\,\text{s},\,1\,\text{s}]}$; $v_{[1\,\text{s},\,2\,\text{s}]}$; $v_{[0\,\text{s},\,2\,\text{s}]}$.

b) Calculer v inst.$_{t\,=\,1\,\text{s}}$; v inst.$_{t\,=\,2,5\,\text{s}}$.

4. La position s d'un mobile en fonction du temps t est donnée par $s(t) = \dfrac{4}{t^2}$, où $s(t)$ est en mètres et t est en secondes.

a) Calculer v inst.$_{t\,=\,2\,\text{s}}$; v inst.$_{t\,=\,4\,\text{s}}$.

b) Calculer $v_{[2\,\text{s},\,4\,\text{s}]}$.

c) Représenter graphiquement sur la courbe de la fonction s, où $t \in [1,\,5]$, les vitesses instantanées de **a)** et la vitesse moyenne de **b)**.

5. L'accélération moyenne a d'un mobile sur un intervalle de temps $[t_1,\,t_2]$ est définie par $a_{[t_1,\,t_2]} = \dfrac{v(t_2) - v(t_1)}{t_2 - t_1}$, où $v(t)$ représente la vitesse du mobile en fonction du temps.

Soit $v(t) = 50 - 2t^2$, où t est en secondes et $v(t)$, en mètres par seconde.

a) Calculer $a_{[0\,\text{s},\,3\,\text{s}]}$; $a_{[0\,\text{s},\,5\,\text{s}]}$; $a_{[3\,\text{s},\,5\,\text{s}]}$.

b) Calculer, *à la limite*, a inst.$_{t\,=\,3\,\text{s}}$.

c) Calculer l'accélération instantanée au moment où la vitesse est nulle.

6. Soit une sphère de rayon r, où r est en centimètres. L'aire A et le volume V de cette sphère sont donnés par $A(r) = 4\pi r^2$ et $V(r) = \dfrac{4}{3}\,\pi r^3$.

a) Déterminer la variation de A et de V lorsque r passe de 4 cm à 9 cm.

b) Calculer le taux de variation moyen de A et de V lorsque r passe de 4 cm à 9 cm.

c) Calculer, *à la limite*, le taux de variation instantané de A et de V lorsque $r = 4$ cm.

7. Soit $f(x) = 6x^2$.

Déterminer, si possible, la valeur de a telle que $\text{TVM}_{[1,\,2a]} = 2\,\text{TVM}_{[1,\,a]}$.

8. Soit un cercle de rayon r, tel que $r(t) = 2t$, où $r(t)$ est en centimètres et t, en secondes.

a) Calculer la variation de l'aire A du cercle lorsque t passe de 1 s à 5 s.

b) Calculer $\text{TVM}_{[2\,\text{s},\,4\,\text{s}]}$ de A.

c) Calculer $\text{TVM}_{[2\,\text{cm},\,4\,\text{cm}]}$ de A.

9. Soit un cylindre droit dont le volume V en fonction de son rayon r et de sa hauteur h est donné par $V(r,\,h) = \pi r^2 h$, où r et h sont en centimètres.

a) Calculer, pour $h = 12$ cm, le taux de variation moyen du volume lorsque r passe de 5 cm à 6 cm.

b) Calculer, pour $r = 12$ cm, le taux de variation moyen du volume lorsque h passe de 5 cm à 6 cm.

10. Deux produits chimiques, A et B, réagissent pour former un produit C : A + B → C. La quantité Q du produit C en fonction du temps t est donnée par $Q(t) = 24e^{\frac{t}{4}}$, où t est en minutes (0 min < t < 10 min) et $Q(t)$, en grammes.

Calculer le taux de variation instantané au temps $t = 4$ min. (Le taux de variation instantané correspond à la vitesse instantanée de réaction au temps $t = 4$ min.)

Test récapitulatif

1. Soit la fonction f définie par $f(x) = x^2 - 5x$.

a) Calculer $\text{TVM}_{[-1,\,3]}$ et déterminer à quoi correspond ce taux de variation moyen.

b) Calculer la pente de la sécante passant par les points $(1, f(1))$ et $(5, f(5))$ et déterminer à quoi correspond cette pente.

c) Représenter graphiquement la courbe définie par f et les deux sécantes précédentes.

2. Soit un mobile dont la position s en fonction du temps t est donnée par le graphique suivant.

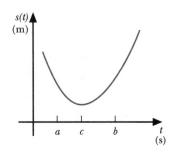

a)   Représenter graphiquement la droite D_1, dont la pente correspond à $v_{[a,b]}$, et la droite D_2, dont la pente correspond à v inst.$_{t=a}$.

b)   Déterminer v inst.$_{t=c}$; expliquer votre réponse.

3.   La position s d'un mobile en fonction du temps t est donnée par $s(t) = t^2 + 2t$, où t est en heures et $s(t)$, en kilomètres.

Calculer la vitesse moyenne de ce mobile sur l'intervalle de temps [1 h, 4 h], dire à quoi elle correspond sur un graphique et représenter graphiquement la fonction s et la vitesse moyenne.

4.   La position s d'un mobile en fonction du temps t est donnée par $s(t) = 2t^2 - 2$, où $s(t)$ est en mètres et t, en secondes.

a)   Calculer, *à la limite*, la vitesse instantanée à $t = 2$ s en considérant au moins quatre intervalles à droite et à gauche.

b)   Représenter sur un graphique cette vitesse instantanée et dire à quoi elle correspond.

5.   Soit le demi-cercle suivant, dont l'équation est $f(x) = \sqrt{9 - x^2}$.

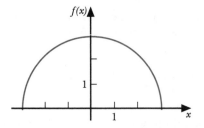

a)   Tracer la sécante D_1 passant par les points $(-1, f(-1))$ et $(3, f(3))$. Calculer sa pente.

b)   Tracer la tangente D_2 au demi-cercle passant par le point $(0, f(0))$. Quelle est la pente de cette tangente?

c)   Tracer une sécante D_3 dont la pente est nulle.

d)   Tracer la tangente D_4 au demi-cercle passant par le point $(-2, f(-2))$ et déterminer si sa pente est positive ou négative.

6.   La quantité Q, en grammes, d'un produit chimique varie en fonction du temps t, en minutes. Cette quantité est donnée par $Q(t) = 13 - \dfrac{8}{2 + 3t}$.

a)   Déterminer la quantité initiale de ce produit.

b)   Déterminer la variation de la quantité sur [3 min, 5 min].

c)   Déterminer le taux de variation moyen de la quantité sur [3 min, 5 min].

d)   Calculer le taux de variation moyen de la quantité, lorsque celle-ci passe de 12 g à 12,75 g.

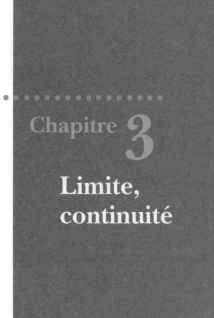

Chapitre **3**

Limite, continuité

Introduction

Une présentation formelle et approfondie de la notion de limite alourdirait considérablement le présent manuel. En conséquence, considérant qu'une bonne compréhension intuitive vaut mieux qu'une mauvaise connaissance formelle, nous avons préféré donner ici un exposé informel de la notion de limite, laissant l'enseignant libre de suppléer à cette démarche intuitive par des définitions formelles, s'il le juge à propos.

De plus, l'utilisateur qui le désire peut faire l'étude des cas particuliers de limite infinie et de limite à l'infini en consultant, au moment jugé opportun, les premières sections du chapitre 10.

TEST PRÉLIMINAIRE

Partie A

1. Simplifier les expressions suivantes.

   a) $\dfrac{\dfrac{a}{b}}{\dfrac{c}{d}}$

   b) $\dfrac{\dfrac{2}{3}}{\dfrac{7}{2}}$

   c) $\dfrac{\dfrac{5}{6}}{10}$

   d) $\dfrac{5}{\dfrac{6}{10}}$

   e) $\dfrac{\dfrac{x^2-4}{5}}{\dfrac{x-2}{10x}}$

   f) $\dfrac{a}{b}-\dfrac{c}{d}$

   g) $\dfrac{\dfrac{1}{2}-\dfrac{1}{x}}{x-2}$

   h) $\dfrac{\dfrac{3}{x}-\dfrac{x}{3}}{\dfrac{1}{3}-\dfrac{1}{x}}$

2. Sachant que $A + B$ est le conjugué de $A - B$, et que $A - B$ est le conjugué de $A + B$, déterminer le conjugué des expressions suivantes.

   a) $\sqrt{x}+7$

   b) $\sqrt{x+7}-\sqrt{7}$

   c) $\sqrt{3x-5}-\sqrt{3x+4}$

   d) $\sqrt{x}+\sqrt{a}$

3. Effectuer la multiplication des expressions suivantes par leur conjugué.

   a) $\sqrt{x}-5$

   b) $\sqrt{x}+\sqrt{5}$

   c) $\sqrt{x}-\sqrt{3x-5}$

   d) $\sqrt{x}-\sqrt{a}$

   e) $\sqrt{a+b}+\sqrt{c-d}$

Partie B

1. Déterminer le domaine des fonctions suivantes.

   a) $f(x)=3x^2-4x+5$

   b) $f(x)=\dfrac{3x^2}{x-1}$

   c) $f(x)=\dfrac{(x+4)}{(9-3x)(2x+5)}$

   d) $f(x)=\dfrac{42}{x^2-x-12}$

   e) $f(x)=\sqrt{3x+7}$

   f) $f(x)=\dfrac{1}{\sqrt{3x+7}}$

   g) $f(x)=\sqrt{10-2x}$

   h) $f(x)=\dfrac{\sqrt{x}}{(x^2-1)}$

   i) $f(x)=\dfrac{4x^2+3x}{x^3-7x}$

   j) $f(x)=\dfrac{\sqrt{x-2}}{\sqrt{5-x}}$

   k) $f(x)=\dfrac{|5-x|}{|x|-5}$

2. Soit $f(x)=\begin{cases}3 & \text{si} & x<\text{-}1\\5 & \text{si} & x=\text{-}1\\\text{-}3 & \text{si} & x>\text{-}1\end{cases}$

   Tracer le graphique de f.

3. Soit $f(x)=\begin{cases}x & \text{si} & x<1\\x^2 & \text{si} & 1<x\le2\\\text{-}1 & \text{si} & x>2 \text{ et } x\ne3\end{cases}$

   a) Calculer si possible :   i) $f(0)$ iv) $f(3)$
   ii) $f(1)$ v) $f(4)$
   iii) $f(2)$

   b) Tracer le graphique de f.

4. Soit $f(x)=\begin{cases}\text{-}2 & \text{si} & x\le\text{-}2\\|x| & \text{si} & \text{-}2<x\le2\\4-x & \text{si} & x>2\end{cases}$

   Tracer le graphique de f.

5. Déterminer le domaine et tracer le graphique des fonctions suivantes.

   a) $f(x)=x^2$

   b) $f(x)=x^2$ si $x\ne2$

   c) $f(x)=\begin{cases}x^2 & \text{si} & x\ne2\\6 & \text{si} & x=2\end{cases}$

6. Représenter graphiquement la table d'impôt ci-dessous indiquant le montant d'impôt à payer à la province (source : *Formulaire détaillé de déclaration de revenus*).

Si votre revenu imposable est

supérieur à	sans excéder	votre impôt est de :
21 600	21 620	4545,10
21 620	21 640	4550,10
21 640	21 660	4555,10
21 660	21 680	4560,10
21 680	21 700	4565,10
21 700	21 720	4570,10

3.1 PRÉSENTATION INTUITIVE DE LA NOTION DE LIMITE

À la fin de la présente section, l'étudiant aura une connaissance intuitive de la notion de limite et connaîtra la notation de limite.

Objectif 3.1.1   Saisir intuitivement la notion de limite et en connaître la notation.

■ *Exemple* Soit $f(x) = \dfrac{x^3 - 3x^2}{x - 3}$, où dom $f = \mathbb{R} \setminus \{3\}$.

Puisque $f(3)$ est non définie, posons-nous la question suivante.

Quelles valeurs prend $f(x)$ lorsque les valeurs de x, où $x \in$ dom f, sont voisines de 3 ?

Par valeurs voisines de 3, nous entendons des nombres réels plus petits ou plus grands que 3, donc $x \neq 3$, mais qui sont le plus près possible de 3.

Établissons deux listes composées respectivement de valeurs plus petites et de valeurs plus grandes que 3, où $x \to 3^-$, c'est-à-dire $x \to 3$ et $x < 3$, et $x \to 3^+$, c'est-à-dire $x \to 3$ et $x > 3$.

x :	2,9	2,99	2,999	2,9999 etc. (c'est-à-dire $x \to 3^-$)
x :	3,1	3,01	3,001	3,0001 etc. (c'est-à-dire $x \to 3^+$)

Trouvons maintenant les valeurs de $f(x)$ correspondantes lorsque $x \to 3^-$.

x	2,9	2,99	2,999	2,999 9	$\ldots \to 3^-$
$f(x)$	8,41	8,9401	8,994 001	8,999 400 01	$\ldots \to 9$

Nous constatons que nous pouvons nous approcher aussi près que nous le voulons de 9, en donnant à x des valeurs de plus en plus près de 3, par la gauche. Nous notons ce fait par

$$\lim_{x \to 3^-} f(x) = 9.$$

Trouvons maintenant les valeurs de $f(x)$ correspondantes lorsque $x \to 3^+$.

x	3,1	3,01	3,001	3,000 1	$... \to 3^+$
$f(x)$	9,61	9,0601	9,006 001	9,000 600 01	$... \to 9$

Nous constatons que nous pouvons nous approcher aussi près que nous le voulons de 9, en donnant à x des valeurs de plus en plus près de 3, par la droite. Nous notons ce fait par

$$\lim_{x \to 3^+} f(x) = 9.$$

Puisque nous pouvons nous approcher aussi près que nous le voulons de 9, en calculant $f(x)$, pour des valeurs de x, où $x \in \mathrm{dom}\, f$, telles que $x \to 3^-$ et $x \to 3^+$, nous écrirons alors

$$\lim_{x \to 3} f(x) = 9.$$

Remarque Une étude plus approfondie des notions de limite à gauche, de limite à droite et des conditions d'existence de la limite sera faite à la section 3.4.

La fonction f est représentée par le graphique ci-contre, car

$$f(x) = \frac{x^3 - 3x^2}{x - 3}$$

$$= \frac{x^2(x - 3)}{x - 3}$$

$$= x^2, \quad \text{si } x \neq 3.$$

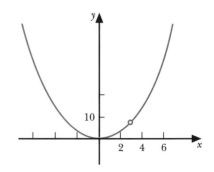

<table>
<tr><td rowspan="3" style="text-align:center">Définition</td><td>Soit $x \in \mathbb{R}$ et $x \neq a$. Nous disons que x est voisin de a si la distance entre x et a est aussi petite que nous le voulons, c'est-à-dire $|x - a|$ est aussi près que nous le voulons de 0.</td></tr>
</table>

■ *Exemple* Soit $f(x) = \dfrac{x^4 + 2x}{x}$, où $\mathrm{dom}\, f = \mathbb{R} \setminus \{0\}$.

Puisque f n'est pas définie en 0, déterminons les valeurs de $f(x)$ lorsque les valeurs de x, où $x \in \mathrm{dom}\, f$, sont voisines de 0.

Construisons deux suites de nombres. Dans la première apparaîtront des valeurs de x s'approchant de 0 inférieurement et, dans la seconde, des valeurs de x s'approchant de 0 supérieurement.

x:	-0,1	-0,01	-0,001	-0,0001	etc. (c'est-à-dire $x \to 0^-$)
x:	0,1	0,01	0,001	0,0001	etc. (c'est-à-dire $x \to 0^+$)

Trouvons maintenant les valeurs de $f(x)$ correspondantes lorsque $x \to 0^-$.

x	$f(x)$
-0,1	1,999
-0,01	1,999 999
-0,001	1,999 999 999
.	.
.	.
.	.
$\downarrow$	$\downarrow$
0^-	G

Question 1   Déterminer la valeur de G dans le tableau précédent.

Question 2   Compléter : $\lim\limits_{x \to \_} f(x) = \underline{\hspace{1cm}}$.

Trouvons maintenant les valeurs de $f(x)$ correspondantes lorsque $x \to 0^+$.

x	$f(x)$
0,1	2,001
0,01	2,000 001
0,001	2,000 000 001
.	.
.	.
.	.
$\downarrow$	$\downarrow$
0^+	D

Question 3   Déterminer la valeur de D dans le tableau précédent.

Question 4   Compléter : $\lim\limits_{x \to \_} f(x) = \underline{\hspace{1cm}}$.

Puisque nous pouvons nous approcher aussi près que nous le voulons de 2, en calculant $f(x)$, pour des valeurs de x, où $x \in \text{dom } f$, telles que $x \to 0^-$ et $x \to 0^+$, nous écrirons alors

$$\boxed{\lim\limits_{x \to 0} f(x) = 2} \text{ ou } \boxed{\lim\limits_{x \to 0} \frac{x^4 + 2x}{x} = 2}.$$

La fonction f est représentée par le graphique ci-contre, car

$$f(x) = \frac{x^4 + 2x}{x}$$
$$= x^3 + 2, \quad \text{si } x \neq 0.$$

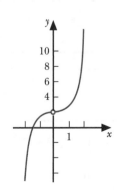

Exercices 3.1

1. Écrire les énoncés suivants sous la forme $\lim\limits_{x \to ?} ?? = ???$

   a) Plus les valeurs données à x sont voisines de -2 par la droite, plus les valeurs calculées pour $f(x)$ sont aussi près que nous le voulons de 10.

   b) Plus les valeurs données à x sont voisines de 5 par la gauche, plus les valeurs calculées pour $f(x)$ sont aussi près que nous le voulons de -3.

   c) Plus les valeurs données à x sont voisines de 5, plus les valeurs calculées pour $f(x) = 1 - 2x$ sont aussi près que nous le voulons de -9.

2. Traduire les expressions suivantes en énoncé.

   a) $\lim\limits_{x \to 3^+} f(x) = 0$

   b) $\lim\limits_{x \to -5} g(x) = 8$

   c) $\lim\limits_{x \to \left(\frac{1}{2}\right)^-} h(x) = -\dfrac{4}{9}$

3. Exprimer ce qui est illustré dans les tableaux suivants sous la forme $\lim\limits_{x \to ?} ?? = ???$

   a)

x	1,9	1,99	1,999	1,9999	... → ?
$f(x)$	4,1	4,01	4,001	4,0001	... → ???

   b)

x	14,1	14,01	14,001	14,0001	... → ?
$f(x)$	-0,1	-0,01	-0,001	-0,0001	... → ???

4. Soit la fonction f, représentée par le graphique ci-contre.

   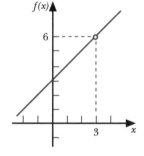

   a) Compléter : Plus les valeurs données à x sont voisines de 3 par la gauche, plus les valeurs de f sont aussi près que nous le voulons de ____, ainsi $\lim\limits_{x \to _} f(x) = $ ____.

   b) Compléter : $\lim\limits_{x \to 3^+} f(x) = $ _____.

   c) Compléter : $\lim\limits_{x \to 3} f(x) = $ _____.

5. Soit $f(x) = 3x^2 - 2x + 1$.

   a) Compléter les tableaux suivants.

x	1,5	1,9	1,99	1,999	... → 2^-
$f(x)$					

x	2,5	2,1	2,01	2,001	... → 2^+
$f(x)$					

   b) Évaluer $\lim\limits_{x \to 2^-} (3x^2 - 2x + 1)$.

   c) Évaluer $\lim\limits_{x \to 2^+} (3x^2 - 2x + 1)$.

   d) Évaluer $\lim\limits_{x \to 2} (3x^2 - 2x + 1)$.

6. Soit $f(x) = 5x - x^2 + 4$.

   a) Compléter les tableaux suivants.

x					$... \to \text{-}1^-$
$f(x)$					

x					$... \to \text{-}1^+$
$f(x)$					

   b) Donner les résultats obtenus en **a)** à l'aide de la notation de limite.

7. Soit $f(x) = \dfrac{x^2 - 4}{x + 2}$.

   a) Déterminer le dom f.

   b) Évaluer $\lim\limits_{x \to \text{-}2^-} \dfrac{x^2 - 4}{x + 2}$, en donnant au minimum quatre valeurs appropriées à x.

   c) Évaluer $\lim\limits_{x \to \text{-}2^+} \dfrac{x^2 - 4}{x + 2}$, en donnant au minimum quatre valeurs appropriées à x.

   d) Compléter : $\lim\limits_{x \to \text{-}2} \dfrac{x^2 - 4}{x + 2} = \underline{\hspace{2cm}}$.

   e) Représenter graphiquement cette fonction.

8. Soit $f(x) = \dfrac{x - 4}{x^2 - 4x}$, où dom $f = \mathbb{R} \setminus \{0, 4\}$.

   Après avoir construit les tableaux appropriés, évaluer

   a) $\lim\limits_{x \to 4^-} \dfrac{x - 4}{x^2 - 4x}$;
   b) $\lim\limits_{x \to 4^+} \dfrac{x - 4}{x^2 - 4x}$;
   c) $\lim\limits_{x \to 4} \dfrac{x - 4}{x^2 - 4x}$.

9. Soit $f(x) = \begin{cases} x^2 + 1 & \text{si} \quad x < 2 \\ 4 & \text{si} \quad x = 2 \\ 3x - 1 & \text{si} \quad x > 2 \end{cases}$

   Évaluer les limites suivantes en donnant au minimum quatre valeurs appropriées à x.

   a) $\lim\limits_{x \to 1^-} f(x)$
   c) $\lim\limits_{x \to 1} f(x)$
   e) $\lim\limits_{x \to 2^+} f(x)$

   b) $\lim\limits_{x \to 1^+} f(x)$
   d) $\lim\limits_{x \to 2^-} f(x)$
   f) $\lim\limits_{x \to 2} f(x)$

3.2 PROPOSITIONS SUR LES LIMITES

À la fin de la présente section, l'étudiant connaîtra certaines propositions sur les limites qui lui permettront d'évaluer des limites.

Nous admettrons sans démonstration les propositions de la présente section.

Objectif 3.2.1   Connaître certaines limites de base.

Proposition 1	$\lim\limits_{x \to a} \text{K} = \text{K}$, où K est une constante.

En d'autres termes, la limite d'une constante est égale à cette constante.

■ *Exemple* Soit $f(x) = 3$.

Alors $\lim\limits_{x \to 2} 3 = 3$ (proposition 1)

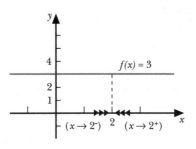

Proposition 2 $\lim\limits_{x \to a} x = a$

■ *Exemple* $\lim\limits_{x \to 3} x = 3$ (proposition 2)

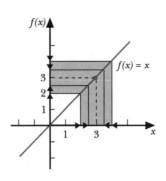

Question 1   Évaluer les limites suivantes à l'aide des propositions 1 et 2.

a) $\lim\limits_{x \to 4} x$ c) $\lim\limits_{x \to \pi} x$ e) $\lim\limits_{x \to 7^2} 7^3$

b) $\lim\limits_{x \to -7} 47$ d) $\lim\limits_{x \to 3} b$ f) $\lim\limits_{x \to \sqrt{0,5}} \sqrt{17}$

Objectif 3.2.2   Connaître certaines propositions sur les limites.

Proposition 3

Si $\lim\limits_{x \to a} f(x) = L$, alors

$\lim\limits_{x \to a} [K\, f(x)] = K\, \lim\limits_{x \to a} f(x) = KL,$

où $K \in \mathbb{R}$.

■ *Exemple* Soit f telle que $\lim\limits_{x \to 3} f(x) = 7$.

Évaluons la limite suivante.

$$\lim\limits_{x \to 3} [5\, f(x)] = 5\, \lim\limits_{x \to 3} f(x) \quad \text{(proposition 3)}$$

$$= 5 \times 7$$

$$= 35$$

Remarque Nous pouvons également écrire $\lim\limits_{x \to a} K\, f(x) = K\, \lim\limits_{x \to a} f(x)$.

■ *Exemple* $\lim_{x \to 7} 3x = 3 \lim_{x \to 7} x$ (proposition 3)

$$= 3 \times 7 \quad \text{(proposition 2)}$$

$$= 21$$

Question 2   Évaluer les limites suivantes.

a) $\lim_{x \to 3} 7x$ b) $\lim_{x \to 0} \sqrt{8}x$ c) $\lim_{y \to \pi} \pi y$ d) $\lim_{x \to \sqrt{3}} \dfrac{3x}{7}$

Proposition 4	Si $\lim_{x \to a} f(x) = \text{L}$ et $\lim_{x \to a} g(x) = \text{M}$, alors $\lim_{x \to a} [f(x) \pm g(x)] = \lim_{x \to a} f(x) \pm \lim_{x \to a} g(x) = \text{L} \pm \text{M}.$

En d'autres termes, la limite d'une somme est égale à la somme des limites et la limite d'une différence est égale à la différence des limites.

■ *Exemple* $\lim_{x \to 4} (x + 7) = \lim_{x \to 4} x + \lim_{x \to 4} 7$ (proposition 4)

$$= 4 + 7 \quad \text{(propositions 2 et 1)}$$

$$= 11$$

■ *Exemple* $\lim_{x \to 4} (7x - 4) = \lim_{x \to 4} 7x - \lim_{x \to 4} 4$ (proposition 4)

$$= 7 \lim_{x \to 4} x - 4 \quad \text{(propositions 3 et 1)}$$

$$= 7 \times 4 - 4 \quad \text{(proposition 2)}$$

$$= 24$$

Question 3   Évaluer les limites suivantes à l'aide des propositions précédentes.

a) $\lim_{x \to 2} (7 - 4x)$ b) $\lim_{x \to 3} \dfrac{9(3x - 1)}{7}$

En généralisant la proposition précédente, nous obtenons la proposition suivante.

Proposition 4'	Si $\lim_{x \to a} f_i(x) = \text{L}_i$, alors $\lim_{x \to a} [f_1(x) \pm f_2(x) \pm ... \pm f_n(x)] = \lim_{x \to a} f_1(x) \pm \lim_{x \to a} f_2(x) \pm ... \pm \lim_{x \to a} f_n(x)$ $= \text{L}_1 \pm \text{L}_2 \pm ... \pm \text{L}_n.$

Proposition 5	Si $\lim_{x \to a} f(x) = \text{L}$ et $\lim_{x \to a} g(x) = \text{M}$, alors $\lim_{x \to a} [f(x) \, g(x)] = \left(\lim_{x \to a} f(x) \right)\left(\lim_{x \to a} g(x) \right) = \text{LM}.$

En d'autres termes, la limite d'un produit est égale au produit des limites.

■ *Exemple* $\displaystyle\lim_{x \to 3} x^2 = \lim_{x \to 3} (xx) = \left(\lim_{x \to 3} x\right)\left(\lim_{x \to 3} x\right)$ (proposition 5)

$$= 3 \times 3 \qquad\qquad \text{(proposition 2)}$$

$$= 9$$

■ *Exemple*

$$\lim_{x \to 2} \frac{(3x + 1)(5x - 4)}{5} = \frac{1}{5}\lim_{x \to 2} \left[(3x + 1)(5x - 4)\right] \qquad \text{(proposition 3)}$$

$$= \frac{1}{5}\left(\lim_{x \to 2} (3x + 1)\right)\left(\lim_{x \to 2} (5x - 4)\right) \qquad \text{(proposition 5)}$$

$$= \frac{1}{5}\left(\lim_{x \to 2} 3x + \lim_{x \to 2} 1\right)\left(\lim_{x \to 2} 5x - \lim_{x \to 2} 4\right) \qquad \text{(proposition 4)}$$

$$= \frac{1}{5}\left(3 \lim_{x \to 2} x + 1\right)\left(5 \lim_{x \to 2} x - 4\right) \qquad \text{(propositions 3 et 1)}$$

$$= \frac{1}{5}(3 \times 2 + 1)(5 \times 2 - 4) \qquad \text{(proposition 2)}$$

$$= \frac{42}{5}$$

En généralisant la proposition précédente, nous obtenons la proposition suivante.

Proposition 5'	Si $\displaystyle\lim_{x \to a} f_i(x) = \text{L}_i$, alors $\displaystyle\lim_{x \to a} \left[f_1(x) f_2(x) \ldots f_n(x)\right] = \left(\lim_{x \to a} f_1(x)\right)\left(\lim_{x \to a} f_2(x)\right) \ldots \left(\lim_{x \to a} f_n(x)\right) = \text{L}_1\text{L}_2 \ldots \text{L}_n.$

La proposition suivante est un cas particulier de la proposition précédente.

Proposition 6	$\displaystyle\lim_{x \to a} x^n = a^n$, où $n \in \mathbb{N}$.

■ *Exemple* $\displaystyle\lim_{x \to 4} x^7 = 4^7$

■ *Exemple*

$$\lim_{x \to 2} (3x^2 + 7x - 1) = \lim_{x \to 2} 3x^2 + \lim_{x \to 2} 7x - \lim_{x \to 2} 1 \qquad \text{(proposition 4')}$$

$$= 3 \lim_{x \to 2} x^2 + 7 \lim_{x \to 2} x - 1 \qquad \text{(propositions 3 et 1)}$$

$$= 3 \times 2^2 + 7 \times 2 - 1 \qquad \text{(propositions 2 et 6)}$$

$$= 25$$

Question 4   Évaluer les limites suivantes à l'aide des propositions précédentes.

a) $\displaystyle\lim_{x \to -1} 5x^{99}$

b) $\displaystyle\lim_{x \to 1} \left[(3x^4 - 5)(7x^6 - 3x - 4)\right]$

Proposition 7

Si $\lim\limits_{x \to a} f(x) = L$ et $\lim\limits_{x \to a} g(x) = M$, alors

$$\lim_{x \to a} \frac{f(x)}{g(x)} = \frac{\lim\limits_{x \to a} f(x)}{\lim\limits_{x \to a} g(x)} = \frac{L}{M},$$

lorsque $M \neq 0$.

En d'autres termes, la limite d'un quotient est égale au quotient des limites si la limite du dénominateur est différente de 0.

■ *Exemple*

$$\lim_{x \to 2} \frac{x^5 - 4x^2 + 3}{4x - 1} = \frac{\lim\limits_{x \to 2} (x^5 - 4x^2 + 3)}{\lim\limits_{x \to 2} (4x - 1)} \qquad \text{(proposition 7)}$$

$$= \frac{\lim\limits_{x \to 2} x^5 - \lim\limits_{x \to 2} 4x^2 + \lim\limits_{x \to 2} 3}{\lim\limits_{x \to 2} 4x - \lim\limits_{x \to 2} 1} \qquad \text{(proposition 4′)}$$

$$= \frac{2^5 - 4 \lim\limits_{x \to 2} x^2 + 3}{4 \lim\limits_{x \to 2} x - 1} \qquad \text{(propositions 6, 3 et 1)}$$

$$= \frac{2^5 - 4 \times 2^2 + 3}{4 \times 2 - 1} \qquad \text{(propositions 6 et 2)}$$

$$= \frac{19}{7}$$

Question 5

Évaluer $\lim\limits_{x \to 2} \dfrac{x^3}{5x^2 + 4}$ à l'aide des propositions précédentes.

Remarque Dans le cas où la limite du dénominateur est égale à zéro $\left(\lim\limits_{x \to a} g(x) = 0 \right)$,

il y a deux possibilités :

a)   Si $\lim\limits_{x \to a} f(x) = 0$, nous disons que la limite $\lim\limits_{x \to a} \dfrac{f(x)}{g(x)}$ est d'une *forme indéterminée*.

Nous étudierons ce cas à la section 3.3.

b)   Si $\lim\limits_{x \to a} f(x) = K$ où $K \neq 0$, la limite $\lim\limits_{x \to a} \dfrac{f(x)}{g(x)}$ sera étudiée au chapitre 10.

Proposition 8

Si $\lim\limits_{x \to a} f(x) = L$ et si $[f(x)]^r$ est définie pour x voisin de a, alors

$$\lim_{x \to a} [f(x)]^r = \left[\lim_{x \to a} f(x) \right]^r = [L]^r,$$

où $r > 0$.

■ *Exemple* $\lim\limits_{x \to 2} (3x + 1)^3 = \left[\lim\limits_{x \to 2} (3x + 1)\right]^3$ (proposition 8)

$$= \left[\lim\limits_{x \to 2} 3x + \lim\limits_{x \to 2} 1\right]^3 \quad \text{(proposition 4)}$$

$$= \left[3 \lim\limits_{x \to 2} x + 1\right]^3 \quad \text{(propositions 3 et 1)}$$

$$= \left[3 \times 2 + 1\right]^3 \quad \text{(proposition 2)}$$

$$= 343$$

■ *Exemple* $\lim\limits_{x \to 5} \sqrt{x} = \lim\limits_{x \to 5} x^{\frac{1}{2}}$

$$= \left[\lim\limits_{x \to 5} x\right]^{\frac{1}{2}} \quad \text{(proposition 8)}$$

$$= \sqrt{\lim\limits_{x \to 5} x}$$

$$= \sqrt{5} \quad \text{(proposition 2)}$$

Remarque Dans le cas particulier des radicaux, nous pouvons écrire
$$\lim\limits_{x \to a} \sqrt[n]{f(x)} = \sqrt[n]{\lim\limits_{x \to a} f(x)}, \text{ si } \sqrt[n]{f(x)} \text{ est définie pour } x \text{ voisin de } a \text{ et } n \in \mathbb{N}.$$

■ *Exemple* $\lim\limits_{x \to -3} \sqrt{3 - 2x} = \sqrt{\lim\limits_{x \to -3} (3 - 2x)}$ (proposition 8)

$$= \sqrt{9} \quad \text{(propositions 4, 3, 1 et 2)}$$

$$= 3$$

Exercices 3.2

1. Compléter les propositions.

   a) $\lim\limits_{x \to a} K =$

   b) $\lim\limits_{x \to a} x =$

   c) $\lim\limits_{x \to a} [Kf(x)] =$

   d) $\lim\limits_{x \to a} [f(x) \pm g(x)] =$

   e) $\lim\limits_{x \to a} [f(x)\, g(x)] =$

   f) $\lim\limits_{x \to a} x^n =$

   g) $\lim\limits_{x \to a} \dfrac{f(x)}{g(x)} =$

   h) $\lim\limits_{x \to a} [f(x)]^r =$

2. Évaluer les limites suivantes en indiquant les propositions utilisées.

   a) $\lim\limits_{x \to 2} \left(3x - \dfrac{x^7}{8}\right)$

   b) $\lim\limits_{x \to -1} (4 + x^3)^{-3}$

   c) $\lim\limits_{x \to 1} x\sqrt{x^2 + x + 1}$

3. Soit $\lim\limits_{x \to a} f(x) = 9$, $\lim\limits_{x \to a} g(x) = -8$, $\lim\limits_{x \to a} h(x) = 0$, $f(a) = 3$, $g(a) = 4$ et $h(a) = 5$.

   Évaluer, si possible, les limites suivantes en indiquant les propositions utilisées.

   a) $\lim\limits_{x \to a} [f(x) + g(x)]$

   b) $\lim\limits_{x \to a} \left[2\, g(x)\, f(x) - 5\, h(x)\right]$

   c) $\lim\limits_{x \to a} \dfrac{\sqrt[3]{g(x)}}{\sqrt{f(x)}}$

   d) $\lim\limits_{x \to a} [x\, [f(x) - f(a)]]$

3.3 INDÉTERMINATION DE LA FORME $\frac{0}{0}$

À la fin de la présente section, l'étudiant pourra lever certaines indéterminations de la forme $\frac{0}{0}$.

Objectif 3.3.1   Reconnaître une indétermination de la forme $\frac{0}{0}$ dans un problème.

Les propositions sur les limites de la section précédente nous révèlent que, pour évaluer une limite $\left(\lim\limits_{x \to a} f(x) \right)$, il semble suffisant de remplacer x par a dans la fonction donnée.

Par contre, il existe plusieurs cas où cette méthode n'est pas appropriée : par exemple, lorsque dans un quotient, la limite du numérateur est égale à 0 et la limite du dénominateur est égale à 0. Nous disons, dans ce cas, que nous avons une indétermination de la forme $\frac{0}{0}$.

■ *Exemple* $\lim\limits_{x \to 3} \dfrac{x^2 - 9}{x - 3}$ est une indétermination de la forme $\frac{0}{0}$.

■ *Exemple* $\lim\limits_{x \to 4} \dfrac{x - 4}{\sqrt{x} - 2}$ est une indétermination de la forme $\frac{0}{0}$.

■ *Exemple* $\lim\limits_{h \to 0} \dfrac{(x + h)^2 - x^2}{h}$ est une indétermination de la forme $\frac{0}{0}$.

Remarque   Les limites de quotients où la limite du numérateur n'est pas égale à 0 et où la limite du dénominateur est égale à 0, par exemple, $\lim\limits_{x \to 2} \dfrac{x^2 + 4}{x - 2}$, seront étudiées au chapitre 10.

Question 1   Déterminer, parmi les limites suivantes, celles qui sont des indéterminations de la forme $\frac{0}{0}$.

a) $\lim\limits_{x \to -2} \dfrac{4 + 2x}{x}$ c) $\lim\limits_{x \to 3} \dfrac{x^2 - 9}{\sqrt{x} - \sqrt{3}}$ e) $\lim\limits_{x \to -1} \dfrac{x^2 + 1}{2x - 3}$

b) $\lim\limits_{x \to -2} \dfrac{4 + 2x}{x^2 - 4}$ d) $\lim\limits_{x \to 5} \dfrac{x + 5}{x^2 - 25}$ f) $\lim\limits_{x \to 0} \dfrac{5^x - 1}{x}$

Objectif 3.3.2   Lever certaines indéterminations de la forme $\frac{0}{0}$ à l'aide de tableaux de valeurs.

■ *Exemple*   En évaluant $\lim\limits_{x \to 1} \dfrac{5x^2 - 5x}{x - 1}$, nous obtenons la forme indéterminée $\frac{0}{0}$.

Construisons les deux tableaux suivants en donnant à x des valeurs voisines de 1, soit inférieurement dans le premier tableau et supérieurement dans le second tableau, et calculons $f(x)$ pour chacune des valeurs de x.

x	0,5	0,9	0,99	0,999	$... \to 1^-$
$f(x)$	2,5	4,5	4,95	4,995	$... \to 5$

x	1,5	1,1	1,01	1,001	$... \to 1^+$
$f(x)$	7,5	5,5	5,05	5,005	$... \to 5$

Puisque nous pouvons nous approcher aussi près de 5 que nous le voulons, en calculant $f(x)$ pour des valeurs de x telles que $x \to 1^-$ et $x \to 1^+$, nous avons $\lim\limits_{x \to 1} \dfrac{5x^2 - 5x}{x - 1} = 5$.

Nous avons donc levé l'indétermination de la forme $\dfrac{0}{0}$ à l'aide de tableaux de valeurs.

Objectif 3.3.3   Lever certaines indéterminations de la forme $\dfrac{0}{0}$ à l'aide de simplifications.

Il aurait cependant été plus simple d'effectuer une simplification pour lever l'indétermination de l'exemple précédent. Ainsi,

$$\lim_{x \to 1} \frac{5x^2 - 5x}{x - 1} = \lim_{x \to 1} \frac{5x(x - 1)}{(x - 1)} \quad \text{(mise en facteur)}$$

$$= \lim_{x \to 1} 5x \qquad \text{(en simplifiant, car } (x - 1) \neq 0\text{)}$$

$$= 5 \qquad \text{(propositions 3 et 2).}$$

■ *Exemple* $\lim\limits_{x \to -2} \dfrac{4 + 2x}{x^2 - 4}$ est une indétermination de la forme $\dfrac{0}{0}$.

Levons cette indétermination, en simplifiant :

$$\lim_{x \to -2} \frac{4 + 2x}{x^2 - 4} = \lim_{x \to -2} \frac{2(2 + x)}{(x + 2)(x - 2)} \quad \text{(en factorisant)}$$

$$= \lim_{x \to -2} \frac{2}{(x - 2)} \qquad \text{(en simplifiant, car } (x + 2) \neq 0\text{)}$$

$$= -\frac{1}{2} \qquad \text{(en évaluant la limite).}$$

■ *Exemple* $\lim\limits_{h \to 0} \dfrac{(x + h)^2 - x^2}{h}$ est une indétermination de la forme $\dfrac{0}{0}$.

Levons cette indétermination, en simplifiant :

$$\lim_{h \to 0} \frac{(x + h)^2 - x^2}{h} = \lim_{h \to 0} \frac{x^2 + 2xh + h^2 - x^2}{h} \quad \text{(en calculant } (x + h)^2\text{)}$$

$$= \lim_{h \to 0} \frac{2xh + h^2}{h} \qquad \text{(par addition)}$$

$$= \lim_{h \to 0} \frac{h(2x + h)}{h} \qquad (h \text{ en facteur})$$

$$= \lim_{h \to 0} (2x + h) \qquad (\text{en simplifiant, car } h \neq 0)$$

$$= 2x \qquad (\text{en évaluant la limite}).$$

Question 2   Évaluer les limites suivantes en simplifiant.

a) $\displaystyle \lim_{x \to -4} \frac{3x + 12}{x + 4}$

b) $\displaystyle \lim_{x \to 2} \frac{x^2 - 5x + 6}{2x^2 + x - 10}$

Objectif 3.3.4   Lever certaines indéterminations de la forme $\frac{0}{0}$ à l'aide d'artifices de calcul.

■ *Exemple* $\displaystyle \lim_{x \to 2} \frac{\frac{1}{x} - \frac{1}{2}}{x - 2}$ est une indétermination de la forme $\frac{0}{0}$.

Pour lever cette indétermination, il faut d'abord effectuer l'opération au numérateur.

$$\lim_{x \to 2} \frac{\frac{1}{x} - \frac{1}{2}}{x - 2} = \lim_{x \to 2} \frac{\frac{2 - x}{2x}}{x - 2} \qquad (\text{en effectuant l'opération au numérateur})$$

$$= \lim_{x \to 2} \frac{2 - x}{2x(x - 2)}$$

$$= \lim_{x \to 2} \frac{-1}{2x} \qquad (\text{en simplifiant, car } (x - 2) \neq 0)$$

$$= -\frac{1}{4} \qquad (\text{en évaluant la limite})$$

■ *Exemple* $\displaystyle \lim_{x \to 3} \frac{x^2 - 9}{\sqrt{x} - \sqrt{3}}$ est une indétermination de la forme $\frac{0}{0}$.

Pour lever cette indétermination, il faut d'abord utiliser le conjugué de l'expression $(\sqrt{x} - \sqrt{3})$.

$$\lim_{x \to 3} \frac{x^2 - 9}{\sqrt{x} - \sqrt{3}} = \lim_{x \to 3} \left[\frac{x^2 - 9}{\sqrt{x} - \sqrt{3}} \times \frac{\sqrt{x} + \sqrt{3}}{\sqrt{x} + \sqrt{3}} \right]$$

(en multipliant le numérateur et le dénominateur de l'expression initiale par le conjugué du dénominateur)

$$= \lim_{x \to 3} \left[\frac{(x^2 - 9)(\sqrt{x} + \sqrt{3})}{x - 3} \right] \qquad (\text{en effectuant})$$

$$= \lim_{x \to 3} \left[\frac{(x - 3)(x + 3)(\sqrt{x} + \sqrt{3})}{x - 3} \right] \qquad (\text{en factorisant})$$

$$= \lim_{x \to 3} \left[(x + 3)(\sqrt{x} + \sqrt{3}) \right] \qquad (\text{en simplifiant, car } (x - 3) \neq 0)$$

$$= 12\sqrt{3} \qquad (\text{en évaluant la limite})$$

Certains problèmes exigent l'application des deux artifices vus précédemment.

■ *Exemple* $\lim\limits_{x \to 5} \dfrac{\dfrac{1}{\sqrt{x}} - \dfrac{1}{\sqrt{5}}}{x - 5}$ est une indétermination de la forme $\dfrac{0}{0}$.

Levons cette indétermination.

$$\lim_{x \to 5} \frac{\dfrac{1}{\sqrt{x}} - \dfrac{1}{\sqrt{5}}}{x - 5} = \lim_{x \to 5} \frac{\dfrac{\sqrt{5} - \sqrt{x}}{\sqrt{x}\sqrt{5}}}{x - 5} \quad \text{(en effectuant l'opération au numérateur)}$$

$$= \lim_{x \to 5} \frac{\sqrt{5} - \sqrt{x}}{\sqrt{x}\sqrt{5}\,(x - 5)}$$

$$= \lim_{x \to 5} \left[\frac{\sqrt{5} - \sqrt{x}}{\sqrt{x}\sqrt{5}\,(x - 5)} \times \frac{\sqrt{5} + \sqrt{x}}{\sqrt{5} + \sqrt{x}} \right] \quad \begin{array}{l}\text{(en multipliant le} \\ \text{numérateur et le} \\ \text{dénominateur de} \\ \text{l'expression initiale} \\ \text{par le conjugué du} \\ \text{numérateur)}\end{array}$$

$$= \lim_{x \to 5} \frac{5 - x}{\sqrt{x}\sqrt{5}(x - 5)(\sqrt{5} + \sqrt{x})} \quad \text{(en effectuant)}$$

$$= \lim_{x \to 5} \frac{-1}{\sqrt{x}\sqrt{5}(\sqrt{5} + \sqrt{x})} \quad \begin{array}{l}\text{(en simplifiant,} \\ \text{car } (x - 5) \neq 0)\end{array}$$

$$= \frac{-1}{10\sqrt{5}}$$

Nous tenons à souligner qu'il existe d'autres formes d'indétermination et d'autres méthodes pour lever des indéterminations. Certains de ces éléments seront étudiés dans des chapitres ultérieurs ainsi que dans un deuxième cours de calcul.

Exercices 3.3

1. Déterminer, parmi les limites suivantes, celles qui sont une indétermination de la forme $\dfrac{0}{0}$.

a) $\lim\limits_{x \to 2} \dfrac{(x - 2)(x^3 - 8)}{x}$

c) $\lim\limits_{x \to 2} \dfrac{x - 2}{x^3 - 8}$

e) $\lim\limits_{x \to 3} \dfrac{3^x - 27}{x^3 - 27}$

b) $\lim\limits_{x \to 0} \dfrac{(x - 2)(x^3 - 8)}{x}$

d) $\lim\limits_{x \to 5} \dfrac{\sqrt{3x} - \sqrt{15}}{x^2 - 25}$

f) $\lim\limits_{h \to 0} \dfrac{(x + h)^3 + x^3}{h}$

2. Évaluer les limites suivantes à l'aide de tableaux de valeurs.

a) $\lim\limits_{x \to 1} \dfrac{x^5 - 1}{x - 1}$

b) $\lim\limits_{x \to 0} \dfrac{\sin x}{x}$, où x est en radians.

3. Évaluer les limites suivantes.

a) $\displaystyle\lim_{x \to 0} \frac{x^2 + 3x}{5x}$

d) $\displaystyle\lim_{x \to -1} \frac{x^2 - 3x - 4}{x^3 - 1}$

g) $\displaystyle\lim_{x \to 1} \frac{x^2 - 1}{\frac{1}{x} - 1}$

b) $\displaystyle\lim_{x \to -5} \frac{x + 5}{x^2 - 25}$

e) $\displaystyle\lim_{x \to 1} \frac{x^5 - x}{x - 1}$

h) $\displaystyle\lim_{x \to 2} \frac{x^3 - 8}{x^2 - 4}$

c) $\displaystyle\lim_{x \to 9} \frac{3 - \sqrt{x}}{x - 9}$

f) $\displaystyle\lim_{x \to 0} \frac{3x}{4 - (2 - x)^2}$

i) $\displaystyle\lim_{h \to 0} \frac{\frac{1}{\sqrt{x + h}} - \frac{1}{\sqrt{x}}}{h}$

3.4 LIMITE À GAUCHE ET LIMITE À DROITE

À la fin de la présente section, l'étudiant pourra évaluer des limites à gauche, des limites à droite et connaîtra les conditions d'existence d'une limite.

Objectif 3.4.1   Évaluer des limites à gauche et des limites à droite.

■ *Exemple* Soit $f(x) = \begin{cases} 2 & \text{si} \quad x < 5 \\ 1 & \text{si} \quad x = 5 \\ 9 - x & \text{si} \quad x > 5 \end{cases}$

Étudions les valeurs obtenues pour $f(x)$ lorsque $x = 5$ et lorsque x est voisin de 5.

Pour $x = 5$, nous avons $f(5) = 1$.

Dans le cas où $x < 5$ et $x \to 5$, nous avons :

$\displaystyle\lim_{x \to 5^-} f(x) = \lim_{x \to 5^-} 2 \quad (\text{car } f(x) = 2 \text{ si } x < 5)$

$\qquad\qquad = 2 \qquad (\text{proposition 1}).$

Cette limite s'appelle *limite à gauche*.

Pour $x > 5$ et $x \to 5$, nous avons :

$\displaystyle\lim_{x \to 5^+} f(x) = \lim_{x \to 5^+} (9 - x) \quad (\text{car } f(x) = 9 - x \text{ si } x > 5)$

$\qquad\qquad = 4 \qquad\qquad (\text{propositions 4, 1 et 2}).$

Cette limite s'appelle *limite à droite*.

Remarque Le fait que $f(5) = 1$ n'a aucune importance dans l'évaluation des limites précédentes, car $x \to 5$ signifie x voisin de 5 mais $x \neq 5$.

■ *Exemple* Soit $f(x) = \begin{cases} x^2 + 1 & \text{si} \quad x < 1 \\ x - 7 & \text{si} \quad 1 < x < 3 \\ 3x^2 - 4 & \text{si} \quad x \geq 3 \end{cases}$

Évaluons la limite à gauche et la limite à droite de f lorsque $x \to 1$.

Limite à gauche :

$$\lim_{x \to 1^-} f(x) = \lim_{x \to 1^-} (x^2 + 1) \quad (\text{car } f(x) = x^2 + 1 \text{ si } x < 1)$$
$$= 2.$$

Limite à droite :

$$\lim_{x \to 1^+} f(x) = \lim_{x \to 1^+} (x - 7) \quad (\text{car } f(x) = x - 7 \text{ si } x > 1 \text{ et } x \text{ voisin de } 1)$$
$$= \text{-}6.$$

Question 1   Évaluer la limite à gauche et la limite à droite de f à la valeur de x donnée.

a) En $x = 0$ si $f(x) = \begin{cases} x^3 - 2 & \text{si} \quad x < 0 \\ x^4 + 1 & \text{si} \quad x > 0 \end{cases}$

b) En $x = 2$ si $f(x) = \begin{cases} 2x - 3 & \text{si} \quad x < 2 \\ 4 & \text{si} \quad x = 2 \\ x^2 + 1 & \text{si} \quad x > 2 \end{cases}$

c) En $x = \text{-}1$ si $f(x) = \begin{cases} 4 - x & \text{si} \quad x < \text{-}1 \\ 7x & \text{si} \quad x \geq \text{-}1 \end{cases}$

d) En $x = \text{-}3$ si $f(x) = x^2 - 5$

Objectif 3.4.2   Connaître les conditions d'existence d'une limite.

Énonçons maintenant une proposition donnant les conditions d'existence d'une limite.

Proposition 9 $\lim\limits_{x \to a} f(x) = b$ si et seulement si $\lim\limits_{x \to a^-} f(x) = b$ et $\lim\limits_{x \to a^+} f(x) = b$, où $b \in \mathbb{R}$.

Ceci signifie que, lorsque x est voisin de a, la limite d'une fonction f existe si et seulement si la limite à gauche de f et la limite à droite de f existent et sont égales.

■ *Exemple* Soit $f(x) = \begin{cases} x & \text{si} \quad x < 2 \\ 5 & \text{si} \quad x = 2 \\ x^2 - 2 & \text{si} \quad x > 2 \end{cases}$

Nous avons : $\lim\limits_{x \to 2^-} f(x) = \lim\limits_{x \to 2^-} x = 2 \qquad (\text{car } f(x) = x \text{ si } x < 2)$

et $\lim\limits_{x \to 2^+} f(x) = \lim\limits_{x \to 2^+} (x^2 - 2) = 2 \quad (\text{car } f(x) = x^2 - 2 \text{ si } x > 2).$

D'où, $\lim\limits_{x \to 2} f(x) = 2$, puisque $\lim\limits_{x \to 2^-} f(x) = \lim\limits_{x \to 2^+} f(x) = 2.$

■ *Exemple* Soit $f(x) = \begin{cases} 8 + x & \text{si} \quad x < \text{-}4 \\ x^3 & \text{si} \quad \text{-}4 < x < \text{-}1 \\ 3 - x^2 & \text{si} \quad x > \text{-}1 \end{cases}$

Nous avons : $\lim\limits_{x \to \text{-}1^-} f(x) = \lim\limits_{x \to \text{-}1^-} x^3 = \text{-}1 \qquad (\text{car } f(x) = x^3 \text{ si } x < \text{-}1 \text{ et } x \text{ voisin de -1})$

et $\lim\limits_{x \to \text{-}1^+} f(x) = \lim\limits_{x \to \text{-}1^+} (3 - x^2) = 2 \quad (\text{car } f(x) = 3 - x^2 \text{ si } x > \text{-}1).$

D'où $\lim\limits_{x \to \text{-}1} f(x)$ n'existe pas, puisque $\lim\limits_{x \to \text{-}1^-} f(x) \neq \lim\limits_{x \to \text{-}1^+} f(x).$

Question 2   Évaluer, si elles existent, les limites suivantes.

a) $\lim\limits_{x \to 0} f(x)$ si $f(x) = \begin{cases} x^3 + 3 & \text{si} & x < 0 \\ 5 & \text{si} & x = 0 \\ x^2 + 1 & \text{si} & x > 0 \end{cases}$

b) $\lim\limits_{x \to -2} f(x)$ si $f(x) = \begin{cases} 5 & \text{si} & x \le -2 \\ 11 + 3x & \text{si} & -2 < x < 0 \\ x^2 + 1 & \text{si} & x \ge 0 \end{cases}$

Nous pouvons également évaluer la limite d'une fonction définie à partir d'un graphique.

■ *Exemple* Soit la fonction *f* définie par le graphique ci-contre.

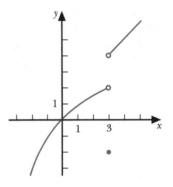

Graphiquement, nous constatons que plus *x* est voisin de 3 par la gauche ($x \to 3^-$), plus les valeurs de *f(x)* sont aussi près que nous le voulons de 2.

Ainsi, $\lim\limits_{x \to 3^-} f(x) = 2$.

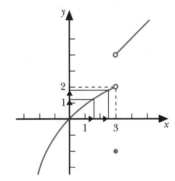

Graphiquement, nous constatons que plus *x* est voisin de 3 par la droite ($x \to 3^+$), plus les valeurs de *f(x)* sont aussi près que nous le voulons de 4.

Ainsi, $\lim\limits_{x \to 3^+} f(x) = 4$.

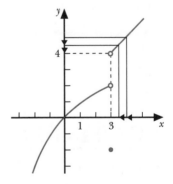

Puisque $\lim\limits_{x \to 3^-} f(x) \ne \lim\limits_{x \to 3^+} f(x)$, alors $\lim\limits_{x \to 3} f(x)$ n'existe pas.

Exercices 3.4

1. Compléter : $\lim\limits_{x \to a} f(x) = b \Leftrightarrow$ _____.

2. Évaluer la limite à gauche, la limite à droite de f aux valeurs données et déterminer si la limite existe en ces valeurs.

a)   En -5 si $f(x) = \begin{cases} x^2 & \text{si} & x < \text{-}5 \\ x & \text{si} & x > \text{-}5 \end{cases}$

c)   En 0 et en 3 si $f(x) = \begin{cases} 1 - x & \text{si} & x < 0 \\ x^2 + 4 & \text{si} & 0 < x < 3 \\ 4 & \text{si} & x = 3 \\ 5x - 2 & \text{si} & x > 3 \end{cases}$

b)   En 1 si $f(x) = \begin{cases} 3x & \text{si} & x < 1 \\ 4 & \text{si} & x = 1 \\ 5x^2 - 2x & \text{si} & x > 1 \end{cases}$

d)   En 2 si $f(x) = \begin{cases} \dfrac{x^2 - 4}{x - 2} & \text{si} & x < 2 \\ 2x & \text{si} & x > 2 \end{cases}$

3. À l'aide du graphique ci-contre, évaluer la limite à gauche, la limite à droite de f aux valeurs données et déterminer si la limite existe en ces valeurs.

a)   En -4.   b)   En 2.   c)   En 4.

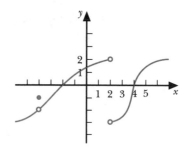

4. Soit la fonction f définie par le graphique ci-contre.

Évaluer, si possible, les expressions suivantes.

a) $f(\text{-}5)$

e) $\lim\limits_{x \to \text{-}2^-} f(x)$

i) $\lim\limits_{x \to \text{-}5} f(x)$

b) $f(2)$

f) $\lim\limits_{x \to 2^+} f(x)$

j) $\lim\limits_{x \to \text{-}4} f(x)$

c) $f(\text{-}2)$

g) $\lim\limits_{x \to 2^-} f(x)$

d) $f(4)$

h) $\lim\limits_{x \to 2} f(x)$

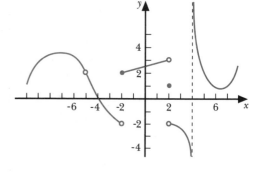

5. Déterminer, pour que les limites suivantes existent, la forme appropriée, c'est-à-dire $x \to a^+$, $x \to a^-$, ou les deux formes.

a) $\lim\limits_{x \to 5^?} \sqrt{x - 5}$

c) $\lim\limits_{x \to 8^?} \sqrt[3]{x - 8}$

e) $\lim\limits_{x \to 2^?} \sqrt{x^2 - 4x + 4}$

b) $\lim\limits_{x \to \left(\frac{2}{3}\right)^?} \sqrt{2 - 3x}$

d) $\lim\limits_{x \to 1^?} \sqrt{x^2 + 4x - 5}$

f) $\lim\limits_{x \to 3^?} \sqrt{\dfrac{x^2 - 9}{x - 3}}$

3.5 CONTINUITÉ D'UNE FONCTION

À la fin de la présente section, l'étudiant pourra déterminer si une fonction est continue en un point soit à partir d'un graphique ou à l'aide des trois conditions de continuité. Il pourra également déterminer si une fonction est continue sur un intervalle donné.

Objectif 3.5.1   Identifier graphiquement les fonctions continues et les points de discontinuité de fonctions discontinues.

| *Définition intuitive* | Une courbe est dite **continue** lorsqu'elle n'a pas de coupure, c'est-à-dire lorsque nous pouvons la tracer sans lever le crayon. |

■ *Exemple* Le graphique ci-contre représente une fonction continue $\forall\, x \in \mathbb{R}$.

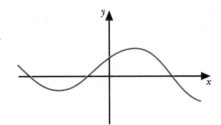

■ *Exemple* Le graphique ci-contre représente une fonction non continue ou discontinue en $x = -3$, $x = 1$ et $x = 3$.

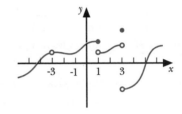

Voici différents graphiques de fonctions discontinues.

a)

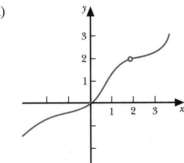

c)

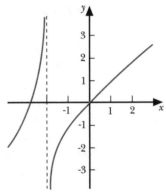

b)

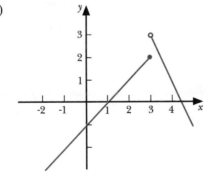

d)

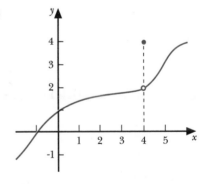

Question 1   Indiquer pour quelle valeur de x la fonction f est discontinue dans les graphiques précédents.

a) f est discontinue en $x =$ _____.   c) f est discontinue en $x =$ _____.

b) f est discontinue en $x =$ _____.   d) f est discontinue en $x =$ _____.

Étudions maintenant les conditions que doit remplir une fonction pour être continue.

Objectif 3.5.2   Connaître la première condition de continuité et pouvoir vérifier si une fonction satisfait à cette condition.

■ *Exemple* Soit *f* définie par le graphique ci-contre.

f est discontinue en $x = 2$ car $f(2)$ est non définie ou encore $2 \notin \text{dom } f$.

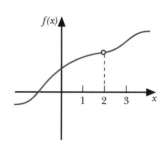

| 1re *condition* *de continuité* | Pour qu'une fonction *f* soit continue en $x = a$, il faut que $f(a)$ soit définie, c'est-à-dire que *a* appartienne au dom *f*. |

Remarque Cette condition est nécessaire, mais non suffisante : *f* ne peut pas être continue si $f(a)$ n'est pas définie, mais elle peut être discontinue même si $f(a)$ est définie. Voir précédemment le graphique **b)**, où $f(3)$ est définie, et le graphique **d)**, où $f(4)$ est définie.

■ *Exemple* Soit $f(x) = \dfrac{3}{x - 1}$ si $x \neq 4$.

Trouvons d'abord les valeurs de *x* susceptibles de causer des discontinuités en vertu de la première condition.

  i) $f(4)$ est non définie, car $4 \notin \text{dom } f$. D'où *f* est discontinue en $x = 4$.

  ii) $f(1)$ est non définie car le dénominateur prendrait la valeur 0 en remplaçant *x* par 1. D'où *f* est discontinue en $x = 1$.

Question 2

Pour chaque fonction, vérifier si la première condition de continuité est satisfaite aux valeurs *x* données et dire si la fonction peut être continue en ces valeurs de *x*.

a) $f(x) = \dfrac{1}{x}$

  i) En $x = 0$;   ii) en $x = 2$.

b) $f(x) = \begin{cases} 4 & \text{si} & x < 1 \\ x & \text{si} & x > 1 \end{cases}$

  i) En $x = -1$;   ii) en $x = 1$.

c) Pour la fonction représentée par le graphique ci-dessous, vérifier en

  i) $x = 0$;   ii) $x = 2$;   iii) $x = -2$.

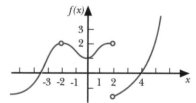

Objectif 3.5.3   Connaître la deuxième condition de continuité et pouvoir vérifier si une fonction satisfait à cette condition.

■ *Exemple* Soit $f(x) = \begin{cases} 3 & \text{si} & x < 5 \\ 7 & \text{si} & x \geq 5 \end{cases}$

Remarquons d'abord que la première condition de continuité est satisfaite en $x = 5$ puisque $f(5) = 7$. Mais *f* est discontinue en $x = 5$.

La discontinuité provient du fait qu'en $x = 5$, la limite à gauche est différente de la limite à droite.

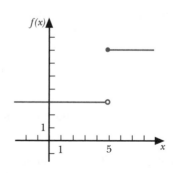

En effet, $\lim\limits_{x \to 5^-} f(x) = 3$ et $\lim\limits_{x \to 5^+} f(x) = 7$. D'où $\lim\limits_{x \to 5} f(x)$ n'existe pas, car la limite à gauche n'est pas égale à la limite à droite.

2ᵉ condition de continuité	Pour qu'une fonction f soit continue en $x = a$, il faut que $\lim\limits_{x \to a} f(x)$ existe.

Remarque Cette condition est nécessaire, mais non suffisante. (Voir graphique **d**), page 69.)

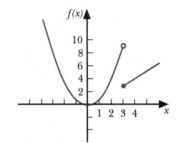

■ *Exemple* Soit $f(x) = \begin{cases} x^2 & \text{si} & x < 3 \\ x & \text{si} & x \geq 3 \end{cases}$

Nous constatons graphiquement que $\lim\limits_{x \to 3} f(x)$ n'existe pas, car $\lim\limits_{x \to 3^-} f(x) \neq \lim\limits_{x \to 3^+} f(x)$.

Ainsi, f est discontinue en $x = 3$.

Nous pouvons également vérifier algébriquement que la deuxième condition de continuité n'est pas satisfaite.

En effet, $\left.\begin{array}{l} \lim\limits_{x \to 3^-} f(x) = \lim\limits_{x \to 3^-} x^2 = 9 \\ \lim\limits_{x \to 3^+} f(x) = \lim\limits_{x \to 3^+} x = 3 \end{array}\right\}$ donc, $\lim\limits_{x \to 3} f(x)$ n'existe pas.

Question 3 Pour chaque fonction, vérifier si la deuxième condition de continuité est satisfaite aux valeurs x données et dire si la fonction peut être continue en ces valeurs de x.

a) $f(x) = \begin{cases} x^2 + 1 & \text{si} & x < 2 \\ 7 & \text{si} & x = 2 \\ 14 & \text{si} & x > 2 \end{cases}$ b) $f(x) = \begin{cases} x - 1 & \text{si} & x < 1 \\ x^2 - 1 & \text{si} & 1 \leq x < 2 \\ 3 & \text{si} & 2 \leq x \leq 4 \\ 2x - 15 & \text{si} & x > 4 \end{cases}$

   i) En $x = 2$;   ii) en $x = 4$.   i) En $x = 1$;   ii) en $x = 2$;   iii) en $x = 4$.

Objectif 3.5.4 Connaître la troisième condition de continuité et pouvoir vérifier si une fonction satisfait à cette condition.

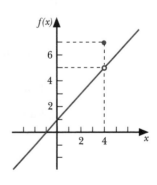

■ *Exemple* Soit $f(x) = \begin{cases} x + 1 & \text{si} & x \neq 4 \\ 7 & \text{si} & x = 4 \end{cases}$

Nous constatons graphiquement que f est discontinue en $x = 4$. Pourtant, les deux premières conditions sont satisfaites.

1ʳᵉ condition : $f(a)$ est définie, car $f(4) = 7$.

2ᵉ condition : $\lim\limits_{x \to a} f(x)$ existe.

En effet, $\lim\limits_{x \to 4} f(x) = \lim\limits_{x \to 4} (x + 1) = 5$.

Pour que la fonction soit continue, il faudrait que $f(4) = 5$. Nous aurions alors :

$\lim\limits_{x \to 4} f(x) = f(4)$.

3ᵉ condition de continuité	Pour qu'une fonction f soit continue en $x = a$, il faut que $\lim\limits_{x \to a} f(x) = f(a)$.

Remarque Cette condition est nécessaire et suffisante. En effet, si cette troisième condition est satisfaite, nous sommes assurés de la continuité de f en $x = a$.

■ *Exemple* Soit $f(x) = \begin{cases} 2x & \text{si} & x < 1 \\ 3 & \text{si} & x = 1 \\ x^2 + 1 & \text{si} & 1 < x < 2 \\ 5 & \text{si} & x = 2 \\ 7 - x & \text{si} & x > 2 \end{cases}$

Vérifions si la troisième condition de continuité est satisfaite aux valeurs de x suivantes :

i) En $x = 1$;   ii) en $x = 2$.

Remarque Pour vérifier la troisième condition de continuité, nous devons d'abord vérifier les deux premières. Ensuite, nous devons vérifier si les réponses obtenues pour les première et deuxième conditions sont identiques.

i) En $x = 1$.

1ʳᵉ condition : $f(1) = 3$.

2ᵉ condition : il faut calculer la limite à gauche et la limite à droite.

$\left. \begin{array}{l} \lim\limits_{x \to 1^-} f(x) = \lim\limits_{x \to 1^-} 2x = 2 \\ \lim\limits_{x \to 1^+} f(x) = \lim\limits_{x \to 1^+} (x^2 + 1) = 2 \end{array} \right\}$ donc, $\lim\limits_{x \to 1} f(x) = 2$.

3ᵉ condition : $\lim\limits_{x \to 1} f(x) \neq f(1)$, car $\lim\limits_{x \to 1} f(x) = 2$ et $f(1) = 3$.

Donc, la troisième condition n'étant pas satisfaite, f est discontinue en $x = 1$.

ii) En $x = 2$.

1ʳᵉ condition : $f(2) = 5$.

2ᵉ condition :

$\left. \begin{array}{l} \lim\limits_{x \to 2^-} f(x) = \lim\limits_{x \to 2^-} (x^2 + 1) = 5 \\ \lim\limits_{x \to 2^+} f(x) = \lim\limits_{x \to 2^+} (7 - x) = 5 \end{array} \right\}$ donc, $\lim\limits_{x \to 2} f(x) = 5$.

3ᵉ condition : $\lim\limits_{x \to 2} f(x) = f(2)$, car $f(2) = 5$ et $\lim\limits_{x \to 2} f(x) = 5$.

Donc, les trois conditions étant satisfaites, f est continue en $x = 2$.

La fonction f est représentée par le graphique ci-contre.

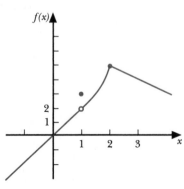

La continuité en un point se définit donc comme suit :

Définition	f est **continue en x = a** si et seulement si 1) $f(a)$ est définie, c'est-à-dire $a \in \text{dom } f$; 2) $\lim\limits_{x \to a} f(x)$ existe ; 3) $\lim\limits_{x \to a} f(x) = f(a)$.

Question 4   Vérifier si les fonctions suivantes sont continues à la valeur de x donnée.

a) En $x = 1$ pour $f(x) = \begin{cases} 3x + 1 & \text{si} \quad x \leq 1 \\ 5x - 1 & \text{si} \quad x > 1 \end{cases}$

b) En $x = 3$ pour $f(x) = \begin{cases} \dfrac{x^2 + 1}{2} & \text{si} \quad x < 3 \\ 6 & \text{si} \quad x = 3 \\ x^2 - 4 & \text{si} \quad x > 3 \end{cases}$

Objectif 3.5.5   Déterminer si une fonction est continue sur un intervalle donné.

Nous étudierons maintenant la continuité d'une fonction sur un intervalle.

Définition	Une fonction f est **continue sur]a, b[** si elle est continue $\forall\, x \in\ ]a, b[$.

■ *Exemple* Soit $f(x) = \dfrac{1}{x - 4}$ sur]2, 5[.

Il est évident que la fonction f n'est pas continue sur]2, 5[puisque $4 \in\ ]2, 5[$ et que $f(4)$ n'est pas définie.

De façon générale, f est discontinue sur tout intervalle]a, b[tel que $4 \in\ ]a, b[$.

Par ailleurs, f est continue $\forall\, c \neq 4$, car les trois conditions de continuité sont satisfaites. En effet,

1) $f(c) = \dfrac{1}{c - 4}$

2) $\lim\limits_{x \to c} \dfrac{1}{x - 4} = \dfrac{1}{c - 4}$ (propositions sur les limites)

3) $\lim\limits_{x \to c} f(x) = f(c)$.

Ainsi, par exemple, f est continue sur les intervalles suivants :]5, 7[;]0, 3[;]4, 9[;]3, 4[. De façon générale, f est continue sur tout intervalle]a, b[tel que $4 \notin\ ]a, b[$.

■ *Exemple* Soit la fonction f définie par le graphique ci-contre sur [1, 6].

Cette fonction est continue sur]1, 6[.

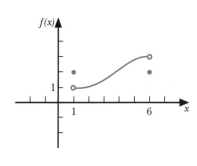

> ### Définition
>
> Une fonction f est **continue sur $[a, b]$** si
> 1) f est continue sur $]a, b[$;
> 2) $\lim\limits_{x \to a^+} f(x) = f(a)$;
> 3) $\lim\limits_{x \to b^-} f(x) = f(b)$.

■ *Exemple* Soit la fonction f définie par le graphique ci-contre sur $[1, 6]$.

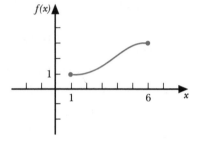

Vérifions si cette fonction est continue sur $[1, 6]$.

1) f est continue sur $]1, 6[$.

2) $\lim\limits_{x \to 1^+} f(x) = f(1)$, car $\lim\limits_{x \to 1^+} f(x) = 1$
   et $f(1) = 1$.

3) $\lim\limits_{x \to 6^-} f(x) = f(6)$, car $\lim\limits_{x \to 6^-} f(x) = 3$
   et $f(6) = 3$.

Donc, f est continue sur $[1, 6]$.

> ### Définition
>
> Une fonction f est **continue sur $]a, b]$** si
> 1) f est continue sur $]a, b[$;
> 2) $\lim\limits_{x \to b^-} f(x) = f(b)$.

Question 5   Donner la définition d'une fonction f continue sur $[a, b[$.

Exercices 3.5

1. Donner une définition intuitive de « fonction continue ».

2. Donner les trois conditions de continuité d'une fonction f en $x = a$.

3. Donner la définition d'une fonction f continue sur $[a, b]$.

4. Vérifier si les fonctions suivantes sont continues à la valeur de x donnée.

   a) En $x = 0$ pour $f(x) = 3x^2 - 4$

   b) En $x = 1$ pour $f(x) = \begin{cases} 4 & \text{si} \quad x < 1 \\ 5x - 1 & \text{si} \quad x \geq 1 \end{cases}$

   c) En $x = -1$ pour $f(x) = \begin{cases} x + 6 & \text{si} \quad x < -1 \\ 3 & \text{si} \quad x = -1 \\ 5x^2 & \text{si} \quad x > -1 \end{cases}$

   d) En $x = 1$ pour $f(x) = \begin{cases} \dfrac{7x^2 + 1}{4x} & \text{si} \quad x < 1 \\ 3x^2 - 1 & \text{si} \quad x \geq 1 \end{cases}$

5. Dire si la fonction représentée par le graphique ci-contre est continue aux valeurs suivantes et indiquer la (ou les) condition(s) de continuité non satisfaite(s).

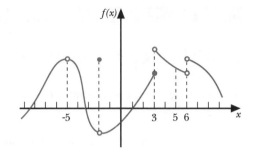

   a) $x = -5$ c) $x = 3$ e) $x = 6$

   b) $x = -2$ d) $x = 5$

6. Donner un exemple de graphique d'une fonction satisfaisant à toutes les conditions suivantes :

   • la 1re condition de continuité n'est pas satisfaite en $x = -2$;

   • la 2e condition de continuité n'est pas satisfaite en $x = 1$;

   • la 3e condition de continuité n'est pas satisfaite en $x = 3$;

   • la 1re et la 2e condition de continuité ne sont pas satisfaites en $x = 5$.

7. Soit f, la fonction représentée par le graphique ci-contre. Répondre par vrai (V) ou faux (F).

   La fonction f est continue sur

   a)   [2, 6] ;   d)   [-4, 2] ;   g)   [-1, 1[;

   b)   ]2, 6[;   e)   ]-4, 2] ;   h)   ]6, +∞ ;

   c)   ]-4, 2[;   f)   ]-4, 6[;   i)   -∞, -4].

8. Déterminer les valeurs de x où la fonction serait susceptible d'être discontinue.

   a) $f(x) = \dfrac{3x^2 - 4x + 5}{6}$ c) $f(x) = \begin{cases} 2x + 3 & \text{si} \quad x < -1 \\ 4 & \text{si} \quad x = -1 \\ x^2 + 3 & \text{si} \quad -1 < x \le 2 \\ 7 - 3x & \text{si} \quad x > 2 \end{cases}$

   b) $f(x) = \dfrac{4}{x + 2}$ d) $f(x) = \dfrac{x(x + 2)}{(x - 3)(3x + 9)(2 + 5x)}$

9. Répondre par vrai (V) ou faux (F).

   Les fonctions f suivantes sont continues sur les intervalles donnés.

   a) $f(x) = \dfrac{x}{x - 3}$ sur [-1, 1] ; sur]0, 3] ; sur [0, 3[; sur [1, 4].

   b) $f(x) = \sqrt{2x + 4}$ sur $\mathbb{R}$; sur]-2, 0] ; sur]-3, 2] ; sur [-2, +∞.

   c) $f(x) = \dfrac{3x + 2}{\sqrt{4 - x^2}}$ sur [-2, 2] ; sur [-4, 0[; sur [-1, 1] ; sur]-2, 2[.

Problèmes de synthèse

1. Écrire les énoncés suivants sous la forme
   $$\lim_{x \to ?} ?? = ???$$

   Plus les valeurs données à x sont voisines

   a) de a par la gauche, plus les valeurs calculées pour $f(x)$ sont aussi près que nous le voulons de b.

   b) de a par la droite, plus les valeurs calculées pour $f(x)$ sont aussi près que nous le voulons de b.

   c) de a, plus les valeurs calculées pour $f(x)$ sont aussi près que nous le voulons de b.

2. Traduire l'expression suivante en énoncé.
   $$\lim_{x \to 1} f(x) = -3$$

3. Évaluer les limites suivantes en construisant les tableaux appropriés.

   a) $\displaystyle\lim_{x \to 4} \frac{x - 4}{\sqrt{x} - 2}$ b) $\displaystyle\lim_{x \to 0} \frac{\sqrt{9 + x} - 3}{x}$

4. Évaluer, à l'aide des propositions, les limites suivantes.

   a) $\displaystyle\lim_{x \to 2} (7x^2 + 4)$

   b) $\displaystyle\lim_{x \to 0} \left(\frac{3x^2 - 7x + 2}{3x - 1} \right)^3$

   c) $\displaystyle\lim_{x \to 1} [(7x - 3)(4x^2 - 1)]$

   d) $\displaystyle\lim_{x \to -1} \frac{8x^3 - 7x^2 + 16}{x^{10} - x^9}$

   e) $\displaystyle\lim_{x \to \sqrt{2}} \frac{\sqrt{x^6 + x^4 + x^2 + 2}}{x^2 + x}$

   f) $\displaystyle\lim_{x \to \frac{1}{3}} \left(\frac{1}{x^3} + \frac{x^3}{2} \right)^{-2}$

5. Soit $\displaystyle\lim_{x \to a} f(x) = 64$, $\displaystyle\lim_{x \to a} g(x) = -1$,
   $\displaystyle\lim_{x \to a} h(x) = 0$, $h(a) = 2$, $g(a) = -1$
   et $f(a)$ non définie.

   Évaluer, si possible, les limites suivantes.

   a) $\displaystyle\lim_{x \to a} [f(x) + g(x) + h(x)]$

   b) $\displaystyle\lim_{x \to a} [f(x)\, g(x)\, h(x)]$

   c) $\displaystyle\lim_{x \to a} \sqrt[6]{\frac{h(x) - g(x)}{f(x)}}$

   d) $\displaystyle\lim_{x \to a} \frac{f(x)}{h(a)}$

6. En utilisant les données de la question précédente, déterminer si les égalités suivantes sont vraies (V) ou fausses (F).

   a) $\displaystyle\lim_{x \to a} g(x) = g(a)$

   b) $\displaystyle\lim_{x \to a} h(x) = h(a)$

   c) $\displaystyle\lim_{x \to a} \frac{h(x)}{g(x)} = \frac{\displaystyle\lim_{x \to a} h(x)}{\displaystyle\lim_{x \to a} g(x)}$

   d) $\displaystyle\lim_{x \to a} \frac{g(x)}{h(x)} = \frac{\displaystyle\lim_{x \to a} g(x)}{\displaystyle\lim_{x \to a} h(x)}$

   e) $\displaystyle\lim_{x \to a} \sqrt{g(x)} = \sqrt{\displaystyle\lim_{x \to a} g(x)}$

   f) $\displaystyle\lim_{x \to a} \frac{h(x)}{g(x)} = \lim_{x \to a} \frac{h(a)}{g(a)}$

7. Évaluer les limites suivantes.

   a) $\displaystyle\lim_{x \to 2} \frac{2x - 1}{x + 2}$

   b) $\displaystyle\lim_{x \to -5} \frac{x^2 - 25}{x + 5}$

   c) $\displaystyle\lim_{x \to -2} \frac{x^2 + x - 2}{x + 2}$

   d) $\displaystyle\lim_{x \to 7} \frac{\sqrt{x} - \sqrt{7}}{x + 7}$

   e) $\displaystyle\lim_{x \to 5} \frac{x - 5}{\sqrt{x} - \sqrt{5}}$

   f) $\displaystyle\lim_{x \to -1} \sqrt{\frac{1 - x^2}{1 + x}}$

   g) $\displaystyle\lim_{x \to -4} \frac{\dfrac{1}{x} + \dfrac{1}{4}}{x + 4}$

   h) $\displaystyle\lim_{x \to 0} \frac{(3 + x)^2 - 9}{x}$

i) $\displaystyle\lim_{x \to 1} \frac{\dfrac{3x + 1}{5x - 4} - 4}{x - 1}$

j) $\displaystyle\lim_{x \to 1} \frac{x^2 - 2x + 1}{x^3 - x^2 - x + 1}$

k) $\displaystyle\lim_{x \to 2} \frac{x^3 - 2x^2 - 4x + 8}{x - 2}$

l) $\displaystyle\lim_{h \to 0} \frac{(x + h)^3 - x^3}{h}$

m) $\displaystyle\lim_{x \to a} \frac{x^3 - a^2 x}{x - a}$

n) $\displaystyle\lim_{h \to 0} \frac{\dfrac{1}{x + h} - \dfrac{1}{x}}{h}$

o) $\displaystyle\lim_{x \to 4} \frac{\dfrac{1}{\sqrt{x}} - \dfrac{1}{2}}{x^2 - 16}$

8. Soit $\displaystyle\lim_{x \to a} f(x) = 0$, $\displaystyle\lim_{x \to a} g(x) = 0$, $g(x) \neq 0$ si

$x \neq a$, $f(x) \neq 0$ si $x \neq a$ et $\displaystyle\lim_{x \to a} \frac{f(x)}{g(x)} = 3$.

Évaluer, si possible, les limites suivantes.

a) $\displaystyle\lim_{x \to a} [f(x)\, g(x)]$

b) $\displaystyle\lim_{x \to a} \frac{x\, f(x)}{g(x)}$

c) $\displaystyle\lim_{x \to a} \frac{f^2(x)}{g(x)}$

d) $\displaystyle\lim_{x \to a} \frac{f(x) + g(x)}{g(x)}$

e) $\displaystyle\lim_{x \to a} \frac{[f(x) + g(x)]\, f(x)}{g^2(x)}$

f) $\displaystyle\lim_{x \to a} \frac{g(x)}{f(x)}$

9. Évaluer, si possible, la limite à gauche, la limite à droite de f aux valeurs données et déterminer si la limite existe en ces valeurs.

a) $f(x) = [x]$ i) En -3 ;   ii) en 0,5.

b) $f(x) = \sqrt{7 - x}$ en $x = 7$.

c) $f(x) = \begin{cases} \dfrac{\dfrac{1}{x} - \dfrac{1}{4}}{x - 4} & \text{si} \quad x \leq 4 \\[4mm] \dfrac{2 - \sqrt{x}}{4x - 16} & \text{si} \quad x > 4 \end{cases}$ en $x = 4$.

10. Pour chaque fonction, évaluer les limites aux valeurs données (si nécessaire, évaluer la limite à gauche et la limite à droite).

a) $f(x) = \begin{cases} x & \text{si} \quad x < 0 \\ 5 & \text{si} \quad x \geq 0 \end{cases}$

   i) En 2 ;   ii) en -3 ;   iii) en 0.

b) $f(x) = \begin{cases} x^2 + 1 & \text{si} \quad x < 2 \\ 7 & \text{si} \quad x = 2 \\ 14 & \text{si} \quad x > 2 \end{cases}$

   i) En 4 ;   ii) en 2 ;   iii) en 0.

c) $f(x) = \begin{cases} x - 1 & \text{si} \quad x < 1 \\ x^2 - 1 & \text{si} \quad 1 \leq x < 2 \\ 3 & \text{si} \quad 2 \leq x \leq 4 \\ 2x - 15 & \text{si} \quad x > 4 \end{cases}$

   i) En 1 ;   ii) en 2 ;   iii) en 4.

d) $f(x) = |x - 3|$

   i) En -2 ;   ii) en 4 ;   iii) en 3.

11. Localiser, s'il s'en trouve, les valeurs de x où les fonctions suivantes sont discontinues.

a)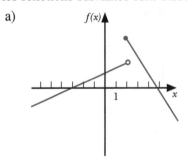

b)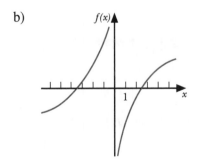

c)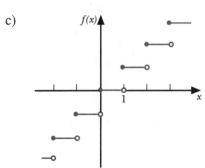

d)

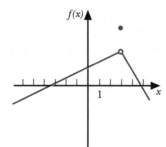

e)

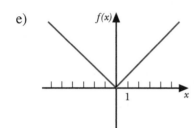

f)

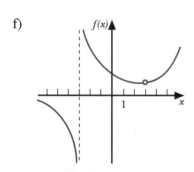

12. Pour chaque fonction, déterminer si elle est continue aux valeurs x données et représenter graphiquement cette fonction.

a) En $x = 3$ pour $f(x) = 3x^2 - 4$

b) En $x = 4$ pour $f(x) = \begin{cases} 5 & \text{si } x < 4 \\ 6 & \text{si } x = 4 \\ \dfrac{x^2 - 1}{x - 1} & \text{si } x > 4 \end{cases}$

c) En $x = 2$ pour $f(x) = \begin{cases} \dfrac{2x - 4}{\dfrac{x}{2} - 1} & \text{si } x < 2 \\ x^2 + 3 & \text{si } x \geq 2 \end{cases}$

d) i) En $x = 0$; ii) en $x = 2$; iii) en $x = 5$

pour $f(x) = \begin{cases} x^2 & \text{si } x < 0 \\ 2 & \text{si } x = 0 \\ x + 4 & \text{si } 0 < x < 2 \\ 6 & \text{si } x = 2 \\ 8 - x & \text{si } x > 2 \text{ et } x \neq 5 \end{cases}$

e) En $x = 4$ pour $f(x) = |x - 4|$.

f) En $x = 2$ pour $f(x) = \dfrac{|x - 2|}{x - 2}$.

13. Soit la fonction f définie par le graphique ci-dessous.

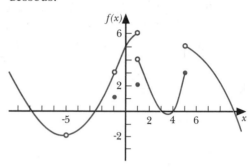

Évaluer, si possible, les expressions suivantes.

a) $f(-5)$ e) $\lim\limits_{x \to -1^-} f(x)$ i) $\lim\limits_{x \to -5} f(x)$

b) $f(0)$ f) $\lim\limits_{x \to 1^+} f(x)$ j) $\lim\limits_{x \to 0} f(x)$

c) $f(1)$ g) $\lim\limits_{x \to 5^-} f(x)$ k) $\lim\limits_{x \to -1} f(x)$

d) $f(5)$ h) $\lim\limits_{x \to 1} f(x)$ l) $\lim\limits_{x \to 5} f(x)$

m) Donner les valeurs de x où la fonction est discontinue en indiquant une condition non satisfaite.

14. À l'aide du graphique de la question précédente, répondre par vrai (V) ou faux (F) aux affirmations suivantes.

La fonction f est continue sur

a) $-\infty, -5[$;   c) $[-1, 1]$;   e) $]5, 7[$;

b) $]-5, -1]$;   d) $]1, 5]$;   f) $[5, +\infty$.

15. Pour chaque fonction, déterminer si possible la valeur de k qui rend la fonction continue.

a) $f(x) = \begin{cases} x + 2 & \text{si } x < 1 \\ k & \text{si } x = 1 \\ x^2 + 3x - 1 & \text{si } x > 1 \end{cases}$

b) $f(x) = \begin{cases} x^2 - 6 & \text{si } x < -2 \\ k & \text{si } x = -2 \\ 6 - x^2 & \text{si } x > -2 \end{cases}$

c) $f(x) = \begin{cases} \dfrac{x^2 - 25}{x - 5} & \text{si } x \neq 5 \\ k & \text{si } x = 5 \end{cases}$

d) $f(x) = \begin{cases} \dfrac{4x^2 + 5x}{x(x^2 + 6)} & \text{si } x \neq 0 \\ k & \text{si } x = 0 \end{cases}$

16. Soit $f(x) = x^2 - 5$.

a) Représenter graphiquement cette fonction, la sécante passant par les points $(1, f(1))$ et $(3, f(3))$ ainsi que la sécante passant par les points $(1, f(1))$ et $(a, f(a))$ où $1 < a < 3$.

b) Calculer $\text{TVM}_{[1, 3]}$ et $\text{TVM}_{[1, a]}$ où $1 < a < 3$. Déterminer à quoi correspondent ces taux de variation moyens.

c) Calculer $\lim_{a \to 1} \text{TVM}_{[1, a]}$ et déterminer à quoi correspond graphiquement cette limite.

Exercices récapitulatifs

1. Traduire les expressions suivantes en énoncé.

a) $\lim_{x \to -2^-} f(x) = 5$

b) $\lim_{x \to 0^+} f(x) = -1$

c) $\lim_{x \to 1} f(x) = 0$

2. Soit $f(x) = \dfrac{16 - x^2}{2x + 8}$, $g(x) = \dfrac{\sqrt{x} - \sqrt{5}}{x - 5}$ et

$$h(x) = \begin{cases} \dfrac{x - 2}{\dfrac{1}{x} - \dfrac{1}{2}} & \text{si } x < 2 \\ 4 & \text{si } x = 2 \\ \dfrac{16 - 8x}{x^2 - 4} & \text{si } x > 2 \end{cases}$$

Évaluer les limites suivantes, si elles existent, d'abord à l'aide de tableaux de valeurs, ensuite de façon algébrique.

a) $\lim_{x \to -4} f(x)$

b) $\lim_{x \to 5} g(x)$

c) $\lim_{x \to 2} h(x)$

3. Évaluer, à l'aide des propositions, les limites suivantes.

a) $\lim_{x \to 3} (x^2 + 3x - 1)$

b) $\lim_{x \to -2} \dfrac{x^3 - 3x + 6}{-x^2 + 15}$

c) $\lim_{x \to -1} (x^2 - 2)^{10}$

d) $\lim_{x \to 3} \dfrac{1}{x^3 - 8}$

e) $\lim_{x \to 5} \left(\sqrt{x - 1} + \sqrt{x^2 - 9} \right)$

f) $\lim_{x \to 5} \sqrt{\dfrac{x - 1}{x^2 - 16}}$

g) $\lim_{x \to 0} \dfrac{mx + n}{ax^2 + bx + c}$, où $c \neq 0$.

4. Évaluer les limites suivantes.

a) $\lim_{x \to 3} \dfrac{3x + 1}{x^2 - 3}$

b) $\lim_{x \to -1} x\sqrt{x + 5}$

c) $\lim_{x \to 4} \dfrac{\sqrt{x} - 2}{x - 4}$

d) $\lim_{x \to -2} \dfrac{x^3 + 8}{x + 2}$

e) $\lim_{x \to 0^-} \sqrt{4 + \sqrt{-x}}$

f) $\lim_{x \to 5} \dfrac{|x - 5|}{5 - x}$

g) $\lim_{x \to 9} \dfrac{\dfrac{1}{\sqrt{x}} - \dfrac{1}{3}}{x^2 - 81}$

h) $\lim_{h \to 0} \dfrac{(x + h)^4 - x^4}{h}$

i) $\lim_{x \to 5} \dfrac{x - \dfrac{25}{x}}{x - 5}$

j) $\lim_{h \to 0} \dfrac{\sqrt{x + h} - \sqrt{x}}{h}$

k) $\lim_{x \to 1} \dfrac{\dfrac{1}{x} - \dfrac{1}{x^3}}{x - 1}$

5. Soit $\lim_{x \to a} f(x) = 5$, $\lim_{x \to a} g(x) = -8$, $f(a) = 2$ et $g(a) = 0$.

Évaluer, si possible, les limites suivantes.

a) $\lim_{x \to a} [3 f(x) - g(x)]$

b) $\lim_{x \to a} \left(\dfrac{f(x)}{g(x)} \right)^2$

c) $\displaystyle\lim_{x \to a} (g(x)\,f(x))^{\frac{1}{3}}$

d) $\displaystyle\lim_{x \to a} \frac{2\,f(x) - 5\,f(a)}{g(x) - g(a)}$

e) $\displaystyle\lim_{x \to a} \frac{f(x)\,(x^2 - a^2)}{g(x)\,(x - a)}$

6. Évaluer, si possible, la limite à gauche, la limite à droite de f aux valeurs x données et évaluer la limite, si elle existe, en ces valeurs.

a) $f(x) = \begin{cases} x^2 - 1 & \text{si } x < \text{-}1 \\ \dfrac{x + 1}{3x} & \text{si } \text{-}1 < x \le 2 \\ \sqrt{x - 2} & \text{si } x > 2 \end{cases}$

   i) En $x = \text{-}1$;   ii) en $x = 2$.

b) $f(x) = \dfrac{2 - \sqrt{9 - x}}{x - 5}$

   i) En $x = 5$;   ii) en $x = 9$.

c) $f(x) = x - [x]$

   i) En $x = \text{-}2$;   ii) en $x = 8$.

d) $f(x) = \sqrt{x - 3}$

   i) En $x = 3$;   ii) en $x = \text{-}3$.

e) $f(x) = [\text{-}x^2]$

   i) En $x = \text{-}1$;   ii) en $x = 0$.

7. Soit f, la fonction définie par le graphique suivant.

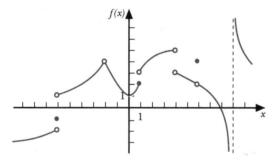

Évaluer, si possible, les expressions suivantes.

a) $f(1)$ f) $f(0)$ k) $\displaystyle\lim_{x \to 1^-} f(x)$

b) $f(\text{-}2)$ g) $f(\text{-}6)$ l) $\displaystyle\lim_{x \to 4} f(x)$

c) $f(6)$ h) $\displaystyle\lim_{x \to \text{-}6^+} f(x)$ m) $\displaystyle\lim_{x \to \text{-}2} f(x)$

d) $f(4)$ i) $\displaystyle\lim_{x \to \text{-}6^-} f(x)$ n) $\displaystyle\lim_{x \to 6} f(x)$

e) $f(9)$ j) $\displaystyle\lim_{x \to 0} f(x)$ o) $\displaystyle\lim_{x \to 9} f(x)$

8. À l'aide du graphique de la question précédente, déterminer si la fonction f est continue sur

a) $[\text{-}6, \text{-}2[$;   d) $]4, 6]$;   g) $]9, +\infty$;

b) $]\text{-}6, \text{-}2[$;   e) $]1, 6[$;   h) $\text{-}\infty, \text{-}6]$.

c) $[0, 1]$;   f) $]6, 9[$;

9. Soit la fonction f définie par le graphique ci-dessous.

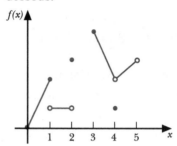

Déterminer pour quel(s) entier(s) $a \in [0, 5[$

a) $\displaystyle\lim_{x \to a^+} f(x)$ existe ;   d) $\displaystyle\lim_{x \to a^+} f(x) = f(a)$;

b) $\displaystyle\lim_{x \to a^-} f(x)$ existe ;   e) $\displaystyle\lim_{x \to a^-} f(x) = f(a)$;

c) $\displaystyle\lim_{x \to a} f(x)$ existe ;   f) f est continue.

10. Pour chaque fonction, déterminer si elle est continue aux valeurs x données.

a) $f(x) = \begin{cases} 4 - \dfrac{1}{x} & \text{si } \text{-}3 < x < \text{-}1 \\ 3 & \text{si } x = \text{-}1 \\ 6 - x^2 & \text{si } \text{-}1 < x < 2 \\ \sqrt{x + 2} & \text{si } x \ge 2 \end{cases}$

   i) En $x = \text{-}1$;   ii) en $x = 2$.

b) $g(x) = \begin{cases} \dfrac{|x - 3|}{x - 3} & \text{si } x \ne 3 \\ 0 & \text{si } x = 3 \end{cases}$

   i) En $x = 0$;   ii) en $x = 3$.

c) $h(x) = \begin{cases} \dfrac{x^2 - 16}{2x - 8} & \text{si } x < 4 \\ 4 & \text{si } x = 4 \\ \dfrac{x - 4}{\sqrt{x} - 2} & \text{si } x > 4 \end{cases}$

   En $x = 4$.

11. À l'aide des fonctions de la question précédente, déterminer si

a) f est continue sur $]\text{-}3, \text{-}1]$;

b) f est continue sur $]\text{-}1, 3[$;

c) g est continue sur $[0, 4]$;

d) h est continue sur $]\text{-}2, 4]$.

12. Soit les fonctions f et g définies par

$$f(x) = \begin{cases} \dfrac{x^4 - 1}{x + 1} & \text{si} \quad x \neq -1 \\ A & \text{si} \quad x = -1 \end{cases}$$

et

$$g(x) = \begin{cases} \dfrac{x^3 - 1}{x - 1} & \text{si} \quad x < 1 \\ B & \text{si} \quad x = 1 \\ \dfrac{\sqrt{x} - 1}{x - 1} & \text{si} \quad x > 1 \end{cases}$$

Déterminer, si possible, la valeur

a) de A telle que f soit continue en $x = -1$;

b) de B telle que g soit continue en $x = 1$;

c) de B telle que g soit continue sur $[0, 1]$;

d) de B telle que g soit continue sur $[1, 2]$.

13. Soit une fonction f telle que $\lim\limits_{x \to 5} f(x) = 7$.

Répondre par vrai (V) ou faux (F).

a) Si x est voisin de 5, alors $f(x)$ est aussi près que nous le voulons de 7.

b) Si $f(x)$ est voisin de 7, alors x est aussi près que nous le voulons de 5.

c) Si $x = 5$, alors $f(x) = 7$.

d) Si $x = 5$, alors $f(x)$ est voisin de 7.

14. Répondre par vrai (V) ou faux (F).

a) Si $\lim\limits_{x \to 3} f(x) = f(3)$ et $\lim\limits_{x \to 3} g(x) = g(3)$,

alors $\lim\limits_{x \to 3} \dfrac{f(x)}{g(x)} = \dfrac{f(3)}{g(3)}$.

b) Si $\lim\limits_{x \to 3} f(x) = f(3)$ et

$\lim\limits_{x \to 3} g(x) = g(3) \neq 0$, alors

$\lim\limits_{x \to 3} \dfrac{f(x)}{g(x)} = \dfrac{f(3)}{g(3)}$.

c) Si $f(x) < 6$ pour tout x et $\lim\limits_{x \to 2} f(x)$

existe, alors $\lim\limits_{x \to 2} f(x) < 6$.

d) $\lim\limits_{x \to 1} \sqrt{\dfrac{x - 1}{x^2 - 1}} = \lim\limits_{x \to 1} \dfrac{\sqrt{x - 1}}{\sqrt{x^2 - 1}}$.

e) $\lim\limits_{x \to a} \sqrt[n]{x} = \sqrt[n]{a} \ \forall \ a \in \mathbb{R}$.

15. Déterminer, si possible, des fonctions f et g telles que

a) $\lim\limits_{x \to 3} f(x) = 9$, mais $f(x) > 9 \ \forall \ x \in \mathbb{R}$.

b) $\lim\limits_{x \to 5} f(x) = 0$, mais $\lim\limits_{x \to 5} [f(x) \, g(x)] = 4$.

c) $\lim\limits_{x \to 1} f(x)$ n'existe pas, $\lim\limits_{x \to 1} g(x)$ n'existe pas, mais $\lim\limits_{x \to 1} [f(x) \, g(x)]$ existe.

d) f soit discontinue en $x = a$, mais $|f|$ soit continue en $x = a$.

16. Évaluer les limites suivantes.

a) $\lim\limits_{x \to 0} \dfrac{\sqrt{x^2}}{x}$

b) $\lim\limits_{x \to 9} \dfrac{2x - 8\sqrt{x} + 6}{\sqrt{x} - 3}$

c) $\lim\limits_{x \to 1^+} \dfrac{(x^2 - 1)^{\frac{3}{2}}}{\sqrt{x - 1} \, (\sqrt{x} - 1)}$

d) $\lim\limits_{x \to 0} \dfrac{|x|^3 - x^2}{x^3 + x^2}$

17. Si $\lim\limits_{x \to a} \dfrac{f(x)}{g(x)} = \lim\limits_{x \to a} \dfrac{g(x)}{f(x)}$, évaluer $\lim\limits_{x \to a} \dfrac{f(x)}{g(x)}$.

18. Soit

$$f(x) = \begin{cases} 2x + k_1 & \text{si} \quad x \leq 1 \\ \dfrac{x^3 - x^2 - 4x + 4}{x^3 - 2x^2 - x + 2} & \text{si} \quad 1 < x < 2 \\ x^2 + k_2 & \text{si} \quad x \geq 2 \end{cases}$$

Déterminer la valeur de k_1 et la valeur de k_2 telles que f soit continue en $x = 1$ et en $x = 2$.

19. Soit $f(x) = \begin{cases} ax^2 + bx + 3 & \text{si} \quad x < -2 \\ 1 & \text{si} \quad x = -2 \\ 2bx + 13a & \text{si} \quad x > -2 \end{cases}$

Déterminer la valeur de a et la valeur de b telles que f soit continue sur $\mathbb{R}$.

20. Déterminer le plus grand intervalle de continuité des fonctions suivantes.

a) $f(x) = \sqrt{\sqrt{x^2 - 9} - x}$

b) $f(x) = \sqrt{x + 1 - \sqrt{x^2 - 9}}$

21. Soit $f(x) = -2x - 6$, $g(x) = x^2 + 6x + 10$ et $h(x)$ telles que $f(x) \leq h(x) \leq g(x) \ \forall \ x \in \mathbb{R}$.

a) Donner une représentation graphique possible de ces fonctions sur un même système d'axes.

b) Évaluer, si possible, $\lim\limits_{x \to -4} h(x)$.

c) Évaluer, si possible, $\lim\limits_{x \to 0} h(x)$.

22. Soit $f(x) = [x] + [-x]$ si $x \in\ ]-1, 1[\ \setminus \{0\}$.

   Définir, si possible, $f(-1), f(0)$ et $f(1)$ telles que la fonction f soit continue sur $[-1, 1]$.

23. Soit un point $P(x, y)$ sur la courbe définie par $y = x^2$. Soit $A(x)$, l'aire du triangle dont les sommets sont $O(0, 0)$, $R(1, 0)$ et $P(x, y)$, et soit

   $B(x)$, l'aire du triangle dont les sommets sont $O(0, 0)$, $Q(0, 1)$ et $P(x, y)$.

   Déterminer, si possible,

   a) $\displaystyle\lim_{x \to 0} \frac{A(x)}{B(x)}$;   c) $\displaystyle\lim_{x \to 4} \frac{A(x)}{B(x)}$.

   b) $\displaystyle\lim_{x \to 0} \frac{B(x)}{A(x)}$;

Test récapitulatif

1. Compléter les phrases et les expressions suivantes.

   a) $x \to -3^-$ signifie _____.

   b) $\displaystyle\lim_{x \to a} [f(x) + g(x)] = $ _____.

   c) $\displaystyle\lim_{x \to \_\_} x = 5$.

   d) $\displaystyle\lim_{x \to a} [Kf(x)] = $ _____.

   e) $\displaystyle\lim_{x \to a} \frac{f(x)}{g(x)} = $ _____, si _____.

   f) $\displaystyle\lim_{x \to a} f(x) = b$ si et seulement si _____.

   g) Une fonction f est continue en $x = a$, si _____.

   h) Une fonction f est continue sur $]a, b[$ si _____.

2. Évaluer les limites suivantes à l'aide des propositions sur les limites.

   a) $\displaystyle\lim_{x \to -3} (5x - x^2 + 1)$

   b) $\displaystyle\lim_{x \to 5} \frac{\sqrt{3x + 4}}{2x^3 - 7}$

3. Évaluer les limites suivantes.

   a) $\displaystyle\lim_{x \to 4} \frac{3x - 12}{x^2 - 16}$

   b) $\displaystyle\lim_{x \to 25} \frac{\sqrt{x} - 5}{25 + x}$

   c) $\displaystyle\lim_{h \to 0} \frac{(x + h)^2 - x^2}{h}$

   d) $\displaystyle\lim_{x \to 1} f(x)$ si

   $f(x) = \begin{cases} x^2 + 3x + 2 & \text{si} \quad x < 1 \\ x^2 - 2x + 1 & \text{si} \quad x > 1 \end{cases}$

   e) $\displaystyle\lim_{x \to 36} \frac{36 - x}{\sqrt{x} - 6}$

4. Si $\displaystyle\lim_{x \to 2} f(x) = -4$ et $\displaystyle\lim_{x \to 2} g(x) = 3$, évaluer, si possible, les limites suivantes à l'aide des propositions sur les limites

   a) $\displaystyle\lim_{x \to 2} [f(x)\, g(x)]$ c) $\displaystyle\lim_{x \to 3} g(x)$

   b) $\displaystyle\lim_{x \to 2} \frac{5\, f(x)}{g(x)}$ d) $\displaystyle\lim_{x \to 2} \frac{5 + f(x)}{x\, g(x)}$

5. Soit la fonction f définie par le graphique ci-dessous.

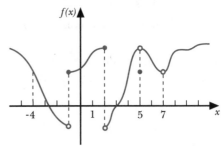

   a) Déterminer les valeurs de x où f est discontinue et donner une des conditions non satisfaite.

   b) Donner tous les intervalles de continuité de cette fonction en utilisant $-\infty$, les valeurs obtenues en **a)** et $+\infty$ comme bornes des intervalles.

6. Soit $f(x) = \begin{cases} x^2 & \text{si} \quad x < 1 \\ 3 & \text{si} \quad x = 1 \\ 2x - 1 & \text{si} \quad 1 < x < 3 \\ 5 & \text{si} \quad x \geq 3 \end{cases}$

   a) Vérifier si f est continue en $x = 1$.

   b) Vérifier si f est continue en $x = 3$.

7. Répondre par vrai (V) ou faux (F).

   Les fonctions suivantes sont continues sur les intervalles donnés.

   a) $f(x) = \dfrac{x^2 + 5x - 24}{x - 3}$ sur [-3, 3] ;]-3, 3 [.

   b) $f(x) = \begin{cases} \dfrac{x^2 + 5x - 24}{x - 3} & \text{si} \quad -3 < x < 3 \\ 3x + 2 & \text{si} \quad x \geq 3 \end{cases}$

   sur]-3, 3] ; [0, 6].

8. Soit $f(x) = \sqrt{\dfrac{3x - \sqrt{2}}{4 - x}}$.

   Déterminer le plus grand intervalle de continuité de cette fonction.

9. Soit la fonction f définie par le graphique ci-dessous.

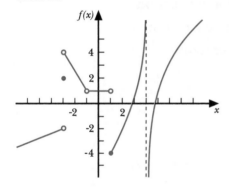

Évaluer, si possible, les expressions suivantes.

a) $f(-3)$

b) $f(-1)$

c) $f(1)$

d) $f(4)$

e) $\lim\limits_{x \to -3^+} f(x)$

f) $\lim\limits_{x \to -1} f(x)$

g) $\lim\limits_{x \to 1^-} f(x)$

h) $\lim\limits_{x \to 1^+} f(x)$

i) $\lim\limits_{x \to -3} f(x)$

10. Donner une représentation graphique d'une fonction satisfaisant à toutes les conditions suivantes :

   i) dom $f = [1, 6]$;

   ii) f est continue sur]1, 2[, [2, 4] et]4, 6[;

   iii) f est discontinue en $x = 2$ et en $x = 4$;

   iv) f est discontinue à la droite de 1 et f est continue à la gauche de 6.

Chapitre 4

Définition de la dérivée

Introduction

Nous reprenons dans ce chapitre les notions de vitesse moyenne et de vitesse instantanée (chapitre 2) pour ensuite définir les taux de variation moyen et instantané d'une fonction. Cela nous amène à la définition formelle de la dérivée, de même qu'à sa signification graphique. Nous utilisons finalement le calcul des limites (chapitre 3) pour évaluer des dérivées.

TEST PRÉLIMINAIRE

Partie A

1. Développer et simplifier.

   a) $(x + h)^2$

   b) $(x + h)^3$

   c) $\dfrac{(x + h)^2 - x^2}{h}$

   d) $\dfrac{1}{(x + h)^2} - \dfrac{1}{x^2}$

2. Factoriser les expressions suivantes en les complétant.

   a) $a^2 - b^2 = (a - b) \underline{\hspace{1.5cm}}$

   b) $a^3 - b^3 = (a - b) \underline{\hspace{1.5cm}}$

   c) $a^4 - b^4 = (a - b) \underline{\hspace{1.5cm}}$

   d) $a^{\frac{2}{3}} - b^{\frac{2}{3}} = (a^{\frac{1}{3}} - b^{\frac{1}{3}}) \underline{\hspace{1.5cm}}$

   e) $a^{\frac{3}{2}} - b^{\frac{3}{2}} = (a^{\frac{1}{2}} - b^{\frac{1}{2}}) \underline{\hspace{1.5cm}}$

   f) $a - b = (a^{\frac{1}{3}} - b^{\frac{1}{3}}) \underline{\hspace{1.5cm}}$

3. Pour chaque fonction, calculer

   i) $f(x + h)$;   ii) $f(2 + h)$;   iii) $f(-3 + h)$.

   a) $f(x) = 7x + 2$

   b) $f(x) = x^2 - 4x - 5$

   c) $f(x) = x^3 - 2x$

   d) $f(x) = \sqrt{x + 3}$

   e) $f(x) = \dfrac{x}{2x + 3}$

   f) $f(x) = 5$

Partie B

1. Effectuer les multiplications suivantes.

   a) $(\sqrt{x} + 7)(\sqrt{x} - 7)$

   b) $(\sqrt{3} - \sqrt{3 + x})(\sqrt{3} + \sqrt{3 + x})$

   c) $(\sqrt{x + h} - \sqrt{x})(\sqrt{x + h} + \sqrt{x})$

   d) $\left(\dfrac{1}{\sqrt{x}} - \dfrac{1}{5}\right)\left(\dfrac{1}{\sqrt{x}} + \dfrac{1}{5}\right)$

2. Définir le taux de variation moyen d'une fonction f sur un intervalle $[a, b]$.

3. Évaluer les limites suivantes.

   a) $\displaystyle\lim_{h \to 0} \dfrac{2xh + h^2}{h}$

   b) $\displaystyle\lim_{x \to a} \dfrac{x^2 - a^2}{x - a}$

   c) $\displaystyle\lim_{h \to 0} \dfrac{\sqrt{x + h} - \sqrt{x}}{h}$

   d) $\displaystyle\lim_{h \to 0} \dfrac{\dfrac{1}{x + h} - \dfrac{1}{x}}{h}$

4.1 TAUX DE VARIATION MOYEN D'UNE FONCTION

À la fin de la présente section, l'étudiant pourra calculer le taux de variation moyen d'une fonction.

Objectif 4.1.1 Connaître la définition du taux de variation moyen d'une fonction.

Nous avons défini, au chapitre 2, le taux de variation moyen d'une fonction f sur un intervalle $[a, b]$, comme suit

$$\text{TVM}_{[a, b]} = \frac{f(b) - f(a)}{b - a}.$$

Graphiquement, $\text{TVM}_{[a, b]}$ correspond à la pente de la sécante passant par les points $P_1(a, f(a))$ et $P_2(b, f(b))$.

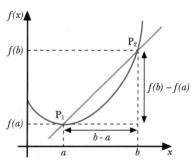

Utilisons maintenant une notation différente pour définir le TVM d'une fonction $y = f(x)$ sur un intervalle. En posant $a = x$ et $b = x + \Delta x$, où Δx correspond à l'accroissement de x et $\Delta x > 0$, nous obtenons la définition suivante.

Définition

Le **taux de variation moyen** d'une fonction f se définit également de la façon suivante :
$$\text{TVM}_{[x,\, x\, +\, \Delta x]} = \frac{f(x + \Delta x) - f(x)}{\Delta x}.$$

Définition

L'**accroissement de y**, noté Δy, se définit de la façon suivante :
$$\Delta y = f(x + \Delta x) - f(x).$$

Ainsi, nous avons

$$\text{TVM}_{[x,\, x\, +\, \Delta x]} = \frac{f(x + \Delta x) - f(x)}{\Delta x} = \frac{\Delta y}{\Delta x}.$$

D'une façon générale, pour une fonction f, les rapports

$$\frac{f(x + \Delta x) - f(x)}{\Delta x} \text{ et } \frac{\Delta y}{\Delta x}$$

correspondent à la pente de la sécante passant par les points $(x,\ f(x))$ et $(x + \Delta x, f(x + \Delta x))$.

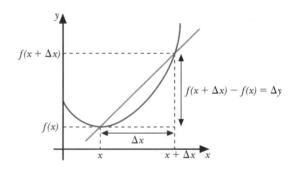

Finalement, pour alléger l'écriture, nous pouvons remplacer Δx par h dans la définition du taux de variation moyen, pour ainsi obtenir

$$\text{TVM}_{[x,\, x\, +\, h]} = \frac{f(x + h) - f(x)}{h}.$$

De façon analogue, pour une fonction f, le rapport

$$\frac{f(x + h) - f(x)}{h}$$

correspond à la pente de la sécante passant par les points $(x, f(x))$ et $(x + h, f(x + h))$.

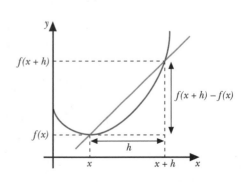

Objectif 4.1.2   Calculer le taux de variation moyen d'une fonction sur un intervalle.

■ *Exemple* Soit $f(x) = 3x^2 - 5$.

Évaluons le taux de variation moyen de f sur $[x, x + \Delta x]$.

$$\text{TVM}_{[x, x + \Delta x]} = \frac{f(x + \Delta x) - f(x)}{\Delta x} \qquad \text{(par définition)}$$

$$= \frac{[3(x + \Delta x)^2 - 5] - (3x^2 - 5)}{\Delta x} \qquad \text{(car } f(x) = 3x^2 - 5)$$

$$= \frac{3(x^2 + 2x\Delta x + (\Delta x)^2) - 5 - 3x^2 + 5}{\Delta x}$$

$$= \frac{3x^2 + 6x\Delta x + 3(\Delta x)^2 - 5 - 3x^2 + 5}{\Delta x}$$

$$= \frac{6x\Delta x + 3(\Delta x)^2}{\Delta x} \qquad \text{(en simplifiant)}$$

$$= \frac{\Delta x(6x + 3\Delta x)}{\Delta x} \qquad \text{(en factorisant)}$$

$$= 6x + 3\Delta x \qquad \text{(en simplifiant, car } \Delta x \neq 0)$$

■ *Exemple* Soit $f(x) = 2x^3 + 1$.

Évaluons le taux de variation moyen de f sur $[x, x + h]$.

$$\text{TVM}_{[x, x + h]} = \frac{f(x + h) - f(x)}{h} \qquad \text{(par définition)}$$

$$= \frac{[2(x + h)^3 + 1] - (2x^3 + 1)}{h} \qquad \text{(car } f(x) = 2x^3 + 1)$$

$$= \frac{2(x^3 + 3x^2h + 3xh^2 + h^3) + 1 - 2x^3 - 1}{h}$$

$$= \frac{2x^3 + 6x^2h + 6xh^2 + 2h^3 + 1 - 2x^3 - 1}{h}$$

$$= \frac{6x^2h + 6xh^2 + 2h^3}{h} \qquad \text{(en simplifiant)}$$

$$= \frac{h\,(6x^2 + 6xh + 2h^2)}{h} \qquad \text{(en factorisant)}$$

$$= 6x^2 + 6xh + 2h^2 \qquad \text{(en simplifiant, car } h \neq 0)$$

Nous pouvons également calculer le taux de variation moyen d'une fonction f, où la valeur de x est définie, en remplaçant x par la valeur appropriée dans la définition du $\text{TVM}_{[x, x + h]}$.

■ *Exemple* Soit $f(x) = 2x^3 + 1$.

Évaluons le taux de variation moyen de f sur $[3, 3 + h]$.

$$\text{TVM}_{[3, 3 + h]} = \frac{f(3 + h) - f(3)}{h} \qquad \text{(en remplaçant } x \text{ par 3 dans la définition)}$$

$$= \frac{[2(3 + h)^3 + 1] - (2(3)^3 + 1)}{h} \qquad \text{(car } f(x) = 2x^3 + 1)$$

$$= \frac{2(27 + 27h + 9h^2 + h^3) + 1 - 55}{h}$$

$$= \frac{54h + 18h^2 + 2h^3}{h} \qquad \text{(en simplifiant)}$$

$$= \frac{h(54 + 18h + 2h^2)}{h} \qquad \text{(en factorisant)}$$

$$= 54 + 18h + 2h^2 \qquad \text{(en simplifiant, car } h \neq 0)$$

Remarque Le calcul que nous avons fait pour évaluer $\text{TVM}_{[3, 3 + h]}$ de $f(x) = 2x^3 + 1$ est analogue à celui que nous avons fait pour évaluer $\text{TVM}_{[x, x + h]}$ de la même fonction ; nous avons simplement remplacé x par 3 dans le calcul. Nous pouvons cependant éviter de refaire le calcul d'après la définition, en remplaçant x par 3 dans le résultat obtenu de $\text{TVM}_{[x, x + h]}$.

Ainsi, puisque $\text{TVM}_{[x, x + h]} = 6x^2 + 6xh + 2h^2$, alors

$$\text{TVM}_{[3, 3 + h]} = 6(3)^2 + 6(3)h + 2h^2$$
$$= 54 + 18h + 2h^2$$

Question 1   Utiliser le fait que $\text{TVM}_{[x, x + h]} = 6x^2 + 6xh + 2h^2$ si $f(x) = 2x^3 + 1$, pour calculer le taux de variation moyen de cette fonction sur

a) $[-1, -1 + h]$;   b) $[0, h]$;   c) $[0, 4]$;   d) $[1, 3]$.

Question 2   Utiliser le fait que $\text{TVM}_{[3, 3 + h]} = 54 + 18h + 2h^2$ si $f(x) = 2x^3 + 1$, pour calculer le taux de variation moyen de cette fonction sur

a) $[3, 4]$;   b) $[3, 3,1]$.

Question 3   Soit $f(x) = 3x^2 - 5x + 1$. Calculer le taux de variation moyen de cette fonction sur

a) $[x, x + \Delta x]$;   b) $[-1, -1 + \Delta x]$;   c) $[-1, 1]$;   d) $[1, 4]$.

La résolution de certains problèmes nécessite le recours à des artifices de calcul déjà vus.

■ *Exemple*   Soit $f(x) = \dfrac{1}{2x + 1}$. Calculons $\dfrac{\Delta y}{\Delta x}$.

$$\frac{\Delta y}{\Delta x} = \frac{f(x + \Delta x) - f(x)}{\Delta x} \qquad \text{(par définition)}$$

$$= \frac{\dfrac{1}{2(x + \Delta x) + 1} - \dfrac{1}{2x + 1}}{\Delta x} \qquad \left(\text{car } f(x) = \frac{1}{2x + 1}\right)$$

$$= \frac{\dfrac{(2x + 1) - [2(x + \Delta x) + 1]}{[2(x + \Delta x) + 1](2x + 1)}}{\Delta x} \qquad \text{(en effectuant l'opération au numérateur)}$$

$$= \frac{\dfrac{2x + 1 - 2x - 2\Delta x - 1}{(2x + 2\Delta x + 1)(2x + 1)}}{\Delta x}$$

$$= \frac{-2\Delta x}{(2x + 2\Delta x + 1)(2x + 1)} \times \frac{1}{\Delta x}$$

$$= \frac{-2}{(2x + 2\Delta x + 1)(2x + 1)} \qquad \text{(en simplifiant, car } \Delta x \neq 0)$$

Question 4   Soit $f(x) = \dfrac{1}{x}$. Calculer le $\text{TVM}_{[x, x + h]}$.

■ **Exemple** Soit $f(x) = \sqrt{2x + 3}$.

Calculons la pente de la sécante passant par les points $(x, f(x))$ et $(x + h, f(x + h))$.

$$m_{\text{sec}} = \frac{f(x + h) - f(x)}{h} \qquad \text{(par définition)}$$

$$= \frac{\sqrt{2(x + h) + 3} - \sqrt{2x + 3}}{h} \qquad (\text{car } f(x) = \sqrt{2x + 3})$$

$$= \frac{\sqrt{2(x + h) + 3} - \sqrt{2x + 3}}{h} \times \frac{\sqrt{2(x + h) + 3} + \sqrt{2x + 3}}{\sqrt{2(x + h) + 3} + \sqrt{2x + 3}}$$

$$\left(\begin{array}{c} \text{en multipliant le numérateur et le dénominateur} \\ \text{par le conjugué du numérateur} \end{array} \right)$$

$$= \frac{[2(x + h) + 3] - (2x + 3)}{h \left(\sqrt{2(x + h) + 3} + \sqrt{2x + 3} \right)}$$

$$= \frac{2x + 2h + 3 - 2x - 3}{h \left(\sqrt{2(x + h) + 3} + \sqrt{2x + 3} \right)}$$

$$= \frac{2h}{h \left(\sqrt{2(x + h) + 3} + \sqrt{2x + 3} \right)}$$

$$= \frac{2}{\sqrt{2(x + h) + 3} + \sqrt{2x + 3}} \qquad \text{(en simplifiant, car } h \neq 0)$$

Exercices 4.1

1. Soit $y = f(x)$, une fonction définie sur $\mathbb{R}$.

    a) Définir Δy.

    b) Définir le TVM de f sur $[x, x + h]$.

    c) Compléter la phrase. Le TVM de f sur $[x, x + h]$ correspond à la pente de _____.

    d) Représenter graphiquement les éléments dont il est question dans la phrase précédente.

2. Pour chaque fonction, calculer le taux de variation moyen de f sur l'intervalle $[x, x + h]$.

    a) $f(x) = -x^2 + 8x + 2$ c) $f(x) = x^3 - 2x$ e) $f(x) = \sqrt{5x - 3}$

    b) $f(x) = -5$ d) $f(x) = \dfrac{4}{4x - 1}$ f) $f(x) = \dfrac{1}{\sqrt{x}}$

3. Utiliser les résultats obtenus à la question précédente pour calculer la pente de la sécante à la courbe de f passant par les points $(x, f(x))$ et $(x + \Delta x, f(x + \Delta x))$.

    a) $f(x) = -x^2 + 8x + 2$ b) $f(x) = \dfrac{4}{4x - 1}$ c) $f(x) = \sqrt{5x - 3}$

4. Pour chaque fonction, calculer $\dfrac{\Delta y}{\Delta x}$.

    a) $f(x) = 2x^2 - 7x + 4$ b) $f(x) = \dfrac{1}{2x}$

5. Pour chaque fonction, calculer le taux de variation moyen de f sur l'intervalle donné.

    a) $f(x) = x^3 - 1$, sur $[2, 2 + h]$.   c) $f(x) = 3x - x^2$, sur $[1, 1 + \Delta x]$.

    b) $f(x) = \sqrt{3 - x}$, sur $[0, 0 + \Delta x]$.   d) $f(x) = \dfrac{x}{1 - 3x}$, sur $[x, x + \Delta x]$.

6. Utiliser les résultats obtenus à la question précédente pour
    a)   calculer $\text{TVM}_{[2, 5]}$ si $f(x) = x^3 - 1$;
    b)   calculer la pente de la sécante à la courbe de f passant par les points $(1, f(1))$ et $(3, f(3))$ si $f(x) = 3x - x^2$;
    c)   calculer $\dfrac{\Delta y}{\Delta x}$ si $x = -1$, $\Delta x = \dfrac{1}{3}$ et $f(x) = \dfrac{x}{1 - 3x}$.

7. Soit $f(x) = x^2 - 3x - 4$.
    a)   Calculer $\text{TVM}_{[x, x + h]}$.
    b)   Utiliser le résultat obtenu en **a)** pour évaluer

    i) $\text{TVM}_{[-2, -2 + h]}$;   iii) $\text{TVM}_{[-2, 4]}$;   v) $\text{TVM}_{[5, 7]}$;

    ii) $\text{TVM}_{[-2, 1]}$;   iv) $\text{TVM}_{[5, 5 + h]}$;   vi) $\text{TVM}_{[3, 8]}$.

4.2 DÉFINITION DE LA DÉRIVÉE D'UNE FONCTION

À la fin de la présente section, l'étudiant connaîtra la définition de la dérivée d'une fonction et l'interprétation graphique de cette dérivée. De plus, il pourra appliquer cette définition.

Objectif 4.2.1   Définir et interpréter graphiquement la dérivée.

Nous avons déjà vu que, pour $h > 0$,

$$\dfrac{f(x + h) - f(x)}{h} = \text{TVM}_{[x, x + h]}$$

= pente de la sécante passant par les points $(x, f(x))$ et $(x + h, f(x + h))$.

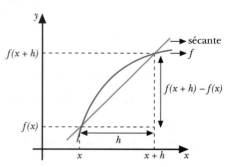

Remarque Dans le cas où $h < 0$, nous avons $x + h < x$.

Ainsi, $\text{TVM}_{[x + h, x]} = \dfrac{f(x) - f(x + h)}{-h} = \dfrac{f(x + h) - f(x)}{h}$.

Par un procédé identique à celui qui est utilisé pour obtenir la valeur d'une vitesse instantanée à partir de la vitesse moyenne (voir le chapitre 2), nous allons déterminer le taux de variation instantané de f en un point.

Pour déterminer ce taux de variation instantané de f en un point, noté TVI, prenons, dans la définition du $\text{TVM}_{[x, x + h]}$, $(x + h)$ voisin de x (notation $(x + h) \to x$), ce qui est équivalent à prendre h voisin de 0 (notation $h \to 0$).

Définition	Le **taux de variation instantané** d'une fonction f se définit d'une des deux façons suivantes, lorsque la limite existe : $\text{TVI} = \lim\limits_{h \to 0} \dfrac{f(x + h) - f(x)}{h}$ ou $\text{TVI} = \lim\limits_{\Delta x \to 0} \dfrac{f(x + \Delta x) - f(x)}{\Delta x}.$

■ *Exemple* Calculons le taux de variation instantané de f si $f(x) = x^2$.

$$\begin{aligned}
\text{TVI} &= \lim_{h \to 0} \frac{f(x + h) - f(x)}{h} && \text{(par définition)} \\[1mm]
&= \lim_{h \to 0} \frac{(x + h)^2 - x^2}{h} && \text{(car } f(x) = x^2) \\[1mm]
&= \lim_{h \to 0} \frac{x^2 + 2xh + h^2 - x^2}{h} \\[1mm]
&= \lim_{h \to 0} \frac{2xh + h^2}{h} \\[1mm]
&= \lim_{h \to 0} \frac{h(2x + h)}{h} && \text{(en factorisant)} \\[1mm]
&= \lim_{h \to 0} (2x + h) && \text{(en simplifiant, car } h \neq 0) \\[1mm]
&= 2x && \text{(en évaluant la limite)}
\end{aligned}$$

Remarque Nous constatons que le résultat obtenu est également une fonction de la variable x. Nous appelons cette nouvelle fonction la *fonction dérivée* de f, notée f', qui correspond au TVI de cette fonction.

Définition 1	D'une façon générale, la **fonction dérivée** f' d'une fonction f peut être définie de la façon suivante, lorsque la limite existe : $f'(x) = \lim\limits_{h \to 0} \dfrac{f(x + h) - f(x)}{h}.$

Nous pouvons également définir la fonction dérivée f' d'une fonction f de la façon suivante, lorsque la limite existe :

Définition 2	$f'(x) = \lim\limits_{\Delta x \to 0} \dfrac{f(x + \Delta x) - f(x)}{\Delta x}.$

Graphiquement, $f'(x)$ correspond à la pente de la tangente à la courbe de f au point $(x, f(x))$.

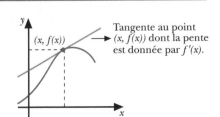

Tangente au point $(x, f(x))$ dont la pente est donnée par $f'(x)$.

Les notations suivantes sont également utilisées pour désigner la fonction dérivée d'une fonction $y = f(x)$.

$$f'(x), \quad y', \quad \frac{dy}{dx}, \quad \frac{df}{dx} \quad \text{ou} \quad D_x f$$

Objectif 4.2.2   Calculer la fonction dérivée à partir de la définition.

■ *Exemple* Soit $f(x) = \sqrt{x} + 5$. Évaluons $f'(x)$ à partir de la deuxième définition.

$$
\begin{aligned}
f'(x) &= \lim_{\Delta x \to 0} \frac{f(x + \Delta x) - f(x)}{\Delta x} && \text{(par définition)} \\[2mm]
&= \lim_{\Delta x \to 0} \frac{(\sqrt{x + \Delta x} + 5) - (\sqrt{x} + 5)}{\Delta x} && \text{(car } f(x) = \sqrt{x}) \\[2mm]
&= \lim_{\Delta x \to 0} \frac{\sqrt{x + \Delta x} - \sqrt{x}}{\Delta x} \\[2mm]
&= \lim_{\Delta x \to 0} \left(\frac{\sqrt{x + \Delta x} - \sqrt{x}}{\Delta x} \times \frac{\sqrt{x + \Delta x} + \sqrt{x}}{\sqrt{x + \Delta x} + \sqrt{x}} \right) \\[2mm]
&= \lim_{\Delta x \to 0} \frac{x + \Delta x - x}{\Delta x \, (\sqrt{x + \Delta x} + \sqrt{x})} \\[2mm]
&= \lim_{\Delta x \to 0} \frac{\Delta x}{\Delta x \, (\sqrt{x + \Delta x} + \sqrt{x})} \\[2mm]
&= \lim_{\Delta x \to 0} \frac{1}{\sqrt{x + \Delta x} + \sqrt{x}} && \text{(en simplifiant, car } \Delta x \neq 0) \\[2mm]
&= \frac{1}{2\sqrt{x}} && \text{(en évaluant la limite)}
\end{aligned}
$$

Nous pouvons également donner une troisième définition équivalente de la fonction dérivée en remplaçant $(x + h)$ par t dans la première définition de la fonction dérivée. Dans certains cas, cette définition permettra de faciliter les calculs algébriques.

Définition 3	$f'(x) = \displaystyle\lim_{t \to x} \frac{f(t) - f(x)}{t - x}$, lorsque la limite existe.

■ *Exemple* Soit $f(x) = x^8$. Évaluons $f'(x)$ à partir de la troisième définition.

$$
\begin{aligned}
f'(x) &= \lim_{t \to x} \frac{f(t) - f(x)}{t - x} && \text{(par définition)} \\[2mm]
&= \lim_{t \to x} \frac{t^8 - x^8}{t - x} && \text{(car } f(x) = x^8) \\[2mm]
&= \lim_{t \to x} \frac{(t - x)(t + x)(t^2 + x^2)(t^4 + x^4)}{t - x} && \text{(en factorisant)} \\[2mm]
&= \lim_{t \to x} [(t + x)(t^2 + x^2)(t^4 + x^4)] && \text{(en simplifiant, car } (t - x) \neq 0) \\[2mm]
&= 2x(2x^2)(2x^4) && \text{(en évaluant la limite)} \\[2mm]
&= 8x^7
\end{aligned}
$$

Exercices 4.2

1. Soit $y = f(x)$.

   a) Donner une définition du TVI de f.

   b) Donner les trois définitions de $f'(x)$.

   c) À quoi correspond graphiquement $f'(x)$?

   d) Représenter graphiquement $f'(x)$.

2. Pour chaque fonction, évaluer $f'(x)$ à partir de la définition 1.

   a) $f(x) = x$ b) $f(x) = x^2 + 2x - 3$ c) $f(x) = \sqrt{x + 1}$

3. Pour chaque fonction, évaluer $f'(x)$ à partir de la définition 2.

   a) $f(x) = -2$ b) $f(x) = 3x - 2$ c) $f(x) = x^3 - 2x$

4. Pour chaque fonction, évaluer $f'(x)$ à partir de la définition 3.

   a) $f(x) = \dfrac{3}{x}$ b) $f(x) = x^{\frac{2}{3}}$ c) $f(x) = x^4 - 1$

5. Calculer le TVI pour chacune des fonctions suivantes.

   a) $f(x) = 4$ b) $f(x) = 3x + 4$ c) $f(x) = \dfrac{1}{x} + 5$

6. Calculer $\lim\limits_{\Delta x \to 0} \dfrac{\Delta y}{\Delta x}$ pour chacune des fonctions $y = f(x)$ suivantes.

   a) $f(x) = \dfrac{1}{\sqrt{x}}$ b) $f(x) = x^3 - 1$ c) $f(x) = 8 - 7x - 5x^2$

4.3 DÉRIVÉE D'UNE FONCTION EN UN POINT

À la fin de la présente section, l'étudiant pourra calculer la dérivée d'une fonction en un point, évaluer la pente de tangentes à une courbe et démontrer que toute fonction dérivable en un point est continue en ce point.

Objectif 4.3.1   Calculer la dérivée d'une fonction en un point à partir de la définition de la dérivée.

À la section précédente, nous avons d'abord défini la fonction dérivée de la façon suivante :

$$f'(x) = \lim_{h \to 0} \frac{f(x + h) - f(x)}{h}.$$

À partir de la définition précédente, nous pouvons calculer la dérivée en une valeur x définie.

Par exemple, pour évaluer $f'(2)$, il suffit de remplacer x par 2 dans la définition précédente et nous obtenons

$$f'(2) = \lim_{h \to 0} \frac{f(2 + h) - f(2)}{h}.$$

De façon générale, pour calculer la dérivée en un point donné $(a, f(a))$ de la courbe de f, il suffit de remplacer x par a dans la définition de la dérivée.

Définition 1	La dérivée de la fonction f au point $(a, f(a))$ peut être définie de la façon suivante, lorsque la limite existe : $$f'(a) = \lim_{h \to 0} \frac{f(a + h) - f(a)}{h}.$$

Question 1   Compléter les égalités suivantes à l'aide de la définition 1.

    a) $f'(-5) =$ b) $f'(0) =$

■ *Exemple* Soit $f(x) = x^2 - 4x + 8$. Évaluons $f'(3)$.

$$f'(3) = \lim_{h \to 0} \frac{f(3 + h) - f(3)}{h} \qquad \text{(par définition)}$$

$$= \lim_{h \to 0} \frac{[(3 + h)^2 - 4(3 + h) + 8] - (9 - 12 + 8)}{h}$$

$$= \lim_{h \to 0} \frac{9 + 6h + h^2 - 12 - 4h + 8 - 5}{h}$$

$$= \lim_{h \to 0} \frac{2h + h^2}{h}$$

$$= \lim_{h \to 0} \frac{h(2 + h)}{h}$$

$$= \lim_{h \to 0} (2 + h) \qquad \text{(en simplifiant, car } h \neq 0)$$

$$= 2 \qquad \text{(en évaluant la limite)}$$

D'où, $f'(3) = 2$.

Question 2   Pour $f(x) = 3x - 1$, évaluer $f'(-5)$.

En utilisant les autres définitions de la fonction dérivée, vues à la section précédente, nous pouvons également définir la dérivée d'une fonction f au point $(a, f(a))$ comme suit, lorsque la limite existe.

Définition 2	$$f'(a) = \lim_{\Delta x \to 0} \frac{f(a + \Delta x) - f(a)}{\Delta x}.$$

Définition 3	$$f'(a) = \lim_{x \to a} \frac{f(x) - f(a)}{x - a}.$$

Question 3   Compléter les égalités suivantes.

    a)   À l'aide de la définition 2, $f'(4) =$

    b)   À l'aide de la définition 3, $f'(-8) =$

■ *Exemple* Pour $f(x) = \dfrac{1}{x}$, évaluons $f'(-2)$ à l'aide de la définition 3.

$$f'(-2) = \lim_{x \to -2} \frac{f(x) - f(-2)}{x - (-2)} \qquad \text{(par définition)}$$

$$= \lim_{x \to -2} \frac{\frac{1}{x} - \left(-\frac{1}{2}\right)}{x + 2}$$

$$= \lim_{x \to -2} \frac{(2 + x)}{2x(x + 2)}$$

$$= \lim_{x \to -2} \frac{1}{2x} \qquad \text{(en simplifiant, car } (x + 2) \neq 0)$$

$$= -\frac{1}{4} \qquad \text{(en évaluant la limite)}$$

Objectif 4.3.2   Calculer la pente de la tangente à une courbe en un point donné.

Nous savons que, graphiquement, $f'(x)$ correspond à la pente de la tangente à la courbe de f en n'importe quel point $(x, f(x))$.

Ainsi, la pente de la tangente à la courbe au point $(a, f(a))$ est donnée par la dérivée en $x = a$. Il suffit donc de calculer $f'(a)$.

■ *Exemple* Soit $f(x) = -x^2 + 4x + 1$.

Calculons, à l'aide de la dérivée, la pente de la tangente illustrée sur le graphique ci-contre.

Nous avons à calculer $m_{\tan}$ en $(3, f(3))$, c'est-à-dire $f'(3)$.

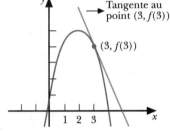

Donc, $m_{\tan}$ en $(3, f(3)) = f'(3)$

$$= \lim_{h \to 0} \frac{f(3 + h) - f(3)}{h} \qquad \text{(par définition)}$$

$$= \lim_{h \to 0} \frac{[-(3 + h)^2 + 4(3 + h) + 1] - (-9 + 12 + 1)}{h}$$

$$= \lim_{h \to 0} \frac{(-9 - 6h - h^2 + 12 + 4h + 1) - 4}{h}$$

$$= \lim_{h \to 0} \frac{-h^2 - 2h}{h}$$

$$= \lim_{h \to 0} \frac{h(-h - 2)}{h}$$

$$= \lim_{h \to 0} (-h - 2) \qquad \text{(en simplifiant, car } h \neq 0)$$

$$= -2 \qquad \text{(en évaluant la limite)}.$$

D'où, la pente de la tangente au point $(3, f(3))$ est égale à -2.

Question 4   Pour chaque fonction, calculer la pente de la tangente à la courbe au point donné.

a) Pour $f(x) = x^2$, au point $(-2, f(-2))$.

b) Pour $f(x) = x^4 + 1$, au point $(0, f(0))$.

Objectif 4.3.3   Calculer la dérivée en un point en utilisant la fonction dérivée.

■ *Exemple*   Soit $f(x) = x^2$.

Évaluons d'abord $f'(x)$.

$$f'(x) = \lim_{h \to 0} \frac{f(x + h) - f(x)}{h}$$

$$= \lim_{h \to 0} \frac{(x + h)^2 - x^2}{h}$$

$$= \lim_{h \to 0} \frac{x^2 + 2xh + h^2 - x^2}{h}$$

$$= \lim_{h \to 0} \frac{h(2x + h)}{h}$$

$$= \lim_{h \to 0} (2x + h) \quad \begin{pmatrix} \text{en simplifiant,} \\ \text{car } h \neq 0 \end{pmatrix}$$

$$= 2x \quad \begin{pmatrix} \text{en évaluant} \\ \text{la limite} \end{pmatrix}$$

Évaluons maintenant $f'(4)$.

$$f'(4) = \lim_{h \to 0} \frac{f(4 + h) - f(4)}{h}$$

$$= \lim_{h \to 0} \frac{(4 + h)^2 - 4^2}{h}$$

$$= \lim_{h \to 0} \frac{16 + 8h + h^2 - 16}{h}$$

$$= \lim_{h \to 0} \frac{h(8 + h)}{h}$$

$$= \lim_{h \to 0} (8 + h) \quad \begin{pmatrix} \text{en simplifiant,} \\ \text{car } h \neq 0 \end{pmatrix}$$

$$= 8 \quad \begin{pmatrix} \text{en évaluant} \\ \text{la limite} \end{pmatrix}$$

Nous remarquons que le calcul que nous avons fait pour évaluer $f'(4)$ est semblable à celui que nous avons fait pour évaluer $f'(x)$. Nous avons simplement remplacé x par 4 dans le calcul.

Nous pouvons cependant éviter de refaire le calcul à l'aide de la définition : il suffit de remplacer directement x par 4 dans $f'(x)$.

Donc, pour $f(x) = x^2$, nous avons obtenu $f'(x) = 2x$. Ainsi, $f'(4) = 2 \times 4 = 8$.

De façon générale, pour obtenir la dérivée en un point donné, il suffit

1)   de calculer $f'(x)$;

2)   de remplacer x par la valeur donnée dans $f'(x)$.

Question 5   Sachant que pour $f(x) = x^3 - 2x$, $f'(x) = 3x^2 - 2$

et que pour $g(x) = \dfrac{1}{x}$, $g'(x) = -\dfrac{1}{x^2}$,

évaluer

a) $f(2)$ et $f'(2)$;   b) $g(-3)$ et $g'(-3)$.

Objectif 4.3.4   Démontrer qu'une fonction dérivable en $x = a$ est continue en $x = a$.

Pour démontrer qu'une fonction est continue en $x = a$, il faut démontrer que $\lim\limits_{x \to a} f(x) = f(a)$ (voir le chapitre 3), ce qui est équivalent à démontrer que $\lim\limits_{x \to a} [f(x) - f(a)] = 0$.

Proposition 1   Si f est une fonction dérivable en $x = a$, c'est-à-dire que $f'(a)$ est définie, alors f est continue en $x = a$.

Preuve

$$\lim_{x \to a} [f(x) - f(a)] = \lim_{x \to a} \left[\frac{[f(x) - f(a)]}{(x - a)} (x - a) \right] \qquad (\text{car } \frac{x - a}{x - a} = 1, \text{ si } x \neq a)$$

$$= \left(\lim_{x \to a} \frac{f(x) - f(a)}{x - a} \right) \left(\lim_{x \to a} (x - a) \right) \quad (\text{proposition 5, chapitre 3})$$

$$= f'(a) \cdot 0 \qquad \left(\lim_{x \to a} \frac{f(x) - f(a)}{x - a} = f'(a) \text{ puisque} \atop \text{la fonction } f \text{ est dérivable en } x = a \right)$$

$$= 0.$$

Donc f est continue en $x = a$.

Remarque Si une fonction f n'est pas continue en $x = a$, alors elle n'est pas dérivable en $x = a$. Par contre, si une fonction f est continue en $x = a$, elle n'est pas nécessairement dérivable en $x = a$.

■ *Exemple* Soit $f(x) = |x|$, c'est-à-dire

$$f(x) = \begin{cases} x & \text{si} & x \geq 0 \\ -x & \text{si} & x < 0 \end{cases}$$

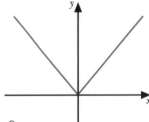

Cette fonction est continue en $x = 0$, car

$$\lim_{x \to 0} f(x) = f(0).$$

Par contre, cette fonction n'est pas dérivable en $x = 0$, car

$$f'(0) = \lim_{h \to 0} \frac{f(0 + h) - f(0)}{h} \quad (\text{par définition})$$

$$= \lim_{h \to 0} \frac{|h|}{h}.$$

Or, pour évaluer cette dernière limite, il faut calculer $\lim_{h \to 0^-} \frac{|h|}{h}$ et $\lim_{h \to 0^+} \frac{|h|}{h}$.

Ainsi, $\left. \begin{array}{l} \lim_{h \to 0^-} \frac{|h|}{h} = \lim_{h \to 0^-} \frac{-h}{h} = \lim_{h \to 0^-} -1 = -1 \\ \text{et } \lim_{h \to 0^+} \frac{|h|}{h} = \lim_{h \to 0^+} \frac{h}{h} = \lim_{h \to 0^+} 1 = 1 \end{array} \right\}$ donc, $\lim_{h \to 0} \frac{|h|}{h}$ n'existe pas.

D'où f est non dérivable en $x = 0$.

Exercices 4.3

1. Donner deux façons différentes de calculer la dérivée d'une fonction f en un point $(a, f(a))$.

2. Sachant que pour $f(x) = 3x - 5x^2 + 10$, $f'(x) = 3 - 10x$

   et que pour $g(x) = \sqrt{x + 1}$, $g'(x) = \frac{1}{2\sqrt{x + 1}}$,

   évaluer, si possible,

   a) $f(0)$ et $f'(0)$;   b) $g(0)$ et $g'(0)$;   c) $g(-1)$ et $g'(-1)$.

3. Soit $f(x) = 5$, $g(x) = 4 - 2x$ et $h(x) = 1 + 2x - x^2$.
   Évaluer

   a) $f'(3)$ à partir de la définition 1 de la dérivée en un point.

   b) $g'(-5)$ à partir de la définition 2 de la dérivée en un point.

   c) $h'(-1)$ à partir de la définition 3 de la dérivée en un point.

4. Soit $f(x) = x^3$ et $g(x) = \sqrt{x}$.

   a) Évaluer $f'(-1)$ à partir de la définition 1 de la dérivée en un point.

   b) Évaluer $f'(x)$ à partir de la définition 1.

   c) Calculer $f'(-1)$ en utilisant le résultat obtenu en **b)**.

   d) Évaluer $g'(5)$ à partir de la définition 3 de la dérivée en un point.

   e) Évaluer $g'(x)$ à partir de la définition 2.

   f) Calculer $g'(5)$ en utilisant le résultat obtenu en **e)**.

5. Calculer la pente de la tangente à la courbe dans chacun des cas suivants.

   a)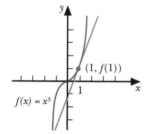

   b)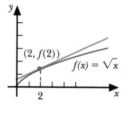

   c)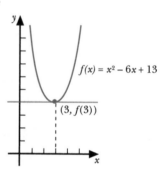

6. Répondre par vrai ou faux.

   a) Toute fonction continue en un point est dérivable en ce point.

   b) Toute fonction dérivable en un point est continue en ce point.

7. Soit $f(x) = \begin{cases} x^2 & \text{si} \quad x < 2 \\ 4x - 4 & \text{si} \quad 2 \le x < 5 \\ 16 & \text{si} \quad x \ge 5 \end{cases}$

   a) Calculer $f'(2)$, à l'aide de la définition 3.

   b) Cette fonction est-elle dérivable en $x = 2$? Expliquer.

   c) Cette fonction est-elle continue en $x = 2$? Expliquer.

   d) Calculer $f'(5)$, à l'aide de la définition 3.

   e) Cette fonction est-elle dérivable en $x = 5$? Expliquer.

   f) Cette fonction est-elle continue en $x = 5$? Expliquer.

Problèmes de synthèse

1. a) Définir et déterminer à quoi correspond graphiquement le taux de variation moyen de f sur $[x, x + h]$.

   b) Définir et déterminer à quoi correspond graphiquement le taux de variation instantané de f au point $(x, f(x))$.

2. Pour chaque fonction, calculer le taux de variation moyen de f sur l'intervalle $[x, x + \Delta x]$.

   a) $f(x) = 8$

   b) $f(x) = x^3 - 7$

   c) $f(x) = \sqrt{x} - 3$

   d) $f(x) = 4x + 7$

   e) $f(x) = -x^2 + 3x - 2$

   f) $f(x) = \dfrac{3x + 2}{2 - 3x}$

3. Pour chaque fonction, calculer le taux de variation moyen de f sur les intervalles donnés.

   a) $f(x) = x^2 + 3$, sur

   i) $[-1, -1 + \Delta x]$;   ii) $[0, 0 + h]$.

   b) $f(x) = 3x - 5$, sur

   i) $[-6, -6 + \Delta x]$;   ii) $[5, 5 + h]$.

   c) $f(x) = \sqrt{x}$, sur

   i) $[0, 0 + \Delta x]$;   ii) $[2, 2 + h]$.

   d) $f(x) = \dfrac{1}{x^2}$, sur

   i) $[1, 1 + \Delta x]$;   ii) $\left[\dfrac{1}{2}, \dfrac{1}{2} + h\right]$.

   e) $f(x) = -x^3 - x^2$, sur

   i) $[0, 0 + \Delta x]$;   ii) $[1, 1 + h]$.

   f) $f(x) = 3$, sur

   i) $[-4, -4 + \Delta x]$;   ii) $[6, 6 + h]$.

4. Pour chaque fonction, calculer $f'(x)$ à partir d'une des définitions de la fonction dérivée.

   a) $f(x) = 2x^3 + 4x^2 - 5$

   b) $f(x) = \dfrac{x - 1}{x + 1}$

   c) $f(x) = x^4 - 9$

   d) $f(x) = \dfrac{1}{x^2}$

   e) $f(x) = (x + 1)(x - 2)$

   f) $f(x) = x^6$

5. Calculer, à partir d'une des définitions, le TVI de chacune des fonctions suivantes.

   a) $f(x) = \dfrac{1}{\sqrt{2x + 1}}$

   b) $f(x) = x + \dfrac{1}{x}$

   c) $f(x) = x^{\frac{3}{2}}$

6. Pour chaque fonction, calculer $f'(x)$ et évaluer, si possible, les dérivées demandées.

   a) Pour $f(x) = x^2 + 2x - 3$:

   i) $f'(0)$;   ii) $f'(-3)$.

   b) Pour $f(x) = \dfrac{1}{x^2}$:

   i) $f'(1)$;   ii) $f'(-1)$.

   c) Pour $f(x) = x^4$:

   i) $f'(0)$;   ii) $f'(-1)$.

   d) Pour $f(x) = \dfrac{1}{\sqrt{x}}$:

   i) $f'(4)$;   ii) $f'(-3)$.

   e) Pour $f(x) = \dfrac{2x - 1}{2x + 1}$:

   i) $f'(0)$;   ii) $f'\left(\dfrac{1}{2}\right)$.

   f) Pour $f(x) = \sqrt[3]{x}$:

   i) $f'(-1)$;   ii) $f'(8)$.

7. Pour chaque fonction, calculer la pente de la tangente à la courbe aux points donnés.

   a) Pour $f(x) = 3x + 4$, aux points

   i) $(2, f(2))$;   ii) $(-1, f(-1))$.

   b) Pour $f(x) = \dfrac{1}{x}$, aux points

   i) $\left(\dfrac{1}{2}, f\left(\dfrac{1}{2}\right)\right)$;   ii) $(8, f(8))$.

8. Déterminer l'équation de la droite tangente à la courbe définie par $f(x) = x^2$ aux points

   a) $(1, f(1))$;   b) $(-2, f(-2))$.

9. a) Déterminer l'équation de la droite tangente à la courbe définie par $f(x) = x^2 + 3x + 2$ au point $(4, f(4))$.

   b) Déterminer l'équation de la droite normale, c'est-à-dire la droite perpendiculaire à cette tangente, au point $(4, f(4))$.

10. Soit $f(x) = 4 - |2x - 6|$.

   a) Écrire f comme une fonction définie par parties.

   b) Déterminer si cette fonction est dérivable en $x = 3$. Expliquer.

   c) Déterminer si cette fonction est continue en $x = 3$. Expliquer.

   d) Représenter graphiquement cette fonction.

11. Soit la fonction f dont le graphique est :

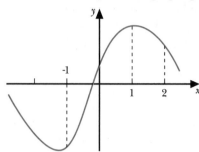

Compléter les expressions suivantes par $<$, $>$ ou par $=$.

a) $f(\text{-}1)$ ____ 0

b) $f'(\text{-}1)$ ____ 0

c) $f(1)$ ____ 0

d) $f'(1)$ ____ 0

e) $f(2)$ ____ 0

f) $f'(2)$ ____ 0

Exercices récapitulatifs

1. Soit $y = f(x)$.

Définir les expressions suivantes.

a) $\dfrac{\Delta y}{\Delta x}$

b) $\text{TVM}_{[x, x + h]}$

c) $f'(x)$ (de trois façons différentes)

2. Calculer $\text{TVM}_{[x, x + h]}$ si

a) $f(x) = 5$;

b) $f(x) = 3 - 2x + 7x^2$;

c) $f(x) = \sqrt{1 - x}$;

d) $f(x) = \dfrac{5 - 7x}{7 + 5x}$.

3. Calculer $\text{TVM}_{[x, x + \Delta x]}$ si

a) $f(x) = 5 - 2x$;

b) $f(x) = x^2(2x^2 - 1)$;

c) $f(x) = \dfrac{3}{\sqrt{7 - 5x}}$;

d) $f(x) = \dfrac{x^2}{1 - x}$.

4. Pour chaque fonction, calculer le taux de variation moyen de f sur l'intervalle donné.

a) $f(x) = \text{-}x + 3$, sur $[\text{-}2, 3]$.

b) $f(x) = 7x^2 - 4x + 1$, sur $[\text{-}1, 1]$.

c) $f(x) = \sqrt{3x + 2}$, sur $[0, \Delta x]$.

d) $f(x) = \dfrac{4 - 3x}{5x^2 + 1}$, sur $[1 - h, 1]$.

5. Pour chaque fonction, évaluer $f'(x)$ à partir d'une des définitions de la fonction dérivée.

a) $f(x) = x - x^3$

b) $f(x) = 7$

c) $f(x) = \dfrac{2x}{x - 7}$

d) $f(x) = \sqrt{x^2 + 1}$

e) $f(x) = x^5$

f) $f(x) = \dfrac{1}{x} - \dfrac{1}{x^2}$

g) $f(x) = ax^2 + bx + c$

h) $f(x) = \dfrac{\text{-}4x}{\sqrt{1 - 5x}}$

6. À partir d'une des définitions de la dérivée en un point, évaluer, si possible,

a) $f'(0)$ et $f'(4)$ pour $f(x) = \dfrac{3}{x - 4}$;

b) $f'(0)$ et $f'(\text{-}1)$ pour $f(x) = x^3 + 1$;

c) $f'(0)$ et $f'(1)$ pour $f(x) = x^{\frac{2}{3}}$;

d) $f'(0)$ et $f'\left(\dfrac{5}{4}\right)$ pour $f(x) = |4x - 5|$.

7. Soit $f(x) = 3x^2 - 12x + 1$ et $g(x) = \dfrac{8}{3 - x}$.

Calculer, si possible,

a) $f'(x), f'(0)$ et $f'(2)$;

b) $g'(x), g'(0)$ et $g'(3)$;

c) la pente de la tangente à la courbe de f aux points $(0, f(0))$ et $(\text{-}2, f(\text{-}2))$;

d) la pente de la tangente à la courbe de g aux points $(\text{-}3, g(\text{-}3))$ et $(3, g(3))$.

8. Soit $f(x) = 3 - x^2 - 2x$.

    a) Calculer $\text{TVM}_{[x, x + h]}$.

    b) Calculer $\text{TVM}_{[2, 2 + h]}$.

    c) Calculer $\text{TVM}_{[-2, 0]}$.

    d) Calculer TVI de f.

    e) Calculer $f'(x)$.

    f) Calculer la pente de la sécante à la courbe de f, passant par les points $(-4, f(-4))$ et $(3, f(3))$.

    g) Déterminer le point de la courbe où la tangente à la courbe de f est parallèle à l'axe des x.

    h) Calculer la pente de la tangente à la courbe de f aux points où cette courbe coupe l'axe des x. Représenter graphiquement.

    i) Déterminer le point de la courbe de f où la tangente est parallèle à la sécante passant par les points $(-5, f(-5))$ et $(1, f(1))$. Représenter graphiquement.

    j) Déterminer l'équation de la tangente à la courbe de f en $x = -2$.

    k) Déterminer l'équation de la normale à la tangente précédente au point $(-2, f(-2))$.

9. Soit $f(x) = \begin{cases} x^2 + 5 & \text{si} \quad x \leq 1 \\ 4x - x^2 + 3 & \text{si} \quad 1 < x < 3 \\ 2x & \text{si} \quad 3 \leq x < 5 \\ (x - 4)^2 & \text{si} \quad x \geq 5 \end{cases}$

    Déterminer si f est continue et dérivable aux points suivants.

    a) $(1, f(1))$ c) $(3, f(3))$

    b) $(2, f(2))$ d) $(5, f(5))$

10. Soit $f(x) = \sqrt{x} + 3x$. Calculer

    a) $\text{TVM}_{[x, x + \Delta x]}$;   b) $f'(x)$.

11. Soit une fonction f, telle que
    $f(x + h) = f(x)\, f(h)$ et telle que
    $$\lim_{h \to 0} \frac{f(h) - 1}{h} = 1.$$
    Calculer $f'(x)$ à partir de la définition 1 de la fonction dérivée.

12. Déterminer l'équation de la tangente et de la normale à la courbe définie par $f(x) = x^2$ au point $(a, f(a))$.

13. a) Une fonction est dite *paire* si $f(x) = f(-x)$ pour tout x. Utiliser une des définitions de la dérivée pour exprimer $f'(-x)$ en fonction de $f'(x)$.

    b) Une fonction est dite *impaire* si $f(x) = -f(-x)$ pour tout x. Utiliser une des définitions de la dérivée pour exprimer $f'(-x)$ en fonction de $f'(x)$.

14. Sachant que $f'(a)$ est définie, exprimer
    $$\lim_{h \to 0} \frac{f(a + h) - f(a - h)}{h}$$ en fonction de $f'(a)$.
    (Indice : $f(a) - f(a) = 0$.)

15. Soit $f(x) = |x|$ et $g(x) = -|x|$.

    a) Déterminer la fonction $s(x)$,
        où $s(x) = f(x) + g(x)$.

    b) Calculer, si possible, $s'(0)$.

    c) Peut-on conclure que
        $s'(0) = f'(0) + g'(0)$? Expliquer.

16. Soit une fonction f telle que $f'(a)$ existe pour tout $a \in \,]0, +\infty$.
    Exprimer $\displaystyle\lim_{x \to a} \frac{f(x) - f(a)}{\sqrt{x} - \sqrt{a}}$ en fonction de $f'(a)$.

Test récapitulatif

1. a) Donner la définition du taux de variation moyen de f sur l'intervalle $[x, x + h]$.

    b) À quoi correspond graphiquement le $\text{TVM}_{[x, x + h]}$? Représenter graphiquement ce TVM.

    c) Donner une définition du taux de variation instantané de f.

    d) À quoi correspond graphiquement le TVI ? Représenter graphiquement ce TVI.

    e) Donner les définitions de la dérivée de f au point $(a, f(a))$.

    f) Représenter graphiquement et interpréter le résultat obtenu en **e)**.

g) Donner les définitions de $f'(x)$.

h) Représenter graphiquement et interpréter le résultat obtenu en **g)**.

2. Soit $f(x) = \dfrac{4}{\sqrt{2x + 1}}$. Calculer

a) le TVM de f sur $[x, x + h]$;

b) le TVM de f sur $[4, 4 + h]$;

c) le TVM de f sur $[1, 4]$;

d) $f'(x)$;

e) $f'(0)$.

3. a) Si $f(x) = 5x^2 - 4x$, calculer $f'(-3)$ en utilisant une des trois définitions de la dérivée.

b) Compléter la phrase: Graphiquement, $f'(-3)$ correspond à _____.

4. Calculer la pente de la tangente à la courbe d'équation $f(x) = \dfrac{4x - 1}{3x + 1}$, en $x = 0$.

5. a) Soit $f(x) = 2x^3 - x + 7$.
    Évaluer $f'(x)$, à l'aide de la définition 1 de la dérivée.

b) Soit $g(x) = (x + 4)(2x - 6)$.
    Évaluer $g'(x)$, à l'aide de la définition 2 de la dérivée.

c) Soit $H(x) = (x + 4)^{\frac{1}{2}}$.
    Évaluer $H'(x)$, à l'aide de la définition 3 de la dérivée.

d) En utilisant les résultats obtenus en **a)**, **b)** et **c)**, évaluer $f'(2)$, $g'(-1)$ et $H'(5)$.

6. Soit la fonction f dont le graphique est:

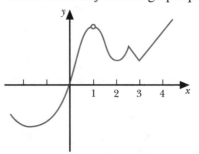

Compléter les expressions suivantes par < 0, > 0, $= 0$ ou par non définie.

a) $f(-1)$ _____ et $f'(-1)$ _____

b) $f(0)$ _____ et $f'(0)$ _____

c) $f(1)$ _____ et $f'(1)$ _____

d) $f(1,5)$ _____ et $f'(1,5)$ _____

e) $f(2)$ _____ et $f'(2)$ _____

f) $f(3)$ _____ et $f'(3)$ _____

7. Démontrer qu'une fonction f, dérivable en $x = a$, est continue en $x = a$.

Chapitre 5

Dérivée de fonctions algébriques et d'équations implicites

Introduction

Jusqu'à maintenant, nous avons calculé les dérivées en utilisant une des définitions suivantes :

$$f'(x) = \lim_{h \to 0} \frac{f(x + h) - f(x)}{h};$$

$$f'(x) = \lim_{\Delta x \to 0} \frac{f(x + \Delta x) - f(x)}{\Delta x};$$

$$f'(x) = \lim_{t \to x} \frac{f(t) - f(x)}{t - x}.$$

Cependant, il existe beaucoup de règles de dérivation qui abrègent les calculs et les rendent moins laborieux. Elles permettent d'évaluer directement la dérivée des fonctions algébriques et d'éviter ainsi les calculs difficiles fondés sur la définition. Ces règles de dérivation feront donc l'objet du présent chapitre.

TEST PRÉLIMINAIRE

Partie A

1. Écrire les termes suivants sous la forme x^r, où $r \in \mathbb{R}$.

   a) $\sqrt{x}$

   b) $\sqrt[3]{x}$

   c) $\dfrac{1}{\sqrt[4]{x^3}}$

   d) $\sqrt[3]{x^{-2}}$

   e) $\sqrt[5]{x^3}$

   f) $\dfrac{1}{\sqrt{x^3}}$

   g) $\sqrt{x^{-1}}$

   h) $\sqrt[5]{x^{-7}}$

2. Si $f(x) = x^2 + 4$, $g(x) = 2x + 3$ et $k(x) = \sqrt{3x - 1}$, calculer les fonctions composées suivantes.

   a) $f(g(x))$

   b) $g(f(x))$

   c) $f(f(x))$

   d) $f(k(x))$

   e) $k(k(x))$

   f) $f(g(k(x)))$

Partie B

1. Compléter : $f'(x)$ correspond à la _____.

2. Compléter les égalités.

   a) $\displaystyle\lim_{h \to 0} \frac{f(x + h) - f(x)}{h} =$

   b) $\displaystyle\lim_{h \to 0} \frac{g(x + h) - g(x)}{h} =$

   c) $\displaystyle\lim_{h \to 0} \frac{H(x + h) - H(x)}{h} =$

   d) $\displaystyle\lim_{k \to 0} \frac{f(y + k) - f(y)}{k} =$

3. Compléter les propositions.

   a) $\displaystyle\lim_{x \to a} [K\,f(x)] =$

   b) $\displaystyle\lim_{x \to a} [f(x) \pm g(x)] =$

   c) $\displaystyle\lim_{x \to a} [f(x)\,g(x)] =$

5.1 DÉRIVÉE DE FONCTIONS CONSTANTES ET DE LA FONCTION IDENTITÉ

À la fin de la présente section, l'étudiant pourra calculer la dérivée de fonctions constantes et la dérivée de la fonction identité.

Objectif 5.1.1   Démontrer et utiliser la proposition 1, à savoir que la dérivée d'une fonction constante est 0.

> *Proposition 1*   Si $f(x) = K$, alors $f'(x) = 0$.

$$\textbf{Preuve } f'(x) = \lim_{h \to 0} \frac{f(x + h) - f(x)}{h} \quad \text{(par définition)}$$

$$= \lim_{h \to 0} \frac{K - K}{h} \quad \text{(car } f(x) = K \text{ et } f(x + h) = K)$$

$$= \lim_{h \to 0} \frac{0}{h}$$

$$= \lim_{h \to 0} 0 \quad \left(\text{puisque } h \neq 0, \frac{0}{h} = 0\right)$$

$$= 0$$

■ *Exemple* Soit la fonction $f(x) = 7$, représentée par le graphique ci-contre. Calculons $f'(x)$ à partir de la définition de la dérivée.

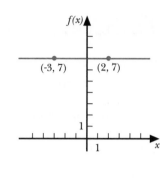

$$f'(x) = \lim_{h \to 0} \frac{f(x + h) - f(x)}{h} \text{ (par définition)}$$

$$= \lim_{h \to 0} \frac{7 - 7}{h} \quad (\text{car } f(x) = 7 \text{ et } f(x + h) = 7)$$

$$= \lim_{h \to 0} \frac{0}{h}$$

$$= \lim_{h \to 0} 0 \qquad (\text{puisque } h \neq 0, \frac{0}{h} = 0)$$

$$= 0$$

Remarque À l'avenir, nous utiliserons la proposition 1 plutôt que de refaire la preuve au complet.

■ *Exemple* Si $f(x) = 4$, alors $f'(x) = 0$, car f est une fonction constante.

Objectif 5.1.2 Calculer la pente de tangentes à la courbe en utilisant la proposition 1.

■ *Exemple* Calculons la pente de la tangente à la courbe d'équation $f(x) = 7$, aux points $(-3, f(-3))$ et $(2, f(2))$.

Puisque $f'(x) = 0$ (proposition 1), alors

la pente de la tangente au point $(-3, f(-3)) = f'(-3) = 0$ et

la pente de la tangente au point $(2, f(2)) = f'(2) = 0$.

Objectif 5.1.3 Démontrer et utiliser la proposition 2, à savoir que la dérivée de la fonction identité est 1.

Proposition 2 Si $f(x) = x$, alors $f'(x) = 1$.

Preuve $f'(x) = \lim_{h \to 0} \dfrac{f(x + h) - f(x)}{h}$ (par définition)

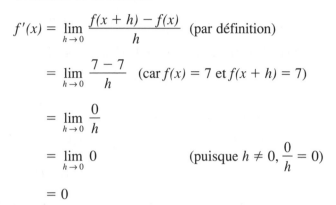

$$= \lim_{h \to 0} \frac{(x + h) - x}{h} \qquad \left(\begin{array}{l} \text{car } f(x) = x \text{ et} \\ f(x + h) = x + h \end{array}\right)$$

$$= \lim_{h \to 0} \frac{h}{h}$$

$$= \lim_{h \to 0} 1 \qquad (\text{car } h \neq 0)$$

$$= 1$$

■ *Exemple* Calculons la dérivée de $h(t) = t$. D'après la proposition 2, $h'(t) = (t)' = 1$, car $h(t) = t$ est la fonction identité.

Exercices 5.1

1. Écrire l'énoncé

   a) de la proposition 1;   b) de la proposition 2.

2. Calculer, à partir de la définition de la dérivée, la dérivée de chaque fonction.

   a) $f(x) = \dfrac{3}{4}$ b) $g(t) = t$

3. Calculer, à partir des propositions, la dérivée des fonctions suivantes.

   a) $f(x) = \pi$ c) $f(t) = \sqrt{2}$ e) $v(t) = t$

   b) $h(y) = y$ d) $f(x) = \dfrac{\sqrt{7}}{7}$ f) $H(x) = x$

4. Pour chaque fonction, calculer la pente de la tangente à la courbe aux points donnés.

   a) Pour $f(x) = \sqrt{3} + \pi^3$, aux points $(\sqrt{3}, f(\sqrt{3}))$ et $(-1, f(-1))$.

   b) Pour $g(x) = x$, aux points $(-10, g(-10))$ et $(8, g(8))$.

5.2 DÉRIVÉE DE PRODUITS D'UNE CONSTANTE PAR UNE FONCTION

À la fin de la présente section, l'étudiant pourra calculer la dérivée de produits d'une constante par une fonction, c'est-à-dire la dérivée de fonctions de la forme $H(x) = K\,f(x)$, où $K \in \mathbb{R}$.

Objectif 5.2.1   Démontrer et utiliser la proposition 3.

Proposition 3   Si $H(x) = K\,f(x)$, alors $H'(x) = K\,f'(x)$, où $K \in \mathbb{R}$.

Preuve $H'(x) = \displaystyle\lim_{h \to 0} \dfrac{H(x+h) - H(x)}{h}$ (par définition)

$\qquad\qquad = \displaystyle\lim_{h \to 0} \dfrac{K\,f(x+h) - K\,f(x)}{h}$ (car $H(x) = K\,f(x)$)

$\qquad\qquad = \displaystyle\lim_{h \to 0} K\left[\dfrac{f(x+h) - f(x)}{h}\right]$ (K est un facteur commun)

$\qquad\qquad = K\left[\displaystyle\lim_{h \to 0} \dfrac{f(x+h) - f(x)}{h}\right]$ (proposition 3 du chapitre 3)

$\qquad\qquad = K\,f'(x)$ (par définition de $f'(x)$)

Objectif 5.2.2   Utiliser la proposition 3 pour résoudre certains problèmes.

■ *Exemple*   Soit $f(x) = 5x$. Calculons $f'(x)$ à l'aide des propositions.

$f'(x) = (5x)'$

$\qquad = 5(x)'$ (proposition 3)

$\qquad = 5(1)$ (proposition 2)

$\qquad = 5$

Exercices 5.2

1. Écrire l'énoncé de la proposition 3.

2. Calculer, à l'aide des propositions, la dérivée de chaque fonction en explicitant les étapes du calcul.

   a) $f(x) = -9x$

   b) $g(x) = \pi x$

   c) $h(t) = \dfrac{t}{3}$

3. Calculer, à l'aide des propositions, la dérivée de chaque fonction.

   a) $h(x) = 4$

   c) $f(x) = \pi$

   e) $d(t) = \dfrac{3t}{4}$

   b) $g(t) = t$

   d) $H(x) = 7x$

   f) $f(u) = \dfrac{9u}{-5}$

4. Pour chaque fonction, calculer la pente de la tangente à la courbe au point donné.

   a) Pour $f(x) = 5$, au point $(1, f(1))$.

   c) Pour $g(x) = -3x$, au point $(-2, g(-2))$.

   b) Pour $v(t) = t$, au point $(4, v(4))$.

   d) Pour $f(x) = \dfrac{x}{2}$, au point $\left(\dfrac{1}{12}, f\left(\dfrac{1}{12} \right) \right)$.

5.3 DÉRIVÉE DE SOMMES DE FONCTIONS

À la fin de la présente section, l'étudiant pourra calculer la dérivée de sommes de fonctions.

Question 1   Si $H(x) = 3x + 5$, calculer $H'(x)$ à l'aide de la définition.

Question 2   Calculer les dérivées suivantes à l'aide des propositions déjà vues.

a) $(3x)'$

b) $(5)'$

Question 3   En comparant entre elles les réponses obtenues aux deux questions précédentes, quelle loi pourrait-on dégager du calcul de la dérivée d'une somme de fonctions ?

Objectif 5.3.1   Démontrer et utiliser la proposition 4, à savoir que la dérivée d'une somme de deux fonctions est égale à la somme des dérivées de ces deux fonctions.

Proposition 4   Si $H(x) = f(x) + g(x)$, alors $H'(x) = f'(x) + g'(x)$.

Preuve

$$H'(x) = \lim_{h \to 0} \frac{H(x+h) - H(x)}{h} \qquad \text{(par définition)}$$

$$= \lim_{h \to 0} \frac{[f(x+h) + g(x+h)] - [f(x) + g(x)]}{h} \quad (\text{car } H(x) = f(x) + g(x))$$

$$= \lim_{h \to 0} \frac{f(x+h) + g(x+h) - f(x) - g(x)}{h}$$

$$= \lim_{h \to 0} \frac{[f(x+h) - f(x)] + [g(x+h) - g(x)]}{h}$$

$$= \lim_{h \to 0} \left[\frac{f(x + h) - f(x)}{h} + \frac{g(x + h) - g(x)}{h} \right]$$

$$= \left[\lim_{h \to 0} \frac{f(x + h) - f(x)}{h} \right] + \left[\lim_{h \to 0} \frac{g(x + h) - g(x)}{h} \right] \quad \text{(proposition 4 du chapitre 3)}$$

$$= f'(x) + g'(x) \qquad\qquad\qquad \text{(par définition de } f'(x) \text{ et de } g'(x))$$

■ *Exemple* Si $f(x) = 7x + \pi$, alors

$f'(x) = (7x + \pi)'$

$\quad = (7x)' + (\pi)'$ (proposition 4)

$\quad = 7(x)' + 0$ (propositions 1 et 3)

$\quad = 7(1)$ (proposition 2)

$\quad = 7.$

Objectif 5.3.2 Démontrer et utiliser la proposition 5, à savoir que la dérivée d'une différence de deux fonctions est égale à la différence des dérivées de ces deux fonctions.

Proposition 5 Si $H(x) = f(x) - g(x)$, alors $H'(x) = f'(x) - g'(x)$.

Preuve $H'(x) = [f(x) - g(x)]'$

$\qquad\qquad = [f(x) + [(-1)g(x)]]'$ (car $f(x) - g(x) = f(x) + [(-1)g(x)]$)

$\qquad\qquad = [f(x)]' + [(-1)g(x)]'$ (proposition 4)

$\qquad\qquad = [f(x)]' + (-1)[g(x)]'$ (proposition 3)

$\qquad\qquad = f'(x) + (-1)g'(x)$

$\qquad\qquad = f'(x) - g'(x)$

■ *Exemple* Si $H(x) = 4 - 5x$, alors

$H'(x) = (4 - 5x)'$

$\quad = (4)' - (5x)'$ (proposition 5)

$\quad = 0 - 5(x)'$ (propositions 1 et 3)

$\quad = -5(1)$ (proposition 2)

$\quad = -5.$

Question 4 Calculer les dérivées suivantes en explicitant les étapes du calcul.

a) $(\sqrt{2}x + 3)'$ b) $(5 - 2x)'$

En généralisant les propositions 4 et 5 précédentes à une somme ou à une différence de n fonctions, nous obtenons la proposition 6 suivante.

Proposition 6 Si $H(x) = f_1(x) \pm f_2(x) \pm f_3(x) \pm ... \pm f_n(x)$, alors

$H'(x) = f_1'(x) \pm f_2'(x) \pm f_3'(x) \pm ... \pm f_n'(x)$.

■ *Exemple* Si $f(x) = 3x + 4 - \dfrac{x}{5} + \pi - \sqrt{8}x$, alors

$$f'(x) = (3x + 4 - \frac{x}{5} + \pi - \sqrt{8}x)'$$

$$= (3x)' + (4)' - \left(\frac{x}{5}\right)' + (\pi)' - (\sqrt{8}x)' \quad \text{(proposition 6)}$$

$$= 3 + 0 - \frac{1}{5} + 0 - \sqrt{8} \qquad \text{(propositions 1, 2 et 3)}$$

$$= \frac{14}{5} - \sqrt{8}.$$

Exercices 5.3

1. Calculer la dérivée des fonctions suivantes à l'aide des propositions déjà vues, en explicitant les étapes du calcul.

   a) $g(x) = \dfrac{7x}{2} + \pi x - 3$

   b) $f(x) = \dfrac{3x - 7}{8} + 5$

2. Calculer la dérivée des fonctions suivantes.

   a) $f(x) = 6x - 3$

   b) $h(z) = 4$

   c) $v(t) = 6t$

   d) $g(x) = -2x + a$, où a est une constante.

   e) $h(y) = by + 7$, où b est une constante.

   f) $v(t) = at + v_0$, où a et v_0 sont des constantes.

   g) $h(x) = -7 - 4x + \sqrt{\pi}\,x - \sqrt{10^2}$

   h) $s(t) = \dfrac{1}{2}\,at^2 + v_0 t + s_0$, où a, v_0 et s_0 sont des constantes et $(t^2)' = 2t$.

3. Pour chaque fonction, calculer la pente de la tangente à la courbe au point donné.

   a) Pour $f(x) = -\dfrac{3}{2}\,x + 5$, au point $(0, f(0))$.

   b) Pour $a(t) = 5t^2 + 6t + 3$, au point $(3, a(3))$, sachant que $(t^2)' = 2t$.

4. Démontrer, en utilisant la proposition 4, que si $H(x) = f(x) + g(x) + k(x)$, alors $H'(x) = f'(x) + g'(x) + k'(x)$.

5. Démontrer, à l'aide de la définition de la dérivée, que si $H(x) = f(x) - g(x)$, alors $H'(x) = f'(x) - g'(x)$.

5.4 DÉRIVÉE DE PRODUITS DE FONCTIONS

À la fin de la présente section, l'étudiant pourra calculer la dérivée de produits de fonctions.

Objectif 5.4.1   Démontrer et utiliser la proposition 7.

Proposition 7   Si $H(x) = f(x)\,g(x)$, alors $H'(x) = f'(x)\,g(x) + f(x)\,g'(x)$.

Preuve

$$H'(x) = \lim_{h \to 0} \frac{H(x + h) - H(x)}{h} \qquad \text{(par définition)}$$

$$= \lim_{h \to 0} \frac{f(x + h)g(x + h) - f(x)\,g(x)}{h}$$

$$= \lim_{h \to 0} \frac{[f(x + h)g(x + h) - f(x)\,g(x)] + [f(x)\,g(x + h) - f(x)\,g(x + h)]}{h}$$

$$\left(\begin{array}{c} \text{en ajoutant au numérateur l'expression algébrique} \\ [f(x)\,g(x + h) - f(x)\,g(x + h)] \text{ qui est égale à zéro} \end{array} \right)$$

$$= \lim_{h \to 0} \frac{[f(x + h)g(x + h) - f(x)\,g(x + h)] + [f(x)\,g(x + h) - f(x)\,g(x)]}{h}$$

$$\text{(en regroupant les termes différemment)}$$

$$= \lim_{h \to 0} \left[\frac{[f(x + h) - f(x)]\,g(x + h) + f(x)\,[g(x + h) - g(x)]}{h} \right]$$

$$\text{(mise en évidence)}$$

$$= \lim_{h \to 0} \left[\frac{[f(x + h) - f(x)]\,g(x + h)}{h} + \frac{f(x)\,[g(x + h) - g(x)]}{h} \right]$$

$$\text{(décomposition d'une somme de fractions)}$$

$$= \lim_{h \to 0} \left[\frac{[f(x + h) - f(x)]\,g(x + h)}{h} \right] + \lim_{h \to 0} \left[\frac{f(x)\,[g(x + h) - g(x)]}{h} \right]$$

$$= \left[\lim_{h \to 0} \frac{[f(x + h) - f(x)]}{h} \right] \left[\lim_{h \to 0} g(x + h) \right] + \left[\lim_{h \to 0} f(x) \right] \left[\lim_{h \to 0} \frac{g(x + h) - g(x)}{h} \right]$$

$$= f'(x)\,g(x) + f(x)\,g'(x) \qquad \left(\begin{array}{c} \text{évaluation de limite de fonctions} \\ \text{continues et définition de } f'(x) \text{ et de } g'(x) \end{array} \right)$$

■ *Exemple* Soit $f(x) = (x - 3)(2x + 8)$. Calculons $f'(x)$ à l'aide des propositions.

$$f'(x) = (x - 3)'(2x + 8) + (x - 3)(2x + 8)' \quad \text{(proposition 7)}$$
$$= (1 - 0)(2x + 8) + (x - 3)(2 + 0)$$
$$= 2x + 8 + 2x - 6$$
$$= 4x + 2$$

■ *Exemple* Soit $f(x) = x^2$. Calculons $f'(x)$ à l'aide des propositions.

Puisque $f(x) = xx$, alors

$$f'(x) = (xx)'$$
$$= (x)'x + x(x)' \quad \text{(proposition 7)}$$

$$= 1x + x(1)$$
$$= 2x.$$

Question 1   Calculer la dérivée des fonctions suivantes.

a) $f(x) = (3 - x)(4x - 7)$ b) $f(x) = x^3$

En généralisant la proposition 7 à un produit de trois fonctions, nous obtenons la proposition suivante.

Proposition 8   Si $H(x) = f(x) g(x) k(x)$, alors
$$H'(x) = f'(x) g(x) k(x) + f(x) g'(x) k(x) + f(x) g(x) k'(x).$$

Preuve

$$\begin{aligned}
H'(x) &= [f(x) g(x) k(x)]' = [[f(x) g(x)] k(x)]' \\
&= [f(x) g(x)]' k(x) + [f(x) g(x)] k'(x) &\text{(proposition 7)} \\
&= [f'(x) g(x) + f(x) g'(x)] k(x) + f(x) g(x) k'(x) &\text{(proposition 7)} \\
&= f'(x) g(x) k(x) + f(x) g'(x) k(x) + f(x) g(x) k'(x) &\text{(distributivité)}
\end{aligned}$$

■ *Exemple* Si $f(x) = (2x + 4)(x)(4 - 2x)$, alors

$$f'(x) = (2x + 4)'(x)(4 - 2x) + (2x + 4)(x)'(4 - 2x) + (2x + 4)(x)(4 - 2x)'$$
$$\text{(proposition 8)}$$
$$= (2)(x)(4 - 2x) + (2x + 4)(1)(4 - 2x) + (2x + 4)(x)(\text{-}2)$$
$$= 16 - 12x^2.$$

En généralisant la proposition 8 à un produit de n fonctions, nous obtenons la proposition suivante.

Proposition 9   Si $H(x) = f_1(x) f_2(x) f_3(x) \dots f_n(x)$, alors
$$\begin{aligned}
H'(x) = &f_1'(x) f_2(x) f_3(x) \dots f_n(x) + f_1(x) f_2'(x) f_3(x) \dots f_n(x) + \\
&f_1(x) f_2(x) f_3'(x) \dots f_n(x) + \dots + f_1(x) f_2(x) f_3(x) \dots f_n'(x).
\end{aligned}$$

La preuve est laissée à l'utilisateur.

Exercices 5.4

1. Compléter les égalités.

    a) $[f(x) g(x)]' =$ b) $[f(x) g(x) k(x)]' =$

2. Calculer la dérivée des fonctions suivantes.

    a) $f(x) = (2x + 1)(x + 1)$ f) $f(x) = 7x - 4 + \sqrt{2}x$

    b) $f(x) = (5x - 1)(x + 3)(2x + 4)$ g) $g(t) = (7 - 2t)(3 + t) + 4a$

    c) $g(t) = (4t - 1)(2 - 3t)(5 - 6t)$ h) $f(x) = 14(2x - 7)(2 - 3x) + 8x$

    d) $f(x) = x^4$ i) $g(x) = x(x - 1) + (2x - 3)(x - 1)$

    e) $g(y) = y(1 - y)(y + 7)$ j) $f(x) = (2x - 1)(2x + 1)(x - 2)(x + 2)$

3. Utiliser la proposition 9 pour calculer la dérivée des fonctions suivantes.

    a) $f(x) = x^5$ b) $f(x) = x^8$

4. Pour chaque fonction, calculer la pente de la tangente à la courbe de f au point donné.

    a) $f(x) = (2x - 6)(x + 1)$, au point $(1, f(1))$.

    b) $f(x) = (2x + 1)(4 - 3x)(3x + 5)$, au point $(0, f(0))$.

5. Soit $f(x) = (3x + 3)(4x - 20)$. Déterminer

    a) le point de la courbe où la pente de la tangente est -4 ;

    b) le point de la courbe où la tangente est parallèle à l'axe des x.

6. Soit une fonction f dérivable telle que $f(0) = 7$ et soit $g(x) = xf(x)$. Évaluer $g'(0)$.

7. Un manufacturier de calculatrices estime que le nombre x de calculatrices qu'il peut vendre dans un mois à un certain prix p en dollars est donné par l'équation de demande définie par $x = 840 - 3p$.

    a) Déterminer le prix p en fonction de x.

    b) Déterminer la fonction revenu R en fonction de x.

    c) Calculer $R'(x)$.

    d) Déterminer le seuil de production x tel que $R'(x) = 0$.

5.5 DÉRIVÉE DE FONCTIONS À EXPOSANT RÉEL

À la fin de la présente section, l'étudiant pourra calculer la dérivée de fonctions de type x^r, où $r \in \mathbb{R}$.

Objectif 5.5.1   Démontrer la proposition 10 et utiliser les propositions 10 et 11.

> **Proposition 10** Si $f(x) = x^n$, alors $f'(x) = nx^{n-1}$, où $n \in \mathbb{N}$.

Preuve Puisque $f(x) = x^n = x \, x \, x \, ... \, x$, alors

$$f'(x) = (x)' \, x \, x \, ... \, x + x(x)' \, x \, x \, ... \, x + \, ... \, + x \, x \, x \, ... \, x(x)' \qquad \text{(proposition 9)}$$

$$= (x)' \underbrace{(x \, x \, x \, ... \, x)}_{(n-1)\text{ facteurs}} + (x)' \underbrace{(x \, x \, x \, ... \, x)}_{(n-1)\text{ facteurs}} + \, ... \, + (x)' \underbrace{(x \, x \, x \, ... \, x)}_{(n-1)\text{ facteurs}}$$

$$\underbrace{}_{n \text{ termes}}$$

$$= (1) \underbrace{(x \, x \, x \, ... \, x)}_{(n-1)\text{ facteurs}} + (1) \underbrace{(x \, x \, x \, ... \, x)}_{(n-1)\text{ facteurs}} + \, ... \, + (1) \underbrace{(x \, x \, x \, ... \, x)}_{(n-1)\text{ facteurs}}$$

$$= \underbrace{x^{n-1} + x^{n-1} + \, ... \, + x^{n-1}}_{n \text{ termes}}$$

$$= nx^{n-1}.$$

■ *Exemple* Si $f(x) = x^2$, alors $f'(x) = (x^2)' = 2x^{2-1} = 2x$.

■ *Exemple* Si $f(x) = x^4$, alors $f'(x) = (x^4)' = 4x^{4-1} = 4x^3$.

Question 1   Calculer la dérivée des fonctions suivantes.

   a) $f(x) = x^7$ b) $g(y) = y^{10}$ c) $h(t) = t^{103}$ d) $f(x) = x^{1994}$

La proposition 10 se généralise aux équations avec des exposants réels, sous la forme de la proposition 11, que nous acceptons sans démonstration.

Proposition 11   Si $f(x) = x^r$, alors $f'(x) = rx^{r-1}$, où $r \in \mathbb{R}$.

■ *Exemple* Calculons $f'(x)$ si $f(x) = \sqrt{x}$. Puisque $\sqrt{x} = x^{\frac{1}{2}}$, alors

$$f'(x) = (x^{\frac{1}{2}})' = \frac{1}{2}x^{\frac{1}{2} - 1} \qquad \text{(proposition 11)}$$

$$= \frac{1}{2}x^{-\frac{1}{2}} = \frac{1}{2x^{\frac{1}{2}}} = \frac{1}{2\sqrt{x}}.$$

Remarque La réponse est acceptable sous l'une ou l'autre des trois formes précédentes.

■ *Exemple* Si $f(x) = x^{-\frac{1}{4}}$, alors

$$f'(x) = -\frac{1}{4}x^{-\frac{1}{4} - 1} = -\frac{1}{4}x^{-\frac{5}{4}} = -\frac{1}{4x^{\frac{5}{4}}} = -\frac{1}{4\sqrt[4]{x^5}}.$$

■ *Exemple* Soit $f(x) = \frac{1}{\sqrt[3]{x^4}}$. Puisque $\frac{1}{\sqrt[3]{x^4}} = x^{-\frac{4}{3}}$, alors $f'(x) = -\frac{4}{3}x^{-\frac{7}{3}}$.

Exercices 5.5

1. Compléter les égalités.

   a) $(x^n)' = $ _____, où $n \in \mathbb{N}$.

   b) $(x^r)' = $ _____, où $r \in \mathbb{R}$.

2. Calculer la dérivée des fonctions suivantes, en utilisant des exposants positifs dans la réponse.

   a) $f(x) = x^{104}$

   b) $f(x) = x^{\frac{7}{4}}$

   c) $f(x) = x^{-4}$

   d) $f(x) = x^{-\frac{1}{2}}$

   e) $f(x) = x^{\pi}$

   f) $f(x) = x$

3. Calculer la dérivée des fonctions suivantes, en utilisant, si possible, des radicaux dans la réponse.

   a) $f(x) = \sqrt[3]{x}$

   b) $f(x) = \sqrt{x^3}$

   c) $f(x) = \sqrt[4]{x^7}$

   d) $f(x) = \sqrt[7]{x^4}$

   e) $f(x) = \dfrac{1}{x}$

   f) $f(x) = \dfrac{1}{\sqrt{x}}$

   g) $f(x) = \dfrac{1}{x^{\frac{2}{3}}}$

   h) $f(x) = \dfrac{1}{x^{-3}}$

4. Calculer la dérivée des fonctions suivantes.

   a) $f(x) = 8\sqrt[8]{x}$

   b) $f(x) = \dfrac{-5}{x^5}$

   c) $f(x) = \dfrac{3}{5x^{\sqrt{2}}} + 4$

   d) $f(x) = 8x^3 - 4x^2 + 9x - 1$

   e) $f(x) = x^7 - 3x^5 - \dfrac{x^3}{3} + 1$

   f) $f(x) = \dfrac{\sqrt{x}}{2} + x^2 + 5x$

   g) $f(x) = x^5\sqrt[3]{x}$

   h) $f(x) = \dfrac{1}{\sqrt[3]{x}} + 5x^{27} - x^3$

   i) $f(x) = (3x^3 + 2x)(5x^7 - 4x^5)$

   j) $f(x) = x - \sqrt{x^7}\,\sqrt{x^9}$

5. Soit $f(x) = x^3 - 3x^2$.

   a) Calculer la pente de la tangente à la courbe de f aux points où $f(x) = 0$.

   b) Déterminer les points de la courbe de f tels que $f'(x) = 0$.

6. Soit $f(x) = x^2 - x - 6$.

   a) Déterminer l'équation des droites tangentes à la courbe de f aux points où cette courbe coupe l'axe des x.

   b) Déterminer le point d'intersection de ces deux droites.

   c) Illustrer graphiquement cette courbe et ces deux droites.

7. Soit $f(x) = x^3$ et $g(x) = \sqrt[3]{x}$.

   a) Calculer, si possible, la pente de la tangente à la courbe de f en $x = 0$ et illustrer graphiquement la courbe et la tangente.

   b) Calculer, si possible, la pente de la tangente à la courbe de g en $x = 0$ et illustrer graphiquement la courbe et la tangente.

   c) Existe-t-il un point $(x, f(x))$ tel que la tangente à la courbe de f soit parallèle à l'axe des x?

   d) Existe-t-il un point $(x, g(x))$ tel que la tangente à la courbe de g soit parallèle à l'axe des x?

   e) Existe-t-il un point $(x, g(x))$ tel que la tangente à la courbe de g soit parallèle à l'axe des y?

8. Soit $f(x) = x^3 - 4x^2 + 7x + 6$.

   a) Déterminer l'équation de la droite tangente à la courbe au point $(1, f(1))$.

   b) Déterminer l'équation, sous la forme $ax + by + c = 0$, de la droite normale à la courbe au point $(1, f(1))$.

5.6 DÉRIVÉE DE QUOTIENTS DE FONCTIONS

À la fin de la présente section, l'étudiant pourra calculer la dérivée de quotients de fonctions.

Objectif 5.6.1   Démontrer et utiliser la proposition 12.

Proposition 12 Si $H(x) = \dfrac{f(x)}{g(x)}$, alors $H'(x) = \dfrac{f'(x)\,g(x) - f(x)\,g'(x)}{[g(x)]^2}$.

Preuve

$$H'(x) = \lim_{h \to 0} \frac{H(x+h) - H(x)}{h} \quad \text{(par définition)}$$

$$= \lim_{h \to 0} \frac{\dfrac{f(x+h)}{g(x+h)} - \dfrac{f(x)}{g(x)}}{h}$$

$$= \lim_{h \to 0} \frac{\dfrac{f(x+h)\,g(x) - f(x)\,g(x+h)}{g(x)\,g(x+h)}}{h}$$

$$= \lim_{h \to 0} \frac{f(x+h)\,g(x) - f(x)\,g(x+h)}{g(x)\,g(x+h)\,h}$$

$$= \left[\lim_{h \to 0} \frac{1}{g(x)\,g(x+h)} \right]\left[\lim_{h \to 0} \frac{f(x+h)\,g(x) - f(x)\,g(x+h)}{h} \right]$$

$$= \left[\frac{1}{g(x)\,g(x)}\right]\left[\lim_{h\to 0}\frac{[f(x+h)\,g(x) - f(x)\,g(x+h)] + [f(x)\,g(x) - f(x)\,g(x)]}{h}\right]$$

(évaluation de la limite d'une fonction continue)

$$= \frac{1}{[g(x)]^2}\left[\lim_{h\to 0}\frac{[f(x+h)\,g(x) - f(x)\,g(x)] - [f(x)\,g(x+h) - f(x)\,g(x)]}{h}\right]$$

$$= \frac{1}{[g(x)]^2}\left[\lim_{h\to 0}\frac{[f(x+h) - f(x)]\,g(x) - f(x)\,[g(x+h) - g(x)]}{h}\right]$$

$$= \frac{1}{[g(x)]^2}\left[\lim_{h\to 0}\frac{[f(x+h) - f(x)]\,g(x)}{h} - \lim_{h\to 0}\frac{f(x)\,[g(x+h) - g(x)]}{h}\right]$$

$$= \frac{1}{[g(x)]^2}\left[\left(\lim_{h\to 0}\frac{f(x+h) - f(x)}{h}\right)\left(\lim_{h\to 0}g(x)\right) - \left(\lim_{h\to 0}f(x)\right)\left(\lim_{h\to 0}\frac{g(x+h) - g(x)}{h}\right)\right]$$

$$= \frac{1}{[g(x)]^2}[f'(x)\,g(x) - f(x)\,g'(x)] \quad \left(\begin{array}{l}\text{évaluation des limites et}\\ \text{définition de } f'(x) \text{ et de } g'(x)\end{array}\right)$$

$$= \frac{f'(x)\,g(x) - f(x)\,g'(x)}{[g(x)]^2}$$

■ *Exemple* Soit $f(x) = \dfrac{x^2 + 1}{x^3}$. Alors,

$$f'(x) = \left(\frac{x^2 + 1}{x^3}\right)'$$

$$= \frac{(x^2 + 1)'\,x^3 - (x^2 + 1)(x^3)'}{(x^3)^2} \quad \text{(proposition 12)}$$

$$= \frac{(2x)x^3 - (x^2 + 1)3x^2}{x^6}$$

$$= \frac{2x^4 - 3x^4 - 3x^2}{x^6} = \frac{-x^2 - 3}{x^4}.$$

Question 1   Soit $f(x) = \left(\dfrac{x^5}{\sqrt{x}}\right)$. Calculer $f'(x)$

a)   en utilisant la formule du quotient ;

b)   sans utiliser la formule du quotient.

Exercices 5.6

1. Compléter : Si $H(x) = \dfrac{f(x)}{g(x)}$, alors $H'(x) = $ _____.

2. Calculer la dérivée des fonctions suivantes, en explicitant la première étape du calcul.

a) $f(x) = \dfrac{2x}{x + 1}$

b) $g(t) = \dfrac{t^2 + t + 2}{t}$

c) $f(x) = \dfrac{x - 4x^2}{2x^3}$

d) $H(x) = \dfrac{2x^4}{2x^4 + 1}$

e) $d(t) = \dfrac{4t^2 - 5}{5 - 4t^3}$

f) $f(x) = \dfrac{\sqrt{x}}{(1 - x)}$

3. Calculer la dérivée des fonctions suivantes

   i) en utilisant la formule du quotient ;

   ii) sans utiliser la formule du quotient.

   a) $f(x) = \dfrac{x^3}{x}$ b) $f(x) = \dfrac{1}{x}$ c) $f(x) = \dfrac{2x^4 + 1}{2x^4}$ d) $f(x) = \dfrac{x^5}{3}$

4. Calculer $\dfrac{dy}{dx}$ si

   a) $y = \dfrac{x^2 + 1}{x + 1}$;   c) $y = \dfrac{4x^3 - x^2}{(x + 1)\sqrt[4]{x}}$;

   b) $y = \dfrac{\sqrt{x}\,(10 - x)}{x^3 - 8}$;   d) $y = \dfrac{x}{x + 1} + \dfrac{x + 1}{x^2}$.

5. Pour chaque fonction, calculer la pente de la tangente à la courbe au point donné.

   a) Pour $g(x) = \dfrac{\sqrt{x}}{x + 1}$, au point $(4, g(4))$.   b) Pour $v(t) = \dfrac{t^2 + t + 1}{3t + 1}$, au point $(0, v(0))$.

6. Déterminer les points de la courbe d'équation $f(x) = \dfrac{x}{x^2 + 1}$ où la tangente à la courbe de f est parallèle à l'axe des x.

7. Le coût unitaire moyen M pour fabriquer un certain nombre d'unités dans une manufacture est donné par $M(x) = \dfrac{C(x)}{x}$, où x est le nombre d'unités fabriquées et $C(x)$, le coût total pour fabriquer ces x unités.

   a) Calculer $M'(x)$.   b) Évaluer $C'(x)$ lorsque $M'(x) = 0$.

5.7 DÉRIVÉE DE FONCTIONS COMPOSÉES

À la fin de la présente section, l'étudiant pourra calculer la dérivée de fonctions composées.

Objectif 5.7.1   Démontrer les propositions permettant de calculer la dérivée de fonctions composées.

■ *Exemple* Calculons la dérivée de $H(x) = (8x^4 - 2x)^3$.

Puisque $H(x) = (8x^4 - 2x)(8x^4 - 2x)(8x^4 - 2x)$, alors

$H'(x) = (8x^4 - 2x)'(8x^4 - 2x)(8x^4 - 2x) + (8x^4 - 2x)(8x^4 - 2x)'(8x^4 - 2x) +$
$\qquad\qquad (8x^4 - 2x)(8x^4 - 2x)(8x^4 - 2x)'$ (proposition 9)

$\qquad = (8x^4 - 2x)^2(8x^4 - 2x)' + (8x^4 - 2x)^2(8x^4 - 2x)' + (8x^4 - 2x)^2(8x^4 - 2x)'$

$\qquad = 3(8x^4 - 2x)^2(8x^4 - 2x)'$

$\qquad = 3(8x^4 - 2x)^2(32x^3 - 2).$

Question 1   Calculer la dérivée de $f(x) = (x^5 + 1)^4$ en utilisant la proposition 9.

Proposition 13   Si $H(x) = [f(x)]^n$, alors $H'(x) = n\,[f(x)]^{n-1}\,f'(x)$, où $n \in \mathbb{N}$.

Preuve La preuve est analogue à celle de la proposition 10.

$$H'(x) = [[f(x)]^n]' = \underbrace{[f(x)\,f(x)\,f(x)\,...\,f(x)]'}_{n \text{ facteurs}}$$

$$= f'(x)\underbrace{f(x)\,...\,f(x)}_{(n-1)\text{ facteurs}} + f(x)\,f'(x)\,...\,f(x) + ... + \underbrace{f(x)\,...\,f(x)}_{(n-1)\text{ facteurs}}f'(x) \quad \text{(proposition 9)}$$

$$= \underbrace{f'(x)\,[f(x)]^{n-1} + [f(x)]^{n-1}f'(x) + ... + [f(x)]^{n-1}f'(x)}_{n \text{ termes}}$$

$$= n\,[f(x)]^{n-1}f'(x)$$

■ *Exemple* Si $H(x) = (x^3 + x^2 + 7x)^{13}$, alors

$$H'(x) = 13(x^3 + x^2 + 7x)^{12}(x^3 + x^2 + 7x)' \quad \text{(proposition 13)}$$
$$= 13(x^3 + x^2 + 7x)^{12}(3x^2 + 2x + 7).$$

Question 2 Calculer la dérivée des fonctions suivantes à l'aide de la proposition 13.

a) $f(x) = (x^3 + 1)^{32}$ 　　　　　　　　b) $g(y) = (y^2 + 3y)^7$

Remarque Il peut arriver que la proposition 13 doive s'appliquer plusieurs fois à l'intérieur d'un même problème.

■ *Exemple* Si $H(x) = [(x^4 + 3x)^5 + x^2]^8$, alors

$$H'(x) = 8[(x^4 + 3x)^5 + x^2]^7\,[(x^4 + 3x)^5 + x^2]' \quad \text{(proposition 13)}$$
$$= 8[(x^4 + 3x)^5 + x^2]^7\,[[(x^4 + 3x)^5]' + (x^2)']$$
$$= 8[(x^4 + 3x)^5 + x^2]^7\,[5(x^4 + 3x)^4(x^4 + 3x)' + 2x] \quad \text{(proposition 13)}$$
$$= 8[(x^4 + 3x)^5 + x^2]^7\,[5(x^4 + 3x)^4(4x^3 + 3) + 2x].$$

La proposition 13 se généralise aux équations avec exposants réels, sous la forme de la proposition 14, que nous acceptons sans démonstration.

Proposition 14 Si $H(x) = [f(x)]^r$, alors $H'(x) = r\,[f(x)]^{r-1}f'(x)$, où $r \in \mathbb{R}$.

■ *Exemple* Si $H(x) = \sqrt{1 - 2x + x^7}$, alors

$$H'(x) = [(1 - 2x + x^7)^{\frac{1}{2}}]'$$
$$= \frac{1}{2}(1 - 2x + x^7)^{-\frac{1}{2}}\,(1 - 2x + x^7)' \quad \text{(proposition 14)}$$
$$= \frac{1}{2}(1 - 2x + x^7)^{-\frac{1}{2}}\,(-2 + 7x^6) = \frac{-2 + 7x^6}{2\sqrt{1 - 2x + x^7}}.$$

Question 3 Calculer la dérivée des fonctions suivantes.

a) $f(x) = \sqrt[3]{8x + 1}$ 　　　　b) $h(x) = \sqrt[4]{x^5 - 1}$ 　　　　c) $a(t) = \sqrt[5]{\sqrt{t} + 1}$

Passons maintenant à la généralisation de la proposition 14 sous la forme de la proposition 15, appelée *règle de dérivation en chaîne*.

Proposition 15 Si $H(x) = f[g(x)]$, alors $H'(x) = f'[g(x)]\,g'(x)$ (règle de dérivation en chaîne).

Preuve

$$H'(x) = \lim_{h \to 0} \frac{H(x + h) - H(x)}{h} \qquad \text{(par définition)}$$

$$= \lim_{h \to 0} \frac{f[g(x + h)] - f[g(x)]}{h}$$

$$= \lim_{h \to 0} \left[\frac{f[g(x + h)] - f[g(x)]}{h} \; \frac{g(x + h) - g(x)}{g(x + h) - g(x)} \right] \qquad \left(\begin{array}{l} \text{si } g(x + h) - g(x) \neq 0 \\ \text{sur } [x, x + h] \end{array} \right)$$

$$= \lim_{h \to 0} \left[\frac{f[g(x + h)] - f[g(x)]}{g(x + h) - g(x)} \; \frac{g(x + h) - g(x)}{h} \right]$$

$$= \left[\lim_{h \to 0} \frac{f[g(x + h)] - f[g(x)]}{g(x + h) - g(x)} \right] \left[\lim_{h \to 0} \frac{g(x + h) - g(x)}{h} \right]$$

$$= \left[\lim_{h \to 0} \frac{f[g(x + h)] - f[g(x)]}{g(x + h) - g(x)} \right] [g'(x)] \qquad \text{(par définition de } g'(x))$$

$$= \left[\lim_{h \to 0} \frac{f(u + k) - f(u)}{(u + k) - u} \right] g'(x) \qquad \left(\begin{array}{l} \text{en posant } g(x) = u \\ \text{et } g(x + h) = u + k \end{array} \right)$$

$$= \left[\lim_{h \to 0} \frac{f(u + k) - f(u)}{k} \right] g'(x)$$

$$= \left[\lim_{k \to 0} \frac{f(u + k) - f(u)}{k} \right] g'(x) \qquad \left(\begin{array}{l} \text{puisque } g(x) \text{ est continue,} \\ \text{si } h \to 0, \text{ alors } k \to 0 \end{array} \right)$$

$$= f'(u) \, g'(x) \qquad \text{(par définition de } f'(u))$$

$$= f'[g(x)] \, g'(x) \qquad \text{(car } u = g(x))$$

■ *Exemple* Calculons la dérivée de la fonction $H(x) = (x^2 + 4x)^8$.

En exprimant $H(x)$ comme une composée de deux fonctions, c'est-à-dire sous la forme $f[g(x)]$, nous pouvons appliquer la proposition 15 et obtenir ainsi la fonction dérivée. Cherchons les fonctions f et g telles que $H(x) = f[g(x)]$.

Nous devons donc prendre $f(x) = x^8$, dont la dérivée est $f'(x) = 8x^7$, et $g(x) = x^2 + 4x$, dont la dérivée est $g'(x) = 2x + 4$.

Nous avons $H(x) = f[g(x)] = [g(x)]^8 = (x^2 + 4x)^8$, d'où

$$H'(x) = f'[g(x)]g'(x) \quad \text{(proposition 15)}$$

$$= 8[g(x)]^7 \, (2x + 4) = 8(x^2 + 4x)^7 \, (2x + 4).$$

Remarque Cette proposition sera essentielle lorsque nous aurons à calculer la dérivée des fonctions trigonométriques, exponentielles et logarithmiques.

Objectif 5.7.2   Connaître et utiliser la notation de Leibniz pour calculer la dérivée de fonctions composées.

Nous savons, d'après la proposition 15, que si $y = f[g(x)]$, alors $y' = f'[g(x)] \, g'(x)$.

En posant $u = g(x)$, nous avons $u' = g'(x)$.

Ainsi, $y = f[g(x)]$

$\qquad y = f(u) \qquad \qquad$ (car $u = g(x)$)

et $\qquad y' = f'[g(x)]\, g'(x)$ (règle de dérivation en chaîne)

$\qquad\qquad y' = f'(u)\, u'$ $\qquad$ (car $u = g(x)$ et $u' = g'(x)$).

Sachant que

$\dfrac{dy}{dx}$ représente la dérivée de y par rapport à x,

$\dfrac{dy}{du}$ représente la dérivée de y par rapport à u, et que

$\dfrac{du}{dx}$ représente la dérivée de u par rapport à x,

alors la règle de dérivation en chaîne peut s'écrire sous la forme

$$\boxed{\;\dfrac{dy}{dx} = \dfrac{dy}{du}\,\dfrac{du}{dx}\;}$$ (notation de Leibniz).

■ *Exemple* Soit $y = u^4$ et $u = (x^3 + 2x)$.

a) Calculons $\dfrac{dy}{dx}$.

$$\dfrac{dy}{dx} = \dfrac{dy}{du}\,\dfrac{du}{dx}$$
$$= 4u^3\,(3x^2 + 2)$$
$$= 4(x^3 + 2x)^3(3x^2 + 2) \quad \text{(car } u = x^3 + 2x)$$

b) Évaluons $\dfrac{dy}{dx}$ lorsque $x = 1$, noté $\left.\dfrac{dy}{dx}\right|_{x=1}$.

$$\left.\dfrac{dy}{dx}\right|_{x=1} = 4(3)^3(5) \qquad \text{(en remplaçant } x \text{ par 1)}$$
$$= 540$$

Dans le cas où il y a plus de deux fonctions composées: par exemple, si $z = f(y)$, $y = g(u)$ et $u = h(x)$, alors la règle de dérivation en chaîne peut s'écrire sous la forme

$$\boxed{\;\dfrac{dz}{dx} = \dfrac{dz}{dy}\,\dfrac{dy}{du}\,\dfrac{du}{dx}\;}$$ (notation de Leibniz).

Exercices 5.7

1. Calculer la dérivée des fonctions suivantes.

   a) $f(x) = (x^4 + 1)^7$

   b) $f(x) = (1 - 5x^4)^{10}$

   c) $f(x) = (x^2 + 3x + 2)^{\frac{7}{2}}$

   d) $f(x) = \sqrt{x^5 + 1}$

   e) $f(x) = [(x^3 + 2x)^4 + 3x]^5$

   f) $f(x) = \left[\dfrac{x+1}{x-1}\right]^3$

   g) $f(x) = 5\sqrt[3]{8 - x}$

   h) $f(x) = \left[\dfrac{(x^3 + 1)^5}{(x - 1)}\right]^7$

   i) $f(x) = [(x^2 + 7x)^5 + (x^3 - 1)^2]^5$

   j) $f(x) = (x^2 + 1)^3(x^3 + 1)^2$

   k) $f(x) = \sqrt{x^2 + \sqrt{3x}}$

   l) $a(t) = \sqrt{\dfrac{mt}{1 + t}}$

2. Pour chaque fonction, calculer la pente de la tangente à la courbe au point donné.

   a) Pour $f(x) = (x^3 + 7)^5$, au point $(1, f(1))$.

   b) Pour $v(t) = \sqrt{t^2 + 1}$, au point $(3, v(3))$.

3. Déterminer les points de la courbe d'équation $f(x) = (x - 1)^2(x + 1)^2$ où la tangente à la courbe de f est parallèle à l'axe des x.

4. Soit $x = 6t^2 - 5t$, $y = \sqrt{x}$ et $z = \dfrac{1}{y}$.

Calculer la dérivée en fonction d'une seule variable et évaluer la dérivée demandée.

a) $\dfrac{dx}{dt}$ et $\dfrac{dx}{dt}\Big|_{t=2}$

b) $\dfrac{dy}{dt}$ et $\dfrac{dy}{dt}\Big|_{t=1}$

c) $\dfrac{dz}{dx}$ et $\dfrac{dz}{dx}\Big|_{x=4}$

d) $\dfrac{dz}{dt}$ et $\dfrac{dz}{dt}\Big|_{t=2}$

5.8　DÉRIVÉES SUCCESSIVES DE FONCTIONS

À la fin de la présente section, l'étudiant pourra calculer des dérivées successives de fonctions.

Objectif 5.8.1　Calculer des dérivées successives de fonctions.

■ *Exemple*　Si $f(x) = x^7 - 5x^2$, alors $f'(x) = 7x^6 - 10x$.

Cette nouvelle fonction, $f'(x) = 7x^6 - 10x$ peut aussi être dérivée. Dans ce cas, la dérivée de la dérivée première, c'est-à-dire $[f'(x)]'$, est appelée *dérivée seconde* de la fonction $f(x)$ et est notée $f''(x)$.

De même, la dérivée de la dérivée seconde, $[f''(x)]'$, est appelée *dérivée troisième* et est notée $f'''(x)$. Nous pouvons également calculer la dérivée $n^{ième}$ d'une fonction, notée $f^{(n)}(x)$.

Notation pour exprimer les dérivées successives d'une fonction $y = f(x)$

Dérivée première : y',　$y^{(1)}$, $f'(x)$, $f^{(1)}(x)$, $\dfrac{dy}{dx}$;

Dérivée seconde : y'',　$y^{(2)}$, $f''(x)$, $f^{(2)}(x)$, $\dfrac{d^2y}{dx^2}$;

Dérivée troisième : y''',　$y^{(3)}$, $f'''(x)$, $f^{(3)}(x)$, $\dfrac{d^3y}{dx^3}$;

$\vdots$

Dérivée $n^{ième}$:　　　$y^{(n)}$,　　$f^{(n)}(x)$, $\dfrac{d^ny}{dx^n}$.

■ *Exemple*　Si $f(x) = x^7 - 5x^2$, alors

$f'(x) = f^{(1)}(x) = 7x^6 - 10x$;

$f''(x) = f^{(2)}(x) = 42x^5 - 10$;

$f'''(x) = f^{(3)}(x) = 210x^4$;

$f''''(x) = f^{(4)}(x) = 840x^3$;

$f'''''(x) = f^{(5)}(x) = 2520x^2$.

■ *Exemple*　Soit $y = \dfrac{5}{x^7}$. Calculons $\dfrac{d^3y}{dx^3}$.

Afin d'éviter d'utiliser la formule du quotient à trois reprises, ce qui peut devenir laborieux, il est préférable de transformer la fonction initiale.

$$\text{Ainsi, } y = \frac{5}{x^7} = 5x^{-7}$$

$$\frac{dy}{dx} = -35x^{-8}$$

$$\frac{d^2y}{dx^2} = 280x^{-9}$$

$$\text{d'où} \quad \frac{d^3y}{dx^3} = -2520x^{-10} = -\frac{2520}{x^{10}}.$$

Exercices 5.8

1. Pour chaque fonction, calculer les dérivées $f'(x), f''(x), f'''(x), f^{(4)}(x)$ et $f^{(5)}(x)$.

   a) $f(x) = 2$

   b) $f(x) = x^7 + 3x^2 + 4$

   c) $f(x) = \dfrac{1}{x}$

   d) $f(x) = \sqrt{x}$

   e) $f(x) = \sqrt[3]{x}$

   f) $f(x) = \dfrac{x^5 + 1}{x^2}$

2. Calculer

   a) $f^{(4)}(x)$, si $f(x) = x^5 + 7x$;

   b) $y^{(9)}$, si $y = x^7$;

   c) $\dfrac{d^2s}{dt^2}$, si $s(t) = 4,9t^2 + 10t + 1$;

   d) $\dfrac{d^3y}{dx^3}$, si $y = (x^3 + 1)^5$;

   e) $f^{(2)}(1)$, si $f(x) = \dfrac{4x^5 - 2x}{x^3}$;

   f) $\left.\dfrac{d^3y}{dx^3}\right|_{x=4}$, si $y = \sqrt{x^7} - 3x$.

3. Pour chaque fonction, calculer la pente de la tangente à la courbe de f' au point donné.

   a) Pour $f(x) = x^4$, au point $(1, f'(1))$.

   b) Pour $f(x) = (x^2 - 3)$, au point $(0, f'(0))$.

5.9 DÉRIVÉE D'ÉQUATIONS IMPLICITES

À la fin de la présente section, l'étudiant pourra calculer la dérivée d'équations implicites.

Objectif 5.9.1   Reconnaître une équation implicite.

Dans tous les problèmes présentés jusqu'à maintenant, la variable dépendante était exprimée en fonction de la variable indépendante.

   ■ *Exemple* $y = \dfrac{3x^4 - 5x}{3x + 1}$.

Par contre, dans certaines expressions, les variables x et y sont liées entre elles par une *relation implicite* qui peut s'écrire sous la forme $f(x, y) = K$, où $K \in \mathbb{R}$.

   ■ *Exemple* $x^2y + xy^2 = 4$.

   ■ *Exemple* $3x^3y - 4y^2 = 5x^2y^4 - 7$.

De telles équations sont appelées *équations implicites*.

Il est possible, dans certains cas, à partir d'une équation implicite d'isoler une variable et d'obtenir une équation explicite.

■ *Exemple* De l'équation implicite $3x + 4y = 8$, nous obtenons l'équation explicite $y = -\dfrac{3}{4}x + 2$.

Par contre, dans certains cas, il pourrait être difficile et même impossible d'exprimer une variable en fonction de l'autre.

■ *Exemple* $x^5y + y^3x + 4x^4y^4 = 16$.

Objectif 5.9.2   Calculer la dérivée d'équations implicites.

Dans tous les problèmes suivants, nous supposons que y est dérivable par rapport à x ; cela nous permet de dériver chacun des deux membres de l'équation et d'obtenir une nouvelle égalité : cette méthode de dérivation s'appelle *dérivation implicite*.

Dans l'exemple suivant, nous allons montrer comment nous pouvons calculer y', c'est-à-dire $\dfrac{dy}{dx}$, (sans isoler y), en utilisant la méthode de dérivation implicite.

■ *Exemple* Calculons y' si $x^3 + y^3 - x^2y^4 = 5$. Nous avons

$$\frac{d}{dx}(x^3 + y^3 - x^2y^4) = \frac{d}{dx}(5) \quad \left(\begin{array}{l}\text{en dérivant les}\\ \text{deux membres}\end{array}\right)$$

$$\frac{d}{dx}(x^3) + \frac{d}{dx}(y^3) - \frac{d}{dx}(x^2y^4) = \frac{d}{dx}(5)$$

$$3x^2 + \frac{dy^3}{dy}\frac{dy}{dx} - \left(y^4\frac{d}{dx}(x^2) + x^2\frac{d}{dx}(y^4)\right) = 0$$

$$3x^2 + 3y^2\frac{dy}{dx} - \left(y^42x + x^2\frac{dy^4}{dy}\frac{dy}{dx}\right) = 0$$

$$3x^2 + 3y^2y' - (2y^4x + x^24y^3y') = 0 \qquad \left(\text{car }\frac{dy}{dx} = y'\right).$$

Isolons maintenant y'.

$$3x^2 + 3y^2y' - 2y^4x - 4x^2y^3y' = 0$$
$$3y^2y' - 4x^2y^3y' = 2y^4x - 3x^2$$
$$y'(3y^2 - 4x^2y^3) = 2y^4x - 3x^2$$

d'où $y' = \dfrac{2y^4x - 3x^2}{3y^2 - 4x^2y^3}$.

Remarque En général, dans les équations implicites où il s'agit d'évaluer y', nous avons, à cause de la règle de dérivation en chaîne,

$$\frac{d}{dx}(y^n) = \frac{d(y^n)}{dy}\frac{dy}{dx} = ny^{n-1}y'.$$

Question 1   Si $y = f(x)$, évaluer la dérivée $\dfrac{d}{dx}$ des expressions suivantes.

a) y^3 b) y^6 c) $\sqrt{y}$

■ *Exemple* Calculons y' si $x^4y^5 = 6$.

$$(x^4y^5)' = (6)' \qquad \text{(en dérivant les deux membres)}$$

$$(x^4)'\,y^5 + x^4(y^5)' = 0 \qquad \text{(dérivation d'un produit)}$$

$$4x^3y^5 + x^45y^4y' = 0$$

$$y' = \frac{-4x^3y^5}{5x^4y^4} \qquad \text{(en isolant } y')$$

d'où $y' = \dfrac{-4y}{5x}$.

■ *Exemple* Calculons y' si $5x^2y^4 + 4y^3 - 5x^6 = 7x^4y^3 - 2x^3y^5$.

$$(5x^2y^4 + 4y^3 - 5x^6)' = (7x^4y^3 - 2x^3y^5)' \quad \left(\begin{array}{l}\text{en dérivant les}\\ \text{deux membres}\end{array}\right)$$

$$(5x^2y^4)' + (4y^3)' - (5x^6)' = (7x^4y^3)' - (2x^3y^5)'$$

$$10xy^4 + 20x^2y^3y' + 12y^2y' - 30x^5 = 28x^3y^3 + 21x^4y^2y' - 6x^2y^5 - 10x^3y^4y'$$

$$20x^2y^3y' + 12y^2y' - 21x^4y^2y' + 10x^3y^4y' = 28x^3y^3 - 6x^2y^5 - 10xy^4 + 30x^5$$

$$y'(20x^2y^3 + 12y^2 - 21x^4y^2 + 10x^3y^4) = 28x^3y^3 - 6x^2y^5 - 10xy^4 + 30x^5$$

d'où $y' = \dfrac{28x^3y^3 - 6x^2y^5 - 10xy^4 + 30x^5}{20x^2y^3 + 12y^2 - 21x^4y^2 + 10x^3y^4}$.

Objectif 5.9.3 Calculer la pente de tangentes à une courbe définie par une équation implicite.

■ *Exemple* Soit le cercle d'équation $x^2 + y^2 = 9$.

Évaluons la pente de la tangente illustrée sur le graphique ci-contre.

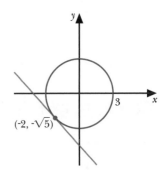

Puisque la pente de la tangente à la courbe est donnée par la dérivée évaluée au point correspondant, calculons d'abord y'.

$$x^2 + y^2 = 9$$

$$(x^2 + y^2)' = (9)'$$

$$2x + 2yy' = 0$$

d'où $y' = \dfrac{-2x}{2y} = \dfrac{-x}{y}$.

Pour évaluer la pente de la tangente au point $(-2, -\sqrt{5})$ de la courbe, il suffit de remplacer, dans l'expression de y', x par -2 et y par $-\sqrt{5}$. Ainsi,

$$m_{\text{tan}} \text{ au point } (-2, -\sqrt{5}) = \left.\frac{dy}{dx}\right|_{(-2,\,-\sqrt{5})} = y'_{(-2,\,-\sqrt{5})} = \frac{-2}{\sqrt{5}}.$$

Exercices 5.9

1. Déterminer, parmi les équations suivantes, lesquelles sont écrites sous la forme d'équations implicites.

    a) $y = \dfrac{3x + 1}{4x}$ b) $y = \dfrac{3y + 1}{4x}$ c) $x^2 + 5x + 6 = y$ d) $x^2y + 5y^2 = 3x + y$

2. Soit l'équation $x^2 + 3y = 5 - 6x$.
    a)   Calculer y' par la méthode de dérivation implicite.
    b)   Transformer l'équation initiale sous la forme $y = f(x)$ et calculer y'.
    c)   Comparer les deux dérivées obtenues.

3. Calculer y', si
    a) $x^3 + y^3 = 5 - x^2$;   b) $xy = x^2 - 5y$;   c) $\dfrac{x}{y} = x^2 + 5y$;   d) $3x^2y - 4xy^2 = 9$.

4. Pour chacune des équations suivantes, calculer la pente de la tangente à la courbe au point donné.
    a)   Pour $x^2 + y^2 = 13$, au point $(2, 3)$.   b)   Pour $x^2y^2 + x^3y^3 = -4$, au point $(1, -2)$.

5. Soit le cercle d'équation $x^2 + y^2 = 4$. Évaluer la pente de la tangente illustrée sur le graphique ci-contre.

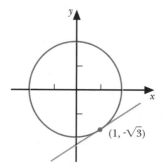

$(1, -\sqrt{3})$

6. Soit $4x^2 + 9y^2 - 36 = 0$. Calculer la pente de chacune des tangentes à la courbe lorsque $x = \sqrt{5}$.

Problèmes de synthèse

1. Compléter les propositions suivantes.
    a)   Constante : Si $y = K$, alors $y' = $ _____.
    b)   Identité : Si $y = x$, alors $y' = $ _____.
    c)   Constante multipliée par une fonction :
         Si $y = K f(x)$, alors $y' = $ _____.
    d)   Somme : Si $y = f(x) + g(x)$, alors
         $y' = $ _____.
    e)   Produit : Si $y = f(x) g(x)$, alors
         $y' = $ _____.
    f)   Exposant réel : Si $y = x^r$, alors
         $y' = $ _____.
    g)   Quotient : Si $y = \dfrac{f(x)}{g(x)}$, alors $y' = $ _____.

    h)   Règle de dérivation en chaîne :
         Si $y = [f(x)]^r$, alors $y' = $ _____.

2. Calculer la dérivée des fonctions suivantes.
    a) $y = 4x^2 + 24x + 10^4$
    b) $y = \dfrac{4}{5}x^{\frac{5}{4}} - \dfrac{2}{7}x^{\frac{7}{2}}$
    c) $y = 5x^4 + 3x^2 - 10\sqrt{x}$
    d) $y = 8(x^3 + 5x + 1) - 6x^2$
    e) $y = x^4 + \dfrac{1}{x^4}$
    f) $y = \sqrt{x}\,(2x^2 + 7x + 4)$
    g) $y = \dfrac{3}{x - 1}$

h) $y = \dfrac{3x + 2}{2x + 3}$

i) $y = (1 - 7x)^6$

j) $y = (x^3 - 1)^7$

k) $y = \dfrac{3}{1 - 5x} - \dfrac{8}{8x + 6}$

l) $y = x^2 + \sqrt{3x + 1}$

m) $y = x^2 \sqrt{3x + 1}$

n) $y = \dfrac{\sqrt{x} + 1}{x}$

o) $y = (2 - x)^5(7x + 3)$

p) $y = \dfrac{4 + x}{5 - x}$

q) $y = 5\sqrt{2x^2 + 5x + 7}$

r) $y = \sqrt[3]{(1 - x^2 + x^4)^4}$

s) $y = (2x + 1)(3x - 3)(4 - 5x)$

t) $y = \sqrt{\dfrac{1 + 3x}{1 - 3x}}$

m) $y = \dfrac{1 + \dfrac{4}{x}}{4 + \dfrac{1}{x}}$

n) $y = x^2(x^3 + 2)^5 - \dfrac{8}{x^8 - 5}$

o) $y = \dfrac{x^n}{x^n - 1}$

p) $y = \dfrac{x^n - 1}{x^n}$

q) $y = \dfrac{x^{n + 1}}{x^n + 1}$

r) $y = [3x^4 - (5 - x^6)^5]^8$

s) $y = \sqrt{\dfrac{x}{7}} + \sqrt{\dfrac{7}{x}}$

t) $y = \dfrac{\sqrt{\dfrac{x}{7}} + \sqrt{\dfrac{7}{x}}}{7 + x}$

3. Calculer $\dfrac{dy}{dx}$ pour les fonctions suivantes.

a) $y = 3x^{\frac{1}{3}} + \dfrac{7}{4}x^{\frac{3}{4}} - \dfrac{2}{5}x^{\frac{5}{2}} + 4^4$

b) $y = 7\left(\dfrac{x^2 + 4}{x^2 - 4}\right)$

c) $y = \left[\dfrac{x}{7 + x}\right]^5$

d) $y = 5x^3\sqrt{4 - x}$

e) $y = \dfrac{x^2 - 3}{3 - x^2}$

f) $y = \sqrt[3]{3 + 7x - x^3} + \dfrac{1}{x}$

g) $y = \dfrac{-4(1 - 2x^7)^{\frac{7}{2}}}{5}$

h) $y = (x^2 + 3)^4(2x^3 - 5)^3$

i) $y = [(x^2 - 5)^8 + x^7]^{18}$

j) $y = \dfrac{x^4}{2 - 3x}$

k) $y = \dfrac{1}{x^7 - 1} - \dfrac{1}{9 - x^2}$

l) $y = \sqrt{2 + \sqrt{x}}$

4. Calculer la dérivée des fonctions suivantes.

a) $f(x) = \dfrac{2}{\sqrt{x}} + \dfrac{6}{\sqrt[3]{x}} + \dfrac{\sqrt[5]{x}}{8}$

b) $f(x) = \dfrac{x^2 - x + 1}{x^3 + 2}$

c) $f(x) = \dfrac{x - \sqrt{x}}{x + \sqrt{x}}$

d) $f(x) = [(x^2 + 1)^3(x^3 - 1)^2]^6$

e) $f(x) = \dfrac{2x^2 - 1}{x\sqrt{1 + x^2}}$

f) $f(x) = 5(x - 7)\sqrt[3]{x - 1}$

g) $f(x) = \sqrt[3]{\dfrac{x^3 + 1}{x^3 - 1}}$

h) $f(x) = \left[(3 - 2x)^4 + \dfrac{5}{(x^3 + 4x)^4}\right]^4$

i) $f(x) = \dfrac{1}{5a}(ax - b)^5$

j) $f(x) = \left(b - \dfrac{c}{x}\right)^3$

k) $f(x) = \sqrt{1 + \dfrac{1}{\sqrt{x}}}$

l) $f(x) = x^4(x^3 + 1) + x^2(1 + x^2)$

m) $f(x) = x^4 \sqrt[7]{\dfrac{x+1}{x-1}}$

n) $f(x) = a(bx + c) + \dfrac{d}{ex + m}$

o) $f(x) = \dfrac{2x^4}{m^2 - x^2}$

p) $f(x) = \dfrac{ax^2}{(a + x^2)^3}$

q) $f(x) = \dfrac{1}{\sqrt[3]{\left(\dfrac{x^2}{1-x}\right)^2}}$

r) $f(x) = \left(\dfrac{x^3 - 2}{2x^3 + 7}\right)^5$

s) $f(x) = \dfrac{(2x + 1)\sqrt{x + 1}}{(4 - x^2)}$

t) $f(x) = x^4(x^3 - \sqrt{x}) + \sqrt{3x} + 3\sqrt{x}$

5. Calculer y' pour chacune des équations suivantes.

a) $2x^2 + 3xy - y^2 = 1$

b) $3y^2 + 5x = 3 - 5y^3$

c) $\dfrac{1}{x} - 3xy + \dfrac{1}{y} = 0$

d) $\sqrt{x^2 + y^2} = 3$

e) $\dfrac{x}{y} = \dfrac{y^2}{x}$

f) $y^2 = \dfrac{x - y}{x + y}$

6. Soit $y = 5x^2 - \sqrt{x}$, $x = 2u + 3$ et $u = t^3 + 1$. Calculer en fonction d'une seule variable la dérivée demandée et évaluer cette dérivée à la valeur donnée.

a) $\dfrac{du}{dt}$ et $\dfrac{du}{dt}\Big|_{t=-2}$ c) $\dfrac{dy}{du}$ et $\dfrac{dy}{du}\Big|_{u=-1}$

b) $\dfrac{dx}{du}$ et $\dfrac{dx}{du}\Big|_{u=0}$ d) $\dfrac{dy}{dt}$ et $\dfrac{dy}{dt}\Big|_{t=0}$

7. Soit $f(x) = 2x^3 + 3x^2 - 12x + 1$.

a)   Calculer $f(0)$, $f'(0)$ et $f''(0)$.

b)   Déterminer les valeurs de x telles que $f'(x) = 0$.

c)   Calculer $f^{(3)}(x)$ et $f^{(6)}(x)$.

d)   Déterminer les valeurs de x telles que $f'(x) = -12$.

8. Calculer, si possible, la pente de la tangente à la courbe de f aux points $(1, f(1))$, $(-2, f(-2))$ et $(0, f(0))$.

a) $f(x) = 3x^2 + 2x - 1$

b) $f(x) = (x^2 - 4)^3(x^3 + 1)^4$

c) $f(x) = \dfrac{1}{2x^2} + \dfrac{4}{\sqrt{x}}$

9. a)   Soit $f(x) = x^2 + \sqrt{x^3} + 2$. Calculer $f''(x)$ et $f''(4)$.

b)   Soit $y = (4x^2 + 1)(5 - 2x)$. Calculer $\dfrac{d^2y}{dx^2}$ et $\dfrac{d^2y}{dx^2}\Big|_{x=0,25}$.

c)   Soit $f(x) = \dfrac{x^5}{60} - \dfrac{x^4}{24} + \dfrac{x^2}{2} + 5$. Calculer $f^{(3)}(1)$ et $f^{(5)}(1)$.

d)   Soit $f(x) = x^3 + x^2 + x + 1$. Déterminer la valeur de x telle que $f''(x) = 0$.

e)   Soit $4x^2 + 9y^2 = 40$. Calculer $y'_{(1, 2)}$ et $y'_{(-1, -2)}$.

10. Pour chacune des relations suivantes, calculer y' et la pente de la tangente à la courbe au point donné.

a)   Pour $x^2y^2(1 + xy) + 4 = 0$, au point $(1, -2)$.

b)   Pour $\sqrt{xy} - y^2 = -60$, au point $(2, 8)$.

11. Soit $f(x) = (x + 1)^3(2x - 3) + 1$, représentée par le graphique ci-dessous. Identifier les deux points suivants : $(a, f(a))$ et $(b, f(b))$.

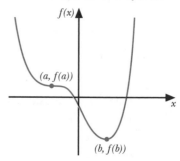

12. Soit l'ellipse d'équation $\dfrac{x^2}{16} + \dfrac{y^2}{9} = 1$.

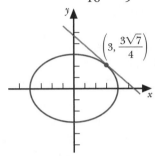

$\left(3, \dfrac{3\sqrt{7}}{4}\right)$

a) Évaluer la pente de la tangente illustrée sur le graphique ci-dessus.

b) Existe-t-il un autre point de l'ellipse où la pente de la tangente serait la même qu'en **a**)? Si oui, déterminer ce point.

13. Quel est le point sur la courbe d'équation $f(x) = 6x^2 + 4x$ pour lequel la pente de la tangente à la courbe est 10? Représenter graphiquement la courbe et la tangente.

14. Quels sont les points sur la courbe d'équation $f(x) = x^3 - 12x + 6$ pour lesquels la pente de la tangente à la courbe est 0?

15. Déterminer les points de la courbe d'équation $f(x) = 2x^3 - 15x^2 + 36x - 24$ où la tangente à la courbe de f est parallèle à l'axe des x.

16. Soit $f(x) = x^2 - 2x - 8$.

a) Calculer la pente de la tangente à la courbe de f aux points où cette courbe coupe l'axe des x.

b) Calculer la pente de la tangente à la courbe de f au point où cette courbe coupe l'axe des y.

c) Déterminer si la droite d'équation $y = 4x - 17$ est tangente à la courbe de f. Si oui, déterminer en quel point.

d) Déterminer si la droite d'équation $y = -4x - 5$ est tangente à la courbe de f. Si oui, déterminer en quel point.

17. Soit $f(x) = x^2 + 3$. Déterminer un point sur la courbe de f de telle sorte que la tangente à la courbe de f en ce point soit parallèle à la droite d'équation $y = 2x - 1$. Représenter graphiquement la courbe, la tangente et la droite.

18. Soit $f(x) = x^2 - 6x + 5$. Déterminer sur la courbe de f un point $(c, f(c))$ où la tangente à la courbe en ce point est parallèle à la sécante passant par les points $(2, f(2))$ et $(4, f(4))$. Représenter graphiquement la courbe, la sécante et la tangente.

19. Déterminer le point $(c, f(c))$ de la courbe de f, définie par $f(x) = -x^2 + 12x - 20$, tel que la tangente à la courbe en ce point est parallèle à la sécante passant par $(3, f(3))$ et $(8, f(8))$. Représenter graphiquement la courbe, la sécante et la tangente.

20. Soit $f(x) = 3x^3 + 5x^2 - 18x + 6$ et $g(x) = x^3 + 2x^2 + 18x + 6$. Déterminer les valeurs de x_1 et x_2 telles que les tangentes à la courbe de f, aux points $(x_1, f(x_1))$ et $(x_2, f(x_2))$, soient respectivement parallèles aux tangentes à la courbe de g, aux points $(x_1, g(x_1))$ et $(x_2, g(x_2))$, pour chacune de ces valeurs.

21. Deux produits chimiques, A et B, réagissent pour former un produit C. Après t heures, la quantité en grammes du produit C est donnée par $Q(t) = 3 - \dfrac{3}{2t + 1}$.

a) Calculer la quantité initiale du produit C.

b) Calculer la quantité du produit C après trois heures.

c) Calculer le taux de variation moyen de la quantité du produit C sur les intervalles [2 h, 3 h] et [3 h, 4 h].

d) Déterminer la fonction donnant le taux de variation instantané de la quantité du produit C en fonction du temps.

e) Quel est le taux de variation instantané de la quantité du produit C exactement trois heures après le début de l'expérience? Après cinq heures?

f) Après combien de temps le taux de variation instantané de la quantité du produit C sera-t-il de $\dfrac{2}{27}$ g/h?

g) Après combien de temps le taux de variation instantané de la quantité du produit C sera-t-il de 0,015 g/h?

22. Soit $f(x) = (3x - 4)^2$.

a) Déterminer l'équation de la tangente à la courbe de f au point $(1, f(1))$.

b) Déterminer l'équation de la droite passant par le point $(1, f(1))$ et qui est perpendiculaire à cette tangente.

23. Soit $f(x) = (4x - 9)^2 + 3$. Déterminer les valeurs de a telles que la tangente à la courbe de f au point $(a, f(a))$ et les axes forment un triangle isocèle.

24. Soit $f(x) = (x - 1)x(x + 1)$ et la droite D définie par $y = \dfrac{1 - x}{4}$.

a) Déterminer la pente de la tangente à la courbe de f aux zéros de f.

b) Déterminer les coordonnées des points d'intersection de la courbe de f et de la droite D.

c) Déterminer si la droite D est tangente à la courbe de f en un des points d'intersection obtenus en **b**).

d) Déterminer sur la courbe de f un point $(c, f(c))$ où la tangente à la courbe en ce point est parallèle à la droite D et déterminer l'équation de cette tangente.

e) Déterminer la valeur de x pour laquelle $f'(x)$ est minimale et donner les coordonnées du point M de f où $f'(x)$ est minimale.

Exercices récapitulatifs

1. Calculer la dérivée des fonctions suivantes.

a) $f(x) = \dfrac{3x^5}{7} - 4x^2 + \pi$

b) $f(x) = 8\left(\sqrt{x} + \dfrac{\sqrt[3]{x}}{5}\right)$

c) $f(x) = (5x^3 + 4)(2x - 7x^5)$

d) $f(x) = \dfrac{8 - 5x^4}{7 + x^3}$

e) $f(x) = (1 - 7x)^6 + 5x$

f) $f(x) = \sqrt{2x + 3} + \sqrt[4]{1 - x}$

g) $f(x) = 7x^3\sqrt{3 - 4x^3}$

h) $f(x) = [(x^3 - 5x)^4 - 6x]^8$

i) $f(x) = \dfrac{1 + \sqrt[3]{x^2}}{\sqrt{x}}$

j) $f(x) = \left[\dfrac{x^3 + 3}{1 - x}\right]^7$

k) $f(x) = \dfrac{7x + 1}{(3x + 4)(5 - 2x)^5}$

l) $f(x) = \sqrt[6]{2x + (x^2 + 1)^{12}}$

m) $f(x) = x^{3n} - 7x^2 + 3n$

n) $f(x) = \dfrac{2}{5a}(ax + b)^a$

o) $f(x) = \sqrt{1 + \sqrt{1 + \sqrt{x}}}$

p) $f(x) = (3x + 1)\left(\dfrac{4 - x}{5x^3 - 1}\right)^7$

q) $f(x) = \sqrt{1 + 3x}\,(x^2 + 1)^3(1 - x^3)^2$

r) $f(x) = \dfrac{5}{\sqrt{3x + 1}} + 5x^2 - 4$

s) $f(x) = \dfrac{x - \sqrt{x}}{x + \sqrt{x}}$

t) $f(x) = (5x - 1)(3x + \sqrt{x^2 + 1})$

2. Calculer y' pour chacune des équations suivantes.

a) $x^2 + y^2 = 16$

b) $x^3 + 3x^2y = -3xy^2 - y^3 + 1$

c) $(x + y)^3 = 3x + 5$

3. a) Soit $f(x) = x^5 + x^2 + x + 1$. Calculer $f'''(x)$ et $f^{(7)}(x)$.

b) Soit $y = x^6 - 5x^2$. Calculer $y^{(6)}$ et $y^{(7)}$.

c) Soit $y = x^n$, où $n \in \mathbb{N}$. Calculer $y^{(n)}$ et $y^{(n+1)}$.

d) Soit $y = \dfrac{x - 1}{x + 1}$. Calculer $\dfrac{d^2y}{dx^2}$ et $\left.\dfrac{d^3y}{dx^3}\right|_{x=0}$.

e) Soit $x^2 + y^2 = 25$. Calculer y' lorsque $x = -3$.

f) Soit $x^2 + y^2 = 25$. Calculer y' lorsque $y = -3$.

4. Calculer, si possible, la pente de la tangente à la courbe aux points donnés.

    a) $f(x) = x^2 - 4x + 5$, en $(0, f(0))$ et $(2, f(2))$.

    b) $y = \dfrac{x + 5}{4 - x^2}$, en $(0, f(0))$ et $(2, f(2))$.

    c) $x^3y - xy^3 = x^2 - 1$, en $(-1, -1)$ et $(1, 0)$.

    d) $f(x) = \sqrt{4 - 2x}$, en $(0, f(0))$ et $(2, f(2))$.

    e) $x^2 + xy = 3 - y^5$, en $(1, 1)$ et $(\sqrt{3}, 0)$.

    f) $f(x) = (x + 8)^{\frac{1}{3}}$, en $(-8, 0)$ et $(0, 2)$.

5. Soit $f(x) = x^2 - x - 6$.

    a) Calculer la pente de la tangente à la courbe de f aux points où la courbe coupe l'axe des x.

    b) Calculer la pente de la tangente à la courbe de f au point où la courbe coupe l'axe des y.

    c) Déterminer le point de la courbe de f où la tangente à la courbe est parallèle à l'axe des x.

    d) Déterminer le point de la courbe de f où la pente de la tangente à la courbe est -4.

    e) Déterminer le point de la courbe de f où la tangente à la courbe de f est parallèle à la droite d'équation $y = 4x + 6$.

    f) Déterminer l'équation de la droite tangente à la courbe de f au point $(2, f(2))$.

    g) Déterminer l'équation de la droite normale à la tangente précédente.

    h) Déterminer le point de la courbe de f tel que la tangente à la courbe en ce point est parallèle à la sécante passant par $(-2, f(-2))$ et $(2, f(2))$.

    i) Déterminer le point de la courbe de f tel que la tangente à la courbe en ce point soit perpendiculaire à la droite définie par $3y + x + 12 = 0$.

6. Soit $f(x) = x^3 + 3x$. Déterminer, si possible, le(s) point(s) de la courbe de f pour le(s)quel(s) la tangente à la courbe est

    a) parallèle à l'axe des x;

    b) parallèle à la droite $y = 3x - 1$;

    c) parallèle à la droite $y = 6x + 1$;

    d) perpendiculaire à la droite $y = -\dfrac{1}{15}x - 4$.

7. Soit $f(x) = x^2(x + 3)^4$. Déterminer les points de la courbe tels que $f'(x) = 0$.

8. Soit $z = 2y^2 + 1$, $y = 3x - 5$, $x = \dfrac{1}{u}$ et $u = 3 - \sqrt{9 + t^2}$. Calculer en fonction d'une seule variable la dérivée demandée et évaluer, si possible, cette dérivée à la valeur donnée.

    a) $\dfrac{dz}{dx}$ et $\dfrac{dz}{dx}\Big|_{x=2}$ d) $\dfrac{dy}{dt}$ et $\dfrac{dy}{dt}\Big|_{t=4}$

    b) $\dfrac{dy}{du}$ et $\dfrac{dy}{du}\Big|_{u=-1}$ e) $\dfrac{dz}{dt}$ et $\dfrac{dz}{dt}\Big|_{t=-4}$

    c) $\dfrac{dx}{dt}$ et $\dfrac{dx}{dt}\Big|_{t=4}$

9. Sachant que

    a) $\dfrac{dy}{dx} = 12x^2$ et $\dfrac{dx}{dt} = -1$, évaluer $\dfrac{dy}{dt}$ en $x = 4$;

    b) $\dfrac{dv}{dt} = 7$ et $\dfrac{dv}{dx} = 3x^2$, évaluer $\dfrac{dx}{dt}$ en $x = 3$.

10. Évaluer, si possible, la pente des quatre tangentes illustrées sur le graphique ci-dessous.

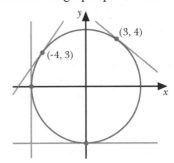

11. Soit $f(x) = x^3 - 4x^2 + 7x + 6$.

    a) Déterminer l'équation de la droite tangente à la courbe de f au point $(1, f(1))$.

    b) Déterminer l'équation de la droite normale à la tangente au point $(1, f(1))$.

12. Soit $f(x) = x^2 - 2x - 8$.

    a) Déterminer l'équation des droites tangentes à la courbe de f aux points où cette courbe coupe l'axe des x.

    b) Déterminer le point d'intersection de ces deux droites.

    c) Illustrer graphiquement cette courbe et ces deux droites.

13. Soit l'hyperbole d'équation $x^2 - y^2 = 9$. Évaluer les pentes des tangentes illustrées sur le graphique ci-dessous.

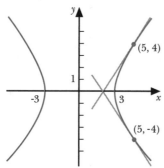

14. Un manufacturier a déterminé que le coût de production C du dernier trimestre est donné par $C(x) = 25x^2 + 10\ 000$, où x est le nombre d'unités fabriquées et $C(x)$ est en dollars.

   a) Déterminer la fonction M donnant le coût unitaire moyen pour fabriquer un certain nombre d'unités.

   b) Calculer $M(10)$, $M(20)$ et $M(50)$.

   c) Calculer $M'(x)$.

   d) Déterminer le seuil de production x tel que $M'(x) = 0$.

15. Un manufacturier estime que le nombre x d'unités qu'il peut vendre dans un mois à un certain prix p en dollars est donné par l'équation $x = 1200 - 4p$.

   De même, il estime que, pour la même période, ses coûts C de fabrication sont donnés par $C(x) = 500 + 60x$.

   a) Déterminer le prix p en fonction de x.

   b) Déterminer la fonction revenu R en fonction de x.

   c) Sachant que le profit P est donné par le revenu moins les coûts, déterminer $P(x)$ en fonction de $R(x)$ et de $C(x)$.

   d) Déterminer le seuil de production x tel que $P'(x) = 0$.

16. Soit $f(x) = x^2 + 3x$. Vérifier si la droite définie par

   a) $y = 11x - 16$ est tangente à la courbe de f;

   b) $y = -5x - 15$ est tangente à la courbe de f.

17. Soit $f(x) = [2x\ g(x)]$ et $g(0) = 5$. Évaluer $f'(0)$, si $g'(x)$ est définie pour tout x.

18. Soit $f(x) = \dfrac{(x-3)^2}{g(x)}$. Évaluer $f'(3)$, si $g'(x)$ est définie pour tout x et $g(3) \neq 0$.

19. Sachant que $f(0) = 0$ et $f'(0) = 3$, évaluer $H'(0)$ si $H(x) = f(x)\ f'(x)$ et si $f''(x)$ est définie pour tout x.

20. Soit une fonction f telle que $f'(x) = -f(x)$. Évaluer

   a) $f^{(4)}(x)$;

   b) $f^{(7)}(x)$.

   c) Généraliser pour les dérivées successives de cette fonction.

21. Démontrer que si une fonction est paire, c'est-à-dire que $f(x) = f(-x)$, alors la dérivée seconde est également paire.

22. Soit $u = f(x)$ et $v = g(x)$. Rédiger une formule pour

   a) $(uv)'''$;   b) $(uv)^{(4)}$.

23. Soit $f(x) = 4 - x^2$. Déterminer les valeurs de a et b telles que les tangentes à la courbe de f aux points $(a, f(a))$ et $(b, f(b))$ forment un triangle équilatéral avec l'axe des x.

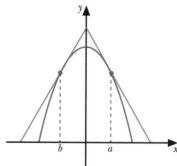

24. Déterminer les valeurs de a et b telles que la pente de la tangente à la courbe de f, définie par $f(x) = ax^2 + bx + 1$, au point $(2, 3)$ soit égale à 7.

25. Soit $f(x) = x^3 - 2$. Déterminer le point $(a, f(a))$ sur la courbe de f tel que la tangente à la courbe en ce point passe par l'origine.

26. Soit $f(x) = x^2$. Déterminer deux points $(a, f(a))$ et $(-a, f(-a))$ tels que les tangentes en ces deux points soient perpendiculaires entre elles.

27. Déterminer les valeurs de a et b telles que les courbes définies par $f(x) = x^2$ et $g(x) = ax^2 + b$ se rencontrent perpendiculairement en $x = 1$.

28. Soit $f(x) = \sqrt{x}$. Déterminer le point $(a, f(a))$ sur la courbe de f tel que la tangente à la courbe en ce point passe par le point $(-4, 0)$. Représenter graphiquement la courbe et la tangente.

29. Soit la parabole définie par
    $f(x) = a(x + 1)(x - 7)$, représentée par le graphique ci-dessous.

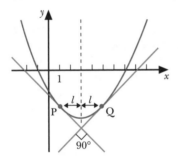

Déterminer, en fonction de a, les coordonnées des points P et Q, si les tangentes en ces points forment entre elles un angle de 90°.

30. Soit $x^3y + xy^3 = 2$. Évaluer y'' et $y''_{(1, 1)}$.

31. Calculer l'aire du triangle délimité par les axes et la droite passant par le point P(4, 0) et qui est tangente à la courbe de f, où $f(x) = \dfrac{1}{x}$.

32. Soit le cercle de rayon 1 centré sur l'axe des y et tangent à la parabole définie par $y = x^2$.

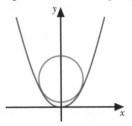

a) Déterminer les points d'intersection du cercle et de la parabole et calculer la pente de la tangente en ces points de rencontre.

b) Déterminer les coordonnées du centre de ce cercle.

33. Soit la droite D tangente à la courbe définie par $x^{\frac{2}{3}} + y^{\frac{2}{3}} = 4$ au point $(2\sqrt{2}, 2\sqrt{2})$. Calculer l'aire du triangle délimité par D et les axes.

34. Soit $f(x) = x^2$.

a) Démontrer que toute droite normale à la courbe de f, sauf celle qui passe par $(0, 0)$, rencontre la courbe de f en deux points.

b) Démontrer que les normales aux points $(-a, f(-a))$ et $(a, f(a))$ $\forall\ a \in \mathbb{R}$, où $a \neq 0$, se rencontrent en $(0, b)$. Exprimer b en fonction de a.

Test récapitulatif

1. Compléter.

   a) Si $H(x) = f(x) - g(x) + k(x)$, alors $H'(x) = $ _____ .

   b) Si $y = f(x)\ g(x)$, alors $\dfrac{dy}{dx} = $ _____ .

   c) Si $y = \dfrac{f(x)}{g(x)}$, alors $y' = $ _____ .

   d) Si $y = f(u)$ et $u = g(x)$, alors $\dfrac{dy}{dx} = $ _____ .

2. Démontrer, à l'aide de la définition de la dérivée, que si $H(x) = f(x)\ g(x)$, alors $H'(x) = f'(x)\ g(x) + f(x)\ g'(x)$.

3. Calculer la dérivée des fonctions suivantes.

   a) $f(x) = 8x^5 - 7x^3 - 10\sqrt{x} + 7^4$

   b) $f(x) = \dfrac{x^n}{x^{n+1}} + 5$

   c) $f(x) = \left(\dfrac{x^2}{a - x}\right)^4$

   d) $f(x) = (x^2 - 5x^3)^4(x - x^2)^3$

e) $f(x) = \dfrac{(5 - 4x^3)}{x\sqrt{3 - x}}$

f) $f(x) = [(x^3 + 7)^5 + x^4]^8$

4. a) Calculer $f^{(3)}(x)$, si $f(x) = \dfrac{1}{\sqrt{x}}$.

b) Soit $y = x^4 - 8x^3 - 30x^2 + 1$. Déterminer les valeurs de x telles que $\dfrac{d^2y}{dx^2} = 0$.

5. Soit $f(x) = \dfrac{x^2 - 4x}{x^3 - 1}$. Calculer, si possible, la pente de la tangente à la courbe de f aux points

a) $(-2, f(-2))$;

b) $(1, f(1))$.

6. Soit $f(x) = (x - 3)^2(x + 3)$.

a) Déterminer la pente de la tangente à la courbe de f aux points où la courbe rencontre l'axe des x.

b) Déterminer la pente de la tangente à la courbe de f au point où la courbe coupe l'axe des y.

c) Déterminer le point de la courbe de f tel que la pente de la tangente en ce point soit -12.

d) Déterminer les points de la courbe de f tels que la tangente en ces points soit parallèle à la droite définie par $y - 15x + 1 = 0$.

e) Déterminer, si possible, le point de la courbe de f tel que la tangente à la courbe en ce point soit perpendiculaire à la droite définie par $13y - x = 13$.

7. Déterminer, si possible, le point de la courbe de f, définie par $f(x) = \sqrt{4 - x}$, pour lequel la tangente à la courbe est parallèle à l'axe des x.

8. Soit $x^2(x^2 + y^2) = x + y + 6$. Calculer la pente de la tangente à la courbe au point $(1, -2)$.

Chapitre 6

Taux de variation

Introduction

Le présent chapitre a pour objectif général de familiariser l'étudiant avec diverses applications de la dérivée en physique, en géométrie, en économie, etc.

À cette fin, la poursuite des objectifs particuliers rendra l'étudiant capable de résoudre divers problèmes à l'aide d'exemples d'application préalablement résolus.

TEST PRÉLIMINAIRE

Partie A

1. Compléter les formules suivantes.

    a) 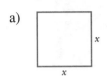   Aire =
    Périmètre =

    b)    Aire =
    Périmètre =

    c) 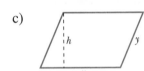   Aire =
    Périmètre =

    d) 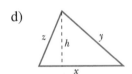   Aire =
    Périmètre =

    e) 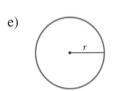   Aire =
    Circonférence =

    f) 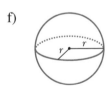   Volume =
    Aire =

    g)    Volume =
    Aire =

    h) 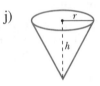   Volume =
    Aire =

    i) 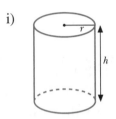   Volume =
    Aire latérale =
    Aire totale =

    j)   Volume =
    Aire latérale =
    Aire totale =

Partie B

1. Donner la définition des expressions suivantes pour une fonction $y = f(x)$.

    a) $\text{TVM}_{[x, x + h]}$

    b)   TVI

    c) $f'(x)$

2. Si $z = f(x)$ et $x = g(t)$, compléter $\dfrac{dz}{dt} = $ _____.

6.1 TAUX DE VARIATION INSTANTANÉ

À la fin de la présente section, l'étudiant pourra utiliser la notion de dérivée pour calculer le taux de variation instantané de fonctions dans divers domaines.

Objectif 6.1.1   Connaître la définition de la fonction vitesse et de la fonction accélération d'un mobile en fonction du temps t.

Dans le deuxième chapitre, nous avons défini la vitesse moyenne d'un mobile sur un intervalle de temps $[t, t + h]$ comme suit :

$$v_{[t, t + h]} = \frac{s(t + h) - s(t)}{h},$$

où $s(t)$ représente la position du mobile en fonction du temps t.

La vitesse moyenne correspond donc au TVM de la position en fonction du temps.

> **Définition**
>
> Nous pouvons définir la fonction *v(t)*, donnant la **vitesse instantanée** d'un mobile au temps *t*, comme suit :
>
> $$v(t) = \lim_{h \to 0} \frac{s(t + h) - s(t)}{h}, \text{ d'où } v(t) = s'(t).$$

La fonction donnant la vitesse instantanée est donc égale à la dérivée de la fonction donnant la position en fonction du temps *t*.

De façon analogue, l'accélération moyenne d'un mobile sur un intervalle de temps [*t*, *t* + *h*] est définie comme suit :

$$a_{[t,\, t + h]} = \frac{v(t + h) - v(t)}{h},$$

où *v(t)* représente la vitesse du mobile en fonction du temps *t*.

> **Définition**
>
> Nous pouvons, de façon analogue, définir la fonction *a(t)*, donnant l'**accélération instantanée** d'un mobile au temps *t*, comme suit :
>
> $$a(t) = \lim_{h \to 0} \frac{v(t + h) - v(t)}{h}, \text{ d'où } a(t) = v'(t).$$

La fonction donnant l'accélération instantanée est donc égale à la dérivée de la fonction donnant la vitesse en fonction du temps *t*.

Nous avons donc que $a(t) = v'(t) = s''(t)$, où *a(t)* représente l'accélération en fonction du temps, *v(t)*, la vitesse en fonction du temps et *s(t)*, la position en fonction du temps.

■ *Exemple* Soit un mobile dont la position, en fonction du temps, est donnée par $s(t) = 4{,}9t^2 + 2t + 1$, où *t* est en secondes et *s(t)*, en mètres.

a) Déterminons d'abord la fonction *v(t)* donnant la vitesse du mobile en fonction du temps.

$$v(t) = s'(t) \qquad \text{(par définition)}$$
$$= (4{,}9t^2 + 2t + 1)'$$
$$= 9{,}8t + 2, \text{ où } v(t) \text{ est en m/s.}$$

b) Déterminons ensuite la fonction *a(t)* donnant l'accélération du mobile en fonction du temps.

$$a(t) = v'(t) \qquad \text{(par définition)}$$
$$= (9{,}8t + 2)'$$
$$= 9{,}8, \text{ où } a(t) \text{ est en m/s}^2.$$

Objectif 6.1.2 Utiliser les fonctions vitesse et accélération dans certains problèmes de physique.

■ *Exemple* Supposons que, entre le moment où un automobiliste commence à freiner (*t* = 0) et le moment où l'automobile s'immobilise (*t* = *b*), la position de l'automobile en fonction du temps est donnée par $s(t) = 5 + 30t - 3t^2$, où *t* est en secondes, *s(t)* est en mètres et $t \in [0, b]$.

a) Déterminons la fonction donnant la vitesse de l'automobile en fonction du temps.

$$v(t) = s'(t) \qquad \text{(par définition)}$$
$$= (5 + 30t - 3t^2)'$$
$$= 30 - 6t, \text{ exprimée en m/s.}$$

b) Calculons la vitesse de l'automobile au moment précis où l'automobiliste commence à freiner.

$v(0) = 30$, donc 30 m/s.

c) Calculons le temps que prend l'automobile pour s'immobiliser.

L'automobile s'immobilise lorsque sa vitesse est zéro.

En posant $v(t) = 0$, nous avons

$30 - 6t = 0$, d'où $t = 5$, donc 5 s.

d) Calculons la distance parcourue entre le moment où l'automobiliste commence à freiner et l'instant précis où l'automobile s'immobilise.

La distance parcourue $= s(5) - s(0)$

$= 75$, donc 75 m.

e) Déterminons la fonction donnant l'accélération en fonction du temps.

$a(t) = v'(t) = (30 - 6t)' = -6$, donc -6 m/s².

Question 1   Soit une fusée dont la position en fonction du temps est donnée par $s(t) = \dfrac{t^3}{3}$, où t est en secondes, $s(t)$ est en mètres et $t \in [0\ \text{s},\ 30\ \text{s}]$.

a) Déterminer la fonction donnant la vitesse de la fusée en fonction du temps.

b) Déterminer la fonction donnant l'accélération de la fusée en fonction du temps.

c) Calculer la position, la vitesse et l'accélération de la fusée au temps $t = 5$ s.

d) Calculer le temps que prendra la fusée pour atteindre une vitesse de 625 m/s ; déterminer l'accélération à ce temps.

e) Calculer le temps que prendra la fusée pour atteindre une accélération de 34 m/s² ; déterminer la vitesse à ce temps.

Le philosophe, mathématicien et physicien anglais Sir Isaac Newton (1642-1727) a établi que la force exercée sur un mobile est égale au produit de sa masse par son accélération. Nous avons donc $F = ma$, où m désigne la masse du mobile et a, son accélération.

Tout comme l'accélération, la force peut être une fonction du temps, c'est-à-dire

$F(t) = ma(t)$

$= mv'(t)$ (car $a(t) = v'(t)$)

$= ms''(t)$ (car $v(t) = s'(t)$).

Si l'unité de masse est le kilogramme (kg) et l'unité d'accélération, le mètre par seconde carrée (m/s²), alors l'unité de force est le newton (N). Donc, une masse de 1 kg qui reçoit une accélération de 1 m/s² est soumise à une force de 1 N.

Question 2   Une locomotive pousse un wagon dont la masse est de 15 000 kg. La position de cette locomotive en fonction du temps est donnée par $s(t) = \dfrac{t^2}{24}$, où t est en secondes, $s(t)$ est en mètres et $t \in [0\ \text{s},\ 40\ \text{s}]$.

a) Déterminer la fonction donnant l'accélération en fonction du temps.

b) Déterminer la fonction donnant la force en fonction du temps.

Objectif 6.1.3   Appliquer la définition du taux de variation instantané à des problèmes de géométrie.

Nous avons déjà défini, au chapitre 4, le taux de variation moyen d'une fonction f sur $[x, x + h]$, $\text{TVM}_{[x, x + h]}$, et le taux de variation instantané, TVI, comme suit :

$$\text{TVM}_{[x, x+h]} = \frac{f(x+h) - f(x)}{h} \text{ et}$$

$$\text{TVI} = \lim_{h \to 0} \frac{f(x+h) - f(x)}{h}$$

$$= f'(x) \qquad \text{(par définition de la dérivée).}$$

■ *Exemple* Calculons le taux de variation instantané de l'aire d'un carré en fonction de la longueur d'un côté.

La fonction A, donnant l'aire d'un carré de côté x, est donnée par $A(x) = x^2$.

Ainsi, $\text{TVI} = A'(x) \qquad$ (par définition)

$$= (x^2)'$$

$$= 2x, \text{ exprimé en m}^2/\text{m}.$$

Remarque L'unité du TVI dans l'exemple précédent est le mètre carré par mètre car, par définition, $\text{TVI} = \lim_{h \to 0} \dfrac{A(x+h) - A(x)}{h}$, où le numérateur est en mètres carrés et le dénominateur est en mètres.

Calculons maintenant le TVI lorsque la longueur du côté est égale à 3 m.

TVI (en $x = 3$) $= 2 \times 3 = 6$ m^2/m.

Remarque Dorénavant, le terme *taux de variation* sera synonyme de *taux de variation instantané*.

Question 3 Soit une plaque circulaire de métal dont l'aire augmente avec la chaleur.

a)   Déterminer la fonction T donnant le taux de variation de l'aire de la plaque en fonction du rayon r, où r est en mètres.

b)   Calculer le taux de variation de l'aire de cette plaque à l'instant où $r = 0,5$ m.

c)   Pour quelle valeur de r le taux de variation de l'aire sera-t-il de $2,4\pi$ m^2/m ?

Objectif 6.1.4 Utiliser le taux de variation instantané dans des domaines différents.

■ *Exemple* Deux produits chimiques, A et B, réagissent pour former un produit C : A + B → C.

La quantité du produit C est fonction du temps et est notée $Q(t)$. Supposons que $Q(t)$ est donnée par l'expression $Q(t) = 1 - \dfrac{1}{1+t}$, où t est en secondes et $Q(t)$, en grammes.

a)   Déterminons la fonction T donnant le taux de variation de la quantité du produit C en fonction du temps t.

$T(t) = Q'(t) \qquad$ (par définition)

$$= \frac{1}{(1+t)^2}, \text{ exprimé en g/s.}$$

b)   Calculons la quantité initiale du produit C et le taux de variation initial.

La quantité initiale du produit C est obtenue en calculant $Q(0)$.

$Q(0) = 0$, donc 0 g.

Le taux de variation initial est obtenu en calculant $T(0)$.

$T(0) = 1$, donc 1 g/s.

Objectif 6.1.5   Utiliser le taux de variation instantané pour calculer le coût marginal instantané en économie.

Dans une entreprise, les coûts totaux résultant de la fabrication d'un produit sont composés des coûts fixes et des coûts variables. Les coûts fixes sont les coûts qui ne dépendent pas de la quantité produite, par exemple : loyer, hypothèque, etc. Les coûts variables sont ceux qui dépendent directement de la quantité q produite : par exemple, main-d'œuvre, matières premières, etc. Nous obtenons donc la relation suivante :

coûts totaux = coûts fixes + coûts variables.

Définissons maintenant le coût marginal C_m comme suit : l'augmentation des coûts totaux causée par la production d'une unité supplémentaire.

Le graphique ci-contre représente les coûts en fonction de la quantité d'unités produites. Le coût marginal déterminé par la production d'une 8ᵉ unité est donné par

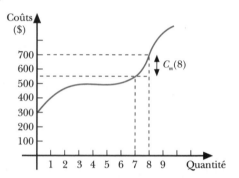

$$C_m(8) = C(8) - C(7)$$

$$= \frac{C(8) - C(7)}{8 - 7} \qquad (\text{car } 8 - 7 = 1)$$

$$= 700 - 550 = 150, \text{ donc } 150 \text{ \$/unité.}$$

Définition	Nous pouvons définir la fonction $C_m(q)$, donnant le **coût marginal instantané**, comme suit : $$C_m(q) = \lim_{h \to 0} \frac{C(q + h) - C(q)}{h}, \text{ d'où } C_m(q) = C'(q).$$

La fonction donnant le coût marginal instantané est donc égale à la dérivée de la fonction donnant les coûts totaux.

■ *Exemple* Soit une compagnie dont les coûts totaux de production en fonction de la quantité sont donnés par $C(q) = \sqrt{q} + 2$, où q désigne le nombre d'unités produites et $C(q)$, les coûts totaux en dollars.

a)   Déterminons la fonction donnant le coût marginal instantané en fonction de la quantité q.

$C_m(q) = C'(q)$ (par définition)

$$= \frac{1}{2\sqrt{q}}, \text{ exprimé en \$/unité.}$$

b)   Évaluons le coût marginal pour $q = 1$ et $q = 100$.

$C'(1) = 0,5$, donc $0,5$ \$/unité

$C'(100) = 0,05$, donc $0,05$ \$/unité.

Objectif 6.1.6   Utiliser le taux de variation instantané pour calculer le revenu marginal instantané en économie.

Nous savons que les revenus totaux R sont fonction de la quantité q vendue. Définissons maintenant le revenu marginal R_m comme suit : l'augmentation des revenus totaux causée par la vente d'une unité supplémentaire.

Définition	Nous pouvons définir la fonction $R_m(q)$, donnant le **revenu marginal instantané**, comme suit : $$R_m(q) = \lim_{h \to 0} \frac{R(q+h) - R(q)}{h}, \text{ d'où } R_m(q) = R'(q).$$

La fonction donnant le revenu marginal instantané est donc égale à la dérivée de la fonction donnant les revenus totaux.

Question 4

Soit une compagnie dont les revenus totaux en fonction de la quantité sont donnés par $R(q) = 5q$, où q désigne le nombre d'unités vendues et $R(q)$, les revenus totaux en dollars.

a) Déterminer la fonction R_m donnant le revenu marginal instantané en fonction de la quantité q.

b) Évaluer le revenu marginal pour $q = 1$ et $q = 10$.

Objectif 6.1.7 Utiliser les taux de variation $C_m(q)$ et $R_m(q)$ pour déterminer la quantité qui maximise le profit.

Pour une quantité q produite, le profit P d'une entreprise est donné par la différence entre les revenus et les coûts. Ainsi, nous pouvons écrire $P(q) = R(q) - C(q)$.

Question 5

Soit $R(q)$ et $C(q)$ définis par les fonctions suivantes : $R(q) = 12q$ et $C(q) = q^2 + 20$, où q désigne le nombre d'unités produites, $R(q)$, les revenus en dollars et $C(q)$, les coûts en dollars.

a) Déterminer la fonction qui donne le profit en fonction de la quantité q.

b) Évaluer le profit pour chaque valeur de q.

    i) $q = 0$ iii) $q = 4$ v) $q = 10$

    ii) $q = 2$ iv) $q = 7$ vi) $q = 15$

Nous constatons que le profit peut être positif, négatif ou nul. Les économistes cherchent le niveau de production q qui assurera un profit maximal et, pour ce faire, ils ont démontré que, pour obtenir un profit maximal, il fallait que le revenu marginal soit égal au coût marginal.

Ainsi, le profit peut être maximal lorsque

$R_m(q) = C_m(q)$, c'est-à-dire

$R'(q) = C'(q)$ (par définition de $R_m(q)$ et de $C_m(q)$).

En conclusion, la résolution de l'équation $R'(q) = C'(q)$ fournit une valeur de q qui peut correspondre au seuil de production assurant un profit maximal.

Question 6

En utilisant les données de la question 5,

a) déterminer la valeur de q qui maximise le profit ;

b) évaluer le profit maximal.

c) Représenter graphiquement les fonctions coûts et revenus.

Remarque Le profit $P(q)$, où $P(q) = R(q) - C(q)$, peut être maximal lorsque $R'(q) = C'(q)$.

Ainsi, le profit peut être maximal lorsque $P'(q) = 0$ (car $P'(q) = R'(q) - C'(q)$).

En conclusion, la résolution de l'équation $P'(q) = 0$ fournit une valeur de q qui peut correspondre au seuil de production assurant un profit maximal.

Question 7   Soit une manufacture dont le profit P en fonction de la quantité q est donné par $P(q) = -q^2 + 104q - 430$, où q désigne le nombre d'unités produites et $P(q)$, le profit en dollars.

a) Déterminer la valeur de q qui maximise le profit.

b) Évaluer le profit maximal.

c) Représenter graphiquement cette fonction et tracer la tangente à la courbe à la valeur de q qui maximise le profit.

Exercices 6.1

1. a) Définir le $\text{TVM}_{[x,\,x+h]}$ d'un volume $V(x)$ en fonction de x, où x est en mètres.

   b) Définir le TVI d'un volume $V(x)$ en fonction de x, où x est en mètres.

2. Soit un cube d'arête x, où x est en centimètres.

   a) Déterminer la fonction T donnant le taux de variation du volume du cube en fonction de la longueur de l'arête x.

   b) Évaluer les fonctions V et T pour $x = 10$ cm.

   c) Évaluer V lorsque $T(x) = 4800$ cm³/cm.

   d) Évaluer T lorsque $V(x) = 2197$ cm³.

3. Soit un cône dont le volume en fonction de son rayon r et de sa hauteur h est donné par $V(r, h) = \dfrac{\pi r^2 h}{3}$, où r et h sont en centimètres et $V(r, h)$, en centimètres cubes.

   a) Déterminer le taux de variation instantané $T_r(r, h)$ pour une variation du rayon r lorsque h est constant.

   b) Calculer ce taux lorsque $r = 2$ cm et $h = 3$ cm; $r = 5$ cm et $h = 3$ cm; $r = 2$ cm et $h = 6$ cm.

   c) Déterminer le taux de variation instantané $T_h(r, h)$ pour une variation de la hauteur h lorsque r est constant.

   d) Calculer ce taux lorsque $r = 2$ cm et $h = 3$ cm; $r = 5$ cm et $h = 3$ cm; $r = 2$ cm et $h = 6$ cm.

   e) Déterminer quelle relation doit exister entre r et h pour que les taux de variation instantanés $T_r(r, h)$ et $T_h(r, h)$ soient égaux.

4. Une balle est lancée verticalement vers le haut. Sa position par rapport au sol est donnée par $s(t) = -4{,}9t^2 + 39{,}2t + 44{,}1$, où t est en secondes et $s(t)$, en mètres.

   a) Calculer la vitesse initiale de la balle.

   b) Calculer la hauteur et la vitesse de la balle après deux secondes et après sept secondes.

   c) À quelle valeur de t la balle atteindra-t-elle sa hauteur maximale ?

   d) Quelle est la hauteur maximale que pourra atteindre la balle ?

   e) Calculer le temps que prend la balle pour revenir au sol et déterminer la vitesse de la balle à cet instant.

   f) Calculer la hauteur de laquelle la balle est lancée et le temps nécessaire pour qu'elle revienne à cette même hauteur.

   g) Quelle est l'accélération de la balle après quatre secondes ?

5. On prétend que, dans t années à compter d'aujourd'hui, le nombre de satellites artificiels en orbite autour de la Terre sera donné par $N(t) = 10(t^2 + 7t + 600)$, où t désigne le nombre d'années et $N(t)$, le nombre de satellites.

   a) Calculer le nombre de satellites actuellement en orbite autour de la Terre.

   b) Calculer le taux de variation moyen du nombre de satellites entre la fin de la deuxième année et la fin de la sixième année.

   c) Calculer le taux de variation instantané dans quatre ans.

   d) Dans combien d'années le taux de variation instantané sera-t-il exactement de 170 satellites par année et quel sera le nombre de satellites à cet instant ?

6. Soit une ville dont la population varie en fonction du nombre d'emplois que créent les entreprises. Cette population est donnée approximativement par $N(x) = \dfrac{40x^2 + 44}{x + 2}$, où x désigne le nombre d'emplois et $N(x)$, le nombre d'habitants.

   a) Déterminer la fonction T donnant le taux de variation de la population en fonction du nombre d'emplois x.

   b) Évaluer les fonctions N et T lorsque $x = 60$.

   c) Évaluer $T(x)$ lorsque le nombre d'habitants de cette ville est 3922.

7. Soit une compagnie dont les revenus et les coûts sont donnés respectivement par $R(q) = -q^2 + 200q$ et $C(q) = 3q^2 + 1000$, où q désigne le nombre d'unités produites, $R(q)$, les revenus totaux en dollars et $C(q)$, les coûts totaux en dollars.

   a) Déterminer la fonction C_m donnant le coût marginal instantané en fonction de la quantité q.

   b) Déterminer la fonction R_m donnant le revenu marginal instantané en fonction de la quantité q.

   c) Déterminer la fonction P qui donne le profit en fonction de la quantité q.

   d) Déterminer la valeur de q qui maximise le profit et évaluer le profit maximal.

   e) Représenter graphiquement $R(q)$, $C(q)$ et $P(q)$.

8. Supposons qu'au moment où un conducteur de train commence à freiner, la position s du train en fonction du temps est donnée par $s(t) = \dfrac{-648\,000}{(t + 120)} - 20t + 5400$, où t est en secondes et $s(t)$, en mètres.

   a) Déterminer les fonctions donnant la vitesse et l'accélération de ce train.

   b) Calculer la vitesse et l'accélération du train au moment précis où le conducteur commence à freiner.

   c) Calculer le temps que prend le train pour s'immobiliser.

   d) Calculer la distance parcourue entre le moment où le conducteur commence à freiner et l'instant précis où le train s'immobilise.

6.2 TAUX DE VARIATION LIÉS

À la fin de la présente section, l'étudiant pourra utiliser la règle de dérivation en chaîne pour résoudre des problèmes de taux de variation liés.

Objectif 6.2.1 Résoudre des problèmes de taux de variation liés en utilisant la règle de dérivation en chaîne.

Lorsque nous avons une fonction, par exemple, $z = f(x)$, il arrive fréquemment que la variable x soit elle-même fonction d'une autre variable, par exemple, $x = g(t)$. Dans ce cas, z est également fonction de t. Si nous devons déterminer le TVI de z par rapport à la variable t, nous avons

$$\text{TVI} = \frac{dz}{dt} \qquad \text{(par définition)}$$

$$= \frac{dz}{dx}\frac{dx}{dt} \qquad \text{(règle de dérivation en chaîne, notation de Leibniz).}$$

Ce genre de problème s'appelle *problème de taux de variation liés.*

■ *Exemple* Nous gonflons un ballon sphérique, dont le volume en fonction du rayon est donné par $V(r) = \dfrac{4}{3}\pi r^3$. Sachant que le rayon de ce ballon en fonction du temps est donné par $r(t) = \dfrac{\text{-}5t^2}{7} + \dfrac{60t}{7}$, où r est en centimètres, t, en secondes et 0 s $\leq t \leq 6$ s,

a) déterminons la fonction donnant le taux de variation du volume par rapport au temps, soit $\dfrac{dV}{dt}$:

$$\frac{dV}{dt} = \frac{dV}{dr}\frac{dr}{dt} \qquad \text{(règle de dérivation en chaîne)}$$

$$= (4\pi r^2)\left(\frac{\text{-}10t}{7} + \frac{60}{7}\right), \text{ exprimé en cm}^3\text{/s}$$

$$\left(\text{car } \frac{dV}{dr} = 4\pi r^2 \text{ et } \frac{dr}{dt} = \frac{\text{-}10t}{7} + \frac{60}{7}\right).$$

b) Évaluons $\dfrac{dV}{dt}$ lorsque $t = 1$ s.

Il faut d'abord évaluer le rayon lorsque $t = 1$ s, c'est-à-dire

$$r(1) = \frac{\text{-}5}{7}(1)^2 + \frac{60}{7}(1) = \frac{55}{7} \text{ cm.}$$

$$\text{D'où } \frac{dV}{dt}\bigg|_{t=1\,\text{s}} = \left(4\pi\left(\frac{55}{7}\right)^2\right)\left(\frac{\text{-}10}{7}(1) + \frac{60}{7}\right) \approx 1763{,}85\,\pi \text{ cm}^3\text{/s.}$$

c) Évaluons $\dfrac{dV}{dt}$ lorsque $r = 25$ cm.

Il faut d'abord évaluer t lorsque $r = 25$ cm.

$$r(t) = 25$$

$$\frac{\text{-}5t^2}{7} + \frac{60t}{7} = 25$$

$$\text{-}5t^2 + 60t - 175 = 0, \text{ d'où } t = 5 \quad \text{(car } 7 \notin [0 \text{ s}, 6 \text{ s]).}$$

$$\text{D'où } \frac{dV}{dt}\bigg|_{t=5\,\text{s}} = (4\pi(25)^2)\left(\frac{\text{-}10}{7}(5) + \frac{60}{7}\right)$$

$$= \frac{25\,000\pi}{7} \text{ cm}^3\text{/s.}$$

Il peut arriver dans certains problèmes que des variables soient liées entre elles par diverses équations et que, connaissant la valeur de certains taux de variation, nous ayons à calculer d'autres taux de variation liés aux précédents.

■ *Exemple* Chantal est sur le quai d'une gare, en C, à 30 m d'un point A d'une voie ferrée. Un train T s'éloigne de A à une vitesse de 35 km/h. Évaluons le taux de variation instantané de la distance séparant Chantal du train, lorsque le train est à 50 m de celle-ci.

Soit x, la distance de A à T, et soit z, la distance de C à T.

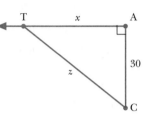

Nous connaissons

i) la relation entre les variables,

$$x^2 + 30^2 = z^2 \quad \text{(Pythagore)}$$

ii) la vitesse du train, 35 km/h; ainsi,

$$\frac{dx}{dt} = 35 \text{ km/h.}$$

Nous cherchons $\dfrac{dz}{dt}$ lorsque $z = 50$ m.

Dérivons les deux membres de l'équation $x^2 + 900 = z^2$ par rapport à t:

$$\frac{d}{dt}(x^2 + 900) = \frac{d}{dt}(z^2)$$

$$\frac{d}{dx}(x^2 + 900)\,\frac{dx}{dt} = \frac{d(z^2)}{dz}\,\frac{dz}{dt} \qquad \text{(par la règle de dérivation en chaîne)}$$

$$2x\,\frac{dx}{dt} = 2z\,\frac{dz}{dt}$$

ainsi, $\dfrac{dz}{dt} = \dfrac{x}{z}\,\dfrac{dx}{dt}$ (en isolant $\dfrac{dz}{dt}$)

$$= \frac{40}{50} \times 35 \text{ km/h} \qquad \text{(car } x = \sqrt{50^2 - 30^2} \text{ et } \frac{dx}{dt} = 35 \text{ km/h)}$$

$$= 28 \text{ km/h.}$$

■ *Exemple* Le volume d'un cube d'arête x s'accroît à un rythme de 300 cm³/min. Déterminons à quelle vitesse s'accroît l'arête lorsque le volume est de 512 cm³.

Nous savons que $V(x) = x^3$ et que $\dfrac{dV}{dt} = 300$ cm³/min.

Nous cherchons $\dfrac{dx}{dt}$ lorsque $V(x) = 512$, c'est-à-dire $x = 8$ cm.

$$\frac{dV}{dt} = \frac{dV}{dx}\,\frac{dx}{dt} \quad \text{(règle de dérivation en chaîne)}$$

$$300 = 3x^2\,\frac{dx}{dt} \quad \text{(car } \frac{dV}{dx} = 3x^2\text{)}$$

ainsi, $\dfrac{dx}{dt} = \dfrac{300}{3x^2} = \dfrac{100}{x^2}$

d'où $\dfrac{dx}{dt}\bigg|_{x=8} = \dfrac{100}{64} = \dfrac{25}{16}$ cm/min.

Exercices 6.2

1. Soit une sphère dont le rayon s'accroît à un taux de 2 cm/s.

   a) Déterminer la fonction donnant le taux de variation du volume par rapport au temps.

   b) Évaluer le taux de variation du volume par rapport au temps lorsque $r = 5$ cm.

   c) Évaluer le taux de variation du volume par rapport au temps lorsque $V = 2304\pi$ cm³.

2. Soit un cercle dont le rayon r varie en fonction du temps suivant l'équation $r(t) = -t^2 + 6t + 1$, où r est en centimètres, t est en secondes et $t \in [0 \text{ s}, 6 \text{ s}]$.

   a) Déterminer la fonction donnant le taux de variation de l'aire par rapport au temps.

   b) Évaluer le taux de variation de l'aire par rapport au temps lorsque $t = 2$ s ; $t = 5$ s.

   c) Évaluer le taux de variation de l'aire par rapport au temps lorsque $r = 7{,}75$ cm.

   d) Déterminer l'aire du cercle lorsque le taux de variation de l'aire en fonction du temps est nul.

3. Un homme dont la taille est de 1,8 m s'éloigne à une vitesse de 2,2 m/s d'un réverbère situé à 9 m du sol.

   a) À quelle vitesse la longueur de son ombre varie-t-elle ?

   b) À quelle vitesse l'extrémité de son ombre se déplace-t-elle ?

4. Une échelle de 5 m est appuyée contre un mur vertical. Si le pied de l'échelle s'éloigne du bas du mur à une vitesse de 1,5 m/s, déterminer

   a) à quelle vitesse se déplace le haut de l'échelle le long du mur à l'instant où le pied de l'échelle est à 2 m du bas du mur ;

   b) à quelle vitesse se déplace le haut de l'échelle le long du mur lorsque le haut de l'échelle est appuyé à une distance de 3 m du sol.

5. Un réservoir conique de 75 mm de rayon et de 300 mm de hauteur, rempli d'un liquide, se vide à une vitesse de 6000 mm³/s.

   a) À quelle vitesse le rayon de la surface liquide diminue-t-il lorsque la hauteur est de 150 mm ?

   b) À quelle vitesse la hauteur du liquide diminue-t-elle lorsque la hauteur est de 150 mm ?

   c) Si ce réservoir conique se vide dans un réservoir cylindrique de 50 mm de rayon, à quelle vitesse la hauteur du liquide dans le cylindre augmente-t-elle ?

6. Soit un cube dont le volume V en fonction du temps t est donné par $V(t) = 5\sqrt{t} + 34$, où t est en secondes et V, en centimètres cubes.

   a) Déterminer le taux de variation de l'arête lorsque $t = 36$ s.

   b) Déterminer le taux de variation de l'aire totale des faces lorsque $t = 36$ s.

7. Soit un mobile qui se déplace selon une trajectoire elliptique définie par $\dfrac{x^2}{25} + \dfrac{y^2}{9} = 1$, où $y \geq 0$, telle que le taux de variation de x est égal à 2 cm/s lorsque $x \in {]}{-}5 \text{ cm}, 5 \text{ cm}{[}$.

   a) Déterminer la fonction donnant le taux de variation de y par rapport au temps.

   b) Évaluer le taux de variation de y par rapport au temps lorsque $x = -3$; $x = 0$; $x = 4$.

Problèmes de synthèse

1. a) Définir le TVM$_{[t,\, t+h]}$ d'une quantité $Q(t)$ en fonction de t, si $Q(t)$ est en grammes et t, en secondes.

    b) Définir le TVI d'une quantité $Q(t)$ en fonction de t, si $Q(t)$ est en kilogrammes et t, en heures.

2. Soit un ballon sphérique dont le volume, en centimètres cubes, augmente suivant la pression du gaz qu'il renferme.

    a) Déterminer la fonction $T_A(r)$ donnant le taux de variation de l'aire de la surface du ballon sphérique en fonction du rayon r.

    b) Déterminer la fonction $T_V(r)$ donnant le taux de variation du volume du ballon en fonction du rayon r.

    c) Évaluer l'aire, le volume, $T_A(r)$ et $T_V(r)$ de ce ballon lorsque $r = 9$ cm.

    d) Déterminer $T_V(r)$ lorsque l'aire de la surface du ballon est de 100π cm^2.

    e) Déterminer $T_A(r)$ lorsque le volume du ballon est de 36π cm^3.

3. Soit un cylindre dont le volume en fonction de son rayon r et de sa hauteur h est donné par $V(r, h) = \pi r^2 h$, où r et h sont en centimètres et $V(r, h)$, en centimètres cubes.

    a) Calculer la variation du volume d'un cylindre de rayon 5 cm et de hauteur 7 cm, si on augmente seulement le rayon de 1 cm; si on augmente seulement la hauteur de 1 cm; si on augmente le rayon et la hauteur de 1 cm.

    b) Répondre aux questions de **a)** pour un cylindre de rayon 8 cm et de hauteur 3 cm.

    c) Déterminer le taux de variation instantané $T_r(r, h)$ pour une variation du rayon r, h étant constant; calculer ce taux lorsque $r = 3$ cm et $h = 5$ cm.

    d) Déterminer le taux de variation instantané $T_h(r, h)$ pour une variation de la hauteur h, r étant constant; calculer ce taux lorsque $r = 3$ cm et $h = 5$ cm.

4. Un zoologiste soutient que, dans t années à compter d'aujourd'hui, la population d'une espèce sera donnée par $P(t) = 3600\,\dfrac{2t + 1}{t + 3}$, t désignant le nombre d'années et $P(t)$, le nombre d'individus de l'espèce.

    a) Quelle est la population actuelle et quelle sera la population dans trois ans?

    b) Quel sera le rythme de croissance (taux de variation instantané) de cette population dans sept ans?

    c) Quand la population sera-t-elle de 5200 individus?

    d) Quand le rythme de croissance sera-t-il de 720 individus par année?

5. Du haut d'un pont, on lance verticalement une pierre vers le haut. La position s de la pierre au-dessus de la rivière, en fonction du temps t, est donnée par $s(t) = 58{,}8 + 19{,}6t - 4{,}9t^2$, où t est en secondes et $s(t)$, en mètres.

    a) Déterminer les fonctions donnant la vitesse et l'accélération de cette pierre.

    b) Calculer la vitesse initiale de la pierre; calculer la vitesse de la pierre après trois secondes.

    c) Déterminer la hauteur maximale qu'atteindra la pierre.

    d) Déterminer la hauteur du pont duquel est projetée la pierre.

    e) Déterminer la vitesse de la pierre lorsqu'elle touche l'eau de la rivière.

    f) Déterminer la distance totale parcourue par la pierre du point de lancement jusqu'à la rivière.

    g) L'accélération varie-t-elle au cours de la trajectoire suivie par la pierre? Expliquer.

6. Soit une compagnie dont les revenus, en dollars, sont donnés par $R(q) = -3q^2 + 640q$ et les coûts, en dollars, par $C(q) = 5q^2 + 30$, où q désigne le nombre d'unités produites.

a) Déterminer la fonction R_m donnant le revenu marginal instantané et la fonction C_m donnant le coût marginal instantané.

b) Déterminer le nombre d'unités qui doivent être produites pour que le profit soit maximal et évaluer ce profit maximal.

7. Lyne et Christiane partent d'un même point. Lyne se dirige vers le nord à une vitesse de 3 m/s et Christiane se dirige vers l'est à une vitesse de 4 m/s.

a) Déterminer la fonction donnant le taux de variation de la distance qui les sépare, et donner le type de cette fonction.

b) Calculer la distance qui les sépare après 10 s ; après 1 min.

c) À quel moment seront-elles séparées de 1 km ?

8. Un objet tombant sur une étendue d'eau crée une série de cercles concentriques. Si le diamètre de ces cercles augmente à un rythme de 0,6 m/s, déterminer le taux de variation

a) de l'aire lorsque le diamètre est de 3 m ;

b) de la circonférence lorsque le rayon est de 3 m.

9. Si le rayon d'une sphère varie en fonction du temps suivant l'équation $r(t) = \dfrac{t^2}{2}$, où t est en minutes et $r(t)$, en centimètres, déterminer

a) la fonction donnant le taux de variation du volume par rapport au temps ;

b) le taux de variation du volume lorsque le rayon est de 8 cm ;

c) le taux de variation du volume lorsque $t = 3$ min ;

d) la fonction donnant le taux de variation de l'aire par rapport au temps ;

e) le taux de variation de l'aire lorsque le volume est de $\dfrac{32}{3}\,\pi$ cm³.

10. Les côtés congrus d'un triangle isocèle mesurent 13 cm. Si la longueur de la base s'accroît à une vitesse de 0,5 cm/s,

a) évaluer le taux de variation de la hauteur par rapport au temps lorsque la base est de 10 cm ;

b) évaluer le taux de variation de l'aire par rapport au temps lorsque la hauteur est de 5 cm ;

c) évaluer le taux de variation de l'aire par rapport au temps lorsque la base est de 10 cm ;

d) déterminer la longueur de la base à l'instant où le taux de variation de l'aire est nul.

11. Deux cyclistes parcourent le circuit suivant en partant de A. Le premier cycliste amorce son trajet vers l'est à une vitesse constante de 12 km/h et le deuxième vers le sud, à une vitesse constante de 16 km/h.

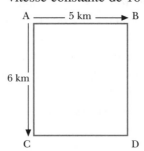

Déterminer à quelle vitesse s'éloignent ou se rapprochent ces cyclistes après

a) 15 min ;   c) 45 min.

b) 30 min ;

12. Une échelle de 10 m est appuyée sur une clôture de 3 m.

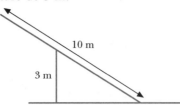

Si le bas de l'échelle s'éloigne de la clôture à une vitesse de 1,25 m/s,

a) déterminer à quelle vitesse s'abaisse le haut de l'échelle lorsque le pied de l'échelle est à 4 m de la clôture ;

b) déterminer à quelle vitesse s'abaisse le haut de l'échelle au moment précis où le haut de celle-ci coïncide avec le haut de la clôture ;

c) déterminer à quelle vitesse s'abaisse le haut de l'échelle au moment précis où le haut de l'échelle est à 2 m du sol.

13. On estime que la fonction déterminant la hauteur y, en mètres, entre un télésiège et le sol est donnée par $y = 1 + \dfrac{x^2}{100}$, où x représente la distance horizontale, en mètres, entre le télésiège et le point de départ et $0 \leq x \leq 50$. Sachant que la vitesse horizontale du télésiège est de 1,5 m/s,

   a) déterminer la vitesse verticale du télésiège si celui-ci se trouve à une distance de 25 m du point de départ ;

   b) déterminer la vitesse verticale du télésiège si celui-ci se trouve à une hauteur de 65 m.

14. Un panneau rectangulaire de 120 cm par 240 cm est appuyé sur un mur vertical. Le haut du panneau glisse vers le bas à une vitesse de 0,3 cm/s.

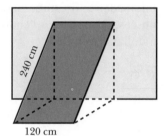

240 cm

120 cm

   Déterminer la variation du volume limité par le panneau, le plancher et le mur

   a) lorsque le pied du panneau est à 144 cm du mur ;

   b) lorsque le haut du panneau est à 144 cm du sol.

15. À partir du moment où un avion amorce son atterrissage, l'altitude A, en mètres, de celui-ci est donnée par $A(x) = \dfrac{(6000 - x)^2}{12\,000}$, où x représente la distance horizontale, en mètres, parcourue par l'avion à partir du moment où débute l'atterrissage. Sachant que $x(t) = 50t$,

où t est en secondes et t représente le temps à partir du début de l'atterrissage,

   a) déterminer l'altitude de l'avion au moment où celui-ci entreprend son atterrissage ;

   b) déterminer la distance horizontale parcourue par l'avion entre le moment où il entreprend son atterrissage et le moment où il touche le sol ; déterminer également le temps requis pour parcourir cette distance ;

   c) déterminer le taux de variation de l'altitude de l'avion lorsque $x = 1200$ m ; lorsqu'il lui reste 1200 m à parcourir avant de toucher le sol ; lorsque $t = 12$ s ; 2 s avant de toucher le sol.

16. On vide, à l'aide d'une paille, un verre de jus. Le volume du liquide contenu dans le verre en fonction du temps est donné par $V(t) = -3t + 54\pi$, où t est en secondes, $V(t)$ est en centimètres cubes et $t \geq 0$. Ce même volume en fonction de la hauteur est donné par $V(h) = \dfrac{3\pi h^2}{8}$, où h est en centimètres.

   a) Déterminer le volume initial de la quantité de jus ainsi que la hauteur de jus contenu dans le verre.

   b) Déterminer le taux de variation du volume en fonction du temps.

   c) Déterminer la fonction donnant le taux de variation de la hauteur du liquide en fonction du temps.

   d) Déterminer le taux de variation précédent lorsque $h = 6$ cm.

   e) Déterminer ce taux de variation lorsque le verre contient la moitié du volume initial.

   f) Déterminer ce taux de variation après 50 s.

   g) Après combien de temps le verre sera-t-il vide ?

Exercices récapitulatifs

1. Soit un objet qu'on laisse tomber d'une montgolfière en ascension. La position s de cet objet par rapport au sol est donnée par

   $s(t) = -4,9t^2 + 4,9t + 1225$, où t est en secondes et $s(t)$, en mètres.

   a) Déterminer la hauteur de la montgolfière au moment précis où on laisse tomber l'objet.

   b) Déterminer les fonctions donnant la vitesse et l'accélération de l'objet.

   c) Déterminer la vitesse initiale de l'objet et sa vitesse après deux secondes.

   d) Déterminer la hauteur maximale qu'atteindra l'objet.

   e) Déterminer la vitesse de l'objet au moment où celui-ci touche le sol.

2. Soit un objet dont la masse est de 3 kg et dont la position en fonction du temps est donnée par

   $s(t) = \dfrac{t^3}{300} + \dfrac{t^2}{200}$, où t est en secondes et $s(t)$, en mètres.

   a) Déterminer la fonction donnant la vitesse en fonction du temps t.

   b) Déterminer la fonction donnant l'accélération en fonction du temps t.

   c) Déterminer la fonction donnant la force en fonction du temps t.

   d) Calculer la force initiale.

   e) Après combien de temps la force sera-t-elle de 0,33 N ?

3. La force électrique peut être considérée comme une fonction de la distance x séparant deux particules.

   Soit $F(x) = \dfrac{K}{x^2}$, où K est une constante positive.

   a) Déterminer la fonction T donnant le taux de variation de la force en fonction de la distance x entre les deux particules.

   b) Que signifie le signe négatif dans l'expression de la dérivée de la fonction F ?

4. Une compagnie minière prévoit que dans t années à compter d'aujourd'hui, la quantité de minerai extrait sera donnée par

   $Q(t) = 1000(t^2 + 15t + 70)$, où $Q(t)$ est en tonnes métriques.

   a) Quelle est la quantité de minerai extrait actuellement ?

   b) Quel sera le taux de variation moyen de la quantité de minerai extrait durant les trois prochaines années ?

   c) Quel sera le taux de variation instantané dans cinq ans ?

   d) Dans combien d'années le taux de variation instantané de la quantité de minerai extrait sera-t-il exactement de 30 000 tonnes métriques par année ?

5. Un manufacturier de calculatrices veut déterminer sa production hebdomadaire pour maximiser son profit hebdomadaire. Il estime que s'il fabrique x calculatrices, il pourra les vendre au prix unitaire p, en dollars, suivant :

   $p(x) = 40 - \dfrac{x}{100}$, où $x \in \{1, 2, 3, ..., 3000\}$.

   Il estime également que ses coûts hebdomadaires de production C, en dollars, sont donnés par $C(x) = 9x + 6000$.

   a) Déterminer la fonction donnant le revenu hebdomadaire de ce manufacturier.

   b) Déterminer les fonctions donnant les revenus marginaux et les coûts marginaux.

   c) Combien doit-il produire de calculatrices pour avoir un revenu marginal de 37 $/calculatrice ?

   d) Déterminer la fonction donnant le profit de ce manufacturier.

   e) Déterminer le nombre de calculatrices qu'il doit produire par semaine pour avoir un profit maximal ; évaluer ce profit.

   f) Représenter graphiquement $R(x)$ et $C(x)$ sur un même système d'axes.

6. La valeur estimée E d'un bateau en fonction du temps est donnée par
   $E(t) = 50t^2 - 2500t + 31\,250$, où $E(t)$ est en dollars, t en années et $t \in [0,25]$.

   a) Déterminer la valeur initiale du bateau et déterminer après combien d'années ce bateau aura une valeur de 0 $.

b) Après combien d'années ce bateau vaudra-t-il la moitié de sa valeur initiale ?

c) Calculer $TVM_{[2\,ans,\,5\,ans]}$.

d) Déterminer la fonction donnant le taux de variation instantané de la valeur estimée du bateau.

e) Quel sera le TVI dans 5 ans ; dans 10 ans ?

f) À quel moment le TVI sera-t-il de -1800 $/an ?

7. Soit un cône dont la hauteur h est le double du rayon r, où r et h sont en centimètres.

a) Exprimer le volume V du cône en fonction du rayon ; de la hauteur.

b) Calculer le taux de variation moyen du volume lorsque le rayon passe de 20 cm à 50 cm ; la hauteur passe de 20 cm à 50 cm.

c) Déterminer $\dfrac{dV}{dr}$; $\dfrac{dV}{dr}\bigg|_{r\,=\,10}$; $\dfrac{dV}{dr}\bigg|_{h\,=\,10}$.

d) Déterminer $\dfrac{dV}{dh}$; $\dfrac{dV}{dh}\bigg|_{h\,=\,10}$; $\dfrac{dV}{dh}\bigg|_{r\,=\,10}$.

e) Évaluer $\dfrac{dV}{dh}$ à l'instant précis où

$V = 1152\pi$ cm^3.

8. Soit un rectangle dont l'aire A varie en fonction de la base x, où 0 m $< x <$ 10 m, et dont le périmètre est égal à 20 m.

a) Déterminer l'aire A du rectangle en fonction de x.

b) Déterminer la fonction T donnant le taux de variation de l'aire du rectangle en fonction de la base x.

c) Calculer $T(2)$; $T(7)$; interpréter les résultats obtenus.

d) Déterminer pour quelle valeur de x le taux de variation de l'aire du rectangle est nul ; quelle figure géométrique particulière obtient-on dans ce cas ?

9. Soit un cylindre dont le rayon r et la hauteur h varient en fonction du temps de la façon suivante : $r(t) = \sqrt{3t + 4}$ et $h(t) = 3t^2 + 1$, où t est en secondes et 0 s $\le t \le$ 10 s.

a) Déterminer la fonction donnant le taux de variation du rayon en fonction du temps ; évaluer ce taux lorsque $h = 148$ cm.

b) Déterminer la fonction donnant le taux de variation de la hauteur en fonction du temps ; évaluer ce taux lorsque $r = 4$ cm.

c) Déterminer la fonction donnant le taux de variation du volume en fonction du temps.

d) Calculer le taux de variation moyen du volume sur [0 s, 10 s].

10. Un observateur situé à 40 m d'une route regarde passer une automobile se dirigeant de A vers B à une vitesse de 90 km/h.

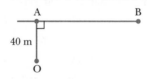

a) Déterminer à quelle vitesse s'éloigne l'automobile de l'observateur lorsque celle-ci est à 100 m de l'observateur.

b) Déterminer à quelle vitesse s'éloigne l'automobile de l'observateur lorsque celle-ci est à 100 m de A.

c) Déterminer à quelle distance de l'observateur doit être située l'automobile lorsqu'elle s'éloigne de celui-ci à une vitesse de 80 km/h ; à une vitesse de 89 km/h.

d) Démontrer algébriquement que la vitesse d'éloignement entre l'observateur et l'automobile ne peut être supérieure ou égale à 90 km/h.

11. Un cube de glace de 27 cm^3 fond à un rythme donné par $\dfrac{dV}{dt} = $ -0,6x^2, où x, l'arête, est en centimètres et t, en minutes.

a) Déterminer la fonction donnant le taux de variation de l'arête du cube par rapport à t.

b) Déterminer le volume du cube après 7 min.

c) Calculer le temps que prend le cube pour fondre.

d) Déterminer la fonction donnant le taux de variation de l'aire totale des six faces du cube par rapport à t.

e) Déterminer le volume du cube lorsque le taux de variation de l'aire totale des six faces du cube est de -4,8 cm^2/min.

12. Un récipient ayant la forme d'une demi-sphère, dont le rayon mesure 8 cm, contient un liquide qui s'évapore au rythme de 100 cm³/h. Le volume V du liquide dans ce récipient est donné par $V(h) = \pi\left(64h - \dfrac{h^3}{3}\right)$, où h représente la hauteur du liquide présent dans le récipient et $0 \text{ cm} \leq h \leq 8 \text{ cm}$.

   a) Calculer la quantité de liquide si le récipient est rempli.

   b) Déterminer la fonction donnant le taux de variation de la hauteur par rapport au temps t.

   c) Calculer $\left.\dfrac{dh}{dt}\right|_{h=7,9}$; $\left.\dfrac{dh}{dt}\right|_{h=4}$; $\left.\dfrac{dh}{dt}\right|_{h=0,1}$.

   d) Exprimer le rayon r de la surface du liquide qui reste en fonction de la hauteur h du liquide.

   e) Déterminer la fonction donnant le taux de variation du rayon r par rapport au temps t.

   f) Calculer $\left.\dfrac{dr}{dt}\right|_{r=4}$; $\left.\dfrac{dr}{dt}\right|_{h=4}$.

   g) Après combien de temps le récipient sera-t-il vide ?

13. Deux tiges métalliques mesurant respectivement 65 cm et 100 cm sont appuyées l'une contre l'autre en un point P. La hauteur h du point P est fonction du temps t et est définie par $h(t) = 64 - 2t$, où t est en minutes et h, en centimètres.

   a) Déterminer la fonction donnant le taux de variation de la hauteur du point P par rapport à t.

   b) Déterminer la fonction donnant la vitesse d'éloignement des deux autres extrémités de ces tiges.

   c) Déterminer cette vitesse d'éloignement après 2 min.

14. Soit deux cônes dont les mesures en centimètres sont données dans la représentation ci-contre ; le liquide du cône supérieur s'écoule par une petite ouverture dans le cône inférieur.

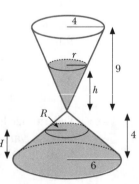

Le volume V_{sup} du liquide contenu dans le cône supérieur est donné par $V_{\text{sup}}(t) = -0,2\pi t + 36\pi$, où t est en secondes et $V_{\text{sup}}(t)$, en centimètres cubes. On suppose que le cône inférieur est vide à $t = 0$, c'est-à-dire $V_{\text{inf}}(0) = 0 \text{ cm}^3$.

   a) Déterminer le volume total du liquide.

   b) Après combien de temps le cône supérieur sera-t-il vide ?

   c) Déterminer la fonction $V_{\text{inf}}(t)$; déterminer H lorsque $V_{\text{sup}}(t) = 0$.

   d) Déterminer $\dfrac{dr}{dt}$; évaluer $\left.\dfrac{dr}{dt}\right|_{r=2}$.

   e) Déterminer $\dfrac{dR}{dt}$; évaluer $\left.\dfrac{dR}{dt}\right|_{r=2}$.

   f) Déterminer $\dfrac{dh}{dt}$; évaluer $\left.\dfrac{dh}{dt}\right|_{r=2}$.

   g) Déterminer $\dfrac{dH}{dt}$; évaluer $\left.\dfrac{dH}{dt}\right|_{r=2}$.

15. Un point P(x, y) se déplace sur le demi-cercle supérieur de rayon 10 cm centré au point C(10, 0). L'ordonnée y du point P(x, y) est donnée en fonction du temps par $y(t) = t\sqrt{20 - t^2}$, où $0 \text{ min} \leq t \leq \sqrt{20} \text{ min}$. Soit A, l'aire du triangle de sommets O(0, 0), P(x, y) et R$(x, 0)$.

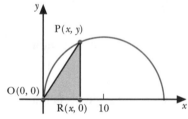

   a) Déterminer la fonction donnant le taux de variation de x par rapport à t.

   b) Évaluer $\left.\dfrac{dx}{dt}\right|_{t=0}$; $\left.\dfrac{dx}{dt}\right|_{y=8}$; $\left.\dfrac{dx}{dt}\right|_{x=2}$.

   c) Déterminer la fonction donnant le taux de variation de A par rapport à t.

   d) Évaluer $\left.\dfrac{dA}{dt}\right|_{x=4}$; $\left.\dfrac{dA}{dt}\right|_{y=6}$.

16. Soit une balle sphérique de rayon r cm, de volume V et d'aire A.

   a) Déterminer le taux de variation de V par rapport à A.

   b) Évaluer $\left.\dfrac{dV}{dA}\right|_{V=288\pi}$; $\left.\dfrac{dV}{dA}\right|_{A=4\pi}$.

   c) Déterminer la valeur de A lorsque $\dfrac{dV}{dA} = 1 \text{ cm}^3/\text{cm}^2$.

17. Soit deux mobiles A et B tels que leur position respective en fonction de t est donnée par $x(t) = 145 - 25t$ et $y(t) = 40 + 10t$, où x et y sont en mètres, t est en secondes et $t \in [0 \text{ s}, 5,8 \text{ s}]$.

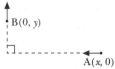

a) À quelle vitesse les mobiles se rapprochent-ils lorsqu'ils sont situés à 130 m l'un de l'autre ?

b) Après combien de temps les mobiles commencent-ils à s'éloigner l'un de l'autre ?

18. Soit un triangle équilatéral de côté x cm à l'intérieur duquel on inscrit un cercle. L'aire A du triangle en fonction du temps est donnée par $A(t) = \sqrt{t} + 12$, où t est en secondes.

a) Déterminer la fonction donnant le taux de variation du côté x par rapport à t.

b) Évaluer $\dfrac{dx}{dt}$ lorsque $A = 4\sqrt{3}$ cm².

c) Après combien de temps le taux de variation sera-t-il la moitié de ce qu'il était lorsque $A = 4\sqrt{3}$ cm² ?

d) Déterminer la fonction donnant le taux de variation de l'aire A_c du cercle inscrit par rapport à t.

e) Évaluer $\left.\dfrac{dA_c}{dt}\right|_{r=3}$, où r est le rayon du cercle.

19. Trois membres d'une famille s'avancent l'un derrière l'autre, à une vitesse de 2 m/s, vers un lampadaire de 9 m de hauteur. La première personne en avant mesure 2 m, la deuxième qui est à 3 m de la première mesure 1,3 m et la troisième qui est à 2 m de la deuxième mesure 1 m.

a) Déterminer à quelle vitesse la longueur de l'ombre varie lorsque la première personne est à 50 m du lampadaire ; à 20 m du lampadaire.

b) Répondre aux questions de a) si la deuxième personne mesure 1,6 m.

c) Déterminer de quelle grandeur doit être la deuxième personne pour qu'elle ait un effet sur l'ombre projetée lorsque la première personne est à 35 m du lampadaire.

d) À partir des données initiales, déterminer à quelle vitesse les extrémités des ombres se déplacent lorsque la première personne est à 10 m du lampadaire ; à 5 m du lampadaire.

20. En pleine nuit, un bateau, situé en B, se dirige vers A selon la trajectoire définie par $y = \dfrac{x^3}{1000}$, où x et y sont en mètres. De plus, la position du bateau, en fonction du temps, est donnée par $y = 125(4 - t)^{\frac{3}{2}}$, où $0 \text{ min} \leq t \leq 4 \text{ min}$. Le bateau est surmonté d'un projecteur qui éclaire, directement devant lui, le quai en un point E.

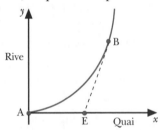

a) Aux temps $t = 0$ min et $t = 3$ min, déterminer la distance entre A et B ; la distance entre A et E.

b) Aux temps $t = 0$ min et $t = 3$ min, déterminer à quelle vitesse le bateau s'approche du quai ; s'approche de la rive ; s'approche de A.

c) Aux temps $t = 0$ min et $t = 3$ min, déterminer à quelle vitesse E s'approche de A.

d) Déterminer la position du bateau lorsque E s'approche de A à une vitesse de 10 m/min.

Test récapitulatif

1. Soit une compagnie dont les revenus et les coûts en fonction de la quantité sont donnés respectivement par $R(q) = -4q^2 + 800q$ et $C(q) = q^2 + 50$, où q désigne le nombre d'unités produites et $R(q)$ et $C(q)$ sont en dollars.

   a) Déterminer la fonction qui donne le profit en fonction de la quantité q.

   b) Déterminer le nombre d'unités qui doivent être produites pour que le profit soit maximal.

   c) Évaluer le profit maximal de la compagnie.

2. Un plongeur s'élance d'un tremplin. Sa position au-dessus de l'eau est donnée par $s(t) = 10 + 5t - 4{,}9t^2$, où t est en secondes et $s(t)$, en mètres.

   a) Calculer la hauteur du tremplin.

   b) Déterminer la fonction donnant la vitesse du plongeur et calculer la vitesse initiale de celui-ci.

   c) Calculer la hauteur maximale atteinte par le plongeur.

   d) Calculer le temps que prend le plongeur pour atteindre l'eau.

   e) Calculer la vitesse du plongeur au moment où il touche l'eau.

   f) Démontrer que l'accélération est constante.

3. Un démographe prédit que, dans t années à compter d'aujourd'hui, la population d'une ville sera donnée par $P(t) = 18\,000\sqrt{t} + 100\,000$.

   a) Quelle est la population actuelle de cette ville ?

   b) Quel sera le taux de variation moyen de la population sur [0 an, 4 ans] ?

   c) Quel sera le rythme de croissance de cette population dans quatre ans ?

   d) Déterminer à quel moment le rythme de croissance sera de 1000 hab./an.

   e) Déterminer le rythme de croissance de la population de la ville lorsque la population sera de 190 000 habitants.

4. Soit un triangle équilatéral de côté x et de hauteur h tel que la hauteur du triangle en fonction du temps est donnée par $h(t) = \dfrac{20}{t+1}$, où t est en secondes et $h(t)$, en centimètres.

   a) Exprimer x en fonction de h.

   b) Exprimer l'aire A en fonction de h; de x.

   c) Déterminer la fonction donnant le taux de variation de l'aire en fonction de h; en fonction de x.

   d) Calculer $\dfrac{dA}{dx}\bigg|_{x=5\,cm}$ et $\dfrac{dA}{dh}\bigg|_{x=5\,cm}$.

   e) Déterminer la fonction donnant le taux de variation de l'aire par rapport à t.

   f) Calculer $\dfrac{dA}{dt}\bigg|_{h=2\,cm}$.

   g) Déterminer la fonction donnant le taux de variation du périmètre P du triangle en fonction de t.

5. On tire un bateau vers un quai à l'aide d'un câble dont le point d'appui est situé à 5 m au-dessus du niveau de l'eau. Si la longueur de la portion du câble joignant le point d'appui et le bateau diminue à une vitesse de 6 m/min, déterminer à quelle vitesse le bateau s'avance vers le quai lorsqu'il est situé à 12 m du quai.

6. Le volume V d'un cube de glace est donné, en fonction du temps t, par la fonction suivante : $V(t) = -4t^2 + 100$, où t est en minutes et $V(t)$, en centimètres cubes.

   a) Déterminer le volume initial du cube et l'aire totale A des surfaces du cube.

   b) Déterminer le temps requis pour que le cube fonde au complet.

   c) Déterminer le taux de variation moyen du volume sur [1 min, 3 min].

   d) Déterminer la fonction donnant le taux de variation de l'arête x par rapport à t.

   e) Calculer $\dfrac{dx}{dt}\bigg|_{t=3\,min}$ et $\dfrac{dx}{dt}\bigg|_{x=3\,cm}$.

   f) Déterminer la fonction donnant le taux de variation de l'aire totale A par rapport à t.

   g) Calculer $\dfrac{dA}{dt}\bigg|_{t=3\,min}$ et $\dfrac{dA}{dt}\bigg|_{x=3\,cm}$.

Chapitre 7

**Analyse
de fonctions
algébriques**

Introduction

Dans le présent chapitre, nous utiliserons les dérivées première et
seconde pour analyser certaines fonctions algébriques.

Analyser une fonction *f* signifie :
- déterminer le domaine de *f* ;
- déterminer les intervalles de croissance et de décroissance de *f* ;
- déterminer les maximums et les minimums de *f* ;
- déterminer les intervalles de concavité de *f* ;
- déterminer les points d'inflexion de *f* ;
- esquisser le graphique de *f*.

Dans les prochains chapitres, nous analyserons des fonctions transcen-
dantes et des fonctions non continues.

TEST PRÉLIMINAIRE

Partie A

1. Déterminer le signe ($+$ ou $-$) de chaque expression, sachant que ($+$) désigne une valeur positive et ($-$), une valeur négative.

a) $\dfrac{(+)}{(-)}$ c) $\dfrac{(-)}{(-)}$ e) $\dfrac{(+)(+)(-)}{(+)}$

b) $\dfrac{(-)}{(+)}$ d) $\dfrac{(+)(-)}{(+)}$ f) $\dfrac{(+)(-)(-)}{(-)}$

2. Résoudre les équations.

a) $(x - 4)(3x + 7) = 0$

b) $x^2 + x - 6 = 0$

c) $(x^2 - 4)(x^3 + x^2) = 0$

d) $x^5 - x = 0$

e) $3(x + 1)^2(2x - 3) + 2(x + 1)^3 = 0$

f) $2(x - 1)(x + 1)^2 + 2(x + 1)(x - 1)^2 = 0$

g) $\dfrac{x^2 - 25}{x + 4} = 0$

h) $\sqrt{x^2 + x - 2} = 0$

i) $(x^2 + x + 1)(x^2 + 1) = 0$

Partie B

1. a) Donner une définition de la dérivée $f'(x)$.

b) Quelle est l'interprétation graphique de $f'(x)$?

2. Déterminer les zéros de $f'(x)$ si

a) $f(x) = (3x - 2)^4(5x + 2)$;

b) $f(x) = \dfrac{x^2 - 9}{x^2 + 9}$;

c) $f(x) = \dfrac{x + 3}{\sqrt{x^2 + 6}}$.

7.1 INTERVALLES DE CROISSANCE ET DE DÉCROISSANCE

À la fin de la présente section, l'étudiant pourra rassembler dans un tableau, appelé tableau de variation, les informations relatives aux intervalles de croissance et de décroissance d'une fonction et il pourra en déduire l'esquisse de son graphique.

Objectif 7.1.1   Connaître la définition d'une fonction croissante et d'une fonction décroissante.

Définition	f est une **fonction croissante** sur $[a, b]$, si pour tout $x_1 < x_2$, où $x_1, x_2 \in [a, b]$, alors $f(x_1) \leq f(x_2)$.

Définition	f est une **fonction strictement croissante** sur $[a, b]$, si pour tout $x_1 < x_2$, où $x_1, x_2 \in [a, b]$, alors $f(x_1) < f(x_2)$.

Définition	f est une **fonction décroissante** sur $[a, b]$, si pour tout $x_1 < x_2$, où $x_1, x_2 \in [a, b]$, alors $f(x_1) \geq f(x_2)$.

Définition	f est une **fonction strictement décroissante** sur $[a, b]$, si pour tout $x_1 < x_2$, où $x_1, x_2 \in [a, b]$, alors $f(x_1) > f(x_2)$.

■ *Exemple* Soit la fonction *f* définie par le graphique ci-contre.

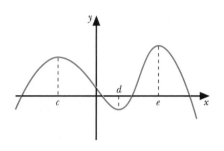

Nous constatons que

   f est strictement croissante, donc croissante, sur -∞, *c*] ;

   f est strictement décroissante, donc décroissante, sur [*c*, *d*] ;

   f est strictement croissante, donc croissante, sur [*d*, *e*] ;

   f est strictement décroissante, donc décroissante, sur [*e*, +∞.

Question 1   Soit *f*, *g* et *h*, trois fonctions telles que

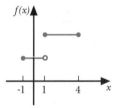

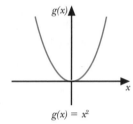

$g(x) = x^2$

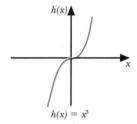

$h(x) = x^3$

Répondre par vrai (V) ou faux (F).

a)   *h* est croissante et strictement croissante sur ℝ.

b)   *g* est croissante sur ℝ.

c)   *g* est croissante sur [-1, 1].

d)   *f* est strictement croissante sur [-1, 4].

e)   *f* est croissante sur [-1, 4].

f)   *f* est décroissante sur [1, 4].

g)   *f* est croissante sur [1, 4].

h)   *g* est strictement croissante sur [0, +∞.

i)   *g* est décroissante et strictement décroissante sur -∞, 0].

Objectif 7.1.2   Relier la croissance et la décroissance d'une fonction au signe de sa dérivée.

Soit la fonction *f* définie par le graphique ci-contre.

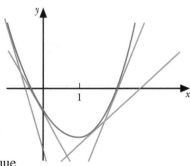

À partir du graphique, nous constatons d'une part que

   1)   *f* est décroissante sur -∞, 1] ;

   2)   toutes les tangentes à la courbe de *f* sur -∞, 1[ont une pente négative, d'où $f'(x) < 0$, $\forall\, x \in$ -∞, 1[.

D'autre part,

1) f est croissante sur $[1, +\infty$;

2) toutes les tangentes à la courbe de f sur $]1, +\infty$ ont une pente positive, d'où $f'(x) > 0, \forall\, x \in\,]1, +\infty$.

Nous énonçons maintenant deux propositions que nous acceptons sans démonstration et qui nous permettront de déterminer si une fonction est croissante ou décroissante à l'aide du signe de sa dérivée.

| **Proposition 1** | Soit une fonction f continue sur $[a, b]$ telle que f' existe sur $]a, b[$. Si $f'(x) > 0$ sur $]a, b[$, alors f est strictement croissante sur $[a, b]$, donc croissante sur $[a, b]$. |

Remarque   Nous avons également que si f est une fonction croissante sur $[a, b]$, alors $f'(x) \geq 0$ sur $]a, b[$.

| **Proposition 2** | Soit une fonction f continue sur $[a, b]$ telle que f' existe sur $]a, b[$. Si $f'(x) < 0$ sur $]a, b[$, alors f est strictement décroissante sur $[a, b]$, donc décroissante sur $[a, b]$. |

Remarque   Nous avons également que si f est une fonction décroissante sur $[a, b]$, alors $f'(x) \leq 0$ sur $]a, b[$.

La preuve formelle de chacune de ces propositions dépasse le niveau d'un premier cours de calcul.

Remarque   Si $f'(x) > 0$ sur $-\infty, b[$, $]a, +\infty$ ou sur $\mathbb{R}$, alors f est croissante sur respectivement $-\infty, b]$, $[a, +\infty$ ou $\mathbb{R}$.

Remarque   Si $f'(x) < 0$ sur $-\infty, b[$, $]a, +\infty$ ou sur $\mathbb{R}$, alors f est décroissante sur respectivement $-\infty, b]$, $[a, +\infty$ ou $\mathbb{R}$.

Objectif 7.1.3   Déterminer les intervalles de croissance et de décroissance d'une fonction en utilisant les propositions 1 et 2 précédentes.

■ *Exemple*   Soit $f(x) = x^2$. Déterminons, à l'aide des propositions 1 et 2, les intervalles de croissance et de décroissance de cette fonction.

En calculant la dérivée de f, nous obtenons $f'(x) = 2x$.

Nous avons que

$f'(x) > 0$ sur $]0, +\infty$, d'où f est croissante sur $[0, +\infty$ (proposition 1)

$f'(x) < 0$ sur $-\infty, 0[$, d'où f est décroissante sur $-\infty, 0]$ (proposition 2).

Question 2   Déterminer, à l'aide des propositions 1 et 2, les intervalles de croissance et de décroissance de la fonction f définie par $f(x) = 4 - (x + 3)^2$.

La dérivée, selon la valeur de x, peut être soit positive, soit négative, soit nulle, ou ne pas exister.

■ *Exemple*   Si $f(x) = \sqrt[3]{x^2 - 1}$, alors $f'(x) = \dfrac{2x}{3\sqrt[3]{(x^2 - 1)^2}}$.

Nous avons, par exemple,

$$f'(3) = \frac{6}{3\sqrt[3]{8^2}} = \frac{1}{2}, \text{ donc } f'(3) > 0 \, ;$$

$$f'(-4) = \frac{-8}{3\sqrt[3]{15^2}}, \text{ donc } f'(-4) < 0 \, ;$$

$$f'(0) = 0 \, ;$$

$f'(1)$ n'existe pas, car nous ne pouvons pas diviser par zéro.

■ *Exemple* Soit la fonction f défi-nie par le graphique ci-contre.

Nous pouvons relier la croissance et la décroissance de f au signe de la dérivée de f, comme illustré sur ce graphique.

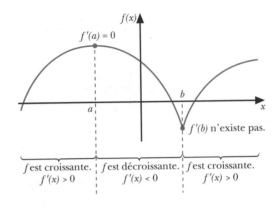

Objectif 7.1.4   Déterminer les nombres critiques d'une fonction.

Définition	Soit $c \in \text{dom } f$. Nous disons que c est un **nombre critique de f** si 1) $f'(c) = 0$ ou 2) $f'(c)$ n'existe pas.

■ *Exemple* Soit $f(x) = \sqrt[5]{x^2 - 2x - 3}$, où dom $f = \mathbb{R}$. Déterminons les nombres critiques de f.

Calculons d'abord $f'(x)$.

$$f'(x) = \frac{2x - 2}{5\sqrt[5]{(x^2 - 2x - 3)^4}} = \frac{2(x - 1)}{5\sqrt[5]{[(x - 3)(x + 1)]^4}} \quad \text{(en factorisant)}$$

1) $f'(x) = 0$ si $x = 1$, d'où 1 est un nombre critique.
2) $f'(x)$ n'existe pas si $x = -1$ ou $x = 3$, d'où -1 et 3 sont des nombres critiques.

Objectif 7.1.5   Déterminer les intervalles de croissance et de décroissance de f à l'aide d'un tableau de signes.

■ *Exemple* Soit $f(x) = x^2 - 6x$. Déterminons les intervalles de croissance et de décroissance de f.

Nous savons, d'après la proposition 1, que si $f'(x) > 0$ sur $]a, b[$, alors f est crois-sante sur $[a, b]$ et, d'après la proposition 2, que si $f'(x) < 0$ sur $]a, b[$, alors f est décroissante sur $[a, b]$. Il faut donc déterminer les valeurs de x pour lesquelles $f'(x) > 0$ et les valeurs de x pour lesquelles $f'(x) < 0$.

1ʳᵉ étape : Calculer et factoriser $f'(x)$, car factoriser nous aidera à déterminer les nombres critiques.

$$f'(x) = 2x - 6$$
$$= 2(x - 3)$$

2ᵉ étape : Déterminer les nombres critiques de f.

1) $f'(x) = 0$ si $x = 3$, d'où 3 est un nombre critique.

2) $f'(x)$ est définie $\forall\, x$, d'où aucun nombre critique.

3ᵉ étape : Construire le tableau de signes.

Afin de déterminer les valeurs de x qui rendent la dérivée positive ou négative, construisons le tableau suivant.

x	$-\infty$	Placer ici le nombre critique déterminé à l'étape 2.	$+\infty$
$f'(x)$	Placer ici le signe ($+$ ou $-$) de $f'(x)$ sur l'intervalle ci-dessus.	Ici $f'(x) = 0$ ou $f'(x)$ n'existe pas.	Placer ici le signe ($+$ ou $-$) de $f'(x)$ sur l'intervalle ci-dessus.

Sur cet intervalle, $f'(x)$ est toujours de même signe.

Sur cet intervalle, $f'(x)$ est toujours de même signe.

Remarques a) Puisque sur l'intervalle $-\infty$, $3[$, $f'(x)$ est toujours de même signe, nous pouvons déterminer ce signe en calculant f'(d'une valeur comprise entre $-\infty$ et 3), par exemple, $f'(0) = -6$, d'où le signe « $-$ ».

b) Pour l'intervalle $]3, {+\infty}$, la même remarque s'applique. Par exemple, $f'(10) = 14$, d'où le signe « $+$ ».

Nous obtenons ainsi le tableau de signes ci-contre.

x	$-\infty$	3	$+\infty$
$f'(x)$	$-$	0	$+$

Ainsi, puisque $f'(x) < 0$ sur $-\infty$, $3[$, alors f est décroissante sur $-\infty$, $3]$.

De même, puisque $f'(x) > 0$ sur $]3, {+\infty}$, alors f est croissante sur $[3, {+\infty}$.

■ *Exemple* Soit $f(x) = x^3 - 6x^2 + 9x$. Déterminons les intervalles de croissance et de décroissance de f.

1ʳᵉ étape : Calculer $f'(x)$.

$$f'(x) = 3x^2 - 12x + 9$$
$$= 3(x - 3)(x - 1)$$

2ᵉ étape : Déterminer les nombres critiques de f.

$f'(x) = 0$ si $x = 1$ ou $x = 3$, d'où 1 et 3 sont des nombres critiques.

3ᵉ étape : Construire le tableau de signes.

Nous plaçons par ordre croissant, sur la première ligne du tableau, les nombres critiques déterminés à l'étape 2.

x	$-\infty$	1		3	$+\infty$
$f'(x)$	$+$	0	$-$	0	$+$

D'après le tableau,

f est croissante sur $-\infty, 1] \cup [3, +\infty$ et

f est décroissante sur $[1, 3]$.

■ *Exemple* Soit $f(x) = \sqrt[3]{x^2 - 4x}$. Déterminons les intervalles de croissance et de décroissance de f.

1ʳᵉ étape : Calculer $f'(x)$.

$$f'(x) = \frac{2x - 4}{3\sqrt[3]{(x^2 - 4x)^2}}$$

$$= \frac{2(x - 2)}{3\sqrt[3]{x^2(x - 4)^2}}$$

2ᵉ étape : Déterminer les nombres critiques de f.

1) $f'(x) = 0$ si $x = 2$, d'où 2 est un nombre critique.

2) $f'(x)$ n'existe pas si $x = 0$ ou $x = 4$, d'où 0 et 4 sont des nombres critiques.

3ᵉ étape : Construire le tableau de signes.

x	$-\infty$		0		2		4		$+\infty$
$f'(x)$		$-$	$\nexists$	$-$	0	$+$	$\nexists$	$+$	

D'après le tableau,

f est décroissante sur $-\infty, 0] \cup [0, 2]$, c'est-à-dire $-\infty, 2]$ et

f est croissante sur $[2, 4] \cup [4, +\infty$, c'est-à-dire sur $[2, +\infty$.

Objectif 7.1.6   Esquisser le graphique de f en utilisant les données du tableau de variation relatif à f'.

■ *Exemple* Soit $f(x) = x^2 - 2x + 5$. Déterminons les intervalles de croissance et de décroissance de f et esquissons le graphique de f.

1ʳᵉ étape : Calculer $f'(x)$.

$f'(x) = 2x - 2$

$\quad\quad = 2(x - 1)$

2ᵉ étape : Déterminer les nombres critiques de f.

$f'(x) = 0$ si $x = 1$, d'où 1 est un nombre critique.

3ᵉ étape : Construire le tableau de signes.

x	$-\infty$		1		$+\infty$
$f'(x)$		$-$	0	$+$	

D'après le tableau,

f est décroissante sur $-\infty, 1]$ et

f est croissante sur $[1, +\infty$.

Construisons un tableau à l'intérieur duquel nous indiquerons également la croissance et la décroissance de f.

x	$-\infty$	1	$+\infty$
$f'(x)$	$-$	0	$+$
f	f est décroissante sur $-\infty, 1]$. Notation : ↘	$f(1)$	f est croissante sur $[1, +\infty$. Notation : ↗

Nous obtenons ainsi ce que nous appelons un *tableau de variation relatif à f'*.

x	$-\infty$		1		$+\infty$
$f'(x)$		$-$	0	$+$	
f		$\searrow$	4	$\nearrow$	

4e étape : Esquisser le graphique de f.

Utilisons maintenant les données du tableau de variation précédent pour esquisser le graphique de f.

Nous savons que f est décroissante sur $-\infty$, 1], c'est-à-dire que f est décroissante jusqu'au point (1, 4), $f(1)$ étant égal à 4. Nous savons aussi que f est croissante sur [1, $+\infty$, c'est-à-dire que f est croissante à partir du point (1, 4).

Marche à suivre :

a)   nous plaçons d'abord les points qui figurent au tableau ;

b)   nous pouvons également identifier les intersections du graphique et des axes, c'est-à-dire déterminer $f(0)$, en l'occurrence $f(0) = 5$;

c)   nous esquissons le graphique de la fonction f.

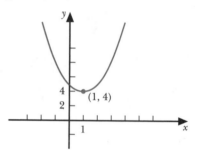

■ *Exemple*   Soit $f(x) = x^4 - 4x^3 - 20x^2 + 4$. Construisons le tableau de variation relatif à f' et esquissons le graphique de f.

1re étape : Calculer $f'(x)$.

$$f'(x) = 4x^3 - 12x^2 - 40x$$
$$= 4x\,(x^2 - 3x - 10)$$
$$= 4x\,(x - 5)(x + 2)$$

2e étape : Déterminer les nombres critiques de f.

$f'(x) = 0$ si $x = 0$, $x = 5$ ou $x = -2$, d'où 0, 5 et -2 sont des nombres critiques.

3e étape : Construire le tableau de variation.

x	$-\infty$		-2		0		5		$+\infty$
$f'(x)$		$-$	0	$+$	0	$-$	0	$+$	
f		$\searrow$	-28	$\nearrow$	4	$\searrow$	-371	$\nearrow$	

D'après le tableau,

 f est décroissante sur $-\infty$, -2] $\cup$ [0, 5] et

 f est croissante sur [-2, 0] $\cup$ [5, $+\infty$.

4e étape : Esquisser le graphique de f.

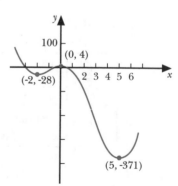

Étudions maintenant quelques exemples de fonctions continues mais non dérivables en certains points.

■ *Exemple* Soit $f(x) = \sqrt[3]{x - 1}$. Construisons le tableau de variation relatif à f' et esquissons le graphique de f.

1re étape : Calculer $f'(x)$.

$$f'(x) = \frac{1}{3\sqrt[3]{(x - 1)^2}}$$

2e étape : Déterminer les nombres critiques de f.

$\quad\quad f'(x)$ n'existe pas si $x = 1$, d'où 1 est un nombre critique.

3e étape : Construire le tableau de variation.

x	$-\infty$		1		$+\infty$
$f'(x)$		$+$	$\nexists$	$+$	
f		$\nearrow$	0	$\nearrow$	

D'après le tableau, f est toujours croissante.

4e étape : Esquisser le graphique de f.

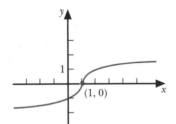

■ *Exemple* Soit $f(x) = |x - 2|$. Construisons le tableau de variation relatif à f' et esquissons le graphique de f.

1re étape : Calculer $f'(x)$.

$\quad$ Ici $f(x) = |x - 2| = \begin{cases} x - 2 & \text{si} \quad x \geq 2 \\ -(x - 2) & \text{si} \quad x < 2 \end{cases}$ (par définition de $|x - 2|$).

$\quad$ Si $x > 2, f(x) = x - 2$, d'où $f'(x) = 1$.

$\quad$ Si $x < 2, f(x) = -x + 2$, d'où $f'(x) = -1$.

Pour $x = 2$, utilisons la définition de la dérivée en un point.

$$\begin{aligned} f'(2) &= \lim_{h \to 0} \frac{f(2 + h) - f(2)}{h} \quad \text{(par définition)} \\ &= \lim_{h \to 0} \frac{|2 + h - 2| - 0}{h} \\ &= \lim_{h \to 0} \frac{|h|}{h} \end{aligned}$$

À cause de la définition de $|h|$, nous devons évaluer la limite à gauche et la limite à droite.

$\quad$ i) $\displaystyle \lim_{h \to 0^+} \frac{|h|}{h} = \lim_{h \to 0^+} \frac{h}{h} \quad$ (car $|h| = h$ si $h > 0$)

$\quad\quad\quad\quad\quad\quad\quad = \displaystyle \lim_{h \to 0^+} 1 = 1$

$\quad$ ii) $\displaystyle \lim_{h \to 0^-} \frac{|h|}{h} = \lim_{h \to 0^-} \frac{-h}{h} \quad$ (car $|h| = -h$ si $h < 0$)

$\quad\quad\quad\quad\quad\quad\quad = \displaystyle \lim_{h \to 0^-} -1 = -1$

Donc, $f'(2)$ n'existe pas car la limite à droite n'est pas égale à la limite à gauche.

2e étape : Déterminer les nombres critiques de f.

$\quad$ $f'(x)$ n'existe pas si $x = 2$, d'où 2 est un nombre critique.

3ᵉ étape : Construire le tableau de variation.

x	$-\infty$		2		$+\infty$
$f'(x)$	$-$		$\nexists$		$+$
f	$\searrow$		0		$\nearrow$

D'après le tableau,

f est décroissante sur $-\infty, 2]$ et

f est croissante sur $[2, +\infty$.

4ᵉ étape : Esquisser le graphique de f.

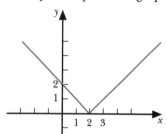

■ *Exemple*   Soit $f(x) = \sqrt{x^2 + x - 6}$, où dom $f = -\infty, -3] \cup [2, +\infty$.

1ʳᵉ étape : Calculer $f'(x)$.

$$f'(x) = \frac{2x + 1}{2\sqrt{x^2 + x - 6}}$$

$$= \frac{2x + 1}{2\sqrt{(x + 3)(x - 2)}}$$

2ᵉ étape : Déterminer les nombres critiques de f.

1) $f'(x)$ n'est jamais égale à zéro sur le domaine de f. En effet, $-\frac{1}{2} \notin$ dom f.

2) $f'(x)$ n'existe pas si $x = -3$ ou $x = 2$, d'où -3 et 2 sont des nombres critiques.

3ᵉ étape : Construire le tableau de variation.

x	$-\infty$		-3		2		$+\infty$
$f'(x)$	$-$		$\nexists$	$\nexists$	$\nexists$		$+$
f	$\searrow$		0	$\nexists$	0		$\nearrow$

D'après le tableau,

f est décroissante sur $-\infty, -3]$, et

f est croissante sur $[2, +\infty$.

4ᵉ étape : Esquisser le graphique de f.

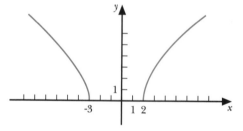

Objectif 7.1.7   Connaissant le graphique de $f'(x)$, construire le tableau de variation de f relatif à f' et donner une esquisse du graphique de f.

■ *Exemple*   Soit f', la fonction définie par le graphique ci-contre.

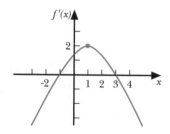

Construisons le tableau de variation de f relatif à f'.

1ʳᵉ étape : Déterminer les nombres critiques de f.

$f'(x) = 0$ si $x = -1$ ou $x = 3$ (intersection de la courbe de f' avec l'axe des x), d'où -1 et 3 sont des nombres critiques de f.

2ᵉ étape : Construire le tableau de variation.

x	$-\infty$		-1			3		$+\infty$
$f'(x)$		$-$	0	$+$		0	$-$	
f		↘	$f(-1)$	↗		$f(3)$	↘	

3ᵉ étape : Esquisser le graphique de f.

Même si nous ignorons les valeurs exactes de $f(-1)$ et de $f(3)$, nous pouvons donner une esquisse du graphique de f qui respecte les données du tableau de variation.

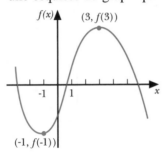

Remarque Il existe une infinité d'esquisses du graphique satisfaisant aux données du tableau de variation précédent.

Exercices 7.1

1. Compléter les propositions et la définition.
   a) Si $f'(x) > 0$ sur $]a, b[$, alors _____.
   b) Si $f'(x) < 0$ sur $]a, b[$, alors _____.
   c) Soit $c \in$ dom f. c est un nombre critique de f si _____.

2. Construire le tableau de variation de f à partir des équations de f'.
   a) $f'(x) = x^2(x - 3)$

   b) $f'(x) = \dfrac{x(x - 1)^2(x + 2)}{(x - 3)}$

   c) $f'(x) = (x^2 - 1)x^3$

   d) $f'(x) = \dfrac{(x - 2)^2(3 - x)}{7x^2}$

3. Déterminer les intervalles de croissance et de décroissance de f.
   a) $f(x) = x^2 - 4$
   b) $f(x) = 1 - x^3$
   c) $f(x) = x^3 - 12x + 1$
   d) $f(x) = \sqrt[5]{x} + 2$
   e) $f(x) = (x^2 - 3x + 4)^3$
   f) $f(x) = \dfrac{x^2 - 9}{x^2 + 9}$
   g) $f(x) = (x - 2)^4(5x + 2)$
   h) $f(x) = -4x^5 - 3x^3 + 1$

4. Construire le tableau de variation relatif à f' et esquisser le graphique de chaque fonction.
   a) $f(x) = 7x^2 - 2x$
   b) $f(x) = -x^3 + 12x$
   c) $f(x) = x^4 - 2x^2 - 3$
   d) $f(x) = (x - 1)^2(x + 1)^2$
   e) $f(x) = (x + 1)^3(2x - 3)$
   f) $f(x) = (x - 1)^2\left(x + \dfrac{1}{2}\right)$

5. Esquisser un graphique possible d'une fonction *f* satisfaisant aux conditions suivantes :

$f'(-5) = 0$ et $f(-5) = -2$; $f'(-3) \nexists$ et $f(-3) = 2$; $f'(2) = 0$ et $f(2) = -3$;

$f'(4) = 0$ et $f(4) = 5$; $f'(x) < 0$ sur $-\infty, -5[\cup]-3, 2[\cup]4, +\infty$; $f'(x) > 0$ sur $]-5, -3[\cup]2, 4[$.

6. Connaissant le graphique de *f*, construire le tableau de variation relatif à *f'*.

a)

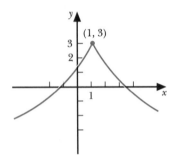

c)

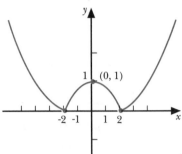

b)

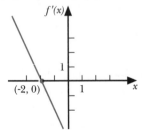

d)

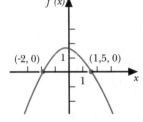

7. Connaissant le graphique de *f'*, construire le tableau de variation de la fonction *f*.

a)

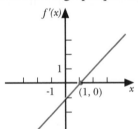

c)

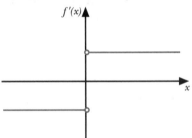

b)

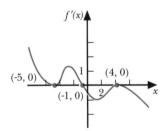

d)

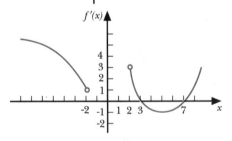

8. Construire le tableau de variation de *f* relatif à *f'* et donner une esquisse possible du graphique de *f* à partir du graphique de *f'(x)*.

a)

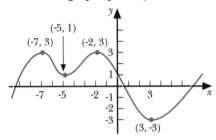

b)

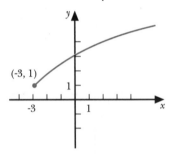

c)

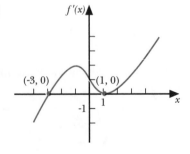

9. Compléter les énoncés, sachant que f, f', f'', etc. sont continues sur $\mathbb{R}$.

   a) Si $f''(x) > 0$ sur $]a, b[$, alors f' _____.

   b) Si f' est une fonction décroissante sur $[a, b]$, alors $f''(x)$ _____.

   c) Si $f^{(4)}(x) < 0$ sur $]a, b[$, alors _____.

   d) Si $f^{(7)}(x)$ est une fonction croissante sur $[a, b]$, alors _____.

7.2 MAXIMUM ET MINIMUM

À la fin de la présente section, l'étudiant pourra déterminer les maximums et les minimums d'une fonction à l'aide du test de la dérivée première.

Objectif 7.2.1   Connaître les définitions de maximum et de minimum d'une fonction.

Définition	Le point $(c, f(c))$ est un **maximum relatif** de f s'il existe un intervalle ouvert $I \subset$ dom f et contenant c tel que $\forall\ x \in I, f(x) \leq f(c)$.

Définition	Le point $(c, f(c))$ est un **maximum absolu** de f si $\forall\ x \in$ dom $f, f(x) \leq f(c)$.

Question 1   Soit la fonction f, définie par le graphique ci-contre.

   a) Déterminer les maximums relatifs de f.

   b) Déterminer le maximum absolu de f.

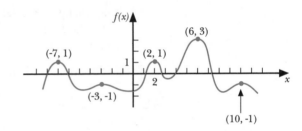

Remarque   Tout maximum absolu est aussi un maximum relatif.

Définition	Le point $(c, f(c))$ est un **minimum relatif** de f s'il existe un intervalle ouvert $I \subset$ dom f et contenant c tel que $\forall\ x \in I, f(x) \geq f(c)$.

Définition	Le point $(c, f(c))$ est un **minimum absolu** de f si $\forall\ x \in$ dom $f, f(x) \geq f(c)$.

Question 2   Soit la fonction f, définie par le graphique ci-contre:

   a) Déterminer les minimums relatifs de f.

   b) Déterminer les minimums absolus de f.

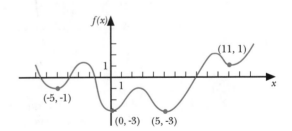

Remarque   Tout minimum absolu est aussi un minimum relatif.

Objectif 7.2.2   Déterminer les maximums et les minimums d'une fonction en utilisant la dérivée première.

   ■ *Exemple* Soit $f(x) = 2x^3 - 3x^2 - 12x + 10$.

Construisons le tableau de variation, déterminons les maximums et les minimums et esquissons le graphique de la fonction *f*.

1re étape : Calculer $f'(x)$.

$$f'(x) = 6x^2 - 6x - 12$$
$$= 6(x + 1)(x - 2)$$

2e étape : Déterminer les nombres critiques de *f*.

$f'(x) = 0$ si $x = -1$ ou $x = 2$, d'où -1 et 2 sont des nombres critiques.

3e étape : Construire le tableau de variation.

x	$-\infty$		-1		2		$+\infty$
$f'(x)$		+	0	−	0	+	
f		↗	17	↘	-10	↗	

Nous constatons que

a) autour du nombre critique -1,

   $f'(x)$ change de signe, c'est-à-dire passe du « + » au « − » lorsque *x* passe de -1⁻ à -1⁺ ; cela équivaut à dire que, à ce nombre critique, *f* cesse de croître pour commencer à décroître. Nous avons donc que le point (-1, 17) est un maximum de *f*.

b) autour du nombre critique 2,

   $f'(x)$ change de signe, c'est-à-dire passe du « − » au « + » lorsque *x* passe de 2⁻ à 2⁺ ; cela équivaut à dire que, à ce nombre critique, *f* cesse de décroître pour commencer à croître. Nous avons donc que le point (2, -10) est un minimum de *f*.

Ces informations s'ajoutent au tableau de variation relatif à *f'* comme suit.

x	$-\infty$		-1		2		$+\infty$
$f'(x)$		+	0	−	0	+	
f		↗	17	↘	-10	↗	
			max.		min.		

4e étape : Esquisser le graphique.

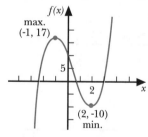

Nous énonçons maintenant le *test de la dérivée première* qui nous permettra de déterminer les maximums et minimums (absolus ou relatifs) d'une fonction.

Test de la dérivée première

Soit *f*, une fonction continue sur un intervalle ouvert I, et $c \in I$, un nombre critique de *f*, c'est-à-dire $f'(c) = 0$ ou $f'(c)$ n'existe pas.

1) Si $f'(x)$ passe du « + » au « − » lorsque *x* passe de c^- à c^+, alors le point $(c, f(c))$ est un maximum de *f*.

2) Si $f'(x)$ passe du « − » au « + » lorsque *x* passe de c^- à c^+, alors le point $(c, f(c))$ est un minimum de *f*.

Remarque Si $f'(x)$ ne change pas de signe lorsque x passe de c^- à c^+, alors le point $(c, f(c))$ n'est ni un maximum ni un minimum de f.

■ *Exemple* Soit la fonction f définie par le graphique suivant.

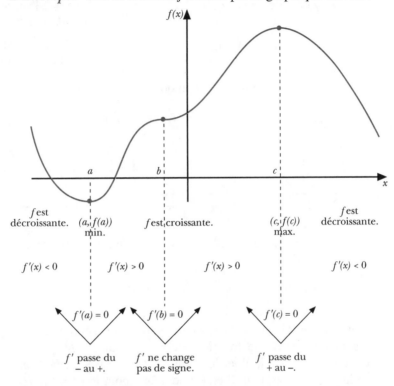

Dans le cas particulier où $f'(c)$ n'existe pas et que le point $(c, f(c))$ est un minimum ou un maximum, ce point peut également s'appeler *point anguleux* ou *point de rebroussement*.

Ce point $(c, f(c))$ est dit point anguleux si la courbe de f admet en ce point deux tangentes distinctes, et ce point $(c, f(c))$ est dit point de rebroussement si la courbe de f admet en ce point deux tangentes verticales confondues.

■ *Exemple* Soit la fonction f définie par le graphique suivant.

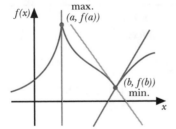

$(a, f(a))$ est un point de rebroussement.

$(b, f(b))$ est un point anguleux.

■ *Exemple* Soit $f(x) = 3 - |x - 2|$ dont le graphique est:

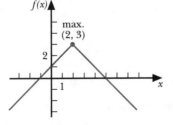

Le point maximum $(2, 3)$ est un point anguleux.

■ *Exemple* Soit $f(x) = 5 - \sqrt[3]{(x+4)^2}$. Construisons le tableau de variation relatif à f', déterminons le maximum à l'aide de la dérivée première et esquissons le graphique de f.

1ʳᵉ étape : Calculer $f'(x)$.

$$f'(x) = \frac{-2}{3\sqrt[3]{(x+4)}}$$

2ᵉ étape : Déterminer les nombres critiques de f.

$f'(x)$ n'existe pas si $x = -4$, d'où -4 est un nombre critique.

3ᵉ étape : Construire le tableau de variation.

x	$-\infty$		-4		$+\infty$
$f'(x)$		+	$\nexists$	−	
f		↗	5	↘	
			max.		

4ᵉ étape : Esquisser le graphique.

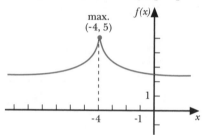

Le point maximum (-4, 5) est un point de rebroussement.

Objectif 7.2.3 Déterminer les minimums et les maximums d'une fonction définie sur un intervalle $[a, b]$.

Nous avons déjà vu (test de la dérivée première) comment déterminer les maximums et les minimums d'une fonction f continue sur $]a, b[$. Cependant si la fonction f est continue sur $[a, b]$, alors le point $(a, f(a))$ est également un maximum ou minimum (relatif ou absolu) de f. Il en est de même pour le point $(b, f(b))$.

Définition	Soit f, une fonction continue sur $[a, b]$. Le point $(a, f(a))$ est un **maximum absolu de f sur $[a, b]$** si $\forall\, x \in [a, b], f(x) \leq f(a)$.

Définition	Soit f, une fonction continue sur $[a, b]$. Le point $(a, f(a))$ est un **maximum relatif de f sur $[a, b]$** s'il existe un intervalle de la forme $[a, c[\subset [a, b]$, tel que $\forall\, x \in [a, c[$, $f(x) \leq f(a)$.

Remarque Nous pouvons définir de façon analogue un maximum absolu et un maximum relatif en $(b, f(b))$.

■ *Exemple* Soit la fonction f définie par le graphique suivant.

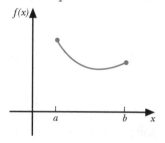

Le point $(a, f(a))$ est un maximum absolu de f sur $[a, b]$.

Le point $(b, f(b))$ est un maximum relatif de f sur $[a, b]$.

Définition	Soit f, une fonction continue sur $[a, b]$. Le point $(b, f(b))$ est un **minimum absolu de f sur $[a, b]$** si $\forall\, x \in [a, b], f(x) \geq f(b)$.

Définition	Soit f, une fonction continue sur $[a, b]$. Le point $(b, f(b))$ est un **minimum relatif de f sur $[a, b]$** s'il existe un intervalle de la forme $]c, b] \subset [a, b]$ tel que $\forall\, x \in\,]c, b]$, $f(x) \geq f(b)$.

Remarque Nous pouvons définir de façon analogue un minimum absolu et un minimum relatif en $(a, f(a))$.

Remarque Pour toute fonction f définie sur $[a, b]$, $f'(a)$ n'existe pas, car nous ne pouvons pas évaluer $\lim\limits_{x \to a^-} \dfrac{f(x) - f(a)}{x - a}$, et $f'(b)$ n'existe pas, car nous ne pouvons pas évaluer $\lim\limits_{x \to b^+} \dfrac{f(x) - f(b)}{x - b}$.

■ *Exemple* Soit $f(x) = x^3 - 3x$ sur $[-3, 2]$.

Construisons le tableau de variation relatif à f' et esquissons le graphique de la fonction f.

1re étape : Calculer $f'(x)$.

$$f'(x) = 3x^2 - 3$$
$$= 3(x + 1)(x - 1)$$

2e étape : Déterminer les nombres critiques de f.

1) $f'(x) = 0$ si $x = -1$ ou $x = 1$, d'où -1 et 1 sont des nombres critiques.

2) $f'(x)$ n'existe pas si $x = -3$ ou $x = 2$, d'où -3 et 2 sont des nombres critiques.

3e étape : Construire le tableau de variation.

x	-3		-1		1		2
$f'(x)$	$\nexists$	$+$	0	$-$	0	$+$	$\nexists$
f	-18	↗	2	↘	-2	↗	2
	min.		max.		min.		max.

4e étape : Esquisser le graphique.

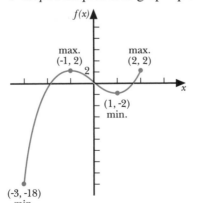

Le point $(-3, -18)$ est un minimum absolu de f sur $[-3, 2]$.

Le point $(-1, 2)$ est un maximum absolu de f sur $[-3, 2]$.

Le point $(1, -2)$ est un minimum relatif de f sur $[-3, 2]$.

Le point $(2, 2)$ est un maximum absolu de f sur $[-3, 2]$.

Remarque Nous ne pouvons pas avoir de maximum ni de minimum à une extrémité lorsque l'intervalle est ouvert à cette extrémité.

■ *Exemple* Soit la fonction précédente $f(x) = x^3 - 3x$ définie sur $]\text{-}3, 2[$, dont la représentation est ci-contre, alors le point $(\text{-}1, 2)$ est un maximum absolu de f sur $]\text{-}3, 2[$ et le point $(1, \text{-}2)$ est un minimum relatif de f sur $]\text{-}3, 2[$.

Cette fonction n'admet donc aucun minimum absolu.

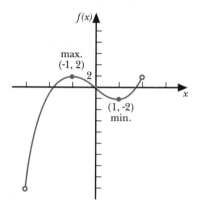

Exercices 7.2

1. Soit une fonction f continue sur un intervalle ouvert I tel que $c \in$ I. Compléter.

   a) Le point $(c, f(c))$ est un maximum de f si $f'(x)$ _____.

   b) Le point $(c, f(c))$ est un minimum de f si $f'(x)$ _____.

2. Soit une fonction f continue sur $[a, b]$. Compléter.

   Le point $(a, f(a))$ est un minimum absolu de f sur $[a, b]$ si _____.

3. Pour chaque courbe, identifier le(s)

   i) minimum(s) relatif(s) ;   iii) maximum(s) relatif(s) ;   v) point anguleux ;

   ii) minimum(s) absolu(s) ;   iv) maximum(s) absolu(s) ;   vi) point de rebroussement.

   a)
   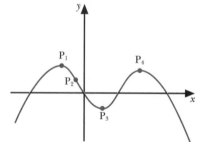

   d)
   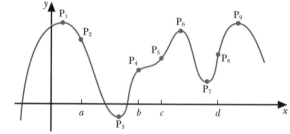

   b)
   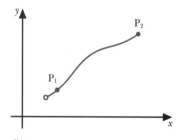

   e) Même courbe qu'en **d)** sur $[a, b]$.

   c)
   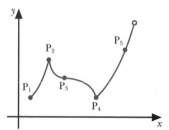

   f) Même courbe qu'en **d)** sur $]c, d]$.

4. Déterminer les maximums et les minimums absolus ou relatifs de f et construire le tableau de variation relatif à f'.

a) $f(x) = -x^2 + 5x - 3$

c) $f(x) = 4x^5 - 5x^4 + 3$

e) $f(x) = (2x + 1)^2$ sur $[-2, 0[$.

b) $f(x) = 4x^3 - 3x^4$

d) $f(x) = 3x^4 - 4x^3$ sur $[-1, +\infty$.

f) $f(x) = x^3 + 1$ sur $]-1, 1]$.

5. Pour chaque fonction, construire le tableau de variation relatif à f', déterminer les maximums, les minimums, les points anguleux et les points de rebroussement à l'aide du test de la dérivée première et esquisser le graphique de f.

a) $f(x) = (x + 3)^2 - 2$

f) $f(x) = x^4 + x^2 + 1$ sur $]-2, 1]$.

b) $f(x) = 4 - (x - 5)^2$ sur $[3, 6[$.

g) $f(x) = 3 + |x - 5|$

c) $f(x) = x^3 + 2$

h) $f(x) = \sqrt{3x + 7} - 2$

d) $f(x) = -(x - 2)^2(x + 2)^2$

i) $f(x) = x^3 + 6x^2 + 1$

e) $f(x) = 1 - x^{\frac{2}{3}}$

j) $f(x) = 3x^5 - 25x^3 + 60x$

6. Soit f, une fonction continue sur $\mathbb{R}$ telle que $f'(x) = x^2(x - 1)^4(3x^2 + 7)$.

a) Expliquer pourquoi la fonction f ne peut avoir ni maximum ni minimum.

b) La fonction f est-elle croissante ou décroissante ? Expliquer.

7. Soit les graphiques de différentes fonctions.

a)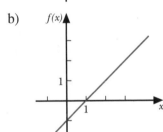

d)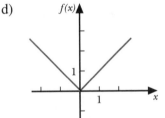

g)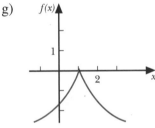

b)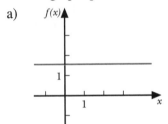

e)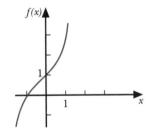

h)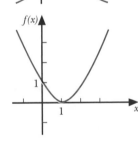

c)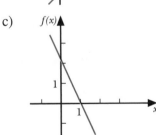

f)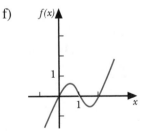

i)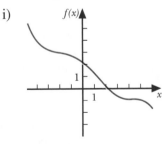

Soit les graphiques de la page suivante qui représentent les dérivées des fonctions représentées précédemment. Associer à chaque fonction précédente le graphique de la page suivante qui représente le plus précisément possible la dérivée de cette fonction.

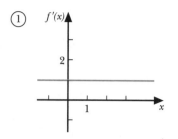

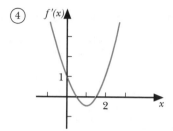

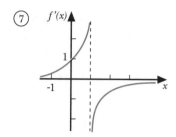

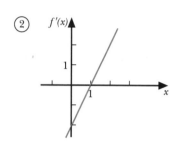

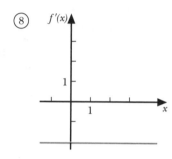

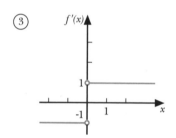

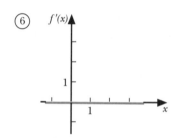

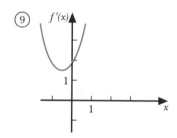

7.3   INTERVALLES DE CONCAVITÉ VERS LE HAUT ET VERS LE BAS

À la fin de la présente section, l'étudiant pourra rassembler dans un tableau de variation les informations relatives aux intervalles de concavité vers le haut et de concavité vers le bas du graphique d'une fonction.

Objectif 7.3.1   Connaître la définition de concavité vers le haut et de concavité vers le bas du graphique d'une fonction.

Définition	La courbe d'une fonction *f* est **concave vers le haut** sur l'intervalle [*a*, *b*] si, sur cet intervalle, cette courbe est au-dessus de chacune des tangentes à la courbe de *f* que nous pouvons tracer sur]*a*, *b*[.

■ *Exemple*   Soit la fonction *f* définie par le graphique ci-contre. *f* est concave vers le haut sur l'intervalle [7, 10].

En effet, la courbe de *f* sur l'intervalle [7, 10] est au-dessus de chacune des tangentes à la courbe que nous pouvons tracer sur]7, 10[.

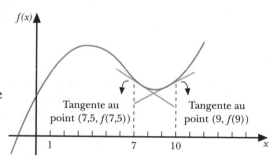

Question 1   Répondre par vrai (V) ou faux (F).

La courbe de *f*, sur le graphique de l'exemple précédent, est concave vers le haut sur

a) [8, 9] ;   b) [1, 4] ;   c) [1, 10] ;   d) [9, 103] ;   e) [9, +∞.

Question 2   a) Une fonction peut-elle être croissante et concave vers le haut sur [*a*, *b*] ? Si oui, l'illustrer par un graphique.

b) Une fonction peut-elle être décroissante et concave vers le haut sur [*a*, *b*] ? Si oui, l'illustrer par un graphique.

Définition	La courbe d'une fonction *f* est **concave vers le bas** sur l'intervalle [*a*, *b*] si, sur cet intervalle, cette courbe est au-dessous de chacune des tangentes à la courbe de *f* que nous pouvons tracer sur]*a*, *b*[.

■ *Exemple* Soit la fonction *f* définie par le graphique ci-contre. *f* est concave vers le bas sur l'intervalle [1, 6].

En effet, la courbe de *f* sur l'intervalle [1, 6] est située au-dessous de chacune des tangentes à la courbe que nous pouvons tracer sur]1, 6[.

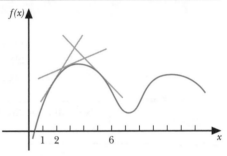

Question 3   a) Une fonction peut-elle être croissante et concave vers le bas sur [*a*, *b*] ? Si oui, l'illustrer par un graphique.

b) Une fonction peut-elle être décroissante et concave vers le bas sur [*a*, *b*] ? Si oui, l'illustrer par un graphique.

Question 4   Identifier, parmi les courbes suivantes,

a) la courbe concave vers le haut sur [*a*, *b*] ;

b) la courbe concave vers le bas sur [*a*, *b*].

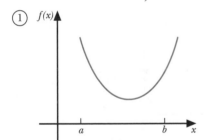
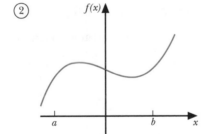
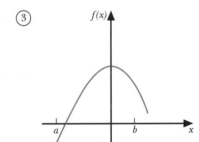

Remarque Nous pouvons également utiliser le terme *convexe* pour désigner la concavité vers le haut et le terme *concave* pour désigner la concavité vers le bas.

Objectif 7.3.2   Relier la concavité d'une courbe *f* au signe de la dérivée seconde de *f*.

■ *Exemple* Soit $f(x) = x^2$.

À l'aide du graphique ci-contre, nous constatons que la courbe de *f* est concave vers le haut sur $\mathbb{R}$.

Nous allons relier cette caractéristique au signe de $f''(x)$.

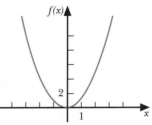

Nous avons $f'(x) = 2x$, qui est une fonction croissante sur $\mathbb{R}$ (voir le graphique ci-contre).

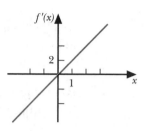

Or, nous savons que, lorsqu'une fonction est croissante, sa dérivée est supérieure ou égale à zéro (voir 7.1). Ainsi, puisque $f'(x)$ est croissante sur $\mathbb{R}$, alors sa dérivée, c'est-à-dire $f''(x)$, est supérieure ou égale à zéro.

En effet, $f''(x) = 2$, d'où $f''(x) \geq 0 \ \forall \ x \in \mathbb{R}$.

Nous énonçons maintenant une proposition, que nous acceptons sans démonstration, qui nous permettra de déterminer si une fonction est concave vers le haut à l'aide du signe de la dérivée seconde.

Proposition 3	Soit une fonction f continue sur $[a, b]$ telle que f'' existe sur $]a, b[$. Si $f''(x) > 0$ sur $]a, b[$, alors la courbe de f est concave vers le haut sur $[a, b]$.

■ ***Exemple*** Soit $f(x) = 4 - x^2$.

À l'aide du graphique ci-contre, nous constatons que la courbe de f est concave vers le bas sur $\mathbb{R}$.

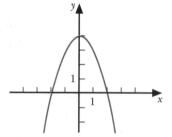

Nous allons relier cette caractéristique au signe de $f''(x)$.

Nous avons $f'(x) = -2x$, qui est une fonction décroissante sur $\mathbb{R}$ (voir le graphique ci-contre).

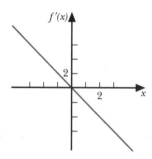

Or, nous savons que, lorsqu'une fonction est décroissante, sa dérivée est inférieure ou égale à zéro (voir 7.1). Ainsi, puisque $f'(x)$ est décroissante sur $\mathbb{R}$, alors sa dérivée, c'est-à-dire $f''(x)$, est inférieure ou égale à zéro.

En effet, $f''(x) = -2$, d'où $f''(x) \leq 0 \ \forall \ x \in \mathbb{R}$.

Nous énonçons maintenant une proposition, que nous acceptons sans démonstration, qui nous permettra de déterminer si une fonction est concave vers le bas à l'aide du signe de la dérivée seconde.

Proposition 4	Soit une fonction f continue sur $[a, b]$ telle que f'' existe sur $]a, b[$. Si $f''(x) < 0$ sur $]a, b[$, alors la courbe de f est concave vers le bas sur $[a, b]$.

Remarque Si $f''(x) > 0$ sur -∞, $b[$, $]a$, +∞ ou sur $\mathbb{R}$, alors la courbe de f est concave vers le haut sur, respectivement, -∞, $b]$, $[a$, +∞ ou $\mathbb{R}$.

Remarque Si $f''(x) < 0$ sur -∞, $b[$, $]a$, +∞ ou sur $\mathbb{R}$, alors la courbe de f est concave vers le bas sur, respectivement, -∞, $b]$, $[a$, +∞ ou $\mathbb{R}$.

Définition	Soit $c \in \text{dom } f'$. Nous disons que c est un **nombre critique de f'** si 1) $f''(c) = 0$ ou 2) $f''(c)$ n'existe pas.

■ *Exemple* Soit la fonction f définie par le graphique ci-dessous.

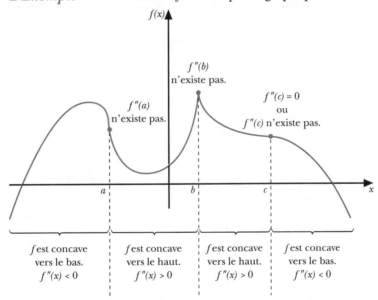

Objectif 7.3.3 Déterminer les intervalles de concavité vers le haut et les intervalles de concavité vers le bas de la courbe d'une fonction f en construisant le tableau de variation relatif à f''.

■ *Exemple* Soit $f(x) = x^3 - 6x^2 + x + 1$.

Déterminons les intervalles de concavité vers le haut et de concavité vers le bas de la courbe de f.

Nous savons que le type de concavité de la courbe de f nous est donné par le signe de f''.

1ʳᵉ étape : Calculer $f''(x)$.
$$f'(x) = 3x^2 - 12x + 1, \text{ et}$$
$$f''(x) = 6x - 12$$
$$= 6(x - 2)$$

2ᵉ étape : Déterminer les nombres critiques de f'.

$f''(x) = 0$ si $x = 2$, d'où 2 est un nombre critique.

3e étape : Construire le tableau de variation relatif à f''.

À l'aide du tableau de signes ci-contre, nous pouvons conclure, à partir des propositions 3 et 4, que

x	-∞		2		+∞
$f''(x)$		−	0	+	

f est concave vers le bas sur -∞, 2] et que

f est concave vers le haut sur [2, +∞.

Étendons notre tableau de manière à y indiquer la concavité de la courbe de f.

x	-∞	2	+∞
$f''(x)$	−	0	+
f	f est concave vers le bas sur -∞, 2]. Notation : ∩	$f(2)$	f est concave vers le haut sur [2, +∞. Notation : ∪

Nous obtenons ainsi un *tableau de variation relatif à f''*.

x	-∞	2	+∞
$f''(x)$	−	0	+
f	∩	-13	∪

■ *Exemple* Soit $f(x) = 9x^{\frac{8}{3}} - 36x^{\frac{5}{3}} + 4$. Déterminons les intervalles de concavité vers le haut et de concavité vers le bas de la courbe de f à l'aide du tableau de variation relatif à f''.

1re étape : Calculer $f''(x)$.

$$f'(x) = 24x^{\frac{5}{3}} - 60x^{\frac{2}{3}}, \text{ et}$$

$$f''(x) = 40x^{\frac{2}{3}} - 40x^{-\frac{1}{3}}.$$

$$= 40\left(\frac{x-1}{x^{\frac{1}{3}}}\right)$$

2e étape : Déterminer les nombres critiques de f'.

1) $f''(x) = 0$ si $x = 1$, d'où 1 est un nombre critique.

2) $f''(x)$ n'existe pas si $x = 0$, d'où 0 est un nombre critique.

3e étape : Construire le tableau de variation relatif à f''.

x	-∞		0		1		+∞
$f''(x)$		+	∄	−	0	+	
f		∪	4	∩	-23	∪	

D'où la courbe de f est concave vers le haut sur -∞, 0] ∪ [1, +∞ et est concave vers le bas sur [0, 1].

Exercices 7.3

1. Soit une fonction f continue sur $\mathbb{R}$. Compléter.

   a) Si $f''(x) > 0$ sur $]a, b[$, alors la courbe de f est _____.

   b) Si $f''(x) < 0$ sur $]a, +∞$, alors la courbe de f est _____.

c)   ∪ signifie que la courbe de f est _____.

d)   ∩ signifie que la courbe de f est _____.

2. Identifier, parmi les courbes suivantes,

    a)   les courbes concaves vers le haut sur $[a, b]$;

    b)   les courbes concaves vers le bas sur $[a, b]$.

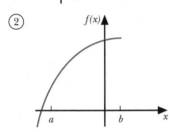
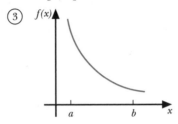
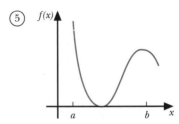
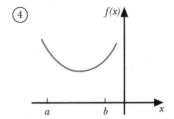
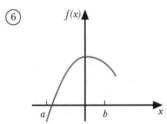

3. Connaissant f'', déterminer les intervalles de concavité vers le haut et de concavité vers le bas de la courbe de f après avoir construit le tableau de variation relatif à f''.

    a) $f''(x) = (x - 1)^3(2x + 5)$

    b) $f''(x) = (x^2 - 4)(x^2 + 1)(x - 1)^2$

4. Pour chaque fonction, construire le tableau de variation relatif à la dérivée seconde et déterminer, si possible, les intervalles de concavité vers le haut et de concavité vers le bas de f.

    a) $f(x) = 2x^6 - 5x^4 + 1$ c) $f(x) = 3 - \sqrt[3]{x}$ e) $f(x) = x^4 - 6x^2 + 1$

    b) $f(x) = 3x - 4$ d) $f(x) = 7 - (x - 7)^4$ f) $f(x) = 1 - (x - 4)^{\frac{2}{3}}$

5. Déterminer les intervalles de concavité vers le haut et les intervalles de concavité vers le bas de la courbe de f si

    a) $f(x) = (x + 1)^3(2x - 3)$;   c) $f(x) = \dfrac{x^2}{2x^2 + 1}$;

    b) $f(x) = 3x^5 - 10x^4 + x$ sur $-\infty, 1]$;   d) $f(x) = 20x^7 - 210x^5 + 560x^3$

6. Connaissant le graphique de f, construire le tableau de variation relatif à la dérivée seconde, sachant que $f''(x)$ est défini pour tout $x \in \mathbb{R}$.

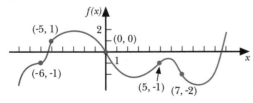

7. Connaissant le graphique de f'', construire le tableau de variation relatif à la dérivée seconde, sachant que $f(x)$ est définie pour tout $x \in \mathbb{R}$.

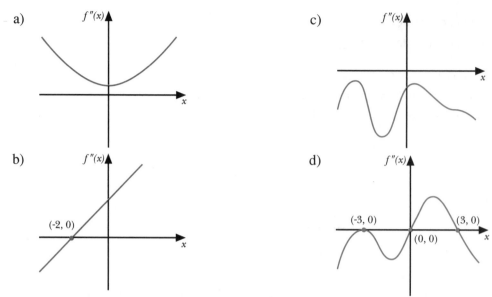

7.4 POINTS D'INFLEXION, MAXIMUMS ET MINIMUMS

À la fin de la présente section, l'étudiant pourra identifier les points d'inflexion de fonctions et de plus, à l'aide du test de la dérivée seconde, il pourra déterminer certains maximums et certains minimums de ces fonctions.

Objectif 7.4.1   Connaître la définition de point d'inflexion et déterminer les points d'inflexion d'une fonction à l'aide de la dérivée seconde.

Définition	Soit f, une fonction continue en $x = c$. Le point $(c, f(c))$ est un **point d'inflexion** de f si la courbe de f change de concavité au point $(c, f(c))$.

■ *Exemple*   La courbe ci-dessous a deux points d'inflexion : les points $(a, f(a))$ et $(b, f(b))$. En effet, en $(a, f(a))$ et $(b, f(b))$, la courbe change de concavité. De plus, nous pouvons facilement constater que la dérivée seconde de f change de signe autour de a et de b.

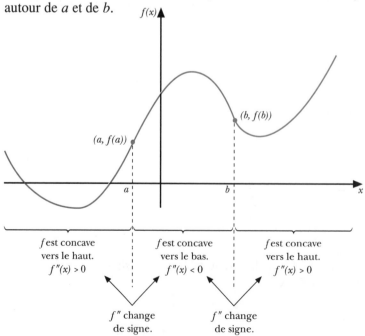

Question 1   Déterminer les points d'inflexion de la fonction ci-contre.

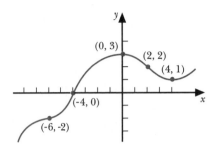

Nous allons maintenant énoncer, sans démonstration, une proposition permettant de déterminer les points d'inflexion d'une fonction.

Proposition 5

Soit f, une fonction continue en $x = c$.
Si $f''(c) = 0$ ou $f''(c)$ n'existe pas, alors
le point $(c, f(c))$ est un point d'inflexion de $f \Leftrightarrow f''(c)$ change de signe autour de c.

■ *Exemple* Soit $f(x) = x^4 - 24x^2 + 85$. Construisons le tableau de variation relatif à f'' pour déterminer les points d'inflexion de f.

1re étape : Calculer $f''(x)$.

$f'(x) = 4x^3 - 48x$, et
$f''(x) = 12x^2 - 48$
$= 12(x - 2)(x + 2)$

2e étape : Déterminer les nombres critiques de f'.

$f''(x) = 0$ si $x = -2$ ou $x = 2$, d'où -2 et 2 sont des nombres critiques.

3e étape : Construire le tableau de variation relatif à f''.

x	$-\infty$	-2		2	$+\infty$
$f''(x)$	+	0	−	0	+
f	$\cup$	5	$\cap$	5	$\cup$

Nous constatons que, autour de -2 et autour de 2, $f''(x)$ change de signe.

Ainsi, par la proposition 5, les points $(-2, f(-2))$, c'est-à-dire $(-2, 5)$, et $(2, f(2))$, c'est-à-dire $(2, 5)$, sont des points d'inflexion de f.

Ces informations s'ajoutent au tableau de variation relatif à f'' comme suit.

x	$-\infty$	-2		2	$+\infty$
$f''(x)$	+	0	−	0	+
f	$\cup$	5	$\cap$	5	$\cup$
		infl.		infl.	

■ *Exemple* Soit $f(x) = 4x - 9(3 - x)^{\frac{5}{3}}$. Construisons le tableau de variation relatif à f'' pour déterminer le(s) point(s) d'inflexion de f.

1re étape : Calculer $f''(x)$.

$f'(x) = 4 + 15(3 - x)^{\frac{2}{3}}$, et
$f''(x) = -10(3 - x)^{-\frac{1}{3}} = \dfrac{-10}{(3 - x)^{\frac{1}{3}}}$.

2e étape : Déterminer les nombres critiques de f'.

$f''(x)$ n'existe pas si $x = 3$, d'où 3 est un nombre critique.

3e étape : Construire le tableau de variation relatif à f''.

x	$-\infty$		3		$+\infty$
$f''(x)$		$-$	$\nexists$	$+$	
f		$\cap$	12	$\cup$	

infl.

D'où (3, 12) est un point d'inflexion de f.

Objectif 7.4.2   Déterminer les maximums et les minimums d'une fonction en utilisant le test de la dérivée seconde.

■ *Exemple* Soit la fonction f définie par le graphique ci-contre.

À partir de ce graphique, nous constatons que

  i) le point $(b, f(b))$ est un minimum de f ;
  ii) $f'(b) = 0$;
  iii) f est concave vers le haut sur $[a, c]$ et $f''(x) > 0$ sur $]a, c[$.

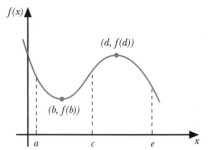

Question 2   Compléter.

À partir du graphique de l'exemple précédent, nous constatons que

a) le point $(d, f(d))$ est un _____ ;

b) $f'(d) = $ _____ ;

c) f est concave vers le _____ sur $[c, e]$ et $f''(x)$ _____ sur $]c, e[$.

Nous pouvons maintenant énoncer un deuxième test appelé *test de la dérivée seconde* qui nous permettra, dans certains cas, de déterminer les maximums et les minimums (absolus ou relatifs) d'une fonction.

Test de la dérivée seconde

Soit une fonction f et c un nombre critique de f, tel que $f'(c) = 0$.

  1) Si $f''(c) < 0$, alors le point $(c, f(c))$ est un maximum de f.
  2) Si $f''(c) > 0$, alors le point $(c, f(c))$ est un minimum de f.
  3) Si $f''(c) = 0$ ou $f''(c)$ n'existe pas, alors nous ne pouvons rien conclure.

■ *Exemple* Soit $f(x) = 3x^5 - 5x^3 + 1$. Déterminons les maximums et les minimums de f à l'aide du test de la dérivée seconde et, dans les cas où le test n'est pas concluant, utilisons le test de la dérivée première.

1re étape : Calculer $f'(x)$.

$f'(x) = 15x^4 - 15x^2$
$\quad\quad = 15x^2(x - 1)(x + 1)$

2e étape : Déterminer les nombres critiques de f.

$f'(x) = 0$ si $x = 0$, $x = 1$ ou $x = -1$, d'où 0, 1 et -1 sont des nombres critiques.

3e étape : Calculer $f''(x)$.

$f''(x) = 60x^3 - 30x$

4ᵉ étape : Évaluer $f''(x)$ en 0, 1 et -1.

$$f''(0) = 0, f''(1) = 30 \text{ et } f''(-1) = -30$$

Puisque $f''(-1) < 0$, alors le point $(-1, f(-1))$, c'est-à-dire $(-1, 3)$, est un maximum de f.

Puisque $f''(1) > 0$, alors le point $(1, f(1))$, c'est-à-dire $(1, -1)$, est un minimum de f.

Puisque $f''(0) = 0$, alors nous ne pouvons rien conclure au point $(0, f(0))$, c'est-à-dire $(0, 1)$, à l'aide du test de la dérivée seconde. Nous pouvons dans ce cas utiliser le test de la dérivée première pour déterminer si le point $(0, 1)$ est un maximum, un minimum ou ni l'un ni l'autre.

x	$-\infty$		-1		0		1		$+\infty$
$f'(x)$		+	0	–	0	–	0	+	
f		↗	3	↘	1	↘	-1	↗	
			max.				min.		

Nous constatons que le point $(0, 1)$ n'est ni un maximum ni un minimum de f. Aux points $(-1, 3)$ et $(1, -1)$, les deux tests donnent les mêmes résultats.

Remarque Nous pouvons vérifier, à l'aide du tableau de variation relatif à f'', que le point $(0, 1)$ est un point d'inflexion.

■ *Exemple* Pour les fonctions $f(x) = x^3$, $g(x) = x^4$ et $h(x) = -x^4$, nous remarquons que $f'(0) = g'(0) = h'(0) = 0$ et que $f''(0) = g''(0) = h''(0) = 0$.

Nous pouvons facilement vérifier que le point $(0, 0)$ est

   i) un point d'inflexion de f ;

   ii) un minimum de g ;

   iii) un maximum de h.

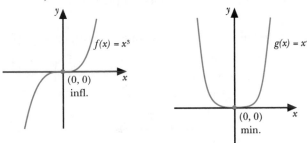

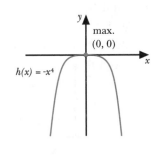

Exercices 7.4

1. Compléter.

   a)   Le point $(c, f(c))$ est un point d'inflexion de f si la courbe de f _____ .

   b)   Le point $(c, f(c))$ est un point d'inflexion de $f \Leftrightarrow f''(x)$ _____ .

   c)   Soit une fonction f et c un nombre critique de f, tel que $f'(c) = 0$.

      i) Si $f''(c) < 0$, alors _____ .

      ii) Si $f''(c) > 0$, alors _____ .

      iii) Si $f''(c) = 0$ ou $f''(c)$ n'existe pas, alors _____ .

2. Déterminer les points d'inflexion sur les graphiques suivants.

a)

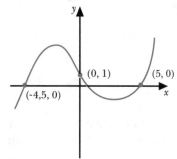

b)

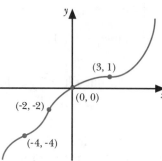

3. Connaissant f'', déterminer, si possible, les points d'inflexion de f si f est continue.

a) $f''(x) = x(x - 1)(x - 5)^2(x - 3)(x^2 - 4)$ b) $f''(x) = (9x^2 + 1)(7x - 3)^2(8x - 3)^4$

4. Pour chaque fonction, construire le tableau de variation relatif à la dérivée seconde et déterminer, si possible, les points d'inflexion.

a) $f(x) = 3x^5 - 5x^4$ c) $f(x) = \sqrt[3]{3x + 1} - 7$ e) $f(x) = 3x^5 - 10x^3 + x - 3$

b) $f(x) = x^4 - 6x^3 - 24x^2$ d) $f(x) = x^5 - 5x + 7$ f) $f(x) = (x + 1)^4$

5. Déterminer les maximums et les minimums des fonctions suivantes à l'aide du test de la dérivée seconde ou du test de la dérivée première lorsque cela est nécessaire.

a) $f(x) = x^3 - 3x + 5$ c) $f(x) = 5 - (2 - x)^4$ e) $f(x) = 1 - 3x^5 + 5x^3$

b) $f(x) = (x - 4)^2(x + 4)^2$ d) $f(x) = x^3 + 3x^2 - 9x + 10$ f) $f(x) = x^2 + \dfrac{16}{x}$ sur $[1, 10[$.

6. Soit trois fonctions f, g et h continues telles que leurs dérivées première et seconde soient également continues.

Construire le tableau de variation relatif à la dérivée seconde, à partir des graphiques suivants.

a)

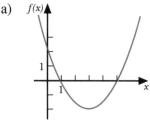

b)

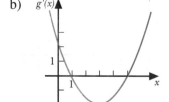

c)

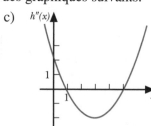

7. Soit les graphiques de différentes fonctions.

a)

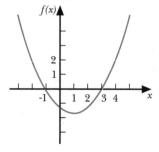

b)

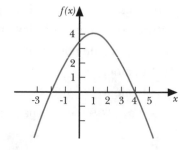

c)

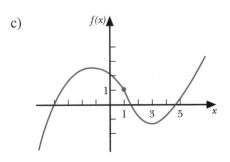

d)

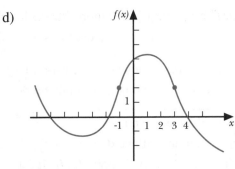

Soit les graphiques ci-dessous qui représentent les dérivées secondes des fonctions représentées précédemment. Associer à chaque fonction précédente le graphique ci-dessous qui représente le plus précisément possible la dérivée seconde de cette fonction.

①

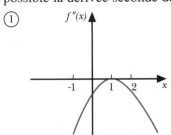

③

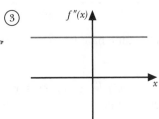

②

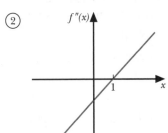

④

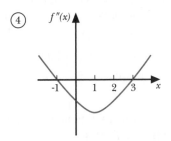

7.5 ANALYSE DE CERTAINES FONCTIONS ALGÉBRIQUES À L'AIDE DES DÉRIVÉES PREMIÈRE ET SECONDE

À la fin de la présente section, l'étudiant pourra rassembler dans un seul tableau de variation toutes les informations déduites de la dérivée première et de la dérivée seconde d'une fonction et esquisser le graphique de cette fonction.

Voici un résumé de quelques notions étudiées jusqu'à maintenant pour une fonction f continue sur $[a, b]$ et dérivable sur $]a, b[$.

1. a) Si $f'(x) > 0$ sur $]a, b[$, alors $f \nearrow$ sur $[a, b]$.

    b) Si $f'(x) < 0$ sur $]a, b[$, alors $f \searrow$ sur $[a, b]$.

2. **Test de la dérivée première**

    Soit c, un nombre critique de f, c'est-à-dire $f'(c) = 0$ ou $f'(c)$ n'existe pas.

    a) Si $f'(x)$ passe du $+$ au $-$ autour de c, alors le point $(c, f(c))$ est un maximum de f.

    b) Si $f'(x)$ passe du $-$ au $+$ autour de c, alors le point $(c, f(c))$ est un minimum de f.

3. a) Si $f''(x) > 0$ sur $]a, b[$, alors $f \cup$ sur $[a, b]$.

   b) Si $f''(x) < 0$ sur $]a, b[$, alors $f \cap$ sur $[a, b]$.

4. Soit c, un nombre critique de f', c'est-à-dire $f''(c) = 0$ ou $f''(c)$ n'existe pas.

   Le point $(c, f(c))$ est un point d'inflexion de $f \Leftrightarrow f''(x)$ change de signe autour de c.

5. **Test de la dérivée seconde**

   Soit c, un nombre critique de f tel que $f'(c) = 0$.

   a) Si $f''(c) < 0$, alors le point $(c, f(c))$ est un maximum de f.

   b) Si $f''(c) > 0$, alors le point $(c, f(c))$ est un minimum de f.

   c) Si $f''(c) = 0$ ou $f''(c)$ n'existe pas, alors nous ne pouvons rien conclure.

Voici maintenant un exemple qui nous permettra d'utiliser plusieurs notions du chapitre.

■ *Exemple* Soit $f(x) = x^5 - 5x$. Étudions la fonction f à l'aide des dérivées première et seconde.

1re étape : Calculer $f'(x)$ et déterminer les nombres critiques correspondants.
$$f'(x) = 5x^4 - 5$$
$$= 5(x + 1)(x - 1)(x^2 + 1);$$
nombres critiques : -1 et 1.

2e étape : Calculer $f''(x)$ et déterminer les nombres critiques correspondants.
$$f''(x) = 20x^3;$$
nombre critique : 0.

Donnons maintenant la marche à suivre pour construire le tableau de variation relatif à f' et à f''.

3e étape : Construire le tableau de variation.

Premièrement, disposons sur la ligne de x

a) le domaine de f : $-\infty$, $+\infty$;

b) les nombres critiques : -1, 0 et 1.

x	$-\infty$		-1		0		1		$+\infty$
$f'(x)$									
$f''(x)$									
f									
E. du G.									

L'abréviation E. du G. signifie *esquisse du graphique*.

Deuxièmement, analysons $f'(x)$.

a) Indiquons les endroits où $f'(x) = 0$ et où $f'(x)$ n'existe pas.

b) Indiquons sur la ligne de $f'(x)$ le signe de $f'(x)$ sur chaque intervalle.

c) Indiquons sur la ligne de f la croissance ou la décroissance sur chaque intervalle.

d) Indiquons les maximums et les minimums de f.

x	$-\infty$		-1		0		1		$+\infty$
$f'(x)$		$+$	0	$-$	$-$	$-$	0	$+$	
$f''(x)$									
f		$\nearrow$		$\searrow$		$\searrow$		$\nearrow$	
E. du G.									
			max.				min.		

Remarque Le procédé précédent est celui de la construction du tableau de variation relatif à f'.

Troisièmement, analysons $f''(x)$.

a) Indiquons les endroits où $f''(x) = 0$ et où $f''(x)$ n'existe pas.

b) Indiquons sur la ligne de $f''(x)$ le signe de $f''(x)$ sur chaque intervalle.

c) Indiquons sur la ligne de f la concavité sur chaque intervalle.

d) Indiquons les points d'inflexion de f.

x	$-\infty$		-1		0		1		$+\infty$
$f'(x)$		$+$	0	$-$	$-$	$-$	0	$+$	
$f''(x)$		$-$	$-$	$-$	0	$+$	$+$	$+$	
f		$\nearrow\cap$		$\searrow\cap$		$\searrow\cup$		$\nearrow\cup$	
E. du G.									
			max.		infl.		min.		

Remarque Le procédé précédent est celui de la construction du tableau de variation relatif à f''.

Quatrièmement, complétons le tableau de variation f.

a) Évaluons f à chacun des nombres critiques, c'est-à-dire déterminons $f(-1)$, $f(0)$ et $f(1)$.

b) Rassemblons sur la ligne E. du G. les informations des lignes précédentes en utilisant les notations suivantes :

     $\curvearrowright$ signifie croissante $\nearrow$ et concave vers le bas $\cap$;

     $\curvearrowright$ signifie croissante $\nearrow$ et concave vers le haut $\cup$;

     $\hookrightarrow$ signifie décroissante $\searrow$ et concave vers le haut $\cup$;

     $\searrow$ signifie décroissante $\searrow$ et concave vers le bas $\cap$.

c) Plaçons sur la ligne E. du G. les points $(-1, 4)$, $(0, 0)$ et $(1, -4)$, qui sont des points de la courbe de f.

x	$-\infty$		-1		0		1		$+\infty$
$f'(x)$		$+$	0	$-$	$-$	$-$	0	$+$	
$f''(x)$		$-$	$-$	$-$	0	$+$	$+$	$+$	
f		$\nearrow\cap$	4	$\searrow\cap$	0	$\searrow\cup$	-4	$\nearrow\cup$	
E. du G.		$\curvearrowright$	$(-1, 4)$	$\searrow$	$(0, 0)$	$\hookrightarrow$	$(1, -4)$	$\curvearrowright$	
			max.		infl.		min.		

4ᵉ étape : Esquisser le graphique de *f*.

a) Localisons sur le graphique les points (-1, 4), (0, 0) et (1, -4).

b) Relions ces points en tenant compte des indications de la ligne de l'esquisse du graphique sur chaque intervalle.

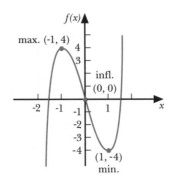

Exercices 7.5

1. Pour chacune des fonctions suivantes, construire le tableau de variation relatif à f' et à f'' et donner une esquisse du graphique de la fonction.

a) $f(x) = 4 - x^3$

b) $f(x) = x^3 - 6x^2 + 5$

c) $f(x) = x^2 + 3$ sur $[-2, 1[$.

d) $f(x) = 6 - 3x$

e) $f(x) = x^5 + x^3 + x$

f) $f(x) = \sqrt[3]{x - 3} - 2$ sur -∞, 4].

g) $f(x) = \sqrt{x}$

h) $f(x) = \sqrt[3]{(x + 4)^2} - 3$

2. Soit la fonction *f*, définie par le graphique ci-contre, telle que f' et f'' soient continues sur ℝ. Construire le tableau de variation relatif à f' et à f''.

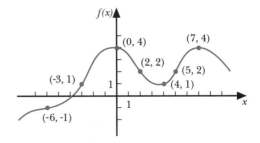

Problèmes de synthèse

1. Déterminer les intervalles de croissance et de décroissance des fonctions suivantes.

a) $f(x) = 12x^3 - 24x^2 + 12x$

b) $f(x) = 3 - 6\sqrt[3]{x^5} + 15\sqrt[3]{x^2}$

2. Déterminer, si possible, les maximums et les minimums (absolus ou relatifs) de *f* si

a) $f(x) = 8x^2 - 16x + 3$ sur $]-2, 2]$;

b) $f(x) = x^5 - 5x + 1$;

c) $f(x) = 2x^3 - 3x^2 - 12x + 1$ sur $[0, 3]$;

d) $f(x) = \sqrt{3x - 6} + 4x$;

e) $f(x) = \sqrt[3]{3x - 6} + 4x$;

f) $f(x) = |3x| + 1$ sur $[-1, 4[$.

3. Déterminer les intervalles de concavité vers le haut et de concavité vers le bas de *f* si

a) $f(x) = 2 - (3x + 1)^5$;

b) $f(x) = 3 - 2\sqrt[3]{x}$ sur $]-8, 8]$.

4. Déterminer, si possible, les points d'inflexion de *f* si

a) $f(x) = \sqrt[3]{2x - 3} - 7$;

b) $f(x) = (3 - 2x)^4$.

5. Pour chacune des fonctions suivantes, construire le tableau de variation relatif à f' et à f'', donner une esquisse du graphique de la fonction et identifier, s'il y a lieu, les points de rebroussement et les points anguleux.

a) $f(x) = (x - 3)^2(x + 3)^2$

b) $f(x) = 2x^3 + 3x^2 - 12x + 12$ sur $]\text{-}1, 2]$.

c) $f(x) = (x + 4)^3(x - 2)$

d) $f(x) = 2x - 3\sqrt[3]{x^2}$

e) $f(x) = (x^2 - 5)^3$

f) $f(x) = \dfrac{1 - x^2}{1 + x^2}$

g) $f(x) = 3(x + 1)^{\frac{2}{3}} - \dfrac{1}{5}(x + 1)^{\frac{5}{3}} + 2$

h) $f(x) = |x^2 - 4|$

6. Donner une esquisse du graphique des fonctions suivantes.

a) $f(x) = \text{-}6x^6 + 15x^4 - 5$

b) $f(x) = 3x^4 - 4x^3 - 12x^2 + 10$

c) $f(x) = 6 - \sqrt{4 - x}$

d) $f(x) = \sqrt{x^2 - 2x - 8}$

e) $f(x) = 1 - 3x^5 + 5x^3$

f) $f(x) = (x + 4)^3(x - 1)^2$

g) $f(x) = |x^3 - 3x^2|$

h) $f(x) = (x - 3)\sqrt{9 + x} + 7$

7. Un manufacturier estime que ses revenus hebdomadaires R peuvent être exprimés par $R(q) = 1008q - 12q^2 - 8q^3$, où q est le nombre d'unités produites, $R(q)$ étant exprimé en dollars. À cause de certaines contraintes, le manufacturier ne peut pas fabriquer plus de dix unités par semaine.

a) Déterminer sur quel intervalle son revenu est croissant.

b) Déterminer la quantité qui donne un revenu maximal.

c) Évaluer ce revenu maximal.

8. Soit $f(x) = x^3 + ax^2 + bx + c$.

a) Déterminer la valeur des constantes a, b et c si cette fonction a un maximum en $x = \text{-}1$, un minimum en $x = 5$ et $f(1) = 4$.

b) Déterminer la valeur des constantes a, b et c si cette fonction a un minimum en $x = 3$ et un point d'inflexion en $(2, 115)$.

9. Soit $f(x) = x^n$, où $n \in \mathbb{N}$ et $n \geq 2$.

a) Quelles sont les valeurs de n pour lesquelles f admet un minimum? Déterminer ce minimum.

b) Quelles sont les valeurs de n pour lesquelles f admet un point d'inflexion? Déterminer ce point d'inflexion.

c) Répondre aux deux questions précédentes pour $f(x) = (x - a)^n + b$.

10. Soit f, une fonction continue sur $\mathbb{R}$, dont la représentation graphique de f' est donnée par le graphique ci-dessous.

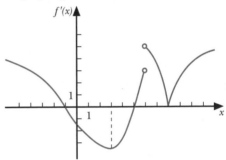

Construire le tableau de variation relatif à f' et à f''.

11. Donner une esquisse possible du graphique de $f^{(6)}(x)$ et de $f^{(8)}(x)$ si $f^{(7)}(x)$ est représentée par le graphique ci-dessous.

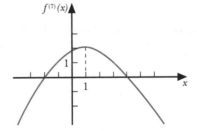

Exercices récapitulatifs

1. Déterminer les intervalles de croissance et de décroissance de f si

a) $f(x) = 3x^3 + 12x^2 + 16x - 2$;

b) $f(x) = \sqrt{(1 - x)(x + 5)}$;

c) $f(x) = 80x - x^5 + 7$;

d) $f'(x) = \dfrac{(x - 2)^2(3 - x)}{7x^2 + 1}$.

2. Déterminer, s'il y a lieu, les maximums et les minimums des fonctions suivantes.

   a) $f(x) = x^6 - 3x^2 + 5$

   b) $f(x) = 2x^3 - 6x^2 - 6x + 3$

   c) $f(x) = x^3 - 12x + 2$ sur $[0, 5]$.

   d) $f(x) = x^3 - x^2 - x + 2$

   e) $f(x) = \dfrac{x^2 + x + 1}{x^2 - x + 1}$

   f) $f(x) = 4 + \sqrt[5]{(3 - x)^4}$

   g) $f(x) = 4 + 2\sqrt[3]{5 - x}$

   h) $f(x) = x|x|$ sur $[-1, 2[$.

   i) $f(x) = x^2 + \dfrac{16}{x} + \dfrac{3}{2}$ sur $[1, 5]$.

   j) $f(x) = x\sqrt{2 - x^2}$

3. Déterminer les intervalles de concavité vers le haut, les intervalles de concavité vers le bas et les points d'inflexion de la courbe de f si

   a) $f(x) = (1 - 4x)^3$;

   b) $f(x) = (5 - x)^{\frac{4}{3}} + 6$;

   c) $f(x) = 8x - 3(2 - x)^{\frac{5}{3}}$;

   d) $f(x) = (x - 1)^2(x + 1)^2$;

   e) $f(x) = \dfrac{4x^2 + 7}{x^2 + 1}$;

   f) $f(x) = x\sqrt{2 - x^2}$.

4. Soit trois fonctions f, g et h continues telles que leurs dérivées première et seconde soient également continues. Construire le tableau de variation relatif à la dérivée seconde à l'aide des graphiques suivants.

   a)
   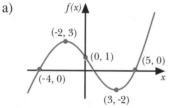

   b)
   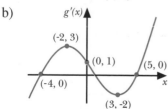

   c)
   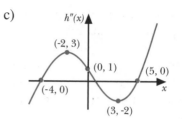

5. Soit $f(x) = ax^2 + bx + c$. Utiliser le test de la dérivée seconde pour démontrer que le point $\left(-\dfrac{b}{2a}, f\left(-\dfrac{b}{2a}\right)\right)$ est un minimum lorsque $a > 0$ et que le point $\left(-\dfrac{b}{2a}, f\left(-\dfrac{b}{2a}\right)\right)$ est un maximum lorsque $a < 0$.

6. Donner une esquisse possible d'une fonction continue sur $\mathbb{R}$ telle que

   a)   i) $f(3) = 2$

        ii) $f'(3) = -1$

        iii) $f''(x) > 0 \;\forall\, x \in \mathbb{R}$;

   b)   i) $f(3) = 2$

        ii) $f'(3) = -1$

        iii) $f''(x) < 0 \;\forall\, x \in \mathbb{R}$;

   c)   i) $f(-3) = -2, f(0) = 0, f(3) = 2$

        ii) $f'(-3) = f'(3) = 0$

        iii) $f''(-3) > 0, f''(0) = 0, f''(3) < 0$.

7. Soit $f(x) = x^3 + ax^2 + bx + c$. Déterminer, si possible, une relation entre a et b telle que

   a) f soit croissante sur $\mathbb{R}$;

   b) f soit décroissante sur $\mathbb{R}$;

   c) f possède un minimum et un maximum.

8. Soit trois fonctions f, g et h telles que
   $f(x) = g'(x) = h''(x) = 1 - (x - 5)^2$.
   Répondre par vrai ou faux.

   a)   Le point $(4, f(4))$ est un maximum de f.

   b)   Le point $(4, g(4))$ est un maximum de g.

   c)   Le point $(6, g(6))$ est un maximum de g.

   d)   Le point $(5, f(5))$ est un point d'inflexion de f.

   e)   Le point $(5, g(5))$ est un point d'inflexion de g.

   f)   Le point $(5, h(5))$ est un point d'inflexion de h.

   g)   Les points $(4, h(4))$ et $(6, h(6))$ sont des points d'inflexion de h.

9. Pour chacune des fonctions suivantes, construire le tableau de variation relatif à f' et à f'', donner une esquisse du graphique de la fonction et identifier, s'il y a lieu, les maximums, les minimums, les points d'inflexion, les points de rebroussement et les points anguleux.

a) $f(x) = x^2 + 4x - 12$

b) $f(x) = |x^2 + 4x - 12|$

c) $f(x) = x^3 - 3x + 1$

d) $f(x) = 6 - (2 - x)^5$

e) $f(x) = 3x^4 - 4x^3 - 2$

f) $f(x) = 2x(4 - x)^3$

g) $f(x) = 8x^2 - 4x^4 + 3$

h) $f(x) = 3x^5 - 10x^3 - 120x$

i) $f(x) = 3x^3 - x^9 - 2$

j) $f(x) = (x - 1)^{\frac{5}{3}} - 5(x - 1)^{\frac{2}{3}} + 2$

k) $f(x) = (5 - x)^{\frac{2}{3}} + 3$

l) $f(x) = (5 - x)^{\frac{1}{3}} + 3$

m) $f(x) = x^4 + 8x^3 + 36x^2 + 1$

n) $f(x) = x^4 - 4x^3 + 4x^2 - 1$

o) $f(x) = \dfrac{x}{1 + x^2}$

p) $f(x) = x - 3x^{\frac{1}{3}} + 3$

10. Répondre aux questions du numéro précédent pour chacune des fonctions suivantes.

a) $f(x) = x^3 + x + 2$ sur $[-1, 2[$.

b) $f(x) = 3\sqrt[3]{x^2} - x^2 + 5$ sur $[-8, 1]$.

c) $f(x) = x\sqrt{9 - x}$ si $x \geq -9$.

d) $f(x) = x\sqrt{9 - x^2}$

e) $f(x) = x^6 - 240x^2 + 120$ sur $[-2, 2{,}5]$.

f) $f(x) = 4 - \dfrac{x + 1}{\sqrt{x - 2}}$ sur $[3, 18]$.

g) $f(x) = \sqrt[3]{x^2 - 1}$ sur $[-2, 3]$.

h) $f(x) = \begin{cases} (x - 1)^2 & \text{si} \quad 0 \leq x < 2 \\ x^3 - 9x^2 + 29 & \text{si} \quad 2 \leq x < 7 \end{cases}$

i) $f(x) = \begin{cases} \sqrt[3]{x} - 2 & \text{si} \quad -1 \leq x < 1 \\ \sqrt[3]{(x - 2)^2} & \text{si} \quad 1 \leq x \leq 10 \end{cases}$

11. Soit une fonction f continue sur $[a, b]$ et dérivable sur $]a, b[$. Démontrer, à l'aide de la définition de la dérivée et de la définition d'une fonction croissante, que si f est croissante sur $[a, b]$, alors $f'(x) \geq 0$ sur $]a, b[$.

12. a) Soit f, une fonction croissante sur $[a, b]$ telle que $f(x) \neq 0$. Démontrer que $g(x) = \dfrac{1}{f(x)}$ est décroissante sur $[a, b]$.

b) Utiliser la proposition précédente pour démontrer que $g(x) = \dfrac{1}{x^2 + 1}$ est décroissante sur $[0, +\infty$.

13. Soit $f(x) = \dfrac{x + a}{\sqrt{x^2 + 1}}$. Déterminer, selon les valeurs de a, si f possède un minimum ou un maximum.

14. Soit $f(x) = \dfrac{x}{x^2 + a^2}$, où $a \neq 0$. Déterminer, selon la valeur de a, le maximum, le minimum et les trois points d'inflexion de cette fonction.

15. Soit $f(x) = ax^3 + bx^2 + cx + d$, où $a \neq 0$.

a) Déterminer si f possède un minimum et un maximum en étudiant le signe de $b^2 - 3ac$.

b) Déterminer le point d'inflexion de cette fonction.

16. Utiliser les résultats obtenus au numéro précédent pour déterminer si les fonctions suivantes possèdent un minimum et un maximum ; identifier également le point d'inflexion.

a) $f(x) = x^3 + 3x^2 + 2x + 1$

b) $f(x) = 3x^3 + 3x^2 + x + 2$

c) $f(x) = x^3 + x^2 + x - 5$

d) $f(x) = x^3$

17. Soit une fonction f continue telle que $f'(x)$, $f''(x)$, $f'''(x)$, $f^{(4)}(x)$ et $f^{(5)}(x)$ soient continues et telle que $f'(c) = f''(c) = 0$. Démontrer que

a) si $f'''(c) \neq 0$, alors le point $(c, f(c))$ est un point d'inflexion ;

b) si $f'''(c) = 0$ et si $f^{(4)}(c) > 0$, alors le point $(c, f(c))$ est un minimum.

18. Soit $f(x) = x^5 + x^3 + x + 1$. Déterminer le nombre de zéros réels de cette fonction. Expliquer la réponse obtenue.

19. Déterminer les points d'inflexion de la courbe définie par $\dfrac{1 + y}{1 - y} = \left(\dfrac{1 + x}{1 - x}\right)^2$.

20. Pour chacune des fonctions suivantes, construire le tableau de variation relatif à f' et à f'', donner une esquisse du graphique de la fonction et identifier, s'il y a lieu, les maximums, les minimums, les points d'inflexion, les points de rebroussement et les points anguleux.

a) $f(x) = x^{\frac{2}{3}}(x-6)^{\frac{1}{3}}$

b) $f(x) = |x^2 - 9| + |x^2 - 1|$

Test récapitulatif

1. Compléter.

a) f est une fonction décroissante sur $[a, b]$, si pour tout $x_1 < x_2$, où $x_1, x_2 \in [a, b]$, alors ____.

b) Si pour tout $x \in \text{dom } f, f(x) \leq f(c)$, alors le point $(c, f(c))$ est un ____.

c) Si pour tout $x \in [a, b], f(x) \geq f(b)$, alors le point $(b, f(b))$ est un ____.

d) Si $f'(x)$ passe du $-$ au $+$ autour de c, alors le point $(c, f(c))$ est un ____.

e) Si $f''(x)$ passe du $-$ au $+$ autour de c, alors le point $(c, f(c))$ est un ____.

f) Si $f'(c) = 0$ et $f''(c) < 0$, alors le point $(c, f(c))$ est un ____.

g) Si la courbe de f admet deux tangentes distinctes au point $(c, f(c))$, alors ____.

2. Connaissant le graphique de f, construire le tableau de variation complet.

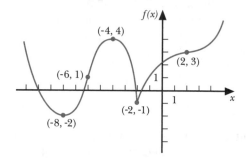

3. Soit la fonction f définie par le graphique de la question 2. Déterminer, si possible, pour cette fonction

a) le(s) maximum(s) absolu(s);

b) le(s) maximum(s) relatif(s);

c) le(s) minimum(s) absolu(s);

d) le(s) minimum(s) relatif(s);

e) le(s) point(s) d'inflexion;

f) le(s) point(s) de rebroussement;

g) le(s) point(s) anguleux;

h) l'intervalle où f est décroissante et concave vers le haut;

i) les intervalles où f est croissante et concave vers le bas.

4. Sachant que $f(7) = 0$, compléter le tableau suivant et donner une esquisse du graphique de f.

x	$-\infty$		-2		0		3		$+\infty$
$f'(x)$		$+$	0			$-$	0		
$f''(x)$		$-$			0				
f			2		-1		-4		$\cup$
E. du G.			$(-2, 2)$		$(0, -1)$		$(3, -4)$		

5. Pour chacune des fonctions suivantes, construire le tableau de variation relatif à f' et à f'' et donner une esquisse du graphique de la fonction.

a) $f(x) = 5x - x^5 - 3$

b) $f(x) = \sqrt{x^3} - 3x + 5$

c) $f(x) = x - 3\sqrt[3]{x}$ sur $[-8, 1[$.

6. Donner une esquisse du graphique de chacune des fonctions suivantes. De plus, identifier, s'il y a lieu, les minimums, les maximums, les points d'inflexion, les points de rebroussement et les points anguleux.

a) $f(x) = \sqrt[3]{(x^2 - 4)^2}$

b) $f(x) = |x^2 - 4| + 2x$ sur $[-3, 3[$.

7. Soit $f(x) = x^3 + bx^2 + c$. Déterminer, si possible, les valeurs de b et c telles que le point $(2, 5)$

a) soit un maximum ou un minimum relatif de f. Justifier à l'aide du test de la dérivée seconde de f.

b) soit un point d'inflexion de f. Justifier.

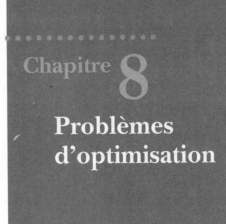

Chapitre **8**

Problèmes d'optimisation

Introduction

Dans le chapitre précédent, nous avons appris à déterminer les maximums et les minimums de fonctions à l'aide de la dérivée première. L'objectif principal du présent chapitre est l'identification des optimums, c'est-à-dire des maximums et des minimums, de fonctions issues de problèmes écrits. Les étapes à suivre pour résoudre des problèmes d'optimisation sont

a)   mathématiser le problème, c'est-à-dire
   • définir les variables,
   • déterminer la quantité à optimiser,
   • chercher une relation entre les variables,
   • exprimer la quantité à optimiser en fonction d'une seule variable ;

b)   analyser la fonction à optimiser ;

c)   formuler la réponse.

TEST PRÉLIMINAIRE

Partie A

1. Compléter les égalités.

   a) Pour le rectangle suivant :

      périmètre $P =$
      aire $A =$

   b) Pour le parallélépipède suivant :

      aire totale $A =$
      volume $V =$

   c) Pour le cercle suivant :

      circonférence $C =$
      aire $A =$

   d) Pour le cylindre suivant :
      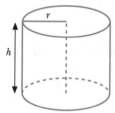
      aire totale $A =$
      volume $V =$

   e) Pour la sphère suivante :
      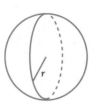
      aire $A =$
      volume $V =$

   f) Pour le cône suivant :
      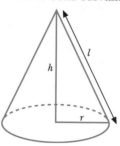
      aire totale $A =$
      volume $V =$

Partie B

1. Calculer $f'(x)$ et déterminer les zéros de $f'(x)$ si

   a) $f(x) = \sqrt{10 - x^2}$;

   b) $f(x) = x\sqrt{100 - x^2}$.

2. Compléter.

   a) Si $f'(c) = 0$ et $f'(x)$ passe du $+$ au $-$ lorsque x passe de c^- à c^+, alors le point $(c, f(c))$ est _____.

   b) Si $f'(c) = 0$ et $f''(c) > 0$, alors le point $(c, f(c))$ est _____.

   c) Si f est une fonction strictement croissante sur $[2, 7]$, alors le point _____ est un minimum de f et le point _____ est un maximum de f.

8.1 RÉSOLUTION DE PROBLÈMES D'OPTIMISATION

À la fin du présent chapitre, l'étudiant pourra résoudre des problèmes d'optimisation.

■ *Exemple* Un homme dispose de 100 m de clôture pour délimiter un terrain rectangulaire. Quelles devront être les dimensions du terrain pour que l'aire de ce terrain soit maximale ?

Constatons d'abord qu'avec 100 m de clôture, il est possible de délimiter une infinité de terrains rectangulaires dont l'aire sera différente. En voici quelques exemples :

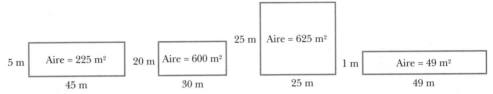

Il existe une solution optimale, et c'est ce qu'il s'agit de trouver.

La première étape de la résolution est la mathématisation du problème.

Objectif 8.1.1   Mathématiser le problème.

a) Donnons-nous une représentation graphique chaque fois que cela est possible.

Comme le rectangle est quelconque, désignons la longueur des côtés du rectangle par les variables x et y.

b) Déterminons la quantité à optimiser.

Dans ce problème, la quantité à optimiser est l'aire A du rectangle qui est fonction des variables x et y. Ainsi,

$A(x, y) = xy$ est la quantité à optimiser.

Nous ne pouvons déterminer le maximum de cette fonction à l'aide de la dérivée, car cette fonction est exprimée à l'aide de deux variables. Cependant, certaines données du problème nous permettent d'exprimer l'une de ces variables en fonction de l'autre.

c) Cherchons une relation entre x et y nous permettant d'exprimer l'une de ces variables en fonction de l'autre.

Nous avons 100 m de clôture. Cela signifie que le périmètre du terrain est de 100 m.

Ainsi, $2x + 2y = 100$, d'où $y = \dfrac{100 - 2x}{2}$ et $x = \dfrac{100 - 2y}{2}$.

d) Exprimons la quantité à optimiser en fonction d'une seule variable, par exemple, x. De $A(x, y) = xy$, nous obtenons

$$A(x) = x\left(\frac{100 - 2x}{2}\right) \quad \text{(en remplaçant } y \text{ par } \frac{100 - 2x}{2}\text{)}$$
$$= x(50 - x)$$
$$= 50x - x^2$$

d'où $A(x) = 50x - x^2$ est la fonction dont nous devons déterminer le maximum.

Puisque x représente la longueur d'un côté d'un rectangle de périmètre égal à 100, x doit satisfaire à la condition suivante : $0 \leq x \leq 50$, d'où dom $A = [0, 50]$.

Objectif 8.1.2   Analyser la fonction à optimiser.

Comme nous l'avons vu au chapitre 7, le test de la dérivée première ou le test de la dérivée seconde nous permet de déterminer les maximums et les minimums de la fonction à optimiser.

Analysons d'abord cette fonction à l'aide du test de la dérivée première.

1re étape : Calculer la dérivée de la fonction à optimiser.

$$A'(x) = (50x - x^2)'$$
$$= 50 - 2x$$

2e étape : Déterminer les nombres critiques de A.

$A'(x) = 0$ si $x = 25$, donc 25 est un nombre critique.

3e étape : Construire le tableau de variation.

x	0		25		50
$A'(x)$	∄	+	0	−	∄
A		↗	625	↘	

max.

Donc, le point $(25, A(25))$ est un maximum de A.

Nous pouvons également étudier cette fonction à l'aide du test de la dérivée seconde.

1re étape : Calculer la dérivée de la fonction à optimiser.

$$A'(x) = (50x - x^2)'$$
$$= 50 - 2x$$

2e étape : Déterminer les nombres critiques de A.

$A'(x) = 0$ si $x = 25$, donc 25 est un nombre critique.

3e étape : Calculer la dérivée seconde.

$$A''(x) = -2$$

Nous avons $A'(25) = 0$ et $A''(25) < 0$.

Donc, le point $(25, A(25))$ est un maximum de A.

Remarque Il n'est pas nécessaire d'utiliser les deux tests, un seul suffit pour analyser la fonction à optimiser.

Objectif 8.1.3   Formuler la réponse.

Ainsi, l'aire du terrain est maximale lorsque x mesure 25 m.

Puisque $y = \dfrac{100 - 2x}{2}$, nous obtenons $y = \dfrac{100 - 50}{2} = 25$ (car $x = 25$).

D'où les dimensions du terrain d'aire maximale sont 25 m sur 25 m.

Voici un résumé des étapes à suivre pour résoudre les problèmes d'optimisation.

1. Mathématiser le problème :
   a) représenter graphiquement, quand le problème le permet, et définir les variables ;
   b) déterminer la quantité à optimiser ;
   c) chercher des relations entre les variables ;
   d) exprimer la quantité à optimiser en fonction d'une seule variable.

2. Analyser la fonction à optimiser à l'aide du test de la dérivée première ou du test de la dérivée seconde.

3. Formuler la réponse.

Nous donnons maintenant quelques exemples supplémentaires et nous encourageons les élèves à tenter de résoudre eux-mêmes les problèmes avant de lire la solution que nous proposons.

■ *Exemple* Trouvons deux nombres dont la somme est 15 et dont le produit est maximal.

1. Mathématisation du problème.

a) Définition des variables.

Soit x et y, les deux nombres.

b) Détermination de la quantité à optimiser.

$P(x, y) = xy$ doit être maximal.

c) Recherche d'une relation entre les variables.

$x + y = 15$, d'où $y = 15 - x$.

d) Expression de la quantité à optimiser en fonction d'une seule variable.

$P(x, y) = xy$

$\quad P(x) = x(15 - x)$ (car $y = 15 - x$)

$\qquad = 15x - x^2$.

D'où $P(x) = 15x - x^2$ est la fonction dont nous devons déterminer le maximum.

Puisque x est un nombre réel quelconque, alors dom $P = \mathbb{R}$.

2. Analyse de la fonction à optimiser.

1re étape : Calculer la dérivée.

$\quad P'(x) = 15 - 2x$

2e étape : Déterminer les nombres critiques de P.

$\quad P'(x) = 0$ si $x = \dfrac{15}{2}$, donc $\dfrac{15}{2}$ est un nombre critique.

3e étape : Calculer la dérivée seconde.

$\quad P''(x) = \text{-}2$

Nous avons $P'\left(\dfrac{15}{2}\right) = 0$ et

$P''\left(\dfrac{15}{2}\right) < 0$.

Donc, le point $\left(\dfrac{15}{2}, P\left(\dfrac{15}{2}\right)\right)$ est un maximum de P.

3. Formulation de la réponse.

Ainsi, le produit est maximal lorsque $x = \dfrac{15}{2}$.

Puisque $y = 15 - x$, nous obtenons $y = 15 - \dfrac{15}{2} = \dfrac{15}{2}$ (car $x = \dfrac{15}{2}$).

D'où les deux nombres cherchés qui donnent le produit maximal sont $\dfrac{15}{2}$ et $\dfrac{15}{2}$.

■ *Exemple* Un ébéniste veut fabriquer un tiroir dont la profondeur, du devant à l'arrière, est de 50 cm et dont le volume est de 10 000 cm³. Si le devant du tiroir coûte 0,02 $ par cm² et que le reste du tiroir coûte 0,01 $ par cm², quelles doivent être les dimensions du tiroir pour que le coût de fabrication soit minimal ?

1. Mathématisation du problème.

a) Représentation graphique et définition des variables.

Soit 50 cm pour la profondeur, x cm pour la hauteur et y cm pour la largeur du tiroir.

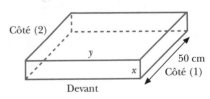

b)   Détermination de la quantité à optimiser.

Le tiroir est composé de 5 unités dont l'aire et le coût par unité sont donnés par le tableau ci-dessous.

Unité	Aire de la surface	Prix (¢/cm²)	Coût par unité
Devant	xy	2	$2(xy)$
Côté (1)	$50x$	1	$1(50x)$
Côté (2)	$50x$	1	$1(50x)$
Arrière	xy	1	$1(xy)$
Fond	$50y$	1	$1(50y)$

Le coût de fabrication C du tiroir est donné par la somme des coûts de fabrication de chacune des cinq unités.

$$C(x, y) = 2xy + 50x + 50x + xy + 50y$$
$$= 3xy + 100x + 50y \text{ est à minimiser.}$$

c)   Recherche d'une relation entre les variables.

Nous connaissons le volume du tiroir, soit 10 000 cm³.

Ainsi, $50xy = 10\,000$, d'où $y = \dfrac{10\,000}{50x} = \dfrac{200}{x}$.

d)   Expression de la quantité à optimiser en fonction d'une seule variable.

$$C(x, y) = 3xy + 100x + 50y$$
$$C(x) = 3x\,\frac{200}{x} + 100x + 50\,\frac{200}{x} \quad (\text{car } y = \frac{200}{x})$$
$$= 600 + 100x + \frac{10\,000}{x}.$$

D'où $C(x) = 600 + 100x + \dfrac{10\,000}{x}$ est la fonction dont nous devons déterminer le minimum.

Puisque x représente la hauteur, alors dom $C = \,]0, +\infty$.

2.   Analyse de la fonction à optimiser.

1ʳᵉ étape : Calculer la dérivée.

$$C'(x) = 100 - \frac{10\,000}{x^2}$$
$$= \frac{100x^2 - 10\,000}{x^2}$$
$$= \frac{100(x^2 - 100)}{x^2}$$

2ᵉ étape : Déterminer les nombres critiques de C.

$C'(x) = 0$ si $x = \pm 10$, donc 10 est un nombre critique. La valeur -10 n'est pas un nombre critique, car $-10 \notin$ dom C.

3ᵉ étape : Construire le tableau de variation.

x	0		10	$+\infty$
$C'(x)$	∄	−	0	+
C		↘		↗
			min.	

3. Formulation de la réponse.

    Ainsi, le coût de fabrication est minimal lorsque x mesure 10 cm.

    Puisque $y = \dfrac{200}{x}$, nous obtenons $y = \dfrac{200}{10} = 20$ (car $x = 10$).

    D'où les dimensions du tiroir, dont le coût de fabrication est minimal, sont 10 cm sur 20 cm sur 50 cm.

■ *Exemple* Déterminons les dimensions du rectangle d'aire maximale que nous pouvons inscrire à l'intérieur d'un cercle de rayon 5.

1. Mathématisation du problème.

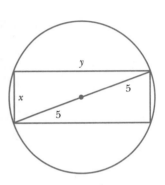

a) Représentation graphique et définition des variables.

    Soit x et y la longueur des côtés du rectangle.

b) Détermination de la quantité à optimiser.

    $A(x, y) = xy$ doit être maximale.

c) Recherche d'une relation entre les variables.

    Le rayon étant égal à 5, le diamètre est de 10.

    $x^2 + y^2 = 10^2$ (Pythagore)

    $\quad y^2 = 100 - x^2$

    $\quad\ y = \pm \sqrt{100 - x^2}$

    Nous devons prendre la valeur positive de y, puisque y représente la longueur d'un côté, d'où $y = \sqrt{100 - x^2}$.

d) Expression de la quantité à optimiser en fonction d'une seule variable.

    $A(x, y) = xy$

    $\quad A(x) = x\sqrt{100 - x^2}$ (car $y = \sqrt{100 - x^2}$).

    D'où $A(x) = x\sqrt{100 - x^2}$ est à maximiser, sachant que dom $A = [0, 10]$.

2. Analyse de la fonction à optimiser.

1re étape : Calculer la dérivée.

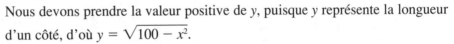

$$A'(x) = \sqrt{100 - x^2} + \frac{x(-2x)}{2\sqrt{100 - x^2}}$$

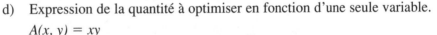

$$= \frac{100 - x^2 - x^2}{\sqrt{100 - x^2}} = \frac{100 - 2x^2}{\sqrt{100 - x^2}}$$

2e étape : Déterminer les nombres critiques de A.

  $A'(x) = 0$, si $x = \pm\sqrt{50} = \pm 5\sqrt{2}$, donc $5\sqrt{2}$ est un nombre critique.

  La valeur $-5\sqrt{2}$ n'est pas un nombre critique, car $-5\sqrt{2} \notin$ dom A.

3e étape : Construire le tableau de variation.

x	0		$5\sqrt{2}$		10
$A'(x)$	∄	+	0	−	∄
A		↗		↘	
			max.		

3. Formulation de la réponse.

L'aire du rectangle est maximale lorsque $x = 5\sqrt{2}$.

Puisque $y = \sqrt{100 - x^2}$, nous obtenons
$$y = \sqrt{100 - (5\sqrt{2})^2} = 5\sqrt{2} \quad (\text{car } x = 5\sqrt{2}).$$

D'où les dimensions du rectangle d'aire maximale sont $5\sqrt{2}$ unités sur $5\sqrt{2}$ unités.

■ *Exemple* Nous voulons couper, si nécessaire, une corde de 200 cm de longueur en deux parties. La première partie servira à former un carré et la seconde partie, un cercle. Où devons-nous couper cette corde pour que la somme des aires des figures obtenues soit maximale ?

1. Mathématisation du problème.

a) Représentation graphique et définition des variables.

Soit x, la longueur du côté du carré, et y, la longueur du rayon du cercle.

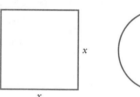

b) Détermination de la quantité à optimiser.

Aire totale = Aire du carré + Aire du cercle

$A(x, y) = x^2 + \pi y^2$ doit être maximale.

c) Recherche d'une relation entre les variables.

La somme du périmètre du carré et de la circonférence du cercle doit égaler la longueur de la corde, soit 200 cm.

Donc, $4x + 2\pi y = 200$, d'où $x = \dfrac{200 - 2\pi y}{4} = 50 - \dfrac{\pi}{2}y$.

d) Expression de la quantité à optimiser en fonction d'une seule variable.

$A(x, y) = x^2 + \pi y^2$

$A(y) = \left(50 - \dfrac{\pi}{2}y\right)^2 + \pi y^2 \quad (\text{car } x = 50 - \dfrac{\pi}{2}y)$

$= \left(\dfrac{\pi^2}{4} + \pi\right)y^2 - 50\pi y + 2500$

D'où $A(y) = \left(\dfrac{\pi^2}{4} + \pi\right)y^2 - 50\pi y + 2500$ est la fonction dont il faut déterminer le maximum.

Puisque y représente le rayon du cercle, alors dom $A = \left[0, \dfrac{100}{\pi}\right]$.

2. Analyse de la fonction à optimiser.

1re étape : Calculer la dérivée.

$$A'(y) = 2\left(\dfrac{\pi^2}{4} + \pi\right)y - 50\pi$$

2e étape : Déterminer les nombres critiques de A.

$A'(y) = 0$, si $y = \dfrac{100}{\pi + 4}$, donc,

$\dfrac{100}{\pi + 4}$ est un nombre critique.

3e étape : Calculer la dérivée seconde.

$$A''(y) = 2\left(\dfrac{\pi^2}{4} + \pi\right) > 0$$

Nous avons $A'\left(\dfrac{100}{\pi + 4}\right) = 0$

et $A''\left(\dfrac{100}{\pi + 4}\right) > 0$.

Donc, le point $\left(\dfrac{100}{\pi + 4}, A\left(\dfrac{100}{\pi + 4}\right)\right)$ est un minimum de A.

Remarque Or, nous étions à la recherche d'un maximum et non d'un minimum.

Construisons le tableau de variation qui nous permettra de constater que les maximums de cette fonction sont atteints aux extrémités de l'intervalle définissant le domaine de cette fonction.

y	0			$\dfrac{100}{\pi + 4}$		$\dfrac{100}{\pi}$
$A'(y)$	$\nexists$		$-$	0	$+$	$\nexists$
A	2500	$\searrow$			$\nearrow$	$\dfrac{10\,000}{\pi}$
	max.			min.		max.

Après avoir évalué $A(0)$ et $A\left(\dfrac{100}{\pi}\right)$, nous constatons que le maximum absolu est

obtenu lorsque $y = \dfrac{100}{\pi}$.

3. Formulation de la réponse.

L'aire est maximale lorsque $y = \dfrac{100}{\pi}$ cm.

Puisque $x = 50 - \dfrac{\pi}{2}y$, nous obtenons $x = 50 - \dfrac{\pi}{2}\left(\dfrac{100}{\pi}\right) = 0,\quad$ car $y = \dfrac{100}{\pi}$.

Cela signifie que la corde ne doit pas être coupée, mais utilisée en entier pour former le cercle.

Exercices 8.1

1. La somme de deux nombres est 10. Quels sont ces deux nombres si leur produit est maximal?

2. La somme de deux nombres positifs est 100. Quels sont ces deux nombres si le carré du premier ajouté au deuxième donne une somme minimale?

3. Le produit de deux nombres positifs est 16. Quels sont ces deux nombres si le cube du premier ajouté au triple du deuxième donne une somme minimale?

4. La somme de deux nombres non négatifs est 20. Quels sont ces deux nombres si le premier à la puissance 4 ajouté à 32 fois le deuxième donne une somme maximale?

5. Quelles sont les dimensions du terrain rectangulaire d'aire maximale que l'on peut délimiter avec une clôture de 240 m?

6. Une compagnie disposant de 400 m de clôture veut entourer une partie du terrain attenant à son bâtiment. Déterminer l'aire maximale de la surface rectangulaire que cette compagnie peut obtenir avec cette longueur de clôture.

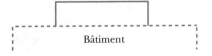

7. Une page de cahier de mathématiques a un périmètre de 100 cm. Si cette page comprend des marges de 5 cm en haut, de 3 cm en bas et de 2 cm sur les deux côtés, quelles dimensions la page doit-elle avoir pour que la surface imprimée soit maximale?

8. Une boîte métallique à base carrée, ouverte sur le dessus, a un volume de 32 m³. Déterminer les dimensions que doit avoir la boîte pour que la quantité de métal nécessaire à sa fabrication soit minimale et évaluer la quantité de métal utilisée.

9. On veut fabriquer une boîte à base carrée, fermée sur le dessus. Le coût de fabrication de la boîte est de 0,03 $ par cm² pour le fond, de 0,05 $ par cm² pour le dessus et de 0,02 $ par cm² pour chacun des côtés. Déterminer les dimensions de la boîte ayant un volume maximal si son coût de fabrication est de 24 $.

10. Un cylindre circulaire droit, fermé aux extrémités, a un volume de 1024 π cm³. Quelles dimensions (rayon et hauteur) le cylindre doit-il avoir pour que sa fabrication nécessite le moins de matériau possible ?

11. Déterminer les dimensions du rectangle de périmètre maximal que l'on peut inscrire à l'intérieur d'un cercle dont le rayon est de 5 cm.

12. Déterminer l'aire du rectangle d'aire maximale que l'on peut inscrire à l'intérieur d'un demi-cercle dont le rayon est de 4 dm.

13. On forme un cône en coupant un secteur d'un cercle dont le rayon est de 20 cm. Déterminer la hauteur du cône de volume maximal ainsi formé.

14. Une société ferroviaire est prête à exploiter une ligne Montréal-Vancouver si 214 personnes consentent à débourser 300 $ pour l'aller-retour. La société a estimé que chaque réduction de 2 $ du prix du billet lui permet d'augmenter de 5 le nombre de passagers. Quel doit être le nombre de passagers pour que la société obtienne un revenu maximal ?

15. Déterminer les dimensions du rectangle d'aire maximale que l'on peut inscrire à l'intérieur d'un triangle rectangle dont la base est de 8 cm et dont la hauteur est de 6 cm.

16. Soit $f(x) = \dfrac{x^2}{4}$, où $x \in [-3, 4]$. Déterminer les points de la courbe de f qui sont les plus près et les plus loin du point (0, 3).

Problèmes de synthèse

1. La somme de deux nombres est 150. Quels sont ces deux nombres si le produit du cube du premier par le deuxième est maximal ?

2. On dispose d'assez de bois pour fabriquer une clôture de 300 m. On veut délimiter le plus grand terrain rectangulaire possible, l'un des côtés étant délimité par une rivière. Déterminer les dimensions du terrain pour que son aire soit maximale et évaluer cette aire.

3. Une boîte fermée sur le dessus, à base carrée et à double fond, a un volume de 12 m³. Si les côtés de la boîte sont perpendiculaires au dessus et au fond, déterminer les dimensions que doit avoir la boîte pour que la quantité de carton nécessaire à sa fabrication soit minimale.

4. Il en coûte 580 $ pour un voyage entre Montréal et Vancouver si l'avion transporte 200 passagers. La société aérienne estime que chaque augmentation de 5 passagers lui permet de réduire le prix du billet de 10 $. Quels doivent être le prix du billet et le nombre de passagers pour que le revenu de la société soit maximal, si la capacité de l'avion est de 325 passagers ?

5. a) Déterminer les dimensions du rectangle d'aire maximale que l'on peut inscrire dans un cercle dont le rayon est de 7 cm.

b) Déterminer les dimensions du rectangle de périmètre maximal que l'on peut inscrire dans un demi-cercle dont le rayon est de 7 cm.

6. Sur la droite $y = x + 2$, quel est le point le plus près du point $(3, 1)$?

7. La différence de deux nombres est 25. Quels sont ces deux nombres si le cube de leur produit est minimal ?

8. On dispose de 120 m de clôture pour entourer un champ rectangulaire et le diviser en trois lots rectangulaires au moyen de deux clôtures parallèles à l'un des côtés. Quelles dimensions le champ doit-il avoir pour que son aire soit maximale ?

9. Un morceau de carton rectangulaire de 24 cm sur 45 cm doit servir à fabriquer une boîte rectangulaire ouverte sur le dessus. Pour faire cette boîte, on découpe un carré dans chacun des quatre coins et on replie les côtés perpendiculairement à la base. Déterminer les dimensions de la boîte offrant le plus grand volume.

10. Déterminer les dimensions du rectangle d'aire maximale que l'on peut inscrire entre l'axe des x, l'axe des y et la courbe dont l'équation est $y = (x - 9)^2$.

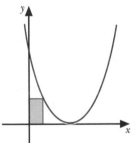

11. Les côtés congrus d'un triangle isocèle mesurent 5 cm de longueur. Quelle doit être la longueur du troisième côté pour que l'aire du triangle soit maximale ?

12. Le quotient de deux nombres est 10. Quels sont ces deux nombres si la somme du numérateur et du carré du dénominateur est minimale ?

13. Quelles doivent être les dimensions d'un terrain rectangulaire de 400 m² d'aire pour que son périmètre soit minimal ?

14. Une boîte à base carrée, fermée sur le dessus, a un volume de 2000 cm³. Si les côtés de la boîte sont perpendiculaires au dessus et au fond, et si le fond coûte 0,0003 $ par cm² à fabriquer et que le reste coûte 0,0001 $ par cm², déterminer les dimensions de la boîte la moins coûteuse et le coût de cette boîte.

15. Sur la courbe $y = \sqrt{2x + 1}$, quel est le point le plus près du point $(3, 0)$?

16. Une fenêtre a la forme d'un rectangle surmonté d'un demi-cercle. Le périmètre du rectangle étant de 6 m, déterminer les dimensions de la fenêtre d'aire maximale.

17. Soit $f(x) = x^4 - 24x^2 + 40x$, où $x \in [-3, 5]$. Déterminer le point sur la courbe de f où la pente de la tangente à la courbe est

a) maximale ;   b) minimale.

18. Diane possède 30 logements qu'elle a l'intention de louer 400 $ par mois. Elle se pose cependant les questions suivantes :

a) Si chaque fois que j'augmente le loyer de 20 $, je perds un de mes locataires et son logement reste inhabité, quel doit être le prix du loyer pour que mon revenu soit maximal ?

b) Si j'évalue maintenant les dépenses (entretien, impôt foncier, chauffage, etc.) à 20 $ par mois pour un logement non habité et à 60 $ par mois pour un logement habité, en supposant de nouveau qu'une augmentation du loyer de 20 $ par mois cause le départ d'un locataire, quel doit être le prix du loyer pour que mon profit soit maximal ?

19. La rigidité d'une poutre rectangulaire est égale au produit de sa largeur par le cube de sa hauteur. Pour obtenir une poutre de rigidité maximale, quelles dimensions doit-on lui donner si l'on utilise un tronc d'arbre de 15 cm de rayon pour la fabriquer ?

20. Sur la courbe $y = \sqrt{25 - x^2}$, quel est le point le plus

a) loin du point $(6, -8)$?

b) près du point $(6, -8)$?

21. Une piste de course de 500 m entoure un rectangle et deux demi-cercles situés aux extrémités. Quelles doivent être les dimensions du terrain rectangulaire pour que l'aire de celui-ci soit maximale?

22. Un scout, situé en A, veut rejoindre son campement situé en B, de l'autre côté d'une rivière de 80 m de largeur. Sachant que P est le point que le scout doit atteindre pour minimiser la durée de son trajet et que son déplacement s'effectue à une vitesse de 2 m/s sur l'eau et à une vitesse de 3 m/s sur la rive, déterminer la distance entre P et C si

   a) B est à 200 m de C;

   b) B est à 800 m de C;

   c) B est à 50 m de C.

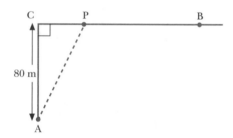

23. On veut couper, si nécessaire, une corde de longueur égale à L cm en deux parties. La première partie servira à former un carré et la seconde partie, un triangle équilatéral. Déterminer la longueur des côtés du carré et du triangle de façon que la somme des aires des figures obtenues soit

   a) minimale;   b) maximale.

24. Quelle doit être la longueur de la base d'un trapèze dont les trois autres côtés mesurent a mètre(s), si l'on veut que l'aire de ce trapèze soit maximale?

25. Quelles sont les dimensions

   a) du cylindre droit de volume maximal inscrit dans une sphère dont la longueur du rayon est égale à 6 cm?

   b) du cône circulaire droit de volume minimal circonscrit à un cylindre droit dont la longueur du rayon est égale à 6 cm et la hauteur est égale à 10 cm?

26. Quelles sont les dimensions du rectangle d'aire maximale inscrit:

   a) à l'intérieur d'un cercle de rayon r?

   b) à l'intérieur d'un demi-cercle de rayon r?

   c) à l'intérieur d'un triangle rectangle de base b et de hauteur h?

   d) à l'intérieur de l'ellipse définie par:
   $$\frac{x^2}{a^2} + \frac{y^2}{b^2} = 1 ?$$

27. Soit $f(x) = x^2$, où $x \in [-2, 2]$. Déterminer le point de la courbe de f tel que la pente de la droite joignant ce point au point $(3, 5)$ soit

   a) minimale;   b) maximale.

28. Soit $f(x) = (x - 3)^2$, où $x \in [0, 3]$. Déterminer le point P de la courbe de f tel que le triangle rectangle délimité par les axes et la tangente à la courbe de f au point P soit un triangle rectangle d'aire maximale, et calculer l'aire de ce triangle.

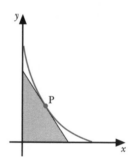

29. À l'aide d'une échelle, on veut rejoindre une maison située à 1 m d'une clôture haute de 2 m. Il s'agit de déterminer la longueur L de la plus courte échelle utilisable.

   a) En posant x telle qu'illustrée sur le graphique ci-dessous, déterminer L en fonction de x et calculer la longueur minimale de L.

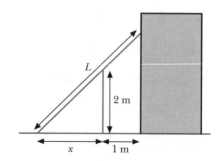

b) En posant x et y telles qu'illustrées sur le graphique ci-dessous, déterminer L en fonction de la variable x et calculer la longueur minimale de L.

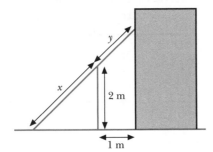

30. Soit une capsule formée d'un cylindre droit de hauteur h, où $h \geq 0$, et dont les deux extrémités sont des demi-sphères de même rayon que le cylindre. Déterminer les dimensions du cylindre et des demi-sphères de telle sorte que la quantité de matériau nécessaire à la fabrication de la capsule soit minimale si l'on veut insérer $\dfrac{\pi}{12}$ cm³ de médicaments

a) en remplissant complètement cette capsule ;

b) en remplissant le cylindre et une seule demi-sphère.

Exercices récapitulatifs

1. On dispose de 200 m de clôture pour entourer un terrain rectangulaire et le diviser en plusieurs lots rectangulaires de mêmes dimensions au moyen de clôtures parallèles à l'un des côtés. Quelles doivent être les dimensions du terrain pour que son aire soit maximale si on le subdivise en

   a) 4 lots ?   b) 9 lots ?   c) n lots ?

2. Trouver deux nombres réels dont la différence est 10 et tels que leur produit soit minimal.

3. Le produit de deux nombres positifs est 128. Quels sont ces deux nombres si la somme du premier élevé à la puissance quatre et du deuxième est minimale ?

4. Déterminer les dimensions du rectangle d'aire maximale que l'on peut inscrire à l'intérieur d'un cercle dont le diamètre est de 8 m.

5. Sur la droite $y = x + 3$, quel est le point le plus près du point

   a) $(0, 0)$?   b) $(1, 2)$?

6. Une société aérienne a fixé à 100 $ le prix d'un billet pour aller de Montréal à Halifax si 124 personnes achètent un billet. La société a émis l'hypothèse que chaque augmentation de 2,50 $ dissuadera deux passagers éventuels. Quels devraient être le prix du billet et le nombre de passagers pour que la société obtienne un revenu maximal ?

7. Une boîte, à base carrée, fermée sur le dessus et dont le fond est triple, a un volume de 250 cm³.

   a) Déterminer les dimensions que doit avoir la boîte pour que la quantité de matériau nécessaire à sa fabrication soit minimale et calculer le coût de fabrication de cette boîte si elle coûte, pour chaque épaisseur, 0,02 $ par cm² ?

   b) Si le coût de fabrication, pour chaque épaisseur, du fond et du dessus est de 0,01 $ par cm² et celui du tour est de 0,04 $ par cm², déterminer les dimensions de la boîte la moins coûteuse ainsi que le coût de fabrication de cette boîte.

8. Une page d'une revue a un périmètre de 100 cm. Cette page comprend des marges de 4 cm en haut, de 3 cm en bas et de 2 cm à droite et à gauche. Sachant que l'impression est faite sur deux colonnes séparées de 1 cm, déterminer les dimensions de la page pour que la surface imprimée soit maximale.

9. Soit une courbe d'équation $y = 16 - (x - 4)^2$. Déterminer les dimensions du triangle rectangle d'aire maximale que l'on peut inscrire sous la courbe et au-dessus de l'axe des x.

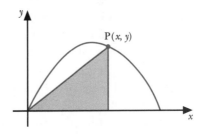

10. Déterminer les dimensions du rectangle d'aire maximale que l'on peut inscrire à l'intérieur d'un demi-cercle dont le rayon est de 7 dm.

11. Sur la courbe $y = \sqrt{2x + 1}$, quel est le point le plus près du point $(4, 0)$?

12. Il en coûte 240 $ pour un voyage de Montréal à Toronto si l'avion transporte 160 passagers. La compagnie aérienne a estimé que chaque réduction de 5 $ du prix du billet lui permet d'augmenter de 8 le nombre de passagers.

    a) Déterminer le prix du billet qui donnera un revenu maximal à la compagnie aérienne si la capacité de l'avion est de 336 passagers.

    b) Déterminer le prix du billet qui donnera un revenu maximal à la compagnie aérienne si la capacité de l'avion est de 240 passagers.

13. On déménage une tige métallique droite en la faisant glisser sur le plancher d'un corridor qui tourne à angle droit et dont la largeur passe de 2 m à 3 m. Déterminer la longueur maximale de la tige que l'on peut déménager.

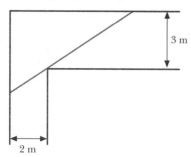

14. Quelles sont les dimensions

    a) du cylindre droit de volume maximal inscrit dans une sphère de rayon r ?

    b) du cône circulaire droit de volume minimal circonscrit à un cylindre droit de rayon r et de hauteur h ?

15. a) Quelle est la relation entre la hauteur et le rayon d'un cylindre circulaire droit, fermé aux extrémités, de volume V pour que sa fabrication nécessite le moins de matériau possible ?

    b) Déterminer si les dimensions d'une cannette de boisson gazeuse de 355 ml vérifient la relation établie en **a)**. Sinon,

quelles devraient être les dimensions d'une telle cannette ?

16. a) Déterminer le point $P(x, y)$ sur la figure suivante tel que la somme des aires A_1 et A_2 soit maximale.

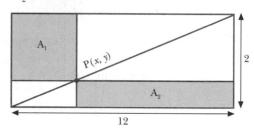

    b) Répondre à la même question qu'en **a)** pour la figure suivante.

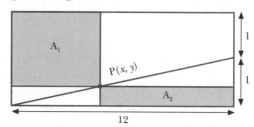

17. Un triangle isocèle a un périmètre de 30 cm. Quelle devrait être la longueur des côtés de ce triangle si l'on veut maximiser l'aire de ce triangle ?

18. Sur la courbe définie par $x^2 + y^2 = 169$, quel est le point le plus

    a) près du point $(10, 24)$?
       loin du point $(10, 24)$?

    b) près du point $(-3, 1,2)$?
       loin du point $(-3, 1,2)$?

19. On dispose de 1260 m de clôture pour entourer un terrain rectangulaire et le diviser en 12 lots rectangulaires de mêmes dimensions au moyen de clôtures parallèles aux côtés du terrain. Déterminer les dimensions de chaque lot pour que l'aire totale soit maximale si les terrains sont divisés de la façon suivante.

    a)

    b)

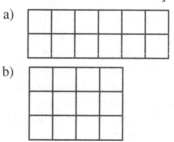

20. Une fenêtre a la forme d'un rectangle surmonté d'un triangle équilatéral. Le périmètre du rectangle étant de 12 m, déterminer les dimensions de la fenêtre d'aire maximale.

21. On veut construire une route reliant les villes A et B. Sachant que le coût de construction entre A et P est de 1 200 000 \$/km et celui entre P et B est de 800 000 \$/km, déterminer la position du point P pour que le coût de construction soit minimal et évaluer ce coût de construction.

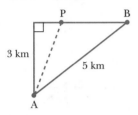

22. Déterminer les dimensions du rectangle inscrit entre les courbes de f et de g pour que la somme des aires ombrées dans la représentation graphique suivante soit minimale.

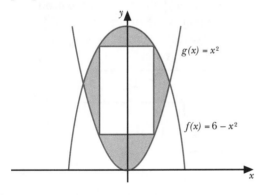

23. On veut couper, si nécessaire, une corde de 400 m de longueur en deux parties pour former deux figures géométriques.

   a) Si la première figure est un cercle et la deuxième figure est un carré, déterminer la longueur de chacune des parties pour que la somme des aires des figures obtenues soit minimale.

   b) Si la première figure est un cercle et la deuxième figure est un triangle équilatéral, déterminer la longueur de chacune des parties pour que la somme des aires des figures obtenues soit maximale.

24. Quelles sont les dimensions et le volume du cône circulaire droit de volume maximal inscrit dans une sphère de rayon r ?

25. La distance initiale entre deux particules A et B, où A est au sud de B, est de 100 m. La particule A se dirige vers l'est, à une vitesse de 5 m/s, et la particule B se dirige vers le sud, à une vitesse de 10 m/s. Déterminer à quel temps la distance séparant A et B sera minimale, et évaluer cette distance minimale.

26. Un cylindre circulaire droit, surmonté d'une demi-sphère, a un volume de 1000 m³. Si le coût de fabrication de la demi-sphère par mètre carré est quatre fois plus élevé que le coût de fabrication de la surface latérale du cylindre, quelles dimensions le cylindre et la demi-sphère devront-ils avoir pour que le coût de fabrication soit minimal ?

27. Le périmètre d'un secteur de cercle est P. Déterminer le rayon et l'angle en radians du secteur d'aire maximale.

28. Un triangle isocèle a une aire de 30 cm². Quelle devrait être la longueur des côtés de ce triangle si l'on veut minimiser le périmètre de celui-ci ?

29. Déterminer la valeur de x qui minimise $d_1 + d_2$, où d_1 est la distance entre les points A$(0, a)$ et P$(x, 0)$ et d_2 est la distance entre les points P$(x, 0)$ et B(c, b), si $a > 0$, $b > 0$ et $c > 0$.

30. Soit la droite D définie par $Ax + By + C = 0$. Démontrer que la distance minimale, entre un point (x_0, y_0) et la droite D, est donnée par $\dfrac{|Ax_0 + By_0 + C|}{\sqrt{A^2 + B^2}}$.

31. Déterminer l'aire maximale du trapèze suivant.

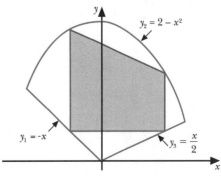

32. Déterminer, sans utiliser le calcul différentiel, les dimensions du triangle d'aire maximale inscrit dans un cercle de rayon r. Expliquer la réponse obtenue.

Test récapitulatif

1. La somme de deux nombres positifs est 150. Quels sont ces deux nombres si le produit du carré du premier par le deuxième est maximal ?

2. L'aire de la surface d'un terrain rectangulaire est de 150 m². On veut clôturer ce terrain et le diviser en deux lots rectangulaires au moyen d'une clôture parallèle à l'un des côtés. Quelles doivent être les dimensions du terrain pour que la quantité de clôture utilisée soit minimale ?

3. Soit $f(x) = \dfrac{\sqrt{4 - x^2}}{2}$. Déterminer les points de la courbe de f qui sont les plus près et les plus loin du point $(1, 0)$.

4. Une fenêtre a la forme d'un rectangle surmonté d'un demi-cercle. Le périmètre du rectangle est de 8 m. Si le verre utilisé dans la partie rectangulaire laisse passer deux fois plus de lumière que le verre utilisé dans la partie supérieure, déterminer les dimensions de cette fenêtre permettant d'obtenir le plus de lumière possible.

5. Déterminer l'aire du rectangle d'aire maximale que l'on peut inscrire, au-dessus de l'axe des x, entre la courbe d'équation $y = 12 - x^2$ et l'axe des x.

6. Exprimer la fonction à optimiser à l'aide d'une seule variable.

   a) Soit la courbe d'équation $y = 16 - (x - 4)^2$. Déterminer les dimensions du triangle rectangle d'aire maximale suivant.

   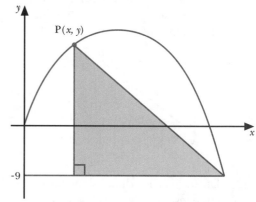

   b) On déménage une tige métallique droite en la faisant glisser sur le plancher d'un corridor qui tourne à angle droit et dont la largeur passe de 4 m à 3 m. Déterminer la longueur maximale de la tige que l'on peut déménager.

   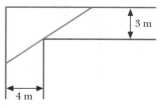

Chapitre 9

Dérivée des fonctions trigonométriques

Introduction

Dans certaines matières, particulièrement en physique, un grand nombre de phénomènes peuvent être étudiés au moyen des fonctions trigonométriques et de leurs dérivées. Le présent chapitre est consacré à la dérivation des fonctions trigonométriques.

TEST PRÉLIMINAIRE

Partie A

1. Compléter les égalités.

   a) $\sin (x + h) =$

   b) $\sin (x - h) =$

   c) $\cos (x + h) =$

   d) $\cos (x - h) =$

   e) $\cos^2 x + \sin^2 x =$

   f) $1 + \tan^2 x =$

   g) $\cot^2 x + 1 =$

2. Déterminer si les égalités suivantes sont vraies (V) ou fausses (F) pour tout x.

   a) $\sin x^2 = (\sin x)^2$ c) $\sin^2 x = \sin x^2$

   b) $\sin^2 x = (\sin x)^2$ d) $(\sin x)^2 = \sin^2 x^2$

3. Exprimer les fonctions suivantes en fonction de $\sin x$, de $\cos x$, ou en fonction de $\sin x$ et de $\cos x$.

   a) $\tan x$ c) $\sec x$

   b) $\cot x$ d) $\csc x$

4. Exprimer les expressions suivantes en fonction de la mesure des côtés a, b et c du triangle rectangle ci-dessous.

   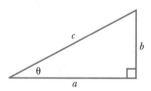

   a) $\sin \theta$ c) $\tan \theta$ e) $\sec \theta$

   b) $\cos \theta$ d) $\cot \theta$ f) $\csc \theta$

5. Soit le triangle

   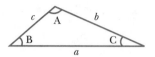

   a) Écrire les équations résultant de la loi des sinus.

   b) Compléter à partir de la loi des cosinus.
   $c^2 =$

Partie B

1. Compléter.

   a) Si $y = \mathrm{K} f(x)$, alors $y' =$ _____.

   b) Si $y = f(x) g(x)$, alors $\dfrac{dy}{dx} =$ _____.

   c) Si $y = \dfrac{f(x)}{g(x)}$, alors $y' =$ _____.

   d) Si $y = f(u)$ et $u = g(x)$,
   alors $\dfrac{dy}{dx} =$ _____.

2. Compléter.

   a) Si $f'(x) > 0$ sur $]a, b[$, alors f est _____.

   b) Si $f''(x) < 0$ sur $]a, b[$, alors f est _____.

   c) Si $f'(c) = 0$ et $f'(x)$ passe du plus au moins autour de c, alors le point $(c, f(c))$ est _____.

   d) Si $f'(c) = 0$ et $f''(c) > 0$, alors le point $(c, f(c))$ est _____.

9.1 DÉRIVÉE DES FONCTIONS SINUS ET COSINUS

À la fin de la présente section, l'étudiant pourra calculer la dérivée de fonctions contenant les fonctions sinus et cosinus.

Objectif 9.1.1   Calculer deux limites nécessaires dans la démonstration des formules de dérivée des fonctions sinus et cosinus.

> **Remarque** À moins d'indications contraires, la mesure des angles est en radians.

Proposition 1 $\displaystyle\lim_{h \to 0} \frac{\sin h}{h} = 1$

Preuve Nous allons faire la démonstration dans le cas où $0 < h < \dfrac{\pi}{2}$.

À l'aide du graphique ci-contre, nous constatons que aire $\Delta OAB <$ aire $OAE <$ aire ΔOCE, c'est-à-dire que $\dfrac{\cos h \sin h}{2} < \dfrac{h}{2} < \dfrac{\tan h}{2}$.

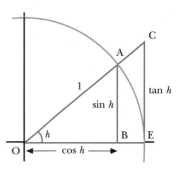

En multipliant par 2 et en divisant par $\sin h$, où $\sin h > 0$, nous obtenons

$$\dfrac{\cos h \sin h}{\sin h} < \dfrac{h}{\sin h} < \dfrac{\tan h}{\sin h}, \text{ d'où}$$

$$\cos h < \dfrac{h}{\sin h} < \dfrac{1}{\cos h}.$$

En prenant la limite des trois termes et en utilisant le *théorème sandwich* nous obtenons

$$\lim_{h \to 0^+} \cos h \leq \lim_{h \to 0^+} \dfrac{h}{\sin h} \leq \lim_{h \to 0^+} \dfrac{1}{\cos h}, \text{ d'où}$$

$$1 \leq \lim_{h \to 0^+} \dfrac{h}{\sin h} \leq 1, \text{ donc, } \lim_{h \to 0^+} \dfrac{h}{\sin h} = 1.$$

$$\text{D'où } \lim_{h \to 0^+} \dfrac{\sin h}{h} = 1.$$

Nous pouvons démontrer de façon analogue que $\displaystyle\lim_{h \to 0^-} \dfrac{\sin h}{h} = 1$.

Ainsi, $\displaystyle\lim_{h \to 0} \dfrac{\sin h}{h} = 1$.

Proposition 2 $\displaystyle\lim_{h \to 0} \dfrac{\cos h - 1}{h} = 0$

Preuve $\displaystyle\lim_{h \to 0} \dfrac{\cos h - 1}{h} = \lim_{h \to 0} \left[\dfrac{\cos h - 1}{h} \times \dfrac{\cos h + 1}{\cos h + 1} \right]$

$$= \lim_{h \to 0} \dfrac{\cos^2 h - 1}{h (\cos h + 1)}$$

$$= \lim_{h \to 0} \dfrac{-\sin^2 h}{h (\cos h + 1)}$$

$$= \lim_{h \to 0} \left[\dfrac{\sin h}{h} \times \dfrac{(-\sin h)}{(\cos h + 1)} \right]$$

$$= \lim_{h \to 0} \left(\dfrac{\sin h}{h} \right) \left(\lim_{h \to 0} \dfrac{-\sin h}{\cos h + 1} \right) \quad \text{(limite d'un produit)}$$

$$= 1 \times \dfrac{0}{2} \quad\quad\quad\quad\quad\quad\quad \text{(proposition 1)}$$

$$= 0$$

Objectif 9.1.2   Calculer la dérivée de la fonction sinus et la dérivée de fonctions contenant des expressions de la forme sin $f(x)$.

La représentation graphique ci-contre est une esquisse du graphique de $f(x) = \sin x$.

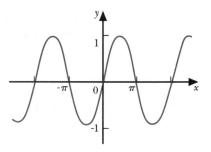

Proposition 3   Si $H(x) = \sin x$, alors $H'(x) = \cos x$.

Preuve

$$H'(x) = \lim_{h \to 0} \frac{H(x + h) - H(x)}{h} \qquad \text{(par définition)}$$

$$= \lim_{h \to 0} \frac{\sin (x + h) - \sin x}{h}$$

$$= \lim_{h \to 0} \frac{\sin x \cos h + \cos x \sin h - \sin x}{h} \qquad \begin{array}{l}\text{(car } \sin (x + h) = \\ \sin x \cos h + \cos x \sin h)\end{array}$$

$$= \lim_{h \to 0} \left[\frac{\sin x \cos h - \sin x}{h} + \frac{\cos x \sin h}{h} \right]$$

$$= \lim_{h \to 0} \left[\sin x \, \frac{\cos h - 1}{h} \right] + \lim_{h \to 0} \left[\cos x \, \frac{\sin h}{h} \right]$$

$$= \sin x \lim_{h \to 0} \frac{\cos h - 1}{h} + \cos x \lim_{h \to 0} \frac{\sin h}{h}$$

$$= \sin x \times 0 + \cos x \times 1 \qquad \text{(propositions 2 et 1)}$$

$$= 0 + \cos x$$

$$= \cos x$$

■ *Exemple*   Si $f(x) = x \sin x$, alors

$$f'(x) = (x \sin x)'$$

$$= (x)' \sin x + x \, (\sin x)'$$

$$= \sin x + x \cos x \qquad \text{(proposition 3).}$$

■ *Exemple*   Soit $f(x) = \sin^3 x$. Calculons $f'(x)$.

$$f'(x) = (\sin^3 x)' = [(\sin x)^3]' \qquad \text{(car } \sin^3 x = (\sin x)^3)$$

$$= 3 \, (\sin x)^2 \, (\sin x)' \qquad \text{(dérivation en chaîne)}$$

$$= 3 \sin^2 x \cos x \qquad \text{(proposition 3)}$$

Calculons maintenant la dérivée de fonctions composées de la forme $H(x) = \sin f(x)$.

Proposition 4   Si $H(x) = \sin f(x)$, alors $H'(x) = [\cos f(x)] \, f'(x)$.

Preuve Soit $H(x) = y = \sin u$, où $u = f(x)$. Alors

$$\frac{dy}{dx} = \frac{dy}{du}\frac{du}{dx} \qquad \text{(notation de Leibniz)}$$

$$\frac{dH(x)}{dx} = \frac{d\sin u}{du}\frac{df(x)}{dx}$$

$$H'(x) = [\cos u]\, f'(x)$$

$$= [\cos f(x)]\, f'(x).$$

■ *Exemple* Si $H(x) = \sin (x^6 + 4x^2)$, alors

$$H'(x) = [\cos (x^6 + 4x^2)]\, (x^6 + 4x^2)' \qquad \text{(proposition 4)}$$

$$= (6x^5 + 8x) \cos (x^6 + 4x^2).$$

■ *Exemple* Si $f(x) = \sqrt{\sin (x^3 + \sin x)}$, alors

$$f'(x) = \left[(\sin (x^3 + \sin x))^{\frac{1}{2}}\right]'$$

$$= \frac{1}{2} (\sin (x^3 + \sin x))^{-\frac{1}{2}} (\sin (x^3 + \sin x))' \qquad \text{(dérivation en chaîne)}$$

$$= \frac{1}{2 (\sin (x^3 + \sin x))^{\frac{1}{2}}} \cos (x^3 + \sin x)\, (x^3 + \sin x)' \qquad \text{(proposition 4)}$$

$$= \frac{(3x^2 + \cos x) \cos (x^3 + \sin x)}{2\sqrt{\sin (x^3 + \sin x)}}.$$

Objectif 9.1.3 Calculer la dérivée de la fonction cosinus et la dérivée de fonctions contenant des expressions de la forme $\cos f(x)$.

La représentation graphique ci-contre est une esquisse du graphique de $f(x) = \cos x$.

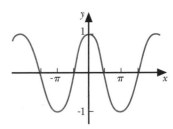

Proposition 5 Si $H(x) = \cos x$, alors $H'(x) = -\sin x$.

Preuve

$$H'(x) = \lim_{h \to 0} \frac{\cos (x + h) - \cos x}{h} \qquad \text{(par définition)}$$

$$= \lim_{h \to 0} \frac{\cos x \cos h - \sin x \sin h - \cos x}{h} \qquad \begin{array}{l}\text{(car } \cos (x + h) = \\ \cos x \cos h - \sin x \sin h)\end{array}$$

$$= \lim_{h \to 0} \frac{(\cos x \cos h - \cos x) - \sin x \sin h}{h}$$

$$= \lim_{h \to 0} \left[\frac{\cos x \, (\cos h - 1)}{h} - \frac{\sin x \sin h}{h} \right]$$

$$= \lim_{h \to 0} \left[\cos x \, \frac{(\cos h - 1)}{h} \right] - \lim_{h \to 0} \left[\sin x \, \frac{\sin h}{h} \right]$$

$$= \cos x \lim_{h \to 0} \frac{\cos h - 1}{h} - \sin x \lim_{h \to 0} \frac{\sin h}{h}$$

$$= \cos x \times 0 - \sin x \times 1 \qquad \text{(propositions 2 et 1)}$$

$$= \text{-}\sin x$$

■ *Exemple* Si $y = \dfrac{x}{\cos x}$, alors

$$\frac{dy}{dx} = \left(\frac{x}{\cos x} \right)' = \frac{(x)' \cos x - x \, (\cos x)'}{(\cos x)^2}$$

$$= \frac{1 \cos x - x \, (\text{-}\sin x)}{\cos^2 x} \qquad \text{(proposition 5)}$$

$$= \frac{\cos x + x \sin x}{\cos^2 x}.$$

Proposition 6   Si $H(x) = \cos f(x)$, alors $H'(x) = [\text{-}\sin f(x)] \, f'(x)$.

Preuve   Soit $H(x) = y = \cos u$, où $u = f(x)$. Alors

$$\frac{dy}{dx} = \frac{dy}{du} \frac{du}{dx} \qquad \text{(notation de Leibniz)}$$

$$\frac{dH(x)}{dx} = \frac{d\cos u}{du} \frac{df(x)}{dx}$$

$$H'(x) = [\text{-}\sin u] \, f'(x)$$

$$= [\text{-}\sin f(x)] \, f'(x).$$

■ *Exemple* Si $y = [\cos (x^4 + 1)]^5$, alors

$$y' = \{ [\cos (x^4 + 1)]^5 \}'$$

$$= 5 \, [\cos (x^4 + 1)]^4 \, [\cos (x^4 + 1)]' \qquad \text{(dérivation en chaîne)}$$

$$= 5 \, [\cos (x^4 + 1)]^4 \, [\text{-}\sin (x^4 + 1)] \, (x^4 + 1)' \qquad \text{(proposition 6)}$$

$$= 5 \, [\cos (x^4 + 1)]^4 \, [\text{-}\sin (x^4 + 1)] \, 4x^3$$

$$= \text{-}20x^3 \cos^4 (x^4 + 1) \sin (x^4 + 1).$$

Exercices 9.1

1. Compléter les propositions.

   a) Si $H(x) = \sin f(x)$, alors $H'(x) = $ _____.   b) Si $H(x) = \cos f(x)$, alors $H'(x) = $ _____.

2. Calculer la dérivée des fonctions suivantes.

   a) $f(x) = x^3 \sin x$

   b) $f(x) = \dfrac{x^4 + 2x}{\sin x}$

   c) $f(x) = \sqrt{\sin x}$

   d) $f(x) = \dfrac{\cos x}{x}$

   e) $f(x) = x^2 + (\sin x) \, (\cos x)$

   f) $f(x) = \sin x^2 - 4 \cos (x - x^2)$

g) $f(x) = \sin\left(\dfrac{x+1}{x-4}\right)$

k) $f(x) = \cos\left(\dfrac{3x+4}{x^2}\right)$

o) $f(x) = x\sin^7(x^2+1)$

h) $f(x) = \cos^5(3x^2+4)$

l) $f(x) = \dfrac{\cos(3x+4)}{x^2}$

p) $f(x) = \dfrac{x^3\cos x}{\sqrt{x+1}}$

i) $f(x) = \sin(\cos x) + \cos(\sin x)$

m) $f(x) = \dfrac{\sin x}{\cos\sqrt{x}}$

q) $f(x) = \dfrac{\sin x}{\cos x}$

j) $f(x) = \sin^3(5x^2-7x)$

n) $f(x) = [\cos(x\cos x)]^7$

r) $f(x) = \dfrac{1}{\sin x}$

3. À partir de $\cos x = \pm\sqrt{1-\sin^2 x}$, démontrer que $(\cos x)' = -\sin x$.

4. Calculer la pente de la tangente à la courbe aux points donnés.

   a) $f(x) = \sin x$, aux points $(0, f(0))$ et $(\pi, f(\pi))$.

   b) $f(x) = \cos^2 x$, aux points $(0, f(0))$ et $\left(\dfrac{\pi}{6}, f\left(\dfrac{\pi}{6}\right)\right)$.

5. Calculer $f^{(5)}(x)$ pour les fonctions suivantes.

   a) $f(x) = \cos x$

   b) $f(x) = \sin 4x$

6. Soit $f(x) = \sin x$ et $k \in \{1, 2, 3, ...\}$.

   a) Compléter :

   $$f^{(n)}(x) = \begin{cases} \underline{\hspace{2cm}} & \text{si} \quad n = 4k-3 \\ \underline{\hspace{2cm}} & \text{si} \quad n = 4k-2 \\ \underline{\hspace{2cm}} & \text{si} \quad n = 4k-1 \\ \underline{\hspace{2cm}} & \text{si} \quad n = 4k \end{cases}$$

   b) Calculer $f^{(26)}(x)$, $f^{(40)}(x)$ et $f^{(133)}(x)$.

7. Utiliser les propositions 1 et 2, les propositions sur les limites et certaines identités trigonométriques pour évaluer les limites suivantes.

   a) $\displaystyle\lim_{x \to 0} \frac{x}{\sin x}$

   b) $\displaystyle\lim_{x \to 0} \frac{\sin 3x}{x}$

   c) $\displaystyle\lim_{x \to 0} \frac{\sin^2 x}{x}$

   d) $\displaystyle\lim_{x \to 0} \frac{\cos^2 x - 1}{x^2}$

9.2 DÉRIVÉE DES FONCTIONS TANGENTE, COTANGENTE, SÉCANTE ET COSÉCANTE

À la fin de la présente section, l'étudiant pourra calculer la dérivée de fonctions contenant les fonctions tangente, cotangente, sécante et cosécante.

Objectif 9.2.1   Calculer la dérivée de la fonction tangente et la dérivée de fonctions contenant des expressions de la forme $\tan f(x)$.

La représentation graphique ci-contre est une esquisse du graphique de $f(x) = \tan x$.

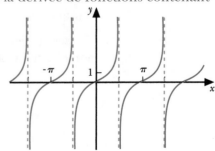

Proposition 7 Si $H(x) = \tan x$, alors $H'(x) = \sec^2 x$.

Preuve $H'(x) = (\tan x)' = \left(\dfrac{\sin x}{\cos x}\right)'$

$$= \dfrac{(\sin x)' \cos x - (\cos x)' \sin x}{\cos^2 x}$$

$$= \dfrac{\cos x \cos x - (\text{-}\sin x) \sin x}{\cos^2 x}$$

$$= \dfrac{\cos^2 x + \sin^2 x}{\cos^2 x}$$

$$= \dfrac{1}{\cos^2 x} \qquad (\text{car } \cos^2 x + \sin^2 x = 1)$$

$$= \sec^2 x \qquad (\text{car } \dfrac{1}{\cos x} = \sec x)$$

■ **Exemple** Si $f(x) = x^2 \tan x$, alors
$$f'(x) = (x^2 \tan x)'$$
$$= (x^2)' \tan x + x^2 (\tan x)'$$
$$= 2x \tan x + x^2 \sec^2 x \qquad (\text{proposition 7}).$$

Proposition 8 Si $H(x) = \tan f(x)$, alors $H'(x) = [\sec^2 f(x)] f'(x)$.

La preuve est analogue à celles des propositions 4 et 6.

■ **Exemple** Si $y = \tan (x^3 + 4x)$, alors
$$y' = [\sec^2 (x^3 + 4x)] (x^3 + 4x)' \qquad (\text{proposition 8})$$
$$= (3x^2 + 4) \sec^2 (x^3 + 4x).$$

■ **Exemple** Si $y = [\tan (\sin x)]^4$, alors
$$y' = 4 [\tan (\sin x)]^3 [\tan (\sin x)]' \qquad (\text{dérivation en chaîne})$$
$$= 4 [\tan (\sin x)]^3 \sec^2 (\sin x) (\sin x)' \qquad (\text{proposition 8})$$
$$= 4 [\tan (\sin x)]^3 \sec^2 (\sin x) \cos x$$
$$= 4 \cos x [\tan (\sin x)]^3 \sec^2 (\sin x).$$

Question 1 Calculer $f'(x)$ si

a) $f(x) = \tan \sqrt{x^2 - 1}$;

b) $f(x) = \tan^2 (1 - 3x)$.

Objectif 9.2.2 Calculer la dérivée de la fonction cotangente et la dérivée de fonctions contenant des expressions de la forme $\cot f(x)$.

La représentation graphique ci-contre est une esquisse du graphique de $f(x) = \cot x$.

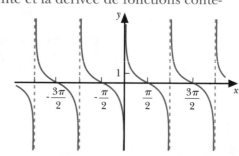

Proposition 9 Si $H(x) = \cot x$, alors $H'(x) = -\csc^2 x$.

Question 2 Sachant que $\cot x = \dfrac{\cos x}{\sin x}$, démontrer $(\cot x)' = -\csc^2 x$.

■ **Exemple** Si $f(x) = \dfrac{x^2}{\cot x}$, alors

$$f'(x) = \frac{(x^2)' \cot x - x^2 (\cot x)'}{(\cot x)^2}$$

$$= \frac{2x \cot x - x^2 (-\csc^2 x)}{(\cot x)^2} \qquad \text{(proposition 9)}$$

$$= \frac{2x \cot x + x^2 \csc^2 x}{(\cot x)^2}.$$

Proposition 10 Si $H(x) = \cot f(x)$, alors $H'(x) = [-\csc^2 f(x)] f'(x)$.

La preuve est analogue à celles des propositions 4 et 6.

■ **Exemple** Si $y = \cot(x^3 + \sin x)$, alors

$$\frac{dy}{dx} = [-\csc^2 (x^3 + \sin x)] (x^3 + \sin x)' \quad \text{(proposition 10)}$$

$$= -(3x^2 + \cos x) \csc^2 (x^3 + \sin x).$$

Question 3 Calculer $f'(x)$ si $f(x) = \cot^8 (x^2 + 5x)$.

Objectif 9.2.3 Calculer la dérivée de la fonction sécante et la dérivée de fonctions contenant des expressions de la forme $\sec f(x)$.

La représentation graphique ci-contre est une esquisse du graphique de $f(x) = \sec x$.

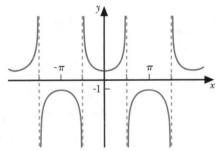

Proposition 11 Si $H(x) = \sec x$, alors $H'(x) = \sec x \tan x$.

Preuve $H'(x) = (\sec x)' = \left(\dfrac{1}{\cos x}\right)' = \dfrac{(1)' \cos x - (\cos x)' (1)}{\cos^2 x}$

$$= \frac{0 - (-\sin x)}{\cos^2 x}$$

$$= \frac{\sin x}{\cos^2 x}$$

$$= \left(\frac{1}{\cos x}\right)\left(\frac{\sin x}{\cos x}\right)$$

$$= \sec x \tan x$$

■ *Exemple* Si $f(x) = (x^5 + 1) \sec x$, alors
$$f'(x) = (x^5 + 1)' \sec x + (x^5 + 1) (\sec x)'$$
$$= 5x^4 \sec x + (x^5 + 1) \sec x \tan x \qquad \text{(proposition 11).}$$

Proposition 12 Si $H(x) = \sec f(x)$, alors $H'(x) = [\sec f(x) \tan f(x)] f'(x)$.

La preuve est analogue à celles des propositions 4 et 6.

■ *Exemple* Si $y = \sec (4x - x^3)$, alors
$$y' = [\sec (4x - x^3) \tan (4x - x^3)] (4x - x^3)' \qquad \text{(proposition 12)}$$
$$= (4 - 3x^2) \sec (4x - x^3) \tan (4x - x^3).$$

Question 4   Calculer $f'(x)$ si

a) $f(x) = x^5 \sec x^2$;

b) $f(x) = \sqrt{\sec (\sin x^2)}$.

Objectif 9.2.4   Calculer la dérivée de la fonction cosécante et la dérivée de fonctions contenant des expressions de la forme $\csc f(x)$.

La représentation graphique ci-contre est une esquisse du graphique de $f(x) = \csc x$.

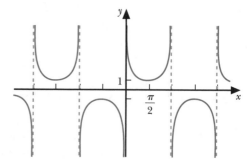

Proposition 13 Si $H(x) = \csc x$, alors $H'(x) = -\csc x \cot x$.

La preuve est laissée à l'utilisateur.

■ *Exemple* Si $f(x) = 7x^3 \csc x$, alors
$$f'(x) = (7x^3)' \csc x + 7x^3 (\csc x)'$$
$$= 21x^2 \csc x - 7x^3 \csc x \cot x \qquad \text{(proposition 13).}$$

Proposition 14 Si $H(x) = \csc f(x)$, alors $H'(x) = [-\csc f(x) \cot f(x)] f'(x)$.

La preuve est analogue à celles des propositions 4 et 6.

■ *Exemple* Si $y = \csc (x^4 - \tan x)$, alors
$$\frac{dy}{dx} = [-\csc (x^4 - \tan x) \cot (x^4 - \tan x)] (x^4 - \tan x)' \qquad \text{(proposition 14)}$$
$$= -(4x^3 - \sec^2 x) \csc (x^4 - \tan x) \cot (x^4 - \tan x).$$

Question 5   Calculer $f'(x)$ si

a) $f(x) = \dfrac{\csc x}{x}$;

b) $f(x) = \sqrt{\csc \sqrt{x}}$.

Exercices 9.2

1. Compléter les propositions suivantes.

   a) Si $H(x) = \tan f(x)$, alors $H'(x) =$ _____.   c) Si $H(x) = \sec f(x)$, alors $H'(x) =$ _____.

   b) Si $H(x) = \cot f(x)$, alors $H'(x) =$ _____.   d) Si $H(x) = \csc f(x)$, alors $H'(x) =$ _____.

2. Calculer la dérivée des fonctions suivantes.

   a) $f(x) = x^3 \tan x$

   b) $f(x) = \dfrac{\tan x}{x}$

   c) $f(x) = \tan (x^3 + \tan x)$

   d) $f(x) = \sqrt{\tan x}$

   e) $f(x) = \tan x^5 + \tan^5 x$

   f) $f(x) = \tan^4 (x^3 - 4x)$

   g) $f(x) = \cot 5x$

   h) $f(x) = x^2 \cot x$

   i) $f(x) = \cot^2 (x^3 + 1)$

   j) $f(x) = (x^3 + 4x) \cot x^5$

   k) $f(x) = x + \cot (\tan x)$

   l) $f(x) = x + \cot x \tan x$

3. Calculer la dérivée des fonctions suivantes.

   a) $f(x) = \dfrac{x^2 + \sec x}{x^5}$

   b) $f(x) = 5 \sec (x^7 + 1)$

   c) $f(x) = 4 \sec^5 (3x + 7)$

   d) $f(x) = \sec x \sec (x^8 - 3)$

   e) $f(x) = \sec (\sec \sqrt{x})$

   f) $f(x) = \sqrt[5]{\sec x + \sec x^5}$

   g) $f(x) = 9 \csc x - \csc 7x$

   h) $f(x) = \sqrt{\csc x}$

   i) $f(x) = \csc^3 (4 - x^7)$

   j) $f(x) = \dfrac{\csc^6 x}{\csc x}$

   k) $f(x) = \dfrac{\csc x^6}{\csc x}$

   l) $f(x) = \sec 3x \csc \left(\dfrac{x}{3}\right)$

4. Évaluer $f''(x)$ si

   a) $f(x) = \tan x$;   b) $f(x) = \sec x$.

5. Calculer, si possible, la pente de la tangente à la courbe de f aux points donnés.

   a) $f(x) = \tan x$, aux points $(0, f(0))$, $\left(\dfrac{\pi}{4}, f\left(\dfrac{\pi}{4}\right)\right)$ et $\left(\dfrac{\pi}{2}, f\left(\dfrac{\pi}{2}\right)\right)$.

   b) $f(x) = \sec 2x$, aux points $(0, f(0))$, $\left(\dfrac{\pi}{4}, f\left(\dfrac{\pi}{4}\right)\right)$ et $\left(\dfrac{5\pi}{8}, f\left(\dfrac{5\pi}{8}\right)\right)$.

6. Calculer $\dfrac{dy}{dx}$ si

   a) $\sin y = \cos x$;

   b) $\tan (y^3) = y \sin x$;

   c) $\cot (x + y) = x^2 + y^2$;

   d) $\csc x + \sec y = x^2 y^3$.

9.3 APPLICATIONS DE LA DÉRIVÉE À DES FONCTIONS TRIGONOMÉTRIQUES

À la fin de la présente section, l'étudiant pourra résoudre divers problèmes contenant des fonctions trigonométriques.

Objectif 9.3.1   Analyser des fonctions contenant des fonctions trigonométriques.

■ *Exemple* Soit $f(x) = x - \cos x$, où $x \in [0, 2\pi]$. Analysons cette fonction à l'aide des dérivées première et seconde.

1re étape : Calculer $f'(x)$ et déterminer les nombres critiques correspondants.

$f'(x) = 1 + \sin x$;

$f'(x) = 0$ si $x = \dfrac{3\pi}{2}$, $f'(x)$ n'existe pas si $x = 0$ ou $x = 2\pi$, d'où $\dfrac{3\pi}{2}$, 0 et 2π sont des nombres critiques.

2e étape : Calculer $f''(x)$ et déterminer les nombres critiques correspondants.

$f''(x) = \cos x$;

$f''(x) = 0$ si $x = \dfrac{\pi}{2}$ ou $x = \dfrac{3\pi}{2}$, d'où $\dfrac{\pi}{2}$ et $\dfrac{3\pi}{2}$ sont des nombres critiques.

3e étape : Construire le tableau de variation.

x	0		$\dfrac{\pi}{2}$		$\dfrac{3\pi}{2}$		2π
$f'(x)$	∄	+	+	+	0	+	∄
$f''(x)$	∄	+	0	−	0	+	∄
f	-1	↗∪	$\dfrac{\pi}{2}$	↗∩	$\dfrac{3\pi}{2}$	↗∪	$2\pi - 1$
E. du G.	(0, -1)	↗	$\left(\dfrac{\pi}{2}, \dfrac{\pi}{2}\right)$	↗	$\left(\dfrac{3\pi}{2}, \dfrac{3\pi}{2}\right)$	↗	$(2\pi, 2\pi - 1)$
	min.		infl.		infl.		max.

4e étape : Esquisser le graphique de f.

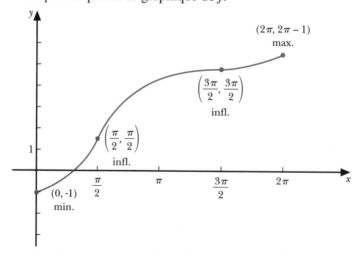

Objectif 9.3.2 Résoudre des problèmes d'optimisation.

■ *Exemple* Un triangle est inscrit dans un demi-cercle, dont le rayon mesure 10 cm, de telle sorte que le diamètre du demi-cercle soit l'hypoténuse du triangle. Déterminons la valeur de l'angle θ qui maximise l'aire du triangle si θ est l'angle formé par l'hypoténuse et un des côtés adjacents de l'hypoténuse.

1. Mathématisation du problème.

a) Représentation graphique et définition des variables.

   Soit x, la longueur d'un côté du triangle,
   et y, la longueur de l'autre côté.

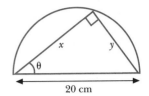

20 cm

b) Détermination de la quantité à optimiser.

   $A(x, y) = \dfrac{xy}{2}$ doit être maximale.

c) Recherche d'une relation entre les variables.

   Exprimons x et y en fonction de l'angle θ.

   Puisque $\cos \theta = \dfrac{x}{20}$, alors $x = 20 \cos \theta$ et, puisque $\sin \theta = \dfrac{y}{20}$,

   alors $y = 20 \sin \theta$.

d) Expression de la quantité à optimiser en fonction d'une seule variable.

   Exprimons la quantité à optimiser en fonction de θ.

   Puisque $A(x, y) = \dfrac{xy}{2}$, alors

   $$A(\theta) = \frac{(20 \cos \theta)(20 \sin \theta)}{2} = 200 \cos \theta \sin \theta, \text{ où dom } A = \left[0, \frac{\pi}{2}\right].$$

2. Analyse de la fonction à optimiser.

   1re étape : Calculer $A'(\theta)$ et déterminer les nombres critiques correspondants.

   $A'(\theta) = 200 \, (-\sin^2 \theta + \cos^2 \theta)$;

   $A'(\theta) = 0$ si $-\sin^2 \theta + \cos^2 \theta = 0$, c'est-à-dire si

   $$\sin^2 \theta = \cos^2 \theta$$

   $$\tan^2 \theta = 1 \qquad \left(\text{car } \frac{\sin^2 \theta}{\cos^2 \theta} = \tan^2 \theta\right)$$

   $$\tan \theta = \pm 1.$$

   Puisque $\theta \in \left[0, \dfrac{\pi}{2}\right]$, alors $\theta = \dfrac{\pi}{4}$, d'où $\dfrac{\pi}{4}$ est un nombre critique.

   2e étape : Construire le tableau de variation.

θ	0		$\dfrac{\pi}{4}$		$\dfrac{\pi}{2}$
$A'(\theta)$	∄	+	0	−	∄
A		↗	100	↘	
			max.		

Remarque Le test de la dérivée seconde aurait pu également être utilisé pour déterminer que $A(\theta)$ atteint son maximum en $\dfrac{\pi}{4}$.

3. Formulation de la réponse.

   L'aire du triangle est maximale lorsque $\theta = \dfrac{\pi}{4}$.

Objectif 9.3.3   Résoudre des problèmes de taux de variation liés.

■ *Exemple* Une échelle de 6 m de longueur est appuyée contre un mur. Sachant que le pied de l'échelle s'éloigne du mur à la vitesse de 0,5 m/s, déterminons le taux de variation de l'angle θ, par rapport au temps *t*, lorsque le pied de l'échelle est à 3 m du mur.

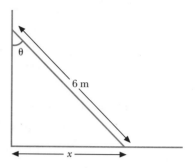

Déterminons en premier lieu $\dfrac{d\theta}{dt}$.

Puisque $\sin \theta = \dfrac{x}{6}$, alors

$$\frac{d}{dt}(\sin \theta) = \frac{d}{dt}\left(\frac{x}{6}\right)$$

$$\frac{d}{d\theta}(\sin \theta)\,\frac{d\theta}{dt} = \frac{1}{6}\,\frac{dx}{dt} \qquad \text{(notation de Leibniz)}$$

$$\cos \theta\,\frac{d\theta}{dt} = \frac{1}{6}\,(0,5) \qquad \left(\text{car } \frac{dx}{dt} = 0,5 \text{ m/s}\right),$$

d'où $\dfrac{d\theta}{dt} = \dfrac{1}{12 \cos \theta}$.

Déterminons maintenant $\dfrac{d\theta}{dt}$ lorsque $x = 3$ m.

Puisque $\sin \theta = \dfrac{3}{6} = 0,5$, alors $\theta = \dfrac{\pi}{6}$.

D'où $\dfrac{d\theta}{dt}\bigg|_{\theta = \frac{\pi}{6}} = \dfrac{1}{12 \cos \dfrac{\pi}{6}} \approx 0,096$ rad/s.

Exercices 9.3

1. Soit $f(x) = 3 + \cos x$, où $x \in \left[-\dfrac{\pi}{2}, \pi\right]$.

   a) À l'aide du tableau de variation relatif à la dérivée première, déterminer les maximums et les minimums de f et identifier s'ils sont absolus ou relatifs.

   b) À l'aide du tableau de variation relatif à la dérivée seconde, déterminer les intervalles de concavité vers le haut et de concavité vers le bas de f, ainsi que le point d'inflexion de f.

2. Démontrer que la fonction f, définie par $f(x) = x + \sin x$, ne possède pas de minimum ni de maximum $\forall\, x \in \mathbb{R}$.

3. Soit $f(x) = \tan x$, où $x \in \left]-\dfrac{\pi}{2}, \dfrac{\pi}{2}\right[$.

   a) Démontrer, à l'aide de la dérivée, que la fonction f est croissante sur $\left]-\dfrac{\pi}{2}, \dfrac{\pi}{2}\right[$.

b) Déterminer les intervalles de concavité vers le bas et de concavité vers le haut de f, ainsi que le point d'inflexion de f.

4. Déterminer le minimum de la fonction f définie par $f(x) = \tan x + \cot x$ sur $\left]0, \dfrac{\pi}{2}\right[$.

5. Pour chacune des fonctions f suivantes, construire le tableau de variation relatif à f' et à f'', et donner une esquisse du graphique correspondant.

a) $f(x) = \sin x - \dfrac{x}{2}$, où $x \in [0, 2\pi]$.

b) $f(x) = \cos x + \dfrac{x}{2}$, où $x \in [0, 2\pi]$.

6. Un golfeur frappe une balle dont la vitesse initiale est de 40 m/s. En négligeant la résistance de l'air, la portée R, en mètres, de la balle est donnée par $R(\theta) = \dfrac{v_0^2 \sin 2\theta}{g}$, où $g = 9{,}8$ m/s², v_0 est la vitesse initiale exprimée en mètres par seconde et θ est l'angle entre la trajectoire initiale de la balle et le plan horizontal.

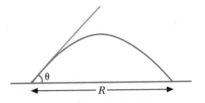

Déterminer l'angle θ, où $\theta \in \left]\dfrac{\pi}{18}, \dfrac{\pi}{2}\right]$, pour lequel la portée R est maximale, et calculer cette portée.

7. À l'aide d'une échelle, on veut atteindre le mur d'un édifice en s'appuyant sur une clôture de 2 m de hauteur et située à 1 m du mur. Déterminer l'angle θ, angle entre le sol et l'échelle, qui minimisera la longueur de l'échelle joignant le sol au mur. Évaluer la longueur minimale de cette échelle.

8. Une boîte à fleurs est construite avec trois planches de 2 m sur 20 cm. Déterminer l'angle θ en degrés pour que la capacité de la boîte soit maximale. À noter que les planches aux extrémités de la boîte ne seront fixées qu'une fois la capacité déterminée et que le bois de ces planches ne proviendra pas des trois planches déjà données.

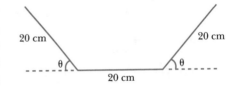

9. Une caméra est située au sol à 200 m du lieu où s'élève verticalement un hélicoptère à la vitesse de 90 km/h. Déterminer la fonction donnant le taux de variation de l'angle d'élévation θ, par rapport au temps t,
   a) en fonction de l'angle θ ;
   b) lorsque $\theta = \dfrac{\pi}{18}$;
   c) lorsque la distance séparant la caméra et l'hélicoptère est de 300 m.

10. Une source lumineuse située sur le sommet d'un édifice effectue six tours complets à chaque minute. Si cette source est située à 200 m d'un mur droit,
    a) déterminer la fonction donnant la vitesse de déplacement du rayon lumineux sur le mur ;
    b) déterminer cette vitesse lorsque le rayon lumineux éclaire un point du mur situé à 400 m de cette source ;
    c) déterminer le minimum de la fonction vitesse établie en a) et identifier le point qui est alors éclairé.

Problèmes de synthèse

1. Calculer la dérivée des fonctions suivantes.

a) $f(x) = \sin 3x - 3 \sin x$

b) $f(x) = \cos 3x - \cos^3 2x$

c) $f(x) = \sin (x^2 + \cos x)$

d) $f(x) = \tan x^2 + \tan^2 x$

e) $f(x) = \tan (\sin x)$

f) $f(x) = \cos (\tan x^2)$

g) $f(x) = \sec (3x^4 - 2x)$

h) $f(x) = \cot \dfrac{3x}{2} - \dfrac{\cot 3x}{2}$

i) $f(x) = \cot \sqrt{x} + \sqrt{\sec x}$

j) $f(x) = x^3 \sec 2x$

k) $f(x) = \dfrac{\csc 5x}{x^4}$

l) $f(x) = \dfrac{\csc 4x}{4} - \sqrt[4]{\csc x^3}$

m) $f(x) = \sec^2 (3x^2 + 5)$

n) $f(x) = \tan^3 4x - \sec^5 7x$

o) $f(x) = 12x^3 - 9 \sin 7x + \csc (1 - x^3)$

p) $f(x) = \sec (\sin x) + \sin (\sec x)$

q) $f(x) = \dfrac{\sec x}{\csc x}$

r) $f(x) = x - \sin x \cos x$

s) $f(x) = \sqrt[3]{\sec (5x - 4)}$

t) $f(x) = \tan (x^5 - \tan x^5)$

u) $f(x) = \cot \left(\dfrac{x - 1}{x - 4} \right)$

v) $f(x) = \tan^4 (2x^2) - \cot^5 (-3x)$

w) $f(x) = x^2 \sin x + 2x \cos x$

x) $f(x) = \dfrac{1 + \tan x}{1 - \tan x}$

2. Calculer la dérivée des fonctions suivantes.

a) $f(x) = \tan 5x - 3 \sec x + \sin^4 (-2x)$

b) $f(x) = \dfrac{x^2}{\tan \sqrt{x}}$

c) $f(x) = \sin x \cot x^2$

d) $f(x) = (\cos x \tan x)^2$

e) $f(x) = \sqrt[3]{x \cot x}$

f) $f(x) = [x^7 \sec \sqrt{x}]^6$

g) $f(x) = (4 + \cos x)^3 \csc x$

h) $f(x) = \dfrac{\sin 2x}{\csc 2x}$

i) $f(x) = \sin^2 x \cos^3 x$

j) $f(x) = x^2 - x^3 \tan x^2$

k) $f(x) = \sin [\tan (\cos x)]$

l) $f(x) = \sqrt{\sec (\sin x^2)}$

m) $f(x) = \dfrac{x \cos 3x}{x^2 + 2}$

n) $f(x) = \sqrt{\dfrac{x}{\tan x}}$

o) $f(x) = \dfrac{\tan 3x}{1 - \cot 2x}$

p) $f(x) = [\sin x^2 + \tan (x^3 + \cos x)]^4$

q) $f(x) = 5 \sec \left(\dfrac{x}{3} \right) + 3 \cot \left(\dfrac{2}{x} \right)$

r) $f(x) = \pi x \csc \left(-\dfrac{\pi x}{2} \right)$

s) $f(x) = A \sin (\omega x + \phi)$

t) $f(x) = \sin (\cos x) + \sin x \cos x$

u) $f(x) = \sin x \csc x$

v) $f(x) = \dfrac{\tan x^2}{x \cos x}$

w) $f(x) = \dfrac{\tan (x^3 + \sin x)}{(x^3 + \sin x)}$

x) $f(x) = \sin^2 (x^3 + 1) + \cos^2 (x^3 + 1)$

3. a) Déterminer l'équation de la droite tangente à la courbe définie par $f(x) = \sin x$ au point $\left(\dfrac{\pi}{4}, f\left(\dfrac{\pi}{4} \right) \right)$.

   b) Déterminer l'équation de la droite tangente et de la droite normale à la courbe définie par $f(x) = \cot \left(\dfrac{x}{2} \right)$ au point $(\pi, f(\pi))$.

4. Déterminer les intervalles de croissance et les intervalles de décroissance de f, si f est définie par $f(x) = \tan(-x^2)$, où $x \in \left] -\dfrac{\pi}{4}, \dfrac{\pi}{4} \right[$.

5. Déterminer les intervalles de concavité vers le haut et les intervalles de concavité vers le bas de f, si $f(x) = 2\sin x - \sin x \cos x$, où $x \in \left[-\dfrac{\pi}{2}, \dfrac{\pi}{2} \right]$.

6. Pour chacune des fonctions f suivantes, construire le tableau de variation relatif à f' et à f'', et donner une esquisse du graphique correspondant.

   a) $f(x) = \sin x - x$, où $x \in \left[-\dfrac{\pi}{2}, \dfrac{3\pi}{2} \right]$.

   b) $f(x) = \sin x + \cos x$, où $x \in [0, 2\pi]$.

7. Donner une esquisse du graphique des fonctions suivantes et déterminer les minimums, les maximums et les points d'inflexion.

   a) $f(x) = \sin^2 x$, où $x \in [0, 2\pi]$.

   b) $f(x) = 2\cos(\pi x)$, où $x \in [-1, 3]$.

8. Déterminer la valeur de k pour que la fonction suivante soit continue en $x = \dfrac{\pi}{2}$.

$$f(x) = \begin{cases} \sin x & \text{si} \quad x < \dfrac{\pi}{2} \\ k & \text{si} \quad x = \dfrac{\pi}{2} \\ 2 + \cos\left(x + \dfrac{\pi}{2}\right) & \text{si} \quad x > \dfrac{\pi}{2} \end{cases}$$

9. Évaluer les limites suivantes.

   a) $\displaystyle\lim_{x \to 0} \dfrac{\tan x}{3x}$

   b) $\displaystyle\lim_{x \to 0} \dfrac{\sin(2x)}{3x}$

   c) $\displaystyle\lim_{x \to \frac{\pi}{2}} \dfrac{\sin\left(x - \dfrac{\pi}{2}\right)}{\pi - 2x}$

   d) $\displaystyle\lim_{x \to 0} \dfrac{\sin(x + \pi)}{x}$

10. Soit $\theta \in \left] 0, \dfrac{\pi}{2} \right[$. Déterminer, si possible, la valeur de θ qui maximise et celle qui minimise :

    a) la somme des fonctions $\sin\theta$ et $\cos\theta$;

    b) le produit des fonctions $\sin 2\theta$ et $\cos 2\theta$;

    c) la fonction $\tan\theta$.

11. Les côtés congrus d'un triangle isocèle mesurent 5 cm de longueur. Déterminer l'angle entre les côtés congrus pour que l'aire du triangle soit maximale.

12. a) Une municipalité veut transplanter des fleurs dans un parterre dont la forme est un secteur de cercle. Si les employés estiment qu'ils ont besoin d'une superficie de 9π m² pour transplanter ces fleurs, déterminer le rayon r et l'angle θ du secteur pour que le périmètre du secteur soit minimal.

    b) Répondre aux mêmes questions posées en **a)** si la superficie est de A m².

13. Soit $f(x) = \sqrt{x - 4}$ et la droite D joignant l'origine à un point P(x, y) quelconque de f. Déterminer le point P qui maximise l'angle θ, où θ est l'angle entre D et l'axe des x. Évaluer cet angle maximal.

14. Déterminer le point sur la courbe définie par $f(x) = \cos x$, où $x \in [0, 2\pi]$, tel que la pente de la tangente à la courbe est

    a) maximale ;   b) minimale.

15. Un train T avance à la vitesse de 18 km/h vers G.

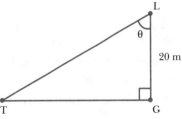

Si Lyne est située à 20 m de G, déterminer

a) la fonction donnant le taux de variation de θ par rapport au temps ;

b) le taux de variation de θ lorsque le train est à 300 m de Lyne ;

c)   le taux de variation de θ lorsque le train est à 100 m de G.

16.   Soit le triangle quelconque ci-dessous.

Si $\dfrac{d\theta}{dt} = 0{,}3$ rad/min, déterminer le taux de variation du côté x lorsque

a) $x = \sqrt{13}$ m ;   b) $\theta = \dfrac{\pi}{4}$.

17.   Un individu I se dirige, à la vitesse de 2 m/s, en suivant une trajectoire perpendiculaire à un mur long de 40 m, vers un point P situé au centre de ce mur.

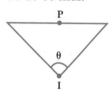

Déterminer le taux de variation de l'angle θ par rapport au temps lorsque

a) $\theta = 60°$;

b)   I est à 10 m de P.

c)   Déterminer l'angle θ si $\dfrac{d\theta}{dt} = 0{,}1$ rad/s ; $\dfrac{d\theta}{dt} = 0{,}15$ rad/s.

18.   La position d'un mobile en fonction du temps est donnée par $s(t) = 4 \sin 3t$, où $s(t)$ est en centimètres, t est en secondes et $t \in \left[0 \text{ s}, \dfrac{\pi}{3} \text{ s}\right]$.

a)   Déterminer le temps nécessaire pour que le mobile change de direction.

b)   Déterminer la distance maximale séparant le mobile de l'origine.

c)   Calculer la vitesse maximale de ce mobile.

19.   On sait qu'un rayon lumineux traversant deux milieux différents obéit à la loi suivante : $\dfrac{\sin \alpha}{\sin \beta} = C$ (loi de Snell), où C est le rapport entre la vitesse de la lumière dans les deux milieux respectifs, c'est-à-dire $C = \dfrac{v_1}{v_2}$.

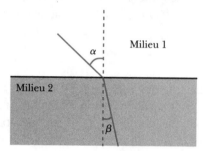

a)   Si l'angle d'incidence α varie au taux de $\dfrac{d\alpha}{dt}$, déterminer la fonction donnant le taux de variation de l'angle β par rapport à t.

b)   Dans le cas d'un rayon lumineux passant de l'air (milieu 1) à l'eau (milieu 2), $C = 1{,}33$. Déterminer le taux de variation de l'angle β, si l'angle α croît au taux de 0,2 rad/s lorsque $\alpha = \dfrac{\pi}{6}$.

20.   La figure ci-dessous représente un système de manivelle, où la distance d entre M et P est constante. Soit x, la distance entre O et P.

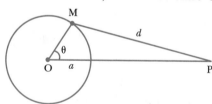

a)   Exprimer l'abscisse du point P en fonction de θ.

b)   Exprimer $\dfrac{dx}{dt}$ en fonction de $\dfrac{d\theta}{dt}$.

Exercices récapitulatifs

1.   Démontrer que si $H(x) = \tan f(x)$, alors $H'(x) = [\sec^2 f(x)]\, f'(x)$.

2.   Calculer la dérivée des fonctions suivantes.

a) $f(x) = 3 \sin^2 (5x - 1)$

b) $f(x) = \sqrt{\sin \sqrt{x}}$

c) $f(x) = x \cos^{12} (1 - 3x)$

d) $f(x) = \cos\left(\dfrac{x}{\cos x}\right)$

e) $f(x) = \tan \sqrt{x^3 - 1}$

f) $f(x) = \dfrac{x \tan x + \cos x}{x^2 + 2}$

g) $f(x) = (x^2 \cot 3x)^5$

h) $f(x) = \cot (\tan x^3) + \cot x^3 \tan x^3$

i) $f(x) = \dfrac{\sec (2x^3 + x)}{\cot x}$

j) $f(x) = \sec [\cot (\sin x)]$

k) $f(x) = \csc^3 x + \csc x^3$

l) $f(x) = (\cos x \csc \sqrt{x - 1})^6$

m) $f(x) = \dfrac{\sin x + \cos x}{\sin x - \cos x}$

n) $f(x) = \dfrac{\sin x - x \cos x}{\cos x + x \sin x}$

o) $f(x) = \tan^2 \left(\dfrac{\pi}{2} - x \right) - \dfrac{\cot 8x}{8x}$

p) $f(x) = A \sin (kx - \omega t) + B \cos (kx - \omega t)$

q) $f(x) = \dfrac{1}{\sqrt[3]{\sec x^3}}$

r) $f(x) = \dfrac{\csc x \tan x + \cot x}{x^2}$

s) $f(x) = [\sin (x^3 + 4x) \cos \sqrt{x^3 - 1}]^{27}$

t) $f(x) = \dfrac{1}{\sec^2 5x} + \dfrac{1}{\csc^2 5x}$

3.   Calculer $\dfrac{dy}{dx}$ si

a) $\cos y = x^2 y^3 + \sin^3 2x$;

b) $\dfrac{\sin x}{\cos y} = xy$;

c) $\tan (x + y) = x^2 + 2$;

d) $3x \csc (y + 2) - y^2 \tan x = 4y$.

4.   Démontrer que si $\tan y = x$, alors $\dfrac{dy}{dx} = \dfrac{1}{1 + x^2}$.

5.   Soit y, une fonction de x, telle que $y = a \cos \omega x + b \sin \omega x$. Démontrer que $y'' + \omega^2 y = 0$.

6.   Soit $f(x) = \cos x$ et $k \in \{1, 2, 3, ...\}$.

a)   Compléter :

$$f^{(n)}(x) = \begin{cases} \underline{\hspace{1.5cm}} & \text{si} \quad n = 4k - 3 \\ \underline{\hspace{1.5cm}} & \text{si} \quad n = 4k - 2 \\ \underline{\hspace{1.5cm}} & \text{si} \quad n = 4k - 1 \\ \underline{\hspace{1.5cm}} & \text{si} \quad n = 4k \end{cases}$$

b)   Calculer $f^{(32)}(x), f^{(41)}(x)$.

c)   Si $g(x) = \cos 2x$, déterminer $g^{(15)}(x)$.

d)   Si $H(x) = \sin^2 8x + \cos^2 8x$, déterminer $H^{(9)}(x)$.

7.   Soit $f(x) = \tan x$. Exprimer $f^{(3)}(x)$ en fonction de $\tan x$.

8.   Évaluer la pente de la tangente à la courbe

a)   au point $(0, f(0))$

$$\text{si } f(x) = \sin^3 \left(x^3 + x + \dfrac{\pi}{4} \right);$$

b)   au point $\left(0, \dfrac{\pi}{2} \right)$ si $\tan x + \cot y = y - \dfrac{\pi}{2}$.

9.   Déterminer l'équation de la droite tangente à la courbe définie par

a) $f(x) = \tan x$, au point $\left(\dfrac{\pi}{4}, f\left(\dfrac{\pi}{4} \right) \right)$;

b) $f(x) = \csc x$, au point $\left(\dfrac{\pi}{6}, f\left(\dfrac{\pi}{6} \right) \right)$.

10.   Déterminer les intervalles de croissance et les intervalles de décroissance de f si

$$f(x) = \sin x - \dfrac{1}{8} \tan x, \text{ où } x \in \left] -\dfrac{\pi}{2}, \dfrac{\pi}{2} \right[.$$

11.   Déterminer les maximums et les minimums de f si $f(x) = \sin x^2$,

$$\text{où } x \in \left] -\sqrt{\dfrac{\pi}{2}}, \sqrt{\pi} \right].$$

12.   Soit $f(x) = 2 \sin x + \dfrac{\sin 2x}{4}$, où $x \in [-2\pi, 2\pi]$.

Déterminer les intervalles de concavité vers le bas et de concavité vers le haut de cette fonction.

13.   Étudier les fonctions suivantes et donner une esquisse du graphique correspondant.

a) $f(x) = 3 + \cos x$, où $x \in \left[-\dfrac{\pi}{2}, \pi \right]$.

b) $f(x) = 3 \sin \pi x$, où $x \in [-1, 2]$.

c) $f(x) = -2 \cos^2 2x$, où $x \in [0, \pi]$.

d) $f(x) = \dfrac{\sin x}{2 + \cos x}$, où $x \in [-\pi, 2\pi]$.

e) $f(x) = \sqrt{3} \sin x + \cos x$, où $x \in [0, \pi]$.

f) $f(x) = 2 \sin^2 x - \cos^2 x$, où $x \in \left[0, \dfrac{3\pi}{2}\right[$.

14.   Une fonction est dite *périodique* lorsqu'il existe un nombre p positif tel que $f(x + p) = f(x)$; la plus petite valeur de p est appelée la période de f. Soit f, une fonction dérivable de période p. Démontrer que f' est une fonction périodique de période p.

15.   Le déplacement s d'un objet sur l'axe des x est donné par $s(t) = \sin 2t + \sqrt{3} \cos 2t$, où $s(t)$ est en mètres et t, en secondes. Déterminer la valeur maximale de $s(t)$.

16.   Le périmètre d'un secteur de cercle est de 24 m. Déterminer le rayon et l'angle au centre de ce secteur pour que l'aire du secteur soit maximale.

17.   On doit suspendre une lampe au-dessus du centre d'une table carrée dont l'aire est de 4 m². On sait que l'intensité de la lumière à un point P de la table est directement proportionnelle au sinus de l'angle que fait le rayon lumineux avec la table et inversement proportionnelle à la distance séparant la lampe du point P. Déterminer à quelle hauteur au-dessus de la table doit être suspendue la lampe pour que l'intensité de la lumière soit maximale à chacun des coins de la table.

18.   On déménage une tige métallique droite en la faisant glisser sur le plancher d'un corridor qui tourne à angle droit et dont la largeur passe de 4 m à 3 m.

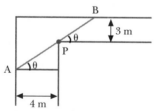

Déterminer la longueur de la tige la plus courte qui touche simultanément A, P et B ainsi que l'angle θ correspondant.

19.   Soit le triangle rectangle ci-contre. La longueur de l'hypoténuse croît à la vitesse de 4 cm/s.

Lorsque la longueur de l'hypoténuse est de 15 cm,

a)   calculer la vitesse de variation de la base;

b)   calculer la vitesse de variation de l'aire du triangle.

20.   Soit un triangle rectangle dont la base mesure 10 cm.

Si l'angle θ croît à la vitesse de 0,05 rad/s,

a)   calculer la vitesse de variation de la hauteur lorsque $\theta = 60°$;

b)   calculer la vitesse de variation de l'aire du triangle lorsque $\theta = 60°$.

21.   Soit le triangle quelconque ci-contre.

a)   Déterminer le taux de variation du troisième côté, si le taux de variation de l'angle θ est de 0,4 rad/min lorsque $\theta = 30°$.

b)   Déterminer le taux de variation de l'angle θ si le taux de variation du troisième côté est de -3 cm/min lorsque $x = 6$ cm.

22.   Une personne P observe deux automobiles, A et B, qui roulent respectivement à des vitesses de 80 km/h et de 100 km/h. Calculer le taux de variation de l'angle θ lorsque A est à 100 m de C et B, à 70 m de D.

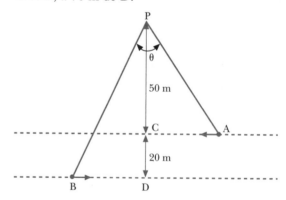

23.   Soit $f(x) = x \sin x$, où $x \in \left[0, \dfrac{\pi}{2}\right]$. Déterminer le maximum et le minimum de f.

24.   Pour chacune des fonctions f suivantes, construire le tableau de variation relatif à f' et à f'', et donner une esquisse du graphique correspondant.

a) $f(x) = \dfrac{2 + \sin x}{2 - \sin x}$, où $x \in \left[0, \dfrac{3\pi}{2}\right]$.

b) $f(x) = 2 \sin x + \sin 2x$, où $x \in \left[-\dfrac{\pi}{2}, \pi \right]$.

25.   La position y d'une auto contournant des cônes est donnée par $y(t) = \dfrac{W}{2} \sin \dfrac{\pi}{L} vt$, où W est la largeur de l'auto, v est la vitesse de l'auto, constante pour un essai, L est la distance en mètres entre les cônes, et t est en secondes.

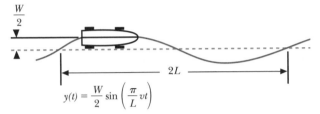

$$y(t) = \dfrac{W}{2} \sin\left(\dfrac{\pi}{L} vt \right)$$

a)   Déterminer en fonction du temps la vitesse latérale de l'auto.

b)   Déterminer en fonction du temps l'accélération latérale de l'auto.

26.   Trois bateaux, A, B et C, partent d'un point O en suivant les trajets illustrés ci-dessous.

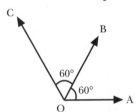

Sachant que la vitesse du bateau A est de 12 km/h, celle de B de 20 km/h et celle de C de 32 km/h, calculer la vitesse à laquelle varie, après 15 min, la distance séparant

a)   les bateaux A et B ;

b)   les bateaux B et C ;

c)   les bateaux A et C.

27.   Les ailes d'un moulin à vent tournent à la vitesse constante de 2 tours/min.

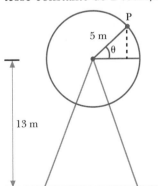

Sachant que la longueur des ailes est de 5 m, et qu'un pigeon s'est perché à l'extrémité d'une de ces ailes,

a)   déterminer en fonction de θ la hauteur du pigeon ;

b)   déterminer en fonction de θ la vitesse de variation de la hauteur du pigeon ;

c)   déterminer la hauteur et la vitesse de variation de la hauteur du pigeon pour les valeurs de θ suivantes :

   i) $\theta = 0°$,

   ii) $\theta = 90°$,

   iii) $\theta = 180°$;

d)   déterminer les valeurs de θ telles que la vitesse de variation de la hauteur du pigeon soit de 0 m/min ;

e)   déterminer la hauteur du pigeon lorsque la vitesse de variation de la hauteur du pigeon est de 10π m/min.

28.   On forme un cône en enlevant d'un cercle de rayon r cm un secteur d'angle θ. Déterminer l'angle θ pour que le cône formé ait un volume maximal.

29.   Soit le triangle quelconque ci-dessous, où $\dfrac{dx}{dt} = 2$ cm/min.

a)   Déterminer $\dfrac{d\theta}{dt}$ lorsque $\theta = 30°$.

b)   Déterminer $\dfrac{dy}{dt}$ lorsque $\theta = 45°$.

30.   Soit deux automobiles, A et B, se dirigeant vers le nord à des vitesses respectives de 13 m/s et de 25 m/s.

Déterminer $\dfrac{d\alpha}{dt}$ après 16 s ;

après 32 s.

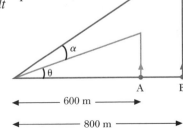

31. Selon le principe de *Fermat*, lorsqu'un rayon lumineux se propage entre deux points quelconques, son parcours est celui qui s'effectue en un minimum de temps.

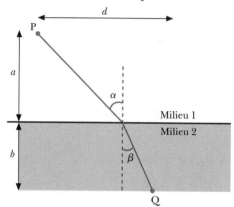

Soit un rayon lumineux qui passe de P à Q, où P et Q sont dans deux milieux différents. Soit v_1 et v_2, les vitesses respectives du rayon dans les milieux 1 et 2. Démontrer la *loi de Snell*, c'est-à-dire $\dfrac{\sin \alpha}{\sin \beta} = \dfrac{v_1}{v_2}$.

Test récapitulatif

1. Démontrer que $(\csc x)' = -\csc x \cot x$.

2. Calculer la dérivée des fonctions suivantes.

   a) $f(x) = \dfrac{\sin (x^3 + \sin x)}{x}$

   b) $f(x) = \sqrt{5} \cos (\sin x)$

   c) $f(x) = \cot x^2 \csc (-x^3)$

   d) $f(x) = \sec (2x + 3 \tan x^2)$

   e) $f(x) = \sin [\cos (\tan x)]$

   f) $f(x) = \dfrac{\cos^2 3x}{\tan^3 5x}$

3. Déterminer l'équation de la tangente à la courbe de f, si $f(x) = \dfrac{\sin x}{x}$ au point $\left(\dfrac{\pi}{2}, f\left(\dfrac{\pi}{2} \right) \right)$.

4. Soit $f(x) = \sin \left(x - \dfrac{\pi}{2} \right)^2 - 5 \left(x - \dfrac{\pi}{2} \right)^2$

   sur $[0, \pi]$. Construire le tableau de variation relatif à $f'(x)$ et déterminer les intervalles de croissance et les intervalles de décroissance de f.

5. Analyser les fonctions suivantes et donner une esquisse du graphique.

   a) $f(x) = x + \cos x$, où $x \in [0, 2\pi]$.

   b) $f(x) = |\sin x|$, où $x \in [0, 2\pi]$.

   c) Identifier, si possible, le point anguleux et le point de rebroussement de la fonction analysée en **b)**.

6. Soit un triangle rectangle dont l'hypoténuse mesure 5 cm. L'angle θ croît à un taux de 0,03 rad/s.

   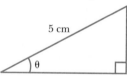

   a) Calculer le taux de variation de la hauteur, par rapport au temps, lorsque $\theta = \dfrac{\pi}{3}$.

   b) Calculer le taux de variation de l'aire du triangle, par rapport au temps, lorsque $\theta = \dfrac{\pi}{6}$.

   c) Déterminer la valeur de l'angle θ qui maximise l'aire de ce triangle et calculer cette aire maximale.

Chapitre 10

Asymptotes et analyse de fonctions

Introduction

Le présent chapitre fait appel à certaines notions étudiées dans les chapitres précédents et, plus particulièrement, au contenu du chapitre 7, dans lequel nous avions fait l'analyse complète de fonctions f à l'aide des dérivées f' et f''.

Nous analyserons dans ce chapitre d'autres fonctions après avoir défini trois types d'asymptotes : les asymptotes verticale, horizontale et oblique.

TEST PRÉLIMINAIRE

Partie A

1. Déterminer le domaine des fonctions suivantes.

   a) $f(x) = \dfrac{5}{x - 2} + \dfrac{7x - 4}{5x + 4}$

   b) $f(x) = \dfrac{5x(x + 7)}{(x^2 - 3x - 4)(x^2 - 4)}$

   c) $f(x) = \dfrac{\sqrt{x + 4}}{x}$

   d) $f(x) = \dfrac{\sqrt{x^2 - 4}}{\sqrt{25 - x^2}}$

2. Donner l'équation des droites D_1, D_2 et D_3 suivantes.

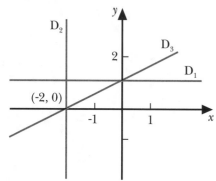

3. Effectuer les divisions suivantes.

   a) $\dfrac{x^3 + 1}{x + 1}$

   b) $\dfrac{4x^2 - 7x + 3}{x - 2}$

   c) $\dfrac{x^4 + 1}{x^2 + 1}$

Partie B

1. Évaluer les limites suivantes.

   a) $\displaystyle \lim_{x \to 1} \dfrac{x^2 + 2x - 3}{x^2 - 1}$

   b) $\displaystyle \lim_{x \to 4} \dfrac{\sqrt{x} - 2}{x - 4}$

2. Compléter.

   a) Si $f'(x) > 0$ sur $]a, b[$, alors f _____.

   b) Si $f''(x) < 0$ sur $]a, b[$, alors f _____.

   c) Si $f'(x)$ passe du « + » au « − » lorsque x passe de c^- à c^+, alors le point $(c, f(c))$ est _____.

   d) Si $f''(x)$ change de signe autour de c, alors le point $(c, f(c))$ est _____.

3. Si $f(x) = x^5 - 5x$, alors

   $f'(x) = 5 (x - 1) (x + 1) (x^2 + 1)$ et $f''(x) = 20x^3$.

   Construire le tableau de variation relatif à f' et à f'', et donner une esquisse du graphique de cette fonction.

10.1 NOTION D'ASYMPTOTE

À la fin de la présente section, l'étudiant connaîtra intuitivement les notions d'asymptote verticale, d'asymptote horizontale et d'asymptote oblique.

Soit la fonction f définie par le graphique ci-contre.

Nous utiliserons le graphique de cette fonction pour présenter intuitivement les notions d'asymptote verticale et d'asymptote horizontale.

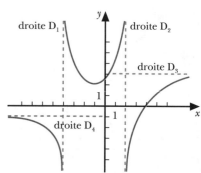

Objectif 10.1.1   Comprendre la notion d'asymptote verticale.

Nous constatons premièrement que la fonction f est discontinue en $x = -4$ et en $x = 2$.

De plus, nous voyons que lorsque les valeurs de x sont aussi près que nous le voulons de 2 par la droite, la courbe de f s'approche de plus en plus de la droite D_2 et la fonction f prend des valeurs qui tendent vers moins l'infini, que nous notons

$$\lim_{x \to 2^+} f(x) = -\infty.$$

Par contre, lorsque les valeurs de x sont aussi près que nous le voulons de 2 par la gauche, la courbe de f s'approche de plus en plus de la droite D_2 et la fonction f prend des valeurs qui tendent vers plus l'infini, que nous notons

$$\lim_{x \to 2^-} f(x) = +\infty.$$

De même, nous notons

$$\lim_{x \to -4^-} f(x) = -\infty \quad \text{et} \quad \lim_{x \to -4^+} f(x) = +\infty.$$

Nous disons alors que les droites D_1, d'équation $x = -4$, et D_2, d'équation $x = 2$, sont des asymptotes verticales.

Objectif 10.1.2   Comprendre la notion d'asymptote horizontale.

En étudiant le comportement de f, nous voyons que lorsque x tend vers moins l'infini, noté $x \to -\infty$, la courbe de f s'approche de plus en plus de la droite D_4, dont l'équation est $y = -1$ et la fonction f prend des valeurs de plus en plus près de -1, que nous notons

$$\lim_{x \to -\infty} f(x) = -1.$$

Nous voyons aussi que lorsque x tend vers plus l'infini, noté $x \to +\infty$, la courbe de f s'approche de plus en plus de la droite D_3, dont l'équation est $y = 3$ et la fonction f prend des valeurs de plus en plus près de 3, que nous notons

$$\lim_{x \to +\infty} f(x) = 3.$$

Nous disons alors que les droites D_3 et D_4 sont des asymptotes horizontales.

Remarque   Une asymptote d'une fonction est une droite dont se rapproche indéfiniment la courbe de la fonction en devenant presque parallèle à cette droite.

Objectif 10.1.3   Comprendre la notion d'asymptote oblique.

Outre les asymptotes horizontale et verticale, il existe un troisième type d'asymptote, l'asymptote oblique, dont un exemple est donné ci-contre.

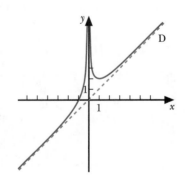

Le graphique ci-contre représente la fonction d'équation $f(x) = x + \dfrac{1}{x^2}$, où nous constatons que pour des valeurs de x, où $x \to -\infty$ ou $x \to +\infty$, la quantité $\dfrac{1}{x^2}$ devient négligeable par rapport à la quantité x. Cela implique que pour $x \to -\infty$ et $x \to +\infty$, la courbe de f se rapproche de la droite D, d'équation $y = x$.

Nous disons alors que la droite D est une asymptote oblique.

Exercices 10.1

1. Nommer les trois types d'asymptotes et donner un exemple graphique de chaque type.

2. Identifier les asymptotes verticales, horizontales ou obliques dans les représentations suivantes.

   a) 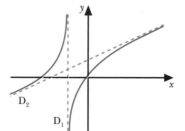   b) 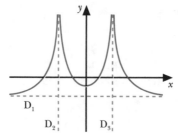   c)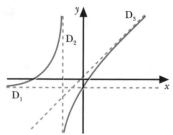

3. Parmi les droites ci-contre, identifier les droites qui sont des asymptotes verticales, horizontales ou obliques et donner leur équation.

   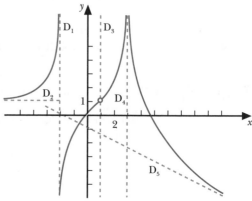

4. À l'aide du graphique du numéro précédent, évaluer les limites suivantes.

   a) $\lim\limits_{x \to -\infty} f(x)$ c) $\lim\limits_{x \to 1} f(x)$

   b) $\lim\limits_{x \to -2^+} f(x)$ d) $\lim\limits_{x \to 3^-} f(x)$

10.2 ASYMPTOTES VERTICALES

À la fin de la présente section, l'étudiant pourra identifier les asymptotes verticales de la courbe d'une fonction et donner l'esquisse du graphique de la fonction près de ces asymptotes.

Objectif 10.2.1   Connaître la définition d'asymptote verticale.

Définition	La droite d'équation $x = a$, où $a \in \mathbb{R}$, est une **asymptote verticale** de la courbe de f si au moins une des conditions suivantes est vérifiée : 1) $\lim\limits_{x \to a^-} f(x) = -\infty$ ou 3) $\lim\limits_{x \to a^+} f(x) = -\infty$ ou 2) $\lim\limits_{x \to a^-} f(x) = +\infty$ ou 4) $\lim\limits_{x \to a^+} f(x) = +\infty$.

À titre d'exemple, voici quatre représentations graphiques correspondant aux quatre conditions de la définition précédente.

1)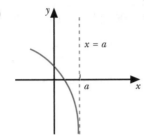

3)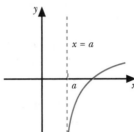

2)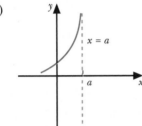

4)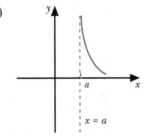

Objectif 10.2.2   Identifier les asymptotes verticales de la courbe d'une fonction.

Pour identifier les asymptotes verticales de la courbe d'une fonction, il faut évaluer les limites de toutes les valeurs de x qui annulent le dénominateur car certaines de ces valeurs nous permettront de déterminer l'équation de chacune des asymptotes verticales.

■ *Exemple* Soit $f(x) = \dfrac{2x + 1}{x - 1}$, où dom $f = \mathbb{R} \setminus \{1\}$. Analysons le comportement de f près de 1.

Déterminer d'abord les valeurs de $f(x)$ correspondantes pour $x \to 1^-$.

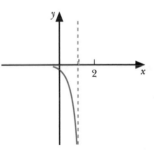

x	0	0,9	0,99	0,999	0,9999	$\ldots \to 1^-$
$f(x)$	-1	-28	-298	-2998	-29 998	$\ldots \to -\infty$

Nous écrivons alors $\lim\limits_{x \to 1^-} f(x) = -\infty$, et la droite d'équation $x = 1$ est une asymptote verticale.

Pour éviter de construire un tableau de valeurs, nous pouvons faire l'étude de la limite précédente de la façon suivante.

Puisque $x \to 1^-$, nous avons que $(x - 1) \to 0$ et que $(x - 1) < 0$, d'où $(x - 1) \to 0^-$. Ainsi, nous écrirons que

$$\lim\limits_{x \to 1^-} \frac{2x + 1}{x - 1} = \frac{3}{0^-} = -\infty.$$

Remarque Lorsque le dénominateur tend vers 0 et que le numérateur est différent de 0, alors le quotient tend vers $\pm\infty$, selon le signe du numérateur et du dénominateur.

Déterminons maintenant les valeurs de $f(x)$ correspondantes pour $x \to 1^+$.

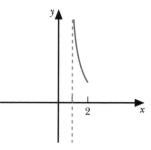

x	2	1,1	1,01	1,001	1,0001	... $\to 1^+$
$f(x)$	5	32	302	3002	30 002	... $\to +\infty$

Nous écrivons alors $\lim\limits_{x \to 1^+} f(x) = +\infty$ et nous pouvons de nouveau conclure que la droite d'équation $x = 1$ est une asymptote verticale.

Nous pouvons également évaluer la limite précédente de la façon suivante :

$$\lim_{x \to 1^+} \frac{2x + 1}{x - 1} = \frac{3}{0^+} \qquad (\text{car } (x - 1) \to 0 \text{ et } (x - 1) > 0)$$

$$= +\infty.$$

Remarque Il suffit qu'une des deux limites précédentes égale soit $+\infty$ ou $-\infty$ pour conclure qu'une droite est une asymptote verticale. Cependant, si nous voulons donner l'esquisse du graphique d'une fonction près d'une asymptote, il faut évaluer les limites à gauche et les limites à droite.

Voici un résumé des étapes à suivre pour identifier les asymptotes verticales de la courbe d'une fonction.

---

1. Déterminer le domaine de f, car toutes les valeurs de x qui annulent le dénominateur sont susceptibles de donner une asymptote verticale. De plus, si une fonction f est définie sur $]a, b[$, il est possible que les droites d'équation, $x = a$ et $x = b$, soient des asymptotes verticales.

2. Il faut vérifier si, à ces valeurs, la définition d'asymptote verticale est satisfaite en évaluant les limites correspondantes.

■ *Exemple* Soit $f(x) = \dfrac{3x - 6}{x^2 - 4}$. Identifions les asymptotes verticales.

1. dom $f = \mathbb{R} \setminus \{-2, 2\}$, d'où $x = -2$ et $x = 2$ sont susceptibles d'être des asymptotes verticales.

2. Évaluons les limites
   i) pour $x = -2$:

   $$\left. \begin{array}{l} \displaystyle\lim_{x \to -2^-} \frac{3(x - 2)}{x^2 - 4} = \frac{-12}{0^+} = -\infty \\[3mm] \displaystyle\lim_{x \to -2^+} \frac{3(x - 2)}{x^2 - 4} = \frac{-12}{0^-} = +\infty \end{array} \right\} \text{ donc, } x = -2 \text{ est une asymptote verticale.}$$

   ii) pour $x = 2$: $\displaystyle\lim_{x \to 2^-} \frac{3(x - 2)}{x^2 - 4}$ est une indétermination de la forme $\dfrac{0}{0}$.

   Levons cette indétermination en simplifiant :

   $$\lim_{x \to 2^-} \frac{3x - 6}{x^2 - 4} = \lim_{x \to 2^-} \frac{3(x - 2)}{(x - 2)(x + 2)} \qquad (\text{en factorisant})$$

   $$= \lim_{x \to 2^-} \frac{3}{x + 2} \qquad (\text{en simplifiant, car } (x - 2) \neq 0)$$

   $$= \frac{3}{4} \qquad (\text{en évaluant la limite}).$$

De façon analogue, nous avons que $\displaystyle\lim_{x \to 2^+} \frac{3x - 6}{x^2 - 4} = \frac{3}{4}$.

Donc, $x = 2$ n'est pas une asymptote verticale puisque la définition n'est pas satisfaite.

La représentation graphique ci-contre est une esquisse du graphique de f pour des valeurs de x voisines de -2 et 2.

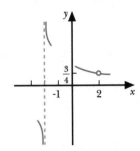

Exercices 10.2

1. Compléter la définition suivante.

   La droite d'équation $x = a$, où $a \in \mathbb{R}$, est une asymptote verticale de la courbe de f si une des conditions suivantes est vérifiée : _____ .

2. Soit f, définie par le graphique ci-contre.

   a) Évaluer les limites suivantes.

   i) $\displaystyle\lim_{x \to -6^-} f(x)$ v) $\displaystyle\lim_{x \to 0^-} f(x)$

   ii) $\displaystyle\lim_{x \to -6^+} f(x)$ vi) $\displaystyle\lim_{x \to 0^+} f(x)$

   iii) $\displaystyle\lim_{x \to -2^-} f(x)$ vii) $\displaystyle\lim_{x \to 5^-} f(x)$

   iv) $\displaystyle\lim_{x \to -2^+} f(x)$ viii) $\displaystyle\lim_{x \to 5^+} f(x)$

   b) Donner l'équation de chaque asymptote verticale.

3. Déterminer les asymptotes verticales de la fonction f définie par $f(x) = \tan x$ sur $\left] -\dfrac{\pi}{2}, \dfrac{\pi}{2} \right[$.

4. a) Tracer un graphique qui répond aux quatre conditions suivantes :

   i) $\displaystyle\lim_{x \to -3^-} f(x) = +\infty$;   iii) $\displaystyle\lim_{x \to 2^-} f(x) = 2$;

   ii) $\displaystyle\lim_{x \to -3^+} f(x) = -\infty$;   iv) $\displaystyle\lim_{x \to 2^+} f(x) = +\infty$.

   b) Donner l'équation de chaque asymptote verticale.

5. Déterminer, si possible, les asymptotes verticales des fonctions suivantes et donner l'esquisse du graphique de la fonction près de ces asymptotes.

   a) $f(x) = \dfrac{3x}{(x - 3)^2}$ f) $f(x) = 4 + \dfrac{3x + 1}{\sqrt{x}}$

   b) $f(x) = \dfrac{-7x^2}{\sqrt{x + 3}}$ g) $f(x) = \dfrac{x^2 - 4}{x - 2}$

   c) $f(x) = \dfrac{2x + 1}{(x - 1)(x + 4)}$ h) $f(x) = \left(\dfrac{4x}{x(x - 1)(x - 2)} \right)^2$

   d) $f(x) = \dfrac{x^2 + x - 6}{x^2 + 4x + 3}$ i) $f(x) = \dfrac{\sqrt{x + 2}}{(x + 4)(x - 1)}$

   e) $f(x) = \dfrac{-x}{(x - 1)^2(x + 2)}$

6. Déterminer la valeur de k, si

a) $x = -1$ est une asymptote verticale de $f(x) = \dfrac{5x^2 + 4}{3x + k}$;

b) $x = 4$ et $x = -4$ sont des asymptotes verticales de $f(x) = \dfrac{-5x + 7}{(x^2 + k)}$.

10.3 ASYMPTOTES HORIZONTALES

À la fin de la présente section, l'étudiant pourra identifier les asymptotes horizontales de la courbe d'une fonction et donner l'esquisse du graphique de la fonction près de ces asymptotes.

Objectif 10.3.1   Connaître la définition d'asymptote horizontale.

Définition	La droite d'équation $y = b$, où $b \in \mathbb{R}$, est une **asymptote horizontale** de la courbe de f si au moins une des conditions suivantes est vérifiée : 1) $\lim\limits_{x \to -\infty} f(x) = b$ ou 2) $\lim\limits_{x \to +\infty} f(x) = b$.

À titre d'exemple, voici quatre représentations graphiques correspondant aux deux conditions de la définition précédente.

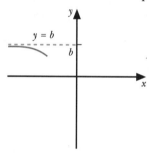

$$\lim_{x \to -\infty} f(x) = b$$

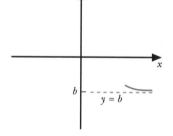

$$\lim_{x \to +\infty} f(x) = b$$

$$\lim_{x \to -\infty} f(x) = b \text{ et } \lim_{x \to +\infty} f(x) = b$$

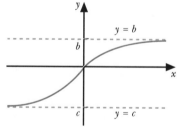

$$\lim_{x \to -\infty} f(x) = c \text{ et } \lim_{x \to +\infty} f(x) = b$$

Question 1   Soit f, définie par le graphique ci-contre.

a)   Évaluer les limites suivantes.

i) $\lim\limits_{x \to -\infty} f(x)$ ii) $\lim\limits_{x \to +\infty} f(x)$

b)   Donner l'équation des asymptotes horizontales.

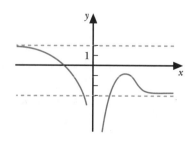

Objectif 10.3.2   Identifier les asymptotes horizontales de la courbe d'une fonction.

Pour identifier les asymptotes horizontales de la courbe d'une fonction f, il faut évaluer $\lim\limits_{x \to -\infty} f(x)$ et $\lim\limits_{x \to +\infty} f(x)$.

■ *Exemple* Soit $f(x) = \dfrac{1}{x}$, où dom $f = \mathbb{R} \setminus \{0\}$. Analysons le comportement de f lorsque $x \to -\infty$ et lorsque $x \to +\infty$.

Déterminons d'abord les valeurs de $f(x)$ correspondantes pour $x \to -\infty$.

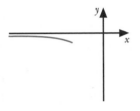

x	-1000	-10 000	-10^6	$\ldots \to -\infty$
$f(x)$	$\dfrac{-1}{1000}$	$\dfrac{-1}{10\,000}$	$\dfrac{-1}{10^6}$	$\ldots \to 0$

Nous écrivons alors $\lim\limits_{x \to -\infty} f(x) = 0$, et la droite d'équation $y = 0$ est une asymptote horizontale lorsque $x \to -\infty$.

Déterminons maintenant les valeurs de $f(x)$ correspondantes pour $x \to +\infty$.

x	1000	10 000	10^6	$\ldots \to +\infty$
$f(x)$	$\dfrac{1}{1000}$	$\dfrac{1}{10\,000}$	$\dfrac{1}{10^6}$	$\ldots \to 0$

Nous écrivons alors $\lim\limits_{x \to +\infty} f(x) = 0$, et la droite d'équation $y = 0$ est une asymptote horizontale lorsque $x \to +\infty$.

■ *Exemple* Soit $f(x) = 7 - \dfrac{3}{2x - 1}$, où dom $f = \mathbb{R} \setminus \left\{ \dfrac{1}{2} \right\}$. Déterminons les asymptotes horizontales de cette fonction et donnons l'esquisse du graphique de f lorsque $x \to -\infty$ et lorsque $x \to +\infty$.

$$\lim\limits_{x \to -\infty} \left(7 - \dfrac{3}{2x - 1} \right) = 7 \qquad \left(\text{car } \lim\limits_{x \to -\infty} \dfrac{3}{2x - 1} = 0 \right).$$

Donc, $y = 7$ est une asymptote horizontale lorsque $x \to -\infty$.

$$\lim\limits_{x \to +\infty} \left(7 - \dfrac{3}{2x - 1} \right) = 7 \qquad \left(\text{car } \lim\limits_{x \to +\infty} \dfrac{3}{2x - 1} = 0 \right).$$

Donc, $y = 7$ est une asymptote horizontale lorsque $x \to +\infty$.

La représentation graphique ci-contre est une esquisse du graphique de f lorsque $x \to -\infty$ et lorsque $x \to +\infty$.

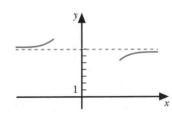

Objectif 10.3.3 Lever certaines indéterminations de la forme $\dfrac{\pm\infty}{\pm\infty}$ afin de déterminer ensuite, s'il y a lieu, l'équation de chaque asymptote horizontale.

■ *Exemple* Soit $f(x) = \dfrac{2x^2 - 3}{x^2 + 7}$, où dom $f = \mathbb{R}$. Évaluons les limites de cette fonction lorsque $x \to$ -∞ et lorsque $x \to$ +∞ pour déterminer, s'il y a lieu, les asymptotes horizontales.

$\displaystyle\lim_{x \to -\infty} \dfrac{2x^2 - 3}{x^2 + 7}$ est une indétermination de la forme $\dfrac{+\infty}{+\infty}$.

Pour lever certaines indéterminations de la forme $\dfrac{\pm\infty}{\pm\infty}$, nous pouvons :

> i) mettre en évidence au numérateur la plus grande puissance de x figurant au numérateur ;
>
> ii) mettre en évidence au dénominateur la plus grande puissance de x figurant au dénominateur ;
>
> iii) simplifier la fonction, ce qui permettra, possiblement, d'évaluer la limite.

$$\lim_{x \to -\infty} \frac{2x^2 - 3}{x^2 + 7} = \lim_{x \to -\infty} \frac{x^2\left(2 - \dfrac{3}{x^2}\right)}{x^2\left(1 + \dfrac{7}{x^2}\right)} \quad \text{(en mettant en évidence)}$$

$$= \lim_{x \to -\infty} \frac{2 - \dfrac{3}{x^2}}{1 + \dfrac{7}{x^2}} \quad \text{(en simplifiant } x^2\text{)}$$

$$= \frac{2 - 0}{1 + 0} = 2 \quad \text{(car } \lim_{x \to -\infty} \frac{3}{x^2} = 0 \text{ et } \lim_{x \to -\infty} \frac{7}{x^2} = 0\text{)}.$$

Donc, $y = 2$ est une asymptote horizontale lorsque $x \to$ -∞.

De façon analogue, nous avons que $\displaystyle\lim_{x \to +\infty} f(x) = 2$.

Donc, $y = 2$ est une asymptote horizontale lorsque $x \to$ +∞.

■ *Exemple* Soit $f(x) = \dfrac{x^6 + 7}{x^3 + 3x + 4}$, où dom $f = \mathbb{R} \setminus \{-1\}$. Déterminons, s'il y a lieu, les asymptotes horizontales de cette fonction.

$\displaystyle\lim_{x \to -\infty} \dfrac{x^6 + 7}{x^3 + 3x + 4}$ est une indétermination de la forme $\dfrac{+\infty}{-\infty}$.

Levons cette indétermination :

$$\lim_{x \to -\infty} \frac{x^6 + 7}{x^3 + 3x + 4} = \lim_{x \to -\infty} \frac{x^6\left(1 + \dfrac{7}{x^6}\right)}{x^3\left(1 + \dfrac{3}{x^2} + \dfrac{4}{x^3}\right)}$$

$$= \lim_{x \to -\infty} \frac{x^3\left(1 + \dfrac{7}{x^6}\right)}{1 + \dfrac{3}{x^2} + \dfrac{4}{x^3}} = -\infty.$$

Donc, f n'a pas d'asymptote horizontale lorsque $x \to -\infty$.

De façon analogue, nous avons que $\lim\limits_{x \to +\infty} f(x) = +\infty$.

Donc, f n'a pas d'asymptote horizontale lorsque $x \to +\infty$.

Question 2   Soit $f(x) = \dfrac{7x + 1}{x^3 + 2x - 4}$. Déterminer les asymptotes horizontales de cette fonction.

■ **Exemple** Soit $f(x) = \dfrac{\sqrt{9x^2 + 4}}{x}$, où $\operatorname{dom} f = \mathbb{R} \setminus \{0\}$. Déterminons les asymptotes horizontales de cette fonction et donnons l'esquisse du graphique de f lorsque $x \to -\infty$ et lorsque $x \to +\infty$.

$\lim\limits_{x \to -\infty} \dfrac{\sqrt{9x^2 + 4}}{x}$ est une indétermination de la forme $\dfrac{+\infty}{-\infty}$.

Levons cette indétermination :

$$\lim_{x \to -\infty} \frac{\sqrt{9x^2 + 4}}{x} = \lim_{x \to -\infty} \frac{\sqrt{x^2\left(9 + \dfrac{4}{x^2}\right)}}{x}$$

$$= \lim_{x \to -\infty} \frac{\sqrt{x^2}\left(\sqrt{9 + \dfrac{4}{x^2}}\right)}{x}$$

$$= \lim_{x \to -\infty} \frac{|x|\left(\sqrt{9 + \dfrac{4}{x^2}}\right)}{x} \qquad (\text{car } \sqrt{x^2} = |x|)$$

$$= \lim_{x \to -\infty} \frac{-x\left(\sqrt{9 + \dfrac{4}{x^2}}\right)}{x} \qquad (\text{car } |x| = -x \text{ si } x < 0)$$

$$= \lim_{x \to -\infty} -\left(\sqrt{9 + \dfrac{4}{x^2}}\right) = -3.$$

Donc, $y = -3$ est une asymptote horizontale lorsque $x \to -\infty$.

$\lim\limits_{x \to +\infty} \dfrac{\sqrt{9x^2 + 4}}{x}$ est une indétermination de la forme $\dfrac{+\infty}{+\infty}$.

Levons cette indétermination :

$$\lim_{x \to +\infty} \frac{\sqrt{9x^2 + 4}}{4} = \lim_{x \to +\infty} \frac{\sqrt{x^2\left(9 + \dfrac{4}{x^2}\right)}}{x}$$

$$= \lim_{x \to +\infty} \frac{\sqrt{x^2}\left(\sqrt{9 + \dfrac{4}{x^2}}\right)}{x}$$

$$= \lim_{x \to +\infty} \frac{|x|\left(\sqrt{9 + \dfrac{4}{x^2}}\right)}{x} \quad (\text{car } \sqrt{x^2} = |x|)$$

$$= \lim_{x \to +\infty} \frac{x\left(\sqrt{9 + \dfrac{4}{x^2}}\right)}{x} \quad (\text{car } |x| = x \text{ si } x \geq 0)$$

$$= \lim_{x \to +\infty} \left(\sqrt{9 + \dfrac{4}{x^2}}\right) = 3.$$

Donc, $y = 3$ est une asymptote horizontale lorsque $x \to +\infty$.

La représentation graphique ci-contre est une esquisse du graphique de f lorsque $x \to -\infty$ et lorsque $x \to +\infty$.

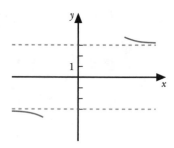

Objectif 10.3.4   Lever certaines indéterminations de la forme $(+\infty - \infty)$ ou $(-\infty + \infty)$.

■ *Exemple* Calculons $\lim_{x \to -\infty} (2x^3 - x + 1)$ et $\lim_{x \to +\infty} (2x^3 - x + 1)$.

$\lim_{x \to -\infty} (2x^3 - x + 1)$ est une indétermination de la forme $(-\infty + \infty)$ et

$\lim_{x \to +\infty} (2x^3 - x + 1)$ est une indétermination de la forme $(+\infty - \infty)$.

Pour lever ces indéterminations, nous pouvons mettre en évidence la plus grande puissance de x.

$$\lim_{x \to -\infty} (2x^3 - x + 1) = \lim_{x \to -\infty} x^3\left(2 - \frac{1}{x^2} + \frac{1}{x^3}\right) = -\infty.$$

$$\lim_{x \to +\infty} (2x^3 - x + 1) = \lim_{x \to +\infty} x^3\left(2 - \frac{1}{x^2} + \frac{1}{x^3}\right) = +\infty.$$

■ *Exemple* Soit $f(x) = \dfrac{3x^3 - 4x + 1}{x^3 - 4x^2}$, où dom $f = \mathbb{R} \setminus \{0, 4\}$. Déterminons les asymptotes horizontales de cette fonction.

Puisque $\lim_{x \to -\infty} (3x^3 - 4x + 1) = \lim_{x \to -\infty} x^3\left(3 - \frac{4}{x^2} + \frac{1}{x^3}\right) = -\infty$

et que $\lim_{x \to -\infty} (x^3 - 4x^2) = -\infty - \infty = -\infty$, nous avons que

$\lim_{x \to -\infty} \dfrac{3x^3 - 4x + 1}{x^3 - 4x^2}$ est une indétermination de la forme $\dfrac{-\infty}{-\infty}$.

Ainsi, $\lim_{x \to -\infty} \dfrac{3x^3 - 4x + 1}{x^3 - 4x^2} = \lim_{x \to -\infty} \dfrac{x^3\left(3 - \dfrac{4}{x^2} + \dfrac{1}{x^3}\right)}{x^3\left(1 - \dfrac{4}{x}\right)}$

$$= \lim_{x \to -\infty} \frac{\left(3 - \dfrac{4}{x^2} + \dfrac{1}{x^3}\right)}{\left(1 - \dfrac{4}{x}\right)} = 3.$$

Donc, $y = 3$ est une asymptote horizontale lorsque $x \to -\infty$.

De façon analogue, nous avons que $\lim_{x \to +\infty} f(x) = 3$.

Donc, $y = 3$ est une asymptote horizontale lorsque $x \to +\infty$.

Exercices 10.3

1. Compléter la définition suivante.

    La droite d'équation $y = b$, où $b \in \mathbb{R}$, est une asymptote horizontale de la courbe de f si au moins une des conditions suivantes est vérifiée : _____.

2. Soit f, définie par le graphique ci-contre.
    a) Évaluer les limites suivantes.

        i) $\lim_{x \to -\infty} f(x)$ ii) $\lim_{x \to +\infty} f(x)$

    b) Donner les équations des asymptotes horizontales.

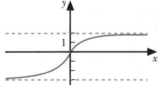

3. a) Tracer un graphique qui répond aux deux conditions suivantes :

        i) $\lim_{x \to -\infty} f(x) = 2$;   ii) $\lim_{x \to +\infty} f(x) = -1$.

    b) Donner les équations des asymptotes horizontales.

4. Déterminer si les limites suivantes sont indéterminées et évaluer ces limites.
    a) $\lim_{x \to -\infty} (7x^3 - 4x^2 + 7x - 1)$ c) $\lim_{x \to -\infty} (\sqrt{x^2 + 4} + x^3)$

    b) $\lim_{x \to +\infty} (7x^3 - 4x^2 + 7x - 1)$

5. Déterminer, si possible, les asymptotes horizontales de chacune des fonctions suivantes, en explicitant les étapes du calcul, lorsque la limite est indéterminée.

    a) $f(x) = 7 - \dfrac{3}{x + 1}$ c) $f(x) = \dfrac{4x^3}{7x^2 + 1}$

    b) $f(x) = \dfrac{3x^2 - 1}{5x^2 + 4x + 1}$ d) $f(x) = \dfrac{4x + 1}{\sqrt{x^2 + 9}}$

6. Déterminer, si possible, les asymptotes horizontales des fonctions suivantes et donner l'esquisse du graphique de la fonction près de ces asymptotes.

    a) $f(x) = \dfrac{5}{x^2 + 1}$ c) $f(x) = 5 + \dfrac{1}{x}$

    b) $f(x) = \dfrac{-3x^2}{1 - x^3}$ d) $f(x) = \dfrac{\sqrt{x - 1}}{x^2} - 3$

7. Déterminer, si possible, les asymptotes horizontales des fonctions suivantes.

a) $f(x) = \dfrac{7x^8 + 2x^2 + 1}{4x^8 + x^4}$

c) $f(x) = \dfrac{x^{\frac{2}{3}} + x}{4 + x^{\frac{3}{4}}}$

e) $f(x) = \dfrac{|5x|}{x + 3}$

b) $f(x) = \dfrac{7}{\sqrt{5 - x}}$

d) $f(x) = \dfrac{4x^3 + 5 \sin x}{1 - 2x^3}$

f) $f(x) = \dfrac{\sqrt{x^2 + 1}}{2 - 3x}$

8. Déterminer la valeur de k, si

a) $y = 3$ est une asymptote horizontale de $f(x) = \dfrac{kx + 1}{3x - 4}$;

b) $y = 7$ est une asymptote horizontale de $f(x) = \dfrac{7x^k + 1}{x^2 - 4}$.

9. Soit $Q(x) = \dfrac{a_n x^n + a_{n-1} x^{n-1} + a_{n-2} x^{n-2} + \ldots + a_1 x + a_0}{b_m x^m + b_{m-1} x^{m-1} + b_{m-2} x^{m-2} + \ldots + b_1 x + b_0}$, où $a_n \neq 0$ et $b_m \neq 0$.

Donner, s'il y a lieu, l'équation de l'asymptote horizontale selon les valeurs de m et de n.

10.4 ASYMPTOTES OBLIQUES

À la fin de la présente section, l'étudiant pourra identifier les asymptotes obliques de la courbe d'une fonction et donner l'esquisse du graphique de la fonction près de ces asymptotes.

Objectif 10.4.1 Connaître la définition d'asymptote oblique.

■ *Exemple* Soit $f(x) = 2x - 3 + \dfrac{4}{x}$, où dom $f = \mathbb{R} \setminus \{0\}$. Analysons le comportement de cette fonction lorsque $x \to -\infty$ et lorsque $x \to +\infty$.

$$\lim_{x \to -\infty} f(x) = \lim_{x \to -\infty} \left(2x - 3 + \frac{4}{x}\right) = -\infty \text{ et}$$

$$\lim_{x \to +\infty} f(x) = \lim_{x \to +\infty} \left(2x - 3 + \frac{4}{x}\right) = +\infty.$$

Donc, f n'a pas d'asymptote horizontale.

De plus, nous remarquons que $\lim\limits_{x \to -\infty} \dfrac{4}{x} = 0$ et que $\lim\limits_{x \to +\infty} \dfrac{4}{x} = 0$, ainsi le terme $\dfrac{4}{x}$ est négligeable, lorsque $x \to -\infty$ ou lorsque $x \to +\infty$, par rapport à $(2x - 3)$. Ceci signifie que le graphique de f est aussi près que nous le voulons de la droite d'équation $y = 2x - 3$, lorsque $x \to -\infty$ et lorsque $x \to +\infty$.

Nous disons alors que la droite d'équation $y = 2x - 3$ est une asymptote oblique du graphique de f.

La représentation graphique ci-contre est une esquisse du graphique de f lorsque $x \to -\infty$ et lorsque $x \to +\infty$.

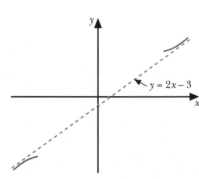

Définition	La droite d'équation $y = mx + b$ est une **asymptote oblique** de la courbe de f s'il est possible d'exprimer $f(x)$ sous la forme $f(x) = mx + b + r(x)$, où $m \neq 0$, et telle que $\lim\limits_{x \to -\infty} r(x) = 0$ ou $\lim\limits_{x \to +\infty} r(x) = 0$.

Objectif 10.4.2   Identifier les asymptotes obliques de la courbe d'une fonction.

■ *Exemple* Soit $f(x) = \dfrac{3x^3 - 2x^2 + 8x - 1}{x^2 + 1}$, où dom $f = \mathbb{R}$. Déterminons, s'il y a lieu, les asymptotes obliques de cette fonction.

Vérifions si nous pouvons transformer f sous la forme $mx + b + r(x)$, où $m \neq 0$, et telle que $\lim\limits_{x \to -\infty} r(x) = 0$ ou $\lim\limits_{x \to +\infty} r(x) = 0$.

En effectuant la division, nous obtenons

$$f(x) = \frac{3x^3 - 2x^2 + 8x - 1}{x^2 + 1} = 3x - 2 + \frac{5x + 1}{x^2 + 1} \qquad \text{(où } m = 3, b = \text{-}2 \text{ et } r(x) = \frac{5x + 1}{x^2 + 1}\text{).}$$

En évaluant $\lim\limits_{x \to -\infty} r(x)$, nous avons

$$\lim_{x \to -\infty} r(x) = \lim_{x \to -\infty} \frac{5x + 1}{x^2 + 1} = \lim_{x \to -\infty} \frac{x\left(5 + \dfrac{1}{x}\right)}{x^2\left(1 + \dfrac{1}{x^2}\right)} = \lim_{x \to -\infty} \frac{\left(5 + \dfrac{1}{x}\right)}{x\left(1 + \dfrac{1}{x^2}\right)} = 0.$$

Donc, $y = 3x - 2$ est une asymptote oblique lorsque $x \to -\infty$.

De façon analogue, $\lim\limits_{x \to +\infty} r(x) = 0$.

Donc, $y = 3x - 2$ est une asymptote oblique lorsque $x \to +\infty$.

Exercices 10.4

1. Compléter la définition suivante.

   La droite d'équation $y = mx + b$ est une asymptote oblique de la courbe de f s'il est possible d'exprimer $f(x)$ sous la forme _____.

2. Donner l'équation des asymptotes obliques ci-contre.

3. Exprimer, si possible, les fonctions suivantes sous la forme $mx + b + r(x)$ et donner les valeurs de m, de b et de $r(x)$.

   a) $f(x) = \dfrac{2x^3 + x^2 + x}{x^2}$

   b) $f(x) = \dfrac{-10x^2 + 27x - 22}{2x - 3}$

   c) $f(x) = \dfrac{3x^2 + x + 4}{x^2 + 1}$

   d) $f(x) = \dfrac{x^3 + x^2 + x + 1}{x}$

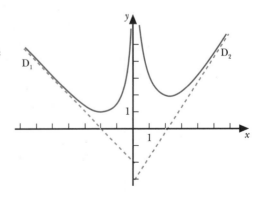

4. Déterminer, si possible, les asymptotes obliques des fonctions suivantes.

    a) $f(x) = 5x - 1 + \dfrac{7}{x^2}$

    b) $f(x) = \dfrac{4x^3 - 6x^2 + x - 4}{x^2}$

    c) $f(x) = \dfrac{x - x^3 - 1}{1 + x^3}$

    d) $f(x) = \dfrac{x + 1 + x^3 + 3x^2}{x}$

5. Déterminer, si possible, les asymptotes obliques des fonctions suivantes et donner l'esquisse du graphique de la fonction près de ces asymptotes.

    a) $f(x) = \dfrac{3x^3 + 4x^2 + 5}{x^2}$

    b) $f(x) = \dfrac{-2x^2 - 3x + 2}{x + 1}$

10.5   ANALYSE DE FONCTIONS

À la fin de la présente section, l'étudiant pourra identifier les asymptotes de la courbe d'une fonction, rassembler dans un seul tableau de variation toutes les informations déduites de la dérivée première et de la dérivée seconde, et donner l'esquisse du graphique de cette fonction.

Voici un rappel de quelques notions vues jusqu'à maintenant.

---

1. a)   Si $f'(x) > 0$ sur $]a, b[$, alors $f \nearrow$ sur $[a, b]$.

    b)   Si $f'(x) < 0$ sur $]a, b[$, alors $f \searrow$ sur $[a, b]$.

2. Soit c, un nombre critique de f, c'est-à-dire $f'(c) = 0$ ou $f'(c)$ n'existe pas.

    a)   Si $f'(x)$ passe du $+$ au $-$ autour de c, alors le point $(c, f(c))$ est un maximum de f.

    b)   Si $f'(x)$ passe du $-$ au $+$ autour de c, alors le point $(c, f(c))$ est un minimum de f.

3. a)   Si $f''(x) > 0$ sur $]a, b[$, alors $f \cup$ sur $[a, b]$.

    b)   Si $f''(x) < 0$ sur $]a, b[$, alors $f \cap$ sur $[a, b]$.

4. Soit f, une fonction continue en $x = c$. Si $f''(c) = 0$ ou $f''(c)$ n'existe pas, alors le point $(c, f(c))$ est un point d'inflexion de $f \Leftrightarrow f''(x)$ change de signe autour de c.

5. a)   La droite d'équation $x = a$, où $a \in \mathbb{R}$, est une asymptote verticale de la courbe de f si

    1) $\lim\limits_{x \to a^-} f(x) = -\infty$ ou   3) $\lim\limits_{x \to a^+} f(x) = -\infty$ ou

    2) $\lim\limits_{x \to a^-} f(x) = +\infty$ ou   4) $\lim\limits_{x \to a^+} f(x) = +\infty$.

    b)   La droite d'équation $y = b$, où $b \in \mathbb{R}$, est une asymptote horizontale de la courbe de f si

    1) $\lim\limits_{x \to -\infty} f(x) = b$ ou   2) $\lim\limits_{x \to +\infty} f(x) = b$.

    c)   La droite d'équation $y = mx + b$ est une asymptote oblique de la courbe de f s'il est possible d'exprimer $f(x)$ sous la forme

    $f(x) = mx + b + r(x)$, où $m \neq 0$, et telle que

    $\lim\limits_{x \to -\infty} r(x) = 0$ ou $\lim\limits_{x \to +\infty} r(x) = 0$.

■ *Exemple* Soit $f(x) = \dfrac{x-3}{x^2}$. Analysons cette fonction.

1. Déterminons le domaine de f.

    dom $f = \mathbb{R} \setminus \{0\}$, d'où $x = 0$ est susceptible d'être une asymptote verticale.

2. Déterminons, si possible, les asymptotes.

    a) Asymptotes verticales

    $$\left.\begin{array}{l} \displaystyle\lim_{x \to 0^-} \frac{x-3}{x^2} = \frac{-3}{0^+} = -\infty \\[3mm] \displaystyle\lim_{x \to 0^+} \frac{x-3}{x^2} = \frac{-3}{0^+} = -\infty \end{array}\right\} \text{ Donc, } x = 0 \text{ est une asymptote verticale.}$$

    b) Asymptotes horizontales

    $\displaystyle\lim_{x \to -\infty} \dfrac{x-3}{x^2}$ est une indétermination de la forme $\dfrac{-\infty}{+\infty}$.

    Levons cette indétermination :

    $$\lim_{x \to -\infty} \frac{x-3}{x^2} = \lim_{x \to -\infty} \frac{x\left(1 - \dfrac{3}{x}\right)}{x^2} = \lim_{x \to -\infty} \frac{1 - \dfrac{3}{x}}{x} = 0.$$

    Donc, $y = 0$ est une asymptote horizontale lorsque $x \to -\infty$.

    De façon analogue, nous avons que $\displaystyle\lim_{x \to +\infty} f(x) = 0$.

    Donc, $y = 0$ est une asymptote horizontale lorsque $x \to +\infty$.

    c) Asymptotes obliques.

    Lorsque $x \to -\infty$ et $x \to +\infty$ nous avons une asymptote horizontale, alors il ne peut y avoir d'asymptote oblique.

3. Calculons $f'(x)$ et déterminons les nombres critiques correspondants.

    $$f'(x) = \left(\frac{x-3}{x^2}\right)' = \frac{6-x}{x^3}$$

    $f'(x) = 0$ si $x = 6$ et $f'(x)$ est non définie si $x = 0$.

    Ainsi, 6 est un nombre critique.

Remarque Puisque $0 \notin$ dom f, 0 n'est pas un nombre critique.

4. Calculons $f''(x)$ et déterminons les nombres critiques correspondants.

    $$f''(x) = \left(\frac{6-x}{x^3}\right)' = \frac{2(x-9)}{x^4}$$

    $f''(x) = 0$ si $x = 9$ et $f''(x)$ est non définie si $x = 0$.

    Ainsi, 9 est un nombre critique.

5.   Construisons le tableau de variation.

x	$-\infty$		0		6		9		$+\infty$
$f'(x)$		$-$	$\nexists$	$+$	0	$-$	$-$	$-$	
$f''(x)$		$-$	$\nexists$	$-$	$-$	$-$	0	$+$	
f	0	$\searrow \cap$	$\nexists$	$\nearrow \cap$	$\dfrac{1}{12}$	$\searrow \cap$	$\dfrac{2}{27}$	$\searrow \cup$	0
E. du G.		$\searrow$	$\nexists$	$\nearrow$	$\left(6, \dfrac{1}{12}\right)$	$\searrow$	$\left(9, \dfrac{2}{27}\right)$	$\searrow$	

max.   infl.

Asymptote
verticale :
$x = 0$

Car $\displaystyle\lim_{x \to -\infty} f(x) = 0$ Car $\displaystyle\lim_{x \to +\infty} f(x) = 0$

Asymptote horizontale : $y = 0$ Asymptote horizontale : $y = 0$

6.   Donnons une esquisse du graphique de f.

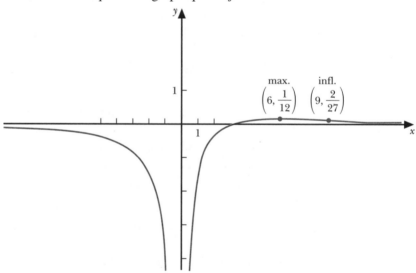

La présente section étant une synthèse des sections précédentes, nous passons directement aux problèmes de synthèse.

Exercices 10.5

1. À l'aide des données suivantes :

$\lim\limits_{x \to -4^-} f(x) = -\infty$, $\lim\limits_{x \to -4^+} f(x) = -\infty$, $\lim\limits_{x \to 2^-} f(x) = +\infty$, $\lim\limits_{x \to 2^+} f(x) = -\infty$, $\lim\limits_{x \to -\infty} f(x) = -3$, $\lim\limits_{x \to +\infty} f(x) = 2$ et du

tableau de variation suivant,

x	$-\infty$	-4		-2		-1		0		2		5		6		$+\infty$
$f'(x)$	$-$	$\nexists$	$+$	0	$-$	$-$	$-$	0	$+$	$\nexists$	$+$	0	$-$	$-$	$-$	
$f''(x)$	$-$	$\nexists$	$-$	$-$	$-$	0	$+$	$+$	$+$	$\nexists$	$-$	$-$	$-$	0	$+$	
f		$\nexists$		-1		-2		-3		$\nexists$		6		4		

a) déterminer dom f ;

b) donner les équations des asymptotes verticales ;

c) donner les équations des asymptotes horizontales ;

d) déterminer les maximums et les minimums ;

e) déterminer les points d'inflexion ;

f) esquisser le graphique de cette fonction.

2. Pour chacune des fonctions suivantes, déterminer le domaine et l'équation des asymptotes, construire le tableau de variation relatif à f' et à f'', et donner une esquisse du graphique de la fonction.

a) $f(x) = \dfrac{x}{x^2 - 4}$

b) $f(x) = x^3 + \dfrac{3}{x}$

c) $f(x) = x + \dfrac{4}{x^2}$

d) $f(x) = \dfrac{2x^2 - 1}{x^2 - 1}$

e) $f(x) = (x - 2)^2 + \dfrac{1}{(x - 2)^2}$

f) $f(x) = \dfrac{x^2 - 2x - 8}{x^2}$

3. Pour chacune des fonctions suivantes, déterminer l'équation des asymptotes, les maximums, les minimums, les points d'inflexion, et donner une esquisse du graphique de la fonction.

a) $f(x) = x^2 + \dfrac{1}{x}$

b) $f(x) = \dfrac{-x^2}{x^2 + 1}$

c) $f(x) = \dfrac{-2x}{\sqrt{x^2 - 1}}$

d) $f(x) = \dfrac{4x^2 - 3x + 3}{x - 1}$

4. En utilisant les résultats obtenus à la question **3 d)** précédente, déterminer l'équation des asymptotes, les maximums, les minimums et les points d'inflexion de la fonction $h(x) = \left| \dfrac{4x^2 - 3x + 3}{x - 1} \right|$, et donner une esquisse du graphique de la fonction h.

Problèmes de synthèse

1. Identifier sur le graphique ci-contre les asymptotes verticales, horizontales et obliques. Donner l'équation de chaque asymptote.

2. Déterminer, s'il y a lieu, les asymptotes verticales, horizontales et obliques des fonctions suivantes.

   a) $f(x) = \dfrac{3x^2 + 1}{x^2 - 4}$

   b) $f(x) = \dfrac{5x - 15}{x^2 - 9}$

   c) $f(x) = \dfrac{5x^6 + 4x^2 + 1}{x^3 + 3x^2 - 4x}$

   d) $f(x) = \dfrac{3 - 6x}{\sqrt{4x^2 + 1}}$

   e) $f(x) = \dfrac{4x^2 - 1}{x + 1}$

   f) $f(x) = \dfrac{5x + 1}{\sqrt{x^2 - 4}}$

   g) $f(x) = \dfrac{4x + 3}{|x| - 5}$

   h) $f(x) = \dfrac{5x^2\sqrt{x - 2} - 3x\sqrt{x - 2} + 4}{x\sqrt{x - 2}}$

   i) $f(x) = \dfrac{\sin x}{x}$

   j) $f(x) = \dfrac{3 + \sin x}{x}$

3. Pour chacune des fonctions suivantes, déterminer les maximums, les minimums, les points d'inflexion, les équations des asymptotes, et donner une esquisse du graphique de la fonction.

   a) $f(x) = \dfrac{3x + 1}{2 - x}$

   b) $f(x) = 5 + \dfrac{3}{4 - x^2}$

   c) $f(x) = \sqrt{8 - x^3}$

   d) $f(x) = \dfrac{2x^2 + x + 2}{x^2 + 1}$

   e) $f(x) = \dfrac{32}{(x^2 - 4)^2}$ f) $f(x) = \dfrac{4}{x^3 - 3x}$

4. Pour chacune des fonctions suivantes, déterminer les maximums, les minimums, les points d'inflexion, les équations des asymptotes, et donner une esquisse du graphique de la fonction.

   a) $f(x) = \dfrac{\sqrt{x^2 + 4}}{x}$ c) $h(x) = \dfrac{\sqrt{4 - x^2}}{x}$

   b) $g(x) = \dfrac{\sqrt{x^2 - 4}}{x}$

5. Une compagnie qui fabrique des calculatrices estime que ses coûts de fabrication sont donnés par $C(q) = 37q + 150\,000$, où q est la quantité de calculatrices produites et $C(q)$, les coûts de fabrication en dollars.

   a) Évaluer $C(0)$ et interpréter le résultat.

   b) Évaluer $C(100)$ et $\dfrac{C(100)}{100}$. Interpréter ces résultats.

   c) Déterminer la fonction $\overline{C}(q)$ qui donne le coût moyen de fabrication par calculatrice.

   d) Calculer et interpréter $\lim\limits_{q \to +\infty} \overline{C}(q)$.

   e) Donner une esquisse du graphique de $\overline{C}(q)$ et déterminer l'équation des asymptotes.

6. Déterminer les points sur la courbe $y = \dfrac{8x}{3x^2 + 4}$ où la pente de la tangente à la courbe est

   a) minimale (calculer cette pente);

   b) maximale (calculer cette pente).

7. Soit $f(x) = \dfrac{1}{x - 1}$. Déterminer les points de la courbe de f les plus près du point P$(1, 0)$ et donner la distance séparant ces points de P$(1, 0)$.

8. Soit $f(x) = \dfrac{1}{x}$. Déterminer le point P(x, y) de la courbe de f tel que la droite passant par Q$(0, 1)$ et par P soit tangente à la courbe de f au point P.

Exercices récapitulatifs

1. Soit f, définie par le graphique ci-dessous.

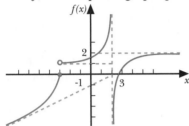

Évaluer, si possible, les fonctions et les limites suivantes.

a) $f(-3)$

b) $f(2)$

c) $\lim\limits_{x \to -3^-} f(x)$

d) $\lim\limits_{x \to -3^+} f(x)$

e) $\lim\limits_{x \to -3} f(x)$

f) $\lim\limits_{x \to 2^-} f(x)$

g) $\lim\limits_{x \to 2^+} f(x)$

h) $\lim\limits_{x \to -\infty} f(x)$

i) $\lim\limits_{x \to +\infty} f(x)$

2. Donner l'équation de chaque asymptote verticale, horizontale et oblique de la fonction définie par le graphique du numéro **1** précédent.

3. Évaluer, si possible, les limites suivantes.

a) $\lim\limits_{x \to 0} \dfrac{1}{x^2}$

b) $\lim\limits_{x \to 0} \dfrac{1}{x}$

c) $\lim\limits_{x \to 0^-} \dfrac{x + x^2}{x^3 + x^2}$

d) $\lim\limits_{x \to 0} \dfrac{\sqrt{9 + x} - 3}{x}$

e) $\lim\limits_{x \to +\infty} \dfrac{4x^2 + 2x + 1}{x^2 - 2x - 1}$

f) $\lim\limits_{x \to -\infty} \dfrac{x^3 + 3x^2 + 4}{x^5 - x^3}$

g) $\lim\limits_{x \to -\infty} \dfrac{x^3 - 3x^2 + 2}{5x^2 + x}$

h) $\lim\limits_{x \to +\infty} \dfrac{3\sqrt[3]{x^5} - 2\sqrt{x} + 1}{\sqrt[3]{8x^5} + \sqrt{x} - 1}$

i) $\lim\limits_{x \to +\infty} (\sqrt{x + 1} - \sqrt{x})$

j) $\lim\limits_{x \to +\infty} (x - \sqrt{x^2 + 2x})$

k) $\lim\limits_{x \to -\infty} (x - \sqrt{x^2 + 2x})$

4. Donner, si possible, l'équation des asymptotes verticales, horizontales et obliques pour chacune des fonctions suivantes.

a) $f(x) = \dfrac{(x - 1)^2}{x^2 - 1}$

b) $f(x) = \dfrac{1 - \sqrt{x}}{x}$

c) $f(x) = \dfrac{x^4 + 1}{x^3 - 4x}$

d) $f(x) = \dfrac{1 + \sqrt{x}}{1 - \sqrt{x}}$

e) $f(x) = \dfrac{5x}{\sqrt{1 - x^2}}$

f) $f(x) = \dfrac{5x}{\sqrt{x^2 - 1}}$

g) $f(x) = \dfrac{(x + 2)^2}{x - 1}$

h) $f(x) = \dfrac{5\sqrt{x^2 + 1} + 4x}{\sqrt{x^2 + 1}}$

i) $f(x) = \dfrac{3 - 2|x|}{x - 4}$

j) $f(x) = \begin{cases} 4 + \dfrac{1}{(x - 4)(x - 2)} & \text{si } x < 2 \\ 3 & \text{si } x = 2 \\ \dfrac{2x^2 - 18}{x - 3} + \dfrac{3}{x} & \text{si } x > 2 \end{cases}$

5. Faire l'analyse des fonctions suivantes.

a) $f(x) = \dfrac{2}{(x - 1)^2} - 3$

b) $f(x) = \dfrac{1 - x^2}{x^2 - 9}$

c) $f(x) = \dfrac{x^2 - 2x + 5}{x - 1}$

d) $f(x) = \left| \dfrac{x^2 - 2x + 5}{x - 1} \right|$

e) $f(x) = \dfrac{18 + x - 2x^2}{9 - x^2}$

f) $f(x) = \dfrac{x^2 + 4}{x^2 - 4}$

g) $f(x) = \dfrac{x^2 - 4}{x^2 + 4}$

h) $f(x) = \dfrac{4x^2 - x^3 + 32}{x^2}$

i) $f(x) = 2 - \dfrac{1}{x - 1} + \dfrac{1}{(x - 1)^2}$

j) $f(x) = \dfrac{6}{x^3 - 2}$

k) $f(x) = x\sqrt{2 - x^2}$

l) $f(x) = \dfrac{x}{\sqrt{x^2 - 4}} + 2$

m) $f(x) = \dfrac{2x^2 + x - 1}{x^2 - 1}$

n) $f(x) = \dfrac{-4x^5 + 2x^4 - 1}{2x^4}$

o) $f(x) = \dfrac{16 - x^3}{2x}$

p) $f(x) = \dfrac{3x^3}{x^3 - 16}$

q) $f(x) = \dfrac{x}{\sqrt{x - 1}}$

r) $f(x) = \dfrac{x^4 - 15x^2 - 12}{x}$

s) $f(x) = \sqrt{\dfrac{x - 1}{x - 3}}$

t) $f(x) = \sqrt[3]{\dfrac{2x + 1}{x - 2}}$

u) $f(x) = \dfrac{4 + 16x - 2x^2}{x(4 - x)}$

v) $f(x) = \left| \dfrac{4 + 16x - 2x^2}{x(4 - x)} \right|$

w) $f(x) = \dfrac{\cos x^2}{1 + \sin x}$, où $x \in [-\pi, 2\pi]$.

x) $f(x) = \dfrac{\sin x}{x}$, sur $]0, +\infty[$.

6. Donner, s'il y a lieu, l'équation des asymptotes horizontales, verticales et obliques de chaque fonction selon la valeur de k, où $k \in \mathbf{Z}$.

 a) $f(x) = \dfrac{x^k}{kx^2 + 1}$ b) $f(x) = \dfrac{x^k}{x^2 - k}$

7. Est-il possible de définir une fonction f telle que $y = x$ soit une asymptote oblique de f et qu'il existe une valeur $a \in \mathbb{R}$, telle que $f(a) = a$.

8. Déterminer les dimensions et l'aire du rectangle d'aire maximale que l'on peut inscrire entre l'axe des x et la courbe définie par $y = \dfrac{4}{x^2 + 4}$.

9. Soit $f(x) = \dfrac{1}{\sqrt{x}}$. Déterminer le point de la courbe de f tel que la pente de la droite joignant ce point au point P$(0, 1)$ soit minimale et donner la valeur de cette pente.

10. Soit $f(x) = \dfrac{x + 1}{\sqrt{x}}$. Déterminer le point de la courbe de f le plus près du point P$(-1, 0)$.

11. Démontrer que si $y = mx + b$ est une asymptote oblique de la courbe d'une fonction f, alors

 i) $m = \lim\limits_{x \to -\infty} \dfrac{f(x)}{x}$ ou $m = \lim\limits_{x \to +\infty} \dfrac{f(x)}{x}$ et

 ii) $b = \lim\limits_{x \to -\infty} [f(x) - mx]$ ou
 $\quad b = \lim\limits_{x \to +\infty} [f(x) - mx]$.

12. À l'aide des réponses obtenues au numéro **1** précédent, déterminer l'équation de chaque asymptote oblique des fonctions suivantes.
 a) $f(x) = \sqrt{4x^2 + 9}$
 b) $f(x) = 2x - 7 + \sqrt{9x^2 + 4}$

13. Faire l'analyse de la fonction f définie par $f(x) = 2 + \sqrt{x^2 - 9}$.

Test récapitulatif

1. Répondre par vrai (V) ou faux (F).

   a) Si $\lim\limits_{x \to 1^-} f(x) = +\infty$, alors $x = 1$ est une asymptote verticale.

   b) Si $\lim\limits_{x \to +\infty} f(x) = 7$, alors $y = 7$ est une asymptote horizontale.

   c) Si $\lim\limits_{x \to 7^-} f(x) = -\infty$, alors $x = 7$ est une asymptote horizontale.

   d) Si $\lim\limits_{x \to 1^+} f(x) = 5$, alors $y = 5$ est une asymptote horizontale.

   e) Si $f(x) = 3x - 4 + \dfrac{1}{x}$, alors $y = 3x - 4$ est une asymptote oblique.

   f) Si $\lim\limits_{x \to 2^-} f(x)$ est une indétermination de la forme $\dfrac{0}{0}$, alors $x = 2$ est une asymptote verticale.

   g) Une fonction peut avoir quatre asymptotes verticales.

   h) Une fonction peut avoir trois asymptotes obliques.

   i) Une fonction peut avoir deux asymptotes horizontales.

   j) Si $\lim\limits_{x \to 3} f(x) = +\infty$, alors $\lim\limits_{x \to 3} \dfrac{1}{f(x)} = 0$.

   k) Si $\lim\limits_{x \to 3} f(x) = 0$, alors $\lim\limits_{x \to 3} \dfrac{1}{f(x)} = +\infty$.

2. Soit f, définie par le graphique suivant.

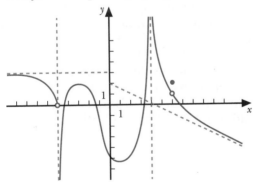

Évaluer, si possible, les fonctions et les limites suivantes.

   a) $f(-5)$

   b) $f(0)$

   c) $f(4)$

   d) $f(6)$

   e) $\lim\limits_{x \to -\infty} f(x)$

   f) $\lim\limits_{x \to -5^-} f(x)$

   g) $\lim\limits_{x \to -5^+} f(x)$

   h) $\lim\limits_{x \to 4^+} f(x)$

   i) $\lim\limits_{x \to 6} f(x)$

   j) $\lim\limits_{x \to +\infty} f(x)$

3. Donner l'équation de chaque asymptote verticale, horizontale et oblique de la fonction définie par le graphique du numéro **2** précédent.

4. Donner, si possible, l'équation des asymptotes verticales, horizontales et obliques pour chacune des fonctions suivantes.

   a) $f(x) = \dfrac{x^2 - x}{(x - 1)(x + 5)}$

   b) $f(x) = \dfrac{16x + 5}{\sqrt{4x^2 + 1}}$

   c) $f(x) = \dfrac{x^2 + 5x + 7}{x + 3}$

5. Faire l'analyse des fonctions suivantes.

   a) $f(x) = \dfrac{-2x^2 - 12x}{(x + 4)^2}$

   b) $f(x) = 4 + \dfrac{3x}{\sqrt{x^2 + 1}}$

Chapitre 11

Dérivée des fonctions exponentielles et logarithmiques

Introduction

Dans le présent chapitre, nous donnerons quelques applications des fonctions exponentielles et logarithmiques, et nous apprendrons à en calculer la dérivée. Soulignons que la démonstration de la dérivée des fonctions a^x et e^x ne sera pas rigoureuse et fera appel à l'intuition de l'étudiant. Il en sera de même de la méthode employée pour déterminer la valeur approximative du nombre e.

Une fois que l'étudiant aura acquis les notions de dérivées de a^x et de e^x, il pourra calculer les dérivées des fonctions $1n\ x$ et $\log_a x$. De plus, il pourra analyser certaines fonctions contenant des fonctions exponentielles et logarithmiques et résoudre des problèmes d'optimisation.

TEST PRÉLIMINAIRE

Partie A

1. Soit $f(x) = x^4$ et $g(x) = 4^x$. Évaluer

   a) $f(0)$ et $g(0)$;

   b) $f(1)$ et $g(1)$;

   c) $f(2)$ et $g(2)$;

   d) $f(5)$ et $g(5)$;

   e) $f(-1)$ et $g(-1)$;

   f) $f\left(\dfrac{1}{2}\right)$ et $g\left(\dfrac{1}{2}\right)$;

   g) $f\left(-\dfrac{1}{2}\right)$ et $g\left(-\dfrac{1}{2}\right)$;

   h) $f(-5)$ et $g(-5)$.

2. Dans le cas où les expressions suivantes et leur résultat sont définis, compléter.

   a) $a^x a^y =$

   b) $\dfrac{a^x}{a^y} =$

   c) $(a^x)^y =$

   d) $(ab)^x =$

   e) $\left(\dfrac{a}{b}\right)^x =$

   f) $a^0 =$

   g) $a^{-x} =$

   h) $a^x = a^y \Leftrightarrow$

3. Déterminer la valeur de x dans les égalités suivantes.

   a) $5^3 \times 5^6 = 5^x$

   b) $\dfrac{6^4}{6^7} = 6^x$

   c) $(8^x)^3 = 8^{15}$

   d) $\left(\dfrac{5}{7}\right)^x = 1$

   e) $(5^3)^2 = 5^x$

   f) $9^4 = 3^x$

   g) $3^4 \times 3^x = 3^9$

   h) $7^3 = \dfrac{1}{7^x}$

   i) $\dfrac{2^5}{2^x} = \dfrac{1}{2^4}$

   j) $10^{2-x} = 100$

   k) $2 \times 3^{2x} = 6$

   l) $(3^x \times 3^{-5})^2 = 1$

   m) $4^{x+1} \times 4^{x-1} = 16$

   n) $(5^{x-1})^{x+1} = 5^{15}$

Partie B

1. Soit la fonction $y = f(x)$. Compléter les définitions suivantes : $f'(x) = \lim\limits_{h \to 0}$ _____;

   $f'(x) = \lim\limits_{\Delta x \to 0}$ _____.

2. Compléter. Si $y = f(u)$ et $u = g(x)$,

   alors $\dfrac{dy}{dx} =$ _____.

3. Compléter les égalités.

   a) $(x^a)' =$ _____, où $a \in \mathbb{R}$.

   b) $(uv)' =$ _____, où $u = f(x)$ et $v = g(x)$.

   c) $\left(\dfrac{u}{v}\right)' =$ _____, où $u = f(x)$ et $v = g(x)$.

   d) $[g(f(x))]' =$ _____.

4. Compléter.

   a) Si $\lim\limits_{x \to a^+} f(x) = -\infty$, alors _____ est une asymptote _____.

   b) Si $\lim\limits_{x \to +\infty} f(x) = b$, alors _____ est une asymptote _____.

11.1 FONCTIONS EXPONENTIELLES ET LOGARITHMIQUES

À la fin de la présente section, l'étudiant pourra identifier, déterminer le domaine et l'image, et représenter graphiquement des fonctions exponentielles et logarithmiques.

Voici un conte très ancien qui illustre un phénomène de type exponentiel.

Un jour, le roi hindou Shiram décida d'exaucer le vœu, quel qu'il soit, du grand vizir Sissa Ben Dahir, pour le récompenser d'avoir inventé le jeu d'échecs. Un échiquier ayant 64 cases, Sissa fit la demande suivante au roi : « Majesté, donnez-moi 1 grain de blé à placer sur la première case, 2 grains sur la deuxième case, 4 grains sur la troisième, 8 grains sur la quatrième, 16 grains sur la cinquième, et ainsi de suite de façon à couvrir les 64 cases de l'échiquier selon le même principe. » Le roi, étonné, s'exclama : « Est-ce là tout ce que vous désirez, Sissa, sot que vous êtes ? » « Oh ! mon roi, répliqua Sissa, je vous ai demandé plus de grains de blé que vous n'en possédez dans tout votre royaume, que dis-je, plus de grains de blé qu'il n'y en a dans le monde entier ! »

Objectif 11.1.1   Identifier, déterminer le domaine et l'image, et représenter graphiquement des fonctions exponentielles.

Définition	Une **fonction exponentielle**, exprimée sous sa forme la plus simple, est une fonction de la forme $$f(x) = a^x,$$ où $a \in \,]0, +\infty$ et $a \neq 1$.

Dans ce type de fonction, la variable indépendante est située en exposant, et la base a est une constante.

■ *Exemple* $f(x) = 2^x$ et $g(x) = (0{,}25)^x$ sont des fonctions exponentielles.

Question 1   Parmi les fonctions suivantes, identifier les fonctions exponentielles.

a) $f(x) = x^3$

b) $f(x) = 3^x$

c) $f(x) = (-5)^x$

d) $f(x) = \left(\dfrac{3}{7}\right)^x$

Déterminons maintenant le domaine et l'image d'une fonction exponentielle et représentons graphiquement cette fonction.

■ *Exemple* Soit $f(x) = 2^x$.

Donnons l'esquisse du graphique de cette fonction à l'aide des tableaux de valeurs suivants.

a)   Valeurs de x supérieures ou égales à zéro.

x	0	1	3	5	10	15	20	26	... $\rightarrow +\infty$
2^x	1	2	8	32	1024	32 768	1 048 576	67 108 864	... $\rightarrow +\infty$

Par conséquent, $\displaystyle\lim_{x \to +\infty} 2^x = +\infty$.

b)   Valeurs de x négatives.

x	-1	-2	-4	-10	-15	... $\rightarrow -\infty$
2^x	0,5	0,25	0,0625	0,000 976 5...	0,000 030 5...	... $\rightarrow 0$

Par conséquent, $\displaystyle\lim_{x \to -\infty} 2^x = 0$.

Donc, $y = 0$ est une asymptote horizontale lorsque $x \to -\infty$.

Nous pouvons donc tracer l'esquisse du graphique de la fonction $f(x) = 2^x$.

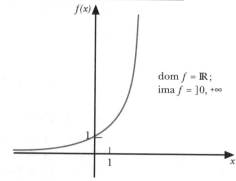

dom $f = \mathbb{R}$;
ima $f = \,]0, +\infty$

Question 2   Soit $f(x) = \left(\dfrac{1}{3}\right)^{x}$.

a) Calculer $f(x)$ pour des valeurs de x supérieures ou égales à zéro.

b) Évaluer $\lim\limits_{x \to +\infty} \left(\dfrac{1}{3}\right)^{x}$ et donner, si possible, l'équation de l'asymptote horizontale.

c) Calculer $f(x)$ pour des valeurs de x négatives.

d) Évaluer $\lim\limits_{x \to -\infty} \left(\dfrac{1}{3}\right)^{x}$ et donner, si possible, l'équation de l'asymptote horizontale.

e) Déterminer dom f, ima f et tracer l'esquisse du graphique de f.

La représentation graphique d'une fonction exponentielle définie par $y = a^{x}$ dépend de la valeur de la base a, selon que $0 < a < 1$ ou que $a > 1$.

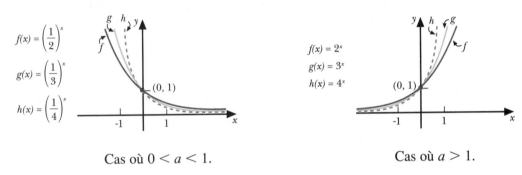

$$f(x) = \left(\dfrac{1}{2}\right)^{x}$$

$$g(x) = \left(\dfrac{1}{3}\right)^{x}$$

$$h(x) = \left(\dfrac{1}{4}\right)^{x}$$

$$f(x) = 2^{x}$$

$$g(x) = 3^{x}$$

$$h(x) = 4^{x}$$

Cas où $0 < a < 1$.   Cas où $a > 1$.

Dans les deux cas, nous avons : dom $f = \mathbb{R}$ et ima $f = \,]0, +\infty$.

De plus, $y = 0$ est une asymptote horizontale dans les deux cas.

Objectif 11.1.2   Utiliser la fonction exponentielle pour résoudre certains problèmes.

Plusieurs phénomènes, par exemple, la croissance et la décroissance d'une population, la décomposition d'un élément radioactif, la croissance d'un investissement, l'effet d'un pesticide sur une population, peuvent s'exprimer à l'aide d'une fonction exponentielle de la forme $Q_0 a^{kx}$, où x est la variable indépendante et Q_0, a et k sont des constantes.

■ *Exemple* Supposons que le nombre de bactéries d'une culture effectuée en laboratoire double toutes les trois heures. Sachant que la population initiale est de N_0 bactéries, déterminons la fonction P, qui nous permettra d'évaluer la population en fonction du temps x, exprimé en heures, à l'aide de quelques exemples de calculs.

Si $x = 0$, alors $P(0) = N_0$.

Si $x = 3$, alors $P(3) = N_0 \times 2$.

Si $x = 6$, alors $P(6) = (N_0 \times 2)2 = N_0 \times 2^2$.

Si $x = 9$, alors $P(9) = (N_0 \times 2^2)2 = N_0 \times 2^3$.

Si $x = 12$, alors $P(12) = (N_0 \times 2^3)2 = N_0 \times 2^4$.

Nous constatons que la population initiale N_0 est toujours multipliée par 2 affecté d'un exposant égal au temps x divisé par 3, trois heures étant le temps nécessaire pour que la population de bactéries double.

Nous pouvons donc écrire $P(x) = N_0 \times 2^{\frac{1}{3}x}$, où x est exprimé en heures et $P(x)$ est le nombre de bactéries.

Question 3   Si, dans l'exemple précédent, la population initiale N_0 est de 5000 bactéries,

a)   déterminer dans ce cas la fonction $P(x)$;

b)   évaluer la population après 1 heure, 3 heures, 1 jour ;

c)   déterminer le temps nécessaire pour que la population soit de 40 000 bactéries.

■ *Exemple*   Sachant que la demi-vie (temps nécessaire pour qu'une quantité donnée diminue de moitié) du radium est de 1600 ans, déterminons la fonction Q qui nous permettra d'évaluer la masse du radium en fonction du temps x, exprimé en années, si la masse initiale d'une quantité de radium est de R_0 grammes.

Si $x = 0$, alors $Q(0) = R_0$.

Si $x = 1600$, alors $Q(1600) = R_0 \times \dfrac{1}{2}$.

Si $x = 3200$, alors $Q(3200) = \left(R_0 \times \dfrac{1}{2}\right)\dfrac{1}{2} = R_0\left(\dfrac{1}{2}\right)^2$.

Si $x = 4800$, alors $Q(4800) = \left(R_0\left(\dfrac{1}{2}\right)^2\right)\dfrac{1}{2} = R_0\left(\dfrac{1}{2}\right)^3$.

Question 4   Déterminer la fonction Q qui permet d'évaluer la masse du radium en fonction du temps x.

En général, lorsque le facteur de croissance ou de décroissance d'une quantité donnée est constant, nous pouvons exprimer cette quantité à l'aide d'une fonction exponentielle de la forme suivante.

$f(x) = Q_0 a^{kx}$, où Q_0 = quantité initiale ;

$\qquad\qquad\qquad a$ = facteur de croissance ou de décroissance ;

$\qquad\qquad\qquad k$ = l'inverse du temps nécessaire pour qu'une quantité double, triple, diminue de moitié, etc. ;

$\qquad\qquad\qquad x$ = variable indépendante.

Objectif 11.1.3   Connaître la définition de logarithme et l'utiliser pour résoudre certaines équations.

Définition

Le **logarithme** en base a de K, noté $\log_a K$, est défini par l'équivalence suivante :

$\qquad \log_a K = M \Leftrightarrow a^M = K$,

où $a \in\ ]0, {}^+\infty$ et $a \neq 1$.

Remarque   Le logarithme est égal à l'exposant qu'il faut donner à la base a pour obtenir K.

■ *Exemple*   Calculons $\log_5 125$ à l'aide de la définition précédente.

$\log_5 125 = x \Leftrightarrow 5^x = 125$, d'où $x = 3$ car $5^3 = 125$.

Ainsi, $\log_5 125 = 3$.

Question 5   Écrire sous la forme exponentielle les égalités suivantes et déterminer la valeur de x.

a) $\log_2 8 = x$ b) $\log_x 25 = 2$ c) $\log_{27} x = \dfrac{4}{3}$ d) $\log_3\left(\dfrac{1}{9}\right) = x$

Question 6   Écrire sous la forme logarithmique les égalités suivantes.

a) $3^4 = 81$ b) $6^{-2} = \dfrac{1}{36}$ c) $5^0 = 1$ d) $\sqrt[3]{\left(\dfrac{27}{64}\right)^2} = \dfrac{9}{16}$

Objectif 11.1.4   Connaître et utiliser certaines propriétés des logarithmes.

Nous allons donner sans démonstration certaines propriétés des logarithmes.

1. $\log_a (MN) = \log_a M + \log_a N$	4. $\log_a 1 = 0$
2. $\log_a \left(\dfrac{M}{N}\right) = \log_a M - \log_a N$	5. $\log_a a = 1$
3. $\log_a (M^k) = k \log_a M$	6. $\log_a M = \dfrac{\log_b M}{\log_b a}$ (changement de base)

Question 7   Soit $\log_a 7 \approx 1{,}771$, $\log_a 2 \approx 0{,}631$ et $\log_a 12 \approx 2{,}262$. Évaluer approximativement les expressions suivantes à l'aide des propriétés énumérées précédemment.

a) $\log_a 14$ b) $\log_a 6$ c) $\log_a 8$ d) $\log_2 7$

Remarque Nous notons habituellement le logarithme en base 10 de M de la façon suivante : $\log M$.

■ *Exemple* $\log 73 = \log_{10} 73 \approx 1{,}863$

Nous obtenons ce résultat en appuyant sur la touche *log* d'une calculatrice.

■ *Exemple* L'amplitude R d'un tremblement de terre, mesurée à l'aide de l'échelle de Richter, est donnée par $R = \log \left(\dfrac{I}{I_0}\right)$, où I_0 est une valeur standard de comparaison et I, l'intensité mesurée du tremblement de terre.

Par exemple, si $R = 3$ sur l'échelle de Richter,

alors $3 = \log \left(\dfrac{I}{I_0}\right)$,

soit $\dfrac{I}{I_0} = 10^3 = 1000$

d'où $I = 1000 \, I_0$.

Ce résultat signifie que l'intensité de ce tremblement de terre est 1000 fois plus forte que la valeur standard de comparaison. Si $R = 4$, on obtient $I = 10\,000 \, I_0$, c'est-à-dire que l'intensité est ici 10 fois plus forte que pour $R = 3$.

Basé sur des mesures effectuées lors de tremblements de terre, le tableau suivant présente les dommages qui correspondent à différentes valeurs de R.

Valeur de R	Dommages correspondants
2	imperceptibles
4,5	légers dégâts à l'intérieur d'une zone donnée
6,0	effondrement possible d'édifices
8,0	dégâts considérables
8,7	maximum enregistré

Remarque Une des bases importantes est la base « e », que nous étudierons à la section suivante. Nous notons habituellement le logarithme en base e de M de la façon suivante : ln M.

■ *Exemple* ln $345 = \log_e 345 \approx 5,844$

Nous obtenons ce résultat en appuyant sur la touche *ln* d'une calculatrice.

Objectif 11.1.5 Déterminer le domaine et l'image, et représenter graphiquement des fonctions logarithmiques.

■ *Exemple* Soit $y = \log_2 x$.

Donnons l'esquisse du graphique de cette fonction à l'aide des tableaux de valeurs suivants, après avoir écrit la fonction logarithmique sous la forme exponentielle.

$y = \log_2 x \Leftrightarrow 2^y = x$

Nous donnons à y certaines valeurs, puis nous calculons les valeurs de x correspondantes.

Valeurs de y supérieures ou égales à zéro.

y	0	1	2	5	10	13	16	... → +∞
x	1	2	4	32	1024	8192	65 536	... → +∞

Par conséquent, $\lim\limits_{x \to +\infty} \log_2 x = +\infty$.

Valeurs de y négatives.

y	-0,5	-1	-2	-4	-8	-10	... → -∞
x	0,707...	0,5	0,25	0,0625	0,003...	0,0009...	... → 0

Par conséquent, $\lim\limits_{x \to 0^+} \log_2 x = -\infty$.

Donc, $x = 0$ est une asymptote verticale.

Nous pouvons donc tracer l'esquisse du graphique de la fonction $y = \log_2 x$.

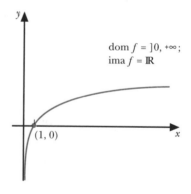

dom $f =]0, +\infty[$;
ima $f = \mathbb{R}$

$(1, 0)$

Question 8 Soit $y = \log_{\frac{1}{3}} x$.

a) Écrire cette équation sous la forme exponentielle.

b) Construire un tableau de valeurs pour des valeurs de y supérieures ou égales à zéro.

c) Évaluer $\lim\limits_{x \to 0^+} \log_{\frac{1}{3}} x$ et donner si possible l'équation de l'asymptote verticale.

d) Construire un tableau de valeurs pour des valeurs de y négatives.

e) Évaluer $\lim\limits_{x \to +\infty} \log_{\frac{1}{3}} x$ et donner si possible l'équation de l'asymptote horizontale.

f) Tracer l'esquisse du graphique de cette fonction et en déterminer le domaine et l'image.

La représentation graphique d'une fonction logarithmique définie par $y = \log_a x$ dépend de la valeur de la base a, selon que $0 < a < 1$ ou que $a > 1$.

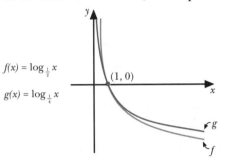

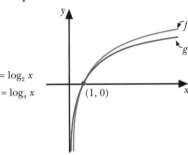

$f(x) = \log_{\frac{1}{2}} x$

$g(x) = \log_{\frac{1}{4}} x$

$f(x) = \log_2 x$

$g(x) = \log_4 x$

Cas où $0 < a < 1$.   Cas où $a > 1$.

Dans les deux cas, nous avons : dom $f =]0, +\infty$ et ima $f = \mathbb{R}$.

De plus, $x = 0$ est une asymptote verticale dans les deux cas.

De façon générale, si $f(x) = \log_a g(x)$, alors dom $f = \{x \in \mathbb{R} \mid g(x) > 0\}$.

Question 9   Déterminer le domaine des fonctions suivantes.

a) $f(x) = \log_a (x + 4)$ c) $f(x) = \log_a (x^2 + 1)$

b) $f(x) = \log_a (2 - x)$ d) $f(x) = \log_a (9 - x^2)$

Objectif 11.1.6   Utiliser les propriétés des logarithmes pour résoudre certains problèmes.

Pour résoudre une équation où l'inconnue est en exposant, nous pouvons utiliser les propriétés des logarithmes.

■ *Exemple* La population P d'une culture de bactéries est donnée par

$P(x) = 500 \times 2^{\frac{1}{3}x}$, où x est en heures.

a) Déterminons le temps nécessaire pour que la population soit de 1500.

Nous pouvons écrire $1500 = 500 \times 2^{\frac{1}{3}x}$,

donc $3 = 2^{\frac{1}{3}x}$.

Ainsi, $\ln 3 = \ln 2^{\frac{1}{3}x}$

$= \dfrac{1}{3}x \ln 2$ (propriété 3),

d'où $x = \dfrac{3 \ln 3}{\ln 2} \approx 4{,}75$ h.

b) Exprimons x en fonction de P.

Puisque $P = 500 \times 2^{\frac{1}{3}x}$,

nous avons $\dfrac{P}{500} = 2^{\frac{1}{3}x}$.

Ainsi, $\ln\left(\dfrac{P}{500}\right) = \ln 2^{\frac{1}{3}x} = \dfrac{1}{3}x \ln 2$ (propriété 3),

d'où $x = \dfrac{3 \ln\left(\dfrac{P}{500}\right)}{\ln 2}$.

■ *Exemple* La valeur finale V d'un capital initial C, placé pendant un nombre d'années n à un taux d'intérêt i composé annuellement, est donnée par l'équation suivante : $V = C(1 + i)^n$.

Si nous plaçons un capital initial de 2000 \$ à 9 % pendant 5 ans, la valeur finale sera $V = 2000(1 + 0{,}09)^5 = 3077{,}25$ \$.

Nous pouvons également déterminer, à l'aide de l'équation suivante, le temps nécessaire pour que le capital initial, soit 2000 \$, double :

$$4000 = 2000(1 + 0{,}09)^n, \text{ soit}$$
$$2 = (1{,}09)^n$$
$$\ln 2 = \ln 1{,}09^n = n \ln 1{,}09,$$

d'où $n = \dfrac{\ln 2}{\ln 1{,}09} \approx 8{,}04$ ans.

Exercices 11.1

1. Isoler la variable x dans les égalités suivantes.

   a) $m^x = s$

   b) $\log_b x = p$

   c) $y = 3^{4x + 7}$

   d) $y = 2 + \dfrac{\ln(3x - 1)}{5}$

2. Déterminer la valeur de x dans les équations suivantes.

   a) $\log_x 25 = 2$

   b) $\log_{144} 12 = x$

   c) $\log_{0,1} x = \dfrac{1}{2}$

   d) $5^x = 10$

   e) $\log_2 B = \log_8 B^x$

   f) $\log_{27} B = \log_{\frac{1}{9}} B^x$

3. Soit $\log_b 3 \approx 0{,}565$, $\log_b 4 \approx 0{,}712$ et $\log_b 5 \approx 0{,}827$. Évaluer approximativement les expressions suivantes à l'aide des propriétés des logarithmes.

   a) $\log_b 15$

   b) $\log_b 0{,}75$

   c) $\log_b 2$

   d) $\log_b 60$

   e) $\log_b 81$

   f) $\log_b \dfrac{12}{5}$

   g) $\log_4 5^2$

   h) $\log_b \dfrac{9}{20}$

4. Pour chacune des fonctions suivantes, déterminer le domaine et l'image, donner l'équation de chaque asymptote, et tracer l'esquisse du graphique de la fonction.

   a) $f(x) = 3^x$

   b) $f(x) = -2^x$

   c) $f(x) = (0{,}5)^x - 4$

   d) $f(x) = \log x$

5. Soit les fonctions suivantes.

   a) $f(x) = 7^x$

   b) $f(x) = 5 \times 3^x$

   c) $f(x) = -5^x$

   d) $f(x) = 1{,}5^x + 1$

   e) $f(x) = \left(\dfrac{1}{4}\right)^x$

   f) $f(x) = -0{,}\overline{3}^x$

Associer à chacune des fonctions précédentes le graphique qui la représente le mieux.

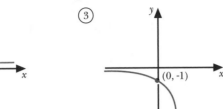

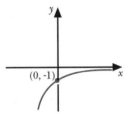

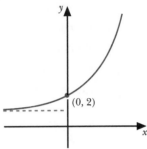

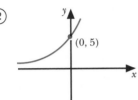

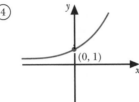

6. Soit les fonctions :

   a) $y = \log_2 x$;

   b) $y = \log_{\frac{1}{4}} x$;

   c) $y = \log_4 x$;

   d) $y = \log_{\frac{1}{3}} x$.

   Associer à chaque fonction le graphique qui la représente le mieux.

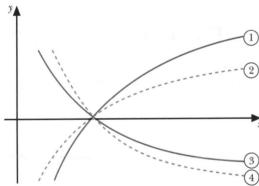

7. Soit la fonction f définie par $f(x) = ka^x$. Déterminer, si possible, les valeurs de k et de a, sachant que le graphique de f passe par les points

   a) $(0, 2)$ et $\left(4, \dfrac{2}{81}\right)$;

   c) $\left(\dfrac{1}{4}, 5\right)$ et $(-5, -4)$;

   b) $(0, -1)$ et $\left(-2, -\dfrac{1}{9}\right)$;

   d) $(1, 2)$ et $(4, 54)$.

8. Soit la fonction f définie par $f(x) = \log_a x$. Déterminer, si possible, la valeur de a, sachant que le graphique de f passe par le point

   a) $\left(8, \dfrac{3}{2}\right)$;

   b) $(32, -5)$;

   c) $(5, \ln 5)$.

9. La population d'une culture de bactéries quintuple toutes les 24 heures. Sachant que la population initiale est de 400 bactéries,

    a) déterminer la fonction P qui permet d'évaluer la population en fonction du temps t;

    b) déterminer la population après 5 heures;

    c) déterminer la population après 2 jours;

    d) déterminer le temps nécessaire pour que la population de bactéries soit de 50 000.

10. Lorsqu'on vaporise un insecticide, le nombre N d'insectes vivants en fonction du temps est donné par

    $N(t) = 5000\left(\dfrac{1}{3}\right)^{\frac{1}{2}t}$, où t est exprimé en heures.

    a) Déterminer la population initiale d'insectes.

    b) Que représente $\dfrac{1}{3}$ dans la fonction précédente?

    c) Après combien d'heures la population d'insectes aura-t-elle diminué de moitié?

    d) Exprimer t en fonction de N.

11. La valeur d'une auto de 16 000 $ se déprécie de 20 % par année.

    a) Déterminer la fonction V qui permet de calculer la valeur de cette auto en fonction du temps t.

    b) Exprimer t en fonction de V.

    c) Calculer la valeur de cette auto après deux ans.

    d) Dans combien d'années la valeur de cette auto sera-t-elle la moitié de sa valeur initiale?

    e) Tracer l'esquisse du graphique de V en fonction de t, où $t \in [0, 10]$.

11.2 DÉRIVÉE DES FONCTIONS EXPONENTIELLES

À la fin de la présente section, l'étudiant pourra calculer la dérivée de fonctions exponentielles de la forme a^x, où $a \in]0, +\infty$ et $a \neq 1$, la dérivée de fonctions contenant $a^{f(x)}$, la dérivée de la fonction exponentielle e^x et la dérivée de fonctions contenant $e^{f(x)}$.

Objectif 11.2.1   Savoir démontrer que la dérivée de a^x est $a^x \ln a$.

■ *Exemple* Soit $H(x) = 3^x$. Évaluons $H'(x)$ à l'aide de la définition de la dérivée.

$$H'(x) = \lim_{h \to 0} \frac{H(x+h) - H(x)}{h} \quad \text{(par définition)}$$

$$= \lim_{h \to 0} \frac{3^{x+h} - 3^x}{h} \quad \text{(car } H(x) = 3^x\text{)}$$

$$= \lim_{h \to 0} \frac{3^x 3^h - 3^x}{h}$$

$$= \lim_{h \to 0} \frac{3^x(3^h - 1)}{h}$$

$$= 3^x \left(\lim_{h \to 0} \frac{3^h - 1}{h} \right)$$

Remarque La limite qui reste à calculer est indépendante de x et ne dépend que de la valeur 3.

Écrivons alors $\displaystyle\lim_{h \to 0} \frac{3^h - 1}{h} = K_3$.

Évaluons approximativement la valeur de K_3 en donnant à h des valeurs de plus en plus près de zéro.

Pour $h \to 0^-$, nous avons

h	-0,1	-0,01	-0,001	-0,0001	-0,000 01	$... \to 0^-$
$\dfrac{3^h - 1}{h}$	1,040...	1,092...	1,098 00...	1,098 55...	1,098 60...	$... \to 1{,}0986...$

Pour $h \to 0^+$, nous avons

h	0,1	0,01	0,001	0,0001	0,000 01	$... \to 0^+$
$\dfrac{3^h - 1}{h}$	1,161...	1,104...	1,099 21...	1,098 67...	1,098 61...	$... \to 1{,}0986...$

D'où $K_3 = 1{,}0986...$

Remarque Il est possible de vérifier que $K_3 = \ln 3$ à l'aide d'une calculatrice.

Ainsi, si $H(x) = 3^x$, alors $H'(x) = 3^x K_3 = 3^x \ln 3$.

Proposition 1   Si $H(x) = a^x$, où $a \in]0,\ +\infty$ et $a \neq 1$, alors $H'(x) = a^x \ln a$.

Preuve $\displaystyle H'(x) = \lim_{h \to 0} \frac{H(x + h) - H(x)}{h}$ (par définition)

$$= \lim_{h \to 0} \frac{a^{x + h} - a^x}{h} \qquad \text{(car } H(x) = a^x)$$

$$= \lim_{h \to 0} \frac{a^x(a^h - 1)}{h}$$

$$= a^x \left(\lim_{h \to 0} \frac{a^h - 1}{h} \right)$$

$$= a^x K_a$$

$$= a^x \ln a \qquad \text{(car, de façon générale, } K_a = \ln a)$$

■ *Exemple* Si $f(x) = 7^x$, alors $f'(x) = 7^x \ln 7$.

■ *Exemple* Si $f(x) = \left(\dfrac{3}{4}\right)^x$, alors $f'(x) = \left(\dfrac{3}{4}\right)^x \ln\left(\dfrac{3}{4}\right)$.

■ *Exemple* Si $f(x) = \dfrac{4^x}{x^4}$, alors $f'(x) = \dfrac{(4^x)' x^4 - 4^x (x^4)'}{(x^4)^2}$

$$= \frac{4^x \ln 4 \ x^4 - 4^x 4x^3}{x^8}$$

$$= \frac{x 4^x \ln 4 - 4(4^x)}{x^5}.$$

Objectif 11.2.2   Calculer la dérivée de fonctions contenant la fonction $a^{f(x)}$.

Proposition 2   Si $H(x) = a^{f(x)}$, où $a \in]0, +\infty[$ et $a \neq 1$, alors $H'(x) = a^{f(x)} \ln a\, f'(x)$.

Preuve   Posons $y = f(x)$, alors $H(x) = a^{f(x)} = a^y$.

$$\frac{dH}{dx} = \frac{dH}{dy}\frac{dy}{dx} \qquad \text{(notation de Leibniz)}$$

$$= \frac{d(a^y)}{dy}\frac{dy}{dx} \qquad \text{(car } H(x) = a^y)$$

$$= a^y \ln a\, y' \qquad \text{(en dérivant)}$$

$$= a^{f(x)} \ln a\, f'(x) \qquad \text{(en remplaçant)}$$

■ **Exemple**   Si $y = 3^{(x^2 + 3x)}$, alors

$$y' = 3^{(x^2 + 3x)} \ln 3\, (x^2 + 3x)' = (2x + 3)\, 3^{(x^2 + 3x)} \ln 3.$$

■ **Exemple**   Si $y = \left[\left(\dfrac{1}{2}\right)^{\sin x}\right]^3$, alors

$$\frac{dy}{dx} = 3\left[\left(\frac{1}{2}\right)^{\sin x}\right]^2 \left[\left(\frac{1}{2}\right)^{\sin x}\right]'$$

$$= 3\left[\left(\frac{1}{2}\right)^{\sin x}\right]^2 \left(\frac{1}{2}\right)^{\sin x} \ln\left(\frac{1}{2}\right) (\sin x)'$$

$$= 3\left[\left(\frac{1}{2}\right)^{\sin x}\right]^2 \left(\frac{1}{2}\right)^{\sin x} \ln\left(\frac{1}{2}\right) \cos x$$

$$= 3\cos x \left[\left(\frac{1}{2}\right)^{\sin x}\right]^2 \left(\frac{1}{2}\right)^{\sin x} \ln\left(\frac{1}{2}\right).$$

Question 1   Calculer la dérivée des fonctions suivantes.

a) $f(x) = x^5 5^x$

b) $f(x) = 3^{\tan 4x}$

Nous allons maintenant étudier une fonction exponentielle avec une base particulière appelée e.

Objectif 11.2.3   Connaître la définition du nombre e.

À l'objectif 11.2.1, nous avons vu que pour la fonction d'équation $f(x) = a^x$, où $a \in]0, +\infty[$ et $a \neq 1$,

$$f'(x) = a^x \left(\lim_{h \to 0} \frac{a^h - 1}{h}\right) = a^x \ln a.$$

Il serait intéressant d'avoir un nombre a tel que $\displaystyle\lim_{h \to 0} \frac{a^h - 1}{h} = 1$.

Or, un tel nombre existe et il se note e. Ce nombre e est tel que $\displaystyle\lim_{h \to 0} \frac{e^h - 1}{h} = 1$.

Déterminons approximativement la valeur de e d'après l'égalité suivante :

$\displaystyle\lim_{h \to 0} \frac{e^h - 1}{h} = 1$. Cela signifie que pour h voisin de 0, $\dfrac{e^h - 1}{h}$ est aussi près que nous

le voulons de 1, c'est-à-dire que pour $h \approx 0$ nous avons

$$\frac{e^h - 1}{h} \approx 1,$$

donc $e^h - 1 \approx h$.

Alors $e^h \approx 1 + h$.

Ainsi, $e \approx (1 + h)^{\frac{1}{h}}$ si $h \approx 0$.

D'où nous pouvons conclure que $e = \lim\limits_{h \to 0} (1 + h)^{\frac{1}{h}}$.

Évaluons approximativement la valeur de e en donnant à h des valeurs de plus en plus près de zéro.

Pour $h \to 0^-$, nous avons

h	$-\dfrac{1}{2}$	$-\dfrac{1}{10}$	$-\dfrac{1}{100}$	$-\dfrac{1}{1000}$	$-\dfrac{1}{10\,000}$	$-\dfrac{1}{10^6}$	$\ldots \to 0^-$
$(1 + h)^{\frac{1}{h}}$	4	2,8679...	2,7319...	2,7196...	2,7184...	2,718 28...	$\ldots \to 2{,}718\ 28\ldots$

Pour $h \to 0^+$, nous avons

h	$\dfrac{1}{2}$	$\dfrac{1}{10}$	$\dfrac{1}{100}$	$\dfrac{1}{1000}$	$\dfrac{1}{10\,000}$	$\dfrac{1}{10^6}$	$\ldots \to 0^+$
$(1 + h)^{\frac{1}{h}}$	2,25	2,5937...	2,7048...	2,7169...	2,7181...	2,718 28...	$\ldots \to 2{,}718\ 28\ldots$

Nous constatons donc que $e = \lim\limits_{h \to 0} (1 + h)^{\frac{1}{h}} = 2{,}718\ 28\ldots$

Nous nous en tiendrons à ce calcul informel, car une démonstration formelle du résultat obtenu déborderait le cadre du cours. Il est cependant possible d'obtenir, à l'aide d'un ordinateur plus puissant, la valeur suivante : $e \approx 2{,}718\ 281\ 828\ 459\ 045\ 235\ldots$

Puisque $e > 1$, nous pouvons tracer l'esquisse du graphique de la fonction $f(x) = e^x$.

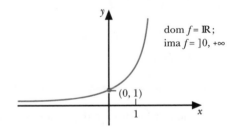

Objectif 11.2.4   Calculer la dérivée de la fonction e^x et la dérivée de fonctions contenant la fonction $e^{f(x)}$.

Proposition 3   Si $H(x) = e^x$, alors $H'(x) = e^x$.

Preuve $H'(x) = \lim\limits_{h \to 0} \dfrac{H(x + h) - H(x)}{h}$ (par définition)

$$= \lim_{h \to 0} \frac{e^{x + h} - e^x}{h}$$

$$= \lim_{h \to 0} e^x \left(\frac{e^h - 1}{h} \right)$$

$$= e^x \left(\lim_{h \to 0} \frac{e^h - 1}{h} \right)$$

$$= e^x \qquad\qquad \text{(car } \lim_{h \to 0} \frac{e^h - 1}{h} = 1\text{)}$$

■ *Exemple* Si $f(x) = x^2 e^x$, alors
$$f'(x) = (x^2)' e^x + x^2 (e^x)' = 2x e^x + x^2 e^x = x e^x (2 + x).$$

■ *Exemple* Si $y = \left(\dfrac{x}{e^x} \right)^2$, alors

$$\frac{dy}{dx} = 2 \left(\frac{x}{e^x} \right) \left(\frac{x}{e^x} \right)'$$

$$= \frac{2x}{e^x} \left[\frac{(x)' e^x - x(e^x)'}{(e^x)^2} \right] = \frac{2x}{e^x} \left[\frac{e^x - x e^x}{e^{2x}} \right] = \frac{2x(1 - x)}{e^{2x}}.$$

Proposition 4   Si $H(x) = e^{f(x)}$, alors $H'(x) = e^{f(x)} f'(x)$.

La preuve est laissée à l'utilisateur.

■ *Exemple* Si $y = e^{(x^3 - 2x)}$, alors
$$y' = e^{(x^3 - 2x)} (x^3 - 2x)' = (3x^2 - 2) \, e^{(x^3 - 2x)}.$$

■ *Exemple* Si $y = e^{4x} + e^{-x}$, alors
$$y' = e^{4x}(4x)' + e^{-x}(-x)' = 4e^{4x} - e^{-x}.$$

Exercices 11.2

1. Compléter les égalités.

   a) $(a^x)' = $

   b) $(a^{f(x)})' = $

   c) $(e^x)' = $

   d) $(e^{f(x)})' = $

2. Calculer la dérivée des fonctions suivantes.

   a) $f(x) = 3^x + 3^{-x} + 3x$

   b) $f(x) = \dfrac{5^x}{7^x}$

   c) $f(x) = 4^{(x^4)}$

   d) $f(x) = (4^x)^4$

   e) $f(x) = 8^{(2^x + x^2)}$

   f) $f(x) = 2^{(6^x)}$

   g) $f(x) = \dfrac{x^3}{e^x}$

   h) $f(x) = 5e^{x^2}$

   i) $f(x) = e^{3x} - e^{-5x}$

   j) $f(x) = e^{\sqrt{x}} + \sqrt{e^x} + e^e$

   k) $f(x) = e^{(e^x)}$

   l) $f(x) = (e^{x^3} + e^{-8x})^4$

   m) $f(x) = x 8^x$

   n) $f(x) = 4x^3 e^x$

   o) $f(x) = \dfrac{x}{3^x + 10^x}$

   p) $f(x) = (e^x)^4 - e^{4x}$

   q) $f(x) = e^{6x} + 6^{e^x}$

   r) $f(x) = e^x + x^e$

   s) $f(x) = 7^{\tan x} + \cos(9^x)$

   t) $f(x) = 2^{\sin x^3}$

   u) $f(x) = 3^{(2^x + e^x)}$

   v) $f(x) = \dfrac{e^x}{e^x - x}$

   w) $f(x) = \dfrac{e^x - e^{-x}}{e^{2x}}$

   x) $f(x) = 4^{(5^{(e^x)})}$

3. Démontrer de deux façons différentes que $[(e^x)^n]' = n(e^x)^n$.

4. Calculer la pente de la tangente à la courbe définie par

   a) $f(x) = x^2\left(\dfrac{1}{3}\right)^x$ au point $(1, f(1))$;

   b) $f(x) = e^{\sin x} \tan x$ au point $(\pi, f(\pi))$.

5. Soit $f(x) = 5\,e^x - 3$. Déterminer, si possible, un point sur la courbe de f de telle sorte que la tangente à la courbe de f en ce point soit parallèle à

   a)   la droite d'équation $y = 5x + 6$;

   b)   l'axe des x.

6. Soit $f(x) = e^{4x}$. Déterminer l'équation de la droite

   a)   tangente à la courbe de f au point $(0, f(0))$;

   b)   normale à la courbe de f au point $(0, f(0))$.

7. Évaluer $\dfrac{dy}{dx}$ si

   a) $e^y = x^2$;

   b) $a^y = e^x$;

   c) $e^{xy} = x^2 y^3$.

11.3 DÉRIVÉE DES FONCTIONS LOGARITHMIQUES

À la fin de la présente section, l'étudiant pourra calculer la dérivée de la fonction ln, la dérivée de fonctions contenant la fonction ln, la dérivée de fonctions $\log_a$, où $a \in \,]0,\ {}^{+}\infty$ et $a \neq 1$, et la dérivée de fonctions contenant la fonction $\log_a$.

Objectif 11.3.1 Calculer la dérivée de la fonction ln et la dérivée de fonctions contenant la fonction ln.

> **Définition**
>
> La fonction inverse de la fonction exponentielle e^x est appelée **logarithme naturel**, notée ln, et est définie comme suit :
> $$y = \ln x \text{ si et seulement si } x = e^y,$$
> où dom ln $= \,]0,\ {}^{+}\infty$ et ima ln $= \mathbb{R}$.

Puisque $\displaystyle\lim_{x \to 0^+} \ln x = -\infty$, nous avons que $x = 0$ est une asymptote verticale.

La représentation ci-contre est une esquisse du graphique de $f(x) = \ln x$.

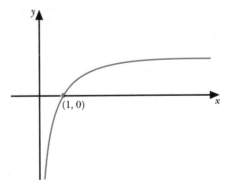

> **Proposition 5** Si $f(x) = \ln x$, alors $f'(x) = \dfrac{1}{x}$.

Preuve En posant $y = \ln x$, nous avons $e^y = x$ (par définition)

$$e^{\ln x} = x \quad \text{(car } y = \ln x\text{)}$$

$$(e^{\ln x})' = (x)'$$

$$e^{\ln x}\,(\ln x)' = 1.$$

$$\text{Ainsi, } (\ln x)' = \frac{1}{e^{\ln x}},$$

$$\text{d'où } (\ln x)' = \frac{1}{x} \quad (\text{car } e^{\ln x} = x).$$

■ *Exemple* Si *f(x)* = $x^4 \ln x$, alors

$$f'(x) = (x^4)'\ln x + x^4\,(\ln x)'$$

$$= 4x^3 \ln x + x^4\,\frac{1}{x} = 4x^3 \ln x + x^3 = x^3(4 \ln x + 1).$$

■ *Exemple* Si *f(x)* = $\ln^5 x$, alors

$$f'(x) = ((\ln x)^5)' = 5\,(\ln x)^4\,(\ln x)' = \frac{5 \ln^4 x}{x}.$$

Proposition 6   Si *H(x)* = $\ln f(x)$, alors $H'(x) = \left[\dfrac{1}{f(x)}\right] f'(x) = \dfrac{f'(x)}{f(x)}$.

La preuve est laissée à l'utilisateur.

■ *Exemple* Si *f(x)* = $\ln (x^2 - 5x)$, alors

$$f'(x) = \left(\frac{1}{x^2 - 5x}\right)(x^2 - 5x)' = \frac{2x - 5}{(x^2 - 5x)}.$$

■ *Exemple* Si *y* = $\ln^6 (\cos x^3)$, alors

$$\frac{dy}{dx} = 6\,[\ln (\cos x^3)]^5\,\frac{-\sin x^3}{\cos x^3}\,3x^2$$

$$= -18x^2 \tan x^3 \ln^5 (\cos x^3).$$

Objectif 11.3.2   Calculer la dérivée de la fonction $\log_a$, où $a \in\,]0,\, {}^{+\infty}$ et $a \neq 1$, et la dérivée de fonctions contenant la fonction $\log_a$.

Proposition 7   Si *f(x)* = $\log_a x$, alors $f'(x) = \dfrac{1}{x \ln a}$.

Preuve Puisque $\log_a x = \dfrac{\ln x}{\ln a}$ (changement de base),

$$(\log_a x)' = \left(\frac{\ln x}{\ln a}\right)'$$

$$= \frac{1}{\ln a}\,(\ln x)' \quad (\text{car } [K\,f(x)]' = K\,f'(x))$$

$$= \frac{1}{\ln a}\,\frac{1}{x} \quad (\text{car } (\ln x)' = \frac{1}{x})$$

$$= \frac{1}{x \ln a}.$$

■ *Exemple* Si $f(x) = \log_2 x$, alors

$$f'(x) = \frac{1}{x \ln 2}.$$

■ *Exemple* Si $f(x) = (x^3 + 1) \log x$, alors

$$f'(x) = 3x^2 \log x + \frac{(x^3 + 1)}{x \ln 10}.$$

■ *Exemple* Si $f(x) = \log^4 x$, alors

$$f'(x) = 4 \log^3 x (\log x)' = 4 \log^3 x \frac{1}{x \ln 10} = \frac{4 \log^3 x}{x \ln 10}.$$

Proposition 8 Si $H(x) = \log_a f(x)$, alors $H'(x) = \dfrac{f'(x)}{f(x) \ln a}$.

La preuve est laissée à l'utilisateur.

■ *Exemple* Si $H(x) = \log_8 (x^3 - 10x)$, alors

$$H'(x) = \frac{3x^2 - 10}{(x^3 - 10x) \ln 8}.$$

Exercices 11.3

1. Compléter les égalités.

   a) $(\ln x)' = $

   b) $(\ln f(x))' = $

   c) $(\log_a x)' = $

   d) $(\log_a f(x))' = $

2. Calculer $\dfrac{dy}{dx}$ si

   a) $y = \dfrac{\ln x}{x}$;

   b) $y = \ln \sqrt{x}$;

   c) $y = (x + \ln x^2)^5$;

   d) $y = x^4 \ln^5 x$;

   e) $y = \sqrt{\ln \sqrt{x}}$;

   f) $y = \ln (x^3 + \ln x)$;

   g) $y = \log_5 x + \log_7 x$;

   h) $y = \log^3 x$;

   i) $y = \log_2 (3x^4 + 1)$;

   j) $y = \ln x \log x$;

   k) $y = \log_7^5 (1 - 5x)$;

   l) $y = \log_{\frac{1}{2}} (3^x + \log_3 x)$;

   m) $y = \dfrac{\ln x^4}{x^4}$;

   n) $y = x^4 \log_4 x$;

   o) $y = (e^{2x} + \ln \cos x)^5$;

   p) $y = \ln^8 (xe^x)$;

   q) $y = \ln e^x - e^{\ln x}$;

   r) $y = \log_5^5 x^5$.

3. Soit $f(x) = \ln x$.

   a) Déterminer l'équation de la tangente à la courbe de f au point où cette courbe coupe l'axe des x.

   b) Déterminer l'équation de la tangente à la courbe de f qui est parallèle à la droite d'équation $x - 4y + 4 = 0$.

4. Calculer $\dfrac{dy}{dx}$ si

   a) $e^y = e^x + \ln x$;

   b) $\log y = x \ln x$.

5. Démontrer que si $H(x) = \ln f(x)$, alors $H'(x) = \dfrac{f'(x)}{f(x)}$.

11.4 APPLICATIONS DE LA DÉRIVÉE À DES FONCTIONS EXPONENTIELLES ET LOGARITHMIQUES

À la fin de la présente section, l'étudiant pourra résoudre divers problèmes contenant des fonctions exponentielles et logarithmiques.

Objectif 11.4.1   Analyser des fonctions contenant des fonctions exponentielles et logarithmiques.

■ *Exemple*   Soit $f(x) = x - 3 - \ln(x + 3)$. Analysons cette fonction.

1. Déterminons le domaine de f.

   dom $f =]$-3, +∞, d'où $x = $ -3 est susceptible d'être une asymptote verticale.

2. Déterminons, si possible, les asymptotes.

   a) Asymptotes verticales
   $$\lim_{x \to -3^+} [x - 3 - \ln(x + 3)] = \text{-6} - (\text{-}\infty) = +\infty.$$

   Donc $x = $ -3 est une asymptote verticale.

   b) Asymptotes horizontales
   $$\lim_{x \to +\infty} [x - 3 - \ln(x + 3)] \text{ est une indétermination de la forme } +\infty - \infty.$$

   La façon formelle de lever cette indétermination dépasse le niveau de ce cours. Par contre, à l'aide d'un tableau de valeurs, nous pouvons admettre que $\lim_{x \to +\infty} [x - 3 - \ln(x + 3)] = +\infty$.

   Donc, il n'y a pas d'asymptote horizontale.

Remarque   À l'avenir, lorsque les limites à évaluer dépasseront le niveau de ce cours, nous donnerons le résultat.

3. Calculons $f'(x)$ et déterminons les nombres critiques correspondants.
   $$f'(x) = 1 - \frac{1}{x + 3} = \frac{x + 2}{x + 3}$$
   $f'(x) = 0$ si $x = $ -2 et $f'(x)$ est non définie si $x = $ -3, or -3 $\notin$ dom f, ainsi -2 est un nombre critique.

4. Calculons $f''(x)$ et déterminons les nombres critiques correspondants.
   $$f''(x) = \frac{1}{(x + 3)^2}$$
   $f''(x)$ est non définie si $x = $ -3 ; or -3 $\notin$ dom f', ainsi il n'y a aucun nombre critique.

5. Construisons le tableau de variation.

x	-3		-2		$+\infty$
$f'(x)$	∄	$-$	0	$+$	
$f''(x)$	∄	$+$	$+$	$+$	
f	∄	↘∪	-5	↗∪	$+\infty$
E. du G.		↘	(-2, -5)	↗	
			min.		

$x = -3$ est une asymptote verticale.

6. Esquissons le graphique de f.

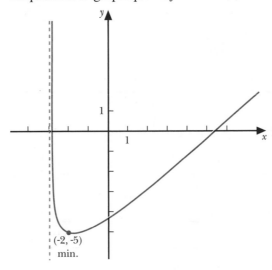

Objectif 11.4.2   Résoudre des problèmes d'optimisation.

■ *Exemple* Sur la courbe définie par $f(x) = e^{-x^2}$, déterminons les points qui sont les plus près du point (0, 0).

1. Mathématisation du problème.

Soit un point quelconque P(x, y) de la courbe de f.

Détermination de la quantité à optimiser.

$d(x, y) = \sqrt{(x - 0)^2 + (y - 0)^2}$ doit être minimale.

Donc $d(x) = \sqrt{x^2 + (e^{-x^2})^2}$ (car $y = e^{-x^2}$),

d'où $d(x) = \sqrt{x^2 + e^{-2x^2}}$, où dom $d = \mathbb{R}$.

2. Analyse de la fonction à optimiser.

Calculons $d'(x)$ et déterminons les nombres critiques correspondants.

$$d'(x) = \frac{x(1 - 2e^{-2x^2})}{\sqrt{x^2 + e^{-2x^2}}}$$

$d'(x) = 0$, si $x = 0$ ou si $(1 - 2e^{-2x^2}) = 0$

$$2e^{-2x^2} = 1$$

$$e^{-2x^2} = \frac{1}{2}$$

$$-2x^2 = \ln\left(\frac{1}{2}\right),$$

$$\text{donc } x = \pm\sqrt{-\frac{1}{2}\ln\left(\frac{1}{2}\right)}$$

D'où les nombres critiques sont

$$0, -\sqrt{-\frac{1}{2}\ln\left(\frac{1}{2}\right)} \text{ et } \sqrt{-\frac{1}{2}\ln\left(\frac{1}{2}\right)}.$$

Construisons le tableau de variation.

x	$-\infty$	$-\sqrt{-\frac{1}{2}\ln\left(\frac{1}{2}\right)}$		0		$\sqrt{-\frac{1}{2}\ln\left(\frac{1}{2}\right)}$	$+\infty$
$d'(x)$	$-$	0	$+$	0	$-$	0	$+$
d	↘	$\sqrt{\frac{1}{2}(1 + \ln 2)}$	↗	1	↘	$\sqrt{\frac{1}{2}(1 + \ln 2)}$	↗
		min.		max.		min.	

3. Formulation de la réponse.

Les points $\left(-\sqrt{-\frac{1}{2}\ln\left(\frac{1}{2}\right)}, \sqrt{\frac{1}{2}}\right)$ et $\left(\sqrt{-\frac{1}{2}\ln\left(\frac{1}{2}\right)}, \sqrt{\frac{1}{2}}\right)$ sont les points de la courbe les plus près du point $(0, 0)$.

Exercices 11.4

1. Déterminer les maximums et les minimums de la fonction

   a) $f(x) = x - 8\ln x - \dfrac{12}{x}$, à l'aide du tableau relatif à la dérivée première ;

   b) $f(x) = \dfrac{x^2}{e^x}$, à l'aide du test de la dérivée seconde.

2. Soit $f(x) = x + \ln(x^2 + 1)$.

   a) Démontrer, à l'aide de la dérivée, que la fonction f est toujours croissante.

   b) Déterminer les intervalles de concavité vers le bas, les intervalles de concavité vers le haut et les points d'inflexion de f.

3. Analyser les fonctions suivantes.

   a) $f(x) = e^{-x^2}$

b) $f(x) = \dfrac{\ln x}{x}$, sachant que $\displaystyle\lim_{x \to +\infty} \dfrac{\ln x}{x} = 0$.

c) $f(x) = xe^x$, sachant que $\displaystyle\lim_{x \to -\infty} (xe^x) = 0$.

d) $f(x) = \ln (x^2 + 4)$

e) $f(x) = (x^2 + 1)e^x$, sachant que $\displaystyle\lim_{x \to -\infty} [(x^2 + 1)e^x] = 0$.

f) $f(x) = x \ln x^2$, sachant que $\displaystyle\lim_{x \to 0} (x \ln x^2) = 0$.

4. Déterminer les dimensions du rectangle d'aire maximale que l'on peut inscrire à la gauche de $x = 2$, entre l'axe des x et la courbe dont l'équation est $y = e^x$.

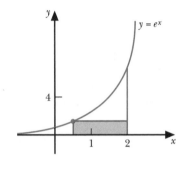

5. Déterminer le point $Q(x, y)$ de la courbe de f, où $f(x) = x^4 \ln x$, tel que la pente P de la droite joignant $Q(x, y)$ au point $(0, 0)$ soit minimale.

6. Des scientifiques estiment que la quantité de déchets produits par les habitants d'une ville, dans t années à partir d'aujourd'hui, sera donnée par $Q(t) = \dfrac{1000 \times 3^t}{9 + 3^t}$, où $Q(t)$ est exprimée en tonnes métriques.

   a) Quelle est la quantité actuelle de déchets ?

   b) Quel sera le taux de variation moyen de la quantité de déchets au cours des cinq prochaines années ?

   c) Quel sera le taux de variation instantané dans deux ans ?

   d) Faire l'analyse complète de cette fonction.

Problèmes de synthèse

1. En 1975, la population d'une ville était de 5000 habitants ; en 1990, elle était de 12 500 habitants. Si le facteur de croissance demeure constant,

   a) déterminer la fonction P qui permet d'évaluer la population en fonction du temps t ;

   b) exprimer t en fonction de P.

   c) Quelle sera la population de cette ville en l'an 2010 ?

   d) En quelle année la population de cette ville a-t-elle été (ou sera-t-elle) d'environ 23 000 habitants ?

   e) Tracer l'esquisse du graphique de la fonction P en fonction de t.

   f) Tracer l'esquisse du graphique de t en fonction de P.

2. Calculer la dérivée des fonctions suivantes.

   a) $f(x) = e^{-x} + e^{2x} \tan x$

   b) $f(x) = \dfrac{10^{\cos x}}{8^{\sqrt{x}}}$

   c) $f(x) = \ln x^4 - \ln^4 x$

   d) $f(x) = \log_4 (\ln x)$

e) $f(x) = \log (\cot x + e^{-x})$

f) $f(x) = e^{(e^x)} \sin x$

g) $f(x) = \pi^{(e^x)} + e^{(\pi^x)} + x^{(e^\pi)}$

h) $f(x) = x \ln \dfrac{1}{x}$

i) $f(x) = \sec (\ln x) + \ln (\sec x)$

j) $f(x) = \dfrac{\ln x}{e^x}$

k) $f(x) = \ln (\log e^x)$

l) $f(x) = \ln \left(\dfrac{1 - \sin x}{1 + \sin x} \right)$

m) $f(x) = \ln (x^2 + e^x) - \ln \left(\dfrac{e^x - 2}{e^x} \right)$

n) $f(x) = \dfrac{x - e^{2x}}{e^{3x} - 4}$

o) $f(x) = \sqrt{\ln x^2}$

p) $f(x) = \log_5 [7^{-x} + \log_6 (x^3 + e^x)]$

q) $f(x) = c_0 (1 + i)^x$

r) $f(x) = \dfrac{e^x + e^{-x}}{e^x - e^{-x}}$

3. Soit $f(x) = e^{2x} + 7^{-x} + \ln x$. Calculer

a) $f^{(3)}(x)$;   b) $f^{(6)}(x)$.

4. Calculer $\dfrac{dy}{dx}$ si

a) $\tan y = e^x + \ln x$;

b) $\sin x \ln y = xy$.

5. Déterminer la pente de la tangente à la courbe définie par $e^x \ln y = xy$, au point $(0, 1)$.

6. Soit $f(x) = x \ln x$.

a) Déterminer l'équation de la droite tangente à cette courbe au point $(e, f(e))$.

b) Déterminer l'équation de la droite normale à cette tangente au même point de la courbe.

7. Quel est le point $P(x, y)$ sur la courbe d'équation $f(x) = xe^x$ pour lequel l'équation de la droite tangente à la courbe en ce point est donnée par $y = \dfrac{-1}{e}$?

8. Soit un mobile dont la position en fonction du temps est donnée par $s(t) = ae^{\omega t} + be^{-\omega t}$, où t est en secondes et $s(t)$, en centimètres.

a) Déterminer la fonction donnant la vitesse en fonction du temps t.

b) Déterminer la fonction donnant l'accélération en fonction du temps t.

9. Le sucre, mélangé à un certain liquide, se dissout conformément à l'équation suivante :

$Q(t) = Q_0 e^{kt}$, où $Q(t)$ est la quantité restante de sucre, Q_0, la quantité initiale de sucre, k, un facteur de décroissance et t, le temps en heures écoulé depuis le début du mélange. Au cours d'un mélange, la quantité initiale de sucre est de 20 kg et, après 3 h, il reste 8 kg de sucre non dissous.

a) Déterminer la valeur du facteur de décroissance k.

b) Déterminer la fonction donnant le taux de variation de $Q(t)$.

c) Déterminer ce taux de variation 5 h après le début du mélange, et déterminer la quantité de sucre non dissous à ce moment.

10. Des sociologues, aidés de mathématiciens, ont établi que le nombre de personnes qui propagent une nouvelle dans une ville après t jours est donné par $P(t) = \dfrac{N}{99e^{-2t} + 1}$, où N représente la population de la ville. Dans une ville d'une population de 2 000 000 d'habitants,

a) déterminer le nombre initial de personnes qui propagent une nouvelle;

b) déterminer le nombre de personnes qui propagent cette nouvelle après deux jours;

c) déterminer le temps nécessaire pour que les trois quarts de la population propagent la nouvelle;

d) démontrer, à l'aide de la dérivée, que le nombre de personnes qui propagent la nouvelle est toujours croissant;

e) évaluer $\lim\limits_{t \to +\infty} P(t)$ et interpréter le résultat.

11. Pour chacune des fonctions suivantes, déterminer le domaine, l'équation des asymptotes, les minimums, les maximums, les points d'inflexion, et donner l'esquisse du graphique de la fonction.

    a) $f(x) = (x^2 - 3)e^x$, sachant que
       $\lim\limits_{x \to -\infty} [(x^2 - 3)e^x] = 0$.

    b) $f(x) = \ln (3 - x)^2$

    c) $f(x) = \dfrac{x}{e^{\frac{x^2}{2}}}$, sachant que $\lim\limits_{x \to -\infty} \dfrac{x}{e^{\frac{x^2}{2}}} = 0$
       et $\lim\limits_{x \to +\infty} \dfrac{x}{e^{\frac{x^2}{2}}} = 0$.

    d) $f(x) = x - \ln (x^2 + 1)$, sachant que
       $\lim\limits_{x \to +\infty} [x - \ln (x^2 + 1)] = +\infty$.

    e) $f(x) = e^x \sin x - 1$, sur $[-\pi, \pi[$.

    f) $f(x) = \ln (\cos x)$, sur $\left] -\dfrac{\pi}{2}, \dfrac{\pi}{2} \right[$.

    g) $f(x) = \dfrac{\sin x}{e^x}$, sur $[0, \pi]$.

12. Soit $f(x) = \ln (e^x - 1)$.

    a) Démontrer que $\forall x \in \text{dom } f$,
       $\ln (e^x - 1) = x + \ln (1 - e^{-x})$.

    b) Déterminer l'asymptote oblique de f.

    c) Représenter graphiquement cette fonction.

    d) Représenter graphiquement et identifier les asymptotes des fonctions g et h, si $g(x) = \ln (e^{|x|} - 1)$ et $h(x) = \ln |e^x - 1|$.

13. À la sortie d'un nouveau disque, le taux de croissance des ventes est grand au début, puis il diminue par la suite. Une compagnie estime que le nombre N de disques vendus en fonction du temps t (en semaines) est donné par

    $$N(t) = 1\,000\,000 \left(1 - e^{-\frac{t}{3}}\right).$$

    a) Après combien de semaines le nombre de disques vendus sera-t-il de 500 000 ?

    b) Estimer le plus grand nombre possible de disques que la compagnie espère vendre.

    c) Démontrer que le nombre de disques vendus est toujours de plus en plus élevé.

    d) Démontrer que le taux de variation instantané de $N(t)$ est une fonction décroissante.

    e) Donner l'esquisse du graphique de N en fonction de t.

14. Déterminer, si possible, le point de la courbe définie par $f(x) = xe^x$ où la pente de la tangente à cette courbe est

    a) maximale ;   b) minimale.

15. Déterminer les dimensions du rectangle d'aire maximale situé sous l'axe des x, entre l'axe des y et la courbe d'équation $y = \ln x$.

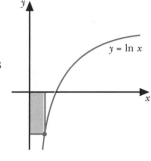

16. Déterminer l'aire du rectangle d'aire maximale que l'on peut inscrire entre la courbe définie par $y = e^{-\frac{x^2}{2}}$ et l'axe des x.

Exercices récapitulatifs

1. La valeur finale V d'un capital initial C, placé pendant un nombre d'années n à un taux d'intérêt i composé continuellement, est donnée par $V = Ce^{in}$.

   a) Si le taux d'intérêt est de 10 % par année, déterminer le nombre d'années nécessaire pour que le capital initial double.

   b) Déterminer le taux d'intérêt approximatif qui permet au capital de tripler en dix ans.

2. Le 25 avril 1986, une catastrophe nucléaire eut lieu à un réacteur de la centrale de Chernobyl, près de Kiev, en Union soviétique. Lors de l'explosion, certains éléments radioactifs furent

projetés dans l'atmosphère et contaminèrent les terres avoisinantes.

Un de ces éléments radioactifs, le césium-137, a une demi-vie de 37 ans.

a) À l'aide de l'équation $Q(t) = Q_0 e^{kt}$, déterminer la valeur de k, Q_0 étant la quantité initiale de césium-137.

b) Déterminer le nombre d'années nécessaire pour que le niveau de radiation de la zone sinistrée redevienne acceptable, si ce niveau, établi par les scientifiques, est de $\dfrac{Q_0}{2^7}$.

3. Calculer la dérivée des fonctions suivantes.

a) $f(x) = x^5 + 5^x + 5^5 + 5^\pi$

b) $f(x) = e^x x^e$

c) $f(x) = \dfrac{x^2 + 4^{4x}}{\ln(x + e^x)}$

d) $f(x) = 3x^7 - 7^{-3x}$

e) $f(x) = \ln^3(x - \sin x)$

f) $f(x) = \log[e^{2x} - 5\ln 3x]$

g) $f(x) = \log_4 4^x - 5^{\log_5 x^2}$

h) $f(x) = \sqrt{\ln \sqrt[3]{x}}$

i) $f(x) = [\ln(\cos x) - \cos(\ln x) + e^{5x^3}]^3$

j) $f(x) = \ln\left[\dfrac{e^x + e^{-x}}{e^x - e^{-x}}\right]$

4. Calculer $\dfrac{dy}{dx}$ si

a) $e^{xy-1} = y^2$;   b) $e^x \ln y = xy$.

5. a) Déterminer la forme générale des fonctions f, telles que la pente de la tangente à la courbe de ces fonctions soit identique à l'image de f en tout point de f.

b) Déterminer parmi les fonctions obtenues en **a)** celle qui passe par le point $(0, 7)$; celle qui passe par le point $(-1, 7)$.

6. Pour chaque fonction, calculer, si possible, la pente de la tangente à sa courbe au point donné.

a) $f(x) = \ln\left(\dfrac{e^x}{e^x + 7}\right)$, au point $(-5, f(-5))$.

b) $f(x) = \dfrac{\ln x}{x}$, au point $(1, f(1))$.

c) $f(x) = \dfrac{e^{-x}}{x^2}$, au point $(-2, f(-2))$.

d) $f(x) = 10^{\sin 2x}$, au point $\left(\dfrac{\pi}{2}, f\left(\dfrac{\pi}{2}\right)\right)$.

7. Soit $f(x) = x^3 e^{(4 - x^2)}$.

a) Déterminer l'équation de la droite tangente à la courbe de f au point $(-2, f(-2))$.

b) Déterminer l'équation de la droite normale à cette tangente.

8. Déterminer un point $P(x, y)$ de la courbe définie par $g(x) = e^{(x^2 - 9)}$, tel que la droite définie par $y = -6x - 17$ soit tangente à cette courbe.

9. Soit $f(x) = (x^2 - 15)e^x$,

$g(x) = 5 - \ln(x^2 + 1)$ et $h(x) = \dfrac{\tan x}{e^x}$.

a) Déterminer le maximum et le minimum de f.

b) Déterminer les points d'inflexion de g.

c) Démontrer que la fonction h est croissante sur $\left]-\dfrac{\pi}{2}, \dfrac{\pi}{2}\right[$.

10. Analyser les fonctions suivantes.

a) $f(x) = \dfrac{x}{2^x}$, sachant que $\lim\limits_{x \to +\infty} \dfrac{x}{2^x} = 0$.

b) $f(x) = 2^x + 2^{-x} + 3$

c) $f(x) = x \ln x$, sachant que $\lim\limits_{x \to 0^+}(x \ln x) = 0$.

d) $f(x) = e^{2x} - 2x$, sachant que $\lim\limits_{x \to +\infty}(e^{2x} - 2x) = +\infty$.

e) $f(x) = 5 - e^{x^2}$

f) $f(x) = x^2 - x^2 \ln x$, sachant que $\lim\limits_{x \to 0^+}(x^2 - x^2 \ln x) = 0$.

g) $f(x) = \ln\left(\dfrac{1}{x^2}\right)$

h) $f(x) = 2 - \ln(x^2 + 9)$

i) $f(x) = x^2 - \ln x^2$, sachant que $\lim\limits_{x \to -\infty} f(x) = +\infty$ et que $\lim\limits_{x \to +\infty} f(x) = +\infty$.

j) $f(x) = \dfrac{\cos x}{e^x}$, sur $\left[-\dfrac{\pi}{2}, \dfrac{\pi}{2}\right]$.

k) $f(x) = 3 + \ln\left(\dfrac{x - 2}{x + 1}\right)$

l) $f(x) = e^x \sin x - 1$, sur $[-\pi, \pi]$.

m) $f(x) = 15 + x - 8 \ln x - \dfrac{12}{x}$, sachant

que $\lim\limits_{x \to 0^+} f(x) = -\infty$.

n) $f(x) = \dfrac{e^x}{e^x - 1}$

o) $f(x) = x^2 2^x$, sachant que $\lim\limits_{x \to -\infty} f(x) = 0$.

11.   Soit $f(x) = \dfrac{e^x}{x^3}$ et $g(x) = \dfrac{x^3}{e^x}$, où $\lim\limits_{x \to +\infty} \dfrac{e^x}{x^3} = +\infty$.

a)   Déterminer dom f et dom g.

b)   Déterminer, si possible, les asymptotes verticales de f et de g.

c)   Déterminer, si possible, les asymptotes horizontales de f et de g.

d)   Construire les tableaux de variation et faire l'esquisse des graphiques de f et de g.

12.   Soit $f(x) = e^{-|x|}$.

a)   Exprimer f sous la forme d'une fonction définie par parties.

b)   Déterminer si f est continue en $x = 0$.

c)   Déterminer si f est dérivable en $x = 0$.

d)   Déterminer si le point $O(0, 0)$ est un point de rebroussement ou un point anguleux.

e)   Représenter graphiquement cette fonction.

13.   Soit $f(x) = \ln \left(\dfrac{e^{3x} - 1}{e^2} \right)$. Déterminer l'équation de l'asymptote oblique à la courbe de f et représenter graphiquement l'asymptote et la courbe.

14.   En statistique, la fonction de densité d'une variable aléatoire x suivant une loi normale est définie par $f(x) = \dfrac{1}{\sigma \sqrt{2\pi}}\, e^{-\frac{1}{2}\left(\frac{x - \mu}{\sigma} \right)^2}$, où μ représente l'espérance mathématique de x et σ^2, la variance ($\sigma > 0$).

Faire l'analyse complète de cette fonction.

15.   Soit $y = \dfrac{e^x - e^{-x}}{2}$.

a)   Démontrer que $x = \ln (y + \sqrt{y^2 + 1})$.

b)   Calculer $\dfrac{dy}{dx}$ et $\dfrac{dx}{dy}$.

c)   Vérifier, à partir des résultats obtenus en **b)**, que $\dfrac{dx}{dy} = \dfrac{1}{\dfrac{dy}{dx}}$.

16.   Déterminer, si possible, le point de la courbe définie par $f(x) = e^{-x^2}$ où la pente de la tangente à cette courbe est

a)   maximale ;   b)   minimale.

17.   Déterminer les coordonnées du point $P(x, y)$ tel que l'aire du triangle suivant soit maximale.

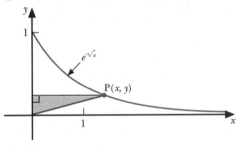

18.   Soit $f(x) = e^{-x}$ sur $-\infty, 3[$.

a)   Donner les coordonnées du point $P(x, y)$ de la courbe de f tel que la pente de la droite D joignant ce point au point $A(3, 0)$ soit maximale.

b)   Déterminer la nature de la droite D.

19.   Certains psychologues estiment que, en général, la fonction définie par

$C(x) = \dfrac{5}{3x \ln x - 5x + 10}$ donne approximativement une mesure numérique de la capacité d'apprendre d'un enfant âgé de 6 mois à 5 ans, en fonction de son âge x, où x est en mois. Déterminer l'âge auquel la capacité d'apprendre d'un enfant est maximale.

20.   Le physicien anglais William Thomson (1824-1907), mieux connu sous le nom de lord Kelvin, a démontré que la vitesse v de transmission d'un signal à l'intérieur d'un câble conducteur sous-marin dépend d'une certaine variable x qui peut être déterminée à partir du diamètre extérieur du câble et du diamètre du fil intérieur.

Sachant que $v(x) = kx^2 \ln \left(\dfrac{1}{x} \right)$, où k est une constante dépendant de la longueur du câble et de sa qualité, déterminer la valeur de x à laquelle v est maximale.

21. Soit $f(x) = e^{-\frac{1}{x^2}}$.

a) Faire l'analyse complète de cette fonction.

b) Déterminer le point P(x, y) sur la courbe de f tel que la droite passant par P et par O(0, 0) ait une pente minimale; une pente maximale.

22. Soit $f(x) = \ln x$ et $g(x) = \dfrac{f(x)}{x}$.

a) Déterminer, si possible, les intervalles de croissance et les intervalles de décroissance de f et de g.

b) Utiliser les résultats obtenus en **a)** pour démontrer que si $0 < b < a \le e$, alors $b^a < a^b$ et que si $e \le b < a$, alors $a^b < b^a$.

c) En déduire, suivant les valeurs du nombre réel a, le nombre de solutions de l'équation $e^{ax} = x$.

23. Soit $f(x) = \begin{cases} e^x - x + k & \text{si} \quad x < 0 \\ -x^3 & \text{si} \quad 0 \le x < 1 \\ \dfrac{\ln x}{x} - 1 & \text{si} \quad x \ge 1 \end{cases}$

Sachant que $\displaystyle\lim_{x \to +\infty} \frac{\ln x}{x} = 0$,

a) déterminer, si possible, la valeur de k qui rend la fonction continue en $x = 0$ et déterminer alors si cette fonction est dérivable en $x = 0$;

b) déterminer si cette fonction est continue et dérivable en $x = 1$.

c) Représenter graphiquement cette fonction selon la valeur de k obtenue en **a)**.

24. Soit les fonctions $f(x) = a^x$ et $g(x) = \log_a x$, où $a > 1$.

a) Déterminer la valeur de a telle que les graphiques de f et de g aient un et un seul point d'intersection.

b) Déterminer ce point d'intersection.

25. Le revenu d'une compagnie pour un certain produit est donné par

$R(x) = 100\,000 - 100\,000\,e^{-0,04x}$, où x représente le montant en milliers de dollars dépensé pour la publicité du produit.

a) Faire l'étude de cette fonction.

b) Déterminer le montant à partir duquel les sommes affectées à la publicité cessent d'être rentables.

26. Des spécialistes ont estimé que la concentration C d'un médicament dans le sang, t minutes après l'injection, est donnée par

$C(t) = \dfrac{c}{a - b}(e^{-bt} - e^{-at})$, où a, b et c sont des constantes positives et $a > b$.

a) Déterminer la concentration C maximale.

b) Évaluer $\displaystyle\lim_{x \to +\infty} C(t)$ et interpréter le résultat.

27. Soit la courbe définie par $f(x) = e^x$ et la courbe définie par $g(x) = \ln x$.

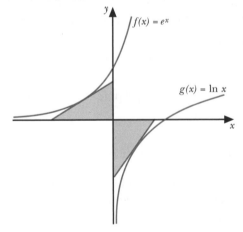

Déterminer le point où l'aire du triangle rectangle délimité par les axes et la tangente

a) à la courbe de f est maximale. Donner les dimensions de ce triangle rectangle.

b) à la courbe de g est maximale. Donner les dimensions de ce triangle rectangle.

Test récapitulatif

1. Calculer la dérivée des fonctions suivantes.

    a) $f(x) = e^{\sec 2x} + \tan 7^{5x}$

    b) $f(x) = 4^{\ln x} - 5 \ln (1 - x^5)$

    c) $f(x) = \log^5 (x^8 - 8^{-x})$

    d) $f(x) = \dfrac{e^x \ln x}{\cos x}$

2. Soit $f(x) = xe^x + \ln (x^2 + 2x + 2)$.

    a) Calculer la pente de la tangente à la courbe de f au point $(0, f(0))$.

    b) Déterminer le point de la courbe de f où la pente de la tangente à cette courbe est nulle.

3. Faire l'analyse des fonctions suivantes.

    a) $f(x) = 2e^x - xe^x + 1$, sachant que $\lim\limits_{x \to -\infty} xe^x = 0$ et que $\lim\limits_{x \to +\infty} (2e^x - xe^x) = -\infty$.

    b) $f(x) = \ln^2 x$

4. Soit $f(x) = (\ln x)^2$. Déterminer, si possible, le point $Q(x, y)$ sur la courbe de f où la pente P de la tangente à la courbe est

    a) maximale ;   b) minimale.

5. On sait que la température réelle augmente avec l'humidité. L'équation générale qui donne la température relative, en degrés Celsius, en fonction du pourcentage d'humidité est de la forme $T(h) = T_0 e^{kh}$, où h représente le pourcentage d'humidité et T_0, la température réelle. Pour une température réelle de 32 °C, on obtient une température relative de 35 °C à un pourcentage d'humidité de 60 %.

    a) Après avoir évalué la valeur de k, déterminer la fonction $T(h)$.

    b) Évaluer la température relative si le pourcentage d'humidité passe à 90 %.

    c) Donner l'esquisse du graphique de la fonction $T(h)$ sur [0, 100].

6. Une compagnie, dont les revenus actuels sont de 75 000 $, dépense 1000 $ pour sa publicité. Elle estime que, chaque fois qu'elle double la somme affectée à la publicité, ses revenus augmentent de 10 %. Évaluer la somme qu'elle devra affecter à la publicité pour maximiser ses bénéfices, qui sont définis par la différence entre ses revenus et ses dépenses en matière de publicité.

Chapitre 12

Dérivée des fonctions trigonométriques inverses

Introduction

Le présent chapitre est consacré à la définition des fonctions trigonométriques inverses et au calcul de la dérivée de ces fonctions. Nous
serons alors en mesure d'analyser quelques fonctions contenant des
fonctions trigonométriques inverses.

TEST PRÉLIMINAIRE

Partie A

1. Tracer le graphique des six fonctions trigono-métriques et indiquer le domaine et l'image de chaque fonction.

2. Déterminer l'ensemble des valeurs de θ tel que

   a) $\sin \theta = 1$;

   b) $\sin \theta = 0$;

   c) $\cos \theta = -\dfrac{\sqrt{2}}{2}$;

   d) $\tan \theta = 1$;

   e) $\sec \theta = -1$.

3. Compléter les identités suivantes.

   a) $\cos^2 x + \sin^2 x =$

   b) $1 + \tan^2 x =$

   c) $1 + \cot^2 x =$

4. Exprimer

   a) $\sin x$ en fonction de $\cos x$;

   b) $\cos x$ en fonction de $\sin x$;

   c) $\tan x$ en fonction de $\sec x$;

   d) $\cot x$ en fonction de $\csc x$.

Partie B

1. Compléter les égalités suivantes.

   a) $[\sin f(x)]' =$

   b) $[\cos f(x)]' =$

   c) $[\tan f(x)]' =$

   d) $[\cot f(x)]' =$

   e) $[\sec f(x)]' =$

   f) $[\csc f(x)]' =$

12.1 DÉRIVÉE DES FONCTIONS ARC SINUS ET ARC COSINUS

À la fin de la présente section, l'étudiant pourra calculer la dérivée de fonctions contenant les fonctions Arc sinus et Arc cosinus.

Objectif 12.1.1 Connaître la définition de la fonction Arc sinus.

Définition	La fonction inverse de la fonction sinus est appelée **Arc sinus** et est définie comme suit : $y = \text{Arc sin } x$ si et seulement si $x = \sin y$, où dom Arc sin $= [-1, 1]$ et ima Arc sin $= \left[-\dfrac{\pi}{2}, \dfrac{\pi}{2}\right]$.

La représentation ci-contre est une esquisse du graphique de $f(x) = \text{Arc sin } x$.

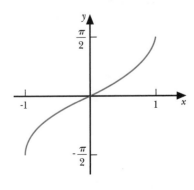

■ *Exemple* Arc sin $1 = \dfrac{\pi}{2}$, car sin $\left(\dfrac{\pi}{2}\right) = 1$ et $\dfrac{\pi}{2} \in \left[-\dfrac{\pi}{2}, \dfrac{\pi}{2}\right]$.

■ *Exemple* Arc sin $(-0,5) = -\dfrac{\pi}{6}$, car sin $\left(-\dfrac{\pi}{6}\right) = -0,5$ et $-\dfrac{\pi}{6} \in \left[-\dfrac{\pi}{2}, \dfrac{\pi}{2}\right]$.

Pour les valeurs non remarquables, nous devons utiliser la calculatrice.

■ *Exemple* Arc sin $(0,7) = 0,7753...$

Question 1   Déterminer, si possible, la valeur de θ si
a) sin $\theta = 0,2$;
c) Arc sin $\left(\dfrac{\pi}{2}\right) = \theta$;

b) Arc sin $(-0,8) = \theta$;
d) Arc sin $\left(\dfrac{\pi}{4}\right) = \theta$.

Question 2   Compléter, si possible,
a) Arc sin (sin $0,791$) = _____;
b) sin (Arc sin $(-0,5)$) = _____;
c) sin (Arc sin $1,2$) = _____;
d) sin (Arc sin x) = _____ si _____.

Objectif 12.1.2   Calculer la dérivée de la fonction Arc sin x et la dérivée de fonctions contenant la fonction Arc sin.

Proposition 1	Si $y = $ Arc sin x, alors $\dfrac{dy}{dx} = \dfrac{1}{\sqrt{1 - x^2}}$.

Preuve

sin (Arc sin x) = x (car $y = $ Arc sin $x \Leftrightarrow x = $ sin y, par définition)

[sin (Arc sin x)]$' = (x)'$ (en dérivant les deux membres de l'équation)

[cos (Arc sin x)] (Arc sin x)$' = 1$ (car (sin $f(x))' = $ [cos $f(x)$] $f'(x)$)

Puisque nous cherchons la dérivée de Arc sin x, nous avons :

$$(\text{Arc sin } x)' = \dfrac{1}{\cos (\text{Arc sin } x)}$$

$$= \dfrac{1}{\cos y} \qquad (\text{car } y = \text{Arc sin } x)$$

$$= \dfrac{1}{\sqrt{1 - \sin^2 y}} \qquad \left(\text{car } \cos y = \pm \sqrt{1 - \sin^2 y}, \text{ or } y \in \left[-\dfrac{\pi}{2}, \dfrac{\pi}{2}\right],\right.$$
$$\left.\text{d'où } \cos y = \sqrt{1 - \sin^2 y}\right)$$

$$= \dfrac{1}{\sqrt{1 - x^2}} \qquad (\text{car } x = \sin y).$$

■ *Exemple* Si $f(x) = (\ln x)(\text{Arc sin } x)$, alors
$f'(x) = (\ln x)'$ Arc sin x + ln x (Arc sin x)$'$

$$= \frac{1}{x} \operatorname{Arc\,sin} x + \ln x \frac{1}{\sqrt{1-x^2}} = \frac{\operatorname{Arc\,sin} x}{x} + \frac{\ln x}{\sqrt{1-x^2}}.$$

■ *Exemple* Si $f(x) = \dfrac{x}{\operatorname{Arc\,sin} x}$, alors

$$f'(x) = \frac{\operatorname{Arc\,sin} x - x \dfrac{1}{\sqrt{1-x^2}}}{(\operatorname{Arc\,sin} x)^2} = \frac{\sqrt{1-x^2}\,\operatorname{Arc\,sin} x - x}{(\operatorname{Arc\,sin} x)^2 \sqrt{1-x^2}}.$$

Proposition 2	Si $H(x) = \operatorname{Arc\,sin} f(x)$, alors $$H'(x) = \left[\frac{1}{\sqrt{1-[f(x)]^2}}\right] f'(x) = \frac{f'(x)}{\sqrt{1-[f(x)]^2}}.$$

La preuve est laissée à l'utilisateur.

■ *Exemple* Si $f(x) = \operatorname{Arc\,sin}(x^3 + 7x)$, alors

$$f'(x) = \left[\frac{1}{\sqrt{1-(x^3+7x)^2}}\right](x^3+7x)' = \frac{3x^2+7}{\sqrt{1-(x^3+7x)^2}}.$$

■ *Exemple* Si $f(x) = \operatorname{Arc\,sin}(e^x)$, alors

$$f'(x) = \left[\frac{1}{\sqrt{1-(e^x)^2}}\right](e^x)' = \frac{e^x}{\sqrt{1-e^{2x}}}.$$

Objectif 12.1.3 Connaître la définition de la fonction Arc cosinus.

Définition	La fonction inverse de la fonction cosinus est appelée **Arc cosinus** et est définie comme suit : $y = \operatorname{Arc\,cos} x$ si et seulement si $x = \cos y$, où dom Arc cos $= [-1, 1]$ et ima Arc cos $= [0, \pi]$.

La représentation ci-contre est une esquisse du graphique de $f(x) = \operatorname{Arc\,cos} x$.

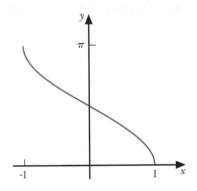

■ *Exemple* Arc cos $1 = 0$, car cos $0 = 1$ et $0 \in [0, \pi]$.

Question 3   Compléter, si possible,

a)   Arc cos $0 =$ _____;

b)   Arc cos $(-0,4) =$ _____;

c)   cos (Arc cos x) $=$ _____ si _____.

Objectif 12.1.4 Calculer la dérivée de la fonction Arc cos x et la dérivée de fonctions contenant la fonction Arc cos.

Proposition 3	Si $y = $ Arc cos x, alors $$\frac{dy}{dx} = \frac{-1}{\sqrt{1-x^2}}.$$

Preuve   cos (Arc cos x) = x (car $y = $ Arc cos $x \Leftrightarrow x = \cos y$, par définition)

[cos (Arc cos x)]$'$ = $(x)'$ (en dérivant les deux membres de l'équation)

[-sin (Arc cos x)] (Arc cos x)$'$ = 1   (car $(\cos f(x))' = [-\sin f(x)]\, f'(x)$)

Puisque nous cherchons la dérivée de Arc cos x, nous avons :

$$(\text{Arc cos } x)' = \frac{1}{-\sin (\text{Arc cos } x)}$$

$$= \frac{-1}{\sin y} \qquad (\text{car } y = \text{Arc cos } x)$$

$$= \frac{-1}{\sqrt{1 - \cos^2 y}} \qquad \begin{array}{l}(\text{car } \sin y = \pm\sqrt{1 - \cos^2 y},\text{ or } y \in [0, \pi], \\ \text{d'où } \sin y = \sqrt{1 - \cos^2 y})\end{array}$$

$$= \frac{-1}{\sqrt{1 - x^2}} \qquad (\text{car } x = \cos y).$$

■ *Exemple* Si $f(x) = (\text{Arc cos } x)^5$, alors

$$f'(x) = 5(\text{Arc cos } x)^4\, (\text{Arc cos } x)' = 5(\text{Arc cos } x)^4 \left(\frac{-1}{\sqrt{1-x^2}}\right)$$

$$= \frac{-5(\text{Arc cos } x)^4}{\sqrt{1-x^2}}.$$

Proposition 4	Si $H(x) = $ Arc cos $f(x)$, alors $$H'(x) = \left[\frac{-1}{\sqrt{1 - [f(x)]^2}}\right] f'(x) = \frac{-f'(x)}{\sqrt{1 - [f(x)]^2}}.$$

La preuve est laissée à l'utilisateur.

■ *Exemple* Si $f(x) = $ Arc cos $3x$, alors

$$f'(x) = \frac{-1}{\sqrt{1 - (3x)^2}}\, (3x)' = \frac{-3}{\sqrt{1 - 9x^2}}.$$

■ *Exemple* Si $f(x) = (x^2 \text{ Arc cos } x^3)^{12}$, alors

$$f'(x) = 12(x^2 \text{ Arc cos } x^3)^{11} \left[2x \text{ Arc cos } x^3 + \frac{x^2\,(-1)}{\sqrt{1 - x^6}}\, 3x^2\right]$$

$$= 12(x^2 \text{ Arc cos } x^3)^{11} \left[2x \text{ Arc cos } x^3 - \frac{3x^4}{\sqrt{1 - x^6}}\right].$$

Exercices 12.1

1. Évaluer, si possible,

   a) Arc sin 0,5 ;

   b) Arc sin $\left(\dfrac{-\sqrt{3}}{2}\right)$;

   c) Arc sin 2 ;

   d) Arc cos (-1) ;

   e) Arc cos $\sqrt{2}$;

   f) Arc cos (-0,8).

2. Compléter les propositions.

   a) Si $H(x) =$ Arc sin $f(x)$, alors $H'(x) =$ _____ .

   b) Si $H(x) =$ Arc cos $f(x)$, alors $H'(x) =$ _____ .

3. Calculer la dérivée des fonctions suivantes.

   a) $f(x) = \sqrt{x}$ Arc sin x

   b) $f(x) =$ Arc sin $(x^7 - 3x)$

   c) $f(x) = \sqrt{\text{Arc sin } x^4}$

   d) $f(x) = \dfrac{\text{Arc sin } 5x}{5x}$

   e) $f(x) = \dfrac{x}{\text{Arc cos } x}$

   f) $f(x) =$ Arc cos $(x^3 - 3x^2 + 1)$

   g) $f(x) = x^3$ Arc cos x^2

   h) $f(x) =$ Arc cos $(\cos x -$ Arc cos $x^2)$

   i) $f(x) =$ Arc sin $x +$ Arc cos x

   j) $f(x) = \ln$ (Arc sin $x) -$ Arc cos $(\ln x)$

   k) $f(x) =$ Arc sin $(\tan x) +$ Arc cos $(\cot x)$

   l) $f(x) = \dfrac{\text{Arc cos } x^2}{\text{Arc sin } x^3}$

4. Pour chaque fonction, calculer la pente de la tangente à sa courbe au point donné.

   a) $f(x) =$ Arc cos x^2, au point $\left(\dfrac{1}{2}, f\left(\dfrac{1}{2}\right)\right)$.

   b) $f(x) =$ Arc sin $3x$, au point $(0, f(0))$.

5. Démontrer la proposition 2 en utilisant la notation de Leibniz.

12.2 DÉRIVÉE DES FONCTIONS ARC TANGENTE ET ARC COTANGENTE

À la fin de la présente section, l'étudiant pourra calculer la dérivée de fonctions contenant les fonctions Arc tangente et Arc cotangente.

Objectif 12.2.1 Connaître la définition de la fonction Arc tangente.

Définition	La fonction inverse de la fonction tangente est appelée **Arc tangente** et est définie comme suit : $y =$ Arc tan x si et seulement si $x = \tan y$, où dom Arc tan $= \mathbb{R}$ et ima Arc tan $= \left]-\dfrac{\pi}{2}, \dfrac{\pi}{2}\right[$.

La représentation ci-contre est une esquisse du graphique de *f(x)* = Arc tan *x*.

Puisque $\lim\limits_{x \to -\infty}$ Arc tan *x* = $\dfrac{-\pi}{2}$, alors $y = \dfrac{-\pi}{2}$ est une asymptote horizontale lorsque $x \to -\infty$.

Puisque $\lim\limits_{x \to +\infty}$ Arc tan *x* = $\dfrac{\pi}{2}$, alors $y = \dfrac{\pi}{2}$ est une asymptote horizontale lorsque $x \to +\infty$.

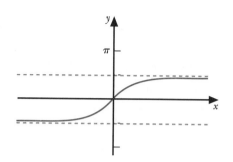

■ *Exemple* Arc tan 0 = 0, car tan 0 = 0 et $0 \in \left]-\dfrac{\pi}{2}, \dfrac{\pi}{2}\right[$.

■ *Exemple* Arc tan (-1) = $\dfrac{-\pi}{4}$, car tan $\left(\dfrac{-\pi}{4}\right)$ = -1 et $\dfrac{-\pi}{4} \in \left]-\dfrac{\pi}{2}, \dfrac{\pi}{2}\right[$.

■ *Exemple* Arc tan 2500 = 1,570... (résultat obtenu à l'aide d'une calculatrice).

Question 1   Évaluer, si possible,

a) Arc tan $\sqrt{3}$;   b) Arc tan (-3) ;   c) tan (Arc tan *x*).

Objectif 12.2.2   Calculer la dérivée de la fonction Arc tan *x* et la dérivée de fonctions contenant la fonction Arc tan.

Proposition 5	Si y = Arc tan x, alors $\dfrac{dy}{dx} = \dfrac{1}{1 + x^2}$.

Preuve   tan (Arc tan *x*) = *x*   (car *y* = Arc tan *x* $\Leftrightarrow$ *x* = tan *y*, par définition)

[tan (Arc tan *x*)]′ = *(x)*′   (en dérivant les deux membres de l'équation)

[sec² (Arc tan *x*)] (Arc tan *x*)′ = 1   (car [tan *f(x)*]′ = [sec² *f(x)*] *f′(x)*)

Puisque nous cherchons la dérivée de Arc tan *x*, nous avons :

$$(\text{Arc tan } x)' = \frac{1}{\sec^2 (\text{Arc tan } x)}$$

$$= \frac{1}{\sec^2 y} \qquad (\text{car } y = \text{Arc tan } x)$$

$$= \frac{1}{1 + \tan^2 y} \qquad (\text{car } \sec^2 y = 1 + \tan^2 y)$$

$$= \frac{1}{1 + x^2} \qquad (\text{car } x = \tan y).$$

■ *Exemple* Si *f(x)* = (tan *x*) (Arc tan *x*), alors

$f'(x)$ = (tan *x*)′ (Arc tan *x*) + (tan *x*) (Arc tan *x*)′

$$= \sec^2 x \text{ Arc tan } x + \frac{\tan x}{1 + x^2}.$$

> **Proposition 6**
> Si $H(x) = $ Arc tan $f(x)$, alors
> $$H'(x) = \left[\frac{1}{1 + [f(x)]^2}\right] f'(x) = \frac{f'(x)}{1 + [f(x)]^2}.$$

La preuve est laissée à l'utilisateur.

■ *Exemple* Si $f(x) = $ Arc tan $(x^2 + 4)^2$, alors
$$f'(x) = \frac{4x(x^2 + 4)}{1 + (x^2 + 4)^4}.$$

■ *Exemple* Si $y = [$Arc tan $(3x)]^5$, alors
$$\frac{dy}{dx} = 5[\text{Arc tan } (3x)]^4 \frac{3}{1 + (3x)^2}$$
$$= \frac{15[\text{Arc tan } (3x)]^4}{1 + 9x^2}.$$

Objectif 12.2.3 Connaître la définition de la fonction Arc cotangente.

> **Définition**
> La fonction inverse de la fonction cotangente est appelée **Arc cotangente** et est définie comme suit :
> $$y = \text{Arc cot } x \text{ si et seulement si } x = \cot y,$$
> où dom Arc cot $= \mathbb{R}$ et ima Arc cot $=]0, \pi[$.

La représentation ci-contre est une esquisse du graphique de $f(x) = $ Arc cot x.

Puisque $\lim\limits_{x \to -\infty}$ Arc cot $x = \pi$, alors $y = \pi$ est une asymptote horizontale lorsque $x \to -\infty$.

Puisque $\lim\limits_{x \to +\infty}$ Arc cot $x = 0$, alors $y = 0$ est une asymptote horizontale lorsque $x \to +\infty$.

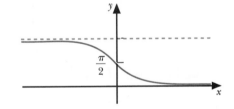

■ *Exemple* Arc cot $0 = \dfrac{\pi}{2}$, car $\cot \left(\dfrac{\pi}{2}\right) = 0$ et $\dfrac{\pi}{2} \in]0, \pi[$.

■ *Exemple* Arc cot $(-1) = \dfrac{3\pi}{4}$, car $\cot \left(\dfrac{3\pi}{4}\right) = -1$ et $\dfrac{3\pi}{4} \in]0, \pi[$.

Question 2   Évaluer, si possible,
a) Arc cot 1 ;   b) Arc cot $\sqrt{3}$;   c) Arc cot 3 ;   d) cot (Arc cot x).

Objectif 12.2.4 Calculer la dérivée de la fonction Arc cot x et la dérivée de fonctions contenant la fonction Arc cot.

> **Proposition 7**
> Si $y = $ Arc cot x, alors
> $$\frac{dy}{dx} = \frac{-1}{1 + x^2}.$$

Preuve $\text{Cot (Arc cot } x) = x$ (car $y = \text{Arc cot } x \Leftrightarrow x = \cot y$, par définition)

$[\cot (\text{Arc cot } x)]' = (x)'$ (en dérivant les deux membres de l'équation)

$[\text{-csc}^2 (\text{Arc cot } x)] (\text{Arc cot } x)' = 1$ (car $[\cot f(x)]' = [\text{-csc}^2 f(x)] f'(x)$)

Puisque nous cherchons la dérivée de Arc cot x, nous avons :

$$(\text{Arc cot } x)' = \frac{1}{\text{-csc}^2 (\text{Arc cot } x)}$$

$$= \frac{-1}{\csc^2 y}$$ (car Arc cot $x = y$)

$$= \frac{-1}{1 + \cot^2 y}$$ (car $\csc^2 y = 1 + \cot^2 y$)

$$= \frac{-1}{1 + x^2}$$ (car $\cot y = x$).

■ *Exemple* Si $f(x) = \sqrt{\text{Arc cot } x}$, alors

$$f'(x) = \frac{1}{2\sqrt{\text{Arc cot } x}} (\text{Arc cot } x)' = \frac{-1}{2\sqrt{\text{Arc cot } x} \,(1 + x^2)}.$$

Proposition 8

Si $H(x) = \text{Arc cot } f(x)$, alors

$$H'(x) = \left[\frac{-1}{1 + [f(x)]^2}\right] f'(x) = \frac{-f'(x)}{1 + [f(x)]^2}.$$

La preuve est laissée à l'utilisateur.

■ *Exemple* Si $f(x) = \text{Arc cot } (x^3 + 7x)$, alors

$$f'(x) = \left[\frac{-1}{1 + (x^3 + 7x)^2}\right] (x^3 + 7x)' = \frac{-(3x^2 + 7)}{1 + (x^3 + 7x)^2}.$$

Exercices 12.2

1. Évaluer, si possible,

   a) $\text{Arc tan } 1$;

   b) $\text{Arc tan } \left(\dfrac{-1}{\sqrt{3}}\right)$;

   c) $\text{Arc tan } \left(\dfrac{\sqrt{2}}{2}\right)$;

   d) $\text{Arc cot } \left(\dfrac{1}{\sqrt{3}}\right)$;

   e) $\text{Arc cot } 100$;

   f) $\text{Arc cot } (-\sqrt{3})$.

2. Compléter les propositions.

   a) Si $H(x) = \text{Arc tan } f(x)$, alors $H'(x) =$ _____.

   b) Si $H(x) = \text{Arc cot } f(x)$, alors $H'(x) =$ _____.

3. Calculer la dérivée des fonctions suivantes.

   a) $f(x) = \text{Arc tan } (x^2 + \sin x)$

   b) $f(x) = (\tan x + 3x) \text{ Arc tan } x$

   c) $f(x) = \sqrt{\text{Arc tan } (x^7 - 1)}$

   d) $f(x) = [\text{Arc tan } (\sin x + x^3)]^{12}$

   e) $f(x) = (\sin x - 3) \text{ Arc cot } x$

   f) $f(x) = \text{Arc cot } (x^2 - \tan x)$

   g) $f(x) = \sqrt[3]{\text{Arc cot } x^2}$

   h) $f(x) = \text{Arc cot } (x^2 + \text{Arc cot } x^3)$

   i) $f(x) = (\text{Arc tan } x) (\text{Arc cot } x)$

   j) $f(x) = \dfrac{\text{Arc tan } x^2}{\text{Arc cot } 2x}$

   k) $f(x) = \ln (\text{Arc tan } e^x)$

   l) $f(x) = \text{Arc tan } [\text{Arc tan } (\sin x)]$

4. Calculer $\dfrac{dy}{dx}$ si

   a) x^2 Arc tan $y = 4$;

   b) Arc tan $(xy) = 3$ Arc sin x.

5. Déterminer l'équation de la droite tangente à la courbe définie par $y =$ Arc tan x aux points donnés.

   a) $(0, 0)$

   b) $\left(1, \dfrac{\pi}{4}\right)$

12.3 DÉRIVÉE DES FONCTIONS ARC SÉCANTE ET ARC COSÉCANTE

À la fin de la présente section, l'étudiant pourra calculer la dérivée de fonctions contenant les fonctions Arc sécante et Arc cosécante.

Objectif 12.3.1   Connaître la définition de la fonction Arc sécante.

Définition	La fonction inverse de la fonction sécante est appelée **Arc sécante** et est définie comme suit : $\quad y =$ Arc sec x si et seulement si $x = $ sec y, où dom Arc sec $= $ -∞, -1] $\cup$ [1, +∞ et ima Arc sec $= \left[0, \dfrac{\pi}{2}\right[\cup \left[\pi, \dfrac{3\pi}{2}\right[$.

La représentation ci-contre est une esquisse du graphique de $f(x) =$ Arc sec x.

Puisque $\displaystyle\lim_{x \to -\infty}$ Arc sec $x = \dfrac{3\pi}{2}$, alors $y = \dfrac{3\pi}{2}$ est une asymptote horizontale lorsque $x \to$ -∞.

Puisque $\displaystyle\lim_{x \to +\infty}$ Arc sec $x = \dfrac{\pi}{2}$, alors $y = \dfrac{\pi}{2}$ est une asymptote horizontale lorsque $x \to$ +∞.

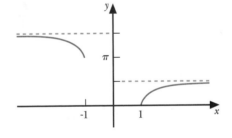

■ *Exemple* Arc sec $1 = 0$, car sec $0 = 1$ et $0 \in \left[0, \dfrac{\pi}{2}\right[\cup \left[\pi, \dfrac{3\pi}{2}\right[$.

■ *Exemple* Arc sec $0{,}5$ n'est pas définie, car $0{,}5 \notin$ dom Arc sec.

■ *Exemple* Arc sec $(-2) = \dfrac{4\pi}{3}$, car sec $\left(\dfrac{4\pi}{3}\right) =$ -2 et $\dfrac{4\pi}{3} \in \left[0, \dfrac{\pi}{2}\right[\cup \left[\pi, \dfrac{3\pi}{2}\right[$.

Objectif 12.3.2   Calculer la dérivée de la fonction Arc sec x et la dérivée de fonctions contenant la fonction Arc sec.

Proposition 9	Si $y = $ Arc sec x, alors $\quad \dfrac{dy}{dx} = \dfrac{1}{x\sqrt{x^2 - 1}}$.

Preuve

$$\sec(\text{Arc sec } x) = x \qquad \text{(car } y = \text{Arc sec } x \Leftrightarrow x = \sec y,$$
$$\text{par définition)}$$

$$[\sec(\text{Arc sec } x)]' = (x)' \qquad \text{(en dérivant les deux membres}$$
$$\text{de l'équation)}$$

$$[\sec(\text{Arc sec } x) \tan(\text{Arc sec } x)](\text{Arc sec } x)' = 1 \qquad \text{(car } [\sec f(x)]' =$$
$$[\sec f(x) \tan f(x)] f'(x))$$

Puisque nous cherchons la dérivée de Arc sec x, nous avons :

$$(\text{Arc sec } x)' = \frac{1}{\sec(\text{Arc sec } x) \tan(\text{Arc sec } x)}$$

$$= \frac{1}{\sec y \tan y} \qquad \text{(car } y = \text{Arc sec } x)$$

$$= \frac{1}{x\sqrt{\sec^2 y - 1}} \qquad \text{(car } \sec y = x \text{ et } \tan y = \pm\sqrt{\sec^2 y - 1}, \text{ or}$$
$$y \in \left[0, \frac{\pi}{2}\right[\cup \left[\pi, \frac{3\pi}{2}\right[, \text{ d'où}$$
$$\tan y = \sqrt{\sec^2 y - 1})$$

$$= \frac{1}{x\sqrt{x^2 - 1}} \qquad \text{(car } \sec y = x).$$

■ *Exemple* Si $f(x) = \dfrac{\text{Arc sec } x}{\sin x - 2}$, alors

$$f'(x) = \frac{(\text{Arc sec } x)'(\sin x - 2) - (\text{Arc sec } x)(\sin x - 2)'}{(\sin x - 2)^2}$$

$$= \frac{\dfrac{\sin x - 2}{x\sqrt{x^2 - 1}} - (\text{Arc sec } x)\cos x}{(\sin x - 2)^2}.$$

Proposition 10

Si $H(x) = \text{Arc sec } f(x)$, alors

$$H'(x) = \left[\frac{1}{f(x)\sqrt{[f(x)]^2 - 1}}\right] f'(x) = \frac{f'(x)}{f(x)\sqrt{[f(x)]^2 - 1}}.$$

La preuve est laissée à l'utilisateur.

■ *Exemple* Si $y = \text{Arc sec}(x^3 - \sin x)$, alors

$$\frac{dy}{dx} = \left[\frac{1}{(x^3 - \sin x)\sqrt{(x^3 - \sin x)^2 - 1}}\right](x^3 - \sin x)'$$

$$= \frac{3x^2 - \cos x}{(x^3 - \sin x)\sqrt{(x^3 - \sin x)^2 - 1}}.$$

Objectif 12.3.3   Connaître la définition de la fonction Arc cosécante.

Définition	La fonction inverse de la fonction cosécante est appelée **Arc cosécante** et est définie comme suit : $y = $ Arc csc x si et seulement si $x = $ csc y, où dom Arc csc $= $ -∞, -1] $\cup$ [1, ⁺∞ et ima Arc csc $= \left]0, \dfrac{\pi}{2}\right] \cup \left]\pi, \dfrac{3\pi}{2}\right]$.

La représentation ci-contre est une esquisse du graphique de $f(x) = $ Arc csc x.

Puisque $\displaystyle\lim_{x \to -\infty}$ Arc csc $x = \pi$, alors $y = \pi$ est une asymptote horizontale lorsque $x \to$ -∞.

Puisque $\displaystyle\lim_{x \to +\infty}$ Arc csc $x = 0$, alors $y = 0$ est une asymptote horizontale lorsque $x \to$ +∞.

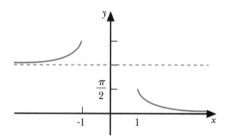

■ *Exemple* Arc csc (-1) $= \dfrac{3\pi}{2}$, car csc $\left(\dfrac{3\pi}{2}\right) = $ -1 et $\dfrac{3\pi}{2} \in \left]0, \dfrac{\pi}{2}\right] \cup \left]\pi, \dfrac{3\pi}{2}\right]$.

■ *Exemple* Arc csc 2 $= \dfrac{\pi}{6}$, car csc $\left(\dfrac{\pi}{6}\right) = 2$ et $\dfrac{\pi}{6} \in \left]0, \dfrac{\pi}{2}\right] \cup \left]\pi, \dfrac{3\pi}{2}\right]$.

Objectif 12.3.4   Calculer la dérivée de la fonction Arc csc x et la dérivée de fonctions contenant la fonction Arc csc.

Proposition 11	Si $y = $ Arc csc x, alors $\dfrac{dy}{dx} = \dfrac{-1}{x\sqrt{x^2 - 1}}$.

La preuve est laissée à l'utilisateur.

■ *Exemple* Si $f(x) = x^2$ Arc csc x, alors

$f'(x) = (x^2)'$ Arc csc $x + x^2$ (Arc csc $x)'$

$= 2x$ Arc csc $x + x^2 \left(\dfrac{-1}{x\sqrt{x^2 - 1}}\right) = 2x$ Arc csc $x - \dfrac{x}{\sqrt{x^2 - 1}}$.

Proposition 12	Si $H(x) = $ Arc csc $f(x)$, alors $H'(x) = \left[\dfrac{-1}{f(x)\sqrt{[f(x)]^2 - 1}}\right] f'(x) = \dfrac{-f'(x)}{f(x)\sqrt{[f(x)]^2 - 1}}$.

La preuve est laissée à l'utilisateur.

■ *Exemple* Si $f(x) = [\text{Arc csc } \sqrt[3]{x}]^3$, alors

$$f'(x) = 3 \, [\text{Arc csc } \sqrt[3]{x}]^2 \, [\text{Arc csc } \sqrt[3]{x}]'$$

$$= 3 \, [\text{Arc csc } \sqrt[3]{x}]^2 \left(\frac{-1}{\sqrt[3]{x}\sqrt{(\sqrt[3]{x})^2 - 1}} \right) (\sqrt[3]{x})'$$

$$= 3 \, [\text{Arc csc } \sqrt[3]{x}]^2 \left(\frac{-1}{x^{\frac{1}{3}}\sqrt{x^{\frac{2}{3}} - 1}} \right) \frac{1}{3x^{\frac{2}{3}}}$$

$$= \frac{-[\text{Arc csc } \sqrt[3]{x}]^2}{x\sqrt{x^{\frac{2}{3}} - 1}}.$$

Exercices 12.3

1. Évaluer, si possible,

   a) Arc sec 2 ;

   b) Arc sec (-0,5) ;

   c) Arc sec (-1) ;

   d) Arc csc 1 ;

   e) $\text{Arc csc}\left(\text{csc}\left(\dfrac{5\pi}{2}\right)\right)$;

   f) $\text{csc}\left(\text{Arc csc}\left(\dfrac{5\pi}{2}\right)\right)$.

2. Compléter les propositions.

   a) Si $H(x) = \text{Arc sec } f(x)$, alors $H'(x) = $ _____.

   b) Si $H(x) = \text{Arc csc } f(x)$, alors $H'(x) = $ _____.

3. Calculer la dérivée des fonctions suivantes.

   a) $f(x) = \dfrac{\text{Arc sec } x}{x^4}$

   b) $f(x) = \text{Arc sec } (2 + \sin x)$

   c) $f(x) = \text{Arc sec } (3 - \text{Arc sec } x)$

   d) $f(x) = (\text{Arc sec } x^3)^5$

   e) $f(x) = (x^3 - \cot x) \, \text{Arc csc } x$

   f) $f(x) = \text{Arc csc } (x^5 - 1)$

   g) $f(x) = \text{Arc csc } (x - \text{Arc csc } x)$

   h) $f(x) = \sqrt{\text{Arc csc } (x^3 - \sin x)}$

   i) $f(x) = (\text{Arc sec } x^2 - \sec x^3)^7$

   j) $f(x) = \text{Arc sec } (\sec x + x^3)$

   k) $f(x) = (\text{Arc sec } 2x^4)(\text{Arc csc } 4^x)$

   l) $f(x) = \ln (\text{Arc csc } (\csc x))$

4. Déterminer l'équation de la droite tangente à la courbe définie par $y = \text{Arc csc } x$ au point $(2, f(2))$.

Problèmes de synthèse

1. Soit le triangle suivant. Déterminer, en radians, l'angle θ si

   a) $a = 4$ et $b = 3$;

   b) $a = 6$ et $c = 9$;

   c) $b = 1,5$ et $c = 2,6$.

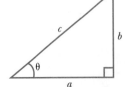

2. Évaluer, si possible,

   a) $\cos\left(\text{Arc sin}\left(\dfrac{3}{5}\right)\right)$;

   b) $\text{Arc cos}\left(\sin\left(\dfrac{3}{5}\right)\right)$;

c) $\text{Arc sin}\left(\sin\left(\dfrac{3\pi}{2}\right)\right)$;

d) $\sin\left(\text{Arc sin}\left(\dfrac{3\pi}{2}\right)\right)$;

e) $\sin(\text{Arc tan}\,(-5))$;

f) $\text{Arc sec}\,4 + \text{Arc csc}\,3$.

3. Écrire les expressions suivantes sous la forme d'une expression ne contenant aucune fonction trigonométrique ni trigonométrique inverse.

a) $\sin(\text{Arc sin}\,x^2)$

b) $\cos(\text{Arc sin}\,x)$

c) $\sin(\text{Arc tan}\,x)$

d) $\tan(\text{Arc sin}\,x)$

4. Calculer la dérivée des fonctions suivantes.

a) $f(x) = \text{Arc sin}\,(x^3 - 3x)$

b) $f(x) = [x - \text{Arc tan}\,2x]^5$

c) $f(x) = \text{Arc sec}\,(\sin x - x)$

d) $f(x) = x\,\text{Arc sin}\,x^5$

e) $f(x) = \dfrac{x^2 \cos x}{\text{Arc sin}\,x}$

f) $f(x) = \text{Arc cos}\left(\dfrac{2x}{1 - x^2}\right)$

g) $f(x) = \sin x\,\sqrt{\text{Arc tan}\,x}$

h) $f(x) = \text{Arc csc}\,(2x - 1) + \text{Arc sec}\,x^4$

i) $f(x) = \ln(\text{Arc cot}\,(e^x))$

j) $f(x) = [\text{Arc csc}\,(\text{Arc tan}\,x)]^4$

k) $f(x) = \dfrac{\text{Arc sin}\,x}{\text{Arc cos}\,x}$

l) $f(x) = x^2 - \sin x\,\text{Arc cot}\,3x$

m) $f(x) = \sqrt{\text{Arc cos}\,(x^3 + \sin x)}$

n) $f(x) = e^{\text{Arc sin}\,x}\,\text{Arc sin}\,x$

5. Calculer $\dfrac{dy}{dx}$ si

a) $\text{Arc tan}\,x = \text{Arc cot}\,y$;

b) $x + y^3 = \text{Arc sec}\,(y^2 + 2)$.

6. Déterminer l'équation de la droite tangente à la courbe définie par $f(x) = \text{Arc cot}\,x^2$ au point $(1, f(1))$.

7. Soit la courbe définie par
$\text{Arc sin}\,x + \text{Arc tan}\,y = xy$.

a) Calculer $\dfrac{dy}{dx}$.

b) Déterminer l'équation de la droite tangente à la courbe précédente au point $(0, 0)$.

8. Soit $f(x) = \text{Arc tan}\,(x^3 - 12x)$. Déterminer les intervalles de croissance, les intervalles de décroissance, le maximum et le minimum de f.

9. Soit $f(x) = \text{Arc sin}\,x$. Déterminer les intervalles de concavité vers le bas, les intervalles de concavité vers le haut et le point d'inflexion de f.

10. Vérifier, à l'aide de la dérivée appropriée, que la fonction $f(x) = \text{Arc csc}\,x$ est

a) décroissante sur $[1, +\infty$;

b) concave vers le haut sur $[1, +\infty$.

11. Soit $f(x) = 3 - \text{Arc tan}\,(x - 4)$. Déterminer le point d'inflexion de f.

12. Soit $f(x) = \text{Arc sin}\,x + \text{Arc cos}\,x$.

a) Évaluer $f\left(\dfrac{1}{2}\right)$ et $f\left(-\dfrac{\sqrt{3}}{2}\right)$.

b) Calculer $f'(x)$.

c) Est-il possible que la fonction f soit une constante ? Si oui, déterminer la valeur de cette constante.

13. Analyser les fonctions suivantes.

a) $f(x) = \text{Arc sin}\,x - 3\,\text{Arc cos}\,x$

b) $f(x) = \text{Arc tan}\left(\dfrac{x^2}{\sqrt{3}}\right)$

c) $f(x) = x\,\text{Arc sin}\,x + \sqrt{1 - x^2}$

d) $f(x) = \text{Arc tan}\,x - \dfrac{x}{2}$, sur $]\text{-}2, 3]$.

e) $f(x) = x + \text{Arc cot}\,x$

14. Sur la courbe définie par $f(x) = \text{Arc sin}\,x$, déterminer le point où la pente de la tangente à cette courbe est minimale et calculer la valeur de cette pente minimale.

15. Soit le segment de droite joignant le point $O(0, 0)$ et un point $P(x, y)$ quelconque de la courbe définie par $f(x) = \sqrt{x} - 1$. Déterminer le point $P(x, y)$ qui maximise l'angle θ formé par l'axe des x et le segment de droite.

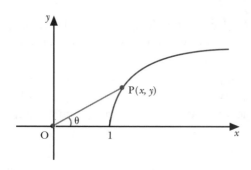

16. Un navire se dirige à une vitesse constante vers un pont situé à 50 m au-dessus du niveau de l'eau.

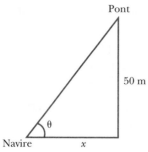

a) Exprimer θ en fonction de x.

b) Exprimer $\dfrac{d\theta}{dt}$ en fonction de $\dfrac{dx}{dt}$.

c) Si le bateau s'avance vers le pont à la vitesse de 2 m/s, déterminer la vitesse de l'angle d'élévation θ du bateau vers le pont lorsque le bateau est à une distance de 40 m du pont.

17. Le bas d'un écran de cinéma de 12 m de haut est situé à 6 m au-dessus des yeux d'une observatrice.

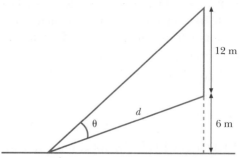

En considérant que l'on obtient la meilleure vision lorsque l'ouverture d'angle θ rapportée à l'écran est maximale, à quelle distance d du bas de l'écran l'observatrice doit-elle se situer pour obtenir la meilleure vision ?

Exercices récapitulatifs

1. Soit $H(x) = \text{Arc tan } f(x)$. Démontrer que $H'(x) = \dfrac{f'(x)}{1 + [f(x)]^2}$, en utilisant la notation de Leibniz.

2. Calculer la dérivée des fonctions suivantes.

a) $f(x) = 3 \sin x + x^5 - \text{Arc sin } x$

b) $f(x) = \sqrt{\text{Arc sin } (x^2 + 3x)}$

c) $f(x) = (3x + \ln (\cos x)) \text{ Arc cos } x$

d) $f(x) = \dfrac{\text{Arc cos } (x^3 + x^5)}{x}$

e) $f(x) = \text{Arc tan } (e^x) + 5 \tan 3$

f) $f(x) = [\text{Arc tan } (\tan x^3)]^2$

g) $f(x) = [\text{Arc cot } (x^3 + 2x)]^7$

h) $f(x) = (\text{Arc sec } x)^3 \text{ Arc cot } (x^2 - 1)$

i) $f(x) = \dfrac{1}{\text{Arc sec } \left(\dfrac{1}{x}\right)}$

j) $f(x) = \text{Arc csc } (x^4 - \tan x)$

k) $f(x) = x \text{ Arc tan } x - \dfrac{1}{2} \ln (x^2 + 1)$

l) $f(x) = x \text{ Arc sin } x + \sqrt{1 - x^2}$

3. On peut démontrer que si $f'(x) = g'(x)$, alors $f(x) = g(x) + k$.

Utiliser la proposition précédente pour démontrer que $2 \text{ Arc tan } x = \text{Arc tan } \left(\dfrac{2x}{1 - x^2}\right)$.

4. Calculer $\dfrac{dy}{dx}$ si

a) $e^{\text{Arc tan } y} = x^3$;

b) $\text{Arc sin } (y^3 - x) = x^2$.

5. Soit $y = \text{Arc tan } x$, où $x = g(t)$. Si pour $t = 2$, $x = 20$ et $\dfrac{dx}{dt}\bigg|_{t=2} = 18$, évaluer $\dfrac{dy}{dt}\bigg|_{t=2}$.

6. Déterminer l'équation de la droite tangente à la courbe définie par

   a) $f(x) = 3x + \text{Arc sin } (1 - x)$
   au point $(1, f(1))$;

   b) $f(x) = \text{Arc tan } (e^{-x})$ au point $(0, f(0))$.

7. Déterminer les équations des droites tangentes à la courbe définie par $f(x) = \text{Arc tan } x$ et parallèles à la droite d'équation $2y - x = 2$.

8. Soit $f(x) = x^2$ et $g(x) = x^2 - 2x + 4$. Déterminer l'angle θ aigu formé par les droites tangentes aux courbes de f et g à leur point d'intersection.

9. Soit $f(x) = \text{Arc cot } (2x^3 + 9x^2 - 24x + 1)$. Déterminer les intervalles de croissance, les intervalles de décroissance, le maximum et le minimum de f.

10. Analyser les fonctions suivantes.

    a) $f(x) = \text{Arc tan } (3 - x)$

    b) $f(x) = 3 + \text{Arc cot } (x + 2)$

    c) $f(x) = 2 \text{ Arc tan } x^2$

    d) $f(x) = \sqrt{3}x - \text{Arc sin } \left(\dfrac{\sqrt{3}x}{2} \right)$

    e) $f(x) = \ln (x^2 + 1) - 2x \text{ Arc tan } x$,
    sur $[-1, 1[$.

    f) $f(x) = \pi - 2x + 4 \text{ Arc tan } x$.

11. Sur la courbe définie par $f(x) = 4 \text{ Arc tan } x$, déterminer, si possible, le point où la pente de la tangente à cette courbe est

    a) minimale et calculer la valeur de cette pente minimale ;

    b) maximale et calculer la valeur de cette pente maximale.

12. Le centre du cadran d'une horloge, située en haut d'une tour, est à 30 m au-dessus du sol. Sachant que le diamètre du cadran est de 4 m, déterminer à quelle distance du pied de la tour on peut observer le diamètre vertical du cadran sous l'angle le plus grand.

13. Une personne observe, du haut d'une falaise de 75 m, un bateau qui se dirige vers elle à une vitesse de 25 m/min.

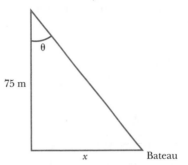

    a) Exprimer θ en fonction de x.

    b) Exprimer $\dfrac{d\theta}{dt}$ en fonction de $\dfrac{dx}{dt}$.

    c) Déterminer la vitesse de variation de l'angle θ, lorsque le bateau est situé à 100 m du pied de la falaise ; lorsque le bateau est situé à 100 m de l'observateur.

14. Exprimer, sous forme d'expression algébrique,

    a) $\sin (2 \text{ Arc sin } x)$;

    b) $\cos (2 \text{ Arc cos } x)$;

    c) $\sin \left(\dfrac{1}{2} \text{ Arc cos } x \right)$;

    d) $\tan (\text{Arc sin } x)$.

15. Soit le triangle suivant.

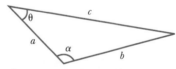

    À l'aide de la loi des cosinus ou de la loi des sinus, déterminer

    a) θ en radians et α en degrés, lorsque $a = 3$, $b = 5$ et $c = 6$;

    b) α en degrés, lorsque $a = 5$, $b = 7$ et $\theta = 52°$.

    c) Exprimer $\dfrac{d\theta}{dt}$ en fonction de $\dfrac{d\alpha}{dt}$ lorsque l'angle α varie et que la longueur des côtés b et c demeure constante.

Test récapitulatif

1. Démontrer que si $y = \text{Arc csc } x$, alors
$$\frac{dy}{dx} = \frac{-1}{x\sqrt{x^2 - 1}}.$$

2. Calculer la dérivée des fonctions suivantes.

   a) $f(x) = \dfrac{\text{Arc sin } (3x + 1)}{x + \text{Arc tan } 2x}$

   b) $h(t) = \sqrt{\text{Arc cot } 5t} + [\text{Arc csc } (2t^2)]^3$

   c) $g(x) = (\text{Arc cos } x^2)^2 \, \text{Arc sec } (x - 1)$

3. Analyser les fonctions suivantes.

   a) $f(x) = 3 + \text{Arc sin } (x - 2)$

   b) $f(x) = \text{Arc cot } x^3$

4. Sur la courbe définie par $f(x) = 3x - \text{Arc cot } x$, déterminer le point où la pente de la tangente à cette courbe est maximale et calculer la valeur de cette pente maximale.

5. Une fillette tient un cerf-volant à l'aide d'une ficelle tendue de 60 m de longueur. Le cerf-volant s'élève à la vitesse constante de 5 m/s. Déterminer à quelle vitesse varie l'angle d'élévation θ lorsque le cerf-volant est à 20 m au-dessus du sol.

Chapitre **13**

Intégration

Introduction

Nous avons vu que, à partir d'une fonction *f*, il est possible de déterminer une nouvelle fonction *f′*, appelée dérivée de *f*.

Nous verrons maintenant comment procéder de façon inverse, c'est-à-
dire comment déterminer une fonction dont la dérivée est donnée. De
plus, nous verrons comment calculer l'aire d'une région quelconque à
l'aide de l'intégrale définie, après avoir énoncé le théorème fondamental du calcul. Ce théorème sera donné sans démonstration, celle-ci
débordant le cadre théorique du cours.

TEST PRÉLIMINAIRE

Partie A

1. Calculer l'aire A des surfaces ombrées suivantes.

   a)

   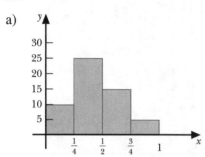

   b)

   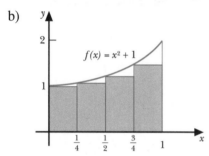

Partie B

1. Calculer la dérivée des fonctions suivantes.

   a) $y = \sin 2x$

   b) $y = \cos x^2$

   c) $y = \tan x$

   d) $y = \cot(-x^3)$

   e) $y = \sec \sqrt{x}$

   f) $y = \csc(3x + 1)$

   g) $y = e^{4x}$

   h) $y = \ln(1 - x^2)$

   i) $y = 5^{3x}$

   j) $y = \text{Arc} \sin 7x$

   k) $y = \text{Arc} \tan \sqrt[3]{x}$

   l) $y = \text{Arc} \sec 4x^2$

2. Compléter.

   a) $[K\, f(x)]' =$

   b) $[f(x) + g(x)]' =$

13.1   DIFFÉRENTIELLES

À la fin de la présente section, l'étudiant pourra calculer la différentielle dy de certaines fonctions définies par $y = f(x)$.

Objectif 13.1.1   Connaître la définition de dx et celle de dy.

> *Définition*   La **différentielle de x**, notée dx, est un nombre réel quelconque, c'est-à-dire $dx \in \mathbb{R}$.

> *Définition*   Soit $y = f(x)$. La **différentielle de y**, notée dy, est définie par
> $$dy = f'(x)\, dx,$$
> où $f'(x)$ est la dérivée de $f(x)$.

Objectif 13.1.2   Déterminer la différentielle de certaines fonctions.

■ *Exemple* Si $y = 3x^2 - 2x$, alors

$\begin{aligned} dy &= (3x^2 - 2x)'\, dx & \text{(par définition)} \\ &= (6x - 2)\, dx & \text{(en calculant la dérivée).} \end{aligned}$

■ *Exemple* Si $u = e^{\sin x} + \ln(3x - 2)$, alors

$du = (e^{\sin x} + \ln(3x - 2))'\, dx$ (par définition)

$= \left(\cos x\, e^{\sin x} + \dfrac{3}{3x - 2} \right) dx.$

Question 1   Compléter.

a)   Si $y = xe^{x^2}$, alors $dy = $ _____.

b)   Si $u = \dfrac{\cos 2x}{x}$, alors $du = $ _____.

Objectif 13.1.3   Évaluer la différentielle de certaines fonctions pour des valeurs données.

■ *Exemple* Soit $y = x^2 + 1$. Évaluons dy lorsque $x = 3$ et $dx = 0,4$.

Puisque $y = x^2 + 1$, alors $dy = 2x\, dx$.

En remplaçant x par 3 et dx par 0,4, nous obtenons $dy = 2 \times 3 \times 0,4 = 2,4$.

Question 2   Soit $y = \sqrt{13 - x^2}$. Évaluer dy lorsque $x = $ -2 et $dx = $ -0,6.

Objectif 13.1.4   Utiliser la différentielle pour démontrer certaines égalités.

■ *Exemple* Démontrons que si $y = 4x + 7$, alors $dx = \dfrac{dy}{4}$.

Si $y = 4x + 7$, alors

$\qquad dy = 4\, dx$

d'où $dx = \dfrac{dy}{4}$.

■ *Exemple* Démontrons que si $u = x^3 - 3x + 1$, alors $(x^2 - 1)\, dx = \dfrac{du}{3}$.

Si $u = x^3 - 3x + 1$, alors

$\qquad du = (3x^2 - 3)\, dx$

$\qquad\quad = 3(x^2 - 1)\, dx$

d'où $(x^2 - 1)\, dx = \dfrac{du}{3}$.

■ *Exemple* Démontrons que si $u = e^{\tan x}$, alors $\sec^2 x\, dx = \dfrac{du}{u}$.

Si $u = e^{\tan x}$, alors

$\qquad du = \sec^2 x\, e^{\tan x}\, dx$.

Ainsi, $\sec^2 x\, dx = \dfrac{du}{e^{\tan x}}$

d'où $\sec^2 x\, dx = \dfrac{du}{u}$ (car $u = e^{\tan x}$).

Exercices 13.1

1.   Compléter la définition. Si $y = f(x)$, alors $dy = $ _____.

2.   Déterminer la différentielle des fonctions suivantes.

a) $y = x^4 - 3^x$

b) $u = \tan x^3$

c) $s = \cos \sqrt{t}$

d) $y = \ln (\sin x^2)$

e) $u = \dfrac{\sec (e^x)}{x}$

f) $y = \text{Arc tan } (x^3 - 1)$

3. Évaluer dy pour les valeurs données.

  a) $y = (3 - x)^2$, lorsque $x = 0$ et $dx = 0{,}1$.

  b) $y = \cos x$, lorsque $x = \dfrac{\pi}{6}$ et $dx = \dfrac{1}{3}$.

  c) $y = \ln (e^{3x} - e^{-x} + 1)$, lorsque $x = 0$ et $dx = 0{,}02$.

4. a) Pour $u = x^7 + 1$, démontrer que $x^6\, dx = \dfrac{du}{7}$.

  b) Pour $u = 4x^3 - 3x^2 - 2$, démontrer que $(6x^2 - 3x)\, dx = \dfrac{du}{2}$.

  c) Pour $u = 4x^3 - 3x^2 - 2$, démontrer que $(2x^2 - x)\, dx = \dfrac{du}{6}$.

  d) Pour $u = \ln x^2$, démontrer que $\dfrac{dx}{x} = \dfrac{du}{2}$.

5. Exprimer les expressions suivantes en fonction de u et du.

  a) Pour $u = x^2 + 2x$, évaluer $(x + 1)\, dx$.

  b) Pour $u = \dfrac{4}{x^2}$, évaluer $\dfrac{dx}{x^3}$.

  c) Pour $u = \cos\left(\dfrac{x}{3}\right)$, évaluer $\sin\left(\dfrac{x}{3}\right) dx$.

  d) Pour $u = \sec x$, évaluer $\tan x\, dx$.

  e) Pour $u = \sqrt{x}$, évaluer dx.

  f) Pour $u = e^{x^3}$, évaluer $x^2\, dx$.

13.2 NOTION D'INTÉGRALE INDÉFINIE

À la fin de la présente section, l'étudiant pourra calculer l'intégrale indéfinie de certaines fonctions.

Objectif 13.2.1   Déterminer des fonctions dont la dérivée est donnée.

Supposons que $f'(x)$ soit donnée, nous cherchons à déterminer une fonction $f(x)$ dont la dérivée est $f'(x)$.

  ■ *Exemple* Si $f'(x) = 2x$, alors $f(x) = x^2$ est une fonction dont la dérivée est $2x$; en effet, $(x^2)' = 2x$.

  ■ *Exemple* Si $f'(x) = 4x^3$, alors $f(x) = x^4$ est une fonction dont la dérivée est $4x^3$; en effet, $(x^4)' = 4x^3$.

Question 1   Déterminer une fonction $f(x)$ telle que

  a) $f'(x) = 5x^4$;

  b) $f'(x) = \cos x$.

  ■ *Exemple* Si $f'(x) = 3x^2$, alors $f(x) = x^3$ est une fonction dont la dérivée est $3x^2$.

À partir de ce résultat, posons-nous la question suivante :
est-ce que la fonction x^3 est la seule fonction dont la dérivée donne $3x^2$?
La réponse est non.

En effet, si $f(x) = (x^3 + 1)$, alors $f'(x) = 3x^2$;
$\qquad\qquad$ si $f(x) = (x^3 + 9)$, alors $f'(x) = 3x^2$;
$\qquad\qquad$ si $f(x) = (x^3 - 10)$, alors $f'(x) = 3x^2$.

De façon générale, pour toute constante $C \in \mathbb{R}$, nous avons que $(x^3 + C)' = 3x^2$.

Objectif 13.2.2   Connaître la terminologie et la notation employées dans l'étude de l'intégrale indéfinie.

Dans l'exemple précédent, où $f'(x) = 3x^2$, nous avons établi que $f(x)$ pouvait être égale à $(x^3 + 1)$, $(x^3 + 9)$ ou à $(x^3 - 10)$. Nous appelons chacune des fonctions $f(x)$ précédentes *primitive* ou *antidérivée* de $3x^2$.

- ■ *Exemple* $(x^4 - 5x^2 + 1)$ est une primitive de $(4x^3 - 10x)$, car $(x^4 - 5x^2 + 1)' = 4x^3 - 10x$.

- ■ *Exemple* $(e^{x^3} + \pi)$ est une antidérivée de $3x^2 e^{x^3}$, car $(e^{x^3} + \pi)' = 3x^2 e^{x^3}$.

Définition	Nous appelons **intégrale indéfinie** de la fonction $f'(x)$ toute expression de la forme $f(x) + C$, où $f(x)$ est une primitive de $f'(x)$ et $C \in \mathbb{R}$, que nous notons comme suit : $\int f'(x)\, dx = f(x) + C$.

Remarque   La constante C apparaissant dans la définition de l'intégrale indéfinie s'appelle *constante d'intégration*.

- ■ *Exemple* Déterminons l'intégrale indéfinie de $9x^8$, c'est-à-dire $\int 9x^8\, dx$. $\int 9x^8\, dx = x^9 + C$, car $(x^9)' = 9x^8$.

Nous pouvons également donner la définition suivante de l'intégrale indéfinie.

Définition	Nous appelons **intégrale indéfinie** de la fonction $f(x)$ toute expression de la forme $F(x) + C$, où $F(x)$ est une primitive de $f(x)$ et $C \in \mathbb{R}$, que nous notons comme suit : $\int f(x)\, dx = F(x) + C$, si $F'(x) = f(x)$.

- ■ *Exemple* $\int \sec^2 x\, dx = \tan x + C$, car $(\tan x)' = \sec^2 x$.

- ■ *Exemple* Puisque $(\sin 2x)' = 2 \cos 2x$, alors $\int 2 \cos 2x\, dx = \sin 2x + C$.

Objectif 13.2.3   Connaître l'intégrale indéfinie de x^a, où $a \in \mathbb{R}$ et $a \neq -1$.

Puisque $\left(\dfrac{x^{a+1}}{a+1} \right)' = x^a$, nous avons

$$\int x^a\, dx = \frac{x^{a+1}}{a+1} + C \quad \forall a \in \mathbb{R} \text{ et } a \neq -1.$$

- ■ *Exemple* $\int x^7\, dx = \dfrac{x^{7+1}}{7+1} + C = \dfrac{x^8}{8} + C$

- ■ *Exemple* $\int \sqrt{x}\, dx = \int x^{\frac{1}{2}}\, dx = \dfrac{x^{\frac{1}{2}+1}}{\frac{1}{2}+1} + C = \dfrac{x^{\frac{3}{2}}}{\frac{3}{2}} + C = \dfrac{2}{3} x^{\frac{3}{2}} + C$

■ *Exemple* $\int \dfrac{du}{u^4} = \int u^{-4}\, du = \dfrac{u^{-4+1}}{-4+1} + C = \dfrac{u^{-3}}{-3} + C = \dfrac{-1}{3u^3} + C$

■ *Exemple* $\int dx = \int 1\, dx = \int x^0\, dx = \dfrac{x^{0+1}}{0+1} + C = x + C$

Question 2   Calculer les intégrales suivantes.

a) $\int x^2\, dx$ \hspace{3cm} c) $\int \sqrt[3]{u}\, du$

b) $\int x^{\frac{3}{4}}\, dx$ \hspace{3cm} d) $\int \dfrac{1}{v^2}\, dv$

Objectif 13.2.4   Connaître l'intégrale indéfinie de x^a, où $a = -1$.

Dans le cas où $a = -1$, nous avons à déterminer $\int x^{-1}\, dx$, c'est-à-dire $\int \dfrac{1}{x}\, dx$.

En calculant la dérivée de $\ln |x|$ pour $x \neq 0$, nous obtenons :

si $x > 0$, $\ln |x| = \ln x$, alors $(\ln |x|)' = \dfrac{1}{x}$;

si $x < 0$, $\ln |x| = \ln (-x)$, alors $(\ln |x|)' = \dfrac{-1}{-x} = \dfrac{1}{x}$.

Puisque $(\ln |x|)' = \dfrac{1}{x}$, nous obtenons la formule d'intégration suivante :

$$\boxed{\int \dfrac{1}{x}\, dx = \ln |x| + C.}$$

Objectif 13.2.5   Connaître l'intégrale indéfinie de certaines fonctions.

Le tableau suivant contient des formules d'intégration de base obtenues à partir des formules de dérivation.

Formules de dérivation	Formules d'intégration
$(\sin x)' = \cos x$	$\int \cos x\, dx = \sin x + C$
$(-\cos x)' = \sin x$	$\int \sin x\, dx = -\cos x + C$
$(\tan x)' = \sec^2 x$	$\int \sec^2 x\, dx = \tan x + C$
$(-\cot x)' = \csc^2 x$	$\int \csc^2 x\, dx = -\cot x + C$
$(\sec x)' = \sec x \tan x$	$\int \sec x \tan x\, dx = \sec x + C$
$(-\csc x)' = \csc x \cot x$	$\int \csc x \cot x\, dx = -\csc x + C$
$(e^x)' = e^x$	$\int e^x\, dx = e^x + C$
$\left(\dfrac{a^x}{\ln a}\right)' = a^x$	$\int a^x\, dx = \dfrac{a^x}{\ln a} + C$

Formules de dérivation (suite)	Formules d'intégration (suite)
$(\text{Arc sin } x)' = \dfrac{1}{\sqrt{1-x^2}}$	$\displaystyle\int \dfrac{1}{\sqrt{1-x^2}}\, dx = \text{Arc sin } x + C$
$(\text{Arc tan } x)' = \dfrac{1}{1+x^2}$	$\displaystyle\int \dfrac{1}{1+x^2}\, dx = \text{Arc tan } x + C$
$(\text{Arc sec } x)' = \dfrac{1}{x\sqrt{x^2-1}}$	$\displaystyle\int \dfrac{1}{x\sqrt{x^2-1}}\, dx = \text{Arc sec } x + C$

Objectif 13.2.6 Connaître certaines propriétés des intégrales indéfinies et pouvoir les appliquer.

Les propriétés des intégrales indéfinies seront énoncées sous forme de proposition et ne seront pas démontrées.

Proposition 1 Si K est une constante, alors
$$\int K\, f(x)\, dx = K \int f(x)\, dx.$$

■ **Exemple** $\displaystyle\int 8x^3\, dx = 8 \int x^3\, dx$ (proposition 1)

$$= 8\left[\frac{x^4}{4} + C_1\right]$$

$$= \frac{8x^4}{4} + 8C_1$$

$$= 2x^4 + C \qquad (C_1 \text{ étant une constante, } 8C_1 \text{ peut être remplacée par une nouvelle constante } C)$$

■ **Exemple** $\displaystyle\int \frac{2}{1+x^2}\, dx = 2 \int \frac{1}{1+x^2}\, dx$ (proposition 1)

$$= 2[\text{Arc tan } x + C_1]$$

$$= 2\, \text{Arc tan } x + C \qquad (\text{où } C = 2C_1)$$

Proposition 2 $\displaystyle\int [f(x) \pm g(x)]\, dx = \int f(x)\, dx \pm \int g(x)\, dx$

■ **Exemple** $\displaystyle\int \left(x^2 + \frac{1}{x^2}\right) dx = \int x^2\, dx + \int x^{-2}\, dx$ (proposition 2)

$$= \frac{x^3}{3} + C_1 + \frac{x^{-1}}{-1} + C_2$$

$$= \frac{x^3}{3} - \frac{1}{x} + C \qquad (\text{où } C = C_1 + C_2)$$

■ **Exemple** $\displaystyle\int (\sin x - 3^x)\, dx = \int \sin x\, dx - \int 3^x\, dx$ (proposition 2)

$$= \text{-cos } x + C_1 - \left(\frac{3^x}{\ln 3} + C_2\right)$$

$$= \text{-cos } x - \frac{3^x}{\ln 3} + C \qquad (\text{où } C = C_1 - C_2)$$

La proposition 2 peut être généralisée à une somme, ou à une différence, de plus de deux fonctions.

Proposition 3 $\int [f_1(x) \pm f_2(x) \pm f_3(x) \pm \ldots \pm f_n(x)]\, dx = \int f_1(x)\, dx \pm \int f_2(x)\, dx \pm \ldots \pm \int f_n(x)\, dx$

■ *Exemple*

$$\int (5e^x - x^3 - 2\sec^2 x)\, dx = \int 5e^x\, dx - \int x^3\, dx - \int 2\sec^2 x\, dx \quad \text{(proposition 3)}$$

$$= 5\int e^x\, dx - \int x^3\, dx - 2\int \sec^2 x\, dx \quad \text{(proposition 1)}$$

$$= 5[e^x + C_1] - \left[\frac{x^4}{4} + C_2\right] - 2[\tan x + C_3]$$

$$= 5e^x - \frac{x^4}{4} - 2\tan x + C \qquad (\text{où } C = 5C_1 - C_2 - 2C_3)$$

Il peut arriver que nous soyons obligés de transformer la fonction à intégrer afin de pouvoir utiliser certaines des formules d'intégration précédentes.

■ *Exemple*

$$\int \frac{(x + 3)(5 - x)}{x}\, dx = \int \frac{15 + 2x - x^2}{x}\, dx$$

$$= \int \left(\frac{15}{x} + \frac{2x}{x} - \frac{x^2}{x}\right) dx$$

$$= \int \frac{15}{x}\, dx + \int 2\, dx - \int x\, dx \quad \text{(proposition 3)}$$

$$= 15\int \frac{1}{x}\, dx + 2\int dx - \int x\, dx \quad \text{(proposition 1)}$$

$$= 15\ln|x| + 2x - \frac{x^2}{2} + C$$

■ *Exemple*

$$\int (\cos^3 t + \cos t \sin^2 t)\, dt = \int \cos t\,(\cos^2 t + \sin^2 t)\, dt$$

$$= \int \cos t\, dt \qquad (\text{car } \cos^2 t + \sin^2 t = 1)$$

$$= \sin t + C$$

Exercices 13.2

1. Compléter.

a) $\int f(x)\, dx = F(x) + C$, si _____,
    où C est appelée _____.

b) $\int dx =$

c) $\int x^a\, dx =$

d) $\int K f(x)\, dx =$

e) $\int [f(x) + g(x) - h(x)]\, dx =$

f) Si $(\tan x^3)' = 3x^2 \sec^2 x^3$, alors $\int 3x^2 \sec^2 x^3\, dx =$ _____.

2. Calculer les intégrales suivantes.

a) $\displaystyle\int x^{\frac{2}{3}}\,dx$

b) $\displaystyle\int 2\,dx$

c) $\displaystyle\int x^e\,dx$

d) $\displaystyle\int 2\sqrt{x}\,dx$

e) $\displaystyle\int \frac{\sqrt[4]{x^3}}{4}\,dx$

f) $\displaystyle\int 6x^{-\frac{7}{8}}\,dx$

g) $\displaystyle\int \frac{2}{x^3}\,dx$

h) $\displaystyle\int \frac{100}{\sqrt[4]{x}}\,dx$

i) $\displaystyle\int \left(\frac{1}{3}\right)^x\,dx$

j) $\displaystyle\int e^x\,dx$

k) $\displaystyle\int 5^x\,dx$

l) $\displaystyle\int \frac{3}{x}\,dx$

3. Calculer les intégrales suivantes.

a) $\displaystyle\int \left(5x^3 + 7\sqrt{x} + x^{\frac{3}{8}}\right)dx$

b) $\displaystyle\int \left(2x^6 - 7x^2 + \frac{2}{x^2}\right)dx$

c) $\displaystyle\int \left(\frac{x^3}{3} - \frac{3^x}{8} - 3e^x\right)dx$

d) $\displaystyle\int \left(2\sin x + \frac{4}{\sqrt{1-x^2}}\right)dx$

e) $\displaystyle\int \left(\frac{\sec x \tan x}{2} - \frac{\csc^2 x}{4}\right)dx$

f) $\displaystyle\int \left(\frac{3}{8}\cos x - \frac{8}{3x} + \frac{3}{5}\right)dx$

g) $\displaystyle\int \left[5\left(\frac{1}{1+x^2} - \sec^2 x\right) + e\right]dx$

h) $\displaystyle\int \left(\frac{1}{2\sqrt{x}} - \frac{1}{3x\sqrt{x^2-1}} + 4\csc x \cot x\right)dx$

4. Calculer les intégrales suivantes après avoir transformé les fonctions à intégrer.

a) $\displaystyle\int x(x^2 - 1)\,dx$

b) $\displaystyle\int \frac{3x^4 - x^2 + 5}{x}\,dx$

c) $\displaystyle\int \frac{(x+1)^2}{x^2}\,dx$

d) $\displaystyle\int \sqrt{x}\left(\sqrt{x} + \frac{1}{\sqrt{x}} + \frac{1}{\sqrt[3]{x}}\right)dx$

e) $\displaystyle\int \csc t\,(\sin t + \cot t)\,dt$

f) $\displaystyle\int 2x(x^2 + 1)^4\,dx$

13.3 INTÉGRATION PAR CHANGEMENT DE VARIABLE

À la fin de la présente section, l'étudiant pourra résoudre certaines intégrales en utilisant la méthode du changement de variable.

Objectif 13.3.1   Résoudre certaines intégrales à l'aide d'un changement de variable.

■ *Exemple* Calculons $\int (2x + 3)^2\,dx$ en effectuant $(2x + 3)^2$.

$$\int (2x + 3)^2\,dx = \int (4x^2 + 12x + 9)\,dx = \frac{4x^3}{3} + 6x^2 + 9x + C$$

La méthode de résolution employée dans l'exemple précédent et dans le calcul de l'intégrale $\int 2x(x^2 + 1)^4\,dx$ (Exercices 13.2 n° **4 f)**) laisse entrevoir des calculs de plus en plus longs pour des puissances de plus en plus grandes. Il serait à propos, dans de tels cas, de rechercher une nouvelle façon d'intégrer. Cette méthode s'appelle *changement de variable* ou *intégration par substitution*.

Nous allons maintenant calculer $\int (2x + 3)^2 \, dx$ en utilisant la méthode du changement de variable.

Cette méthode de **changement de variable** consiste à

a)   choisir dans l'expression à intégrer une fonction f et à poser
$$u = f(x);$$

b)   calculer la différentielle de u:
$$du = f'(x) \, dx;$$

c)   exprimer l'intégrale initiale en fonction de la nouvelle variable u et de la différentielle du;

d)   intégrer en fonction de cette nouvelle variable u;

e)   exprimer la réponse en fonction de la variable initiale.

■ *Exemple* Calculons $\int (2x + 3)^2 \, dx$ à l'aide d'un changement de variable.

Posons $u = 2x + 3$.

Calculons du.
Alors, $du = 2 \, dx$, ainsi $dx = \dfrac{du}{2}$,

$$
\begin{aligned}
\text{d'où } \int (2x + 3)^2 \, dx &= \int \overbrace{(2x + 3)^2}^{u^2} \overbrace{dx}^{\frac{du}{2}} \\
&= \int u^2 \, \frac{du}{2} && \text{(par substitution)} \\
&= \frac{1}{2} \int u^2 \, du && \text{(proposition 1)} \\
&= \frac{1}{2} \frac{u^3}{3} + C && \text{(en intégrant)} \\
&= \frac{u^3}{6} + C \\
&= \frac{(2x + 3)^3}{6} + C && \text{(car } u = 2x + 3\text{).}
\end{aligned}
$$

Le lecteur peut vérifier que les deux réponses obtenues en calculant $\int (2x + 3)^2 \, dx$, selon l'une ou l'autre des deux méthodes, sont égales à une constante près.

■ *Exemple* Calculons $\int 2x \, (x^2 + 1)^4 \, dx$ (Exercices 13.2, n° **4 f**)) à l'aide d'un changement de variable.

Posons $u = x^2 + 1$.

Alors $du = 2x \, dx$, ainsi $2x \, dx = du$,

$$
\begin{aligned}
\text{d'où } \int 2x(x^2 + 1)^4 \, dx &= \int \overbrace{(x^2 + 1)^4}^{u^4} \overbrace{2x \, dx}^{du} \\
&= \int u^4 \, du && \text{(par substitution)}
\end{aligned}
$$

$$= \frac{u^5}{5} + C \qquad \text{(en intégrant)}$$

$$= \frac{(x^2 + 1)^5}{5} + C \qquad \text{(car } u = x^2 + 1\text{).}$$

■ *Exemple* Calculons $\int 5x^2\sqrt{1 - x^3}\, dx$.

Posons $u = 1 - x^3$.

Alors $du = -3x^2\, dx$, ainsi $x^2\, dx = \dfrac{du}{-3}$,

d'où $\int 5x^2\sqrt{1 - x^3}\, dx = \int 5 \overbrace{(1 - x^3)^{\frac{1}{2}}}^{u^{\frac{1}{2}}} \overbrace{x^2\, dx}^{\frac{du}{-3}}$

$$= \int 5u^{\frac{1}{2}} \frac{du}{-3} \qquad \text{(par substitution)}$$

$$= -\frac{5}{3} \int u^{\frac{1}{2}}\, du \qquad \text{(proposition 1)}$$

$$= -\frac{5}{3} \frac{u^{\frac{3}{2}}}{\frac{3}{2}} + C \qquad \text{(en intégrant)}$$

$$= -\frac{10}{9} (1 - x^3)^{\frac{3}{2}} + C \quad \text{(car } u = 1 - x^3\text{).}$$

Question 1 Calculer les intégrales suivantes à l'aide de la méthode du changement de variable.

a) $\int (5 - 7x)^8\, dx$

b) $\int \dfrac{3x^4}{\sqrt{x^5 + 1}}\, dx$

■ *Exemple* Calculons $\int \sin 5x\, dx$.

Posons $u = 5x$.

Alors $du = 5\, dx$, ainsi $dx = \dfrac{du}{5}$,

d'où $\int \sin 5x\, dx = \int \sin \overbrace{5x}^{u}\ \overbrace{dx}^{\frac{du}{5}}$

$$= \int \sin u \frac{du}{5} \qquad \text{(par substitution)}$$

$$= \frac{1}{5} \int \sin u\, du \qquad \text{(proposition 1)}$$

$$= -\frac{1}{5} \cos u + C \qquad \text{(en intégrant)}$$

$$= -\frac{\cos 5x}{5} + C \qquad \text{(car } u = 5x\text{).}$$

■ *Exemple* Calculons $\int \sin^5 x \cos x\, dx$.

Posons $u = \sin x$.

Alors $du = \cos x \, dx$, ainsi $\cos x \, dx = du$,

d'où $\displaystyle\int \sin^5 x \cos x \, dx = \int \overbrace{(\sin x)^5}^{u^5} \overbrace{\cos x \, dx}^{du}$

$$= \int u^5 \, du \qquad \text{(par substitution)}$$

$$= \frac{u^6}{6} + C \qquad \text{(en intégrant)}$$

$$= \frac{\sin^6 x}{6} + C \qquad \text{(car } u = \sin x\text{).}$$

Remarque   Le choix de u dépend en fait du type d'intégrale indéfinie que nous avons à résoudre. Nous choisissons généralement de poser $u = f(x)$, dans une intégrale donnée, lorsque nous retrouvons dans cette intégrale la dérivée $f'(x)$ multipliée par une constante.

■ *Exemple*   Calculons $\displaystyle\int \frac{\sec \sqrt{x} \tan \sqrt{x}}{\sqrt{x}} \, dx$.

Posons $u = \sqrt{x}$.

Alors $du = \dfrac{1}{2\sqrt{x}} \, dx$, ainsi $\dfrac{dx}{\sqrt{x}} = 2 \, du$,

d'où $\displaystyle\int \frac{\sec \sqrt{x} \tan \sqrt{x}}{\sqrt{x}} \, dx = \int \sec \overbrace{\sqrt{x}}^{u} \tan \overbrace{\sqrt{x}}^{u} \overbrace{\frac{dx}{\sqrt{x}}}^{2 \, du}$

$$= \int \sec u \tan u \, 2 \, du \qquad \text{(par substitution)}$$

$$= 2 \int \sec u \tan u \, du \qquad \text{(proposition 1)}$$

$$= 2 \sec u + C \qquad \text{(en intégrant)}$$

$$= 2 \sec \sqrt{x} + C \qquad \text{(car } u = \sqrt{x}\text{).}$$

Question 2   Calculer les intégrales suivantes à l'aide de la méthode du changement de variable.

a) $\displaystyle\int \cos (3x + 1) \, dx$ 　　　　 b) $\displaystyle\int \sec^2 (2x + 1) \, dx$ 　　　　 c) $\displaystyle\int \tan^2 x \sec^2 x \, dx$

■ *Exemple*   Calculons $\displaystyle\int e^{3x} \, dx$.

Posons $u = 3x$.

Alors $du = 3 \, dx$, ainsi $dx = \dfrac{du}{3}$,

d'où $\displaystyle\int e^{3x} \, dx = \int e^{\overbrace{3x}^{u}} \overbrace{dx}^{\frac{du}{3}}$

$$= \int e^u \frac{du}{3} \qquad \text{(par substitution)}$$

$$= \frac{1}{3} \int e^u \, du \qquad \text{(proposition 1)}$$

$$= \frac{1}{3} e^u + C \qquad \text{(en intégrant)}$$

$$= \frac{1}{3} e^{3x} + C \qquad \text{(car } u = 3x\text{).}$$

■ *Exemple* Calculons $\int \dfrac{5 \sec^2 x}{2 + \tan x} \, dx$.

Posons $u = 2 + \tan x$.

Alors $du = \sec^2 x \, dx$, ainsi $\sec^2 x \, dx = du$,

d'où $\int \dfrac{5 \sec^2 x \, dx}{2 + \tan x} = 5 \int \dfrac{\overbrace{\sec^2 x \, dx}^{du}}{\underbrace{2 + \tan x}_{u}} \qquad \text{(proposition 1)}$

$$= 5 \int \frac{du}{u} \qquad \text{(par substitution)}$$

$$= 5 \ln |u| + C \qquad \text{(en intégrant)}$$

$$= 5 \ln |2 + \tan x| + C \qquad \text{(car } u = 2 + \tan x\text{).}$$

■ *Exemple* Calculons $\int 10^{\sin 3x} \cos 3x \, dx$.

Posons $u = \sin 3x$.

Alors $du = 3 \cos 3x \, dx$, ainsi $\cos 3x \, dx = \dfrac{du}{3}$,

d'où $\int 10^{\sin 3x} \cos 3x \, dx = \int \overbrace{10^{\sin 3x}}^{10^u} \overbrace{\cos 3x \, dx}^{\frac{du}{3}}$

$$= \int 10^u \frac{du}{3} \qquad \text{(par substitution)}$$

$$= \frac{1}{3} \int 10^u \, du \qquad \text{(proposition 1)}$$

$$= \frac{1}{3} \frac{10^u}{\ln 10} + C \qquad \text{(en intégrant)}$$

$$= \frac{10^{\sin 3x}}{3 \ln 10} + C \qquad \text{(car } u = \sin 3x\text{).}$$

Question 3   Calculer les intégrales suivantes à l'aide de la méthode du changement de variable.

a) $\int e^{4x - 1} \, dx$
b) $\int \dfrac{x^2}{1 - x^3} \, dx$
c) $\int 4^{x^5} x^4 \, dx$

■ *Exemple* Calculons $\int \dfrac{\cos x}{1 + \sin^2 x} \, dx$.

Posons $u = \sin x$.

Alors $du = \cos x \, dx$, ainsi $\cos x \, dx = du$,

$$\text{d'où} \int \frac{\cos x}{1 + \sin^2 x}\, dx = \int \frac{1}{1 + \underbrace{(\sin x)^2}_{u^2}} \overbrace{\cos x\, dx}^{du}$$

$$= \int \frac{1}{1 + u^2}\, du$$

$$= \text{Arc tan } u + C \qquad \text{(en intégrant)}$$

$$= \text{Arc tan } (\sin x) + C \qquad \text{(car } u = \sin x\text{)}.$$

Exercices 13.3

1. Calculer les intégrales suivantes.

   a) $\displaystyle\int (x^2 + 1)^5 x\, dx$

   b) $\displaystyle\int (3 + 2x)^{\frac{1}{2}}\, dx$

   c) $\displaystyle\int (3 - 2x)^7\, dx$

   d) $\displaystyle\int 4x \sqrt[4]{5 - 3x^2}\, dx$

   e) $\displaystyle\int \left(\frac{x^3}{3} + x\right)(x^2 + 1)\, dx$

   f) $\displaystyle\int \frac{3x}{\sqrt{1 - 6x^2}}\, dx$

2. Calculer les intégrales suivantes.

   a) $\displaystyle\int \cos 3x\, dx$

   b) $\displaystyle\int \sin (1 - 6x)\, dx$

   c) $\displaystyle\int \sec^2 (4x - 1)\, dx$

   d) $\displaystyle\int \sec 4x \tan 4x\, dx$

   e) $\displaystyle\int 4 \csc^2 (1 - 40x)\, dx$

   f) $\displaystyle\int \csc 7x \cot 7x\, dx$

   g) $\displaystyle\int \sin^2 3x \cos 3x\, dx$

   h) $\displaystyle\int \frac{\sin x}{\cos^3 x}\, dx$

   i) $\displaystyle\int \tan^5 x \sec^2 x\, dx$

3. Calculer les intégrales suivantes.

   a) $\displaystyle\int 5e^{4x - 1}\, dx$

   b) $\displaystyle\int \frac{7}{2x + 1}\, dx$

   c) $\displaystyle\int 4^{\sec x} \sec x \tan x\, dx$

   d) $\displaystyle\int 5^{1 - 4x}\, dx$

   e) $\displaystyle\int e^{-x}\, dx$

   f) $\displaystyle\int \frac{8x^3}{1 - x^4}\, dx$

4. Calculer les intégrales suivantes.

   a) $\displaystyle\int \frac{1}{1 + (5x)^2}\, dx$

   b) $\displaystyle\int \frac{7}{1 + 100x^2}\, dx$

   c) $\displaystyle\int \frac{\sec^2 x}{\tan x \sqrt{\tan^2 x - 1}}\, dx$

   d) $\displaystyle\int \frac{8}{x\sqrt{9x^2 - 1}}\, dx$

   e) $\displaystyle\int \frac{1}{\sqrt{1 - (6x)^2}}\, dx$

   f) $\displaystyle\int \frac{e^x}{\sqrt{1 - e^{2x}}}\, dx$

13.4 CALCUL D'AIRES À L'AIDE DE LIMITES

À la fin de la présente section, l'étudiant pourra calculer l'aire de certaines régions à l'aide de limites.

Objectif 13.4.1   Calculer certaines sommes à l'aide de différentes formules.

Dans les chapitres précédents, nous avons employé la limite pour expliciter différentes notions, telles que la dérivée, la pente d'une tangente en un point d'une courbe, la vitesse et l'accélération, le taux de variation instantané, les asymptotes, etc.

Nous utiliserons ici la notion de limite pour évaluer l'aire comprise entre l'axe des x et une courbe continue située au-dessus de l'axe des x et délimitée par les droites d'équation $x = a$ et $x = b$.

Pour évaluer cette aire, notée A_a^b, nous avons besoin des formules suivantes, que nous acceptons sans démonstration.

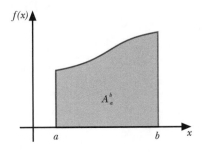

Formule 1

$$\sum_{i=1}^{k} i = 1 + 2 + 3 + ... + k = \frac{k\,(k+1)}{2} \quad \text{(la somme des } k \text{ premiers entiers)}$$

Formule 2

$$\sum_{i=1}^{k} i^2 = 1^2 + 2^2 + 3^2 + ... + k^2 = \frac{k\,(k+1)\,(2k+1)}{6} \quad \text{(la somme des carrés des } k \text{ premiers entiers)}$$

Formule 3

$$\sum_{i=1}^{k} i^3 = 1^3 + 2^3 + 3^3 + ... + k^3 = \frac{k^2\,(k+1)^2}{4} \quad \text{(la somme des cubes des } k \text{ premiers entiers)}$$

■ *Exemple* $1 + 2 + 3 + ... + 49 + 50 = \dfrac{50\,(51)}{2}$ (formule 1, où $k = 50$)

$$= 1275$$

■ *Exemple* $1^2 + 2^2 + 3^2 + ... + 25^2 = \dfrac{25\,(26)\,(51)}{6}$ (formule 2, où $k = 25$)

$$= 5525$$

■ *Exemple* $1^3 + 2^3 + 3^3 + ... + 47^3 = \dfrac{47^2\,(48)^2}{4}$ (formule 3, où $k = 47$)

$$= 1\,272\,384$$

Question 1   Évaluer les sommes suivantes.

a) $1^2 + 2^2 + 3^2 + ... + 100^2$

b) $1 + 2 + 3 + ... + 99$

c) $1^3 + 2^3 + 3^3 + ... + 100^3$

Question 2   Compléter.

a) $1 + 2 + 3 + ... + (n-1) =$

b) $1^2 + 2^2 + 3^2 + ... + (n-1)^2 =$

c) $1^3 + 2^3 + 3^3 + ... + (n-1)^3 =$

Objectif 13.4.2   Évaluer la somme des aires de rectangles inscrits et circonscrits à une courbe donnée f sur $[a, b]$, et évaluer l'aire réelle d'une région à l'aide de limites.

■ *Exemple* Soit la fonction f définie par $f(x) = x^2$, sur $[0, 1]$.

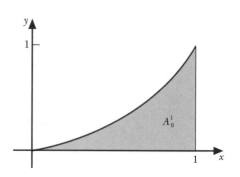

Essayons d'évaluer l'aire réelle de la région ombrée ci-contre, en faisant la somme successive des aires de rectangles inscrits et circonscrits.

Calculons premièrement s_2 et S_2, où s_2 représente la somme des aires de deux rectangles inscrits et S_2, la somme des aires de deux rectangles circonscrits à la courbe de f.

Aire s_2 de deux rectangles inscrits :

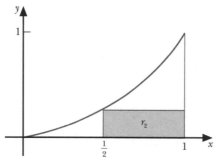

$$s_2 = A(r_1) + A(r_2)$$
$$= f(0)\tfrac{1}{2} + f(\tfrac{1}{2})\,\tfrac{1}{2}$$
$$= 0 \times \frac{1}{2} + \frac{1}{4} \times \frac{1}{2}$$
$$= 0{,}125 \text{ unité}^2$$

Aire S_2 de deux rectangles circonscrits :

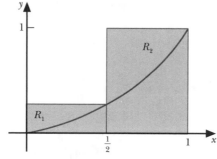

$$S_2 = A(R_1) + A(R_2)$$
$$= f(\tfrac{1}{2})\,\tfrac{1}{2} + f(1)\,\tfrac{1}{2}$$
$$= \frac{1}{4} \times \frac{1}{2} + 1 \times \frac{1}{2}$$
$$= 0{,}625 \text{ unité}^2$$

Il est évident que $s_2 \le A_0^1 \le S_2$.

Calculons maintenant s_4 et S_4, pour obtenir une meilleure approximation de l'aire sous la courbe.

Aire s_4 de quatre rectangles inscrits :

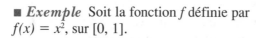

$$s_4 = A(r_1) + A(r_2) + A(r_3) + A(r_4)$$
$$= f(0)\,\tfrac{1}{4} + f(\tfrac{1}{4})\,\tfrac{1}{4} + f(\tfrac{2}{4})\,\tfrac{1}{4} + f(\tfrac{3}{4})\,\tfrac{1}{4}$$
$$= \tfrac{1}{4}\,[f(0) + f(\tfrac{1}{4}) + f(\tfrac{2}{4}) + f(\tfrac{3}{4})]$$
$$= \frac{1}{4}\left[0 + \frac{1}{16} + \frac{4}{16} + \frac{9}{16}\right]$$
$$= \frac{14}{64}$$
$$\simeq 0{,}219 \text{ unité}^2$$

Aire S_4 de quatre rectangles circonscrits :

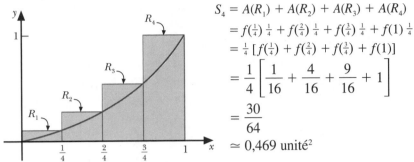

$$S_4 = A(R_1) + A(R_2) + A(R_3) + A(R_4)$$
$$= f(\tfrac{1}{4}) \tfrac{1}{4} + f(\tfrac{2}{4}) \tfrac{1}{4} + f(\tfrac{3}{4}) \tfrac{1}{4} + f(1) \tfrac{1}{4}$$
$$= \tfrac{1}{4} [f(\tfrac{1}{4}) + f(\tfrac{2}{4}) + f(\tfrac{3}{4}) + f(1)]$$
$$= \frac{1}{4} \left[\frac{1}{16} + \frac{4}{16} + \frac{9}{16} + 1 \right]$$
$$= \frac{30}{64}$$
$$\simeq 0,469 \text{ unité}^2$$

Nous constatons que $s_2 \leq s_4 \leq A_0^1 \leq S_4 \leq S_2$.

Calculons maintenant s_{10} et S_{10}, pour obtenir encore une meilleure approximation de l'aire sous la courbe.

Aire s_{10} de dix rectangles inscrits :

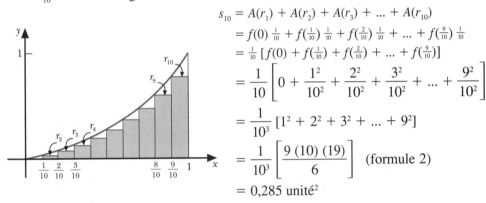

$$s_{10} = A(r_1) + A(r_2) + A(r_3) + \dots + A(r_{10})$$
$$= f(0) \tfrac{1}{10} + f(\tfrac{1}{10}) \tfrac{1}{10} + f(\tfrac{2}{10}) \tfrac{1}{10} + \dots + f(\tfrac{9}{10}) \tfrac{1}{10}$$
$$= \tfrac{1}{10} [f(0) + f(\tfrac{1}{10}) + f(\tfrac{2}{10}) + \dots + f(\tfrac{9}{10})]$$
$$= \frac{1}{10} \left[0 + \frac{1^2}{10^2} + \frac{2^2}{10^2} + \frac{3^2}{10^2} + \dots + \frac{9^2}{10^2} \right]$$
$$= \frac{1}{10^3} [1^2 + 2^2 + 3^2 + \dots + 9^2]$$
$$= \frac{1}{10^3} \left[\frac{9\,(10)\,(19)}{6} \right] \quad \text{(formule 2)}$$
$$= 0,285 \text{ unité}^2$$

Aire S_{10} de dix rectangles circonscrits :

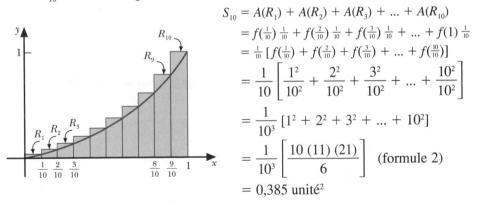

$$S_{10} = A(R_1) + A(R_2) + A(R_3) + \dots + A(R_{10})$$
$$= f(\tfrac{1}{10}) \tfrac{1}{10} + f(\tfrac{2}{10}) \tfrac{1}{10} + f(\tfrac{3}{10}) \tfrac{1}{10} + \dots + f(1) \tfrac{1}{10}$$
$$= \tfrac{1}{10} [f(\tfrac{1}{10}) + f(\tfrac{2}{10}) + f(\tfrac{3}{10}) + \dots + f(\tfrac{10}{10})]$$
$$= \frac{1}{10} \left[\frac{1^2}{10^2} + \frac{2^2}{10^2} + \frac{3^2}{10^2} + \dots + \frac{10^2}{10^2} \right]$$
$$= \frac{1}{10^3} [1^2 + 2^2 + 3^2 + \dots + 10^2]$$
$$= \frac{1}{10^3} \left[\frac{10\,(11)\,(21)}{6} \right] \quad \text{(formule 2)}$$
$$= 0,385 \text{ unité}^2$$

Les résultats obtenus jusqu'à maintenant, soit

$s_2 = 0,125 \qquad S_2 = 0,625$

$s_4 \simeq 0,219 \qquad S_4 \simeq 0,469$

$s_{10} = 0,285 \qquad S_{10} = 0,385,$

nous révèlent que $s_2 \leq s_4 \leq s_{10} \leq A_0^1 \leq S_{10} \leq S_4 \leq S_2$.

Il est évident que l'approximation de l'aire réelle de la région est meilleure à mesure que nous augmentons le nombre de rectangles (inscrits, circonscrits).

Établissons maintenant une formule générale pour s_n et S_n, où s_n représente la somme des aires de n rectangles inscrits et S_n, la somme des aires de n rectangles circonscrits.

Aire s_n de n rectangles inscrits :

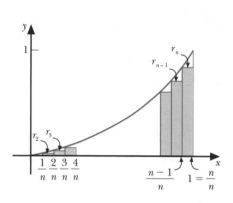

$$s_n = A(r_1) + A(r_2) + A(r_3) + \dots + A(r_n)$$
$$= f(0)\,\tfrac{1}{n} + f(\tfrac{1}{n})\,\tfrac{1}{n} + f(\tfrac{2}{n})\,\tfrac{1}{n} + \dots + f(\tfrac{n-1}{n})\,\tfrac{1}{n}$$
$$= \tfrac{1}{n}\left[f(0) + f(\tfrac{1}{n}) + f(\tfrac{2}{n}) + \dots + f(\tfrac{n-1}{n})\right]$$
$$= \frac{1}{n}\left[0 + \frac{1^2}{n^2} + \frac{2^2}{n^2} + \dots + \frac{(n-1)^2}{n^2}\right]$$
$$= \frac{1}{n^3}\left[1^2 + 2^2 + 3^2 + \dots + (n-1)^2\right]$$
$$= \frac{1}{n^3}\left[\frac{(n-1)\,(n)\,(2n-1)}{6}\right] \quad \text{(formule 2)}$$
$$= \frac{2n^2 - 3n + 1}{6n^2} \text{ unité}^2$$

Aire S_n de n rectangles circonscrits :

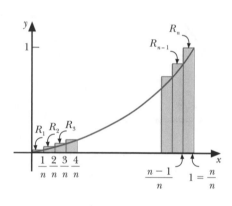

$$S_n = A(R_1) + A(R_2) + A(R_3) + \dots + A(R_n)$$
$$= f(\tfrac{1}{n})\,\tfrac{1}{n} + f(\tfrac{2}{n})\,\tfrac{1}{n} + f(\tfrac{3}{n})\,\tfrac{1}{n} + \dots + f(\tfrac{n}{n})\,\tfrac{1}{n}$$
$$= \tfrac{1}{n}\left[f(\tfrac{1}{n}) + f(\tfrac{2}{n}) + f(\tfrac{3}{n}) + \dots + f(\tfrac{n}{n})\right]$$
$$= \frac{1}{n}\left[\frac{1^2}{n^2} + \frac{2^2}{n^2} + \frac{3^2}{n^2} + \dots + \frac{n^2}{n^2}\right]$$
$$= \frac{1}{n^3}\left[1^2 + 2^2 + 3^2 + \dots + n^2\right]$$
$$= \frac{1}{n^3}\left[\frac{n\,(n+1)\,(2n+1)}{6}\right] \quad \text{(formule 2)}$$
$$= \frac{2n^2 + 3n + 1}{6n^2} \text{ unité}^2$$

Nous avons donc pour $n > 10$:
$$s_2 \le s_4 \le s_{10} \le \dots \le s_n \le A_0^1 \le S_n \dots \le S_{10} \le S_4 \le S_2.$$

Nous pouvons supposer que si n augmente indéfiniment, c'est-à-dire $n \to +\infty$, alors en définissant $s = \lim\limits_{n \to +\infty} s_n$ et $S = \lim\limits_{n \to +\infty} S_n$, lorsque les limites existent, nous avons $s \le A_0^1 \le S.$

De plus, si $s = S$, alors $A_0^1 = s = S$.

Évaluons donc s et S.

$$s = \lim_{n \to +\infty} s_n \qquad \text{(par définition)}$$
$$= \lim_{n \to +\infty} \frac{2n^2 - 3n + 1}{6n^2} \qquad \text{(indétermination de la forme } \tfrac{+\infty}{+\infty}\text{)}$$
$$= \lim_{n \to +\infty} \frac{n^2\left(2 - \dfrac{3}{n} + \dfrac{1}{n^2}\right)}{6n^2}$$
$$= \lim_{n \to +\infty} \frac{2 - \dfrac{3}{n} + \dfrac{1}{n^2}}{6} \qquad \text{(en simplifiant } n^2\text{)}$$

$$= \frac{1}{3}$$

$$S = \lim_{n \to +\infty} S_n \qquad \text{(par définition)}$$

$$= \lim_{n \to +\infty} \frac{2n^2 + 3n + 1}{6n^2} \qquad \text{(indétermination de la forme } \frac{+\infty}{+\infty})$$

$$= \lim_{n \to +\infty} \frac{n^2\left(2 + \dfrac{3}{n} + \dfrac{1}{n^2}\right)}{6n^2}$$

$$= \lim_{n \to +\infty} \frac{2 + \dfrac{3}{n} + \dfrac{1}{n^2}}{6} \qquad \text{(en simplifiant } n^2)$$

$$= \frac{1}{3}$$

Puisque $s = S = \dfrac{1}{3}$, nous pouvons conclure que l'aire réelle de la région est égale à $\dfrac{1}{3}$ unité^2.

En général, pour une fonction f telle que $f(x) \geq 0$ sur $[a, b]$, sachant que $s = \lim\limits_{n \to +\infty} s_n$ et $S = \lim\limits_{n \to +\infty} S_n$, nous avons $s \leq A_a^b \leq S$.

De plus, si $s = S$, alors $A_a^b = s = S$.

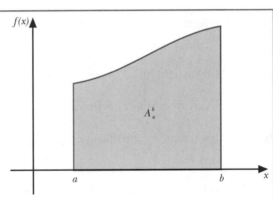

Exercices 13.4

1. Évaluer les sommes suivantes.
   a) $1 + 2 + 3 + \ldots + 4096$ b) $1 + 8 + 27 + \ldots + 4096$ c) $1 + 4 + 9 + \ldots + 4096$

2. Évaluer
   a) s_5 si $f(x) = 2x^2 + 1$ sur $[0, 1]$;   b) S_5 si $f(x) = 2x^2 + 1$ sur $[0, 1]$;

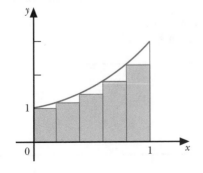
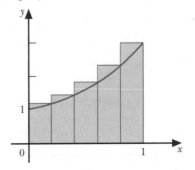

c) s_4 si $f(x) = 9 - x^2$ sur $[0, 2]$;

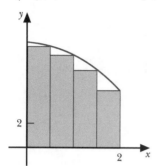

d) S_4 si $f(x) = 9 - x^2$ sur $[0, 2]$.

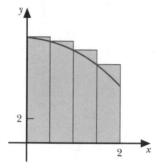

3.   Soit la fonction f définie par $f(x) = 3x$ sur $[0, 1]$.

   a)   Évaluer s_6 et représenter graphiquement.

   b)   Évaluer s_{100}.

   c)   Comparer s_6, s_{100} et l'aire réelle.

4.   Soit la fonction f définie par $f(x) = x^3$ sur $[0, 1]$.

   a)   Évaluer S_4 et représenter graphiquement.

   b)   Évaluer S_{100}.

   c)   Comparer S_4, S_{100} et l'aire réelle.

5.   Soit la fonction f définie par $f(x) = x^2$ sur $[1, 2]$.

   a)   Représenter graphiquement s_n.

   b)   En sachant que $s_n = \dfrac{14n^2 - 9n + 1}{6n^2}$ et que $S_n = \dfrac{14n^2 + 9n + 1}{6n^2}$, évaluer s et S.

   c)   Déterminer l'aire réelle A_1^2.

6.   Pour les fonctions suivantes, évaluer s_n, s, S_n, S et l'aire A_0^1 entre la courbe de f et l'axe des x sur $[0, 1]$.

   a) $f(x) = x$ b) $f(x) = 5x^2$ c) $f(x) = x^3$

7.   Déterminer le type de fonctions telles que

   $s_2 = s_4 = ... = s_n = $ Aire réelle $= S_n = ... = S_4 = S_2$.

13.5   CALCUL D'AIRES
À L'AIDE DE L'INTÉGRALE DÉFINIE

À la fin de la présente section, l'étudiant pourra calculer l'aire d'une région donnée à l'aide de l'intégrale définie.

Objectif 13.5.1   Évaluer des intégrales définies en utilisant le théorème fondamental du calcul.

Énonçons d'abord la deuxième partie du théorème fondamental du calcul qui relie les notions de dérivée, d'intégrale indéfinie et d'intégrale définie.

Théorème fondamental du calcul	Soit f, une fonction continue sur $[a, b]$. Si $F(x)$ est une primitive quelconque de $f(x)$, alors $$\int_a^b f(x)\,dx = F(b) - F(a).$$

La démonstration de cette partie du théorème fondamental du calcul dépasse le niveau d'un premier cours de calcul différentiel et intégral.

Nous utilisons ce théorème pour évaluer des intégrales définies.

Voici les étapes à suivre pour évaluer une intégrale définie.

Étape 1 : Déterminer une primitive $F(x)$ de $f(x)$.

Étape 2 : Évaluer $F(b)$, où b est la *borne supérieure* de l'intégrale définie.

Étape 3 : Évaluer $F(a)$, où a est la *borne inférieure* de l'intégrale définie.

Étape 4 : Calculer $F(b) - F(a)$.

Nous utilisons la notation suivante pour évaluer des intégrales définies.

$$\int_a^b f(x)\,dx = F(x)\,\Big|_a^b = F(b) - F(a)$$

■ *Exemple* $\displaystyle\int_1^3 x\,dx = \frac{x^2}{2}\,\Big|_1^3$ $\left(\text{car } \left(\dfrac{x^2}{2}\right)' = x\right)$

$$= \frac{(3)^2}{2} - \frac{(1)^2}{2} = 4$$

Remarque Nous avons omis la constante d'intégration dans l'exemple précédent, car il est facile de démontrer que $(F(x) + C)\,\Big|_a^b = F(x)\,\Big|_a^b$.

■ *Exemple* $\displaystyle\int_{-2}^1 (2x - 4)\,dx = (x^2 - 4x)\,\Big|_{-2}^1$ $(\text{car } (x^2 - 4x)' = 2x - 4)$

$$= [(1)^2 - 4(1)] - [(-2)^2 - 4(-2)] = \text{-}15$$

■ *Exemple* $\displaystyle\int_{\frac{-\pi}{2}}^{\frac{\pi}{2}} \sin x\,dx = \text{-}\cos x\,\Big|_{\frac{-\pi}{2}}^{\frac{\pi}{2}}$ $(\text{car } (\text{-}\cos x)' = \sin x)$

$$= \left[\text{-}\cos\left(\frac{\pi}{2}\right)\right] - \left[\text{-}\cos\left(\frac{-\pi}{2}\right)\right] = 0$$

Question 1   Calculer les intégrales définies suivantes.

a) $\displaystyle\int_0^1 e^x\,dx$ b) $\displaystyle\int_1^e \frac{1}{x}\,dx$

Objectif 13.5.2   Calculer l'aire d'une région comprise entre l'axe des x et une courbe définie par $y = f(x)$, où $y \geq 0$ sur un intervalle donné.

Dans la section précédente, nous avons calculé l'aire de différentes régions en faisant la somme des aires de rectangles inscrits et circonscrits. Cela nous a permis, en évaluant $\displaystyle\lim_{n \to +\infty} s_n$ et $\displaystyle\lim_{n \to +\infty} S_n$, d'obtenir la valeur de l'aire réelle lorsque $s = S$.

Notons cependant que, dans nos exemples, nous avons limité l'utilisation de cette méthode de calcul d'aires à des fonctions polynomiales de degré inférieur à 4. En effet, dès qu'il s'agit d'évaluer l'aire de régions délimitées par des fonctions telles que $\sqrt{x}$, x^5, $\sin x$, e^x, $\ln x$, etc., cette méthode devient presque impraticable.

Dans certains cas, nous pouvons utiliser la proposition suivante pour calculer l'aire d'une région à l'aide de l'intégrale définie.

Proposition 1 — Si f est une fonction continue sur $[a, b]$ et si $f(x) \geq 0$ pour tout $x \in [a, b]$, alors l'aire A_a^b comprise entre l'axe des x et la courbe de f délimitée par les droites d'équation $x = a$ et $x = b$ est donnée par

$$A_a^b = \int_a^b f(x)\, dx.$$

Nous pouvons représenter graphiquement la proposition précédente à l'aide de la figure ci-contre.

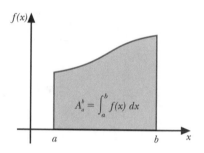

■ *Exemple* Soit $f(x) = 3$, sur $[1, 7]$.

Calculons l'aire de la région ombrée ci-contre à l'aide de la proposition 1.

$$A_1^7 = \int_1^7 f(x)\, dx \qquad \text{(proposition 1)}$$

$$= \int_1^7 3\, dx \qquad \text{(car } f(x) = 3 \text{, sur } [1, 7])$$

$$= 3x \Big|_1^7 \qquad \text{(car } (3x)' = 3)$$

$$= [3(7)] - [3(1)]$$

$$= 18, \text{ donc } 18 \text{ unités}^2.$$

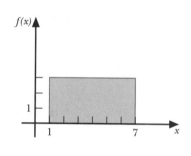

L'utilisateur peut vérifier géométriquement que l'aire de la région ombrée est égale à $18\ u^2$.

■ *Exemple* Soit $f(x) = x^2$, sur $[1, 5]$.

Calculons l'aire de la région ombrée ci-contre à l'aide de la proposition 1.

$$A_1^5 = \int_1^5 x^2\, dx = \frac{x^3}{3} \Big|_1^5$$

$$= \frac{(5)^3}{3} - \frac{(1)^3}{3}$$

$$= \frac{124}{3}, \text{ donc } \frac{124}{3}\ u^2.$$

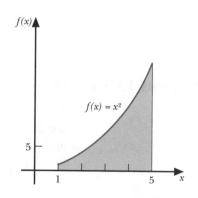

Question 2   Soit $f(x) = -x^2 - x + 6$. Calculer l'aire de la région ombrée ci-contre.

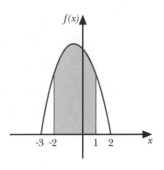

Objectif 13.5.3   Calculer l'aire d'une région fermée située au-dessus de l'axe des x et sous une courbe définie par $y = f(x)$, après avoir déterminé l'intervalle $[a, b]$.

Si nous devons calculer l'aire d'une région fermée et que la valeur de a et celle de b ne sont pas données, il faut déterminer algébriquement la valeur de a et la valeur de b.

■ *Exemple* Soit $f(x) = -x^2 + 5x$.

Calculons l'aire de la région fermée comprise entre la courbe de f et l'axe des x.

Pour déterminer les bornes d'intégration a et b, il faut résoudre $f(x) = 0$.

Ainsi, $-x^2 + 5x = 0$

$-x\,(x - 5) = 0$, d'où $x = 0$ ou $x = 5$.

Représentons graphiquement la région fermée sur $[a, b]$ où $a = 0$ et $b = 5$.

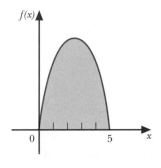

L'aire est donnée par

$$A_0^5 = \int_0^5 f(x)\,dx = \int_0^5 (-x^2 + 5x)\,dx$$

$$= \left(\frac{-x^3}{3} + \frac{5x^2}{2}\right)\Big|_0^5$$

$$= \left(\frac{-5^3}{3} + \frac{5(5)^2}{2}\right) - \left(\frac{-0^3}{3} + \frac{5(0)^2}{2}\right)$$

$$= -\frac{125}{3} + \frac{125}{2}$$

$$= \frac{125}{6}, \text{ donc } \frac{125}{6}\,u^2.$$

Question 3   Soit $f(x) = -x^2 - 2x + 3$. Calculer l'aire de la région fermée délimitée par la courbe de f et l'axe des x. Représenter graphiquement cette région.

Objectif 13.5.4   Calculer l'aire d'une région fermée située entre deux courbes continues sur un intervalle $[a, b]$.

Soit f et g, deux fonctions continues sur $[a, b]$, telles que $f(x) \geq g(x)$ pour tout $x \in [a, b]$.

Soit A, l'aire de la région ombrée.

Exprimons A en fonction de A_1 et de A_2, où A_1 est l'aire de la région comprise entre la courbe de f et l'axe des x sur $[a, b]$ et A_2 est l'aire de la région comprise entre la courbe de g et l'axe des x sur $[a, b]$. Nous avons donc

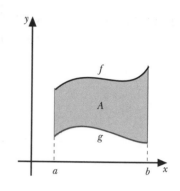

$$A = A_1 - A_2$$

$$= \int_a^b f(x)\, dx - \int_a^b g(x)\, dx$$

$$= \int_a^b [f(x) - g(x)]\, dx \qquad \text{(propriété de l'intégrale).}$$

■ **Exemple** Soit $f(x) = 4 - x^2$ et $g(x) = x + 1$.

Calculons l'aire A comprise entre la courbe de f et la courbe de g sur $[0, 1]$.

Il est recommandé de représenter graphiquement les courbes f et g sur l'intervalle donné.

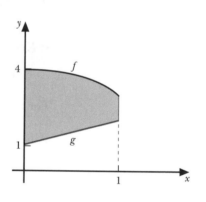

$$A = \int_0^1 [f(x) - g(x)]\, dx \qquad \begin{array}{l}\text{(car } f(x) \geq g(x) \\ \text{sur } [0, 1])\end{array}$$

$$= \int_0^1 [(4 - x^2) - (x + 1)]\, dx$$

$$= \int_0^1 (3 - x^2 - x)\, dx$$

$$= \left(3x - \frac{x^3}{3} - \frac{x^2}{2}\right) \Big|_0^1$$

$$= \left[3(1) - \frac{(1)^3}{3} - \frac{(1)^2}{2}\right] - \left[3(0) - \frac{(0)^3}{3} - \frac{(0)^2}{2}\right]$$

$$= \frac{13}{6}, \text{ donc } \frac{13}{6}\, u^2.$$

■ **Exemple** Soit $f(x) = x^2$ et $g(x) = x$.

Calculons l'aire A de la région fermée située entre les courbes de f et g sur $[0, 1]$. Graphiquement, nous voyons que $g(x) \geq f(x)$ sur $[0, 1]$.

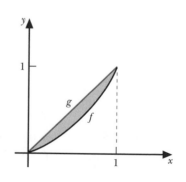

$$A = \int_0^1 [g(x) - f(x)]\, dx$$

$$= \int_0^1 (x - x^2)\, dx$$

$$= \left(\frac{x^2}{2} - \frac{x^3}{3}\right) \Big|_0^1 = \left[\left(\frac{1}{2} - \frac{1}{3}\right) - 0\right]$$

$$= \frac{1}{6}, \text{ donc } \frac{1}{6}\, u^2.$$

Question 4   Soit $f(x) = x^2$ et $g(x) = x$. Calculer l'aire A de la région fermée située entre les courbes de f et g sur $[1, 2]$. Représenter graphiquement cette région.

Si nous devons calculer l'aire d'une région fermée située entre deux courbes et que l'intervalle $[a, b]$ n'est pas donné, il faut alors déterminer algébriquement la valeur de a et la valeur de b.

■ **Exemple** Calculons l'aire A de la région fermée située entre $f(x) = 1 + x$ et $g(x) = x^2 - 2x - 3$.

Pour déterminer les bornes d'intégration a et b, il faut résoudre $f(x) = g(x)$.

Ainsi, $1 + x = x^2 - 2x - 3$,

donc $x^2 - 3x - 4 = 0$,

$\quad (x + 1)(x - 4) = 0$, d'où $x = -1$ ou $x = 4$.

Représentons graphiquement les courbes f et g ainsi que la région fermée.

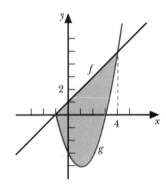

L'aire est donnée par

$$A = \int_{-1}^{4} [(x + 1) - (x^2 - 2x - 3)]\, dx$$

$$= \int_{-1}^{4} (3x + 4 - x^2)\, dx$$

$$= \left(\frac{3x^2}{2} + 4x - \frac{x^3}{3} \right) \Big|_{-1}^{4}$$

$$= \frac{125}{6}, \text{ donc } \frac{125}{6}\, u^2.$$

■ **Exemple** Soit $f(x) = x^2 - 4$.

Déterminons l'aire A de la partie ombrée ci-contre.

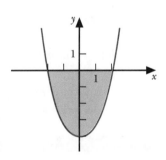

$$A = \int_{-2}^{2} [0 - f(x)]\, dx$$

$$= \int_{-2}^{2} [0 - (x^2 - 4)]\, dx$$

$$= \int_{-2}^{2} (-x^2 + 4)\, dx$$

$$= \left(\frac{-x^3}{3} + 4x \right) \Big|_{-2}^{2}$$

$$= \frac{32}{3}, \text{ donc } \frac{32}{3}\, u^2.$$

Exercices 13.5

1. Compléter.

   a) Soit $F(x)$, une primitive de f, alors $\int_{a}^{b} f(x)\, dx = $ _____.

   b) Si f est une fonction continue sur $[a, b]$ et si $f(x) \geq 0$ pour tout $x \in [a, b]$, alors $A_a^b = $ _____.

   c) Soit f et g, deux fonctions continues sur $[a, b]$, telles que $f(x) \geq g(x)$ pour tout $x \in [a, b]$. Alors l'aire A entre les courbes de f et g sur $[a, b]$ est donnée par $A = $ _____.

2. Évaluer les intégrales définies suivantes.

a) $\displaystyle\int_1^3 2\,dx$

b) $\displaystyle\int_{-1}^2 2x\,dx$

c) $\displaystyle\int_{-1}^2 2^x\,dx$

d) $\displaystyle\int_{-1}^2 x^2\,dx$

e) $\displaystyle\int_2^5 (1-x)\,dx$

f) $\displaystyle\int_{-3}^3 x^5\,dx$

g) $\displaystyle\int_{\frac{-\pi}{2}}^{\frac{\pi}{2}} \cos\theta\,d\theta$

h) $\displaystyle\int_{\frac{-\pi}{4}}^0 \sec^2\theta\,d\theta$

i) $\displaystyle\int_0^1 (3e^x - 2)\,dx$

j) $\displaystyle\int_1^2 \left(\frac{1}{x} + \frac{1}{x^2}\right) dx$

k) $\displaystyle\int_0^{\frac{1}{2}} \frac{1}{\sqrt{1-x^2}}\,dx$

l) $\displaystyle\int_{-1}^1 \frac{1}{1+x^2}\,dx$

3. Calculer l'aire A de la région située sous la courbe de f et au-dessus de l'axe des x sur l'intervalle donné. Représenter graphiquement.

a) $f(x) = x^2$, sur [2, 5].

b) $f(x) = x^2$, sur [-3, 0].

c) $f(x) = x^2$, sur [-3, 3].

d) $f(x) = \sin x$, sur [0, π].

e) $f(x) = e^x$, sur [0, 1].

f) $f(x) = x^3 + x^2 + x$, sur [0, 2].

4. Calculer l'aire A de la région située sous la courbe de f et au-dessus de l'axe des x sur l'intervalle définissant une région fermée. Représenter graphiquement.

a) $f(x) = 4 - x^2$

b) $f(x) = 6x - x^2$

c) $f(x) = x^3 - 6x^2 + 8x$

5. Calculer l'aire A de la région située entre la courbe de f et la courbe de g sur l'intervalle donné. Représenter graphiquement.

a) $f(x) = 4$ et $g(x) = x$, sur [5, 8].

b) $f(x) = 6x - x^2$ et $g(x) = x^2 - 2x$, sur [1, 2].

6. Calculer l'aire A de la région située au-dessus de la courbe de f et sous l'axe des x sur l'intervalle donné. Représenter graphiquement.

a) $f(x) = x$, sur [-4, -2].

b) $f(x) = x^3$, sur [-4, -2].

c) $f(x) = \sin x$, sur [π, 2π].

7. Calculer l'aire A de la région fermée située entre la courbe de f et la courbe de g. Représenter graphiquement.

a) $f(x) = x + 2$ et $g(x) = 4 - x^2$.

b) $f(x) = 6x - x^2$ et $g(x) = x^2 - 2x$.

Problèmes de synthèse

1. Déterminer la différentielle des fonctions suivantes.

a) $y = x^3(\sqrt[3]{x} - 5)$

b) $u = \dfrac{5 - 3x}{2x + 7}$

c) $y = e^{\tan x} + 4^x$

d) $v = \sin^3 (2t - 3)$

e) $y = \ln (\csc (3x - 1))$

f) $y = \text{Arc} \sin (3x^2)$

2. Soit $y = [f(x)]^3$. Évaluer dy, lorsque $f(-1) = -2$, $f'(-1) = 2$ et que $dx = 0{,}13$.

3. Exprimer les expressions suivantes en fonction de u et du.

a) $(x^3 + 5)^6 x^2\,dx$, si $u = x^3 + 5$.

b) $\dfrac{3x^3 + 6x}{x^4 + 4x^2 - 1}\,dx$, si $u = x^4 + 4x^2 - 1$.

c) $e^{\cos x} \sin x\,dx$, si $u = \cos x$.

d) $e^{\cos x} \sin x\,dx$, si $u = e^{\cos x}$.

4. Calculer les intégrales suivantes.

a) $\int dy$

b) $\int (x^7 + 7^x)\, dx$

c) $\int \left(2t + \dfrac{1}{4t} + \dfrac{4}{t^2} \right) dt$

d) $\int \left(5e^u - \dfrac{4}{1 + u^2} + \sqrt[4]{u} \right) du$

e) $\int \left(3 \sin x - \dfrac{\cos x}{3} - 2 \csc x \cot x \right) dx$

f) $\int \left(5 \sec x \tan x + \dfrac{\csc^2 x}{\sqrt{5}} - \sec^2 x \right) dx$

g) $\int \left(\dfrac{4}{\sqrt{1 - x^2}} - \dfrac{7}{9\sqrt{x}} + \dfrac{1}{3x\sqrt{x^2 - 1}} \right) dx$

h) $\int \left(\dfrac{x^4}{5} - \dfrac{4^x}{5} + \dfrac{4}{x} - \dfrac{x}{4} + 4 \right) dx$

5. Calculer les intégrales suivantes après avoir transformé les fonctions à intégrer.

a) $\int (x - 1)(x + 1)\, dx$

b) $\int \dfrac{1}{x} \left(3 - \dfrac{1}{\sqrt{x^2 - 1}} \right) dx$

c) $\int \dfrac{2}{x^2(1 + x^2)}\, dx$

d) $\int \dfrac{x^2 - 9}{3 - x}\, dx$

e) $\int \dfrac{\sin u}{\cos^2 u}\, du$

f) $\int \dfrac{\sin 2x}{\sin x}\, dx$

6. Calculer les intégrales suivantes, en utilisant un changement de variable, si nécessaire.

a) $\int x^2(x^3 + 1)^5\, dx$

b) $\int x(x^3 + 1)^2\, dx$

c) $\int \dfrac{x}{x^2 + 1}\, dx$

d) $\int \dfrac{x^2 + 1}{x}\, dx$

e) $\int \dfrac{x}{\sqrt{2x^2 + 3}}\, dx$

f) $\int \dfrac{1}{3x + 4}\, dx$

g) $\int \dfrac{1}{(3x + 4)^2}\, dx$

h) $\int \dfrac{2t^2}{\sqrt[3]{(1 + 2t^3)^2}}\, dt$

i) $\int \sin \left(\dfrac{x}{3} \right) dx$

j) $\int 2x \cos x^2\, dx$

k) $\int \dfrac{\sin \left(\dfrac{1}{x} \right)}{x^2}\, dx$

l) $\int \dfrac{1 + \cos (2\theta)}{2}\, d\theta$

m) $\int \dfrac{\sin x}{\cos^3 x}\, dx$

n) $\int (\sec^2 \theta - 1)\, d\theta$

o) $\int x \sec^2 (1 - 3x^2)\, dx$

p) $\int \tan^4 s \sec^2 s\, ds$

q) $\int \dfrac{x^2 \cot (3x^3 - 1) \csc (3x^3 - 1)}{7}\, dx$

r) $\int \dfrac{dx}{x \ln x}$

s) $\int \sin x\, 8^{\cos x}\, dx$

t) $\int 2 \sec^2 x\, e^{\tan x}\, dx$

u) $\int \dfrac{x^2}{1 + x^6}\, dx$

v) $\int \dfrac{16}{\sqrt{1 - 16x^2}}\, dx$

w) $\int \dfrac{1}{x} \left[\dfrac{x^2}{\sqrt{x^2 - 1}} - \dfrac{2}{\sqrt{x^2 - 1}} \right] dx$

x) $\int (\cos 5x + \sec^2 7x)\, dx$

y) $\int x^3(x + e^{x^4})\, dx$

z) $\int \dfrac{e^x - e^{-x}}{e^{-x}}\, dx$

7. Évaluer les sommes suivantes.

a) $3 + 6 + 9 + 12 + \ldots + 297 + 300$

b) $100 + 101 + 102 + \ldots + 149 + 150$

c) $11^2 + 12^2 + 13^2 + \ldots + 39^2 + 40^2$

d) $2 - 2^2 + 3 - 3^2 + 4 - 4^2 + \ldots + 25 - 25^2$

8. Pour chacune des fonctions suivantes, évaluer s_n, s, S_n, S et l'aire A_0^1 entre la courbe de f et l'axe des x sur $[0, 1]$.

   a) $f(x) = 3x + 1$

   b) $f(x) = 1 - x^2$

   c) $f(x) = x^2 + x$

9. Exprimer les aires ombrées suivantes à l'aide d'intégrales définies.

   a)

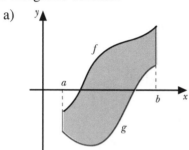

   b)

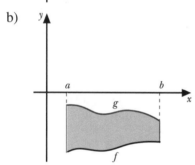

   c)

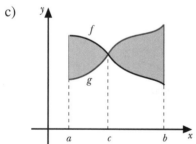

10. Évaluer les intégrales définies suivantes.

   a) $\displaystyle\int_{-1}^{1} (x + x^2)\, dx$

   b) $\displaystyle\int_{0}^{\pi} 5 \sin x\, dx$

   c) $\displaystyle\int_{1}^{4} \sqrt{x}\, dx$

   d) $\displaystyle\int_{-2}^{-1} (x^2 - 4)\, dx$

   e) $\displaystyle\int_{0}^{2\pi} (3 \cos x + 4 \sin x)\, dx$

   f) $\displaystyle\int_{-1}^{1} (2e^x - x)\, dx$

   g) $\displaystyle\int_{4}^{9} \left(\frac{1}{x^2} - \frac{1}{\sqrt{x}} \right) dx$

   h) $\displaystyle\int_{1}^{e} \frac{2x^2 + 1}{x}\, dx$

   i) $\displaystyle\int_{-\frac{1}{2}}^{\frac{\sqrt{3}}{2}} \frac{2}{\sqrt{1 - x^2}}\, dx$

11. Calculer l'aire A de la région située entre la courbe de f et l'axe des x sur l'intervalle donné.

   a) $f(x) = x^2$, sur $[3, 6]$.

   b) $f(x) = 9 - x^2$, sur $[-1, 2]$.

   c) $f(x) = \sqrt{x}$, sur $[0, 1]$.

   d) $f(x) = \cos x$, sur $\left[0, \dfrac{\pi}{2}\right]$.

   e) $f(x) = \dfrac{1}{x}$, sur $[2, 6]$.

   f) $f(x) = \dfrac{1}{1 + x^2}$, sur $[0, 1]$.

12. Calculer l'aire A de la région située au-dessus de la courbe de f et sous l'axe des x sur l'intervalle définissant une région fermée. Représenter graphiquement.

   a) $f(x) = x^2 - 2x$

   b) $f(x) = x^2 - 7x + 6$

13. Calculer l'aire A de la région située entre la courbe de f et la courbe de g sur l'intervalle donné.

   a) $f(x) = x$ et $g(x) = x^2$, sur $[1, 3]$.

   b) $f(x) = -x$ et $g(x) = 6x - x^2$, sur $[1, 6]$.

14. Calculer l'aire A de la région située entre la courbe de f et l'axe des x. Représenter graphiquement.

   a) $f(x) = x^3 - x$

   b) $f(x) = \cos x$, sur $[0, 2\pi]$.

15. Calculer l'aire A de la région fermée située entre la courbe de f et la courbe de g. Représenter graphiquement.

   a) $f(x) = x^2$ et $g(x) = 4x - x^2$.

   b) $f(x) = x^3$ et $g(x) = x$.

16. Soit $f(x) = x^3$ et $g(x) = x^{\frac{1}{3}}$ sur $[0, 1]$.

   Démontrer que $A_1 = A_2 = A_3 = A_4$ dans la figure ci-contre.

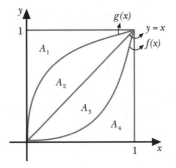

Exercices récapitulatifs

1. Calculer la différentielle des fonctions suivantes.

   a) $y = 3x^4 - 2x^5 + \sqrt{x}$

   b) $y = \sin(2x - 3)$

   c) $y = xe^{3x}$

   d) $y = \dfrac{\tan 2x}{4x^2}$

   e) $y = \ln(5x - 2x^2)$

   f) $y = \text{Arc} \tan x^2$

2. Calculer les intégrales suivantes.

   a) $\displaystyle\int (4x^2 + 5x - 1)\, dx$

   b) $\displaystyle\int \left(\dfrac{2}{x^2} - \dfrac{x^2}{2} \right) dx$

   c) $\displaystyle\int \left(\left(\dfrac{1}{3} \right)^x + x^{\frac{1}{3}} \right) dx$

   d) $\displaystyle\int \left(\sqrt[5]{x^3} + \dfrac{4}{\sqrt{x}} - \dfrac{7}{\sqrt[3]{x^5}} \right) dx$

   e) $\displaystyle\int \dfrac{1}{x}(x^2 - 4)\, dx$

   f) $\displaystyle\int \dfrac{2x^3 - 4}{x^2}\, dx$

   g) $\displaystyle\int (\sec^2 x - \csc^2 x)\, dx$

   h) $\displaystyle\int 4(2x - 3e^x)\, dx$

   i) $\displaystyle\int \dfrac{1}{x}\left(\sqrt{x} - \dfrac{x}{1 + x^2} \right) dx$

3. Calculer les intégrales suivantes.

   a) $\displaystyle\int (2x + 3)^3\, dx$

   b) $\displaystyle\int (x^3 + 2)^5 x^2\, dx$

   c) $\displaystyle\int (x^3 + 2)x\, dx$

   d) $\displaystyle\int \dfrac{x}{x^2 + 1}\, dx$

   e) $\displaystyle\int \dfrac{x^2}{(x^3 + 7)^{\frac{1}{4}}}\, dx$

   f) $\displaystyle\int 3 \sin 2x\, dx$

   g) $\displaystyle\int \sin^3 2x \cos 2x\, dx$

   h) $\displaystyle\int \dfrac{dx}{3x - 2}$

   i) $\displaystyle\int x^2 e^{4 - x^3}\, dx$

   j) $\displaystyle\int \dfrac{x + 3}{\sqrt[3]{x^2 + 6x}}\, dx$

   k) $\displaystyle\int \sec \left(\dfrac{x}{2} \right) \tan \left(\dfrac{x}{2} \right) dx$

   l) $\displaystyle\int \dfrac{\sin x}{\cos x}\, dx$

   m) $\displaystyle\int \dfrac{e^x + e^{-x}}{2}\, dx$

   n) $\displaystyle\int \cos x \, 10^{\sin x}\, dx$

   o) $\displaystyle\int \dfrac{4}{\sqrt{1 - 9x^2}}\, dx$

   p) $\displaystyle\int x \sec^2 (7x^2 - 1)\, dx$

   q) $\displaystyle\int \dfrac{7}{x \ln x}\, dx$

   r) $\displaystyle\int \dfrac{e^{2x} - e^{-x}}{2e^x}\, dx$

4. Pour chacune des fonctions suivantes, évaluer s_n, s, S_n, S et l'aire A entre la courbe de f et l'axe des x sur l'intervalle donné.

   a) $f(x) = 2x + 1$, sur [0, 1].

   b) $f(x) = 4 - 2x$, sur [0, 1].

   c) $f(x) = 3 + 5x^2$, sur [0, 1].

   d) $f(x) = 2x^3 + 4$, sur [0, 1].

   e) $f(x) = x^2$, sur [1, 2].

   f) $f(x) = x^2 + 4x + 3$, sur [1, 4].

5. Évaluer les intégrales définies suivantes.

   a) $\displaystyle\int_2^5 dx$

   b) $\displaystyle\int_{-4}^{-1} x \, dx$

   c) $\displaystyle\int_1^4 \left(1 + \frac{3x}{4} - \frac{\sqrt{x}}{2}\right) dx$

   d) $\displaystyle\int_0^{\frac{\pi}{3}} \frac{\sin x}{3} \, dx$

   e) $\displaystyle\int_{-\frac{\pi}{6}}^0 \sec x \tan x \, dx$

   f) $\displaystyle\int_{-1}^1 (x^2 + 2^x + 2x) \, dx$

6. Soit $f(x) = -x + 5$, $g(x) = x^2 - 1$ et $h(x) = -x^2 + 4x + 5$. Calculer l'aire

   a)   entre la courbe de f et l'axe des x sur [-1, 2] ;

   b)   entre la courbe de h et l'axe des x sur [0, 3] ;

   c)   de la région fermée comprise entre la courbe de h et l'axe des x ;

   d)   de la région fermée comprise entre la courbe de g et l'axe des x ;

   e)   de la région fermée comprise entre la courbe de f et la courbe de h ;

   f)   de la région fermée comprise entre la courbe de f et la courbe de g ;

   g)   de la région fermée comprise entre la courbe de g et la courbe de h ;

   h)   entre la courbe de g et l'axe des x sur [0, 2].

   i)   des quatre régions fermées délimitées par les trois courbes.

7. Sachant que les courbes ci-dessous sont définies par $f(x) = 2 - x$, $g(x) = \sqrt{x}$ et $h(x) = x^2 - 5x + 6$, calculer l'aire de la région ombrée à l'aide d'intégrales définies.

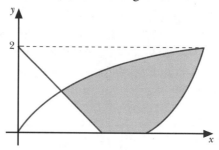

8. Calculer $F(x)$ et $F'(x)$ pour a), b) et c) ; calculer $F'(x)$ pour d) et e), si

   a) $F(x) = \displaystyle\int_1^x 3t^2 \, dt$;

   b) $F(x) = \displaystyle\int_0^x e^t \, dt$;

   c) $F(x) = \displaystyle\int_0^x 4 \sin^3 t \cos t \, dt$

   d) $F(x) = \displaystyle\int_1^x e^{-t^2} \, dt$

   e) $F(x) = \displaystyle\int_{-2}^x \sqrt{1 + t^2} \, dt$

9. Déterminer l'équation de la courbe $y = f(x)$ qui satisfait aux conditions suivantes :

   a) $f'(x) = 2x$ et $f(-1) = 4$;

   b) $\dfrac{dy}{dx} = x^2 + x + 1$ et la courbe passe par le point P(1, 2) ;

   c) $f'(x) = e^{-x}$ et $f(0) = 5$;

   d) $f''(x) = 2$, $f'(1) = -2$ et $f(1) = 2$;

   e) $f''(x) = 6x$ et la courbe passe par les points P(0, -4) et Q(-3, -1).

10. Si le coût marginal d'un objet est donné par $C'(q) = 9q^2 - 4q$, et que les coûts fixes sont de 1000 \$, déterminer l'expression $C(q)$ donnant le coût en fonction de la quantité q.

11. Du haut d'un édifice de 98 m, on lance une balle verticalement vers le haut ; la vitesse initiale de la balle est de 49 m/s, et $g = 9{,}8$ m/s^2.

   a) Déterminer la fonction $v(t)$ donnant la vitesse en fonction du temps.

   b) Déterminer la fonction $s(t)$ donnant la position de la balle par rapport au sol.

   c) Calculer la hauteur maximale atteinte par la balle.

   d) Calculer le temps que prend la balle pour atteindre le sol.

   e) Calculer la vitesse de la balle lorsqu'elle atteint le sol.

Test récapitulatif

1. Calculer la différentielle des fonctions suivantes.

   a) $y = x^5 + \sin^3 2x$

   b) $u = e^{3x} \ln x^2$

2. Compléter.

   a) Si $a \neq -1$, alors $\int x^a \, dx = \underline{\hspace{1cm}}$.

   b) $\int \dfrac{1}{x} \, dx =$

   c) $\int (a\, f(x) + b\, g(x)) \, dx =$

   d) $\int \sin x \, dx =$

   e) $\int \sec^2 x \, dx =$

   f) $\int e^u \, du =$

   g) $\int 5^u \, du =$

   h) $\int \dfrac{1}{\sqrt{1 - x^2}} \, dx =$

3. Calculer les intégrales suivantes.

   a) $\int (5x^3 - 7x + 2) \, dx$

   b) $\int \left(\sqrt{x} - \dfrac{4}{\sqrt[3]{x^2}} + \dfrac{5}{x^2} - \dfrac{6}{x} \right) dx$

   c) $\int (3x^2 + 4)^5 \, 4x \, dx$

   d) $\int \sec \left(\dfrac{3x}{4} \right) \tan \left(\dfrac{3x}{4} \right) dx$

   e) $\int \sin^4 \left(\dfrac{2x}{3} \right) \cos \left(\dfrac{2x}{3} \right) dx$

   f) $\int \dfrac{e^{\operatorname{Arc\,tan} x}}{1 + x^2} \, dx$

4. Soit la fonction f définie par $f(x) = x^3 + 1$, sur $[0, 1]$.

   a) Évaluer S_4 et représenter graphiquement les rectangles circonscrits correspondants.

   b) Évaluer S_n et s_n.

   c) Évaluer S et s.

   d) Déterminer A_0^1 à partir de S et s.

   e) Vérifier à l'aide de l'intégrale définie le résultat précédent.

5. Calculer les intégrales définies suivantes.

   a) $\displaystyle\int_{-2}^{3} (x^2 - 3x - 4) \, dx$

   b) $\displaystyle\int_{0}^{\pi} (\sin x + \cos x) \, dx$

6. Soit $f(x) = 6 + x - x^2$. Calculer l'aire A de la région ombrée ci-dessous.

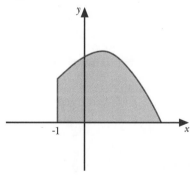

7. Calculer l'aire A de la région fermée située entre la courbe de f et la courbe de g, si $f(x) = 4x - x^2$ et $g(x) = x^2 - 8x$. Représenter graphiquement.

TEST PRÉLIMINAIRE *(page 2)*

1. a) 28   d) 45   g) -125

   b) 0   e) -16   h) -251

   c) -19   f) 16   i) -1760

2. a) 5   c) -4   e) 7

   b) Non définie.   d) -8   f) $-27,1\overline{3}$

3. a) 2 ; non définie ; 1.

   b) $\sqrt{10}$; $\sqrt{5}$; 1

   c) 3 ; non définie ; 0.

   d) 142 ; -48 ; 10

   e) Non définie ; 2 ; $\sqrt{2}$.

   f) Non définie ; non définie ; non définie.

4. a) 5   d) 7   g) 2   i) 6

   b) 3,7   e) $\dfrac{3}{5}$ h) -2   j) 12

   c) 0   f) $-\dfrac{8}{3}$

5. a) 0 ; 7 ; 4   c) 4 ; 3 ; non définie.

   b) $\dfrac{9}{7}$; non définie ; $\dfrac{5}{3}$.   d) 1 ; -1 ; non définie.

6. a) =   d) =   g) ≤

   b) ≥   e) =, si $b \neq 0$ h) ≥

   c) ≤   f) =

QUESTIONS

Section 1.1

Question 1 *(page 4)*

a) $\mathbb{R} \setminus \left\{-3, \dfrac{1}{2}\right\}$ b) $\mathbb{R}$ c) $\left]-\dfrac{18}{7}, +\infty\right[$

Question 2 *(page 5)*

a) $[-5, 4[$ b) $\mathbb{R}$ c) $-\infty, 3[$

Question 3 *(page 5)*

a) $[-1, 4[$ b) $-\infty, 0]$ c) $\mathbb{R}$

Section 1.2

Question 1 *(page 8)*

a) -4 ; -4 ; -4 ; -4   c) $\operatorname{dom} f = \mathbb{R}$;
                           $\operatorname{ima} f = \{-4\}$

b)

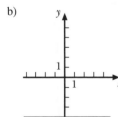

Section 1.3

Question 1 *(page 11)*

$m = 2$, quels que soient les points choisis.

Question 2 *(page 11)*

$m = \dfrac{2 - (-1)}{0 - 3} = -1$

Section 1.4

Question 1 *(page 15)*

b), c), d) et f)

Question 2 *(page 16)*

a) $x = -5$ b) Aucun zéro.   c) $x = \dfrac{2}{7}$ et $x = -1$

Question 3 *(page 18)*

a) $(0, -4)$ b) $\left(\dfrac{5}{6}, \dfrac{25}{12}\right)$

Question 4 *(page 19)*

a) $\operatorname{dom} f = \mathbb{R}$; $\operatorname{ima} f = \left]-\infty, \dfrac{49}{4}\right]$

b) $x \in \,]-4, 3[$

c) $x \in \,]-\infty, -4] \cup [3, +\infty[$

Section 1.5

Question 1 *(page 21)*

a) $\mathbb{R} \setminus \{0\}$ c) $\mathbb{R} \setminus \left\{-\dfrac{3}{5}, \dfrac{7}{3}\right\}$

b) $\mathbb{R} \setminus \left\{-\dfrac{3}{2}, 1\right\}$ d) $\mathbb{R}$

Question 2 *(page 21)*

a) $\left[-\dfrac{2}{5}, +\infty\right[$ b) $-\infty, \dfrac{1}{2}\right[$ c) $\mathbb{R}$

Question 3 *(page 22)*

a) **1ʳᵉ étape :** Factoriser l'expression.

         $4x - x^3 = x(2 - x)(2 + x)$

2ᵉ étape : Déterminer les zéros.

$4x - x^3 = x(2 - x)(2 + x) = 0$,

si $x = 0$, $x = 2$ ou $x = -2$.

3ᵉ étape : Construire le tableau de signes.

Facteurs \ x	$-\infty$	-2		0		2	$+\infty$
x	$-$	$-$	$-$	0	$+$	$+$	$+$
$(2 - x)$	$+$	$+$	$+$	$+$	$+$	0	$-$
$(2 + x)$	$-$	0	$+$	$+$	$+$	$+$	$+$
$4x - x^3$	$+$	0	$-$	0	$+$	0	$-$

4ᵉ étape : dom $f = -\infty$, -2] $\cup$ [0, 2]

b) D'après le tableau précédent,

dom $g = -\infty$, -2[$\cup$]0, 2[.

Section 1.6

Question 1 *(page 23)*

a) $f(0)$ est non définie.

b) $f(-4) = (-4)^2 + 1 = 17$

c) $f(2) = 4$

d) $f(2,5)$ est non définie.

e) $f(3)$ est non définie.

f) $f(5) = 3 \times 5 + 5 = 20$

EXERCICES

Exercices 1.1 *(page 6)*

1. a) et c)

2. a) dom $f = \{4, 8, 12\}$; ima $f = \{2, 4, 6\}$

   b) dom $f = \{-2, -1, 2, 3, 5, 8\}$; ima $f = \{-3, -2, 1, 2\}$

   c) dom $f =]-4, 3]$; ima $f =]-2, 3]$

   d) dom $f =]-3, 5]$; ima $f = [0, 3[$

3. a) M

   b) P

   c)

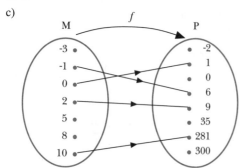

   d) dom $f = \{-1, 0, 2, 10\}$

   e) ima $f = \{1, 6, 9, 281\}$

4. a) $f(-2) = -71$

   $f(0) = -1$

   $f(5) = 839$

   b) $f(-2) = \dfrac{-11}{63}$

   $f(0) = \dfrac{-1}{15}$

   $f(5)$ est non définie.

   c) $f(-2) = \dfrac{1}{3}$

   $f(0) = -\sqrt{3}$

   $f(5) = \dfrac{\sqrt{2}}{12}$

   d) $f(-2)$ est non définie.

   $f(0) = 5$

   $f(5) = \dfrac{5}{\sqrt{6}}$

   e) $f(-2)$ est non définie.

   $f(0)$ est non définie.

   $f(5) = \dfrac{-684}{\sqrt{5}}$

   f) $f(-2)$ est non définie.

   $f(0)$ est non définie.

   $f(5)$ est non définie.

5. a) $\mathbb{R}$

   b) $\mathbb{R} \setminus \left\{ -\dfrac{10}{3} \right\}$

   c) $\mathbb{R}$

   d) [3, +∞

   e)]0, +∞

   f)]0, +∞ \ {3}

6. a) x = nombre de pneus réguliers, variable indépendante.

   y = nombre de pneus à neige, variable indépendante.

   z = nombre de pneus quatre-saisons, variable indépendante.

   R = revenu, variable dépendante.

   $R(x, y, z) = 50x + 74y + 68z$, où R est en dollars.

   b) $R(400, 320, 560) =$
   $50 \times 400 + 74 \times 320 + 68 \times 560 = 81\ 760$ \$

7. a) n = nombre de lettres, variable indépendante.

   p = nombre de points, variable dépendante,
   d'où $p = f(n)$.

   b)

   c) dom $f = \{3, 4, 5, 6, ..., 16\}$;
   ima $f = \{1, 2, 3, 5, 11\}$

Exercices 1.2   *(page 9)*

1. b), c), d) et f)

2. b)

3. a) $f(-3) = 3$
   $f(0) = 3$
   $f(4) = 3$

   b)
   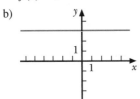

   c) $\operatorname{dom} f = \mathbb{R}$;
   $\operatorname{ima} f = \{3\}$

4. a) $f(-5) = -2$
   $f(0) = -2$
   $f(2)$ est non définie.
   $f(3,9) = -2$
   $f(4)$ est non définie.

   b)
   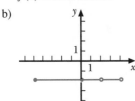

   c) $\operatorname{dom} f = [-5, 4[\setminus \{2\}$;
   $\operatorname{ima} f = \{-2\}$

5. a) $f(x) = 10$ c) $f(x) = -4$
   b) $f(x) = 5$ d) $f(x) = 2$ si $x \in \,]-2, 4]$

Exercices 1.3   *(page 13)*

1. a) $m = 1$ c) $m = 0$ e) Non définie.
   b) $m = -\dfrac{1}{2}$ d) $m = -2$

2. a) $m = -3$ c) Non définie.   e) $m = 0$
   b) $m = 4$ d) $m = -\dfrac{4}{5}$ f) $m = 2$

3. a) D_4 et D_5 c) D_1 et D_3 e) D_1
   b) D_2 d) D_5 f) D_6

4. a)
   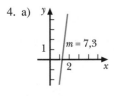

b)

c)

5. a) et ⑤   c) et ④   e) et ①
   b) et ②   d) et ③   f) et ⑥

6. a) $y = 4x - 3$ d) $y = -\dfrac{9x}{7} + \dfrac{31}{7}$
   b) $y = -7x + 17$ e) $y = -3x + 6$
   c) $y = \dfrac{7}{3}x$ f) $y = -\dfrac{1}{2}x - \dfrac{1}{2}$

7. a) $b = -12$ b) $a = -\dfrac{3}{5}$

8. a) Les trois points sont sur la même droite.
   b) Les trois points ne sont pas sur la même droite.
   c) Les trois points sont sur la même droite.

9. a)
   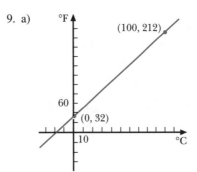

   b) $°F = \dfrac{9}{5} \, °C + 32$,

   où $\dfrac{9}{5}$ est la pente de la droite et 32 est l'ordonnée à l'origine.

   c) 86 °F
   d) -5 °C
   e) -40 °F ou -40 °C
   f) 10,4 °F et 198 °C

Exercices 1.4   *(page 19)*

1. b), c), d) et f)

2. a) $x = \dfrac{2}{5}$ et $x = -\dfrac{1}{3}$ d) $x = \dfrac{5}{4}$ et $x = -\dfrac{1}{4}$
   b) Aucun zéro.   e) $x = -\sqrt{7}$ et $x = \sqrt{7}$
   c) $x = 5$ f) $x = -\dfrac{15}{24}$ et $x = -\dfrac{37}{12}$

3. a) $(1, 3)$ b) $\left(-\dfrac{5}{2}, 0\right)$ c) $\left(\dfrac{5}{4}, -\dfrac{49}{8}\right)$

4. a) Les zéros sont $x = -4$ et $x = 5$.

Les coordonnées du sommet sont $\left(\dfrac{1}{2}, -\dfrac{81}{4}\right)$.

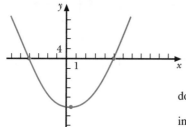

$\text{dom}\, f = \mathbb{R}$;

$\text{ima}\, f = \left[-\dfrac{81}{4}, +\infty\right.$

b) Les zéros sont $x = -3$ et $x = 3$.

Les coordonnées du sommet sont $(0, 9)$.

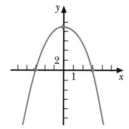

$\text{dom}\, f = \mathbb{R}$;

$\text{ima}\, f = \left.-\infty, 9\right]$

c) Le zéro unique est $x = -1$.

Les coordonnées du sommet sont $(-1, 0)$.

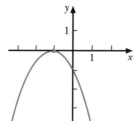

$\text{dom}\, f = \mathbb{R}$;

$\text{ima}\, f = \left.-\infty, 0\right]$

d) Il n'existe aucun zéro.

Les coordonnées du sommet sont $(-2, 1)$.

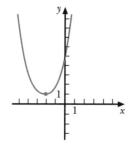

$\text{dom}\, f = \mathbb{R}$;

$\text{ima}\, f = [1, +\infty$

5. a) et ②

b) et ④

c) et ⑤

6. a) $k \in \left.-\infty, -12\right[\cup \left]12, +\infty\right.$

b) $k = \pm 12$

c) $k \in \left]-12, 12\right[$

7. $f(x) = -2x^2 - 8x + 24$

8. a) Les coordonnées du sommet sont $(52, 2274)$;
alors $q = 52$ unités.

b) Il faut évaluer $P(52) = 2274$, c'est-à-dire 2274 \$.

c)

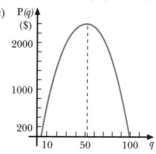

Exercices 1.5 *(page 22)*

1. a) Fonction polynomiale de degré 4

c) Fonction polynomiale de degré 11

e) Fonction polynomiale de degré 2

2. a), b), c) et e)

3. Elles sont toutes algébriques.

4. a) $\mathbb{R}$ b) $\mathbb{R}$ c) $\mathbb{R}$

5. a) $\mathbb{R} \setminus \left\{-\dfrac{5}{3}, 2\right\}$ c) $\mathbb{R} \setminus \{-2, 0, 2\}$

b) $\mathbb{R}$ d) $\mathbb{R} \setminus \{5\}$

6. a) $\left[\dfrac{7}{4}, +\infty\right.$

b) $\mathbb{R} \setminus \left\{\dfrac{7}{4}\right\}$

c) $\sqrt{2x - 10}$ est définie si $2x - 10 \geq 0$, d'où $x \geq 5$.
$\sqrt{12 - 3x}$ est définie si $12 - 3x \geq 0$, d'où $x \leq 4$.
Alors, $\text{dom}\, f = \varnothing$.

d)

Facteurs \ x	$-\infty$	-3		3	$+\infty$
$(x - 3)$	$-$	$-$	$-$	0	$+$
$(x + 3)$	$-$	0	$+$	$+$	$+$
$(x^2 - 9)$	$+$	0	$-$	0	$+$

$\text{dom}\, f = \left.-\infty, -3\right[\cup \left]3, +\infty\right.$

e)

Facteurs \ x	$-\infty$	$-\dfrac{4}{3}$		$\dfrac{3}{2}$	$+\infty$
$(3 - 2x)$	$+$	$+$	$+$	0	$-$
$(3x + 4)$	$-$	0	$+$	$+$	$+$
$-6x^2 + x + 12$	$-$	0	$+$	0	$-$

$\text{dom}\, f = \left[-\dfrac{4}{3}, \dfrac{3}{2}\right]$

f)

x	$-\infty$		1		3		$+\infty$
Facteurs							
$(3 - x)$	+		+	+	+	0	−
$(x - 1)$	−		0	+	+	+	+
$\dfrac{3 - x}{x - 1}$	−		∄	+	+	0	−

dom f =]1, 3]

Exercices 1.6 (page 26)

1. a) $-\infty, -3[\cup [0, +\infty$

   b) $]-4, 5] \cup [6, +\infty$

   c) $]-3, 7] \setminus \{4\}$

   d) $\mathbb{R}$

   e) $\mathbb{R} \setminus \{4, 7\}$

   f) $\mathbb{R} \setminus \{1, 3\}$

2. a) $f(-5) = 24$ d) $f(-1)$ est non définie.

   b) $f(10) = -295$ e) $f(4) = 7$

   c) $f(0) = 5$ f) $f(7)$ est non définie.

3. a)
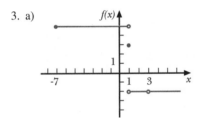

   b)
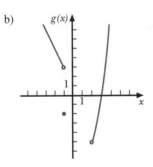

   c)
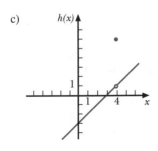

4. a) $f(x) = \begin{cases} 3 - x & \text{si} \quad x \leq 3 \\ x - 3 & \text{si} \quad x > 3 \end{cases}$

   dom $f = \mathbb{R}$
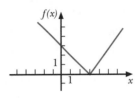

   b) $g(x) = \begin{cases} 3x + 5 & \text{si} \quad x \geq -\dfrac{5}{3} \\ -3x - 5 & \text{si} \quad x < -\dfrac{5}{3} \end{cases}$

   dom $g = \mathbb{R}$
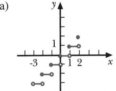

5. a) $f(2) = 2$ c) $f(5,9) = 5$

   $g(2) = -2$ $g(5,9) = -6$

   $h(2) = 0$ $h(5,9) = 0,9$

   b) $f(-2) = -2$ d) $f(-5,9) = -6$

   $g(-2) = 2$ $g(-5,9) = 5$

   $h(-2) = 0$ $h(-5,9) = 0,1$

6. a)
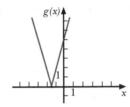

   b)
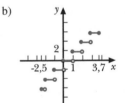

7. a) 0,37 $

   b) 1,11 $

   c) $C(x) = \begin{cases} 0,37 & \text{si} \quad 0 < x \leq 30 \\ 0,57 & \text{si} \quad 30 < x \leq 50 \\ 0,74 & \text{si} \quad 50 < x \leq 100 \\ 1,11 & \text{si} \quad 100 < x \leq 200 \end{cases}$

   où x est exprimé en grammes et $C(x)$, en dollars.

   d)
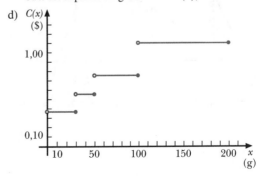

8. a) 100 $;   100 $;   100 $;   150 $

b) $s(h) = \begin{cases} 100 & \text{si} \quad 0 \le h < 4 \\ 25h & \text{si} \quad 4 \le h \le 24 \end{cases}$

c) dom $s = [0, 24]$

d)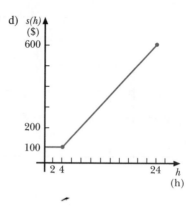

PROBLÈMES DE SYNTHÈSE *(page 27)*

1. a) $\{5, 1, 7, -4, 9, -2, 10\}$ c) dom $f = \{1, 7, -4, 10\}$

b) $\{5, 7, 8, -2, 1, 15, 22\}$ d) ima $f = \{7, 8, -2, 15\}$

2. b) dom $f = \mathbb{R}$; ima $f = [-2, +\infty$

c) dom $f = \mathbb{R}$; ima $f = \{10\}$

f) dom $f = \mathbb{R} \setminus \{-1\}$; ima $f = \mathbb{R}$

3. a) $\mathbb{R} \setminus \left\{-\dfrac{2}{3}\right\}$ k) $\mathbb{R}$

b) $\mathbb{R}$ l) $-\infty, -1] \cup [2, +\infty$

c) $\mathbb{R} \setminus \{1\}$ m) $\mathbb{R}$

d) $\mathbb{R} \setminus \left\{-\dfrac{1}{2}, 3\right\}$ n) $\{0\}$

e) $\left[-\dfrac{8}{3}, +\infty\right)$ o) $\mathbb{R} \setminus \{-3, 3\}$

f) $\mathbb{R} \setminus \{0\}$ p) $\mathbb{R} \setminus \{-5, 0, 1, 4\}$

g) $\mathbb{R}$ q) $-\infty, -1[\cup]-1, 0[\cup [1, +\infty$

h) $[0, 4[$ r) $\mathbb{R}$

i) $\varnothing$ s) $[0, 3[\setminus \{1\}$

j) $]4, +\infty \setminus \{5\}$

4. Le graphique qui représente une fonction constante de domaine $\mathbb{R}$ est une droite horizontale.

5. a), d) et f)

6. a) $m = 2$; $b = 7$ b) $m = -3$; $b = 5$

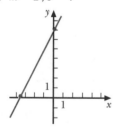

dom $f = \mathbb{R}$; ima $f = \mathbb{R}$ dom $f = \mathbb{R}$; ima $f = \mathbb{R}$

c) $m = \dfrac{3}{4}$; $b = 1$ d) $m = 0$; $b = -7$

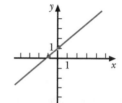   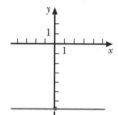

dom $f = \mathbb{R}$; ima $f = \mathbb{R}$ dom $f = \mathbb{R}$; ima $f = \{-7\}$

7. a) Faux.   b) Faux.   c) Vrai.   d) Faux.

8. a) $y = -4$ c) $y = 7$ e) $y = -\dfrac{x}{6} + \dfrac{43}{6}$

b) $y = 6x + 1$ d) $x = -3$ f) $y = \dfrac{x}{3} - 5$

9. Pour $f(x) = x^2 - 3x - 10$:

a) Les zéros sont $x = -2$ et $x = 5$.

b) Les coordonnées du sommet sont $\left(\dfrac{3}{2}, -\dfrac{49}{4}\right)$.

c)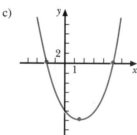

d) dom $f = \mathbb{R}$; ima $f = \left[-\dfrac{49}{4}, +\infty\right.$

Pour $g(x) = -2x^2 + 8x - 17$:

a) Il n'existe aucun zéro.

b) Les coordonnées du sommet sont $(2, -9)$.

c)

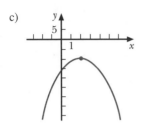

d) dom $f = \mathbb{R}$; ima $f =$ -∞, -9]

10. a)

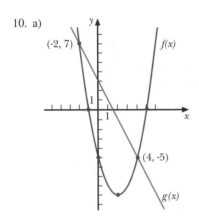

b) Les points d'intersection sont P(-2, 7) et Q(4, -5).

11. a)

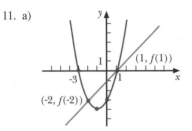

Pente de la droite $= m = \dfrac{f(1) - f(-2)}{1 - (-2)} = \dfrac{0 - (-3)}{3} = 1$.

b) $f(x) \geq 0$ pour $x \in$ -∞, -3] ∪ [1, +∞.

c) $f(x) < 0$ pour $x \in$]-3, 1[.

12.

	CON.	AFF.	QUA.	POL.	RAT.	ALG.
a)	F	F	F	F	V	V
b)	F	V	F	V	V	V
c)	V	F	F	V	V	V
d)	F	F	F	F	F	V
e)	F	F	F	F	V	V
f)	F	F	F	F	F	V
g)	F	F	V	V	V	V
h)	F	F	F	F	F	F
i)	F	F	F	F	V	V

13. a)

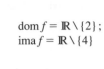

dom $f = \mathbb{R} \setminus \{2\}$;
ima $f = \mathbb{R} \setminus \{4\}$

b)

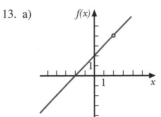

dom $g = \mathbb{R}$;
ima $g = \mathbb{R} \setminus \{4\}$

c)

dom $h = \mathbb{R}$;
ima $h = \mathbb{R}$

d)

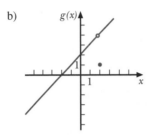

dom $f = \mathbb{R}$;
ima $f =$ -∞, 4]

e)

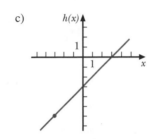

dom $f = \mathbb{R}$;
ima $f = [0, $ +∞

f)

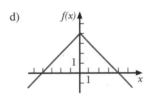

dom $f = \mathbb{R}$;
ima $f = [0, 1[$

14. a) $x \in$ -∞, -5] ∪ [2, +∞   d) $x \in [-5, 5]$

b) $x \in$]-3, 3[e) $x \in$]-4, 10[

c) $x \in \left[-4, \dfrac{1}{3}\right[\cup \left\{\dfrac{5}{3}\right\}$ f) $x \in$]1, 2[∪]2, 3[

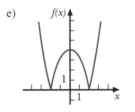

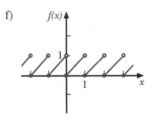

15. a) x = distance parcourue.

   y = prix de la course.

   $y = f(x) = 2,00 + 0,70x$

   b) $f(22) = 17,40$ \$

   c) $f(x) = 30,00$ \$, d'où $x = 40$ km.

   d) 0,80 \$/km

   e) 8 km

b)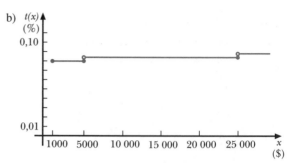

c) $I(x) = \begin{cases} 0,08x & \text{si} & 1000 \le x \le 5000 \\ 0,085x & \text{si} & 5000 < x \le 25\,000 \\ 0,09x & \text{si} & x > 25\,000 \end{cases}$

   où x est le montant investi, en dollars,

   et $I(x)$, les intérêts perçus, en dollars.

16. a) $C(q) = \dfrac{3}{2}q + 750$

   b) $C(150) = 975$, donc 975 \$.

   c) $C(q) = 1233$ \$, d'où $q = 322$ articles.

   d) 750 \$

d)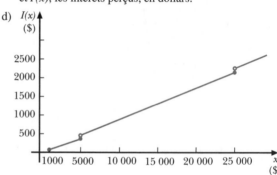

17. a) $t(x) = \begin{cases} 0,08 & \text{si} & 1000 \le x \le 5000 \\ 0,085 & \text{si} & 5000 < x \le 25\,000 \\ 0,09 & \text{si} & x > 25\,000 \end{cases}$

   où x est le montant investi, en dollars,

   et $t(x)$, le taux d'intérêt.

TEST RÉCAPITULATIF *(page 33)*

1. b) $\operatorname{dom} f = \,]{-30}, 40]$; $\operatorname{ima} f = \,]{-15}, 10]$

   d) $\operatorname{dom} f = \mathbb{R}$; $\operatorname{ima} f = \mathbb{R}$.

2. a)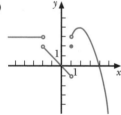

   $\operatorname{dom} f = \mathbb{R} \setminus \{-2\}$;
   $\operatorname{ima} f = \,]{-\infty}, 4]$

c)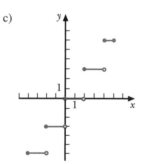

   $\operatorname{dom} f = [-4, 5]$;
   $\operatorname{ima} f = \{-6, -3, 0, 3, 6\}$

   b)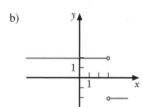

   $\operatorname{dom} f = \mathbb{R} \setminus \{3\}$;
   $\operatorname{ima} f = \{-2, 2\}$

3. a) $\mathbb{R} \setminus \{-3\}$

   b) $[-1, 1]$

   c) $]{-\infty}, -1[\,\cup\,]1, +\infty$

   d) $[-3, 1[$

   e) $\mathbb{R}$

   f) $]{-\infty}, -2] \,\cup\,]0, 2[\,\cup\,]2, 5]$

4. a) Les zéros sont $x = {}^-1$ et $x = 3$.

   b) Les coordonnées du sommet sont $(1, {}^-4)$.

   c) dom $f = \mathbb{R}$; ima $f = [{}^-4, +\infty$

   d) $m = \dfrac{f(4) - f({}^-1)}{4 - ({}^-1)} = 1$

   e) $y = x + 1$

   f) $y = x - \dfrac{21}{4}$

   g)

   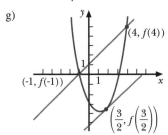

5. a) Coût $= 15\,000 + 0{,}35 \times 5000$
      $= 16\,750$, donc 16 750 $.

   b) Coût $= 15\,000 + 0{,}35 \times 20\,000 + 0{,}25 \times 10\,000$
      $= 24\,500$, donc 24 500 $.

   c) $C(x) = \begin{cases} 15\,000 & \text{si} & x = 30\,000 \\ 15\,000 + 0{,}35(x - 30\,000) & \text{si} & 30\,000 < x \le 50\,000 \\ 22\,000 + 0{,}25(x - 50\,000) & \text{si} & x > 50\,000 \end{cases}$

   où x est le nombre d'exemplaires

   et $C(x)$, le coût en dollars.

   d) $C(x) = 60\,750$

   Puisque le coût est supérieur à 22 000, il est certain que $x > 50\,000$; il faut donc résoudre l'équation :

   $22\,000 + 0{,}25(x - 50\,000) = 60\,750$.

   Alors, $x = 205\,000$ exemplaires.

   e)

   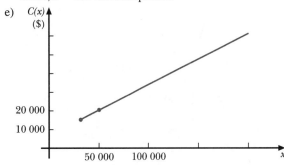

Corrigé du chapitre 2

TEST PRÉLIMINAIRE *(page 36)*

Partie A

1. a) 2　　　b) 2　　　c) -3　　　d) 1

Partie B

1.

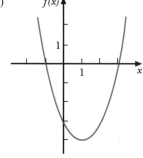

b)

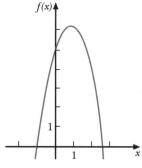

$\text{dom}\, f = \mathbb{R}$;
$\text{ima}\, f = {-\infty, \dfrac{49}{8}}\Big]$

c)

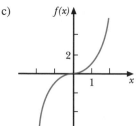

$\text{dom}\, f = \mathbb{R}$;
$\text{ima}\, f = \mathbb{R}$

2. a)

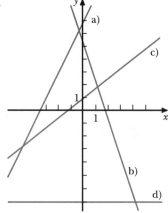

$\text{dom}\, f = \mathbb{R}$;
$\text{ima}\, f = [\text{-}4, {+}\infty$

d)

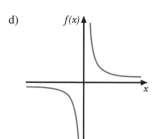

$\text{dom}\, f = \mathbb{R} \setminus \{0\}$;
$\text{ima}\, f = \mathbb{R} \setminus \{0\}$

QUESTIONS

Section 2.1

Question 1 *(page 37)*

a)

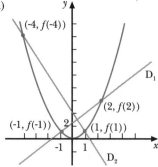

b) $m_{\text{sec}} = \dfrac{f(2) - f(\text{-}1)}{2 - (\text{-}1)} = 1$

c) $m_{\text{sec}} = \dfrac{f(\text{-}4) - f(1)}{\text{-}4 - 1} = \text{-}3$

Question 2 *(page 38)*

$\text{TVM}_{[5, 8]} = \dfrac{A(8) - A(5)}{8 - 5} = 13\pi \ \text{m}^2/\text{m}$

Question 3 *(page 40)*

Géométriquement, le nombre 14,7 correspond à la pente de la **sécante** passant par les points $(1, s(1))$ et $(2, s(2))$, c'est-à-dire **(1, 4,9)** et **(2, 19,6)**.

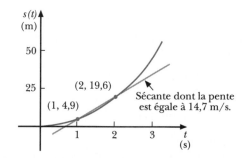

Question 4 *(page 40)*

a) La vitesse moyenne du mobile sur cet intervalle est

$$v_{[1\,s,\,1,4\,s]} = \frac{s(1,4) - s(1)}{1,4\,s - 1\,s} = \frac{9,604\,m - 4,9\,m}{0,4\,s}$$
$$= 11,76\,m/s.$$

b) Sur un graphique, ce nombre correspond à la pente de la sécante passant par les points $(1, s(1))$ et $(1,4, s(1,4))$, c'est-à-dire $(1, 4,9)$ et $(1,4, 9,604)$.

Section 2.2

Question 1 *(page 41)*

a) $v_{[3\,s,\,3,5\,s]} = \dfrac{s(3,5) - s(3)}{3,5\,s - 3\,s} = \dfrac{12,25\,m - 9\,m}{0,5\,s} = 6,5\,m/s$

b) $v_{[3\,s,\,3,1\,s]} = 6,1\,m/s$

c) $v_{[3\,s,\,3,01\,s]} = 6,01\,m/s$

d) $v_{[3\,s,\,3,001\,s]} = 6,001\,m/s$

Question 2 *(page 42)*

a) $v_{[2,9\,s,\,3\,s]} = 5,9\,m/s$ c) $v_{[2,999\,s,\,3\,s]} = 5,999\,m/s$

b) $v_{[2,99\,s,\,3\,s]} = 5,99\,m/s$

Question 3 *(page 42)*

6 m/s

Question 4 *(page 42)*

la tangente à la courbe de la fonction s au point $(3, s(3))$.

Question 5 *(page 43)*

[6, 6,5], [6, 6,1], [6, 6,01], [6, 6,001]

Question 6 *(page 43)*

[0,5, 1], [0,9, 1], [0,99, 1], [0,999, 1]

Question 7 *(page 43)*

[-5, -4], [-5, -4,9], [-5, -4,99], [-5, -4,999]

Question 8 *(page 43)*

[-0,5, 0], [-0,1, 0], [-0,01, 0], [-0,001, 0]

Question 9 *(page 43)*

a) [0,5 s, 1 s], [0,9 s, 1 s], [0,99 s, 1 s], [0,999 s, 1 s]

b) $v_{[0,5\,s,\,1\,s]} = 1,75\,m/s$

   $v_{[0,9\,s,\,1\,s]} = 2,71\,m/s$

   $v_{[0,99\,s,\,1\,s]} = 2,9701\,m/s$

   $v_{[0,999\,s,\,1\,s]} \approx 2,997\,m/s$

c) ... 3 m/s.

EXERCICES

Exercices 2.1 *(page 40)*

1. a) $m_{sec} = \dfrac{f(5) - f(1)}{5 - 1} = \dfrac{-33 - (-5)}{4} = -7$

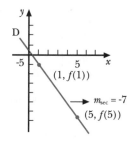

Remarque : Sur le graphique, la sécante se confond avec la droite.

b) $m_{sec} = \dfrac{f(4) - f(0)}{4 - 0} = \dfrac{0 - 4}{4} = -1$

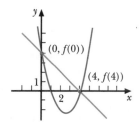

c) $m_{sec} = \dfrac{f(2) - f(-2)}{2 - (-2)} = \dfrac{23 - 11}{4} = 3$

2. a) $TVM_{[1,\,2]} = \dfrac{V(2) - V(1)}{2 - 1} = 7\,m^3/m$

b) $TVM_{[1,\,3]} = \dfrac{V(3) - V(1)}{3 - 1} = 13\,m^3/m$

c) $TVM_{[2,\,3]} = \dfrac{V(3) - V(2)}{3 - 2} = 19\,m^3/m$

d) $TVM_{[a,\,b]} = \dfrac{V(b) - V(a)}{b - a} = \dfrac{b^3 - a^3}{b - a}$

   $= (b^2 + ba + a^2)\,m^3/m$

3. À la vitesse moyenne du mobile sur $[t_1, t_2]$.

4. a) 1 km/min ; 0,3 km/min ; 0 km/min ; -0,5 km/min ;
   -0,3 km/min.

   b) 1 km/min ; 0,3 km/min ; 0 km/min ; -0,5 km/min ;
   -0,3 km/min.

   c) Elles sont identiques.

5. a) i) $v_{[1 s, 3 s]} = \dfrac{s(3) - s(1)}{3\,s - 1\,s} = \dfrac{1\,m - 9\,m}{2\,s} = $ -4 m/s

   ii) $v_{[1 s, 2 s]} = \dfrac{s(2) - s(1)}{2\,s - 1\,s} = $ -3 m/s

   iii) $v_{[1 s, 1,5 s]} = \dfrac{s(1,5) - s(1)}{1,5\,s - 1\,s} = $ -2,5 m/s

   b) i) $v_{[1 s, 3 s]} = $ pente de la sécante passant par les
       points $(1, s(1))$ et $(3, s(3))$

   ii) $v_{[1 s, 2 s]} = $ pente de la sécante passant par les
       points $(1, s(1))$ et $(2, s(2))$

   iii) $v_{[1 s, 1,5 s]} = $ pente de la sécante passant par les
       points $(1, s(1))$ et $(1,5, s(1,5))$

Exercices 2.2   (page 44)

1. a) [4, 4,5], [4, 4,1], [4, 4,01], [4, 4,001]

   b) [6,9, 7], [6,99, 7], [6,999, 7], [6,9999, 7]

   c) [-3, -2,5], [-3, -2,9], [-3, -2,99], [-3, -2,999]

   d) [-5,5, -5], [-5,1, -5], [-5,01, -5], [-5,001, -5]

2. Les droites tangentes sont D_2, D_5, D_6 et D_{10}.

3. a) $v_{[a, b]}$ correspond à la pente de la sécante D_1 passant par
   les points $(a, s(a))$ et $(b, s(b))$, qui est représentée ci-
   dessous.

   b) v inst.$_{t = a}$ correspond à la pente de la tangente D_2 à la
   courbe au point $(a, s(a))$, qui est représentée ci-dessous.

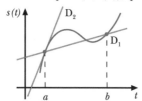

4. a) i) 12 m/s   iv) 5 m/s   vii) 4,01 m/s

   ii) 9 m/s   v) 4,5 m/s   viii) 4,001 m/s

   iii) 6 m/s   vi) 4,1 m/s

   b) 4 m/s

5. a) i) $v_{[3 h, 4 h]} = \dfrac{s(4) - s(3)}{4\,h - 3\,h} = $ 19 km/h

   $v_{[3 h, 3,1 h]} = $ 12,61 km/h

   $v_{[3 h, 3,01 h]} = $ 12,0601 km/h

$v_{[3 h, 3,001 h]} \approx $ 12,006 km/h

Ainsi, *à la limite*, lorsque $t \to 3^+$, la vitesse moyenne
sur l'intervalle [3 h, t h] s'approche de 12 km/h.

ii) $v_{[2 h, 3 h]} = $ 7 km/h

   $v_{[2,9 h, 3 h]} = $ 11,41 km/h

   $v_{[2,99 h, 3 h]} = $ 11,9401 km/h

   $v_{[2,999 h, 3 h]} \approx $ 11,994 km/h

Ainsi, *à la limite*, lorsque $t \to 3^-$, la vitesse moyenne
sur l'intervalle [t h, 3 h] s'approche de 12 km/h.

Donc,

v inst.$_{t = 3 h} = $ 12 km/h,
qui correspond à la
pente de la tangente
à la courbe au point
$(3, s(3))$.

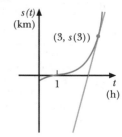

b) i) $v_{[1 h, 2 h]} = \dfrac{s(2) - s(1)}{2\,h - 1\,h} = $ 1 km/h

   $v_{[1 h, 1,1 h]} = $ 0,01 km/h

   $v_{[1 h, 1,01 h]} = $ 0,0001 km/h

   $v_{[1 h, 1,001 h]} = $ 0,000 001 km/h

Ainsi, *à la limite*, lorsque $t \to 1^+$, la vitesse moyenne
sur l'intervalle [1 h, t h] s'approche de 0 km/h.

ii) $v_{[0 h, 1 h]} = $ 1 km/h

   $v_{[0,9 h, 1 h]} = $ 0,01 km/h

   $v_{[0,99 h, 1 h]} = $ 0,0001 km/h

   $v_{[0,999 h, 1 h]} = $ 0,000 001 km/h

Ainsi, *à la limite*, lorsque $t \to 1^-$, la vitesse moyenne
sur l'intervalle [t h, 1 h] s'approche de 0 km/h.

Donc,

v inst.$_{t = 1 h} = $ 0 km/h,
qui correspond à la
pente de la tangente
à la courbe au point
$(1, s(1))$.

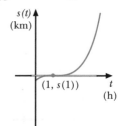

6. a) v inst.$_{t = 6 h} = $ pente de la tangente à la courbe au point
   $(6, s(6))$.

   Donc, v inst.$_{t = 6 h} = $ 0 km/h, car la tangente est parallèle
   à l'axe horizontal.

   b) v inst.$_{t = 3 h} > 0$.

PROBLÈMES DE SYNTHÈSE *(page 45)*

1. a) 100 m/min

   b) 20 m/min

   c) -120 m/min

   d) 0 m/min

2. a) 9,8 m/s   b) 0 m/s   c) -9,8 m/s

3. a) $N(500) \approx 1497$ hab.

   b) $N(x) = 1878$, d'où $x \approx 627$ emplois.

   c) $N(750) - N(650) \approx 300$ hab.

   d) $\text{TVM}_{[650,\,750]} \approx 3$ hab./emp.

4. a) $v_{[4\,\text{min},\,8\,\text{min}]} = 1{,}25$ m/min.

   Cette vitesse correspond à la pente de la sécante passant par les points (8, 10) et (4, 5).

   b) $v_{[8\,\text{min},\,12\,\text{min}]} = \text{-}1{,}25$ m/min.

   Cette vitesse correspond à la pente de la sécante passant par les points (12, 5) et (8, 10).

   c) $v_{[4\,\text{min},\,12\,\text{min}]} = 0$ m/min.

   Cette vitesse correspond à la pente de la sécante passant par les points (12, 5) et (4, 5).

   d) v inst.$_{t\,=\,4\,\text{min}}$ correspond à la pente de la tangente à la courbe au point $(4, s(4))$.

Donc v inst.$_{t\,=\,4\,\text{min}} = 0$ m/min, car la tangente est parallèle à l'axe horizontal.

5. a) 6 m/s

   b) 4 m/s

   c) $-\dfrac{1}{4}$ m/s

   d) $0{,}\overline{6}$ m/s

   e) 5,2 m/s

   f) 3 m/s

6. a) 4 m/s

   b) La vitesse instantanée à $t = 2$ s n'est pas définie puisque, lorsque $t \to 2^{+}$, les vitesses moyennes s'approchent de -8 m/s et, lorsque $t \to 2^{-}$, les vitesses moyennes s'approchent de 8 m/s.

7. a) $-\dfrac{4}{3}$ m/s   b) $\dfrac{5}{2}$ m/s   c) 0 m/s

8. a) 4 m/s   b) -2 m/s   c) 0 m/s

TEST RÉCAPITULATIF *(page 47)*

1. a) $\text{TVM}_{[\text{-}1,\,3]} = \dfrac{f(3) - f(\text{-}1)}{3 - (\text{-}1)} = \text{-}3.$

   Le $\text{TVM}_{[\text{-}1,\,3]}$ correspond à la pente de la sécante passant par les points $(\text{-}1, f(\text{-}1))$ et $(3, f(3))$.

   b) $m_{\text{séc}} = \dfrac{f(5) - f(1)}{5 - 1} = 1.$

   La pente de cette sécante correspond au $\text{TVM}_{[1,\,5]}$.

   c)

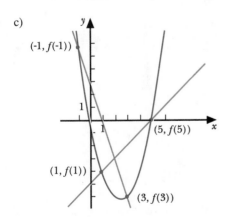

2. a)

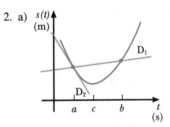

   b) v inst.$_{t\,=\,c} = 0$ m/s, car la tangente à la courbe au point $(c, s(c))$ est horizontale.

3. $v_{[1\,\text{h},\,4\,\text{h}]} = \dfrac{s(4) - s(1)}{4 - 1} = 7$ km/h.

   $v_{[1\,\text{h},\,4\,\text{h}]}$ correspond à la pente de la sécante passant par les points $(1, s(1))$ et $(4, s(4))$.

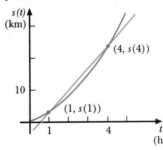

4. a) Considérons d'abord les quatre intervalles à droite suivants: [2 s, 2,1 s], [2 s, 2,01 s], [2 s, 2,001 s], [2 s, 2,0001 s] et calculons la vitesse moyenne sur chacun de ces intervalles:

$v_{[2\,s,\,2,1\,s]} = 8,2$ m/s;

$v_{[2\,s,\,2,01\,s]} = 8,02$ m/s;

$v_{[2\,s,\,2,001\,s]} = 8,002$ m/s;

$v_{[2\,s,\,2,0001\,s]} = 8,0002$ m/s.

Considérons maintenant les quatre intervalles à gauche suivants: [1,9 s, 2 s], [1,99 s, 2 s], [1,999 s, 2 s], [1,9999 s, 2 s], et calculons la vitesse moyenne sur chacun de ces intervalles:

$v_{[1,9\,s,\,2\,s]} = 7,8$ m/s;

$v_{[1,99\,s,\,2\,s]} = 7,98$ m/s;

$v_{[1,999\,s,\,2\,s]} = 7,998$ m/s;

$v_{[1,9999\,s,\,2\,s]} = 7,9998$ m/s.

Puisque, à droite et à gauche, la limite obtenue est la même, nous pouvons conclure que

v inst.$_{t\,=\,2\,s} = 8$ m/s.

b) Graphiquement, la vitesse instantanée au temps $t = 2$ s est égale à la pente de la tangente à la courbe au point $(2, s(2))$, c'est-à-dire au point $(2, 6)$.

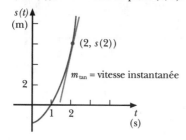

5. a) $m_{sec} = \dfrac{f(3) - f(-1)}{3 - (-1)} = \dfrac{-\sqrt{2}}{2}$

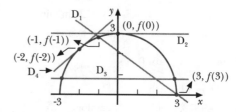

b) $m_{tan} = 0$, car la tangente est parallèle à l'axe des x.

c) Toute sécante parallèle à l'axe des x a une pente nulle.

d) $m_{tan} > 0$

6. a) $Q(0) = 9$, donc 9 g.

b) $Q(5) - Q(3) = \dfrac{48}{187}$, donc environ 0,257 g.

c) $TVM_{[3\,min,\,5\,min]} = \dfrac{24}{187}$, donc environ 0,128 g/min.

d) En posant $Q(a) = 12$, nous trouvons $a = 2$;

en posant $Q(b) = 12,75$, nous trouvons $b = 10$;

ainsi $TVM_{[2\,min,\,10\,min]} = \dfrac{0,75}{8}$, donc environ 0,094 g/min.

TEST PRÉLIMINAIRE *(page 50)*

Partie A

1. a) $\dfrac{ad}{bc}$ d) $\dfrac{25}{3}$ g) $\dfrac{1}{2x}$

   b) $\dfrac{4}{21}$ e) $2x\,(x+2)$ h) $-(x+3)$

   c) $\dfrac{1}{12}$ f) $\dfrac{ad-bc}{bd}$

2. a) $\sqrt{x}-7$ c) $\sqrt{3x-5}+\sqrt{3x+4}$

   b) $\sqrt{x+7}+\sqrt{7}$ d) $\sqrt{x}-\sqrt{a}$

3. a) $(\sqrt{x}-5)(\sqrt{x}+5)=x-25$

   b) $(\sqrt{x}+\sqrt{5})(\sqrt{x}-\sqrt{5})=x-5$

   c) $(\sqrt{x}-\sqrt{3x-5})(\sqrt{x}+\sqrt{3x-5})=5-2x$

   d) $(\sqrt{x}-\sqrt{a})(\sqrt{x}+\sqrt{a})=x-a$

   e) $(\sqrt{a+b}+\sqrt{c-d})(\sqrt{a+b}-\sqrt{c-d})$
   $$=a+b-c+d$$

Partie B

1. a) $\mathbb{R}$ g) $-\infty, 5]$

   b) $\mathbb{R}\setminus\{1\}$ h) $[0, 1[\,\cup\,]1, +\infty$

   c) $\mathbb{R}\setminus\left\{-\dfrac{5}{2}, 3\right\}$ i) $\mathbb{R}\setminus\{-\sqrt{7}, 0, \sqrt{7}\}$

   d) $\mathbb{R}\setminus\{-3, 4\}$ j) $[2, 5[$

   e) $\left[-\dfrac{7}{3}, +\infty\right.$ k) $\mathbb{R}\setminus\{-5, 5\}$

   f) $\left]-\dfrac{7}{3}, +\infty\right.$

2.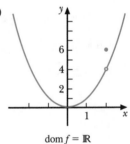

3. a) i) $f(0)=0$ iv) $f(3)$ est non définie.

      ii) $f(1)$ est non définie. v) $f(4)=-1$

      iii) $f(2)=4$

b)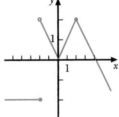

4.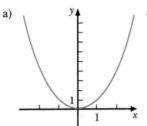

5. a)

dom $f = \mathbb{R}$ dom $f = \mathbb{R}$

b)

dom $f = \mathbb{R}\setminus\{2\}$

6.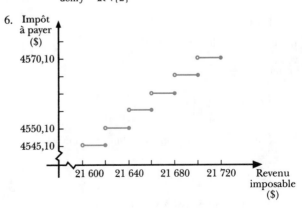

QUESTIONS

Section 3.1

Question 1 *(page 53)*

$G = 2$

Question 2 *(page 53)*

$\lim\limits_{x \to 0^-} f(x) = 2$

Question 3 *(page 53)*

$D = 2$

Question 4 *(page 53)*

$\lim\limits_{x \to 0^+} f(x) = 2$

Section 3.2

Question 1 *(page 56)*

a) 3   c) π e) 7^3

b) 47   d) b f) $\sqrt{17}$

Question 2 *(page 57)*

a) $\lim\limits_{x \to 3} 7x = 7 \lim\limits_{x \to 3} x = 7 \times 3 = 21$

b) $\lim\limits_{x \to 0} \sqrt{8}x = \sqrt{8} \lim\limits_{x \to 0} x = \sqrt{8} \times 0 = 0$

c) $\lim\limits_{y \to \pi} \pi y = \pi \lim\limits_{y \to \pi} y = \pi \times \pi = \pi^2$

d) $\lim\limits_{x \to \sqrt{3}} \dfrac{3}{7}x = \dfrac{3}{7} \lim\limits_{x \to \sqrt{3}} x = \dfrac{3}{7} \times \sqrt{3} = \dfrac{3\sqrt{3}}{7}$

Question 3 *(page 57)*

a) $\lim\limits_{x \to 2} (7 - 4x) = \lim\limits_{x \to 2} 7 - \lim\limits_{x \to 2} 4x$

$= 7 - 4 \lim\limits_{x \to 2} x = 7 - 4 \times 2 = -1$

b) $\lim\limits_{x \to 3} \dfrac{9}{7} (3x - 1) = \dfrac{9}{7} \left(\lim\limits_{x \to 3} 3x - \lim\limits_{x \to 3} 1 \right)$

$= \dfrac{9}{7} \left(3 \lim\limits_{x \to 3} x - 1 \right) = \dfrac{9}{7} (3 \times 3 - 1) = \dfrac{72}{7}$

Question 4 *(page 58)*

a) $\lim\limits_{x \to -1} 5x^{99} = 5 \lim\limits_{x \to -1} x^{99} = 5(-1)^{99} = -5$

b) $\lim\limits_{x \to 1} \left[(3x^4 - 5)(7x^6 - 3x - 4) \right]$

$= \left(\lim\limits_{x \to 1} (3x^4 - 5) \right) \left(\lim\limits_{x \to 1} (7x^6 - 3x - 4) \right)$

$= \left(\lim\limits_{x \to 1} 3x^4 - \lim\limits_{x \to 1} 5 \right) \left(\lim\limits_{x \to 1} 7x^6 - \lim\limits_{x \to 1} 3x - \lim\limits_{x \to 1} 4 \right)$

$= \left(3 \lim\limits_{x \to 1} x^4 - 5 \right) \left(7 \lim\limits_{x \to 1} x^6 - 3 \lim\limits_{x \to 1} x - 4 \right)$

$= (3 \times 1 - 5)(7 \times 1 - 3 \times 1 - 4) = 0$

Question 5 *(page 59)*

$\lim\limits_{x \to 2} \dfrac{x^3}{5x^2 + 4} = \dfrac{\lim\limits_{x \to 2} x^3}{\lim\limits_{x \to 2} (5x^2 + 4)}$ (car $\lim\limits_{x \to 2} (5x^2 + 4) \neq 0$)

$= \dfrac{2^3}{\lim\limits_{x \to 2} 5x^2 + \lim\limits_{x \to 2} 4}$

$= \dfrac{8}{5 \lim\limits_{x \to 2} x^2 + 4}$

$= \dfrac{8}{5 \times 4 + 4}$

$= \dfrac{8}{24}$

$= \dfrac{1}{3}$

Section 3.3

Question 1 *(page 61)*

b), c) et f)

Question 2 *(page 63)*

a) $\lim\limits_{x \to -4} \dfrac{3x + 12}{x + 4}$ (indétermination de la forme $\dfrac{0}{0}$)

Levons cette indétermination.

$\lim\limits_{x \to -4} \dfrac{3x + 12}{x + 4} = \lim\limits_{x \to -4} \dfrac{3(x + 4)}{(x + 4)}$ (en factorisant)

$= \lim\limits_{x \to -4} 3$ (en simplifiant, car $(x + 4 \neq 0)$)

$= 3$ (en évaluant la limite).

b) $\lim\limits_{x \to 2} \dfrac{x^2 - 5x + 6}{2x^2 + x - 10}$ (indétermination de la forme $\dfrac{0}{0}$)

Levons cette indétermination.

$\lim\limits_{x \to 2} \dfrac{x^2 - 5x + 6}{2x^2 + x - 10}$

$= \lim\limits_{x \to 2} \dfrac{(x - 2)(x - 3)}{(x - 2)(2x + 5)}$ (en factorisant)

$= \lim\limits_{x \to 2} \dfrac{(x - 3)}{(2x + 5)}$ (en simplifiant, car $(x - 2) \neq 0$)

$= \dfrac{-1}{9}$ (en évaluant la limite).

Section 3.4

Question 1 *(page 66)*

a) $\lim\limits_{x \to 0^+} f(x) = \lim\limits_{x \to 0^+} (x^4 + 1) = 1$

$\lim\limits_{x \to 0^-} f(x) = \lim\limits_{x \to 0^-} (x^3 - 2) = -2$

b) $\lim\limits_{x \to 2^+} f(x) = \lim\limits_{x \to 2^+} (x^2 + 1) = 5$

$\lim\limits_{x \to 2^-} f(x) = \lim\limits_{x \to 2^-} (2x - 3) = 1$

c) $\lim_{x \to -1^+} f(x) = \lim_{x \to -1^+} 7x = -7$

$\lim_{x \to -1^-} f(x) = \lim_{x \to -1^-} (4 - x) = 5$

d) $\lim_{x \to -3^+} f(x) = \lim_{x \to -3^+} (x^2 - 5) = 4$

$\lim_{x \to -3^-} f(x) = \lim_{x \to -3^-} (x^2 - 5) = 4$

Question 2 *(page 67)*

a) $\left.\begin{array}{l} \lim_{x \to 0^+} f(x) = \lim_{x \to 0^+} (x^2 + 1) = 1 \\ \lim_{x \to 0^-} f(x) = \lim_{x \to 0^-} (x^3 + 3) = 3 \end{array}\right\}$ donc, $\lim_{x \to 0} f(x)$ n'existe pas.

b) $\left.\begin{array}{l} \lim_{x \to -2^+} f(x) = \lim_{x \to -2^+} (11 + 3x) = 5 \\ \lim_{x \to -2^-} f(x) = \lim_{x \to -2^-} 5 = 5 \end{array}\right\}$ donc, $\lim_{x \to -2} f(x) = 5$.

Section 3.5

Question 1 *(page 69)*

a) f est discontinue en $x = 2$. c) f est discontinue en $x = -2$.

b) f est discontinue en $x = 3$. d) f est discontinue en $x = 4$.

Question 2 *(page 70)*

a) i) $f(0)$ est non définie, alors f est discontinue en 0.

ii) $f(2) = \frac{1}{2}$. La première condition de continuité est satisfaite en $x = 2$, alors f peut être continue en 2.

b) i) $f(-1) = 4$. La première condition de continuité est satisfaite en $x = -1$, alors f peut être continue en -1.

ii) $f(1)$ est non définie, alors f est discontinue en 1.

c) i) $f(0) = 1$. La première condition de continuité est satisfaite en $x = 0$, alors f peut être continue en 0.

ii) $f(2)$ est non définie, alors f est discontinue en 2.

iii) $f(-2)$ est non définie, alors f est discontinue en -2.

Question 3 *(page 71)*

a) i) $\left.\begin{array}{l} \lim_{x \to 2^-} f(x) = \lim_{x \to 2^-} (x^2 + 1) = 5 \\ \lim_{x \to 2^+} f(x) = \lim_{x \to 2^+} 14 = 14 \end{array}\right\}$ donc, $\lim_{x \to 2} f(x)$ n'existe pas.

Alors, f est discontinue en 2 car la deuxième condition n'est pas satisfaite.

ii) $\lim_{x \to 4} f(x) = \lim_{x \to 4} 14 = 14$, car $f(x) = 14$ si $x > 2$.

La deuxième condition de continuité est satisfaite en $x = 4$, alors f peut être continue en 4.

b) i) $\left.\begin{array}{l} \lim_{x \to 1^-} f(x) = \lim_{x \to 1^-} (x - 1) = 0 \\ \lim_{x \to 1^+} f(x) = \lim_{x \to 1^+} (x^2 - 1) = 0 \end{array}\right\}$ donc, $\lim_{x \to 1} f(x) = 0$.

La deuxième condition de continuité est satisfaite en $x = 1$, alors f peut être continue en 1.

ii) $\left.\begin{array}{l} \lim_{x \to 2^-} f(x) = \lim_{x \to 2^-} (x^2 - 1) = 3 \\ \lim_{x \to 2^+} f(x) = \lim_{x \to 2^+} 3 = 3 \end{array}\right\}$ donc, $\lim_{x \to 2} f(x) = 3$.

La deuxième condition de continuité est satisfaite en $x = 2$, alors f peut être continue en 2.

iii) $\left.\begin{array}{l} \lim_{x \to 4^-} f(x) = \lim_{x \to 4^-} 3 = 3 \\ \lim_{x \to 4^+} f(x) = \lim_{x \to 4^+} (2x - 15) = -7 \end{array}\right\}$ donc, $\lim_{x \to 4} f(x)$ n'existe pas.

Alors, f est discontinue en 4.

Question 4 *(page 73)*

a) 1) $f(1) = 4$, car $f(x) = 3x + 1$ si $x \le 1$.

2) $\left.\begin{array}{l} \lim_{x \to 1^-} f(x) = \lim_{x \to 1^-} (3x + 1) = 4 \\ \lim_{x \to 1^+} f(x) = \lim_{x \to 1^+} (5x - 1) = 4 \end{array}\right\}$ donc, $\lim_{x \to 1} f(x) = 4$.

3) $\lim_{x \to 1} f(x) = f(1) = 4$.

Alors, f est continue en $x = 1$.

b) 1) $f(3) = 6$.

2) $\left.\begin{array}{l} \lim_{x \to 3^-} f(x) = \lim_{x \to 3^-} \frac{x^2 + 1}{2} = 5 \\ \lim_{x \to 3^+} f(x) = \lim_{x \to 3^+} (x^2 - 4) = 5 \end{array}\right\}$ donc, $\lim_{x \to 3} f(x) = 5$.

3) $\lim_{x \to 3} f(x) \ne f(3)$.

Alors, f est discontinue en $x = 3$.

Question 5 *(page 74)*

f est continue sur $[a, b[$ si

1) f est continue sur $]a, b[$;

2) $\lim_{x \to a^+} f(x) = f(a)$.

EXERCICES

Exercices 3.1   *(page 54)*

1. a) $\lim_{x \to -2^+} f(x) = 10$

b) $\lim_{x \to 5^-} f(x) = -3$

c) $\lim_{x \to 5} f(x) = -9$ ou $\lim_{x \to 5} (1 - 2x) = -9$

2. a) Plus les valeurs données à x sont voisines de 3 par la droite, plus les valeurs calculées pour $f(x)$ sont aussi près que nous le voulons de 0.

b) Plus les valeurs données à x sont voisines de -5, plus les valeurs calculées pour $g(x)$ sont aussi près que nous le voulons de 8.

c) Plus les valeurs données à x sont voisines de $\frac{1}{2}$ par la gauche, plus les valeurs calculées pour $h(x)$ sont aussi près que nous le voulons de $-\frac{4}{9}$.

3. a) $\lim_{x \to 2^-} f(x) = 4$ b) $\lim_{x \to 14^+} f(x) = 0$

4. a) 6; $\lim\limits_{x \to 3^-} f(x) = 6$ c) $\lim\limits_{x \to 3} f(x) = 6$

    b) $\lim\limits_{x \to 3^+} f(x) = 6$

5. a)

x	1,5	1,9	1,99	1,999	$\ldots \to 2^-$
$f(x)$	4,75	8,03	8,9003	8,990 003	$\ldots \to 9$

x	2,5	2,1	2,01	2,001	$\ldots \to 2^+$
$f(x)$	14,75	10,03	9,1003	9,010 003	$\ldots \to 9$

   b) $\lim\limits_{x \to 2^-} (3x^2 - 2x + 1) = 9$

   c) $\lim\limits_{x \to 2^+} (3x^2 - 2x + 1) = 9$

   d) $\lim\limits_{x \to 2} (3x^2 - 2x + 1) = 9$

6. a)

x	-1,5	-1,1	-1,01	-1,001	$\ldots \to -1^-$
$f(x)$	-5,75	-2,71	-2,0701	-2,007 001	$\ldots \to -2$

x	-0,5	-0,9	-0,99	-0,999	$\ldots \to -1^+$
$f(x)$	1,25	-1,31	-1,9301	-1,993 001	$\ldots \to -2$

   b) $\lim\limits_{x \to -1^-} f(x) = -2$; $\lim\limits_{x \to -1^+} f(x) = -2$; $\lim\limits_{x \to -1} f(x) = -2$

7. a) $\text{dom } f = \mathbb{R} \setminus \{-2\}$

   b)

x	-2,1	-2,01	-2,001	-2,0001	$\ldots \to -2^-$
$f(x)$	-4,1	-4,01	-4,001	-4,0001	$\ldots \to -4$

    Ainsi, $\lim\limits_{x \to -2^-} f(x) = -4$.

   c)

x	-1,9	-1,99	-1,999	-1,9999	$\ldots \to -2^+$
$f(x)$	-3,9	-3,99	-3,999	-3,9999	$\ldots \to -4$

    Ainsi, $\lim\limits_{x \to -2^+} f(x) = -4$.

   d) $\lim\limits_{x \to -2} f(x) = -4$

   e)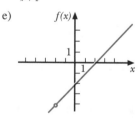

8.

x	3,5	3,9	3,99	3,999	$\ldots \to 4^-$
$f(x)$	0,2857...	0,2564...	0,2506...	0,2500...	$\ldots \to 0,25$

x	4,5	4,1	4,01	4,001	$\ldots \to 4^+$
$f(x)$	0,2222...	0,2439...	0,2493...	0,2499...	$\ldots \to 0,25$

   a) $\lim\limits_{x \to 4^-} f(x) = 0,25$

   b) $\lim\limits_{x \to 4^+} f(x) = 0,25$

   c) $\lim\limits_{x \to 4} f(x) = 0,25$

9. a) 2 d) 5

   b) 2 e) 5

   c) 2 f) 5

Exercices 3.2   *(page 60)*

1. Voir les propositions correspondantes (3.2)

2. a) $\lim\limits_{x \to 2} \left(3x - \dfrac{x^7}{8}\right) = \lim\limits_{x \to 2} 3x - \lim\limits_{x \to 2} \dfrac{x^7}{8}$ (proposition 4)

$$= 3 \lim\limits_{x \to 2} x - \frac{1}{8} \lim\limits_{x \to 2} x^7 \quad \text{(proposition 3)}$$

$$= 3 \times 2 - \frac{1}{8} (2)^7 \quad \text{(propositions 2 et 6)}$$

$$= -10$$

   b) $\lim\limits_{x \to -1} (4 + x^3)^{-3} = \lim\limits_{x \to -1} \dfrac{1}{(4 + x^3)^3}$

$$= \frac{\lim\limits_{x \to -1} 1}{\lim\limits_{x \to -1} (4 + x^3)^3} \quad \text{(proposition 7)}$$

$$= \frac{1}{\left[\lim\limits_{x \to -1} (4 + x^3)\right]^3} \quad \text{(propositions 1 et 8)}$$

$$= \frac{1}{\left[\lim\limits_{x \to -1} 4 + \lim\limits_{x \to -1} x^3\right]^3} \quad \text{(proposition 4)}$$

$$= \frac{1}{\left[4 + (-1)^3\right]^3} \quad \text{(propositions 1 et 6)}$$

$$= \frac{1}{27}$$

   c) $\lim\limits_{x \to 1} [x \sqrt{x^2 + x + 1}]$

$$= \left(\lim\limits_{x \to 1} x\right)\left(\lim\limits_{x \to 1} \sqrt{x^2 + x + 1}\right) \quad \text{(proposition 5)}$$

$$= 1 \cdot \sqrt{\lim\limits_{x \to 1} (x^2 + x + 1)} \quad \text{(propositions 2 et 8)}$$

$$= \sqrt{\lim\limits_{x \to 1} x^2 + \lim\limits_{x \to 1} x + \lim\limits_{x \to 1} 1} \quad \text{(proposition 4')}$$

$$= \sqrt{1^2 + 1 + 1} \quad \text{(propositions 1, 2 et 6)}$$

$$= \sqrt{3}$$

3. a) $\lim\limits_{x \to a} [f(x) + g(x)]$

$$= \lim\limits_{x \to a} f(x) + \lim\limits_{x \to a} g(x) \quad \text{(proposition 4)}$$

$$= 9 - 8 = 1$$

   b) $\lim\limits_{x \to a} [2\, g(x)\, f(x) - 5\, h(x)]$

$$= \lim\limits_{x \to a} \left[2\, g(x)\, f(x)\right] - \lim\limits_{x \to a} [5\, h(x)] \quad \text{(proposition 4)}$$

$$= 2 \lim\limits_{x \to a} \left[g(x)\, f(x)\right] - 5 \lim\limits_{x \to a} h(x) \quad \text{(proposition 3)}$$

$$= 2\left(\lim_{x \to a} g(x)\right)\left(\lim_{x \to a} f(x)\right) - 5 \times 0 \quad \text{(proposition 5)}$$

$$= 2 \times (-8) \times 9$$

$$= -144$$

c) $$\lim_{x \to a} \frac{\sqrt[3]{g(x)}}{\sqrt{f(x)}} = \frac{\lim\limits_{x \to a} \sqrt[3]{g(x)}}{\lim\limits_{x \to a} \sqrt{f(x)}} \quad \text{(proposition 7)}$$

$$= \frac{\sqrt[3]{\lim\limits_{x \to a} g(x)}}{\sqrt{\lim\limits_{x \to a} f(x)}} \quad \text{(proposition 8)}$$

$$= \frac{\sqrt[3]{-8}}{\sqrt{9}}$$

$$= -\frac{2}{3}$$

d) $$\lim_{x \to a} \big[x\,[f(x) - f(a)]\big]$$

$$= \left(\lim_{x \to a} x\right)\left(\lim_{x \to a} [f(x) - f(a)]\right) \quad \text{(proposition 5)}$$

$$= a\left(\lim_{x \to a} f(x) - \lim_{x \to a} 3\right) \quad \text{(propositions 2 et 4)}$$

$$= a\,(9 - 3) = 6a$$

Exercices 3.3 *(page 64)*

1. c), d) et e)

2. a)

x	0,5	0,9	0,99	0,999	$\ldots \to 1^-$
$f(x)$	1,937...	4,095...	4,900...	4,990...	$\ldots \to 5$

x	1,5	1,1	1,01	1,001	$\ldots \to 1^+$
$f(x)$	13,18...	6,105...	5,101...	5,010...	$\ldots \to 5$

D'où $\lim\limits_{x \to 1} \dfrac{x^5 - 1}{x - 1} = 5$.

b)

x	-0,5	-0,1	-0,01	-0,001	$\ldots \to 0^-$
$f(x)$	0,958...	0,998...	0,9999...	0,999 999...	$\ldots \to 1$

x	0,5	0,1	0,01	0,001	$\ldots \to 0^+$
$f(x)$	0,958...	0,998...	0,9999...	0,999 999...	$\ldots \to 1$

D'où $\lim\limits_{x \to 0} \dfrac{\sin x}{x} = 1$.

3. a) $\lim\limits_{x \to 0} \dfrac{x^2 + 3x}{5x}$ (indétermination de la forme $\frac{0}{0}$)

$$\lim_{x \to 0} \frac{x^2 + 3x}{5x} = \lim_{x \to 0} \frac{x\,(x + 3)}{5x} \quad \text{(en factorisant)}$$

$$= \lim_{x \to 0} \frac{x + 3}{5} \quad \text{(en simplifiant, car } x \neq 0)$$

$$= \frac{3}{5}$$

b) $\lim\limits_{x \to -5} \dfrac{x + 5}{x^2 - 25}$ (indétermination de la forme $\frac{0}{0}$)

$$\lim_{x \to -5} \frac{x + 5}{x^2 - 25} = \lim_{x \to -5} \frac{(x + 5)}{(x + 5)(x - 5)} \quad \text{(en factorisant)}$$

$$= \lim_{x \to -5} \frac{1}{(x - 5)} \quad \text{(en simplifiant, car } (x + 5) \neq 0)$$

$$= -\frac{1}{10}$$

c) $\lim\limits_{x \to 9} \dfrac{3 - \sqrt{x}}{x - 9}$ (indétermination de la forme $\frac{0}{0}$)

$$\lim_{x \to 9} \frac{3 - \sqrt{x}}{x - 9}$$

$$= \lim_{x \to 9} \left[\frac{3 - \sqrt{x}}{x - 9} \times \frac{3 + \sqrt{x}}{3 + \sqrt{x}}\right] \quad \text{(conjugué)}$$

$$= \lim_{x \to 9} \frac{9 - x}{(x - 9)(3 + \sqrt{x})} \quad \text{(en effectuant)}$$

$$= \lim_{x \to 9} \frac{-1}{3 + \sqrt{x}} \quad \text{(en simplifiant, car } (x - 9) \neq 0)$$

$$= -\frac{1}{6}$$

d) $\lim\limits_{x \to -1} \dfrac{x^2 - 3x - 4}{x^3 - 1} = 0$

e) $\lim\limits_{x \to 1} \dfrac{x^5 - x}{x - 1}$ (indétermination de la forme $\frac{0}{0}$)

$$\lim_{x \to 1} \frac{x^5 - x}{x - 1} = \lim_{x \to 1} \frac{x(x - 1)(x + 1)(x^2 + 1)}{x - 1} \quad \text{(en factorisant)}$$

$$= \lim_{x \to 1} x(x + 1)(x^2 + 1) \quad \text{(en simplifiant, car } (x - 1) \neq 0)$$

$$= 4$$

f) $\lim\limits_{x \to 0} \dfrac{3x}{4 - (2 - x)^2}$ (indétermination de la forme $\frac{0}{0}$)

$$\lim_{x \to 0} \frac{3x}{4 - (2 - x)^2} = \lim_{x \to 0} \frac{3x}{4 - (4 - 4x + x^2)}$$

$$= \lim_{x \to 0} \frac{3x}{4x - x^2}$$

$$= \lim_{x \to 0} \frac{3x}{x(4 - x)} \quad \text{(en factorisant)}$$

$$= \lim_{x \to 0} \frac{3}{4 - x} \quad \text{(en simplifiant, car } x \neq 0)$$

$$= \frac{3}{4}$$

g) $\lim\limits_{x \to 1} \dfrac{x^2 - 1}{\dfrac{1}{x} - 1}$ (indétermination de la forme $\frac{0}{0}$)

$$\lim_{x \to 1} \frac{x^2 - 1}{\frac{1}{x} - 1} = \lim_{x \to 1} \frac{x^2 - 1}{\frac{1 - x}{x}} \quad \text{(en effectuant)}$$

$$= \lim_{x \to 1} \frac{x(x^2 - 1)}{1 - x}$$

$$= \lim_{x \to 1} \frac{x(x - 1)(x + 1)}{1 - x} \quad \text{(en factorisant)}$$

$$= \lim_{x \to 1} -x(x + 1) \quad \text{(en simplifiant,}$$
$$\text{car } (x - 1) \neq 0)$$
$$= -2$$

h) $\lim_{x \to 2} \dfrac{x^3 - 8}{x^2 - 4}$ (indétermination de la forme $\frac{0}{0}$)

$$\lim_{x \to 2} \dfrac{x^3 - 8}{x^2 - 4}$$

$$= \lim_{x \to 2} \dfrac{(x - 2)(x^2 + 2x + 4)}{(x - 2)(x + 2)} \quad \text{(en factorisant)}$$

$$= \lim_{x \to 2} \dfrac{(x^2 + 2x + 4)}{(x + 2)} \quad \text{(en simplifiant,}$$
$$\text{car } (x - 2) \neq 0)$$

$$= 3 \quad \text{(en évaluant la limite)}$$

i) $\lim_{h \to 0} \dfrac{\dfrac{1}{\sqrt{x + h}} - \dfrac{1}{\sqrt{x}}}{h}$ (indétermination de la forme $\frac{0}{0}$)

$$\lim_{h \to 0} \dfrac{\dfrac{1}{\sqrt{x + h}} - \dfrac{1}{\sqrt{x}}}{h}$$

$$= \lim_{h \to 0} \dfrac{\dfrac{\sqrt{x} - \sqrt{x + h}}{\sqrt{x + h}\,\sqrt{x}}}{h} \quad \text{(en effectuant)}$$

$$= \lim_{h \to 0} \dfrac{\sqrt{x} - \sqrt{x + h}}{h\sqrt{x + h}\,\sqrt{x}}$$

$$= \lim_{h \to 0} \left[\dfrac{\sqrt{x} - \sqrt{x + h}}{h\sqrt{x + h}\,\sqrt{x}} \times \dfrac{\sqrt{x} + \sqrt{x + h}}{\sqrt{x} + \sqrt{x + h}} \right]$$
$$\text{(conjugué)}$$

$$= \lim_{h \to 0} \dfrac{x - (x + h)}{h\sqrt{x + h}\,\sqrt{x}\,(\sqrt{x} + \sqrt{x + h})}$$
$$\text{(en effectuant)}$$

$$= \lim_{h \to 0} \dfrac{-h}{h\sqrt{x + h}\,\sqrt{x}\,(\sqrt{x} + \sqrt{x + h})}$$

$$= \lim_{h \to 0} \dfrac{-1}{\sqrt{x + h}\,\sqrt{x}\,(\sqrt{x} + \sqrt{x + h})}$$
$$\text{(en simplifiant, car } h \neq 0)$$

$$= \dfrac{-1}{2x\sqrt{x}}$$

Exercices 3.4 *(page 67)*

1. $\lim_{x \to a^-} f(x) = b$ et $\lim_{x \to a^+} f(x) = b.$

2. a) $\left. \begin{array}{l} \lim_{x \to -5^+} f(x) = \lim_{x \to -5^+} x = -5 \\ \lim_{x \to -5^-} f(x) = \lim_{x \to -5^-} x^2 = 25 \end{array} \right\}$ donc, $\lim_{x \to -5} f(x)$ n'existe pas.

b) $\left. \begin{array}{l} \lim_{x \to 1^+} f(x) = \lim_{x \to 1^+} (5x^2 - 2) = 3 \\ \lim_{x \to 1^-} f(x) = \lim_{x \to 1^-} 3x = 3 \end{array} \right\}$ donc, $\lim_{x \to 1} f(x) = 3.$

c) $\left. \begin{array}{l} \lim_{x \to 0^+} f(x) = \lim_{x \to 0^+} (x^2 + 4) = 4 \\ \lim_{x \to 0^-} f(x) = \lim_{x \to 0^-} (1 - x) = 1 \end{array} \right\}$ donc, $\lim_{x \to 0} f(x)$ n'existe pas.

$\left. \begin{array}{l} \lim_{x \to 3^+} f(x) = \lim_{x \to 3^+} (5x - 2) = 13 \\ \lim_{x \to 3^-} f(x) = \lim_{x \to 3^-} (x^2 + 4) = 13 \end{array} \right\}$ donc, $\lim_{x \to 3} f(x) = 13.$

d) $\left. \begin{array}{l} \lim_{x \to 2^-} f(x) = \lim_{x \to 2^-} \dfrac{x^2 - 4}{x - 2} \\[2mm] = \lim_{x \to 2^-} \dfrac{(x - 2)(x + 2)}{x - 2} \\[2mm] = \lim_{x \to 2^-} (x + 2) \\[2mm] = 4 \\[2mm] \lim_{x \to 2^+} f(x) = \lim_{x \to 2^+} 2x = 4 \end{array} \right\}$ donc, $\lim_{x \to 2} f(x) = 4.$

3. a) $\left. \begin{array}{l} \lim_{x \to -4^-} f(x) = -2 \\ \lim_{x \to -4^+} f(x) = -2 \end{array} \right\}$ donc, $\lim_{x \to -4} f(x) = -2.$

b) $\left. \begin{array}{l} \lim_{x \to 2^-} f(x) = 2 \\ \lim_{x \to 2^+} f(x) = -3 \end{array} \right\}$ donc, $\lim_{x \to 2} f(x)$ n'existe pas.

c) $\left. \begin{array}{l} \lim_{x \to 4^-} f(x) = 0 \\ \lim_{x \to 4^+} f(x) = 0 \end{array} \right\}$ donc, $\lim_{x \to 4} f(x) = 0.$

4. a) $f(-5)$ est non définie.

   b) $f(2) = 1$

   c) $f(-2) = 2$

   d) $f(4)$ est non définie.

   e) $\lim_{x \to -2^-} f(x) = -2$

   f) $\lim_{x \to 2^+} f(x) = -2$

   g) $\lim_{x \to 2^-} f(x) = 3$

   h) $\lim_{x \to 2} f(x)$ n'existe pas.

   i) $\lim_{x \to -5} f(x) = 2$

   j) $\lim_{x \to -4} f(x) = 0$

5. a) $x \to 5^+$

   b) $x \to \left(\dfrac{2}{3}\right)^-$

   c) $x \to 8^-$ et $x \to 8^+$

   d) $x \to 1^+$

   e) $x \to 2^-$ et $x \to 2^+$

   f) $x \to 3^-$ et $x \to 3^+$

Exercices 3.5 *(page 74)*

1. Voir la définition dans la section 3.5.

2. Voir les trois conditions dans la section 3.5.

3. Voir la définition dans la section 3.5.

4. a) 1) $f(0) = -4.$

   2) $\lim_{x \to 0} f(x) = \lim_{x \to 0} (3x^2 - 4) = -4.$

   3) $\lim_{x \to 0} f(x) = f(0).$

   Alors, f est continue en $x = 0.$

   b) 1) $f(1) = 4.$

   2) $\left. \begin{array}{l} \lim_{x \to 1^-} f(x) = \lim_{x \to 1^-} 4 = 4 \\ \lim_{x \to 1^+} f(x) = \lim_{x \to 1^+} (5x - 1) = 4 \end{array} \right\}$ donc, $\lim_{x \to 1} f(x) = 4.$

   3) $\lim_{x \to 1} f(x) = f(1).$

   Alors, f est continue en $x = 1.$

   c) 1) $f(-1) = 3.$

   2) $\left. \begin{array}{l} \lim_{x \to -1^-} f(x) = \lim_{x \to -1^-} (x + 6) = 5 \\ \lim_{x \to -1^+} f(x) = \lim_{x \to -1^+} 5x^2 = 5 \end{array} \right\}$ donc, $\lim_{x \to -1} f(x) = 5.$

3) $\lim\limits_{x \to -1} f(x) \neq f(-1)$.

Alors, f est discontinue en $x = -1$.

d) 1) $f(1) = 2$.

2) $\left.\begin{array}{l} \lim\limits_{x \to 1^-} f(x) = \lim\limits_{x \to 1^-} \dfrac{7x^2 + 1}{4x} = 2 \\[2mm] \lim\limits_{x \to 1^+} f(x) = \lim\limits_{x \to 1^+} (3x^2 - 1) = 2 \end{array}\right\}$ donc, $\lim\limits_{x \to 1} f(x) = 2$.

3) $\lim\limits_{x \to 1} f(x) = f(1)$.

Alors, f est continue en $x = 1$.

5. a) f est discontinue en $x = -5$; conditions 1 et 3.

b) f est discontinue en $x = -2$; condition 3.

c) f est discontinue en $x = 3$; conditions 2 et 3.

d) f est continue en $x = 5$.

e) f est discontinue en $x = 6$; conditions 1, 2 et 3.

6. Voici un exemple possible.

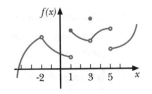

7. a) F   d) F   g) V
   b) V   e) V   h) V
   c) V   f) F   i) F

8. a) Aucune valeur. f est continue pour tout $x \in \mathbb{R}$.

b) Il faudrait vérifier les conditions de continuité en $x = -2$.

c) Il faudrait vérifier les conditions de continuité en $x = -1$ et $x = 2$.

d) Il faudrait vérifier les conditions de continuité en $x = 3$, $x = -3$ et $x = -\dfrac{2}{5}$.

9. a) V ; F ; V ; F   b) F ; V ; F ; V   c) F ; F ; V ; V

PROBLÈMES DE SYNTHÈSE *(page 76)*

1. a) $\lim\limits_{x \to a^-} f(x) = b$ c) $\lim\limits_{x \to a} f(x) = b$

   b) $\lim\limits_{x \to a^+} f(x) = b$

2. Plus les valeurs données à x sont voisines de 1, plus les valeurs calculées pour $f(x)$ sont aussi près que nous le voulons de -3.

3. a) 4   b) $0,\overline{16}$

4. a) 32   c) 12   e) $\dfrac{4}{2 + \sqrt{2}}$

   b) -8   d) $\dfrac{1}{2}$ f) $\left(27 + \dfrac{1}{54}\right)^{-2}$

5. a) 63   b) 0   c) $\dfrac{1}{2}$ d) 32

6. a) V   c) V   e) F
   b) F   d) F   f) F

7. a) $\dfrac{3}{4}$ e) $2\sqrt{5}$ i) -17   m) $2a^2$

   b) -10   f) $\sqrt{2}$ j) $\dfrac{1}{2}$ n) $\dfrac{-1}{x^2}$

   c) -3   g) $\dfrac{-1}{16}$ k) 0   o) $\dfrac{-1}{128}$

   d) 0   h) 6   l) $3x^2$

8. a) 0   c) 0   e) 12
   b) $3a$ d) 4   f) $\dfrac{1}{3}$

9. a) i) $\left.\begin{array}{l} \lim\limits_{x \to -3^-} f(x) = -4 \\[2mm] \lim\limits_{x \to -3^+} f(x) = -3 \end{array}\right\}$ donc, $\lim\limits_{x \to -3} f(x)$ n'existe pas.

   ii) $\left.\begin{array}{l} \lim\limits_{x \to 0,5^-} f(x) = 0 \\[2mm] \lim\limits_{x \to 0,5^+} f(x) = 0 \end{array}\right\}$ donc, $\lim\limits_{x \to 0,5} f(x) = 0$.

   b) $\left.\begin{array}{l} \lim\limits_{x \to 7^-} f(x) = 0 \\[2mm] \lim\limits_{x \to 7^+} f(x) \text{ n'existe pas} \end{array}\right\}$ donc, $\lim\limits_{x \to 7} f(x)$ n'existe pas.

   c) $\left.\begin{array}{l} \lim\limits_{x \to 4^-} f(x) = -\dfrac{1}{16} \\[3mm] \lim\limits_{x \to 4^+} f(x) = -\dfrac{1}{16} \end{array}\right\}$ donc, $\lim\limits_{x \to 4} f(x) = -\dfrac{1}{16}$.

10. a) i) $\lim\limits_{x \to 2} f(x) = 5$ iii) $\lim\limits_{x \to 0} f(x)$ n'existe pas.
    ii) $\lim\limits_{x \to -3} f(x) = -3$

    b) i) $\lim\limits_{x \to 4} f(x) = 14$ iii) $\lim\limits_{x \to 0} f(x) = 1$
    ii) $\lim\limits_{x \to 2} f(x)$ n'existe pas.

    c) i) $\lim\limits_{x \to 1} f(x) = 0$ iii) $\lim\limits_{x \to 4} f(x)$ n'existe pas.
    ii) $\lim\limits_{x \to 2} f(x) = 3$

    d) i) $\lim\limits_{x \to -2} f(x) = 5$ iii) $\lim\limits_{x \to 3} f(x) = 0$
    ii) $\lim\limits_{x \to 4} f(x) = 1$

11. a) f est discontinue en $x = 2$.

    b) f est discontinue en $x = 0$.

    c) f est discontinue en $x = n$, où $n \in \mathbb{Z}$.

d) f est discontinue en $x = 3$.

e) f n'a aucune discontinuité.

f) f est discontinue en $x = -3$ et $x = 3$.

12. a) f est continue en $x = 3$.

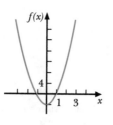

b) f est discontinue en $x = 4$, car $f(4) = 6$ et $\lim\limits_{x \to 4} f(x) = 5$.

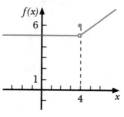

c) f est discontinue en $x = 2$, car $\lim\limits_{x \to 2} f(x)$ n'existe pas.

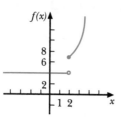

d) f est : i) discontinue en $x = 0$, car $\lim\limits_{x \to 0} f(x)$ n'existe pas ;

ii) continue en $x = 2$;

iii) discontinue en $x = 5$, car $f(5)$ n'est pas définie.

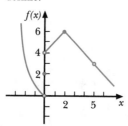

e) f est continue en $x = 4$.

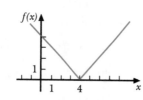

f) f est discontinue en $x = 2$, car $f(2)$ n'est pas définie et $\lim\limits_{x \to 2} f(x)$ n'existe pas.

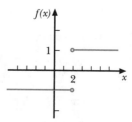

13. a) $f(-5)$ est non définie.

b) 5

c) 2

d) 3

e) 3

f) 4

g) 3

h) $\lim\limits_{x \to 1} f(x)$ n'existe pas.

i) -2

j) 5

k) 3

l) $\lim\limits_{x \to 5} f(x)$ n'existe pas.

m) f est discontinue en

i) $x = -5$; 1re condition, car $f(-5)$ est non définie.

ii) $x = -1$; 3$^\text{e}$ condition, car $\lim\limits_{x \to -1} f(x) \neq f(-1)$.

iii) $x = 1$; 2$^\text{e}$ condition, car $\lim\limits_{x \to 1} f(x)$ n'existe pas.

iv) $x = 5$; 2$^\text{e}$ condition, car $\lim\limits_{x \to 5} f(x)$ n'existe pas.

14. a) V   c) F   e) V

b) F   d) V   f) F

15. a) f est continue en $x = 1$, si $k = 3$.

b) f est discontinue en $x = -2$, pour tout $k \in \mathbb{R}$.

c) f est continue en $x = 5$, si $k = 10$.

d) f est continue en $x = 0$, si $k = \dfrac{5}{6}$.

16. a)

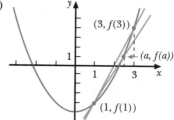

b) $\text{TVM}_{[1, 3]} = 4$, qui correspond à la pente de la sécante passant par les points $(1, f(1))$ et $(3, f(3))$.

$\text{TVM}_{[1, a]} = \dfrac{a^2 - 1}{a - 1}$, qui correspond à la pente de la sécante passant par les points $(1, f(1))$ et $(a, f(a))$.

c) $\lim\limits_{a \to 1} \text{TVM}_{[1, a]} = 2$, qui correspond à la pente de la tangente au point $(1, f(1))$.

TEST RÉCAPITULATIF (page 82)

1. a) ... x s'approche de -3 par des valeurs plus petites que -3.

b) $\lim\limits_{x \to a} f(x) + \lim\limits_{x \to a} g(x)$.

c) $\lim\limits_{x \to 5} x = 5$.

d) $K \lim\limits_{x \to a} f(x)$.

e) $\dfrac{\lim\limits_{x \to a} f(x)}{\lim\limits_{x \to a} g(x)}$, si $\lim\limits_{x \to a} g(x) \neq 0$.

f) $\lim\limits_{x \to a^-} f(x) = b$ et $\lim\limits_{x \to a^+} f(x) = b$.

g) 1) $f(a)$ est définie ;

2) $\lim_{x \to a} f(x)$ existe;

3) $\lim_{x \to a} f(x) = f(a)$.

h) f est continue $\forall \, x \in \,]a, b[$.

2. a) $\lim_{x \to -3} (5x - x^2 + 1) = \lim_{x \to -3} 5x - \lim_{x \to -3} x^2 + \lim_{x \to -3} 1$

$$= 5 \lim_{x \to -3} x - (-3)^2 + 1$$

$$= 5(-3) - 8 = -23$$

b) $\lim_{x \to 5} \dfrac{\sqrt{3x + 4}}{2x^3 - 7} = \dfrac{\lim\limits_{x \to 5} \sqrt{3x + 4}}{\lim\limits_{x \to 5} (2x^3 - 7)}$

$$= \dfrac{\sqrt{\lim\limits_{x \to 5} (3x + 4)}}{\lim\limits_{x \to 5} 2x^3 - \lim\limits_{x \to 5} 7}$$

$$= \dfrac{\sqrt{\lim\limits_{x \to 5} 3x + \lim\limits_{x \to 5} 4}}{2 \lim\limits_{x \to 5} x^3 - 7}$$

$$= \dfrac{\sqrt{3 \lim\limits_{x \to 5} x + 4}}{2 \times 5^3 - 7}$$

$$= \dfrac{\sqrt{3 (5) + 4}}{243} = \dfrac{\sqrt{19}}{243}$$

3. a) $\lim_{x \to 4} \dfrac{3x - 12}{x^2 - 16}$ (indétermination de la forme $\frac{0}{0}$)

$\lim_{x \to 4} \dfrac{3x - 12}{x^2 - 16} = \lim_{x \to 4} \dfrac{3(x - 4)}{(x - 4)(x + 4)}$

$$= \lim_{x \to 4} \dfrac{3}{x + 4} = \dfrac{3}{8}$$

b) $\lim_{x \to 25} \dfrac{\sqrt{x} - 5}{25 + x} = 0$

c) $\lim_{h \to 0} \dfrac{(x + h)^2 - x^2}{h}$ (indétermination de la forme $\frac{0}{0}$)

$\lim_{h \to 0} \dfrac{(x + h)^2 - x^2}{h} = \lim_{h \to 0} \dfrac{x^2 + 2xh + h^2 - x^2}{h}$

$$= \lim_{h \to 0} \dfrac{2xh + h^2}{h}$$

$$= \lim_{h \to 0} \dfrac{h(2x + h)}{h}$$

$$= \lim_{h \to 0} (2x + h) = 2x$$

d) $\left. \begin{array}{l} \lim_{x \to 1^-} f(x) = \lim_{x \to 1^-} (x^2 + 3x + 2) = 6 \\[2mm] \lim_{x \to 1^+} f(x) = \lim_{x \to 1^+} (x^2 - 2x + 1) = 0 \end{array} \right\}$ donc, $\lim_{x \to 1} f(x)$ n'existe pas.

e) $\lim_{x \to 36} \dfrac{36 - x}{\sqrt{x} - 6}$ (indétermination de la forme $\frac{0}{0}$)

$\lim_{x \to 36} \dfrac{36 - x}{\sqrt{x} - 6} = \lim_{x \to 36} \left[\dfrac{36 - x}{\sqrt{x} - 6} \times \dfrac{\sqrt{x} + 6}{\sqrt{x} + 6} \right]$

$$= \lim_{x \to 36} \dfrac{(36 - x)(\sqrt{x} + 6)}{x - 36}$$

$$= \lim_{x \to 36} -(\sqrt{x} + 6) = -12$$

4. a) $\left(\lim_{x \to 2} f(x) \right)\left(\lim_{x \to 2} g(x) \right) = (-4) \times 3 = -12$

b) $5 \left[\dfrac{\lim\limits_{x \to 2} f(x)}{\lim\limits_{x \to 2} g(x)} \right] = 5 \times \dfrac{(-4)}{3} = \dfrac{-20}{3}$

c) Impossible, à l'aide des données fournies.

d) $\dfrac{\lim\limits_{x \to 2} 5 + \lim\limits_{x \to 2} f(x)}{\left(\lim\limits_{x \to 2} x \right)\left(\lim\limits_{x \to 2} g(x) \right)} = \dfrac{1}{6}$

5. a) f est discontinue aux valeurs suivantes.

En $x = -1$, car $\lim_{x \to -1} f(x)$ n'existe pas.

En $x = 2$, car $\lim_{x \to 2} f(x)$ n'existe pas.

En $x = 5$, car $\lim_{x \to 5} f(x) \neq f(5)$.

En $x = 7$, car $f(7)$ est non définie.

b) f est continue sur les intervalles suivants:

$-\infty, -1[\, ; \, [-1, 2] \, ; \,]2, 5[\, ; \,]5, 7[\, ; \,]7, +\infty$.

6. a) 1) $f(1) = 3$.

2) $\left. \begin{array}{l} \lim_{x \to 1^-} f(x) = \lim_{x \to 1^-} x^2 = 1 \\[2mm] \lim_{x \to 1^+} f(x) = \lim_{x \to 1^+} (2x - 1) = 1 \end{array} \right\}$ donc, $\lim_{x \to 1} f(x) = 1$.

3) $\lim_{x \to 1} f(x) \neq f(1)$.

Alors, f est discontinue en $x = 1$.

b) 1) $f(3) = 5$.

2) $\left. \begin{array}{l} \lim_{x \to 3^-} f(x) = \lim_{x \to 3^-} (2x - 1) = 5 \\[2mm] \lim_{x \to 3^+} f(x) = \lim_{x \to 3^+} 5 = 5 \end{array} \right\}$ donc, $\lim_{x \to 3} f(x) = 5$.

3) $\lim_{x \to 3} f(x) = f(3)$.

Alors, f est continue en $x = 3$.

7. a) F; V   b) V; V

8. $\left[\dfrac{\sqrt{2}}{3}, 4 \right[$

9. a) $f(-3) = 2$ f) $\lim_{x \to -1} f(x) = 1$

b) $f(-1)$ est non définie.   g) $\lim_{x \to 1^-} f(x) = 1$

c) $f(1) = -4$ h) $\lim_{x \to 1^+} f(x) = -4$

d) $f(4)$ est non définie.   i) $\lim_{x \to -3} f(x)$ n'existe pas.

e) $\lim_{x \to -3^+} f(x) = 4$

10.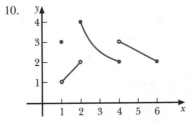

TEST PRÉLIMINAIRE *(page 85)*

Partie A

1. a) $x^2 + 2xh + h^2$

   c) $2x + h$, si $h \neq 0$

   b) $x^3 + 3x^2h + 3xh^2 + h^3$

   d) $\dfrac{-h(2x + h)}{x^2(x + h)^2}$

2. a) $(a - b)(a + b)$

   b) $(a - b)(a^2 + ab + b^2)$

   c) $(a - b)(a + b)(a^2 + b^2)$

   d) $(a^{\frac{1}{3}} - b^{\frac{1}{3}})(a^{\frac{1}{3}} + b^{\frac{1}{3}})$

   e) $(a^{\frac{1}{2}} - b^{\frac{1}{2}})(a + a^{\frac{1}{2}}b^{\frac{1}{2}} + b)$

   f) $(a^{\frac{1}{3}} - b^{\frac{1}{3}})(a^{\frac{2}{3}} + a^{\frac{1}{3}}b^{\frac{1}{3}} + b^{\frac{2}{3}})$

3. a) i) $f(x + h) = 7(x + h) + 2 = 7x + 7h + 2$

   ii) $f(2 + h) = 7(2 + h) + 2 = 14 + 7h + 2 = 16 + 7h$

   iii) $f(-3 + h) = 7(-3 + h) + 2 = -21 + 7h + 2 = 7h - 19$

   b) i) $f(x + h) = (x + h)^2 - 4(x + h) - 5$
   $$= x^2 + 2xh + h^2 - 4x - 4h - 5$$

   ii) $f(2 + h) = (2 + h)^2 - 4(2 + h) - 5$
   $$= h^2 - 9$$

   iii) $f(-3 + h) = (-3 + h)^2 - 4(-3 + h) - 5$
   $$= h^2 - 10h + 16$$

   c) i) $f(x + h) = (x + h)^3 - 2(x + h)$
   $$= x^3 + 3x^2h + 3xh^2 + h^3 - 2x - 2h$$

   ii) $f(2 + h) = (2 + h)^3 - 2(2 + h)$
   $$= h^3 + 6h^2 + 10h + 4$$

   iii) $f(-3 + h) = (-3 + h)^3 - 2(-3 + h)$
   $$= h^3 - 9h^2 + 25h - 21$$

   d) i) $f(x + h) = \sqrt{x + h + 3}$

   ii) $f(2 + h) = \sqrt{2 + h + 3} = \sqrt{h + 5}$

   iii) $f(-3 + h) = \sqrt{-3 + h + 3} = \sqrt{h}$

   e) i) $f(x + h) = \dfrac{x + h}{2(x + h) + 3}$

   ii) $f(2 + h) = \dfrac{2 + h}{2(2 + h) + 3} = \dfrac{2 + h}{2h + 7}$

   iii) $f(-3 + h) = \dfrac{-3 + h}{2(-3 + h) + 3} = \dfrac{h - 3}{2h - 3}$

   f) i) $f(x + h) = 5$

   ii) $f(2 + h) = 5$

   iii) $f(-3 + h) = 5$

Partie B

1. a) $x - 49$

   c) h

   b) $-x$

   d) $\dfrac{1}{x} - \dfrac{1}{25} = \dfrac{25 - x}{25x}$

2. $\text{TVM}_{[a, b]} = \dfrac{f(b) - f(a)}{b - a}$

3. a) $2x$ b) $2a$ c) $\dfrac{1}{2\sqrt{x}}$ d) $\dfrac{-1}{x^2}$

QUESTIONS

Section 4.1

Question 1 *(page 88)*

a) $\text{TVM}_{[-1, -1 + h]} = 6 - 6h + 2h^2$ (en remplaçant x par -1)

b) $\text{TVM}_{[0, h]} = 2h^2$ (en remplaçant x par 0)

c) $\text{TVM}_{[0, 4]} = 32$ (en remplaçant x par 0 et h par 4)

d) $\text{TVM}_{[1, 3]} = 26$ (en remplaçant x par 1 et h par 2)

Question 2 *(page 88)*

a) $\text{TVM}_{[3, 4]} = 74$ (en remplaçant h par 1)

b) $\text{TVM}_{[3, 3,1]} = 55{,}82$ (en remplaçant h par 0,1)

Question 3 *(page 88)*

a) $\text{TVM}_{[x, x + \Delta x]} = \dfrac{f(x + \Delta x) - f(x)}{\Delta x}$

$$= \dfrac{[3(x + \Delta x)^2 - 5(x + \Delta x) + 1] - (3x^2 - 5x + 1)}{\Delta x}$$

$$= \dfrac{\Delta x(6x + 3\Delta x - 5)}{\Delta x}$$

$$= 6x + 3\Delta x - 5 \quad \text{(en simplifiant, car } \Delta x \neq 0)$$

b) $\text{TVM}_{[-1, -1 + \Delta x]} = -11 + 3\Delta x$ (en remplaçant x par -1)

c) $\text{TVM}_{[-1, 1]} = -5$ (de **b**) en remplaçant Δx par 2)

d) $\text{TVM}_{[1, 4]} = 10$ (de **a**) en remplaçant x par 1 et Δx par 3)

Question 4 *(page 89)*

$\text{TVM}_{[x, x + h]} = \dfrac{f(x + h) - f(x)}{h}$ (ici, $f(x) = \dfrac{1}{x}$)

$$= \dfrac{\dfrac{1}{x + h} - \dfrac{1}{x}}{h} = \dfrac{\dfrac{x - (x + h)}{x(x + h)}}{h}$$

$$= \dfrac{\dfrac{-h}{x(x + h)}}{h} = \dfrac{-h}{x(x + h)} \times \dfrac{1}{h}$$

$$= \frac{-1}{x(x+h)} \quad (h \neq 0)$$

Section 4.3

Question 1 *(page 94)*

a) $f'(-5) = \lim\limits_{h \to 0} \dfrac{f(-5+h) - f(-5)}{h}$

b) $f'(0) = \lim\limits_{h \to 0} \dfrac{f(0+h) - f(0)}{h} = \lim\limits_{h \to 0} \dfrac{f(h) - f(0)}{h}$

Question 2 *(page 94)*

$f'(-5) = \lim\limits_{h \to 0} \dfrac{f(-5+h) - f(-5)}{h} \quad (\text{ici, } f(x) = 3x - 1)$

$= \lim\limits_{h \to 0} \dfrac{[3(-5+h) - 1] - (-16)}{h}$

$= \lim\limits_{h \to 0} \dfrac{-15 + 3h - 1 + 16}{h} = \lim\limits_{h \to 0} \dfrac{3h}{h}$

$= \lim\limits_{h \to 0} 3 \quad (h \neq 0)$

$= 3$

Question 3 *(page 94)*

a) $f'(4) = \lim\limits_{\Delta x \to 0} \dfrac{f(4 + \Delta x) - f(4)}{\Delta x}$

b) $f'(-8) = \lim\limits_{x \to -8} \dfrac{f(x) - f(-8)}{x - (-8)}$

Question 4 *(page 95)*

a) $m_{\tan}$ en $(-2, f(-2)) = f'(-2)$

$= \lim\limits_{h \to 0} \dfrac{f(-2+h) - f(-2)}{h} \quad (\text{ici, } f(x) = x^2)$

$= \lim\limits_{h \to 0} \dfrac{(-2+h)^2 - (-2)^2}{h} = \lim\limits_{h \to 0} \dfrac{4 - 4h + h^2 - 4}{h}$

$= \lim\limits_{h \to 0} \dfrac{h(-4+h)}{h} = \lim\limits_{h \to 0} (-4+h) \quad (h \neq 0)$

$= -4$

b) $m_{\tan}$ en $(0, f(0)) = f'(0)$

$= \lim\limits_{h \to 0} \dfrac{f(0+h) - f(0)}{h} \quad (\text{ici, } f(x) = x^4 + 1)$

$= \lim\limits_{h \to 0} \dfrac{[(0+h)^4 + 1] - 1}{h}$

$= \lim\limits_{h \to 0} \dfrac{h^4 + 1 - 1}{h} = \lim\limits_{h \to 0} \dfrac{h^4}{h}$

$= \lim\limits_{h \to 0} h^3 \quad (h \neq 0)$

$= 0$

Question 5 *(page 96)*

a) $f(2) = 4$ et $f'(2) = 10$

b) $g(-3) = \dfrac{-1}{3}$ et $g'(-3) = \dfrac{-1}{9}$

EXERCICES

Exercices 4.1 *(page 89)*

1. a) $\Delta y = f(x + \Delta x) - f(x)$

b) $\text{TVM}_{[x, x+h]} = \dfrac{f(x+h) - f(x)}{h}$

c) la sécante passant par les points $(x, f(x))$ et $(x+h, f(x+h))$.

d)

2. $\text{TVM}_{[x, x+h]} = \dfrac{f(x+h) - f(x)}{h}$ (par définition)

a) $= \dfrac{[-(x+h)^2 + 8(x+h) + 2] - (-x^2 + 8x + 2)}{h}$

$= \dfrac{-x^2 - 2xh - h^2 + 8x + 8h + 2 + x^2 - 8x - 2}{h}$

$= \dfrac{-2xh - h^2 + 8h}{h} = \dfrac{h(-2x - h + 8)}{h}$

$= -2x - h + 8 \quad (h \neq 0)$

b) $= \dfrac{(-5) - (-5)}{h} = 0 \quad (h \neq 0)$

c) $= \dfrac{[(x+h)^3 - 2(x+h)] - (x^3 - 2x)}{h}$

$= \dfrac{x^3 + 3x^2h + 3xh^2 + h^3 - 2x - 2h - x^3 + 2x}{h}$

$= \dfrac{3x^2h + 3xh^2 + h^3 - 2h}{h}$

$= \dfrac{h(3x^2 + 3xh + h^2 - 2)}{h}$

$= 3x^2 + 3xh + h^2 - 2 \quad (h \neq 0)$

d) $= \dfrac{\dfrac{4}{4(x+h) - 1} - \dfrac{4}{4x - 1}}{h}$

$= \dfrac{4(4x - 1) - 4[4(x+h) - 1]}{[4(x+h) - 1](4x - 1)} \times \dfrac{1}{h}$

$$= \frac{16x - 4 - 16x - 16h + 4}{[4(x + h) - 1](4x - 1)} \times \frac{1}{h}$$

$$= \frac{-16h}{[4(x + h) - 1](4x - 1)} \times \frac{1}{h}$$

$$= \frac{-16}{[4(x + h) - 1](4x - 1)} \quad (h \neq 0)$$

e) $= \dfrac{\sqrt{5(x + h) - 3} - \sqrt{5x - 3}}{h}$

$$= \frac{\sqrt{5(x + h) - 3} - \sqrt{5x - 3}}{h} \times \frac{\sqrt{5(x + h) - 3} + \sqrt{5x - 3}}{\sqrt{5(x + h) - 3} + \sqrt{5x - 3}}$$

$$= \frac{[5(x + h) - 3] - (5x - 3)}{h(\sqrt{5(x + h) - 3} + \sqrt{5x - 3})}$$

$$= \frac{5}{\sqrt{5(x + h) - 3} + \sqrt{5x - 3}} \quad (h \neq 0)$$

f) $= \dfrac{\dfrac{1}{\sqrt{x + h}} - \dfrac{1}{\sqrt{x}}}{h} = \dfrac{\dfrac{\sqrt{x} - \sqrt{x + h}}{\sqrt{x + h}\,\sqrt{x}}}{h}$

$$= \frac{\left(\dfrac{\sqrt{x} - \sqrt{x + h}}{\sqrt{x + h}\,\sqrt{x}}\right)\left(\dfrac{\sqrt{x} + \sqrt{x + h}}{\sqrt{x} + \sqrt{x + h}}\right)}{h}$$

$$= \frac{x - (x + h)}{\sqrt{x + h}\,\sqrt{x}\,(\sqrt{x} + \sqrt{x + h})} \times \frac{1}{h}$$

$$= \frac{-h}{\sqrt{x + h}\,\sqrt{x}\,(\sqrt{x} + \sqrt{x + h})} \times \frac{1}{h}$$

$$= \frac{-1}{\sqrt{x + h}\,\sqrt{x}\,(\sqrt{x} + \sqrt{x + h})} \quad (h \neq 0)$$

3. $m_{sec} = TVM_{[x, x + \Delta x]}$

   a) $-2x - \Delta x + 8$ (voir **2 a)**)

   b) $\dfrac{-16}{[4(x + \Delta x) - 1](4x - 1)}$ (voir **2 d)**)

   c) $\dfrac{5}{\sqrt{5(x + \Delta x) - 3} + \sqrt{5x - 3}}$ (voir **2 e)**)

4. a) $4x + 2\Delta x - 7$ b) $\dfrac{-1}{2x(x + \Delta x)}$

5. a) $TVM_{[2, 2 + h]} = \dfrac{f(2 + h) - f(2)}{h}$

   $$= \frac{(2 + h)^3 - 1 - (8 - 1)}{h}$$

   $$= \frac{8 + 12h + 6h^2 + h^3 - 1 - 7}{h}$$

   $$= \frac{h(h^2 + 6h + 12)}{h}$$

   $$= h^2 + 6h + 12 \quad (h \neq 0)$$

   b) $TVM_{[0, 0 + \Delta x]} = \dfrac{f(0 + \Delta x) - f(0)}{\Delta x}$

   $$= \frac{\sqrt{3 - \Delta x} - \sqrt{3}}{\Delta x}$$

$$= \frac{\sqrt{3 - \Delta x} - \sqrt{3}}{\Delta x} \times \frac{\sqrt{3 - \Delta x} + \sqrt{3}}{\sqrt{3 - \Delta x} + \sqrt{3}}$$

$$= \frac{3 - \Delta x - 3}{\Delta x(\sqrt{3 - \Delta x} + \sqrt{3})}$$

$$= \frac{-1}{\sqrt{3 - \Delta x} + \sqrt{3}} \quad (\Delta x \neq 0)$$

c) $TVM_{[1, 1 + \Delta x]} = \dfrac{f(1 + \Delta x) - f(1)}{\Delta x}$

$$= \frac{[3(1 + \Delta x) - (1 + \Delta x)^2] - (3 - 1)}{\Delta x}$$

$$= \frac{3 + 3\Delta x - 1 - 2\Delta x - (\Delta x)^2 - 2}{\Delta x}$$

$$= \frac{\Delta x(1 - \Delta x)}{\Delta x} = 1 - \Delta x \quad (\Delta x \neq 0)$$

d) $TVM_{[x, x + \Delta x]} = \dfrac{f(x + \Delta x) - f(x)}{\Delta x}$

$$= \frac{\dfrac{x + \Delta x}{1 - 3(x + \Delta x)} - \dfrac{x}{1 - 3x}}{\Delta x}$$

$$= \frac{(x + \Delta x)(1 - 3x) - x(1 - 3x - 3\Delta x)}{(1 - 3x - 3\Delta x)(1 - 3x)} \times \frac{1}{\Delta x}$$

$$= \frac{\Delta x}{(1 - 3x - 3\Delta x)(1 - 3x)} \times \frac{1}{\Delta x}$$

$$= \frac{1}{(1 - 3x - 3\Delta x)(1 - 3x)} \quad (\Delta x \neq 0)$$

6. a) $TVM_{[2, 5]} = 39$ (de **5 a)** en remplaçant h par 3)

   b) $m_{sec} = -1$ (de **5 c)** en remplaçant Δx par 2)

   c) $\dfrac{\Delta y}{\Delta x} = \dfrac{1}{12}$ (de **5 d)** en remplaçant x par -1 et Δx par $\dfrac{1}{3}$)

7. a) $2x - 3 + h$

   b) i) $-7 + h$ iii) -1 v) 9

       ii) -4 iv) $7 + h$ vi) 8

Exercices 4.2 *(page 93)*

1. a) $\displaystyle\lim_{h \to 0} \frac{f(x + h) - f(x)}{h}$

   b) $\displaystyle\lim_{h \to 0} \frac{f(x + h) - f(x)}{h}$; $\displaystyle\lim_{\Delta x \to 0} \frac{f(x + \Delta x) - f(x)}{\Delta x}$;

   $\displaystyle\lim_{t \to x} \frac{f(t) - f(x)}{t - x}$.

   c) $f'(x)$ correspond à la pente de la tangente à la courbe de f au point $(x, f(x))$.

   d)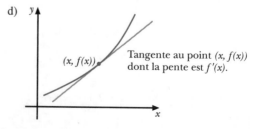

   Tangente au point $(x, f(x))$ dont la pente est $f'(x)$.

2. a) $f'(x) = \lim_{h \to 0} \dfrac{f(x+h) - f(x)}{h}$

$= \lim_{h \to 0} \dfrac{x+h-x}{h} = \lim_{h \to 0} \dfrac{h}{h} = \lim_{h \to 0} 1 = 1$

b) $f'(x) = \lim_{h \to 0} \dfrac{f(x+h) - f(x)}{h}$

$= \lim_{h \to 0} \dfrac{[(x+h)^2 + 2(x+h) - 3] - (x^2 + 2x - 3)}{h}$

$= \lim_{h \to 0} \dfrac{x^2 + 2xh + h^2 + 2x + 2h - 3 - x^2 - 2x + 3}{h}$

$= \lim_{h \to 0} \dfrac{h(2x + h + 2)}{h} = \lim_{h \to 0} (2x + h + 2) = 2x + 2$

c) $f'(x) = \lim_{h \to 0} \dfrac{f(x+h) - f(x)}{h}$

$= \lim_{h \to 0} \dfrac{\sqrt{x+h+1} - \sqrt{x+1}}{h}$

$= \lim_{h \to 0} \left(\dfrac{\sqrt{x+h+1} - \sqrt{x+1}}{h} \times \dfrac{\sqrt{x+h+1} + \sqrt{x+1}}{\sqrt{x+h+1} + \sqrt{x+1}} \right)$

$= \lim_{h \to 0} \dfrac{(x+h+1) - (x+1)}{h(\sqrt{x+h+1} + \sqrt{x+1})}$

$= \lim_{h \to 0} \dfrac{h}{h(\sqrt{x+h+1} + \sqrt{x+1})}$

$= \lim_{h \to 0} \dfrac{1}{\sqrt{x+h+1} + \sqrt{x+1}}$

$= \dfrac{1}{\sqrt{x+1} + \sqrt{x+1}} = \dfrac{1}{2\sqrt{x+1}}$

3. a) $f'(x) = \lim_{\Delta x \to 0} \dfrac{f(x + \Delta x) - f(x)}{\Delta x}$

$= \lim_{\Delta x \to 0} \dfrac{(-2) - (-2)}{\Delta x}$

$= \lim_{\Delta x \to 0} \dfrac{0}{\Delta x} = \lim_{\Delta x \to 0} 0 = 0$

b) $f'(x) = \lim_{\Delta x \to 0} \dfrac{f(x + \Delta x) - f(x)}{\Delta x}$

$= \lim_{\Delta x \to 0} \dfrac{[3(x + \Delta x) - 2] - (3x - 2)}{\Delta x}$

$= \lim_{\Delta x \to 0} \dfrac{3x + 3\Delta x - 2 - 3x + 2}{\Delta x}$

$= \lim_{\Delta x \to 0} \dfrac{3\Delta x}{\Delta x} = \lim_{\Delta x \to 0} 3 = 3$

c) $f'(x) = \lim_{\Delta x \to 0} \dfrac{f(x + \Delta x) - f(x)}{\Delta x}$

$= \lim_{\Delta x \to 0} \dfrac{[(x + \Delta x)^3 - 2(x + \Delta x)] - (x^3 - 2x)}{\Delta x}$

$= \lim_{\Delta x \to 0} \dfrac{x^3 + 3x^2\Delta x + 3x(\Delta x)^2 + (\Delta x)^3 - 2x - 2\Delta x - x^3 + 2x}{\Delta x}$

$= \lim_{\Delta x \to 0} \dfrac{\Delta x(3x^2 + 3x\Delta x + (\Delta x)^2 - 2)}{\Delta x}$

$= \lim_{\Delta x \to 0} (3x^2 + 3x\Delta x + (\Delta x)^2 - 2) = 3x^2 - 2$

4. a) $f'(x) = \lim_{t \to x} \dfrac{f(t) - f(x)}{t - x}$

$= \lim_{t \to x} \dfrac{\dfrac{3}{t} - \dfrac{3}{x}}{t - x} = \lim_{t \to x} \dfrac{\dfrac{3x - 3t}{tx}}{t - x}$

$= \lim_{t \to x} \dfrac{3(x - t)}{tx(t - x)} = \lim_{t \to x} \dfrac{-3}{tx} = \dfrac{-3}{x^2}$

b) $f'(x) = \lim_{t \to x} \dfrac{f(t) - f(x)}{t - x}$

$= \lim_{t \to x} \dfrac{t^{\frac{2}{3}} - x^{\frac{2}{3}}}{t - x}$

$= \lim_{t \to x} \dfrac{(t^{\frac{1}{3}} - x^{\frac{1}{3}})(t^{\frac{1}{3}} + x^{\frac{1}{3}})}{(t^{\frac{1}{3}} - x^{\frac{1}{3}})(t^{\frac{2}{3}} + t^{\frac{1}{3}}x^{\frac{1}{3}} + x^{\frac{2}{3}})}$

$= \lim_{t \to x} \dfrac{(t^{\frac{1}{3}} + x^{\frac{1}{3}})}{(t^{\frac{2}{3}} + t^{\frac{1}{3}}x^{\frac{1}{3}} + x^{\frac{2}{3}})} = \dfrac{2x^{\frac{1}{3}}}{3x^{\frac{2}{3}}} = \dfrac{2}{3x^{\frac{1}{3}}}$

c) $f'(x) = \lim_{t \to x} \dfrac{f(t) - f(x)}{t - x}$

$= \lim_{t \to x} \dfrac{(t^4 - 1) - (x^4 - 1)}{t - x}$

$= \lim_{t \to x} \dfrac{t^4 - x^4}{t - x}$

$= \lim_{t \to x} \dfrac{(t - x)(t + x)(t^2 + x^2)}{t - x}$

$= \lim_{t \to x} \dfrac{(t + x)(t^2 + x^2)}{1} = (2x)(2x^2) = 4x^3$

5. a) 0   b) 3   c) $\dfrac{-1}{x^2}$

6. a) $\dfrac{-1}{2\sqrt{x^3}}$ b) $3x^2$ c) $-10x - 7$

Exercices 4.3 (page 97)

1. 1ʳᵉ façon : utiliser une des définitions de la dérivée $f'(a)$ en un point.

2ᵉ façon : calculer d'abord $f'(x)$ et remplacer x par a dans $f'(x)$.

2. a) $f(0) = 10$ et $f'(0) = 3$

b) $g(0) = 1$ et $g'(0) = \dfrac{1}{2}$

c) $g(-1) = 0$ et $g'(-1)$ est non définie.

3. a) $f'(3) = \lim_{h \to 0} \dfrac{f(3 + h) - f(3)}{h}$

$= \lim_{h \to 0} \dfrac{5 - 5}{h}$

$= \lim_{h \to 0} \dfrac{0}{h} = \lim_{h \to 0} 0 = 0$

b) $g'(-5) = \lim_{\Delta x \to 0} \dfrac{g(-5 + \Delta x) - g(-5)}{\Delta x}$

$$= \lim_{\Delta x \to 0} \frac{[4 - 2(\text{-}5 + \Delta x)] - 14}{\Delta x}$$

$$= \lim_{\Delta x \to 0} \frac{\text{-}2\Delta x}{\Delta x} = \lim_{\Delta x \to 0} (\text{-}2) = \text{-}2$$

c) $h'(\text{-}1) = \lim_{x \to \text{-}1} \dfrac{h(x) - h(\text{-}1)}{x - (\text{-}1)}$

$$= \lim_{x \to \text{-}1} \frac{(1 + 2x - x^2) - (\text{-}2)}{x + 1}$$

$$= \lim_{x \to \text{-}1} \frac{3 + 2x - x^2}{x + 1}$$

$$= \lim_{x \to \text{-}1} \frac{(3 - x)(1 + x)}{x + 1}$$

$$= \lim_{x \to \text{-}1} (3 - x) = 4$$

4. a) $f'(\text{-}1) = \lim_{h \to 0} \dfrac{f(\text{-}1 + h) - f(\text{-}1)}{h}$

$$= \lim_{h \to 0} \frac{(\text{-}1 + h)^3 - (\text{-}1)^3}{h}$$

$$= \lim_{h \to 0} \frac{\text{-}1 + 3h - 3h^2 + h^3 + 1}{h}$$

$$= \lim_{h \to 0} \frac{3h - 3h^2 + h^3}{h}$$

$$= \lim_{h \to 0} \frac{h(3 - 3h + h^2)}{h}$$

$$= \lim_{h \to 0} (3 - 3h + h^2) = 3$$

b) $f'(x) = \lim_{h \to 0} \dfrac{f(x + h) - f(x)}{h} = 3x^2$

c) de **b)**, $f'(\text{-}1) = 3(\text{-}1)^2 = 3$

d) $g'(5) = \lim_{x \to 5} \dfrac{\sqrt{x} - \sqrt{5}}{x - 5}$

$$= \lim_{x \to 5} \left(\frac{\sqrt{x} - \sqrt{5}}{x - 5} \times \frac{\sqrt{x} + \sqrt{5}}{\sqrt{x} + \sqrt{5}} \right)$$

$$= \lim_{x \to 5} \frac{(x - 5)}{(x - 5)(\sqrt{x} + \sqrt{5})}$$

$$= \lim_{x \to 5} \frac{1}{\sqrt{x} + \sqrt{5}} = \frac{1}{2\sqrt{5}}$$

e) $g'(x) = \lim_{\Delta x \to 0} \dfrac{g(x + \Delta x) - g(x)}{\Delta x} = \dfrac{1}{2\sqrt{x}}$

f) de **e)**, $g'(5) = \dfrac{1}{2\sqrt{5}}$

5. a) $f'(x) = 3x^2$, d'où $m_{\tan}$ au point $(1, f(1)) = f'(1) = 3$.

b) $f'(x) = \dfrac{1}{2\sqrt{x}}$, d'où $m_{\tan}$ au point $(2, f(2)) = f'(2) = \dfrac{1}{2\sqrt{2}}$.

c) $f'(x) = 2x - 6$, d'où $m_{\tan}$ au point $(3, f(3)) = f'(3) = 0$.

6. a) Faux.   b) Vrai.

7. a) $f'(2) = \lim_{x \to 2} \dfrac{f(x) - f(2)}{x - 2}$ (par définition)

Puisque f est définie par parties, il faut calculer la limite à gauche et la limite à droite.

$$\lim_{x \to 2^-} \frac{f(x) - f(2)}{x - 2} = \lim_{x \to 2^-} \frac{x^2 - 4}{x - 2}$$

$$= \lim_{x \to 2^-} \frac{(x - 2)(x + 2)}{(x - 2)}$$

$$= \lim_{x \to 2^-} (x + 2) = 4$$

$$\lim_{x \to 2^+} \frac{f(x) - f(2)}{x - 2} = \lim_{x \to 2^+} \frac{4x - 4 - 4}{x - 2}$$

$$= \lim_{x \to 2^+} \frac{4(x - 2)}{(x - 2)}$$

$$= \lim_{x \to 2^+} 4 = 4$$

donc, $\lim_{x \to 2} \dfrac{f(x) - f(2)}{x - 2} = 4$, d'où $f'(2) = 4$.

b) Oui, car $f'(2)$ est définie.

c) Oui, car f est dérivable en $x = 2$.

d) $\lim_{x \to 5^-} \dfrac{f(x) - f(5)}{x - 5} = \lim_{x \to 5^-} \dfrac{4x - 4 - 16}{x - 5} = 4$

$\lim_{x \to 5^+} \dfrac{f(x) - f(5)}{x - 5} = \lim_{x \to 5^+} \dfrac{16 - 16}{x - 5} = 0$

donc, $\lim_{x \to 5} \dfrac{f(x) - f(5)}{x - 5}$ n'existe pas, d'où $f'(5)$ est non définie.

e) Non, car $f'(5)$ est non définie.

f) Oui, car $\lim_{x \to 5} f(x) = f(5) = 16$.

PROBLÈMES DE SYNTHÈSE *(page 98)*

1. a) $\text{TVM}_{[x, x + h]} = \dfrac{f(x + h) - f(x)}{h}$ et correspond à la pente de la sécante passant par les points $(x, f(x))$ et $(x + h, f(x + h))$.

b) $\text{TVI} = \lim_{h \to 0} \dfrac{f(x + h) - f(x)}{h}$ et correspond à la pente de la tangente à la courbe de f au point $(x, f(x))$.

c) $\dfrac{1}{\sqrt{x + \Delta x} + \sqrt{x}}$

d) 4

e) $\text{-}2x - \Delta x + 3$

f) $\dfrac{12}{(2 - 3x - 3\Delta x)(2 - 3x)}$

2. a) 0

b) $3x^2 + 3x\Delta x + (\Delta x)^2$

3. a) i) $\text{-}2 + \Delta x$ b) i) 3

   ii) h ii) 3

c) i) $\dfrac{1}{\sqrt{\Delta x}}$

 ii) $\dfrac{1}{\sqrt{2+h}+\sqrt{2}}$

e) i) $-\Delta x - (\Delta x)^2$

 ii) $-5 - 4h - h^2$

f) $f'(x) = \dfrac{1}{3x^{\frac{2}{3}}}$;

 i) $f'(-1) = \dfrac{1}{3}$;   ii) $f'(8) = \dfrac{1}{12}$.

d) i) $\dfrac{-2 - \Delta x}{(1 + \Delta x)^2}$

 ii) $\dfrac{-1 - h}{\dfrac{1}{4}\left(\dfrac{1}{2} + h\right)^2}$

f) i) 0

 ii) 0

4. a) $6x^2 + 8x$ c) $4x^3$ e) $2x - 1$

 b) $\dfrac{2}{(x+1)^2}$ d) $\dfrac{-2}{x^3}$ f) $6x^5$

5. a) $\dfrac{-1}{\sqrt{(2x+1)^3}}$ b) $1 - \dfrac{1}{x^2}$ c) $\dfrac{3\sqrt{x}}{2}$

6. a) $f'(x) = 2x + 2$;

 i) $f'(0) = 2$;   ii) $f'(-3) = -4$.

 b) $f'(x) = \dfrac{-2}{x^3}$;

 i) $f'(1) = -2$;   ii) $f'(-1) = 2$.

 c) $f'(x) = 4x^3$;

 i) $f'(0) = 0$;   ii) $f'(-1) = -4$.

 d) $f'(x) = \dfrac{-1}{2x\sqrt{x}}$;

 i) $f'(4) = -\dfrac{1}{16}$;   ii) $f'(-3)$ est non définie.

 e) $f'(x) = \dfrac{4}{(2x+1)^2}$;

 i) $f'(0) = 4$;   ii) $f'\left(\dfrac{1}{2}\right) = 1$.

7. a) $f'(x) = 3$;

 i) $m_{\tan}$ au point $(2, f(2)) = f'(2) = 3$;

 ii) $m_{\tan}$ au point $(-1, f(-1)) = f'(-1) = 3$.

 b) $f'(x) = \dfrac{-1}{x^2}$;

 i) $m_{\tan}$ au point $\left(\dfrac{1}{2}, f\left(\dfrac{1}{2}\right)\right) = f'\left(\dfrac{1}{2}\right) = -4$;

 ii) $m_{\tan}$ au point $(8, f(8)) = f'(8) = -\dfrac{1}{64}$.

8. a) $y = 2x - 1$ b) $y = -4x - 4$

9. a) $y = 11x - 14$ b) $y = \dfrac{-1}{11}x + \dfrac{334}{11}$

10. a) $f(x) = \begin{cases} 2x - 2 & \text{si} \quad x < 3 \\ 10 - 2x & \text{si} \quad x \geq 3 \end{cases}$

 b) Puisque $\lim\limits_{x \to 3^+} \dfrac{f(x) - f(3)}{x - 3} = -2$ et $\lim\limits_{x \to 3^-} \dfrac{f(x) - f(3)}{x - 3} = 2$,

 $f'(3)$ n'est pas définie, alors f est non dérivable en $x = 3$.

 c) Puisque $\lim\limits_{x \to 3} f(x) = f(3)$, alors f est continue en $x = 3$.

 d)

11. a) $<$ c) $>$ e) $>$

 b) $>$ d) $=$ f) $<$

TEST RÉCAPITULATIF   *(page 101)*

1. Voir les définitions et les graphiques appropriés dans le chapitre 4.

2. a) $\text{TVM}_{[x,\, x+h]} = \dfrac{f(x+h) - f(x)}{h} \left(\text{ici}, f(x) = \dfrac{4}{\sqrt{2x+1}}\right)$

$= \dfrac{\dfrac{4}{\sqrt{2(x+h)+1}} - \dfrac{4}{\sqrt{2x+1}}}{h}$

$= \dfrac{4\sqrt{2x+1} - 4\sqrt{2(x+h)+1}}{\sqrt{2(x+h)+1}\,\sqrt{2x+1}} \times \dfrac{1}{h}$

$= \dfrac{4\sqrt{2x+1} - 4\sqrt{2(x+h)+1}}{\sqrt{2(x+h)+1}\,\sqrt{2x+1}} \times \dfrac{4\sqrt{2x+1} + 4\sqrt{2(x+h)+1}}{4\sqrt{2x+1} + 4\sqrt{2(x+h)+1}} \times \dfrac{1}{h}$

$= \dfrac{[16(2x+1)] - 16[2(x+h)+1]}{\sqrt{2(x+h)+1}\,\sqrt{2x+1}(4\sqrt{2x+1} + 4\sqrt{2(x+h)+1})} \times \dfrac{1}{h}$

$= \dfrac{32x + 16 - 32x - 32h - 16}{\sqrt{2(x+h)+1}\,\sqrt{2x+1}\,(4\sqrt{2x+1} + 4\sqrt{2(x+h)+1})} \times \dfrac{1}{h}$

$= \dfrac{-32}{\sqrt{2(x+h)+1}\,\sqrt{2x+1}(4\sqrt{2x+1} + 4\sqrt{2(x+h)+1})}$

 b) En remplaçant x par 4 dans le résultat précédent, nous obtenons

 $\text{TVM}_{[4,\, 4+h]} = \dfrac{-32}{3\sqrt{2(4+h)+1}\,[12 + 4\sqrt{2(4+h)+1}]}$.

 c) En remplaçant x par 1 et h par 3 dans a), nous obtenons

 $\text{TVM}_{[1,\, 4]} = \dfrac{-32}{3\sqrt{3}(4\sqrt{3} + 12)}$.

d) $f'(x) = \lim\limits_{h \to 0} \dfrac{f(x + h) - f(x)}{h}$

$= \lim\limits_{h \to 0} \dfrac{-32}{\sqrt{2(x+h)+1}\,\sqrt{2x+1}\,(4\sqrt{2x+1}+4\sqrt{2(x+h)+1})}$

(de **2 a)**)

$= \dfrac{-4}{(2x+1)\sqrt{2x+1}}$

e) En remplaçant x par 0 dans **d)**, nous obtenons
$f'(0) = -4$.

3. a) $f'(-3) = \lim\limits_{h \to 0} \dfrac{f(-3 + h) - f(-3)}{h}$

$= \lim\limits_{h \to 0} \dfrac{[5(-3 + h)^2 - 4(-3 + h)] - (45 + 12)}{h}$

$= \lim\limits_{h \to 0} \dfrac{5(9 - 6h + h^2) + 12 - 4h - 57}{h}$

$= \lim\limits_{h \to 0} \dfrac{45 - 30h + 5h^2 + 12 - 4h - 57}{h}$

$= \lim\limits_{h \to 0} \dfrac{5h^2 - 34h}{h}$

$= \lim\limits_{h \to 0} \dfrac{h(5h - 34)}{h} = \lim\limits_{h \to 0} (5h - 34) = -34$

b) ... la pente de la tangente à la courbe d'équation
$f(x) = 5x^2 - 4x$ passant par le point $(-3, 57)$.

4. $m_{\tan}$ en $(0, f(0)) = f'(0)$

$= \lim\limits_{h \to 0} \dfrac{f(0 + h) - f(0)}{h} = \lim\limits_{h \to 0} \dfrac{\dfrac{4h - 1}{3h + 1} - (-1)}{h}$

$= \lim\limits_{h \to 0} \dfrac{4h - 1 + 3h + 1}{3h + 1} \times \dfrac{1}{h}$

$= \lim\limits_{h \to 0} \dfrac{7h}{3h + 1} \times \dfrac{1}{h} = \lim\limits_{h \to 0} \dfrac{7}{3h + 1} = 7$

5. a) $f'(x) = \lim\limits_{h \to 0} \dfrac{f(x + h) - f(x)}{h}$

$= \lim\limits_{h \to 0} \dfrac{[2(x + h)^3 - (x + h) + 7] - (2x^3 - x + 7)}{h}$

$= \lim\limits_{h \to 0} \dfrac{[2(x^3 + 3x^2h + 3xh^2 + h^3) - x - h + 7] - 2x^3 + x - 7}{h}$

$= \lim\limits_{h \to 0} \dfrac{2x^3 + 6x^2h + 6xh^2 + 2h^3 - x - h + 7 - 2x^3 + x - 7}{h}$

$= \lim\limits_{h \to 0} \dfrac{6x^2h + 6xh^2 + 2h^3 - h}{h}$

$= \lim\limits_{h \to 0} \dfrac{h(6x^2 + 6xh + 2h^2 - 1)}{h}$

$= \lim\limits_{h \to 0} (6x^2 + 6xh + 2h - 1) = 6x^2 - 1$

b) $g'(x) = \lim\limits_{\Delta x \to 0} \dfrac{g(x + \Delta x) - g(x)}{\Delta x}$

$= \lim\limits_{\Delta x \to 0} \dfrac{(x + \Delta x + 4)[2(x + \Delta x) - 6] - (x + 4)(2x - 6)}{\Delta x}$

$= \lim\limits_{\Delta x \to 0} \dfrac{2x^2 + 4x\Delta x + 2x + 2\Delta x - 24 + 2(\Delta x)^2 - 2x^2 - 2x + 24}{\Delta x}$

$= \lim\limits_{\Delta x \to 0} \dfrac{4x\Delta x + 2\Delta x + 2(\Delta x)^2}{\Delta x} = \lim\limits_{\Delta x \to 0} \dfrac{\Delta x(4x + 2 + 2\Delta x)}{\Delta x}$

$= \lim\limits_{\Delta x \to 0} (4x + 2 + 2\Delta x) = 4x + 2$

c) $H'(x) = \lim\limits_{t \to x} \dfrac{H(t) - H(x)}{t - x}$

$= \lim\limits_{t \to x} \dfrac{\sqrt{t + 4} - \sqrt{x + 4}}{t - x}$

$= \lim\limits_{t \to x} \left(\dfrac{\sqrt{t + 4} - \sqrt{x + 4}}{t - x} \times \dfrac{(\sqrt{t + 4} + \sqrt{x + 4})}{(\sqrt{t + 4} + \sqrt{x + 4})} \right)$

$= \lim\limits_{t \to x} \dfrac{(t + 4) - (x + 4)}{(t - x)(\sqrt{t + 4} + \sqrt{x + 4})}$

$= \lim\limits_{t \to x} \dfrac{(t - x)}{(t - x)(\sqrt{t + 4} + \sqrt{x + 4})}$

$= \lim\limits_{t \to x} \dfrac{1}{\sqrt{t + 4} + \sqrt{x + 4}} = \dfrac{1}{2\sqrt{x + 4}}$

d) $f'(2) = 23$; $g'(-1) = -2$; $H'(5) = \dfrac{1}{6}$

6. a) $f(-1) < 0$ et $f'(-1) > 0$

b) $f(0) = 0$ et $f'(0) > 0$

c) $f(1)$ non définie et $f'(1)$ non définie.

d) $f(1,5) > 0$ et $f'(1,5) < 0$

e) $f(2) > 0$ et $f'(2) = 0$

f) $f(3) > 0$ et $f'(3)$ non définie.

7. Voir la proposition 1, dans le chapitre 4, page 96.

TEST PRÉLIMINAIRE *(page 104)*

Partie A

1. a) $x^{\frac{1}{2}}$ c) $x^{-\frac{3}{4}}$ e) $x^{\frac{3}{5}}$ g) $x^{-\frac{1}{2}}$

   b) $x^{\frac{1}{3}}$ d) $x^{-\frac{2}{3}}$ f) $x^{-\frac{3}{2}}$ h) $x^{-\frac{7}{5}}$

2. a) $(2x + 3)^2 + 4 = 4x^2 + 12x + 13$

   b) $2(x^2 + 4) + 3 = 2x^2 + 11$

   c) $(x^2 + 4)^2 + 4 = x^4 + 8x^2 + 20$

   d) $(\sqrt{3x - 1})^2 + 4 = 3x + 3$

   e) $\sqrt{3\sqrt{3x - 1} - 1}$

   f) $(2\sqrt{3x - 1} + 3)^2 + 4 = 12x + 12\sqrt{3x - 1} + 9$

Partie B

1. ... pente de la tangente à la courbe d'équation $y = f(x)$ au point $(x, f(x))$.

2. a) $f'(x)$ b) $g'(x)$ c) $H'(x)$ d) $f'(y)$

3. a) $\lim\limits_{x \to a} [K f(x)] = K \lim\limits_{x \to a} f(x)$

   b) $\lim\limits_{x \to a} [f(x) \pm g(x)] = \lim\limits_{x \to a} f(x) \pm \lim\limits_{x \to a} g(x)$

   c) $\lim\limits_{x \to a} [f(x) \, g(x)] = \left(\lim\limits_{x \to a} f(x) \right) \left(\lim\limits_{x \to a} g(x) \right)$

QUESTIONS

Section 5.3

Question 1 *(page 107)*

$$
\begin{aligned}
H'(x) &= \lim_{h \to 0} \frac{H(x + h) - H(x)}{h} \quad \text{(par définition)}\\
&= \lim_{h \to 0} \frac{[3(x + h) + 5] - (3x + 5)}{h}\\
&= \lim_{h \to 0} \frac{(3x + 3h + 5) - (3x + 5)}{h}\\
&= \lim_{h \to 0} \frac{3x + 3h + 5 - 3x - 5}{h}\\
&= \lim_{h \to 0} \frac{3h}{h}\\
&= \lim_{h \to 0} 3 \quad \text{(car } h \neq 0)\\
&= 3
\end{aligned}
$$

Question 2 *(page 107)*

a) $(3x)' = 3(x)' = 3$ b) $(5)' = 0$

Question 3 *(page 107)*

La dérivée d'une somme, c'est-à-dire $[f(x) + g(x)]'$, est égale à la somme des dérivées, c'est-à-dire $f'(x) + g'(x)$.

Question 4 *(page 108)*

a) $(\sqrt{2}\, x + 3)' = (\sqrt{2}\, x)' + (3)'$ (proposition 4)

$$
\begin{aligned}
&= \sqrt{2}\,(x)' + (0) \quad \text{(propositions 1 et 3)}\\
&= \sqrt{2}\,(1) \quad \text{(proposition 2)}\\
&= \sqrt{2}
\end{aligned}
$$

b) $(5 - 2x)' = (5)' - (2x)'$ (proposition 5)

$$
\begin{aligned}
&= 0 - 2(x)' \quad \text{(propositions 1 et 3)}\\
&= -2(1) \quad \text{(proposition 2)}\\
&= -2
\end{aligned}
$$

Section 5.4

Question 1 *(page 111)*

a) $[(3 - x)(4x - 7)]' = (3 - x)'(4x - 7) + (3 - x)(4x - 7)'$

                    (proposition 7)

$$
\begin{aligned}
&= (-1)(4x - 7) + (3 - x)(4)\\
&= -4x + 7 + 12 - 4x\\
&= -8x + 19
\end{aligned}
$$

b) $[(x^2)\,(x)]' = (x^2)'(x) + (x^2)(x)'$ (proposition 7)

$$
\begin{aligned}
&= 2xx + x^2(1)\\
&= 2x^2 + x^2\\
&= 3x^2
\end{aligned}
$$

Section 5.5

Question 1 *(page 112)*

a) $f'(x) = 7x^6$ c) $h'(t) = 103t^{102}$

b) $g'(y) = 10y^9$ d) $f'(x) = 1994x^{1993}$

Section 5.6

Question 1 *(page 115)*

a) $\dfrac{(x^5)'\sqrt{x} - x^5(\sqrt{x})'}{(\sqrt{x})^2} = \dfrac{5x^4 x^{\frac{1}{2}} - x^5\left(\frac{1}{2}x^{-\frac{1}{2}}\right)}{x}$

$$
= \frac{5x^{\frac{9}{2}} - \frac{1}{2}x^{\frac{9}{2}}}{x}
$$

$$
= \frac{9}{2}x^{\frac{7}{2}}
$$

b) $\left(\dfrac{x^5}{x^{\frac{1}{2}}}\right)' = \left(x^{\frac{9}{2}}\right)' = \dfrac{9}{2}x^{\frac{7}{2}}$

Section 5.7

Question 1   (page 116)

Puisque $f(x) = (x^5 + 1)(x^5 + 1)(x^5 + 1)(x^5 + 1)$, alors

$f'(x) = (x^5 + 1)'(x^5 + 1)(x^5 + 1)(x^5 + 1) +$

$\qquad (x^5 + 1)(x^5 + 1)'(x^5 + 1)(x^5 + 1) +$

$\qquad (x^5 + 1)(x^5 + 1)(x^5 + 1)'(x^5 + 1) +$

$\qquad (x^5 + 1)(x^5 + 1)(x^5 + 1)(x^5 + 1)'$

$= \underbrace{(x^5 + 1)^3(x^5 + 1)' + ... + (x^5 + 1)^3(x^5 + 1)'}_{\text{4 termes}}$

$= 4(x^5 + 1)^3(x^5 + 1)'$

$= 4(x^5 + 1)^3 5x^4 = 20x^4(x^5 + 1)^3$

Question 2   (page 117)

a) $f'(x) = 32(x^3 + 1)^{31}(x^3 + 1)'$

$= 32(x^3 + 1)^{31} 3x^2$

$= 96x^2(x^3 + 1)^{31}$

b) $g'(y) = 7(y^2 + 3y)^6(y^2 + 3y)'$

$\qquad = 7(y^2 + 3y)^6(2y + 3)$

Question 3   (page 117)

a) $f'(x) = \dfrac{1}{3}(8x + 1)^{-\frac{2}{3}}(8x + 1)' = \dfrac{8}{3(8x + 1)^{\frac{2}{3}}}$

b) $h'(x) = \dfrac{1}{4}(x^5 - 1)^{-\frac{3}{4}}(x^5 - 1)' = \dfrac{5x^4}{4(x^5 - 1)^{\frac{3}{4}}}$

c) $a'(t) = \dfrac{1}{5}(\sqrt{t} + 1)^{-\frac{4}{5}}(\sqrt{t} + 1)' = \dfrac{1}{10(\sqrt{t} + 1)^{\frac{4}{5}}\sqrt{t}}$

Section 5.9

Question 1   (page 122)

a) $\dfrac{d}{dx}(y^3) = \dfrac{d}{dy}(y^3)\dfrac{dy}{dx} = 3y^2y'$

b) $\dfrac{d}{dx}(y^6) = 6y^5y'$

c) $\dfrac{d}{dx}(\sqrt{y}) = \dfrac{y'}{2\sqrt{y}}$

EXERCICES

Exercices 5.1   (page 106)

1. a) Si $f(x) = K$, alors $f'(x) = 0$

   b) Si $f(x) = x$, alors $f'(x) = 1$

2. a) $f'(x) = \lim\limits_{h \to 0} \dfrac{f(x + h) - f(x)}{h}$

   $= \lim\limits_{h \to 0} \dfrac{\dfrac{3}{4} - \dfrac{3}{4}}{h}$

   $= \lim\limits_{h \to 0} \dfrac{0}{h}$

   $= \lim\limits_{h \to 0} 0 \quad (\text{car } h \neq 0)$

   $= 0$

   b) $g'(t) = \lim\limits_{h \to 0} \dfrac{g(t + h) - g(t)}{h}$

   $= \lim\limits_{h \to 0} \dfrac{t + h - t}{h}$

   $= \lim\limits_{h \to 0} \dfrac{h}{h}$

   $= \lim\limits_{h \to 0} 1 \quad (\text{car } h \neq 0)$

   $= 1$

3. a) 0 (proposition 1)   d) 0 (proposition 1)

   b) 1 (proposition 2)   e) 1 (proposition 2)

   c) 0 (proposition 1)   f) 1 (proposition 2)

4. a) $f'(x) = 0$, d'où

   m_{tan} au point $(\sqrt{3}, f(\sqrt{3})) = f'(\sqrt{3}) = 0$;

   m_{tan} au point $(-1, f(-1)) = f'(-1) = 0$.

   b) $g'(x) = 1$, d'où

   m_{tan} au point $(-10, g(-10)) = g'(-10) = 1$;

   m_{tan} au point $(8, g(8)) = g'(8) = 1$.

Exercices 5.2   (page 107)

1. Si $H(x) = K f(x)$, alors $H'(x) = K f'(x)$, où $K \in \mathbb{R}$.

2. a) $f'(x) = (-9x)'$

   $= -9(x)' \quad (\text{proposition 3})$

   $= -9(1) \quad (\text{proposition 2})$

   $= -9$

   b) $g'(x) = (\pi x)'$

   $= \pi(x)' \quad (\text{proposition 3})$

   $= \pi(1) \quad (\text{proposition 2})$

   $= \pi$

   c) $h'(t) = \left(\dfrac{t}{3}\right)'$

   $= \dfrac{1}{3}(t)' \quad (\text{proposition 3})$

   $= \dfrac{1}{3}(1) \quad (\text{proposition 2})$

   $= \dfrac{1}{3}$

3. a) 0   c) 0   e) $\dfrac{3}{4}$

   b) 1   d) 7   f) $\dfrac{-9}{5}$

4. a) 0   b) 1   c) -3   d) $\dfrac{1}{2}$

Exercices 5.3 *(page 109)*

1. a) $g'(x) = \left(\dfrac{7}{2}x + \pi x - 3\right)'$

$= \left(\dfrac{7}{2}x\right)' + (\pi x)' - (3)'$

$= \dfrac{7}{2} + \pi - 0 = \dfrac{7}{2} + \pi$

b) $f'(x) = \left(\dfrac{3x - 7}{8} + 5\right)'$

$= \left(\dfrac{3x - 7}{8}\right)' + (5)'$

$= \dfrac{1}{8}(3x - 7)' + 0$

$= \dfrac{1}{8}[(3x)' - (7)']$

$= \dfrac{1}{8}[3 - 0] = \dfrac{3}{8}$

2. a) 6   c) 6   e) b g) $-4 + \sqrt{\pi}$
   b) 0   d) -2   f) a h) $at + v_0$

3. a) $f'(x) = \left(\dfrac{-3}{2}x + 5\right)' = \dfrac{-3}{2}$, d'où

m_{tan} au point $(0, f(0)) = f'(0) = \dfrac{-3}{2}$.

b) $a'(t) = (5t^2 + 6t + 3)' = 10t + 6$, d'où
m_{tan} au point $(3, a(3)) = a'(3) = 36$.

4. $H'(x) = [f(x) + g(x) + k(x)]'$

$= [(f(x) + g(x)) + k(x)]'$

$\quad$ (car $f(x) + g(x) + k(x) = (f(x) + g(x)) + k(x)$)

$= (f(x) + g(x))' + k'(x)$ (proposition 4)

$= f'(x) + g'(x) + k'(x)$ (proposition 4)

5. $H'(x) = \lim\limits_{h \to 0} \dfrac{H(x + h) - H(x)}{h}$ (par définition)

$= \lim\limits_{h \to 0} \dfrac{[f(x + h) - g(x + h)] - [f(x) - g(x)]}{h}$

$= \lim\limits_{h \to 0} \dfrac{f(x + h) - g(x + h) - f(x) + g(x)}{h}$

$= \lim\limits_{h \to 0} \dfrac{f(x + h) - f(x) - g(x + h) + g(x)}{h}$

$= \lim\limits_{h \to 0} \left[\dfrac{f(x + h) - f(x)}{h} - \dfrac{g(x + h) - g(x)}{h}\right]$

$= \left[\lim\limits_{h \to 0} \dfrac{f(x + h) - f(x)}{h}\right] - \left[\lim\limits_{h \to 0} \dfrac{g(x + h) - g(x)}{h}\right]$

$= f'(x) - g'(x)$ (par définition de $f'(x)$ et de $g'(x)$)

Exercices 5.4 *(page 111)*

1. a) $f'(x)\,g(x) + f(x)\,g'(x)$
   b) $f'(x)\,g(x)\,k(x) + f(x)\,g'(x)\,k(x) + f(x)\,g(x)\,k'(x)$

2. a) $f'(x) = (2x + 1)'(x + 1) + (2x + 1)(x + 1)'$

$= 2(x + 1) + (2x + 1)1$

$= 4x + 3$

b) $f'(x) = (5x - 1)'(x + 3)(2x + 4) +$
$(5x - 1)(x + 3)'(2x + 4) +$
$(5x - 1)(x + 3)(2x + 4)'$

$= 5(x + 3)(2x + 4) + (5x - 1)1(2x + 4) +$
$(5x - 1)(x + 3)2$

$= 30x^2 + 96x + 50$

c) $g'(t) = (4t - 1)'(2 - 3t)(5 - 6t) +$
$(4t - 1)(2 - 3t)'(5 - 6t) +$
$(4t - 1)(2 - 3t)(5 - 6t)'$

$= 4(2 - 3t)(5 - 6t) + (4t - 1)(-3)(5 - 6t) +$
$(4t - 1)(2 - 3t)(-6)$

$= 216t^2 - 252t + 67$

d) $f'(x) = (x)'\,x\,x + x\,(x)'\,x + x\,x\,(x)'\,x + x\,x\,x\,(x)'$

$= 1x^3 + 1x^3 + 1x^3 + 1x^3 = 4x^3$

e) $g'(y) = -3y^2 - 12y + 7$

f) $f'(x) = 7 + \sqrt{2}$

g) $g'(t) = -4t + 1$

h) $f'(x) = -168x + 358$

i) $g'(x) = 6x - 6$

j) $f'(x) = 16x^3 - 34x$

3. a) $f'(x) = 5x^4$ b) $f'(x) = 8x^7$

4. a) $f'(x) = 4x - 4$, d'où
m_{tan} au point $(1, f(1)) = f'(1) = 0$.

b) $f'(x) = -54x^2 - 30x + 37$, d'où
m_{tan} au point $(0, f(0)) = f'(0) = 37$.

5. La pente de la tangente à la courbe au point $(x, f(x))$ est donnée par $f'(x)$, où $f'(x) = 24x - 48$.

a) Il faut résoudre $f'(x) = -4$, c'est-à-dire $24x - 48 = -4$,
d'où $x = \dfrac{11}{6}$.

Le point cherché est $\left(\dfrac{11}{6}, f\left(\dfrac{11}{6}\right)\right)$,

c'est-à-dire $\left(\dfrac{11}{6}, \dfrac{-323}{3}\right)$.

b) Il faut résoudre $f'(x) = 0$, c'est-à-dire $24x - 48 = 0$,
d'où $x = 2$.

Le point cherché est $(2, f(2))$, c'est-à-dire $(2, -108)$.

6. Sachant que $g'(x) = f(x) + x f'(x)$, on obtient
$g'(0) = f(0) = 7$.

7. a) $p(x) = \dfrac{840 - x}{3}$

b) $R(x) = x p(x) = x\left(\dfrac{840 - x}{3}\right) = 280x - \dfrac{x^2}{3}$

c) $R'(x) = 280 - \dfrac{2x}{3}$

d) $R'(x) = 0$, si $x = 420$ unités.

Exercices 5.5 *(page 113)*

1. a) $(x^n)' = nx^{n-1}$ b) $(x^r)' = rx^{r-1}$

2. a) $104x^{103}$ c) $-4x^{-5} = \dfrac{-4}{x^5}$ e) $\pi x^{\pi-1}$

   b) $\dfrac{7}{4}x^{\frac{3}{4}}$ d) $-\dfrac{1}{2}x^{-\frac{3}{2}} = \dfrac{-1}{2x^{\frac{3}{2}}}$ f) 1

3. a) $\dfrac{1}{3}x^{-\frac{2}{3}} = \dfrac{1}{3\sqrt[3]{x^2}}$ e) $-x^{-2} = -\dfrac{1}{x^2}$

   b) $\dfrac{3}{2}x^{\frac{1}{2}} = \dfrac{3}{2}\sqrt{x}$ f) $-\dfrac{1}{2}x^{-\frac{3}{2}} = \dfrac{-1}{2\sqrt{x^3}}$

   c) $\dfrac{7}{4}x^{\frac{3}{4}} = \dfrac{7}{4}\sqrt[4]{x^3}$ g) $-\dfrac{2}{3}x^{-\frac{5}{3}} = \dfrac{-2}{3\sqrt[3]{x^5}}$

   d) $\dfrac{4}{7}x^{-\frac{3}{7}} = \dfrac{4}{7\sqrt[7]{x^3}}$ h) $3x^2$, si $x \neq 0$.

4. a) $\dfrac{1}{x^{\frac{7}{8}}}$

   b) $\dfrac{25}{x^6}$

   c) $\dfrac{-3\sqrt{2}}{5x^{(1+\sqrt{2})}}$

   d) $24x^2 - 8x + 9$

   e) $7x^6 - 15x^4 - x^2$

   f) $\dfrac{1}{4\sqrt{x}} + 2x + 5$

   g) $\dfrac{16}{3}x^{\frac{13}{3}}$

   h) $\dfrac{-1}{3x^{\frac{4}{3}}} + 135x^{26} + \dfrac{3}{x^4}$

   i) $(9x^2 + 2)(5x^7 - 4x^5) + (3x^3 + 2x)(35x^6 - 20x^4)$

   j) 0

5. Puisque $f(x) = x^3 - 3x^2$, alors $f'(x) = 3x^2 - 6x$.

   a) De $f(x) = 0$

     $x^3 - 3x^2 = 0$

     $x^2(x - 3) = 0$, on obtient $x = 0$ ou $x = 3$. D'où

     $m_{\tan}$ au point $(0, f(0)) = f'(0) = 0$;

     $m_{\tan}$ au point $(3, f(3)) = f'(3) = 9$.

   b) De $f'(x) = 0$

     $3x^2 - 6x = 0$

     $3x(x - 2) = 0$, on obtient $x = 0$ ou $x = 2$.

     D'où les points $(0, f(0))$ et $(2, f(2))$, c'est-à-dire $(0, 0)$ et $(2, -4)$.

6. a) L'équation de la tangente au point $(-2, 0)$ est
     $y_1 = -5x - 10$.

     L'équation de la tangente au point $(3, 0)$ est
     $y_2 = 5x - 15$.

   b) $(0,5, -12,5)$

c)

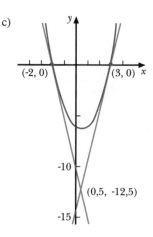

7. a) $f'(x) = 3x^2$, d'où
     $m_{\tan}$ au point $(0, f(0)) = f'(0) = 0$.

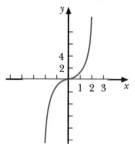

   b) $g'(x) = \dfrac{1}{3}x^{-\frac{2}{3}} = \dfrac{1}{3\sqrt[3]{x^2}}$.

     D'où la pente de la tangente à la courbe au point $(0, g(0))$ n'est pas définie, puisque $g'(0)$ n'est pas définie.

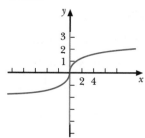

   c) $(0, f(0))$ (voir **a**))

   d) Il faut résoudre $g'(x) = 0$, c'est-à-dire $\dfrac{1}{3\sqrt[3]{x^2}} = 0$;

     or $g'(x) \neq 0$ quel que soit $x \in \mathbb{R}$. D'où il n'existe aucun point sur la courbe où la tangente est parallèle à l'axe des x.

   e) $(0, g(0))$ (voir **d**))

8. a) $y = 2x + 8$ b) $x + 2y - 21 = 0$

Exercices 5.6 *(page 115)*

1. $H'(x) = \dfrac{f'(x)\, g(x) - f(x)\, g'(x)}{[g(x)]^2}$

2. a) $f'(x) = \dfrac{(2x)'(x + 1) - 2x(x + 1)'}{(x + 1)^2}$

$$= \frac{2(x+1) - 2x}{(x+1)^2}$$

$$= \frac{2}{(x+1)^2}$$

b) $g'(t) = \dfrac{(t^2+t+2)'t - (t^2+t+2)(t)'}{t^2}$

$$= \frac{(2t+1)t - (t^2+t+2)}{t^2}$$

$$= \frac{t^2 - 2}{t^2}$$

c) $f'(x) = \dfrac{(x - 4x^2)'\, 2x^3 - (x - 4x^2)(2x^3)'}{(2x^3)^2}$

$$= \frac{(1 - 8x)2x^3 - (x - 4x^2)6x^2}{4x^6}$$

$$= \frac{2x - 1}{x^3}$$

d) $H'(x) = \dfrac{(2x^4)'(2x^4+1) - 2x^4(2x^4+1)'}{(2x^4+1)^2}$

$$= \frac{8x^3(2x^4+1) - 2x^4\,8x^3}{(2x^4+1)^2}$$

$$= \frac{8x^3}{(2x^4+1)^2}$$

e) $d'(t) = \dfrac{(4t^2-5)'(5-4t^3) - (4t^2-5)(5-4t^3)'}{(5-4t^3)^2}$

$$= \frac{8t(5-4t^3) - (4t^2-5)(-12t^2)}{(5-4t^3)^2}$$

$$= \frac{4t(4t^3 - 15t + 10)}{(5-4t^3)^2}$$

f) $f'(x) = \dfrac{(\sqrt{x})'(1-x) - \sqrt{x}(1-x)'}{(1-x)^2}$

$$= \frac{\frac{1}{2\sqrt{x}}(1-x) - \sqrt{x}(-1)}{(1-x)^2}$$

$$= \frac{1+x}{2\sqrt{x}(1-x)^2}$$

3. a) i) $\left(\dfrac{x^3}{x}\right)' = \dfrac{(x^3)'x - (x)^3 x'}{(x)^2} = \dfrac{(3x^2)x - x^3}{x^2} = 2x$

ii) $\left(\dfrac{x^3}{x}\right)' = (x^2)'$ (si $x \neq 0$)

$$= 2x$$

b) i) $\left(\dfrac{1}{x}\right)' = \dfrac{(1)'x - 1(x)'}{x^2} = \dfrac{-1}{x^2}$

ii) $\left(\dfrac{1}{x}\right)' = (x^{-1})' = -1x^{-2} = \dfrac{-1}{x^2}$

c) i) $\left(\dfrac{2x^4+1}{2x^4}\right)' = \dfrac{(2x^4+1)'(2x^4) - (2x^4+1)(2x^4)'}{(2x^4)^2}$

$$= \frac{-2}{x^5}$$

ii) $\left(\dfrac{2x^4+1}{2x^4}\right)' = \left(1 + \dfrac{1}{2}x^{-4}\right)' = \dfrac{-2}{x^5}$

d) i) $\left(\dfrac{x^5}{3}\right)' = \dfrac{(x^5)'3 - (x^5)(3)'}{(3)^2} = \dfrac{5x^4}{3}$

ii) $\left(\dfrac{x^5}{3}\right)' = \dfrac{1}{3}(x^5)' = \dfrac{5x^4}{3}$

4. a) $\dfrac{2x(x+1) - (x^2+1)}{(x+1)^2} = \dfrac{x^2+2x-1}{(x+1)^2}$

b) $\dfrac{\left[\frac{1}{2}x^{-\frac{1}{2}}(10-x) + \sqrt{x}\,(-1)\right](x^3-8) - 3x^2\sqrt{x}\,(10-x)}{(x^3-8)^2}$

$$= \frac{3x^4 - 50x^3 + 24x - 80}{2\sqrt{x}(x^3+8)^2}$$

c) $\dfrac{(12x^2-2x)[(x+1)\sqrt[4]{x}] - (4x^3-x^2)[\sqrt[4]{x} + (x+1)\frac{1}{4}x^{-\frac{3}{4}}]}{[(x+1)\sqrt[4]{x}]^2}$

$$= \frac{x^{\frac{3}{4}}(28x^2 + 41x - 7)}{4(x+1)^2}$$

d) $\dfrac{(x+1) - x}{(x+1)^2} + \dfrac{x^2 - 2x(x+1)}{(x^2)^2} = \dfrac{-(4x^2+5x+2)}{x^3(x+1)^2}$

5. a) $g'(x) = \dfrac{\frac{1}{2\sqrt{x}}(x+1) - \sqrt{x}}{(x+1)^2}$, d'où

$m_{\tan}$ au point $(4, g(4)) = g'(4) = \dfrac{-3}{100}$.

b) $v'(t) = \dfrac{(2t+1)(3t+1) - 3(t^2+t+1)}{(3t+1)^2}$, d'où

$m_{\tan}$ au point $(0, v(0)) = v'(0) = -2$.

6. Il faut résoudre $f'(x) = 0$, c'est-à-dire $\dfrac{1-x^2}{(x^2+1)^2} = 0$.

Les points cherchés sont donc $\left(1, \dfrac{1}{2}\right)$ et $\left(-1, -\dfrac{1}{2}\right)$.

7. a) $M'(x) = \dfrac{xC'(x) - C(x)}{x^2}$

b) Si $M'(x) = 0$, alors $xC'(x) - C(x) = 0$.

D'où $C'(x) = \dfrac{C(x)}{x} = M(x)$.

Exercices 5.7 (page 119)

1. a) $7(x^4+1)^6 4x^3 = 28x^3(x^4+1)^6$

b) $-200x^3(1-5x^4)^9$

c) $\dfrac{7}{2}(x^2+3x+2)^{\frac{5}{2}}(2x+3)$

d) $\dfrac{1}{2}(x^5+1)^{-\frac{1}{2}}5x^4 = \dfrac{5x^4}{2\sqrt{x^5+1}}$

e) $5[(x^3+2x)^4 + 3x]^4[4(x^3+2x)^3(3x^2+2) + 3]$

f) $3\left[\dfrac{x+1}{x-1}\right]^2 \dfrac{(x-1)-(x+1)}{(x-1)^2} = \dfrac{-6(x+1)^2}{(x-1)^4}$

g) $\dfrac{-5}{3(8-x)^{\frac{2}{3}}}$

h) $7\left[\dfrac{(x^3+1)^5}{x-1}\right]^6\left[\dfrac{5(x^3+1)^4 3x^2(x-1)-(x^3+1)^5}{(x-1)^2}\right]$

$$= \dfrac{7(x^3+1)^{34}(14x^3-15x^2-1)}{(x-1)^8}$$

i) $5[(x^2+7x)^5+(x^3-1)^2]^4[5(x^2+7x)^4(2x+7)+$
$\qquad\qquad\qquad\qquad 2(x^3-1)3x^2]$

j) $3(x^2+1)^2(2x)(x^3+1)^2+(x^2+1)^3 2(x^3+1)(3x^2)$
$\qquad\qquad = 6x(x^2+1)^2(x^3+1)(2x^3+x+1)$

k) $\dfrac{1}{2\sqrt{x^2+\sqrt{3x}}}\left(2x+\dfrac{3}{2\sqrt{3x}}\right)$

l) $\dfrac{1}{2\sqrt{\dfrac{mt}{1+t}}}\left(\dfrac{m(1+t)-mt}{(1+t)^2}\right) = \dfrac{1}{2}\sqrt{\dfrac{1+t}{mt}}\dfrac{m}{(1+t)^2}$

2. a) $f'(x) = 5(x^3+7)^4 3x^2 = 15x^2(x^3+7)^4$, d'où

$m_{\tan}$ au point $(1, f(1)) = f'(1) = 61\ 440$.

b) $v'(t) = \dfrac{t}{\sqrt{t^2+1}}$, d'où

$m_{\tan}$ au point $(3, v(3)) = v'(3) = \dfrac{3}{\sqrt{10}}$.

3. Il faut résoudre $f'(x) = 0$, c'est-à-dire $4x(x-1)(x+1) = 0$.

Les points cherchés sont donc $(0, f(0))$, $(1, f(1))$ et
$(-1, f(-1))$, c'est-à-dire $(0, 1)$, $(1, 0)$ et $(-1, 0)$.

4. a) $\dfrac{dx}{dt} = 12t-5$; $\dfrac{dx}{dt}\Big|_{t=2} = 19$

b) $\dfrac{dy}{dt} = \dfrac{dy}{dx}\dfrac{dx}{dt}$

$\qquad = \dfrac{1}{2\sqrt{x}}(12t-5) = \dfrac{12t-5}{2\sqrt{6t^2-5t}}$;

$\dfrac{dy}{dt}\Big|_{t=1} = \dfrac{7}{2}$

c) $\dfrac{dz}{dx} = \dfrac{dz}{dy}\dfrac{dy}{dx}$

$\qquad = \dfrac{-1}{y^2}\dfrac{1}{2\sqrt{x}} = \dfrac{-1}{2x\sqrt{x}}$;

$\dfrac{dz}{dx}\Big|_{x=4} = \dfrac{-1}{16}$

d) $\dfrac{dz}{dt} = \dfrac{dz}{dy}\dfrac{dy}{dx}\dfrac{dx}{dt}$

$\qquad = \dfrac{-1}{y^2}\dfrac{1}{2\sqrt{x}}(12t-5)$

$\qquad = \dfrac{(5-12t)}{2(6t^2-5t)\sqrt{6t^2-5t}}$;

$\dfrac{dz}{dt}\Big|_{t=2} = \dfrac{-19}{28\sqrt{14}}$

Exercices 5.8　(page 121)

1. a) $f(x) = 2$

$f'(x) = 0$

$f''(x) = 0$

$f'''(x) = 0$

$f^{(4)}(x) = 0$

$f^{(5)}(x) = 0$

d) $f(x) = \sqrt{x} = x^{\frac{1}{2}}$

$f'(x) = \dfrac{1}{2}x^{-\frac{1}{2}}$

$f''(x) = \dfrac{-1}{4}x^{-\frac{3}{2}}$

$f'''(x) = \dfrac{3}{8}x^{-\frac{5}{2}}$

$f^{(4)}(x) = \dfrac{-15}{16}x^{-\frac{7}{2}}$

$f^{(5)}(x) = \dfrac{105}{32}x^{-\frac{9}{2}}$

b) $f(x) = x^7 + 3x^2 + 4$

$f'(x) = 7x^6 + 6x$

$f''(x) = 42x^5 + 6$

$f'''(x) = 210x^4$

$f^{(4)}(x) = 840x^3$

$f^{(5)}(x) = 2520x^2$

e) $f(x) = \sqrt[3]{x} = x^{\frac{1}{3}}$

$f'(x) = \dfrac{1}{3}x^{-\frac{2}{3}}$

$f''(x) = -\dfrac{2}{9}x^{-\frac{5}{3}}$

$f'''(x) = \dfrac{10}{27}x^{-\frac{8}{3}}$

$f^{(4)}(x) = -\dfrac{80}{81}x^{-\frac{11}{3}}$

$f^{(5)}(x) = \dfrac{880}{243}x^{-\frac{14}{3}}$

c) $f(x) = \dfrac{1}{x} = x^{-1}$

$f'(x) = -1x^{-2}$

$f''(x) = 2x^{-3}$

$f'''(x) = -6x^{-4}$

$f^{(4)}(x) = 24x^{-5}$

$f^{(5)}(x) = -120x^{-6}$

f) $f(x) = \dfrac{x^5+1}{x^2} = x^3 + x^{-2}$

$f'(x) = 3x^2 - 2x^{-3}$

$f''(x) = 6x + 6x^{-4}$

$f'''(x) = 6 - 24x^{-5}$

$f^{(4)}(x) = 120x^{-6}$

$f^{(5)}(x) = -720x^{-7} = \dfrac{-720}{x^7}$

2. a) $f^{(4)}(x) = 120x$

b) $y^{(9)} = 0$

c) $\dfrac{d^2s}{dt^2} = 9{,}8$

d) $\dfrac{d^3y}{dx^3} = 30(x^3+1)^2(91x^6+38x^3+1)$

e) $f^{(2)}(1) = -4$

f) $\dfrac{d^3y}{dx^3}\Big|_{x=4} = \dfrac{105}{4}$

3. La pente de la tangente à la courbe de f' au point $(a, f'(a))$
est donnée par $f''(a)$.

a) $m_{\tan}$ au point $(1, f'(1)) = f''(1) = 12$.

b) $m_{\tan}$ au point $(0, f'(0)) = f''(0) = 2$.

Exercices 5.9　(page 124)

1. b) et d)

2. a) $(x^2 + 3y)' = (5 - 6x)'$

$\qquad 2x + 3y' = -6$

$$3y' = -6 - 2x$$

d'où $y' = \dfrac{-6 - 2x}{3}$.

b) $y = \dfrac{5 - 6x - x^2}{3}$ et $y' = \dfrac{-6 - 2x}{3}$.

c) Elles sont identiques.

3. a) $(x^3 + y^3)' = (5 - x^2)'$

$$3x^2 + 3y^2y' = -2x$$

$$3y^2y' = -2x - 3x^2$$

d'où $y' = \dfrac{-2x - 3x^2}{3y^2}$.

b) $(xy)' = (x^2 - 5y)'$

$$y + xy' = 2x - 5y'$$

$$xy' + 5y' = 2x - y$$

$$y'(x + 5) = 2x - y$$

d'où $y' = \dfrac{2x - y}{x + 5}$.

c) $\left(\dfrac{x}{y}\right)' = (x^2 + 5y)'$

$$\dfrac{y - xy'}{y^2} = 2x + 5y'$$

$$y - xy' = (2x + 5y')y^2$$

$$y - xy' = 2xy^2 + 5y^2y'$$

$$y - 2xy^2 = 5y^2y' + xy'$$

$$y - 2xy^2 = y'(5y^2 + x)$$

d'où $y' = \dfrac{y - 2xy^2}{5y^2 + x}$.

d) $(3x^2y - 4xy^2)' = (9)'$

$$6xy + 3x^2y' - 4y^2 - 8xyy' = 0$$

$$3x^2y' - 8xyy' = 4y^2 - 6xy$$

$$y'(3x^2 - 8xy) = 4y^2 - 6xy$$

d'où $y' = \dfrac{4y^2 - 6xy}{3x^2 - 8xy}$.

4. a) $y' = \dfrac{-x}{y}$;

$m_{\tan}$ au point $(2, 3) = y'_{(2, 3)} = -\dfrac{2}{3}$.

b) $y' = \dfrac{-2xy^2 - 3x^2y^3}{2x^2y + 3x^3y^2}$;

$m_{\tan}$ au point $(1, -2) = y'_{(1, -2)} = 2$.

5. $y' = \dfrac{-x}{y}$;

$m_{\tan}$ au point $(1, -\sqrt{3}) = y'_{(1, -\sqrt{3})} = \dfrac{1}{\sqrt{3}}$.

6. $y' = \dfrac{-4x}{9y}$ et si $x = \sqrt{5}$, alors $y = \pm\dfrac{4}{3}$. D'où

$m_{\tan}$ au point $\left(\sqrt{5}, \dfrac{4}{3}\right) = \dfrac{-\sqrt{5}}{3}$;

$m_{\tan}$ au point $\left(\sqrt{5}, -\dfrac{4}{3}\right) = \dfrac{\sqrt{5}}{3}$.

PROBLÈMES DE SYNTHÈSE   *(page 124)*

1. a) $y' = 0$

b) $y' = 1$

c) $y' = K f'(x)$

d) $y' = f'(x) + g'(x)$

e) $y' = f'(x) g(x) + f(x) g'(x)$

f) $y' = rx^{r-1}$

g) $y' = \dfrac{f'(x) g(x) - f(x) g'(x)}{[g(x)]^2}$

h) $y' = r[f(x)]^{r-1} f'(x)$

2. a) $y' = 8x + 24$

b) $y' = x^{\frac{1}{4}} - x^{\frac{5}{2}}$

c) $y' = 20x^3 + 6x - \dfrac{5}{\sqrt{x}}$

d) $y' = 8(3x^2 + 5) - 12x$

e) $y' = 4x^3 - 4x^{-5} = \dfrac{4(x^8 - 1)}{x^5}$

f) $y' = \dfrac{1}{2\sqrt{x}}(2x^2 + 7x + 4) + \sqrt{x}(4x + 7)$

$ = \dfrac{10x^2 + 21x + 4}{2\sqrt{x}}$

g) $y' = \dfrac{-3}{(x - 1)^2}$

h) $y' = \dfrac{3(2x + 3) - 2(3x + 2)}{(2x + 3)^2} = \dfrac{5}{(2x + 3)^2}$

i) $y' = 6(1 - 7x)^5(-7) = -42(1 - 7x)^5$

j) $y' = 7(x^3 - 1)^6 3x^2 = 21x^2(x^3 - 1)^6$

k) $y' = \dfrac{15}{(1 - 5x)^2} + \dfrac{64}{(8x + 6)^2}$

l) $y' = 2x + \dfrac{3}{2\sqrt{3x + 1}}$

m) $y' = 2x\sqrt{3x + 1} + \dfrac{x^2 3}{2\sqrt{3x + 1}} = \dfrac{15x^2 + 4x}{2\sqrt{3x + 1}}$

n) $y' = \dfrac{\dfrac{x}{2\sqrt{x}} - (\sqrt{x} + 1)}{x^2} = \dfrac{-\sqrt{x} - 2}{2x^2}$

o) $y' = 5(2 - x)^4(-1)(7x + 3) + (2 - x)^5 7$
$= (2 - x)^4(-42x - 1)$

p) $y' = \dfrac{(5 - x) - (4 + x)(-1)}{(5 - x)^2} = \dfrac{9}{(5 - x)^2}$

q) $y' = \dfrac{5(4x + 5)}{2\sqrt{2x^2 + 5x + 7}}$

r) $y' = \dfrac{4}{3}(1 - x^2 + x^4)^{\frac{1}{3}}(-2x + 4x^3)$

s) $y' = 2(3x - 3)(4 - 5x) + (2x + 1)3(4 - 5x) +$
$(2x + 1)(3x - 3)(-5)$
$= -3(30x^2 - 26x - 1)$

t) $y' = \dfrac{1}{2\sqrt{\dfrac{1 + 3x}{1 - 3x}}}\left[\dfrac{3(1 - 3x) - (-3)(1 + 3x)}{(1 - 3x)^2}\right]$

$= \sqrt{\dfrac{1 - 3x}{1 + 3x}}\,\dfrac{3}{(1 - 3x)^2} = \dfrac{3}{\sqrt{(1 + 3x)(1 - 3x)^3}}$

3. a) $\dfrac{dy}{dx} = x^{-\frac{2}{3}} + \dfrac{21}{16}x^{-\frac{1}{4}} - x^{\frac{3}{2}}$

b) $\dfrac{dy}{dx} = 7\left[\dfrac{2x(x^2 - 4) - (x^2 + 4)(2x)}{(x^2 - 4)^2}\right] = \dfrac{-112x}{(x^2 - 4)^2}$

c) $\dfrac{dy}{dx} = 5\left(\dfrac{x}{7 + x}\right)^4\left[\dfrac{(7 + x) - x}{(7 + x)^2}\right]$
$= 5\left(\dfrac{x}{7 + x}\right)^4\dfrac{7}{(7 + x)^2} = \dfrac{35x^4}{(7 + x)^6}$

d) $\dfrac{dy}{dx} = 15x^2\sqrt{4 - x} + 5x^3\dfrac{(-1)}{2\sqrt{4 - x}} = \dfrac{5x^2(24 - 7x)}{2\sqrt{4 - x}}$

e) $\dfrac{dy}{dx} = 0$

f) $\dfrac{dy}{dx} = \dfrac{(7 - 3x^2)}{3(3 + 7x - x^3)^{\frac{2}{3}}} - \dfrac{1}{x^2}$

g) $\dfrac{dy}{dx} = \dfrac{-28}{10}(1 - 2x^7)^{\frac{5}{2}}(-14x^6) = \dfrac{196}{5}x^6(1 - 2x^7)^{\frac{5}{2}}$

h) $\dfrac{dy}{dx} = 4(x^2 + 3)^3 2x(2x^3 - 5)^3 + (x^2 + 3)^4 3(2x^3 - 5)^2 6x^2$
$= 2x(x^2 + 3)^3(2x^3 - 5)^2(17x^3 + 27x - 20)$

i) $\dfrac{dy}{dx} = 18[(x^2 - 5)^8 + x^7]^{17}[8(x^2 - 5)^7 2x + 7x^6]$

j) $\dfrac{dy}{dx} = \dfrac{4x^3(2 - 3x) + 3x^4}{(2 - 3x)^2} = \dfrac{x^3(8 - 9x)}{(2 - 3x)^2}$

k) $\dfrac{dy}{dx} = \dfrac{-7x^6}{(x^7 - 1)^2} - \dfrac{2x}{(9 - x^2)^2}$

l) $\dfrac{dy}{dx} = \dfrac{1}{4\sqrt{x}\sqrt{2 + \sqrt{x}}}$

m) $\dfrac{dy}{dx} = \dfrac{\dfrac{-4}{x^2}\left(4 + \dfrac{1}{x}\right) - \left(1 + \dfrac{4}{x}\right)\left(\dfrac{-1}{x^2}\right)}{\left(4 + \dfrac{1}{x}\right)^2} = \dfrac{-15}{(4x + 1)^2}$

n) $\dfrac{dy}{dx} = 2x(x^3 + 2)^5 + x^2 5(x^3 + 2)^4(3x^2) + \dfrac{64x^7}{(x^8 - 5)^2}$

$= x(x^3 + 2)^4(17x^3 + 4) + \dfrac{64x^7}{(x^8 - 5)^2}$

o) $\dfrac{dy}{dx} = \dfrac{nx^{n-1}(x^n - 1) - nx^{n-1}x^n}{(x^n - 1)^2} = \dfrac{-nx^{n-1}}{(x^n - 1)^2}$

p) $\dfrac{dy}{dx} = \dfrac{n}{x^{n+1}}$

q) $\dfrac{dy}{dx} = \dfrac{(n + 1)x^n(x^n + 1) - (x^{n+1})(nx^{n-1})}{(x^n + 1)^2}$

$= \dfrac{x^n(n + 1 + x^n)}{(x^n + 1)^2}$

r) $\dfrac{dy}{dx} = 8[3x^4 - (5 - x^6)^5]^7[12x^3 + 30x^5(5 - x^6)^4]$

s) $\dfrac{dy}{dx} = \dfrac{1}{2\sqrt{\dfrac{x}{7}}}\left(\dfrac{1}{7}\right) + \dfrac{1}{2\sqrt{\dfrac{7}{x}}}\left(\dfrac{-7}{x^2}\right) = \dfrac{\sqrt{7x}(x - 7)}{14x^2}$

t) $\dfrac{dy}{dx} = \dfrac{\left[\dfrac{1}{2\sqrt{\dfrac{x}{7}}}\left(\dfrac{1}{7}\right) + \dfrac{1}{2\sqrt{\dfrac{7}{x}}}\left(\dfrac{-7}{x^2}\right)\right](7 + x) - \left(\sqrt{\dfrac{x}{7}} + \sqrt{\dfrac{7}{x}}\right)}{(7 + x)^2}$

$= \dfrac{-\sqrt{7x}}{14x^2}$

4. a) $f'(x) = -x^{-\frac{3}{2}} - 2x^{-\frac{4}{3}} + \dfrac{1}{40}x^{-\frac{4}{5}}$

b) $f'(x) = \dfrac{(2x - 1)(x^3 + 2) - 3x^2(x^2 - x + 1)}{(x^3 + 2)^2}$

$= \dfrac{-x^4 + 2x^3 - 3x^2 + 4x - 2}{(x^3 + 2)^2}$

c) $f'(x) = \dfrac{\left(1 - \dfrac{1}{2\sqrt{x}}\right)(x + \sqrt{x}) - (x - \sqrt{x})\left(1 + \dfrac{1}{2\sqrt{x}}\right)}{(x + \sqrt{x})^2}$

$= \dfrac{\sqrt{x}}{(x + \sqrt{x})^2}$

d) $f'(x) = 6[(x^2 + 1)^3(x^3 - 1)^2]^5[3(x^2 + 1)^2 2x(x^3 - 1)^2 + (x^2 + 1)^3 2(x^3 - 1)3x^2]$

$= 36x(x^2 + 1)^{17}(x^3 - 1)^{11}(2x^3 + x - 1)$

e) $f'(x) = \dfrac{4x^2\sqrt{1 + x^2} - (2x^2 - 1)\left[\sqrt{1 + x^2} + \dfrac{x^2}{\sqrt{1 + x^2}}\right]}{(x\sqrt{1 + x^2})^2}$

$= \dfrac{4x^2 + 1}{x^2(1 + x^2)^{\frac{3}{2}}}$

f) $f'(x) = 5\left[(\sqrt[3]{x-1} + (x-7)\frac{1}{3}(x-1)^{-\frac{2}{3}}\right]$

$= \dfrac{10(2x-5)}{3(x-1)^{\frac{2}{3}}}$

g) $f'(x) = \dfrac{1}{3}\left(\dfrac{x^3+1}{x^3-1}\right)^{-\frac{2}{3}}\left[\dfrac{3x^2(x^3-1)-3x^2(x^3+1)}{(x^3-1)^2}\right]$

$= \dfrac{-2x^2}{(x^3+1)^{\frac{2}{3}}(x^3-1)^{\frac{4}{3}}}$

h) $f'(x) = 4\left[(3-2x)^4 + \dfrac{5}{(x^3+4x)^4}\right]^3\left[-8(3-2x)^3 - \dfrac{20(3x^2+4)}{(x^3+4x)^5}\right]$

i) $f'(x) = (ax-b)^4$

j) $f'(x) = \dfrac{3c}{x^2}\left(b - \dfrac{c}{x}\right)^2 = \dfrac{3c(bx-c)^2}{x^4}$

k) $f'(x) = \dfrac{1}{2\sqrt{1+\dfrac{1}{\sqrt{x}}}}\left(\dfrac{-1}{2}x^{-\frac{3}{2}}\right) = \dfrac{-1}{4x^{\frac{5}{4}}\sqrt{\sqrt{x}+1}}$

l) $f'(x) = 7x^6 + 8x^3 + 2x$

m) $f'(x) = 4x^3\sqrt[7]{\dfrac{x+1}{x-1}} + x^4\dfrac{1}{7}\left(\dfrac{x+1}{x-1}\right)^{-\frac{6}{7}}\dfrac{-2}{(x-1)^2}$

$= \dfrac{2x^3(14x^2 - x - 14)}{7(x-1)^{\frac{8}{7}}(x+1)^{\frac{6}{7}}}$

n) $f'(x) = ab - \dfrac{de}{(ex+m)^2}$

o) $f'(x) = \dfrac{8x^3(m^2-x^2) - 2x^4(-2x)}{(m^2-x^2)^2} = \dfrac{8x^3m^2 - 4x^5}{(m^2-x^2)^2}$

p) $f'(x) = \dfrac{2ax(a+x^2)^3 - ax^23(a+x^2)^22x}{(a+x^2)^6}$

$= \dfrac{2ax(a-2x^2)}{(a+x^2)^4}$

q) $f'(x) = \dfrac{-2}{3}\left(\dfrac{x^2}{1-x}\right)^{-\frac{5}{3}}\left[\dfrac{2x(1-x)+x^2}{(1-x)^2}\right]$

$= \dfrac{-2(2-x)}{3x^{\frac{7}{3}}(1-x)^{\frac{1}{3}}}$

r) $f'(x) = 5\left(\dfrac{x^3-2}{2x^3+7}\right)^4\left(\dfrac{3x^2(2x^3+7)-6x^2(x^3-2)}{(2x^3+7)^2}\right)$

$= \dfrac{165x^2(x^3-2)^4}{(2x^3+7)^6}$

s) $f'(x) = \dfrac{\left[2\sqrt{x+1}+\dfrac{2x+1}{2\sqrt{x+1}}\right](4-x^2) + 2x(2x+1)\sqrt{x+1}}{(4-x^2)^2}$

$= \dfrac{2x^3 + 7x^2 + 28x + 20}{2(4-x^2)^2\sqrt{x+1}}$

t) $f'(x) = 7x^6 - \dfrac{9}{2}x^{\frac{7}{2}} + \dfrac{3}{2\sqrt{3x}} + \dfrac{3}{2\sqrt{x}}$

5. a) $y' = \dfrac{-4x - 3y}{3x - 2y}$

b) $y' = \dfrac{-5}{6y + 15y^2}$

c) $y' = \dfrac{y^2(1 + 3x^2y)}{x^2(-1 - 3xy^2)}$

d) $y' = \dfrac{-x}{y}$

e) $y' = \dfrac{x^2y + y^4}{2xy^3 + x^3}$, ou $y' = \dfrac{2x}{3y^2}$

f) $y' = \dfrac{y}{x + y(x+y)^2}$

6. a) $3t^2$; 12

b) 2; 2

c) $20(2u+3) - \dfrac{1}{\sqrt{2u+3}}$; 19

d) $\left(20(2t^3+5) - \dfrac{1}{\sqrt{2t^3+5}}\right)3t^2$; 0

7. a) $f(0) = 1$; $f'(0) = -12$; $f''(0) = 6$

b) $x = -2$ ou $x = 1$

c) $f^{(3)}(x) = 12$; $f^{(6)}(x) = 0$

d) $x = -1$ ou $x = 0$

8. a) 8; -10; 2

b) -1728; 0; 0

c) -3; non définie; non définie.

9. a) $f''(x) = 2 + \dfrac{3}{4\sqrt{x}}$; $f''(4) = \dfrac{19}{8}$

b) $\dfrac{d^2y}{dx^2} = -48x + 40$; $\dfrac{d^2y}{dx^2}\bigg|_{x=0,25} = 28$

c) $f^{(3)}(1) = 0$; $f^{(5)}(1) = 2$

d) $x = -\dfrac{1}{3}$

e) $y'_{(1,2)} = -\dfrac{2}{9}$; $y'_{(-1,-2)} = -\dfrac{2}{9}$

10. a) $y' = \dfrac{-2xy^2 - 3x^2y^3}{2x^2y + 3x^3y^2}$; $m_{\tan}$ au point $(1, -2) = y'_{(1,-2)} = 2$.

b) $y' = \dfrac{-y}{x - 4y\sqrt{xy}}$; $m_{\tan}$ au point $(2, 8) = y'_{(2,8)} = \dfrac{4}{63}$.

11. Il faut résoudre $f'(x) = 0$, c'est-à-dire
$(x+1)^2(8x-7) = 0$. Les points cherchés sont donc
$(-1, f(-1))$ et $\left(\dfrac{7}{8}, f\left(\dfrac{7}{8}\right)\right)$, c'est-à-dire $(-1, 1)$
et $\left(\dfrac{7}{8}, \dfrac{-29\,654}{4096}\right)$.

12. $y' = \dfrac{-9x}{16y}$

    a) $m_{\tan}$ au point $\left(3, \dfrac{3\sqrt{7}}{4}\right) = y'_{(3, \frac{3\sqrt{7}}{4})} = -\dfrac{9}{4\sqrt{7}}$.

    b) Oui, au point $\left(-3, -\dfrac{3\sqrt{7}}{4}\right)$.

13. $\left(\dfrac{1}{2}, f\left(\dfrac{1}{2}\right)\right)$,

    c'est-à-dire $\left(\dfrac{1}{2}, \dfrac{7}{2}\right)$.

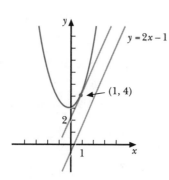

14. $(2, f(2))$ et $(-2, f(-2))$, c'est-à-dire $(2, -10)$ et $(-2, 22)$.

15. $(2, f(2))$ et $(3, f(3))$, c'est-à-dire $(2, 4)$ et $(3, 3)$.

16. a) $m_{\tan}$ au point $(-2, 0) = f'(-2) = -6$;
       $m_{\tan}$ au point $(4, 0) = f'(4) = 6$.

    b) $m_{\tan}$ au point $(0, -8) = f'(0) = -2$.

    c) Oui, au point $(3, -5)$.

    d) Non.

17. $(1, f(1))$,

    c'est-à-dire $(1, 4)$.

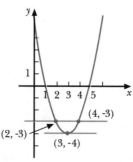

18. $(3, f(3))$,

    c'est-à-dire $(3, -4)$.

19. $(5,5, f(5,5))$,
    c'est-à-dire $(5,5, 15,75)$.

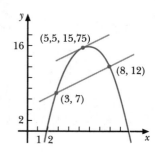

20. $x_1 = -3$ et $x_2 = 2$

21. a) 0 g

    b) $\dfrac{18}{7}$ g

    c) $\dfrac{6}{35}$ g/h ; $\dfrac{2}{21}$ g/h

    d) $Q'(t) = \dfrac{6}{(2t + 1)^2}$

    e) $\dfrac{6}{49}$ g/h ; $\dfrac{6}{121}$ g/h

    f) 4 h

    g) $9,5$ h

22. a) $y = -6x + 7$ b) $y = \dfrac{1}{6}x + \dfrac{5}{6}$

23. $a = \dfrac{71}{32}$ et $a = \dfrac{73}{32}$

24. a) $m_{\tan}$ au point $(-1, 0) = f'(-1) = 2$;
       $m_{\tan}$ au point $(0, 0) = f'(0) = -1$;
       $m_{\tan}$ au point $(1, 0) = f'(1) = 2$.

    b) Les coordonnées sont $\left(-\dfrac{1}{2}, \dfrac{3}{8}\right)$ et $(1, 0)$.

    c) Oui, en $\left(-\dfrac{1}{2}, \dfrac{3}{8}\right)$.

    d) Au point $\left(\dfrac{1}{2}, -\dfrac{3}{8}\right)$; $y = -\dfrac{1}{4}x - \dfrac{1}{4}$

    e) $x = 0$; $M(0, 0)$

TEST RÉCAPITULATIF   *(page 131)*

1. a) $H'(x) = f'(x) - g'(x) + k'(x)$

    b) $\dfrac{dy}{dx} = f'(x)\, g(x) + f(x)\, g'(x)$

    c) $y' = \dfrac{f'(x)\, g(x) - f(x)\, g'(x)}{[g(x)]^2}$

    d) $\dfrac{dy}{dx} = \dfrac{dy}{du}\dfrac{du}{dx}$

2. Voir la proposition 7, à la page 110.

3. a) $f'(x) = 40x^4 - 21x^2 - \dfrac{5}{\sqrt{x}}$

b) $f'(x) = \dfrac{-1}{x^2}$

c) $f'(x) = 4\left(\dfrac{x^2}{a-x}\right)^3\left[\dfrac{2x(a-x)-x^2(-1)}{(a-x)^2}\right]$

$\quad = \dfrac{4x^7(2a-x)}{(a-x)^5}$

d) $f'(x) = 4(x^2-5x^3)^3(2x-15x^2)(x-x^2)^3 +$
$\quad\quad\quad\quad\quad (x^2-5x^3)^4 3(x-x^2)^2(1-2x)$

e) $f'(x) = \dfrac{-12x^3\sqrt{3-x}-(5-4x^3)\left[\sqrt{3-x}-\dfrac{x}{2\sqrt{3-x}}\right]}{x^2(3-x)}$

$\quad = \dfrac{12x^4-48x^3+15x-30}{2x^2(3-x)}$

f) $f'(x) = 8[(x^3+7)^5+x^4]^7[5(x^3+7)^4 3x^2+4x^3]$

4. a) $f^{(3)}(x) = \dfrac{-15}{8x^{\frac{7}{2}}}$ b) $x=-1$ ou $x=5$

5. La pente de la tangente à la courbe est donnée par $f'(x)$,
où $f'(x) = \dfrac{(2x-4)(x^3-1)-(x^2-4x)3x^2}{(x^3-1)^2}$.

a) $m_{\tan}$ au point $(-2, f(-2)) = f'(-2) = -\dfrac{8}{9}$.

b) Elle est non définie, car $f'(1)$ n'est pas définie.

6. La pente de la tangente à la courbe est donnée par $f'(x)$, où
$f'(x) = 3(x-3)(x+1)$.

a) Si $f(x) = 0$, alors $x=-3$ ou $x=3$; ainsi
$m_{\tan}$ au point $(-3, f(-3)) = f'(-3) = 36$;
$m_{\tan}$ au point $(3, f(3)) = f'(3) = 0$.

b) $m_{\tan}$ au point $(0, f(0)) = f'(0) = -9$.

c) En posant $f'(x) = -12$, on obtient $x=1$. Le point cherché est donc $(1, f(1))$, c'est-à-dire $(1, 16)$.

d) En posant $f'(x) = 15$, on obtient $x=-2$ ou $x=4$. Les points cherchés sont $(-2, f(-2))$, c'est-à-dire $(-2, 25)$, et $(4, f(4))$, c'est-à-dire $(4, 7)$.

e) En posant $f'(x) = -13$, il n'y a aucune solution. Donc, aucun point de la courbe ne satisfait cette condition.

7. Il faut résoudre $f'(x) = 0$, c'est-à-dire $\dfrac{-1}{2\sqrt{4-x}} = 0$, qui n'admet aucune solution.

Il n'y a donc aucun point de la courbe de f où la tangente à la courbe est parallèle à l'axe des x.

8. $y' = \dfrac{1-4x^3-2xy^2}{2x^2y-1}$, d'où

$m_{\tan}$ au point $(1, -2) = y'_{(1,-2)} = \dfrac{11}{5}$.

5

TEST PRÉLIMINAIRE   *(page 134)*

Partie A

1. a) Aire = x^2 Périmètre = $4x$

   b) Aire = xy Périmètre = $2x + 2y$

   c) Aire = xh Périmètre = $2x + 2y$

   d) Aire = $\dfrac{xh}{2}$ Périmètre = $x + y + z$

   e) Aire = πr^2 Circonférence = $2\pi r$

   f) Volume = $\dfrac{4}{3}\pi r^3$ Aire = $4\pi r^2$

   g) Volume = x^3 Aire = $6x^2$

   h) Volume = xyz Aire = $2xy + 2yz + 2xz$

   i) Volume = $\pi r^2 h$ Aire latérale = $2\pi rh$
   Aire totale = $2\pi rh + 2\pi r^2$

   j) Volume = $\dfrac{1}{3}\pi r^2 h$ Aire latérale = $\pi r \sqrt{r^2 + h^2}$
   Aire totale = $\pi r \sqrt{r^2 + h^2} + \pi r^2$

Partie B

1. a) $\text{TVM}_{[x,\,x+h]} = \dfrac{f(x+h) - f(x)}{h}$

   b) $\text{TVI} = \lim\limits_{h \to 0} \dfrac{f(x+h) - f(x)}{h}$

   c) $f'(x) = \lim\limits_{h \to 0} \dfrac{f(x+h) - f(x)}{h}$

2. $\dfrac{dz}{dt} = \dfrac{dz}{dx}\dfrac{dx}{dt}$

QUESTIONS

Section 6.1
Question 1   *(page 136)*

a) $v(t) = s'(t) = \left(\dfrac{t^3}{3}\right)' = t^2$, exprimée en m/s.

b) $a(t) = v'(t) = (t^2)' = 2t$, exprimée en m/s^2.

c) $s(5) = \dfrac{125}{3}$, donc $\dfrac{125}{3}$ m ;

   $v(5) = 25$, donc 25 m/s ;
   $a(5) = 10$, donc 10 m/s^2.

d) $v(t) = t^2 = 625$, d'où $t = 25$, donc 25 s ;
   $a(25) = 50$, donc 50 m/s^2.

e) $a(t) = 2t = 34$, d'où $t = 17$, donc 17 s ;
   $v(17) = 289$, donc 289 m/s.

Question 2   *(page 136)*

a) $a(t) = v'(t) = s''(t) = \dfrac{1}{12}$, exprimée en m/s^2.

b) $F(t) = ma(t) = 15\,000 \times \dfrac{1}{12}$, donc 1250 N.

Question 3   *(page 137)*

a) $T(r) = A'(r) = (\pi r^2)' = 2\pi r$, exprimé en m^2/m.

b) $T(0,5) = \pi$, donc π m^2/m.

c) $T(r) = 2\pi r = 2,4\pi$, d'où $r = 1,2$, donc 1,2 m.

Question 4   *(page 139)*

a) $R_m(q) = R'(q) = 5$, exprimé en \$/unité.

b) $R_m(1) = 5$, donc 5 \$/unité ;
   $R_m(10) = 5$, donc 5 \$/unité.

Question 5   *(page 139)*

a) $P(q) = R(q) - C(q) = 12q - q^2 - 20$

b) i) $P(0) = -20$, donc -20 \$.   iv) $P(7) = 15$, donc 15 \$.

   ii) $P(2) = 0$, donc 0 \$.   v) $P(10) = 0$, donc 0 \$.

   iii) $P(4) = 12$, donc 12 \$.   vi) $P(15) = -65$, donc -65 \$.

Question 6   *(page 139)*

a) Il faut résoudre $R'(q) = C'(q)$,

   c'est-à-dire $12 = 2q$, d'où $q = 6$ unités.

b) Profit maximal = $P(6) = 16$, donc 16 \$.

c)

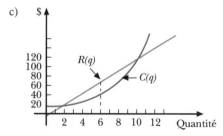

Question 7   *(page 140)*

a) Il faut résoudre $P'(q) = 0$,
c'est-à-dire $-2q + 104 = 0$, d'où $q = 52$ unités.

b) Profit maximal $= P(52) = 2274$, donc 2274 $.

c)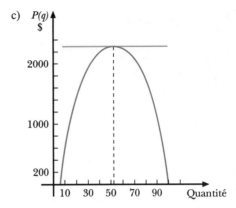

EXERCICES

Exercices 6.1   *(page 140)*

1. a) $\text{TVM}_{[x, x+h]} = \dfrac{V(x + h) - V(x)}{h}$, exprimé en m³/m.

   b) $\text{TVI} = \lim\limits_{h \to 0} \dfrac{V(x + h) - V(x)}{h} = V'(x)$, exprimé en m³/m.

2. a) $T(x) = V'(x) = (x^3)' = 3x^2$, exprimé en cm³/cm.

   b) $V(10) = 1000$ cm³ ; $T(10) = 300$ cm³/cm.

   c) $T(x) = 3x^2 = 4800$, d'où $x = 40$;
   ainsi $V(40) = 64\,000$ cm³.

   d) $V(x) = x^3 = 2197$, d'où $x = 13$;
   ainsi $T(13) = 507$ cm³/cm.

3. a) $T_r(r, h) = \dfrac{d}{dr}\left(\dfrac{\pi r^2 h}{3}\right) = \dfrac{2\pi r h}{3}$, exprimé en cm³/cm.

   b) $T_r(2, 3) = 4\pi$ cm³/cm ;
   $T_r(5, 3) = 10\pi$ cm³/cm ;
   $T_r(2, 6) = 8\pi$ cm³/cm

   c) $T_h(r, h) = \dfrac{d}{dh}\left(\dfrac{\pi r^2 h}{3}\right) = \dfrac{\pi r^2}{3}$, exprimé en cm³/cm.

   d) $T_h(2, 3) = \dfrac{4\pi}{3}$ cm³/cm ;

   $T_h(5, 3) = \dfrac{25\pi}{3}$ cm³/cm;

   $T_h(2, 6) = \dfrac{4\pi}{3}$ cm³/cm.

   e) $T_r(r, h) = T_h(r, h)$, ainsi $\dfrac{2\pi r h}{3} = \dfrac{\pi r^2}{3}$, d'où $2h = r$.

4. a) $v(t) = s'(t) = -9,8t + 39,2$, d'où $v(0) = 39,2$ m/s.

   b) $s(2) = 102,9$ m et $v(2) = 19,6$ m/s ;
   $s(7) = 78,4$ m et $v(7) = -29,4$ m/s.

   c) La balle atteint sa hauteur maximale lorsque $v(t) = 0$,
   c'est-à-dire $-9,8t + 39,2 = 0$, d'où $t = 4$ s.

   d) Hauteur maximale $= s(4) = 122,5$ m.

e) La balle revient au sol lorsque $s(t) = 0$, c'est-à-dire
$-4,9t^2 + 39,2t + 44,1 = 0$, d'où $t = 9$ s ; $v(9) = -49$ m/s.

f) Hauteur initiale $= s(0) = 44,1$ m ; il faut résoudre
$s(t) = 44,1$, d'où $t = 8$ s.

g) $a(t) = v'(t) = -9,8$, d'où $a(4) = -9,8$ m/s².

5. a) $N(0) = 6000$ satellites

   b) $\text{TVM}_{[2, 6]} = 150$ satellites/année

   c) 150 satellites /année

   d) 5 ans ; 6600 satellites

6. a) $T(x) = N'(x) = \dfrac{40x^2 + 160x - 44}{(x + 2)^2}$,
   exprimé en hab./emp.

   b) $N(60) = 2323,29\ldots$, donc environ 2323 habitants ;
   $T(60) = 39,946\ldots$, donc environ 39,95 hab./emp.

   c) $N(x) = 3922$, d'où $x = 100$ emplois, ainsi
   $T(100) = 39,980\ldots$, donc environ 39,98 hab./emp.

7. a) $C_m(q) = C'(q) = 6q$, exprimé en $/unité.

   b) $R_m(q) = R'(q) = -2q + 200$, exprimé en $/unité.

   c) $P(q) = R(q) - C(q) = -4q^2 + 200q - 1000$

   d) Sachant que le profit peut être maximal lorsque
   $R'(q) = C'(q)$, c'est-à-dire $-2q + 200 = 6q$, on obtient
   $q = 25$ unités ; le profit maximal $= P(25) = 1500$ $.

e)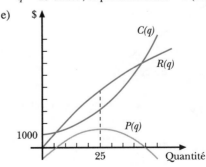

8. a) $v(t) = \dfrac{648\,000}{(t + 120)^2} - 20$, exprimée en m/s ;

$a(t) = \dfrac{-1\,296\,000}{(t + 120)^3}$, exprimée en m/s².

b) 25 m/s ; -0,75 m/s²

c) 60 s

d) 600 m

Exercices 6.2 (page 144)

1. a) $\dfrac{dV}{dt} = \dfrac{dV}{dr}\dfrac{dr}{dt}$

$= (4\pi r^2)(2)$ $\left(\text{car } \dfrac{dV}{dr} = \left(\dfrac{4\pi r^3}{3}\right)' = 4\pi r^2\right)$

$= 8\pi r^2$, exprimé en cm³/s.

b) $\dfrac{dV}{dt}\bigg|_{r = 5\,cm} = 200\pi$ cm³/s

c) $V(r) = \dfrac{4\pi r^3}{3} = 2304\pi$, d'où $r = 12$ cm ;

$\dfrac{dV}{dt}\bigg|_{r = 12\,cm} = 1152\pi$ cm³/s.

2. a) $\dfrac{dA}{dt} = \dfrac{dA}{dr}\dfrac{dr}{dt}$

$= (2\pi r)(-2t + 6)$, exprimé en cm²/s.

b) Lorsque $t = 2$, on obtient $r = 9$ cm, d'où

$\dfrac{dA}{dt}\bigg|_{t = 2\,s} = 36\pi$ cm²/s ;

lorsque $t = 5$, on obtient $r = 6$ cm, d'où

$\dfrac{dA}{dt}\bigg|_{t = 5\,s} = -48\pi$ cm²/s.

c) Lorsque $r = 7,75$, on obtient $t = \dfrac{3}{2}$ ou $t = \dfrac{9}{2}$, d'où

$\dfrac{dA}{dt}\bigg|_{t = \frac{3}{2}\,s} = 46,5\pi$ cm²/s et $\dfrac{dA}{dt}\bigg|_{t = \frac{9}{2}\,s} = -46,5\pi$ cm²/s.

d) $\dfrac{dA}{dt} = 0$, d'où $t = 3$ s, ainsi $r = 10$ cm, donc

$A = 100\pi$ cm².

3. a) Soit x, la distance entre l'homme et le réverbère et y, la longueur de l'ombre.

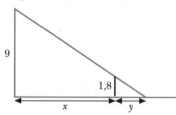

$\dfrac{x + y}{9} = \dfrac{y}{1,8}$ (triangles semblables)

d'où $4y = x$.

Ainsi, $\dfrac{d}{dt}(4y) = \dfrac{dx}{dt}$

$\dfrac{dy}{dt} = \dfrac{1}{4}(2,2)$ (car $\dfrac{dx}{dt} = 2,2$ m/s)

$= 0,55$ m/s.

b) $\dfrac{d}{dt}(x + y) = \dfrac{dx}{dt} + \dfrac{dy}{dt} = 2,75$ m/s

4. a) Soit x, la distance entre le bas de l'échelle et le mur, et y, la distance entre le haut de l'échelle et le bas du mur.

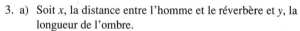

$x^2 + y^2 = 25$ (Pythagore)

$2x\dfrac{dx}{dt} + 2y\dfrac{dy}{dt} = 0$

$\dfrac{dy}{dt} = \dfrac{-x}{y}\dfrac{dx}{dt}$

Lorsque $x = 2$, $y = \sqrt{21}$ et $\dfrac{dx}{dt} = 1,5$ m/s, d'où

$\dfrac{dy}{dt}\bigg|_{x = 2\,m} \approx -0,65$ m/s.

b) Lorsque $y = 3$, $x = 4$ et $\dfrac{dx}{dt} = 1,5$ m/s, d'où

$\dfrac{dy}{dt}\bigg|_{y = 3\,m} = -2$ m/s.

5. a) $\dfrac{h}{r} = \dfrac{300}{75}$ (triangles semblables)

d'où $h = 4r$.

Ainsi, $V = \dfrac{\pi r^2 h}{3} = \dfrac{4\pi r^3}{3}$ et $\dfrac{dV}{dr} = 4\pi r^2$.

$\dfrac{dV}{dt} = \dfrac{dV}{dr}\dfrac{dr}{dt}$

$6000 = 4\pi r^2 \dfrac{dr}{dt}$

d'où $\dfrac{dr}{dt}\bigg|_{r = 37,5\,mm} = \dfrac{16}{15\pi}$ mm/s.

b) De a), $r = \dfrac{h}{4}$.

Ainsi, $V = \dfrac{\pi r^2 h}{3} = \dfrac{\pi h^3}{48}$ et $\dfrac{dV}{dh} = \dfrac{\pi h^2}{16}$

$\dfrac{dV}{dt} = \dfrac{dV}{dh}\dfrac{dh}{dt}$

$6000 = \dfrac{\pi h^2}{16}\dfrac{dh}{dt}$

d'où $\dfrac{dh}{dt}\bigg|_{h = 150\,mm} = \dfrac{64}{15\pi}$ mm/s.

c) $\dfrac{dV}{dt} = \dfrac{dV}{dh}\dfrac{dh}{dt}$

$6000 = \pi r^2 \dfrac{dh}{dt}$ $\left(\text{car } \dfrac{dV}{dh} = \dfrac{d}{dh}(\pi r^2 h) = \pi r^2\right)$

d'où $\dfrac{dh}{dt}\bigg|_{r = 50\,mm} = \dfrac{12}{5\pi}$ mm/s.

6. a) Si $t = 36$, $V(36) = 64$; or $V(x) = x^3$; en posant $V(x) = 64$, $x = 4$.

$\dfrac{dV}{dt} = \dfrac{dV}{dx}\dfrac{dx}{dt}$

$\dfrac{5}{2\sqrt{t}} = 3x^2\dfrac{dx}{dt}$

$\dfrac{dx}{dt}\bigg|_{t = 36\,s} = \dfrac{5}{576}$ cm/s (car $t = 36$ et $x = 4$)

b) $\dfrac{dA}{dt} = \dfrac{dA}{dx}\dfrac{dx}{dt}$

$= 12x\dfrac{dx}{dt}$ $\quad$ (car $\dfrac{dA}{dx} = \dfrac{d}{dx}(6x^2) = 12x$)

$\dfrac{dA}{dt}\Big|_{t\,=\,36\,s} = \dfrac{5}{12}$ cm²/s $\quad$ (car $x = 4$ et $\dfrac{dx}{dt}\Big|_{t\,=\,36\,s} = \dfrac{5}{576}$)

7. a) $\dfrac{2x}{25}\dfrac{dx}{dt} + \dfrac{2y}{9}\dfrac{dy}{dt} = 0$, d'où $\dfrac{dy}{dt} = \dfrac{-9x}{25y}\dfrac{dx}{dt}$,

exprimé en cm/s.

b) En isolant y, on obtient $y = \dfrac{3}{5}\sqrt{25 - x^2}$, ainsi

$\dfrac{dy}{dt}\Big|_{x\,=\,-3\,cm} = 0{,}9$ cm/s ;

$\dfrac{dy}{dt}\Big|_{x\,=\,0\,cm} = 0$ cm/s ;

$\dfrac{dy}{dt}\Big|_{x\,=\,4\,cm} = -1{,}6$ cm/s.

PROBLÈMES DE SYNTHÈSE *(page 145)*

1. a) $\text{TVM}_{[t,\,t\,+\,h]} = \dfrac{Q(t + h) - Q(t)}{h}$, exprimé en g/s.

b) $\text{TVI} = \lim\limits_{h \to 0} \dfrac{Q(t + h) - Q(t)}{h} = Q'(t)$, exprimé en kg/h.

2. a) $T_A(r) = A'(r) = 8\pi r$, exprimé en cm²/cm.

b) $T_V(r) = V'(r) = 4\pi r^2$, exprimé en cm³/cm.

c) $A(9) = 324\pi$ cm² ; $V(9) = 972\pi$ cm³ ;
$T_A(9) = 72\pi$ cm²/cm ; $T_V(9) = 324\pi$ cm³/cm

d) $A(r) = 4\pi r^2 = 100$, d'où $r = 5$ cm,
donc $T_V(5) = 100\pi$ cm³/cm.

e) $V(r) = \dfrac{4\pi r^3}{3} = 36$, d'où $r = 3$ cm,
donc $T_A(3) = 24\pi$ cm²/cm.

3. a) 77π cm³ ; 25π cm³ ; 113π cm³

b) 51π cm³ ; 64π cm³ ; 132π cm³

c) $T_r(r, h) = \dfrac{d}{dr}(\pi r^2 h) = 2\pi r h$, exprimé en cm³/cm ;
$T_r(3, 5) = 30\pi$ cm³/cm

d) $T_h(r, h) = \dfrac{d}{dh}(\pi r^2 h) = \pi r^2$, exprimé en cm³/cm ;
$T_h(3, 5) = 9\pi$ cm³/cm

4. a) 1200 individus ; 4200 individus

b) 180 ind./an

c) 6 ans

d) 2 ans

5. a) $v(t) = 19{,}6 - 9{,}8t$, exprimée en m/s ;
$a(t) = -9{,}8$, exprimée en m/s².

b) 19,6 m/s ; -9,8 m/s

c) 78,4 m

d) 58,8 m

e) -39,2 m/s

f) 98 m

g) Non, car $a(t) = -9{,}8$ est une fonction constante.

6. a) $R_m(q) = -6q + 640$, exprimé en \$/unité ;
$C_m(q) = 10q$, exprimé en \$/unité.

b) 40 unités ; 12 770 \$

7. a) $T(t) = 5$, exprimé en m/s ; fonction constante.

b) 50 m ; 300 m

c) 200 s

8. a) $0{,}9\pi$ m²/s $\qquad$ b) $0{,}6\pi$ m/s

9. a) $\dfrac{dV}{dt} = 4\pi r^2 t$, exprimé en cm³/min.

b) 1024π cm³/min

c) 243π cm³/min

d) $\dfrac{dA}{dt} = 8\pi r t$, exprimé en cm²/min.

e) 32π cm²/min

10. a) La hauteur diminue à une vitesse d'environ 0,104 cm/s.

b) L'aire diminue à une vitesse de 5,95 cm²/s.

c) L'aire augmente à une vitesse d'environ 2,479 cm²/s.

d) $13\sqrt{2}$ cm

11. a) Les cyclistes s'éloignent à une vitesse de 20 km/h.

b) Les cyclistes se rapprochent à une vitesse d'environ 18,52 km/h.

c) Les cyclistes se rapprochent à une vitesse de 28 km/h.

12. a) 1,2 m/s

b) Environ 0,358 m/s.

c) Environ 6,124 m/s.

13. a) 0,75 m/s $\qquad$ b) 2,4 m/s

14. a) Le volume augmente à une vitesse de 2016 cm³/s.

b) Le volume diminue à une vitesse de 1512 cm³/s.

15. a) 3000 m

b) 6000 m ; 120 s

c) -40 m/s ; -10 m/s ; -45 m/s ; $-0{,}8\overline{3}$ m/s

16. a) 54π cm³ ; 12 cm

b) Le volume diminue au rythme de 3 cm³/s.

c) $\dfrac{dh}{dt} = \dfrac{-4}{\pi h}$, exprimé en cm/s.

d) $\dfrac{-2}{3\pi} \approx -0{,}21$ cm/s

e) $\dfrac{-2}{3\pi\sqrt{2}} \approx -0{,}15$ cm/s.

f) $\dfrac{-4}{\pi(4{,}083\ldots)} \approx -0{,}31$ cm/s

g) Environ 56,55 s.

6

TEST RÉCAPITULATIF   *(page 152)*

1. a) $P(q) = R(q) - C(q)$
$= (-4q^2 + 800q) - (q^2 + 50)$
$= -5q^2 + 800q - 50$

   b) Le profit est maximal lorsque $R'(q) = C'(q)$.
   Alors, $-8q + 800 = 2q$
   $10q = 800$
   $q = 80$ unités.

   c) Le profit est maximal lorsque $q = 80$, d'où
   $P(80) = 31\ 950\ \$$.

2. a) $s(0) = 10$ m

   b) $v(t) = s'(t) = -9,8t + 5$, exprimée en m/s ; $v(0) = 5$ m/s.

   c) En posant $v(t) = 0$, on obtient $t \approx 0,51$ s ; d'où hauteur
   maximale $\approx s(0,51) \approx 11,28$ m.

   d) En posant $s(t) = 10 + 5t - 4,9t^2 = 0$, on obtient
   $t \approx 2,03$ s.

   e) Environ $v(2,03) \approx -14,87$ m/s.

   f) $a(t) = v'(t) = -9,8$, exprimée en m/s², d'où $a(t)$ est une
   fonction constante.

3. a) $P(0) = 100\ 000$ habitants

   b) $\text{TVM}_{[0,4]} = \dfrac{P(4) - P(0)}{4 - 0} = 9000$ hab./an.

   c) $P'(t) = \dfrac{9000}{\sqrt{t}}$, d'où $P'(4) = 4500$ hab./an.

   d) En posant $P'(t) = 1000$, on obtient $t = 81$ ans.

   e) En posant $P(t) = 190\ 000$, on obtient $t = 25$ ans,
   d'où $P'(25) = 1800$ hab./an.

4. a) $x = \dfrac{2}{\sqrt{3}} h$ (Pythagore)

   b) $A(h) = \dfrac{h^2}{\sqrt{3}}$; $A(x) = \dfrac{\sqrt{3}x^2}{4}$, exprimé en cm².

   c) $\dfrac{dA}{dh} = \dfrac{2h}{\sqrt{3}}$; $\dfrac{dA}{dx} = \dfrac{\sqrt{3}x}{2}$, exprimé en cm²/cm.

   d) $\dfrac{dA}{dx}\Big|_{x=5\text{ cm}} = \dfrac{5\sqrt{3}}{2}$ cm²/cm ;

   $\dfrac{dA}{dh}\Big|_{x=5\text{ cm}} = \dfrac{dA}{dh}\Big|_{h=\frac{5\sqrt{3}}{2}} = 5$ cm²/cm

   e) $\dfrac{dA}{dt} = \dfrac{dA}{dh}\dfrac{dh}{dt} = \left(\dfrac{2h}{\sqrt{3}}\right)\left(\dfrac{-20}{(t+1)^2}\right) = \dfrac{-40h}{\sqrt{3}(t+1)^2}$,
   exprimé en cm²/s.

   f) En posant $h = 2$, on obtient $t = 9$ s, d'où
   $\dfrac{dA}{dt}\Big|_{h=2\text{ cm}} = \dfrac{-4}{5\sqrt{3}}$ cm²/s.

   g) $\dfrac{dP}{dt} = \dfrac{dP}{dx}\dfrac{dx}{dh}\dfrac{dh}{dt}$
   $= (3)\left(\dfrac{2}{\sqrt{3}}\right)\left(\dfrac{-20}{(t+1)^2}\right) (P(x) = 3x,$ d'où $\dfrac{dP}{dx} = 3)$
   $= \dfrac{-120}{\sqrt{3}(t+1)^2}$, exprimé en cm/s.

5. Soit P, le point d'appui, et B, l'endroit où se trouve le
bateau. Soit x, la distance séparant le bateau du quai.

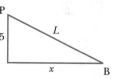

   $x^2 + 25 = L^2$ (Pythagore)

   $2x\dfrac{dx}{dt} + 0 = 2L\dfrac{dL}{dt}$ (en dérivant)

   $\dfrac{dx}{dt} = \dfrac{L}{x}\dfrac{dL}{dt}$

   Lorsque $x = 12$, on obtient $L = 13$, d'où

   $\dfrac{dx}{dt}\Big|_{x=12} = 6,5$ m/min.

6. a) $V(0) = 100$ cm³ ; l'arête mesure $\sqrt[3]{100}$ cm, d'où
   $A(0) = 6(\sqrt[3]{100})^2 \approx 129,27$ cm².

   b) $V(t) = 0$, d'où $t = 5$ min.

   c) $\text{TVM}_{[1\text{ min},\, 3\text{ min}]} = \dfrac{V(3) - V(1)}{3 - 1} = -16$ cm³/min.

   d) $\dfrac{dV}{dt} = \dfrac{dV}{dx}\dfrac{dx}{dt}$
   $\dfrac{d}{dt}(-4t^2 + 100) = \dfrac{d}{dx}(x^3)\dfrac{dx}{dt}$
   $-8t = 3x^2\dfrac{dx}{dt}$
   d'où $\dfrac{dx}{dt} = \dfrac{-8t}{3x^2}$, exprimé en cm/min.

   e) Puisque $-4t^2 + 100 = x^3$, en posant $t = 3$, on obtient
   $x = 4$, d'où $\dfrac{dx}{dt}\Big|_{t=3} = -0,5$ cm/min ;
   en posant $x = 3$, on obtient $t = \dfrac{\sqrt{73}}{2}$,
   d'où $\dfrac{dx}{dt}\Big|_{x=3} = \dfrac{-4\sqrt{73}}{27} \approx -1,27$ cm/min.

   f) $\dfrac{dA}{dt} = \dfrac{dA}{dx}\dfrac{dx}{dt}$
   $= \dfrac{d}{dx}(6x^2)\dfrac{dx}{dt}$
   $= 12x\left(\dfrac{-8t}{3x^2}\right)$ $(\text{car } \dfrac{dx}{dt} = \dfrac{-8t}{3x^2})$
   $= \dfrac{-32t}{x}$, exprimé en cm²/min.

   g) Lorsque $t = 3$, $x = 4$, d'où $\dfrac{dA}{dt}\Big|_{t=3} = -24$ cm²/min ;
   lorsque $x = 3$, $t = \dfrac{\sqrt{73}}{2}$,
   d'où $\dfrac{dA}{dt}\Big|_{x=3} = \dfrac{-16\sqrt{73}}{3} \approx -45,57$ cm²/min.

TEST PRÉLIMINAIRE *(page 154)*

Partie A

1. a) −   c) +   e) −

    b) −   d) −   f) −

2. a) $x = 4$ ou $x = -\dfrac{7}{3}$

    b) $x = 2$ ou $x = -3$

    c) $x = 0$, $x = -2$, $x = 2$ ou $x = -1$

    d) $x = -1$, $x = 0$ ou $x = 1$

    e) $x = -1$ ou $x = \dfrac{7}{8}$

    f) $x = -1$, $x = 0$ ou $x = 1$

    g) $x = -5$ ou $x = 5$

    h) $x = 1$ ou $x = -2$

    i) Il n'y a aucune solution.

Partie B

1. a) $f'(x) = \lim\limits_{h \to 0} \dfrac{f(x + h) - f(x)}{h}$

    b) $f'(x)$ correspond à la pente de la tangente à la courbe d'équation $y = f(x)$ au point $(x, f(x))$.

2. a) $f'(x) = (3x - 2)^3(75x + 14) = 0$ si $x = \dfrac{2}{3}$ ou $x = -\dfrac{14}{75}$

    b) $f'(x) = \dfrac{36x}{(x^2 + 9)^2} = 0$ si $x = 0$

    c) $f'(x) = \dfrac{3(2 - x)}{(x^2 + 6)\sqrt{x^2 + 6}} = 0$ si $x = 2$

QUESTIONS

Section 7.1

Question 1 *(page 155)*

a) V   d) F   g) V

b) F   e) V   h) V

c) F   f) V   i) V

Question 2 *(page 156)*

$f'(x) = -2(x + 3)$

$f'(x) < 0$ sur $]-3, +\infty$, d'où f est décroissante sur $[-3, +\infty$ (proposition 2).

$f'(x) > 0$ sur $-\infty, -3[$, d'où f est croissante sur $-\infty, -3]$ (proposition 1).

Section 7.2

Question 1 *(page 165)*

a) $(-7, 1)$, $(-3, -1)$, $(2, 1)$, $(6, 3)$ et $(10, -1)$

b) $(6, 3)$

Question 2 *(page 165)*

a) $(-5, -1)$, $(0, -3)$, $(5, -3)$ et $(11, 1)$

b) $(0, -3)$ et $(5, -3)$

Section 7.3

Question 1 *(page 173)*

a) V   c) F   e) V

b) F   d) V

Question 2 *(page 173)*

a) Oui.   b) Oui.

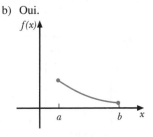

Question 3 *(page 173)*

a) Oui.   b) Oui.

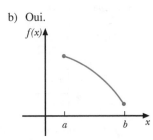

Question 4 *(page 173)*

a) concave vers le haut sur $[a, b]$: ①

b) concave vers le bas sur $[a, b]$: ③

Section 7.4

Question 1 *(page 179)*

$(-6, -2)$, $(-4, 0)$ et $(2, 2)$

Question 2   *(page 180)*

a)   ... maximum de f ;

b)   ... 0 ;

c)   ... bas ... < 0 ...

EXERCICES

Exercices 7.1   *(page 163)*

1. a)   ... f est croissante sur $[a, b]$.

   b)   ... f est décroissante sur $[a, b]$.

   c)   ... $f'(c) = 0$ ou $f'(c)$ n'existe pas.

2. a)   Nombres critiques : 0 et 3

x	$-\infty$		0		3		$+\infty$
$f'(x)$		$-$	0	$-$	0	$+$	
f		↘	$f(0)$	↘	$f(3)$	↗	

b)   Nombres critiques : -2, 0, 1 et 3

x	$-\infty$		-2		0		1		3		$+\infty$
$f'(x)$		$-$	0	$+$	0	$-$	0	$-$	$\nexists$	$+$	
f		↘	$f(-2)$	↗	$f(0)$	↘	$f(1)$	↘	?	↗	

c)   Nombres critiques : -1, 0 et 1

x	$-\infty$		-1		0		1		$+\infty$
$f'(x)$		$-$	0	$+$	0	$-$	0	$+$	
f		↘	$f(-1)$	↗	$f(0)$	↘	$f(1)$	↗	

d)   Nombres critiques : 0, 2 et 3

x	$-\infty$		0		2		3		$+\infty$
$f'(x)$		$+$	$\nexists$	$+$	0	$+$	0	$-$	
f		↗	?	↗	$f(2)$	↗	$f(3)$	↘	

3. a)   *1re étape :* $f'(x) = 2x$

   2e étape : $f'(x) = 0$ si $x = 0$, d'où 0 est un nombre critique.

   3e étape :

x	$-\infty$		0		$+\infty$
$f'(x)$		$-$	0	$+$	
f		↘	-4	↗	

   f est décroissante sur $-\infty, 0]$ et f est croissante sur $[0, +\infty$.

b)   *1re étape :* $f'(x) = -3x^2$

   2e étape : $f'(x) = 0$ si $x = 0$, d'où 0 est un nombre critique.

   3e étape :

x	$-\infty$		0		$+\infty$
$f'(x)$		$-$	0	$-$	
f		↘	1	↘	

   f n'est jamais croissante et f est décroissante sur $\mathbb{R}$.

c)   *1re étape :* $f'(x) = 3x^2 - 12 = 3(x - 2)(x + 2)$

   2e étape : $f'(x) = 0$ si $x = 2$ ou $x = -2$, d'où -2 et 2 sont des nombres critiques.

   3e étape :

x	$-\infty$		-2		2		$+\infty$
$f'(x)$		$+$	0	$-$	0	$+$	
f		↗	17	↘	-15	↗	

   f est croissante sur $-\infty, -2] \cup [2, +\infty$ et f est décroissante sur $[-2, 2]$.

d)   *1re étape :* $f'(x) = \dfrac{1}{5\sqrt[5]{x^4}}$

   2e étape : $f'(x)$ est non définie si $x = 0$, d'où 0 est un nombre critique.

   3e étape :

x	$-\infty$		0		$+\infty$
$f'(x)$		$+$	$\nexists$	$+$	
f		↗	2	↗	

   f est croissante sur $\mathbb{R}$ et f n'est jamais décroissante.

e) $f'(x) = 3(x^2 - 3x + 4)^2(2x - 3)$; nombre critique : $\dfrac{3}{2}$

x	$-\infty$		$\dfrac{3}{2}$		$+\infty$
$f'(x)$		$-$	0	$+$	

   f est croissante sur $\left[\dfrac{3}{2}, +\infty\right.$ et

   f est décroissante sur $\left.-\infty, \dfrac{3}{2}\right]$.

f) $f'(x) = \dfrac{36x}{(x^2 + 9)^2}$; nombre critique : 0

x	$-\infty$		0		$+\infty$
$f'(x)$		$-$	0	$+$	

   f est croissante sur $[0, +\infty$ et f est décroissante sur $-\infty, 0]$.

g) $f'(x) = (x - 2)^3(25x - 2)$; nombres critiques : $\dfrac{2}{25}$ et 2

x	$-\infty$		$\dfrac{2}{25}$		2		$+\infty$
$f'(x)$		$+$	0	$-$	0	$+$	

   f est croissante sur $\left.-\infty, \dfrac{2}{25}\right] \cup [2, +\infty$ et

   f est décroissante sur $\left[\dfrac{2}{25}, 2\right]$.

h) $f'(x) = x^2(-20x^2 - 9)$; nombre critique : 0

x	$-\infty$	0	$+\infty$
$f'(x)$	$-$	0	$-$

f n'est jamais croissante et f est décroissante sur $\mathbb{R}$.

4. a) *1re étape* : $f'(x) = 14x - 2 = 2(7x - 1)$

   2e étape : Nombre critique : $\dfrac{1}{7}$.

   3e étape :

x	$-\infty$	$\dfrac{1}{7}$	$+\infty$
$f'(x)$	$-$	0	$+$
f	$\searrow$	$-\dfrac{1}{7}$	$\nearrow$

   4e étape :

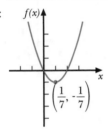

b) *1re étape* : $f'(x) = -3x^2 + 12 = -3(x - 2)(x + 2)$

   2e étape : Nombres critiques : -2 et 2

   3e étape :

x	$-\infty$	-2		2	$+\infty$
$f'(x)$	$-$	0	$+$	0	$-$
f	$\searrow$	-16	$\nearrow$	16	$\searrow$

   4e étape :

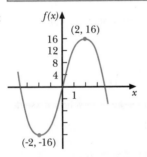

c) *1re étape* : $f'(x) = 4x^3 - 4x = 4x(x - 1)(x + 1)$

   2e étape : Nombres critiques : -1, 0 et 1

   3e étape :

x	$-\infty$	-1		0		1	$+\infty$
$f'(x)$	$-$	0	$+$	0	$-$	0	$+$
f	$\searrow$	-4	$\nearrow$	-3	$\searrow$	-4	$\nearrow$

   4e étape :

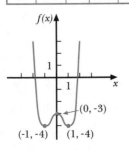

d) *1re étape* : $f'(x) = (x - 1)(x + 1)4x$

   2e étape : Nombres critiques : -1, 0 et 1

   3e étape :

x	$-\infty$	-1		0		1	$+\infty$
$f'(x)$	$-$	0	$+$	0	$-$	0	$+$
f	$\searrow$	0	$\nearrow$	1	$\searrow$	0	$\nearrow$

   4e étape :

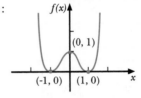

e) *1re étape* : $f'(x) = (x + 1)^2(8x - 7)$

   2e étape : Nombres critiques : -1 et $\dfrac{7}{8}$

   3e étape :

x	$-\infty$	-1		$\dfrac{7}{8}$	$+\infty$
$f'(x)$	$-$	0	$-$	0	$+$
f	$\searrow$	0	$\searrow$	-8,23…	$\nearrow$

   4e étape :

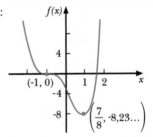

f) *1re étape* : $f'(x) = 3x(x - 1)$

   2e étape : Nombres critiques : 0 et 1

   3e étape :

x	$-\infty$	0		1	$+\infty$
$f'(x)$	$+$	0	$-$	0	$+$
f	$\nearrow$	$\dfrac{1}{2}$	$\searrow$	0	$\nearrow$

   4e étape :

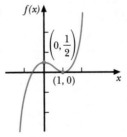

5.

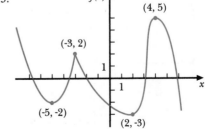

6. a)

x	$-\infty$		-7		-5		-2		3		$+\infty$
$f'(x)$		$+$	0	$-$	0	$+$	0	$-$	0	$+$	
f		↗	3	↘	1	↗	3	↘	-3	↗	

b)

x	$-\infty$		1		$+\infty$
$f'(x)$		$+$	$∄$	$-$	
f		↗	3	↘	

c)

x	$-\infty$		-2		0		2		$+\infty$
$f'(x)$		$-$	$∄$	$+$	0	$-$	$∄$	$+$	
f		↘	0	↗	1	↘	0	↗	

d)

x	$-\infty$		-3		$+\infty$
$f'(x)$		$∄$	$∄$	$+$	
f		$∄$	1	↗	

7. a)

x	$-\infty$		1		$+\infty$
$f'(x)$		$-$	0	$+$	
f		↘	$f(1)$	↗	

b)

x	$-\infty$		-5		-1		4		$+\infty$
$f'(x)$		$+$	0	$+$	0	$-$	0	$-$	
f		↗	$f(-5)$	↗	$f(-1)$	↘	$f(4)$	↘	

c)

x	$-\infty$		0		$+\infty$
$f'(x)$		$-$	$∄$	$+$	
f		↘	$?$	↗	

d)

x	$-\infty$		-2		2		3		7		$+\infty$
$f'(x)$		$+$	$∄$	$∄$	$∄$	$+$	0	$-$	0	$+$	
f		↗	$?$	$∄$	$?$	↗	$f(3)$	↘	$f(7)$	↗	

8. a)

x	$-\infty$		-2		$+\infty$
$f'(x)$		$+$	0	$-$	
f		↗	$f(-2)$	↘	

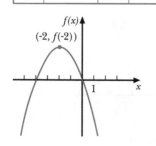

b)

x	$-\infty$		-2		$1,5$		$+\infty$
$f'(x)$		$-$	0	$+$	0	$-$	
f		↘	$f(-2)$	↗	$f(1,5)$	↘	

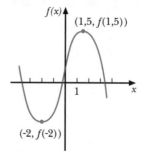

c)

x	$-\infty$		-3		1		$+\infty$
$f'(x)$		$-$	0	$+$	0	$+$	
f		↘	$f(-3)$	↗	$f(1)$	↗	

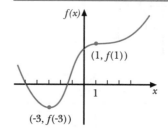

9. a) ... est croissante sur $[a, b]$.

b) ... ≤ 0 sur $]a, b[$.

c) ... $f^{(3)}$ est décroissante sur $[a, b]$.

d) ... $f^{(8)}(x) \geq 0$ sur $]a, b[$.

Exercices 7.2   (page 170)

1. a) ... passe du $+$ au $-$ lorsque x passe de c^- à c^+.

   b) ... passe du $-$ au $+$ lorsque x passe de c^- à c^+.

2. ... $\forall\, x \in [a, b]$, $f(x) \geq f(a)$.

3.

	a)	b)	c)	d)	e)	f)
i) min. relatif	P_3	aucun	P_1, P_4	P_3, P_7	P_3	P_7
ii) min. absolu	aucun	aucun	P_1, P_4	aucun	P_3	P_7
iii) max. relatif	P_1, P_4	P_2	P_2	$P_1, P_6,$ P_9	P_2, P_4	P_6, P_8
iv) max. absolu	P_1	P_2	aucun	P_1, P_9	P_2	P_6
v) point anguleux	aucun	aucun	P_4	aucun	aucun	aucun
vi) point de rebroussement	aucun	aucun	P_2	aucun	aucun	aucun

4. a) *1ʳᵉ étape* : $f'(x) = -2x + 5$

   2ᵉ étape : Nombre critique : $\dfrac{5}{2}$

   3ᵉ étape :

x	$-\infty$		$\dfrac{5}{2}$		$+\infty$
$f'(x)$		$+$	0	$-$	
f		↗	$\dfrac{13}{4}$	↘	

   max.

   max. abs. : $\left(\dfrac{5}{2}, \dfrac{13}{4}\right)$

   b) *1ʳᵉ étape* : $f'(x) = 12x^2 - 12x^3 = 12x^2(1 - x)$

   2ᵉ étape : Nombres critiques : 0 et 1

   3ᵉ étape :

x	$-\infty$	0		1	$+\infty$
$f'(x)$	$+$	0	$+$	0	$-$
f	↗	0	↗	1	↘

   max.

   max. abs. : $(1, 1)$

   c) *1ʳᵉ étape* : $f'(x) = 20x^4 - 20x^3 = 20x^3(x - 1)$

   2ᵉ étape : Nombres critiques : 0 et 1

   3ᵉ étape :

x	$-\infty$	0		1	$+\infty$
$f'(x)$	$+$	0	$-$	0	$+$
f	↗	3	↘	2	↗

   max.   min.

   max. rel. : $(0, 3)$;   min. rel. : $(1, 2)$

   d) *1ʳᵉ étape* : $f'(x) = 12x^3 - 12x^2 = 12x^2(x - 1)$
   2ᵉ étape : Nombres critiques : -1, 0 et 1

   3ᵉ étape :

x	-1		0		1	$+\infty$
$f'(x)$	∄	$-$	0	$-$	0	$+$
f	7	↘	0	↘	-1	↗

   max.   min.

   max. rel. : $(-1, 7)$;   min. abs. : $(1, -1)$

   e) *1ʳᵉ étape* : $f'(x) = 4(2x + 1)$

   2ᵉ étape : Nombres critiques : -2 et $-\dfrac{1}{2}$

   3ᵉ étape :

x	-2		$-\dfrac{1}{2}$		0
$f'(x)$	∄	$-$	0	$+$	∄
f	9	↘	0	↗	∄

   max.   min.

   max. abs. : $(-2, 9)$;   min.abs. : $\left(-\dfrac{1}{2}, 0\right)$

   f) *1ʳᵉ étape* : $f'(x) = 3x^2$

   2ᵉ étape : Nombres critiques : 0 et 1

   3ᵉ étape :

x	-1		0		1
$f'(x)$	∄	$+$	0	$+$	∄
f	∄	↗	1	↗	2

   max.

   max. abs. : $(1, 2)$

5. a) *1ʳᵉ étape* : $f'(x) = 2(x + 3)$

   2ᵉ étape : Nombre critique : -3

   3ᵉ étape :

x	$-\infty$	-3	$+\infty$
$f'(x)$	$-$	0	$+$
f	↘	-2	↗

   min.

   4ᵉ étape :

   b) *1ʳᵉ étape* : $f'(x) = -2(x - 5)$

   2ᵉ étape : Nombres critiques : 3 et 5

   3ᵉ étape :

x	3		5		6
$f'(x)$	∄	$+$	0	$-$	∄
f	0	↗	4	↘	∄

   min.   max.

   4ᵉ étape :

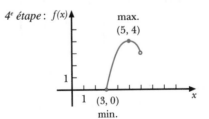

   c) *1ʳᵉ étape* : $f'(x) = 3x^2$

   2ᵉ étape : Nombre critique : 0

   3ᵉ étape :

x	$-\infty$	0	$+\infty$
$f'(x)$	$+$	0	$+$
f	↗	2	↗

4ᵉ étape :

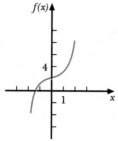

Cette fonction n'a ni minimum ni maximum.

d) *1ʳᵉ étape :* $f'(x) = -4x(x - 2)(x + 2)$

2ᵉ étape : Nombres critiques : -2, 0 et 2

3ᵉ étape :

x	$-\infty$	-2		0		2	$+\infty$
$f'(x)$	+	0	−	0	+	0	−
f	↗	0	↘	-16	↗	0	↘
		max.		min.		max.	

4ᵉ étape :

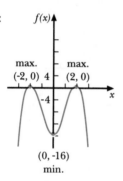

max.
(-2, 0)

max.
(2, 0)

(0, -16)
min.

e) *1ʳᵉ étape :* $f'(x) = \dfrac{-2}{3x^{\frac{1}{3}}}$

2ᵉ étape : Nombre critique : 0

3ᵉ étape :

x	$-\infty$	0	$+\infty$
$f'(x)$	+	∄	−
f	↗	1	↘
		max.	

4ᵉ étape :

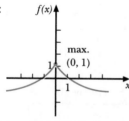

max.
(0, 1)

(0, 1) est un point de rebroussement.

f) *1ʳᵉ étape :* $f'(x) = 4x^3 + 2x = 2x(2x^2 + 1)$

2ᵉ étape : Nombres critiques : 0 et 1

3ᵉ étape :

x	-2		0		1
$f'(x)$	∄	−	0	+	∄
f	∄	↘	1	↗	3
			min.		max.

4ᵉ étape :

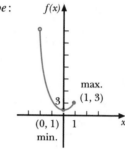

max.
(1, 3)

(0, 1)
min.

g) *1ʳᵉ étape :* $f'(x) = \begin{cases} 1 & \text{si} \quad x > 5 \\ -1 & \text{si} \quad x < 5 \end{cases}$

2ᵉ étape : $f'(5)$ n'existe pas, d'où 5 est un nombre critique.

3ᵉ étape :

x	$-\infty$	5	$+\infty$
$f'(x)$	−	∄	+
f	↘	3	↗
		min.	

4ᵉ étape :

f(x)

(5, 3)
min.

(5, 3) est un point anguleux.

h) $\operatorname{dom} f = \left[-\dfrac{7}{3}, +\infty \right[$

1ʳᵉ étape : $f'(x) = \dfrac{3}{2\sqrt{3x + 7}}$

2ᵉ étape : Nombre critique : $-\dfrac{7}{3}$

3ᵉ étape :

x	$-\dfrac{7}{3}$	$+\infty$
$f'(x)$	∄	+
f	-2	↗
	min.	

4ᵉ *étape* :

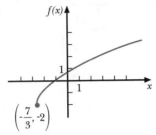

i) *1ʳᵉ étape* : $f'(x) = 3x(x + 4)$
    2ᵉ étape : Nombres critiques : -4 et 0

3ᵉ étape :

x	-∞		-4		0		+∞
$f'(x)$		+	0	−	0	+	
f		↗	33	↘	1	↗	
			max.		min.		

4ᵉ *étape* :

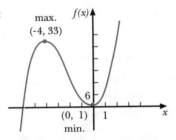

j) *1ʳᵉ étape* : $f'(x) = 15(x - 2)(x + 2)(x - 1)(x + 1)$
    2ᵉ étape : Nombres critiques : -2, -1, 1 et 2
    3ᵉ étape :

x	-∞		-2		-1		1		2		+∞
$f'(x)$		+	0	−	0	+	0	−	0	+	
f		↗	-16	↘	-38	↗	38	↘	16	↗	
			max.		min.		max.		min.		

4ᵉ *étape* :

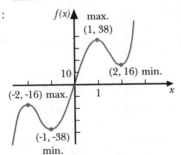

6. a) Étant donné que la dérivée est toujours positive ou nulle, il est impossible de passer du + au −, ou du − au +.

   b) f est croissante sur ℝ, car $f'(x) \geq 0 \; \forall \, x \in ℝ$.

7. Les graphiques associés sont les suivants.

   a) et ⑥   d) et ③   g) et ⑦
   b) et ①   e) et ⑨   h) et ②
   c) et ⑧   f) et ④   i) et ⑤

Exercices 7.3   *(page 176)*

1. a) … concave vers le haut sur [*a*, *b*].
   b) … concave vers le bas sur [*a*, +∞.
   c) … concave vers le haut.
   d) … concave vers le bas.

2. a) ③ et ④   b) ② et ⑥

3. a) Nombres critiques : $-\dfrac{5}{2}$ et 1

x	-∞		$-\dfrac{5}{2}$		1		+∞
$f''(x)$		+	0	−	0	+	
f		∪	$f\left(-\dfrac{5}{2}\right)$	∩	$f(1)$	∪	

f est concave vers le bas sur $\left[-\dfrac{5}{2}, 1\right]$ et

f est concave vers le haut sur $\left.-∞, -\dfrac{5}{2}\right] \cup [1, +∞$.

   b) Nombres critiques : -2, 1 et 2

x	-∞		-2		1		2		+∞
$f''(x)$		+	0	−	0	−	0	+	
f		∪	$f(-2)$	∩	$f(1)$	∩	$f(2)$	∪	

f est concave vers le bas sur [-2, 2] et
f est concave vers le haut sur -∞, -2] ∪ [2, +∞.

4. a) $f''(x) = 60x^2(x - 1)(x + 1)$;
       nombres critiques : -1, 0 et 1

x	-∞		-1		0		1		+∞
$f''(x)$		+	0	−	0	−	0	+	
f		∪	-2	∩	1	∩	-2	∪	

f est concave vers le haut sur -∞, -1] ∪ [1, +∞ et
f est concave vers le bas sur [-1, 1].

   b) $f''(x) = 0$; nombres critiques : $\{x | x \in ℝ\}$

x	-∞	+∞
$f''(x)$	0	
f	ni concave vers le haut et ni concave vers le bas	

   Remarque : La représentation graphique de
   $f(x) = 3x - 4$ est une droite.

   c) $f''(x) = \dfrac{2}{9x^{\frac{5}{3}}}$; nombre critique : 0

x	-∞		0		+∞
$f''(x)$		−	∄	+	
f		∩	3	∪	

f est concave vers le bas sur -∞, 0] et
f est concave vers le haut sur [0, +∞.

d) $f''(x) = -12(x-7)^2$; nombre critique: 7

x	-∞		7		+∞
$f''(x)$		–	0	–	
f		∩	7	∩	

f est concave vers le bas sur $\mathbb{R}$.

e) $f''(x) = 12(x-1)(x+1)$; nombres critiques: -1 et 1

x	-∞		-1		1		+∞
$f''(x)$		+	0	–	0	+	
f		∪	-4	∩	-4	∪	

f est concave vers le haut sur $-\infty, -1] \cup [1, +\infty$ et f est concave vers le bas sur $[-1, 1]$.

f) $f''(x) = \dfrac{2}{9(x-4)^{\frac{4}{3}}}$; nombre critique: 4

x	-∞		4		+∞
$f''(x)$		+	∄	+	
f		∪	1	∪	

f est concave vers le haut sur $\mathbb{R}$.

5. a) f est concave vers le haut sur $-\infty, -1] \cup \left[\dfrac{1}{4}, +\infty\right.$ et

f est concave vers le bas sur $\left[-1, \dfrac{1}{4}\right]$.

b) f est concave vers le bas sur $-\infty, 1]$.

c) f est concave vers le bas sur $-\infty, -\dfrac{1}{\sqrt{6}}\right] \cup \left[\dfrac{1}{\sqrt{6}}, +\infty$

et f est concave vers le haut sur $\left[-\dfrac{1}{\sqrt{6}}, \dfrac{1}{\sqrt{6}}\right]$.

d) f est concave vers le bas sur $-\infty, -2] \cup [-1, 0] \cup [1, 2]$ et f est concave vers le haut sur $[-2, -1] \cup [0, 1] \cup [2, +\infty$.

6.

x	-∞		-6		-5		0		5		7		+∞
$f''(x)$		–	0	+	0	–	0	+	0	–	0	+	
f		∩	-1	∪	1	∩	0	∪	-1	∩	-2	∪	

7. a)

x	-∞		+∞
$f''(x)$		+	
f		∪	

b)

x	-∞		-2		+∞
$f''(x)$		–	0	+	
f		∩	f(-2)	∪	

c)

x	-∞		+∞
$f''(x)$		–	
f		∩	

d)

x	-∞		-3		0		3		+∞
$f''(x)$		–	0	–	0	+	0	–	
f		∩	f(-3)	∩	f(0)	∪	f(3)	∩	

Exercices 7.4 *(page 181)*

1. a) ... change de concavité au point $(c, f(c))$.

b) ... change de signe autour de c.

c) i) ... le point $(c, f(c))$ est un maximum de f.

ii) ... le point $(c, f(c))$ est un minimum de f.

iii) ... nous ne pouvons rien conclure.

2. a) $(0, 1)$

b) $(-4, -4)$, $(-2, -2)$ et $(3, 1)$

3. a) Points d'inflexion: $(-2, f(-2))$, $(0, f(0))$, $(1, f(1))$, $(2, f(2))$ et $(3, f(3))$.

b) f n'a aucun point d'inflexion.

4. a) $f''(x) = 60x^2(x-1)$; nombres critiques: 0 et 1

x	-∞		0		1		+∞
$f''(x)$		–	0	–	0	+	
f		∩	0	∩	-2	∪	
					infl.		

Point d'inflexion: $(1, -2)$

b) $f''(x) = 12(x+1)(x-4)$; nombres critiques: -1 et 4

x	-∞		-1		4		+∞
$f''(x)$		+	0	–	0	+	
f		∪	-17	∩	-512	∪	
			infl.		infl.		

Points d'inflexion: $(-1, -17)$ et $(4, -512)$

c) $f''(x) = \dfrac{-2}{(3x+1)^{\frac{5}{3}}}$; $f''\left(-\dfrac{1}{3}\right)$ n'existe pas.

x	-∞		$-\dfrac{1}{3}$		+∞
$f''(x)$		+	∄	–	
f		∪	-7	∩	
			infl.		

Point d'inflexion: $\left(-\dfrac{1}{3}, -7\right)$

d) $f''(x) = 20x^3$; nombre critique : 0

x	$-\infty$		0		$+\infty$
$f''(x)$		$-$	0	$+$	
f		$\cap$	7	$\cup$	

infl.

Point d'inflexion : (0, 7)

e) $f''(x) = 60x(x - 1)(x + 1)$; nombres critiques : -1, 0 et 1

x	$-\infty$		-1		0		1		$+\infty$
$f''(x)$		$-$	0	$+$	0	$-$	0	$+$	
f		$\cap$	3	$\cup$	-3	$\cap$	-9	$\cup$	

infl.   infl.   infl.

Points d'inflexion : (-1, 3), (0, -3) et (1, -9)

f) $f''(x) = 12(x + 1)^2$; nombre critique : -1

x	$-\infty$		-1		$+\infty$
$f''(x)$		$+$	0	$+$	
f		$\cup$	0	$\cup$	

Cette fonction n'a aucun point d'inflexion.

5. a) $f'(x) = 3(x + 1)(x - 1)$ et $f''(x) = 6x$;
   $f'(-1) = 0$ et $f''(-1) = -6 < 0$, d'où le point (-1, 7) est un maximum de f.
   $f'(1) = 0$ et $f''(1) = 6 > 0$, d'où le point (1, 3) est un minimum de f.

   b) $f'(x) = 4x(x - 4)(x + 4)$ et $f''(x) = 12x^2 - 64$;
   $f'(-4) = 0$ et $f''(-4) > 0$, d'où le point (-4, 0) est un minimum de f.
   $f'(0) = 0$ et $f''(0) < 0$, d'où le point (0, 256) est un maximum de f.
   $f'(4) = 0$ et $f''(4) > 0$, d'où le point (4, 0) est un minimum de f.

   c) $f'(x) = 4(2 - x)^3$ et $f''(x) = -12(2 - x)$;
   $f'(2) = 0$ et $f''(2) = 0$, d'où on ne peut rien conclure. Il faut donc construire le tableau de variation relatif à f'.

x	$-\infty$		2		$+\infty$
$f'(x)$		$+$	0	$-$	
f		$\nearrow$	5	$\searrow$	

max.

   d'où le point (2, 5) est un maximum de f.

   d) Le point (-3, 37) est un maximum de f et le point (1, 5) est un minimum de f.

   e) Le point (-1, -1) est un minimum de f et le point (1, 3) est un maximum de f.

   f) Le point (1, 17) est un maximum de f et le point (2, 12) est un minimum de f.

6. a)

x	$-\infty$		3		$+\infty$
$f''(x)$		$+$	$f''(3)$	$+$	
f		$\cup$	-2	$\cup$	

Remarque : $f''(3) = 0$ ou $f''(3) > 0$

   b)

x	$-\infty$		3		$+\infty$
$g''(x)$		$-$	0	$+$	
g		$\cap$	$g(3)$	$\cup$	

infl.

   c)

x	$-\infty$		1		5		$+\infty$
$h''(x)$		$+$	0	$-$	0	$+$	
h		$\cup$	$h(1)$	$\cap$	$h(5)$	$\cup$	

infl.   infl.

7. a) et ③   b) et ①   c) et ②   d) et ④

Exercices 7.5 (page 186)

1. a) $f'(x) = -3x^2$ et $f''(x) = -6x$;

x	$-\infty$		0		$+\infty$
$f'(x)$		$-$	0	$-$	
$f''(x)$		$+$	0	$-$	
f		$\searrow\cup$	4	$\searrow\cap$	
E. du G.		$\searrow$	(0, 4)	$\searrow$	

infl.

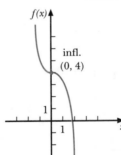

infl.
(0, 4)

   b) $f'(x) = 3x(x - 4)$ et $f''(x) = 6x - 12$;

x	$-\infty$		0		2		4		$+\infty$
$f'(x)$		$+$	0	$-$	$-$	$-$	0	$+$	
$f''(x)$		$-$	$-$	$-$	0	$+$	$+$	$+$	
f		$\nearrow\cap$	5	$\searrow\cap$	-11	$\searrow\cup$	-27	$\nearrow\cup$	
E. du G.		$\nearrow$	(0, 5)	$\searrow$	(2, -11)	$\searrow$	(4, -27)	$\nearrow$	

max.   infl.   min.

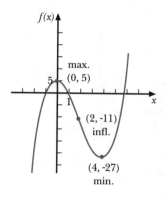

c) $f'(x) = 2x$ et $f''(x) = 2$;

x	-2		0		1
$f'(x)$	∄	−	0	+	∄
$f''(x)$	∄	+	+	+	∄
f	7	↘∪	3	↗∪	∄
E. du G.	(-2, 7)	↘	(0, 3)	↗	∄
	max.		min.		

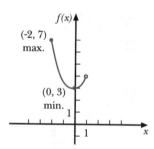

d) $f'(x) = -3$ et $f''(x) = 0$;

x	-∞	+∞
$f'(x)$	−	
$f''(x)$	0	
f	↘	
E. du G.	↘	

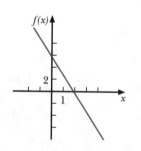

e) $f'(x) = 5x^4 + 3x^2 + 1$ et $f''(x) = 2x(10x^2 + 3)$;

x	-∞	0	+∞
$f'(x)$	+	+	+
$f''(x)$	−	0	+
f	↗∩	0	↗∪
E. du G.	↗	(0, 0)	↗
		infl.	

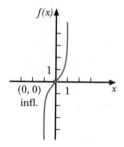

f) $f'(x) = \dfrac{1}{3\sqrt[3]{(x-3)^2}}$ et $f''(x) = \dfrac{-2}{9\sqrt[3]{(x-3)^5}}$;

x	-∞	3		4
$f'(x)$	+	∄	+	∄
$f''(x)$	+	∄	−	∄
f	↗∪	-2	↗∩	-1
E. du G.	↗	(3, -2)	↗	(4, -1)
		infl.		max.

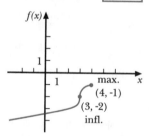

g) $f'(x) = \dfrac{1}{2\sqrt{x}}$ et $f''(x) = \dfrac{-1}{4\sqrt{x^3}}$;

x	0	+∞
$f'(x)$	∄	+
$f''(x)$	∄	−
f	0	↗∩
E. du G.	(0, 0)	↗
	min.	

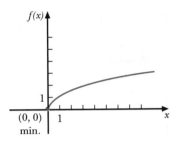

$$f(x)$$
(0, 0) 1
min.

h) $f'(x) = \dfrac{2}{3\sqrt[3]{(x+4)}}$ et $f''(x) = \dfrac{-2}{9\sqrt[3]{(x+4)^4}}$;

x	$-\infty$		-4		$+\infty$
$f'(x)$		$-$	$\nexists$	$+$	
$f''(x)$		$-$	$\nexists$	$-$	
f		$\searrow \cap$	-3	$\nearrow \cap$	
E. du G.		$\searrow$	$(-4, -3)$	$\rightarrowtail$	
			min.		

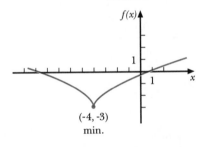

$$f(x)$$
1
1   x
$(-4, -3)$
min.

2.

x	$-\infty$		-6		-3		0	
$f'(x)$		$+$	$+$	$+$	$+$	$+$	0	$-$
$f''(x)$		$-$	0	$+$	0	$-$	$-$	$-$
f		$\nearrow \cap$	-1	$\nearrow \cup$	1	$\nearrow \cap$	4	$\searrow \cap$
E. du G.		$\rightarrowtail$	$(-6,-1)$	$\nearrow$	$(-3, 1)$	$\rightarrowtail$	$(0, 4)$	$\searrow$
			infl.		infl.		max.	

2		4		5		7	$+\infty$
$-$	$-$	0	$+$	$+$	$+$	0	$-$
0	$+$	$+$	$+$	0	$-$	$-$	$-$
2	$\searrow \cup$	1	$\nearrow \cup$	2	$\nearrow \cap$	4	$\searrow \cap$
$(2, 2)$	$\searrow$	$(4, 1)$	$\nearrow$	$(5, 2)$	$\rightarrowtail$	$(7, 4)$	$\searrow$
infl.		min.		infl.		max.	

PROBLÈMES DE SYNTHÈSE (page 186)

1. a) $f \nearrow$ sur $-\infty, \dfrac{1}{3}\big] \cup [1, +\infty$; $f \searrow$ sur $\Big[\dfrac{1}{3}, 1\Big]$.

   b) $f \nearrow$ sur $[0, 1]$; $f \searrow$ sur $-\infty, 0] \cup [1, +\infty$.

2. a) min. abs. : $(1, -5)$; max. rel. : $(2, 3)$

   b) min. rel. : $(1, -3)$; max. rel. : $(-1, 5)$

   c) min. abs. : $(2, -19)$; max. abs. : $(0, 1)$; max. rel. : $(3, -8)$

   d) min. abs. : $(2, 8)$

   e) aucun minimum ; aucun maximum

   f) max. rel. : $(-1, 4)$; min. abs. : $(0, 1)$

3. a) $f \cup$ sur $-\infty, -\dfrac{1}{3}\Big]$; $f \cap$ sur $\Big[-\dfrac{1}{3}, +\infty$.

   b) $f \cap$ sur $]-8, 0]$; $f \cup$ sur $[0, 8]$.

4. a) Point d'inflexion : $\Big(\dfrac{3}{2}, -7\Big)$.

   b) Cette fonction n'a aucun point d'inflexion.

5. a) $f'(x) = 4x(x-3)(x+3)$ et $f''(x) = 12(x^2 - 3)$;

x	$-\infty$		-3		$-\sqrt{3}$	
$f'(x)$		$-$	0	$+$	$+$	$+$
$f''(x)$		$+$	$+$	$+$	0	$-$
f		$\searrow \cup$	0	$\nearrow \cup$	36	$\nearrow \cap$
E. du G.		$\searrow$	$(-3, 0)$	$\nearrow$	$(-\sqrt{3}, 36)$	$\rightarrowtail$
			min.		infl.	

0		$\sqrt{3}$		3	$+\infty$
0	$-$	$-$	$-$	0	$+$
$-$	$-$	0	$+$	$+$	$+$
81	$\searrow \cap$	36	$\searrow \cup$	0	$\nearrow \cup$
$(0, 81)$	$\searrow$	$(\sqrt{3}, 36)$	$\searrow$	$(3, 0)$	$\nearrow$
max.		infl.		min.	

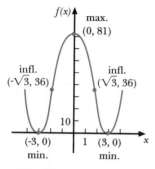

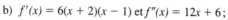

b) $f'(x) = 6(x + 2)(x - 1)$ et $f''(x) = 12x + 6$;

x	-1		$-\dfrac{1}{2}$		1		2
$f'(x)$	∄	−	−	−	0	+	∄
$f''(x)$	∄	−	0	+	+	+	∄
f	∄	↘∩	$\dfrac{37}{2}$	↘∪	5	↗∪	16
E. du G.	∄	↘	$\left(-\dfrac{1}{2}, \dfrac{37}{2}\right)$	↘	(1, 5)	↗	(2, 16)
			infl.		min.		max.

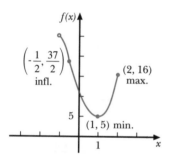

c) $f'(x) = (x + 4)^2(4x - 2)$ et $f''(x) = 12(x + 4)(x + 1)$;

x	-∞	-4		-1		$\dfrac{1}{2}$	+∞
$f'(x)$	−	0	−	−	−	0	+
$f''(x)$	+	0	−	0	+	+	+
f	↘∪	0	↘∩	-81	↘∪	$\dfrac{-2187}{16}$	↗∪
E. du G.	↘	(-4, 0)	↘	(-1, -81)	↘	$\left(\dfrac{1}{2}, \dfrac{-2187}{16}\right)$	↗
		infl.		infl.		min.	

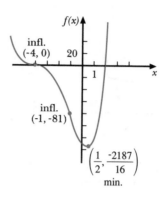

d) $f'(x) = \dfrac{2(\sqrt[3]{x} - 1)}{\sqrt[3]{x}}$ et $f''(x) = \dfrac{2}{3\sqrt[3]{x^4}}$;

x	-∞	0		1	+∞
$f'(x)$	+	∄	−	0	+
$f''(x)$	+	∄	+	+	+
f	↗∪	0	↘∪	-1	↗∪
E. du G.	↗	(0, 0)	↘	(1, -1)	↗
		max.		min.	

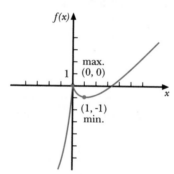

(0, 0) est un point de rebroussement.

e) $f'(x) = 6x(x^2 - 5)^2$ et $f''(x) = 30(x^2 - 5)(x^2 - 1)$;

x	-∞	$-\sqrt{5}$		-1	
$f'(x)$	−	0	−	−	−
$f''(x)$	+	0	−	0	+
f	↘∪	0	↘∩	-64	↘∪
E. du G.	↘	$(-\sqrt{5}, 0)$	↘	(-1, -64)	↘
		infl.		infl.	

	0		1		$\sqrt{5}$	+∞
	0	+	+	+	0	+
	+	+	0	−	0	+
	-125	↗∪	-64	↗∩	0	↗∪
	(0, -125)	↗	(1, -64)	↗	($\sqrt{5}$, 0)	↗
	min.		infl.		infl.	

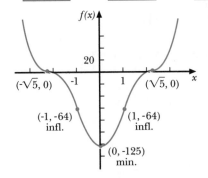

f) $f'(x) = \dfrac{-4x}{(x^2+1)^2}$ et $f''(x) = \dfrac{4(3x^2-1)}{(x^2+1)^3}$;

x	-∞		$\dfrac{-1}{\sqrt{3}}$		0		$\dfrac{1}{\sqrt{3}}$	+∞
$f'(x)$		+	+	+	0	−	−	−
$f''(x)$		+	0	−	−	−	0	+
f		↗∪	$\dfrac{1}{2}$	↗∩	1	↘∩	$\dfrac{1}{2}$	↘∪
E. du G.		↗	$\left(\dfrac{-1}{\sqrt{3}}, \dfrac{1}{2}\right)$	↗	(0, 1)	↘	$\left(\dfrac{1}{\sqrt{3}}, \dfrac{1}{2}\right)$	↘
			infl.		max.		infl.	

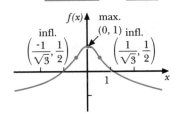

g) $f'(x) = \dfrac{5-x}{3(x+1)^{\frac{1}{3}}}$ et $f''(x) = \dfrac{-2(x+4)}{9(x+1)^{\frac{4}{3}}}$;

x	-∞		-4		-1		5	+∞
$f'(x)$		−	−	−	∄	+	0	−
$f''(x)$		+	0	−	∄	−	−	−
f		↘∪	9,48...	↘∩	2	↗∩	7,94...	↘∩
E. du G.		↘	(-4, f(-4))	↘	(-1, 2)	↗	(5, f(5))	↘
			infl.		min.		max.	

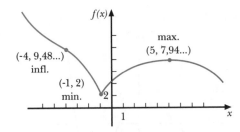

(-1, 2) est un point de rebroussement.

h) $f'(x) = \begin{cases} 2x & \text{si} \quad x < \text{-}2 \text{ ou } x > 2 \\ \text{-}2x & \text{si} \quad \text{-}2 < x < 2 \text{ et} \end{cases}$

$f''(x) = \begin{cases} 2 & \text{si} \quad x < \text{-}2 \text{ ou } x > 2 \\ \text{-}2 & \text{si} \quad \text{-}2 < x < 2 \end{cases}$

x	-∞		-2		0		2	+∞
$f'(x)$		−	∄	+	0	−	∄	+
$f''(x)$		+	∄	−	−	−	∄	+
f		↘∪	0	↗∩	4	↘∩	0	↗∪
E. du G.		↘	(-2, 0)	↗	(0, 4)	↘	(2, 0)	↗
			min. infl.		max.		min. infl.	

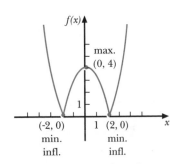

(-2, 0) et (2, 0) sont des points anguleux.

6. a) $f'(x) = -12x^3(3x^2 - 5)$ et $f''(x) = -180x^2(x^2 - 1)$;

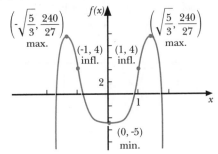

b) $f'(x) = 12x(x - 2)(x + 1)$ et $f''(x) = 12(3x^2 - 2x - 2)$;

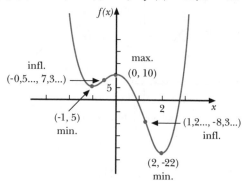

f) $f'(x) = 5(x + 4)^2(x - 1)(x + 1)$ et
$f''(x) = 10(x + 4)(2x^2 + 4x - 1)$;

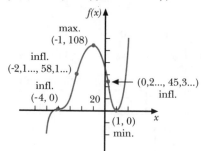

c) $f'(x) = \dfrac{1}{2\sqrt{4 - x}}$ et $f''(x) = \dfrac{1}{4\sqrt{(4 - x)^3}}$;

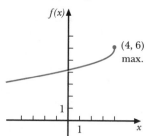

g) $f'(x) = \begin{cases} 3x(2 - x) & \text{si} \quad x < 3 \\ 3x(x - 2) & \text{si} \quad x > 3 \end{cases}$ et

$f''(x) = \begin{cases} 6 - 6x & \text{si} \quad x < 3 \\ 6x - 6 & \text{si} \quad x > 3 \end{cases}$

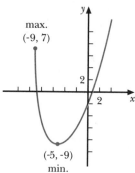

(3, 0) est un point anguleux.

d) $f'(x) = \dfrac{x - 1}{\sqrt{x^2 - 2x - 8}}$ et $f''(x) = \dfrac{-9}{(x^2 - 2x - 8)^{\frac{3}{2}}}$;

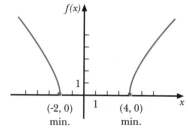

h) $f'(x) = \dfrac{3(x + 5)}{2\sqrt{9 + x}}$ et $f''(x) = \dfrac{3(x + 13)}{4(9 + x)^{\frac{3}{2}}}$;

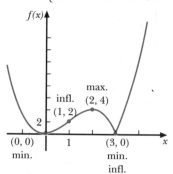

e) $f'(x) = -15x^2(x^2 - 1)$ et $f''(x) = -30x(2x^2 - 1)$;

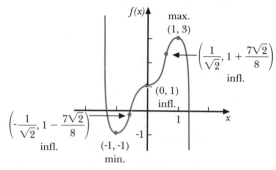

7. a) [0, 6]   b) 6 unités   c) 3888 $

8. a) $a = \text{-}6$, $b = \text{-}15$ et $c = 24$

   b) $a = \text{-}6$, $b = 9$ et $c = 113$

9. a) Si n est pair, le point (0, 0) est un minimum de f.

   b) Si n est impair, le point (0, 0) est un point d'inflexion de f.

   c) Si n est pair, le point (a, b) est un minimum de f.
   Si n est impair, le point (a, b) est un point d'inflexion de f.

10.

x	-∞		-1		3	
f'(x)		+	0	-	-	-
f''(x)		-	-	-	0	+
f		↗∩	f(-1)	↘∩	f(3)	↘∪
E. du G.		↗	(-1, f(-1))	↘	(3, f(3))	↘
			max.		infl.	

	5		6		8	+∞
	0	+	∄	+	0	+
	+	+	∄	-	∄	+
f	f(5)	↗∪	f(6)	↗∩	f(8)	↗∪
	(5, f(5))	↗	(6, f(6))	↗	(8, f(8))	↗
	min.		infl.		infl.	

11.

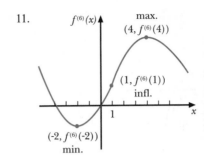

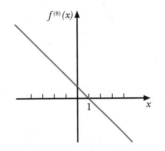

TEST RÉCAPITULATIF   *(page 190)*

1. a) ... $f(x_1) \geq f(x_2)$.

   b) ... maximum absolu de f.

   c) ... minimum absolu de f sur [a, b].

   d) ... minimum de f.

   e) ... point d'inflexion de f.

   f) ... maximum de f.

   g) ... le point $(c, f(c))$ est un point anguleux.

   g) aucun point anguleux   i) [-6, -4] et [-2, 2]

   h) -∞, -8]

2.

x	-∞		-8		-6	
f'(x)		-	0	+	+	+
f''(x)		+	+	+	0	-
f		↘∪	-2	↗∪	1	↗∩
E. du G.		↘	(-8, -2)	↗	(-6, 1)	↗
			min.		infl.	

	-4		-2		2	+∞
	0	-	∄	+	0	+
	-	-	∄	-	0	+
	4	↘∩	-1	↗∩	3	↗∪
	(-4, 4)	↘	(-2, -1)	↗	(2, 3)	↗
	max.		min.		infl.	

3. a) aucun maximum absolu   d) (-8, -2) et (-2, -1)

   b) (-4, 4)   e) (-6, 1) et (2, 3)

   c) (-8, -2)   f) (-2, -1)

4.

x	-∞		-2		0		3	+∞
f'(x)		+	0	-	-	-	0	+
f''(x)		-	-	-	0	+	+	+
f		↗∩	2	↘∩	-1	↘∪	-4	↗∪
E. du G.		↗	(-2, 2)	↘	(0, -1)	↘	(3, -4)	↗
			max.		infl.		min.	

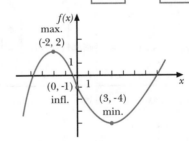

5. a) $f'(x) = 5(1 - x)(1 + x)(1 + x^2)$ et $f''(x) = -20x^3$;

x	-∞		-1		0		1	+∞
f'(x)		-	0	+	+	+	0	-
f''(x)		+	+	+	0	-	-	-
f		↘∪	-7	↗∪	-3	↗∩	1	↘∩
E. du G.		↘	(-1, -7)	↗	(0, -3)	↗	(1, 1)	↘
			min.		infl.		max.	

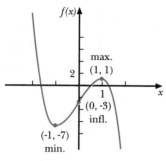

b) $f'(x) = \dfrac{3}{2}\sqrt{x} - 3$ et $f''(x) = \dfrac{3}{4\sqrt{x}}$;

x	0		4	$+\infty$
$f'(x)$	∄	$-$	0	$+$
$f''(x)$	∄	$+$	$+$	$+$
f	5	↘∪	1	↗∪
E. du G.	(0, 5)	↘	(4, 1)	↗
	max.		min.	

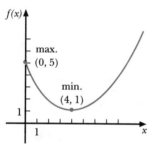

c) $f'(x) = \dfrac{\sqrt[3]{x^2} - 1}{\sqrt[3]{x^2}}$ et $f''(x) = \dfrac{2}{3\sqrt[3]{x^5}}$;

x	-8		-1		0		1
$f'(x)$	∄	$+$	0	$-$	∄	$-$	∄
$f''(x)$	∄	$-$	$-$	$-$	∄	$+$	∄
f	-2	↗∩	2	↘∩	0	↘∪	∄
E. du G.	(-8, -2)	↗	(-1, 2)	↘	(0, 0)	↘	∄
	min.		max.		infl.		

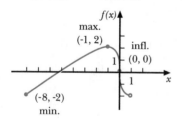

6. a) $f'(x) = \dfrac{4x}{3\sqrt[3]{(x^2 - 4)}}$ et $f''(x) = \dfrac{4(x^2 - 12)}{9\sqrt[3]{(x^2 - 4)^4}}$;

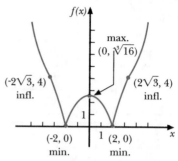

(-2, 0) et (2, 0) sont des points de rebroussement.

b) $f'(x) = \begin{cases} 2x + 2 & \text{si} \quad -3 < x < -2 \text{ ou } 2 < x < 3 \\ -2x + 2 & \text{si} \quad -2 < x < 2 \end{cases}$

$f''(x) = \begin{cases} 2 & \text{si} \quad -3 < x < -2 \text{ ou } 2 < x < 3 \\ -2 & \text{si} \quad -2 < x < 2 \end{cases}$

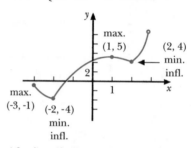

(-2, -4) et (2, 4) sont des points anguleux.

7. a) $f'(x) = 3x^2 + 2bx$.

Il faut que $f'(2) = 12 + 4b = 0$, d'où $b = -3$.

Il faut également que $f(2) = (2)^3 - 3(2)^2 + c = 5$, d'où $c = 9$.

Puisque $f''(x) = 6x + 2b = 6x - 6$ et que $f''(2) = 6 > 0$, alors le point (2, 5) est un minimum de f si $b = -3$ et $c = 9$.

b) $f''(x) = 6x + 2b$.

Il faut que $f''(2) = 12 + 2b = 0$, d'où $b = -6$.

Il faut également que $f(2) = (2)^3 - 6(2)^2 + c = 5$, d'où $c = 21$.

Puisque $f''(x)$ change de signe autour de $x = 2$, (passe du $-$ au $+$), alors le point (2, 5) est un point d'inflexion de f si $b = -6$ et $c = 21$.

TEST PRÉLIMINAIRE *(page 192)*

Partie A

1. a) $P = 2a + 2b$; $A = ab$

   b) $A = 2ab + 2bc + 2ac$; $V = abc$

   c) $C = 2\pi r$; $A = \pi r^2$

   d) $A = 2\pi r^2 + 2\pi rh$; $V = \pi r^2 h$

   e) $A = 4\pi r^2$; $V = \dfrac{4\pi r^3}{3}$

   f) $A = \pi r^2 + \pi rl$; $V = \dfrac{\pi r^2 h}{3}$

Partie B

1. a) $f'(x) = \dfrac{-x}{\sqrt{10 - x^2}}$; $f'(x) = 0$ si $x = 0$

   b) $f'(x) = \dfrac{100 - 2x^2}{\sqrt{100 - x^2}}$; $f'(x) = 0$ si $x = -5\sqrt{2}$ ou $x = 5\sqrt{2}$

2. a) ... un maximum de f.

   b) ... un minimum de f.

   c) ... $(2, f(2))$ ... $(7, f(7))$...

EXERCICES

Exercices 8.1 *(page 199)*

1. Mathématisation du problème.

   a) Soit x, le premier nombre, et y, le deuxième nombre.

   b) $P(x, y) = xy$ doit être maximal.

   c) Puisque $x + y = 10$, alors $y = 10 - x$.

   d) $P(x) = x(10 - x)$, où dom $P = \mathbb{R}$.

   Analyse de la fonction.
   $P'(x) = 10 - 2x$; n.c. : 5
   $P'(5) = 0$ et $P''(5) < 0$, donc le point $(5, P(5))$ est un maximum.

   Formulation de la réponse.
   Les deux nombres cherchés sont $x = 5$ et $y = 5$.

2. Mathématisation du problème.

   a) Soit x, le premier nombre, et y, le deuxième nombre.

   b) $S(x, y) = x^2 + y$ doit être minimale.

   c) Puisque $x + y = 100$, alors $y = 100 - x$.

   d) $S(x) = x^2 + (100 - x)$, où dom $S = \,]0, 100[$.

   Analyse de la fonction.

   $S'(x) = 2x - 1$; n.c. : $\dfrac{1}{2}$

   $S'\left(\dfrac{1}{2}\right) = 0$ et $S''\left(\dfrac{1}{2}\right) > 0$, donc le point $\left(\dfrac{1}{2}, S\left(\dfrac{1}{2}\right)\right)$ est un minimum.

   Formulation de la réponse.
   Les deux nombres cherchés sont $x = \dfrac{1}{2}$ et $y = \dfrac{199}{2}$.

3. Mathématisation du problème.

   a) Soit x, le premier nombre, et y, le deuxième nombre.

   b) $S(x, y) = x^3 + 3y$ doit être minimale.

   c) Puisque $xy = 16$, alors $y = \dfrac{16}{x}$.

   d) $S(x) = x^3 + \dfrac{48}{x}$, où dom $S = \,]0, +\infty$.

Analyse de la fonction

$$S'(x) = 3x^2 - \frac{48}{x^2} = \frac{3(x^4 - 16)}{x^2} \; ; \text{ n.c. : 2}$$

x	0		2		$+\infty$
$S'(x)$		$-$	0	$+$	
S		↘		↗	
			min.		

Formulation de la réponse.
Les deux nombres cherchés sont $x = 2$ et $y = 8$.

4. Mathématisation du problème.

   a) Soit x, le premier nombre, et y, le deuxième nombre.

   b) $S(x, y) = x^4 + 32y$ doit être maximale.

   c) Puisque $x + y = 20$, alors $y = 20 - x$.

   d) $S(x) = x^4 + 32(20 - x)$, où dom $S = [0, 20]$.

   Analyse de la fonction.
   $S'(x) = 4x^3 - 32$; n.c. : 2
   $S'(2) = 0$ et $S''(2) > 0$, donc le point $(2, S(2))$ est un minimum.
   Or, on cherche un maximum ; il faut donc faire le tableau de variation.

x	0		2		20
$S'(x)$	∄	$-$	0	$+$	∄
S	640	↘	592	↗	20^4
	max.		min.		max.

   Après avoir évalué $S(0)$ et $S(20)$, on constate que le maximum absolu est obtenu lorsque $x = 20$.

   Formulation de la réponse.
   Les deux nombres cherchés sont $x = 20$ et $y = 0$.

5. Mathématisation du problème.

   a) Soit un rectangle dont la longueur des côtés est x et y.

   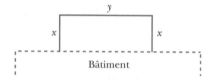

   b) $A(x, y) = xy$ doit être maximale.

   c) Puisque $2x + 2y = 240$, alors $y = 120 - x$.

   d) $A(x) = x(120 - x)$, où dom $A = [0, 120]$.

   Analyse de la fonction.
   $A'(x) = 120 - 2x$; n.c. : 60
   $A'(60) = 0$ et $A''(60) < 0$, donc le point $(60, S(60))$ est un maximum.

   Formulation de la réponse.
   Les dimensions du terrain sont 60 m sur 60 m.

6. Mathématisation du problème.

   a) Soit x, la longueur, et y, la largeur du terrain.

   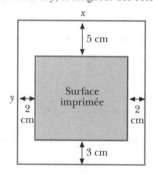

   b) $A(x, y) = xy$ doit être maximale.

   c) Puisque $2x + y = 400$, alors $y = 400 - 2x$.

   d) $A(x) = x(400 - 2x)$, où dom $A = [0, 200]$.

   Analyse de la fonction.
   $A'(x) = 400 - 4x$; n.c. : 100
   $A'(100) = 0$ et $A''(100) < 0$, donc le point $(100, A(100))$ est un maximum.

   Formulation de la réponse.
   L'aire maximale mesure 20 000 m².

7. Mathématisation du problème.

   a) Soit x et y, la longueur des côtés de la page.

   b) $A(x, y) = (x - 4)(y - 8)$ doit être maximale.

   c) Puisque $2x + 2y = 100$, alors $y = 50 - x$.

   d) $A(x) = (x - 4)(42 - x)$, où dom $A = [4, 42]$.

   Analyse de la fonction.
   $A'(x) = 46 - 2x$; n.c. : 23
   $A'(23) = 0$ et $A''(23) < 0$, donc le point $(23, A(23))$ est un maximum.

   Formulation de la réponse.
   Les dimensions de la feuille sont 23 cm de largeur sur 27 cm de hauteur.

8. Mathématisation du problème.

   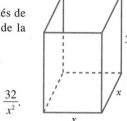

   a) Soit x, la longueur des côtés de la base, et y, la longueur de la hauteur.

   b) $Q(x, y) = x^2 + 4xy$ doit être minimale.

   c) Puisque $x^2y = 32$, alors $y = \dfrac{32}{x^2}$.

   d) $Q(x) = x^2 + \dfrac{128}{x}$, où dom $Q =]0, +\infty$.

   Analyse de la fonction.
   $Q'(x) = 2x - \dfrac{128}{x^2} = \dfrac{2(x^3 - 64)}{x^2}$; n.c. : 4

x	0	4	$+\infty$
$Q'(x)$	$-$	0	$+$
Q	↘	48	↗
		min.	

   Formulation de la réponse.
   Les dimensions de la boîte sont 4 m sur 4 m sur 2 m. La quantité de métal utilisée est égale à 48 m².

9. Mathématisation du problème.

   a) Soit x, la longueur des côtés de la base, et y, la hauteur de la boîte.

   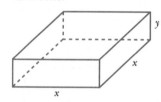

   b) $V(x, y) = x^2y$ doit être maximal.

   c) $\underbrace{0{,}03\ \$ \times x^2}_{\substack{\text{coût du} \\ \text{fond}}} + \underbrace{0{,}05\ \$ \times x^2}_{\substack{\text{coût du} \\ \text{dessus}}} + \underbrace{0{,}02\ \$ \times 4xy}_{\substack{\text{coût des} \\ \text{côtés}}} = 24\ \$.$

   Puisque $8x^2 + 8xy = 2400$, alors $y = \dfrac{300 - x^2}{x}$.

   d) $V(x) = 300x - x^3$, où dom $V =]0, 10\sqrt{3}]$.

   Analyse de la fonction.
   $V'(x) = 300 - 3x^2$; n.c. : 10
   $V'(10) = 0$ et $V''(10) < 0$, donc le point $(10, V(10))$ est un maximum.

   Formulation de la réponse.
   Les dimensions de la boîte sont 10 cm sur 10 cm sur 20 cm.

10. Mathématisation du problème.

    a) Soit un cylindre de rayon x et de hauteur y.

    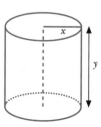

    b) $Q(x, y) = 2\pi x^2 + 2\pi xy$ doit être minimale.

    c) Puisque $\pi x^2 y = 1024\pi$,
    alors $y = \dfrac{1024}{x^2}$.

d) $Q(x) = 2\pi x^2 + \dfrac{2048\pi}{x}$, où dom $Q =]0, +\infty$.

Analyse de la fonction.

$Q'(x) = 4\pi x - \dfrac{2048\pi}{x^2} = \dfrac{4\pi(x^3 - 512)}{x^2}$; n.c. : 8

$Q'(8) = 0$ et $Q''(8) > 0$, donc le point $(8, Q(8))$ est un minimum.

Formulation de la réponse.

Le rayon mesure 8 cm et la hauteur, 16 cm.

11. Mathématisation du problème.

a) Soit x et y, la longueur des côtés du rectangle.

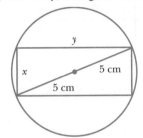

b) $P(x, y) = 2x + 2y$ doit être maximal.

c) Puisque $x^2 + y^2 = 100$, alors $y = \sqrt{100 - x^2}$.

d) $P(x) = 2x + 2\sqrt{100 - x^2}$, où dom $P = [0, 10]$.

Analyse de la fonction.

$P'(x) = 2 - \dfrac{2x}{\sqrt{100 - x^2}} = \dfrac{2\sqrt{100 - x^2} - 2x}{\sqrt{100 - x^2}}$;

n.c. : $5\sqrt{2}$

x	0		$5\sqrt{2}$		10
$P'(x)$	∄	+	0	−	∄
P		↗	$20\sqrt{2}$	↘	

max.

Formulation de la réponse.

Les dimensions du rectangle sont $5\sqrt{2}$ cm sur $5\sqrt{2}$ cm.

12. Mathématisation du problème.

a) Soit x, la hauteur, et y, la longueur de la base du rectangle.

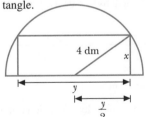

b) $A(x, y) = xy$ doit être maximale.

c) Puisque $x^2 + \left(\dfrac{y}{2}\right)^2 = 16$, alors $y = 2\sqrt{16 - x^2}$.

d) $A(x) = 2x\sqrt{16 - x^2}$, où dom $A = [0, 4]$.

Analyse de la fonction.

$A'(x) = 2\sqrt{16 - x^2} + \dfrac{(-2x^2)}{\sqrt{16 - x^2}} = \dfrac{4(8 - x^2)}{\sqrt{16 - x^2}}$;

n.c. : $2\sqrt{2}$

x	0		$2\sqrt{2}$		4
$A'(x)$	∄	+	0	−	∄
A		↗	16	↘	

max.

Formulation de la réponse.

L'aire du rectangle d'aire maximale est égale à 16 dm².

13. Mathématisation du problème.

a) Soit le cône dont la base est de rayon x et dont la hauteur est y.

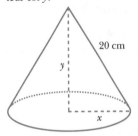

b) $V(x, y) = \dfrac{\pi x^2 y}{3}$ doit être maximal.

c) Puisque $x^2 + y^2 = 400$, alors $x^2 = 400 - y^2$.

d) $V(y) = \dfrac{\pi(400 - y^2)y}{3}$, où dom $V = [0, 20]$.

Analyse de la fonction.

$V'(y) = \dfrac{\pi}{3}(400 - 3y^2)$; n.c. : $\dfrac{20\sqrt{3}}{3}$

$V'\left(\dfrac{20\sqrt{3}}{3}\right) = 0$ et $V''\left(\dfrac{20\sqrt{3}}{3}\right) < 0$,

donc le point $\left(\dfrac{20\sqrt{3}}{3}, V\left(\dfrac{20\sqrt{3}}{3}\right)\right)$ est un maximum.

Formulation de la réponse.

La hauteur du cône est égale à $\dfrac{20\sqrt{3}}{3}$ cm.

14. Mathématisation du problème.

a) Soit x, le nombre de fois que la société réduit de 2 \$ le prix du billet.

Dans cette situation, x correspond également au nombre de fois que le nombre de passagers augmente de 5.

Par exemple,

Prix du billet (\$)	Nombre de passagers	Revenu (\$)
300	214	300×214
$(300 - 2)$	$(214 + 5)$	298×219
$(300 - 4)$	$(214 + 10)$	296×224
$(300 - 6)$	$(214 + 15)$	294×229
⋮	⋮	⋮
$(300 - 2x)$	$(214 + 5x)$	$(300 - 2x)(214 + 5x)$

b) $R(x) = (300 - 2x)(214 + 5x)$ doit être maximal, où $x \in \{0, 1, 2, 3, ..., 150\}$.

Nous allons analyser $R(x)$ sur $[0, 150]$.

Analyse de la fonction.

$R'(x) = 1072 - 20x$; n.c. : 53,6

x	0		53,6		150
$R'(x)$	∄	+	0	−	∄
R		↗	$R(53,6)$	↘	
			max.		

Formulation de la réponse.

Puisque x doit être entier, on doit calculer le revenu pour $x = 53$ et $x = 54$, les deux valeurs entières les plus près de 53,6.

$R(53) = 92\,926$ \$ et $R(54) = 92\,928$ \$.

Puisque $R(54) > R(53)$, alors le nombre de passagers est $214 + 5(54)$, c'est-à-dire 484.

15. **Mathématisation du problème.**

a) Soit x, la longueur de la base, et y, la hauteur du rectangle.

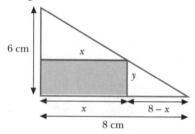

b) $A(x, y) = xy$ doit être maximale.

c) Dans des triangles semblables, les rapports des côtés homologues sont égaux.

Puisque $\dfrac{y}{8-x} = \dfrac{6}{8}$, alors $y = \dfrac{3}{4}(8-x)$.

d) $A(x) = \dfrac{3}{4}(8x - x^2)$, où dom $A = [0, 8]$.

Analyse de la fonction.

$A'(x) = \dfrac{3}{4}(8 - 2x)$; n.c. : 4

$A'(4) = 0$ et $A''(4) < 0$, donc le point $(4, A(4))$ est un maximum.

Formulation de la réponse.

La base du rectangle est égale à 4 cm et la hauteur est égale à 3 cm.

16. **Mathématisation du problème.**

a) Soit un point P(x, y) quelconque sur la courbe de f.

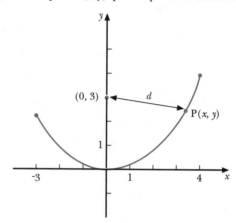

b) $d(x, y) = \sqrt{(x-0)^2 + (y-3)^2}$ doit être minimale ; doit être maximale.

c) Puisque $f(x) = \dfrac{x^2}{4}$, alors $y = \dfrac{x^2}{4}$.

d) $d(x) = \sqrt{x^2 + \left(\dfrac{x^2}{4} - 3\right)^2}$, où dom $d = [-3, 4]$.

Analyse de la fonction.

$$d'(x) = \frac{2x + x\left(\dfrac{x^2}{4} - 3\right)}{2\sqrt{x^2 + \left(\dfrac{x^2}{4} - 3\right)^2}} = \frac{x(x^2 - 4)}{8\sqrt{x^2 + \left(\dfrac{x^2}{4} - 3\right)^2}} ;$$

n.c. : -2, 0 et 2

x	-3		-2		0		2		4
$d'(x)$	∄	−	0	+	0	−	0	+	∄
d	$\dfrac{3}{4}\sqrt{17}$	↘	$2\sqrt{2}$	↗	3	↘	$2\sqrt{2}$	↗	$\sqrt{17}$
	max.		min.		max.		min.		max.

Formulation de la réponse.

Les points de f les plus près de $(0, 3)$ sont $(-2, 1)$ et $(2, 1)$; le point de f le plus loin de $(0, 3)$ est $(4, 4)$.

PROBLÈMES DE SYNTHÈSE   *(page 200)*

1. Le premier nombre est 112,5 et le deuxième est 37,5.

2. Dimensions : 75 m sur 150 m ; aire = 11 250 m².

3. Dimensions : 2 m sur 2 m sur 3 m.

4. Prix du billet : 490 \$; nombre de passagers : 245.

5. a) Dimensions : $7\sqrt{2}$ cm sur $7\sqrt{2}$ cm.

   b) La base égale $\dfrac{28\sqrt{5}}{5}$ cm et la hauteur égale $\dfrac{7\sqrt{5}}{5}$ cm.

6. Le point $(1, 3)$.

7. Les nombres sont 12,5 et -12,5.

8. Dimensions : 15 m sur 30 m.

9. La hauteur est égale à 5 cm et les côtés de la base mesurent 14 cm et 35 cm.

10. La base égale 3 unités et la hauteur égale 36 unités.

11. Le troisième côté mesure $5\sqrt{2}$ cm.

12. Le dénominateur est -5 et le numérateur est -50.

13. Dimensions : 20 m sur 20 m.

14. Dimensions : 10 cm sur 10 cm sur 20 cm ; prix : 0,12 \$.

15. Le point $(2, \sqrt{5})$.

8

16. La base égale $\left(\dfrac{12}{8 - \pi}\right)$ m et la hauteur du rectangle égale $\left(\dfrac{12 - 3\pi}{8 - \pi}\right)$.

17. a) Le point (5, 225).

   b) Le point (2, 0).

18. a) 500 $ par mois.

   b) 520 $ par mois.

19. La largeur égale 15 cm et la hauteur égale $15\sqrt{3}$ cm.

20. a) Le point (-3, 4).

   b) Le point (5, 0).

21. Dimensions du terrain : 125 m sur $\dfrac{250}{\pi}$ m, où $\dfrac{250}{\pi}$ m correspond au diamètre des demi-cercles.

22. a) Environ 71,55 m.

   b) Environ 71,55 m.

   c) 50 m, c'est-à-dire que P est confondu avec B.

23. a) La longueur des côtés du carré égale $\dfrac{L}{4 + 3\sqrt{3}}$ cm et la longueur des côtés du triangle égale $\dfrac{\sqrt{3}\,L}{4 + 3\sqrt{3}}$ cm.

   b) Le carré doit avoir des côtés de longueur égale à $\dfrac{L}{4}$ cm et le triangle doit avoir des côtés de longueur égale à 0 cm ; on utilise donc toute la corde pour construire le carré.

24. La base mesure $2a$ m.

25. a) La hauteur du cylindre égale $4\sqrt{3}$ cm et le rayon égale $2\sqrt{6}$ cm.

   b) La hauteur du cône égale 30 cm et le rayon de la base égale 9 cm.

26. a) Les côtés sont congrus et mesurent $r\sqrt{2}$ unités.

   b) Les côtés mesurent respectivement $r\sqrt{2}$ unités et $\dfrac{r\sqrt{2}}{2}$ unités.

   c) Les côtés mesurent respectivement $\dfrac{b}{2}$ unités et $\dfrac{h}{2}$ unités.

   d) Les côtés mesurent respectivement $a\sqrt{2}$ unités et $b\sqrt{2}$ unités.

27. a) Le point (-2, 4).   b) Le point (1, 1).

28. Le point (1, 4) ; l'aire égale $8\ u^2$.

29. a) $L(x) = \dfrac{(x + 1)\sqrt{x^2 + 4}}{x}$; $(\sqrt[3]{4} + 1)^{\frac{3}{2}}$ m

   b) $L(x) = x + \dfrac{x}{\sqrt{x^2 - 4}}$; $\left(\sqrt{\sqrt[3]{16} + 4} + \dfrac{\sqrt{\sqrt[3]{16} + 4}}{\sqrt[6]{16}}\right)$ m

30. a) Aucun cylindre ; deux demi-sphères de rayon $r = \sqrt[3]{\dfrac{1}{16}}$ cm ;

   b) $r = \sqrt[3]{\dfrac{1}{32}}$ cm et $h = \dfrac{\sqrt[3]{2}}{2}$ cm.

TEST RÉCAPITULATIF *(page 206)*

1. Mathématisation du problème.

   a) Soit x, le premier nombre, et y, le deuxième nombre.

   b) $P(x, y) = x^2 y$ doit être maximal.

   c) Puisque $x + y = 150$, alors $y = 150 - x$.

   d) $P(x) = x^2(150 - x)$, où dom $P =]0, 150[$.

   Analyse de la fonction.
   $P'(x) = 3x(100 - x)$; n.c. : 100
   $P'(100) = 0$ et $P''(100) < 0$, donc le point $(100, P(100))$ est un maximum.

   Formulation de la réponse.
   Les deux nombres cherchés sont $x = 100$ et $y = 50$.

2. Mathématisation du problème.

   a) Soit x, la longueur d'un côté du terrain, et y, la longueur de l'autre côté.

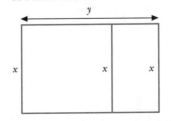

   b) $P(x, y) = 3x + 2y$ doit être minimal.

   c) Puisque $xy = 150$, alors $y = \dfrac{150}{x}$.

   d) $P(x) = 3x + \dfrac{300}{x}$, où dom $P =]0, +\infty$.

   Analyse de la fonction.
   $P'(x) = \dfrac{3(x^2 - 100)}{x^2}$; n.c. : 10
   $P'(10) = 0$ et $P''(10) > 0$, donc le point $(10, P(10))$ est un minimum.

   Formulation de la réponse.
   Les côtés mesurent respectivement 10 m et 15 m, c'est-à-dire $x = 10$ m et $y = 15$ m.

3. Mathématisation du problème.

   a) Soit un point $P(x, y)$ quelconque sur la courbe de f.

   b) $d(x, y) = \sqrt{(x - 1)^2 + (y - 0)^2}$ doit être minimale ; doit être maximale.

   c) On a $y = \dfrac{\sqrt{4 - x^2}}{2}$.

   d) $d(x) = \sqrt{(x - 1)^2 + \dfrac{4 - x^2}{4}}$, où dom $d = [-2, 2]$.

Analyse de la fonction.

$$d'(x) = \frac{2(x-1) - \dfrac{x}{2}}{2\sqrt{(x-1)^2 + \dfrac{4-x^2}{4}}}$$

$$= \frac{3x-4}{4\sqrt{(x-1)^2 + \dfrac{4-x^2}{4}}} \; ; \text{n.c.} : \frac{4}{3}$$

x	-2		$\dfrac{4}{3}$		2
$d'(x)$	∄	−	0	+	∄
d	3	↘	$d\left(\dfrac{4}{3}\right)$	↗	1
	max.		min.		max.

Formulation de la réponse.

Le point le plus près de $(1, 0)$ est $\left(\dfrac{4}{3}, \dfrac{\sqrt{5}}{3}\right)$; le point le plus loin de $(1, 0)$ est $(-2, 0)$.

4. Mathématisation du problème.

a) Soit $2x$, la largeur de la fenêtre, et y, la hauteur de la fenêtre.

b) $Q(x, y) = 2(2xy) + \dfrac{\pi x^2}{2}$ doit être maximale.

c) Puisque $4x + 2y = 8$, alors $y = 4 - 2x$.

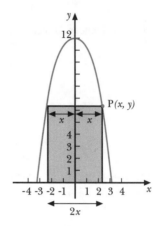

d) $Q(x) = 4x(4-2x) + \dfrac{\pi x^2}{2}$, où dom $Q = [0, 2]$.

Analyse de la fonction.

$Q'(x) = 16 + (\pi - 16)x$;

n.c. : $\dfrac{16}{16 - \pi}$

$Q'\left(\dfrac{16}{16 - \pi}\right) = 0$ et $Q''\left(\dfrac{16}{16 - \pi}\right) < 0$,

donc le point $\left(\dfrac{16}{16 - \pi}, Q\left(\dfrac{16}{16 - \pi}\right)\right)$ est un maximum.

Formulation de la réponse.

La largeur égale $\dfrac{32}{16 - \pi}$ m et la hauteur égale $\dfrac{4(8 - \pi)}{16 - \pi}$ m.

5. Mathématisation du problème.

a) Soit un point $P(x, y)$ sur la courbe de f, ainsi la base du rectangle égale $2x$.

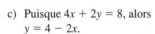

b) $A(x, y) = 2xy$ doit être maximale.

c) On a $y = 12 - x^2$.

d) $A(x) = 2x(12 - x^2)$, où dom $A = [0, 2\sqrt{3}]$.

Analyse de la fonction.

$A'(x) = 6(4 - x^2)$; n.c. : 2

$A'(2) = 0$ et $A''(2) < 2$, donc le point $(2, A(2))$ est un maximum.

Formulation de la réponse.

L'aire est égale à $32 \; u^2$.

6. a) Mathématisation du problème.

a) En posant $y = 16 - (x - 4)^2 = -9$, on obtient $x = 9$. Ainsi, la base égale $(9 - x)$ et la hauteur égale $(y + 9)$.

b) $A(x, y) = \dfrac{(9 - x)(y + 9)}{2}$ doit être maximale.

c) On a $y = 16 - (x - 4)^2$.

d) $A(x) = \dfrac{(9 - x)(25 - (x - 4)^2)}{2}$, où dom $A = [0, 9]$.

b) Mathématisation du problème.

a) Soit x et y, les longueurs illustrées sur la figure.

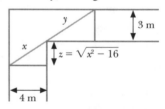

b) $L(x, y) = x + y$ doit être maximale.

c) Puisque $\dfrac{x}{\sqrt{x^2 - 16}} = \dfrac{y}{3}$ (triangles semblables), alors $y = \dfrac{3x}{\sqrt{x^2 - 16}}$.

d) $L(x) = x + \dfrac{3x}{\sqrt{x^2 - 16}}$, où dom $L = \left]4, {}^{+}\infty\right[$.

TEST PRÉLIMINAIRE *(page 208)*

Partie A

1. a) $\sin(x + h) = \sin x \cos h + \cos x \sin h$

   b) $\sin(x - h) = \sin x \cos h - \cos x \sin h$

   c) $\cos(x + h) = \cos x \cos h - \sin x \sin h$

   d) $\cos(x - h) = \cos x \cos h + \sin x \sin h$

   e) $\cos^2 x + \sin^2 x = 1$

   f) $1 + \tan^2 x = \sec^2 x$

   g) $\cot^2 x + 1 = \csc^2 x$

2. a) F   b) V   c) F   d) F

3. a) $\tan x = \dfrac{\sin x}{\cos x}$ c) $\sec x = \dfrac{1}{\cos x}$

   b) $\cot x = \dfrac{\cos x}{\sin x}$ d) $\csc x = \dfrac{1}{\sin x}$

4. a) $\sin \theta = \dfrac{b}{c}$ c) $\tan \theta = \dfrac{b}{a}$

   b) $\cos \theta = \dfrac{a}{c}$ d) $\cot \theta = \dfrac{a}{b}$

   e) $\sec \theta = \dfrac{c}{a}$ f) $\csc \theta = \dfrac{b}{a}$

5. a) $\dfrac{\sin A}{a} = \dfrac{\sin B}{b} = \dfrac{\sin C}{c}$

   b) $c^2 = a^2 + b^2 - 2ab \cos C$

Partie B

1. a) $y' = K f'(x)$.

   b) $\dfrac{dy}{dx} = f'(x)\, g(x) + f(x)\, g'(x)$.

   c) $y' = \dfrac{f'(x)\, g(x) - f(x)\, g'(x)}{[g(x)]^2}$.

   d) $\dfrac{dy}{dx} = \dfrac{dy}{du}\dfrac{du}{dx}$

2. a) ... croissante sur $[a, b]$.

   b) ... concave vers le bas sur $[a, b]$.

   c) ... un maximum de f.

   d) ... un minimum de f.

QUESTIONS

Section 9.2

Question 1 *(page 214)*

a) $f'(x) = [\sec^2 \sqrt{x^2 - 1}](\sqrt{x^2 - 1})' = \dfrac{x \sec^2 \sqrt{x^2 - 1}}{\sqrt{x^2 - 1}}$

b) $f'(x) = -6 \tan(1 - 3x) \sec^2(1 - 3x)$

Question 2 *(page 215)*

$$(\cot x)' = \left(\dfrac{\cos x}{\sin x}\right)' = \dfrac{(\cos x)' \sin x - (\sin x)' \cos x}{\sin^2 x}$$

$$= \dfrac{-\sin x \sin x - \cos x \cos x}{\sin^2 x}$$

$$= \dfrac{-(\sin^2 x + \cos^2 x)}{\sin^2 x}$$

$$= \dfrac{-1}{\sin^2 x} \qquad (\text{car } \sin^2 x + \cos^2 x = 1)$$

$$= -\csc^2 x \qquad \left(\text{car } \dfrac{1}{\sin x} = \csc x\right)$$

Question 3 *(page 215)*

$f'(x) = -8 (2x + 5) \cot^7 (x^2 + 5x) \csc^2 (x^2 + 5x)$

Question 4 *(page 216)*

a) $f'(x) = 5x^4 \sec x^2 + 2x^6 \sec x^2 \tan x^2$

b) $f'(x) = \dfrac{x \cos x^2 \sec (\sin x^2) \tan (\sin x^2)}{\sqrt{\sec (\sin x^2)}}$

Question 5 *(page 216)*

a) $f'(x) = \dfrac{-x \csc x \cot x - \csc x}{x^2}$

b) $f'(x) = \dfrac{-\csc \sqrt{x} \cot \sqrt{x}}{4\sqrt{x} \sqrt{\csc \sqrt{x}}}$

EXERCICES

Exercices 9.1 *(page 212)*

1. a) $H'(x) = [\cos f(x)] f'(x)$ b) $H'(x) = [-\sin f(x)] f'(x)$

2. a) $f'(x) = 3x^2 \sin x + x^3 \cos x$

   b) $f'(x) = \dfrac{(4x^3 + 2) \sin x - (x^4 + 2x) \cos x}{(\sin x)^2}$

   c) $f'(x) = \dfrac{\cos x}{2\sqrt{\sin x}}$ d) $f'(x) = \dfrac{-x \sin x - \cos x}{x^2}$

   e) $f'(x) = 2x + \cos^2 x - \sin^2 x$

   f) $f'(x) = 2x \cos x^2 + 4(1 - 2x) \sin (x - x^2)$

g) $f'(x) = \left[\dfrac{-5}{(x-4)^2}\right] \cos\left(\dfrac{x+1}{x-4}\right)$

h) $f'(x) = -30x \cos^4(3x^2 + 4) \sin(3x^2 + 4)$

i) $f'(x) = -\sin x \cos(\cos x) - \cos x \sin(\sin x)$

j) $f'(x) = 3(10x - 7) \sin^2(5x^2 - 7x) \cos(5x^2 - 7x)$

k) $f'(x) = \left(\dfrac{3x + 8}{x^3}\right) \sin\left(\dfrac{3x + 4}{x^2}\right)$

l) $f'(x) = \dfrac{-3x \sin(3x + 4) - 2 \cos(3x + 4)}{x^3}$

m) $f'(x) = \dfrac{\cos x \cos \sqrt{x} + \dfrac{\sin \sqrt{x} \sin x}{2\sqrt{x}}}{(\cos \sqrt{x})^2}$

n) $f'(x) = 7[\cos(x \cos x)]^6 [-\sin(x \cos x)] (\cos x - x \sin x)$

o) $f'(x) = [\sin(x^2 + 1)]^7 + 14x^2 \sin^6(x^2 + 1) \cos(x^2 + 1)$

p) $f'(x) = \dfrac{(3x^2 \cos x - x^3 \sin x) \sqrt{x + 1} - \dfrac{x^3 \cos x}{2\sqrt{x + 1}}}{(x + 1)}$

q) $f'(x) = \dfrac{1}{\cos^2 x} = \sec^2 x$

r) $f'(x) = \dfrac{-\cos x}{\sin^2 x} = -\csc x \cot x$

3. $(\cos x)' = (\pm \sqrt{1 - \sin^2 x})'$

$= \pm \dfrac{1}{2}(1 - \sin^2 x)^{-\frac{1}{2}} (-2 \sin x) \cos x$

$= \dfrac{-\sin x \cos x}{\pm \sqrt{1 - \sin^2 x}}$

$= \dfrac{-\sin x \cos x}{\cos x} \quad (\text{car } \cos x = \pm \sqrt{1 - \sin^2 x})$

$= -\sin x.$

4. a) $m_{\tan}$ au point $(0, f(0)) = f'(0) = \cos 0 = 1$;
$m_{\tan}$ au point $(\pi, f(\pi)) = f'(\pi) = \cos \pi = -1$.

b) $m_{\tan}$ au point $(0, f(0)) = f'(0) = -2 \cos 0 \sin 0 = 0$;
$m_{\tan}$ au point $\left(\dfrac{\pi}{6}, f\left(\dfrac{\pi}{6}\right)\right) = f'\left(\dfrac{\pi}{6}\right) = \dfrac{-\sqrt{3}}{2}$.

5. a) $f^{(5)}(x) = -\sin x$ b) $f^{(5)}(x) = 4^5 \cos 4x$

6. a) $f^{(n)}(x) = \begin{cases} \cos x & \text{si} \quad n = 4k - 3 \\ -\sin x & \text{si} \quad n = 4k - 2 \\ -\cos x & \text{si} \quad n = 4k - 1 \\ \sin x & \text{si} \quad n = 4k \end{cases}$

b) $f^{(26)}(x) = -\sin x$; $f^{(40)}(x) = \sin x$; $f^{(133)}(x) = \cos x$

7. Toutes les limites de ce numéro sont des indéterminations de la forme $\dfrac{0}{0}$. Levons ces indéterminations.

a) $\displaystyle\lim_{x \to 0} \dfrac{x}{\sin x} = \lim_{x \to 0} \dfrac{1}{\left(\dfrac{\sin x}{x}\right)}$

$= \dfrac{\displaystyle\lim_{x \to 0} 1}{\displaystyle\lim_{x \to 0} \dfrac{\sin x}{x}} = \dfrac{1}{1} = 1$

b) $\displaystyle\lim_{x \to 0} \dfrac{\sin 3x}{x} = \lim_{x \to 0} \dfrac{3 \sin 3x}{3x}$

$= 3 \lim_{x \to 0} \dfrac{\sin 3x}{3x}$

$= 3 \lim_{y \to 0} \dfrac{\sin y}{y} \quad (\text{où } y = 3x)$

$= 3 \times 1 = 3$

c) $\displaystyle\lim_{x \to 0} \dfrac{\sin^2 x}{x} = \lim_{x \to 0} \dfrac{\sin x \sin x}{x}$

$= \left(\lim_{x \to 0} \sin x\right)\left(\lim_{x \to 0} \dfrac{\sin x}{x}\right) = 0 \times 1 = 0$

d) $\displaystyle\lim_{x \to 0} \dfrac{\cos^2 x - 1}{x^2} = \lim_{x \to 0} \dfrac{-\sin^2 x}{x^2}$

$= -\lim_{x \to 0}\left(\dfrac{\sin x}{x} \dfrac{\sin x}{x}\right)$

$= -\left(\lim_{x \to 0} \dfrac{\sin x}{x}\right)\left(\lim_{x \to 0} \dfrac{\sin x}{x}\right) = -1$

Exercices 9.2   *(page 217)*

1. a) $H'(x) = [\sec^2 f(x)] f'(x)$.

b) $H'(x) = [-\csc^2 f(x)] f'(x)$.

c) $H'(x) = [\sec f(x) \tan f(x)] f'(x)$.

d) $H'(x) = [-\csc f(x) \cot f(x)] f'(x)$.

2. a) $f'(x) = 3x^2 \tan x + x^3 \sec^2 x$

b) $f'(x) = \dfrac{x \sec^2 x - \tan x}{x^2}$

c) $f'(x) = (3x^2 + \sec^2 x) \sec^2(x^3 + \tan x)$

d) $f'(x) = \dfrac{\sec^2 x}{2\sqrt{\tan x}}$

e) $f'(x) = 5x^4 \sec^2 x^5 + 5 \tan^4 x \sec^2 x$

f) $f'(x) = 4(3x^2 - 4) \tan^3(x^3 - 4x) \sec^2(x^3 - 4x)$

g) $f'(x) = -5 \csc^2 5x$

h) $f'(x) = 2x \cot x - x^2 \csc^2 x$

i) $f'(x) = -6x^2 \cot(x^3 + 1) \csc^2(x^3 + 1)$

j) $f'(x) = (3x^2 + 4) \cot x^5 - 5x^4 (x^3 + 4x) \csc^2 x^5$

k) $f'(x) = 1 - \csc^2(\tan x) \sec^2 x$

l) $f'(x) = 1 - \csc^2 x \tan x + \cot x \sec^2 x = 1$

3. a) $f'(x) = \dfrac{(2x + \sec x \tan x) x^5 - 5x^4 (x^2 + \sec x)}{x^{10}}$

b) $f'(x) = 35x^6 \sec(x^7 + 1) \tan(x^7 + 1)$

c) $f'(x) = 60 \sec^5(3x + 7) \tan(3x + 7)$

d) $f'(x) = \sec x \tan x \sec(x^8 - 3) + 8x^7 \sec x \sec(x^8 - 3) \tan(x^8 - 3)$

e) $f'(x) = \dfrac{\sec(\sec \sqrt{x}) \tan(\sec \sqrt{x}) \sec \sqrt{x} \tan \sqrt{x}}{2\sqrt{x}}$

f) $f'(x) = \dfrac{1}{5}(\sec x + \sec x^5)^{-\frac{4}{5}} (\sec x \tan x + 5x^4 \sec x^5 \tan x^5)$

g) $f'(x) = -9 \csc x \cot x + 7 \csc 7x \cot 7x$

h) $f'(x) = \dfrac{-\csc x \cot x}{2\sqrt{\csc x}}$

i) $f'(x) = 21x^6 \csc^3(4 - x^7) \cot(4 - x^7)$

j) $f'(x) = -5\csc^5 x \cot x$

k) $f'(x) = \dfrac{-6x^5 \csc x^6 \cot x^6 \csc x + \csc x \cot x \csc x^6}{\csc^2 x}$

l) $f'(x) = 3\sec 3x \tan 3x \csc\left(\dfrac{x}{3}\right) - \dfrac{1}{3}\sec 3x \csc\left(\dfrac{x}{3}\right)\cot\left(\dfrac{x}{3}\right)$

4. a) $f''(x) = 2\sec^2 x \tan x$

b) $f''(x) = \sec x \tan^2 x + \sec^3 x = \sec x (\tan^2 x + \sec^2 x)$

5. a) $1\,;\,2\,;$ non définie   b) $0\,;$ non définie $;\,-2\sqrt{2}$

6. a) $\dfrac{dy}{dx} = \dfrac{-\sin x}{\cos y}$

b) $\dfrac{dy}{dx} = \dfrac{y\cos x}{3y^2 \sec^2(y^3) - \sin x}$

c) $\dfrac{dy}{dx} = -\dfrac{2x + \csc^2(x + y)}{2y + \csc^2(x + y)}$

d) $\dfrac{dy}{dx} = \dfrac{2xy^3 + \csc x \cot x}{\sec y \tan y - 3x^2y^2}$

Exercices 9.3   (page 220)

1. a) $f'(x) = -\sin x$ sur $\left]-\dfrac{\pi}{2}, \pi\right[$; n.c. : $-\dfrac{\pi}{2}$, 0 et π

x	$-\dfrac{\pi}{2}$		0		π
$f'(x)$	∄	$+$	0	$-$	∄
f	3	↗	4	↘	2
	min.		max.		min.

Le point $\left(-\dfrac{\pi}{2}, 3\right)$ est un minimum relatif, le point $(0, 4)$ est un maximum absolu et le point $(\pi, 2)$ est un minimum absolu.

b) $f''(x) = -\cos x$ sur $\left]-\dfrac{\pi}{2}, \pi\right[$; n.c. : $\dfrac{\pi}{2}$

x	$-\dfrac{\pi}{2}$		$\dfrac{\pi}{2}$		π
$f''(x)$	∄	$-$	0	$+$	∄
f		∩	3	∪	
			infl.		

Le point $\left(\dfrac{\pi}{2}, 3\right)$ est un point d'inflexion.

2. $f'(x) = 1 + \cos x \geq 0$ pour tout $x \in \mathbb{R}$ (car $-1 \leq \cos x \leq 1$), d'où f est toujours croissante et, par conséquent, f ne possède pas de minimum ni de maximum.

3. a) $f'(x) = \sec^2 x > 0$ pour tout $x \in \left]-\dfrac{\pi}{2}, \dfrac{\pi}{2}\right[$, d'où f est croissante sur $\left]-\dfrac{\pi}{2}, \dfrac{\pi}{2}\right[$.

b) $f''(x) = 2\sec^2 x \tan x$ sur $\left]-\dfrac{\pi}{2}, \dfrac{\pi}{2}\right[$; n.c. : 0

x	$-\dfrac{\pi}{2}$		0		$\dfrac{\pi}{2}$
$f''(x)$	∄	$-$	0	$+$	∄
f	∄	∩	0	∪	∄
			infl.		

f est concave vers le bas sur $\left]-\dfrac{\pi}{2}, 0\right]$;

f est concave vers le haut sur $\left[0, \dfrac{\pi}{2}\right[$;

le point $(0, 0)$ est un point d'inflexion.

4. $f'(x) = \sec^2 x - \csc^2 x$ sur $\left]0, \dfrac{\pi}{2}\right[$; n.c. : $\dfrac{\pi}{4}$

x	0		$\dfrac{\pi}{4}$		$\dfrac{\pi}{2}$
$f'(x)$	∄	$-$	0	$+$	∄
f	∄	↘	2	↗	∄
			min.		

Le point $\left(\dfrac{\pi}{4}, 2\right)$ est un minimum.

5. a) $f'(x) = \cos x - \dfrac{1}{2}$; n.c. : $0, \dfrac{\pi}{3}, \dfrac{5\pi}{3}$ et 2π

$f''(x) = -\sin x$; n.c. : π

x	0		$\dfrac{\pi}{3}$	
$f'(x)$	∄	$+$	0	$-$
$f''(x)$	∄	$-$	$-$	$-$
f	0	↗∩	0,34...	↘∩
E. du G.	$(0, 0)$	↗	$\left(\dfrac{\pi}{3}, 0,3...\right)$	↘
	min.		max.	

	π		$\dfrac{5\pi}{3}$		2π
	$-$	$-$	0	$+$	∄
	0	$+$	$+$	$+$	∄
	$\dfrac{-\pi}{2}$	↘∪	$-3,4...$	↗∪	$-\pi$
	$\left(\pi, \dfrac{-\pi}{2}\right)$	↘	$\left(\dfrac{5\pi}{3}, -3,4...\right)$	↗	$(2\pi, -\pi)$
	infl.		min.		max.

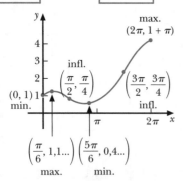

b) $f'(x) = -\sin x + \dfrac{1}{2}$; n.c. : $0, \dfrac{\pi}{6}, \dfrac{5\pi}{6}$ et 2π

$f''(x) = -\cos x$; n.c. : $\dfrac{\pi}{2}$ et $\dfrac{3\pi}{2}$

x	0		$\dfrac{\pi}{6}$		$\dfrac{\pi}{2}$	
$f'(x)$	$\nexists$	$+$	0	$-$	$-$	$-$
$f''(x)$	$\nexists$	$-$	$-$	$-$	0	$+$
f	1	$\nearrow \cap$	$1,1...$	$\searrow \cap$	$\dfrac{\pi}{4}$	$\searrow \cup$
E. du G.	$(0, 1)$	$\nearrow$	$\left(\dfrac{\pi}{6}, 1,1...\right)$	$\searrow$	$\left(\dfrac{\pi}{2}, \dfrac{\pi}{4}\right)$	$\searrow$
	min.		max.		infl.	

$\dfrac{5\pi}{6}$		$\dfrac{3\pi}{2}$		2π
0	$+$	$+$	$+$	$\nexists$
$+$	$+$	0	$-$	$\nexists$
$0,4...$	$\nearrow \cup$	$\dfrac{3\pi}{4}$	$\nearrow \cap$	$1 + \pi$
$\left(\dfrac{5\pi}{6}, 0,4...\right)$	$\nearrow$	$\left(\dfrac{3\pi}{2}, \dfrac{3\pi}{4}\right)$	$\nearrow$	$(2\pi, 1 + \pi)$
min.		infl.		max.

6. **Mathématisation du problème.**

$R(\theta) = \dfrac{40^2 \sin 2\theta}{9,8}$ doit être maximale,

où dom $R = \left]\dfrac{\pi}{18}, \dfrac{\pi}{2}\right[$.

Analyse de la fonction.

$R'(\theta) = \dfrac{2 \times 40^2 \cos 2\theta}{9,8}$; n.c. : $\dfrac{\pi}{4}$

$R''(\theta) = \dfrac{-4 \times 40^2 \sin 2\theta}{9,8}$

$R'\left(\dfrac{\pi}{4}\right) = 0$ et $R''\left(\dfrac{\pi}{4}\right) < 0$,

d'où le point $\left(\dfrac{\pi}{4}, R\left(\dfrac{\pi}{4}\right)\right)$ est un maximum.

Formulation de la réponse.

$\theta = \dfrac{\pi}{4}$; $R\left(\dfrac{\pi}{4}\right) \approx 163, 27$ m

7. **Mathématisation du problème.**

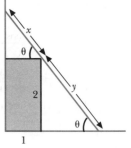

a) Soit $x + y$, la longueur de l'échelle.

b) $L(x, y) = x + y$ doit être minimale.

c) $\sin \theta = \dfrac{2}{y}$, d'où $y = \dfrac{2}{\sin \theta}$;

$\cos \theta = \dfrac{1}{x}$, d'où $x = \dfrac{1}{\cos \theta}$.

d) $L(\theta) = \dfrac{1}{\cos \theta} + \dfrac{2}{\sin \theta}$, où dom $L =]0°, 90°[$.

Analyse de la fonction.

$L'(\theta) = \dfrac{\sin \theta}{\cos^2 \theta} - \dfrac{2 \cos \theta}{\sin^2 \theta} = \dfrac{\sin^3 \theta - 2 \cos^3 \theta}{\sin^2 \theta \cos^2 \theta}$

$L'(\theta) = 0$ si $\sin^3 \theta = 2 \cos^3 \theta$

$\tan \theta = \sqrt[3]{2}$, d'où $\theta \approx 51,56°$.

θ	$0°$		$51,56...°$		$90°$
$L'(\theta)$	$\nexists$	$-$	0	$+$	$\nexists$
L		$\searrow$	$4,16...$	$\nearrow$	
			min.		

Formulation de la réponse.

$\theta \approx 51,56°$; $L \approx 4,16$ m

8. **Mathématisation du problème.**

a) Soit h, la hauteur, et $(20 + 2x)$, la longueur de la grande base du trapèze.

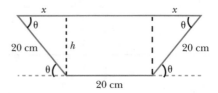

b) $V(x, h) = 200h\left[\dfrac{(20 + 2x) + 20}{2}\right]$

$= 200h(20 + x)$ doit être maximal.

c) $x = 20 \cos \theta$ et $h = 20 \sin \theta$.

d) $V(\theta) = 80\,000 \sin \theta (1 + \cos \theta)$,

où dom $V = \left[0, \dfrac{2\pi}{3}\right]$.

Analyse de la fonction.

$$V'(\theta) = 80\,000\,(\cos^2\theta + \cos\theta - \sin^2\theta)$$
$$= 80\,000\,(2\cos^2\theta + \cos\theta - 1)$$
$$(\text{car } \sin^2\theta = 1 - \cos^2\theta)$$
$$= 80\,000\,(2\cos\theta - 1)(\cos\theta + 1)$$

$V'(\theta) = 0$ si $\theta = \dfrac{\pi}{3}$, car $\dfrac{\pi}{3} \in \left[0, \dfrac{2\pi}{3}\right]$.

$V''(\theta) = 80\,000\,(\text{-}4\sin\theta\cos\theta - \sin\theta)$ et

$V''\left(\dfrac{\pi}{3}\right) < 0$, d'où le point $\left(\dfrac{\pi}{3}, V\left(\dfrac{\pi}{3}\right)\right)$ est un maximum.

Formulation de la réponse.

$$\theta = \frac{\pi}{3}$$

9. a)

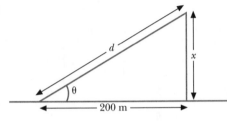

$$\tan\theta = \frac{x}{200}$$

$$\frac{d}{dt}(\tan\theta) = \frac{d}{dt}\left(\frac{x}{200}\right)$$

$$\frac{d}{d\theta}(\tan\theta)\frac{d\theta}{dt} = \frac{1}{200}\frac{dx}{dt}$$

$$\sec^2\theta\,\frac{d\theta}{dt} = \frac{1}{200}(25) \quad \left(\text{car } \frac{dx}{dt} = 25 \text{ m/s}\right),$$

$$\text{d'où } \frac{d\theta}{dt} = \frac{1}{8\sec^2\theta} = \frac{\cos^2\theta}{8}.$$

b) $\left.\dfrac{d\theta}{dt}\right|_{\theta = 10°} \approx 0,12$ rad/s

c) Puisque $\cos\theta = \dfrac{200}{300} = 0,\overline{6}$,

alors $\left.\dfrac{d\theta}{dt}\right|_{d = 300} = 0,0\overline{5}$ rad/s.

10. a) Puisque la lumière fait six tours par minute, alors

$$\frac{d\theta}{dt} = 12\pi \text{ rad/min}.$$

$$\tan\theta = \frac{x}{200}$$

$$\frac{d}{dt}(\tan\theta) = \frac{d}{dt}\left(\frac{x}{200}\right)$$

$$\frac{d}{d\theta}(\tan\theta)\frac{d\theta}{dt} = \frac{1}{200}\frac{dx}{dt}$$

$$\sec^2\theta\,(12\pi) = \frac{1}{200}\frac{dx}{dt},$$

$$\text{d'où } \frac{dx}{dt} = 2400\pi\sec^2\theta.$$

b) Si $d = 400$, alors $\sec\theta = 2$,

d'où $\left.\dfrac{dx}{dt}\right|_{d = 400} = 9,6\pi$ km/min.

c) Puisque $\dfrac{dx}{dt} = 2400\pi\sec^2\theta$ et que $\sec^2\theta \geq 1$,

alors $\dfrac{dx}{dt}$ est minimale lorsque $\sec^2\theta = 1$,

c'est-à-dire $\theta = 0°$, d'où la vitesse minimale égale $2,4\pi$ km/min, et la source lumineuse est dirigée à cet instant vers le point A.

9

PROBLÈMES DE SYNTHÈSE   *(page 222)*

1. a) $f'(x) = 3\cos 3x - 3\cos x$

b) $f'(x) = \text{-}3\sin 3x + 6\cos^2 2x \sin 2x$

c) $f'(x) = (2x - \sin x)\cos(x^2 + \cos x)$

d) $f'(x) = 2x\sec^2 x^2 + 2\tan x\sec^2 x$

e) $f'(x) = \sec^2(\sin x)\cos x$

f) $f'(x) = \text{-}2x\sin(\tan x^2)\sec^2 x^2$

g) $f'(x) = (12x^3 - 2)\sec(3x^4 - 2x)\tan(3x^4 - 2x)$

h) $f'(x) = \text{-}\dfrac{3}{2}\csc^2\left(\dfrac{3x}{2}\right) + \dfrac{3}{2}\csc^2 3x$

i) $f'(x) = \dfrac{\text{-}\csc^2\sqrt{x}}{2\sqrt{x}} + \dfrac{\sec x\tan x}{2\sqrt{\sec x}}$

j) $f'(x) = 3x^2\sec 2x + 2x^3\sec 2x\tan 2x$
$= x^2\sec 2x\,(3 + 2x\tan 2x)$

k) $f'(x) = \dfrac{\text{-}5x^4\csc 5x\cot 5x - 4x^3\csc 5x}{x^8}$

$= \dfrac{\csc 5x\,(\text{-}5x\cot 5x - 4)}{x^5}$

l) $f'(x) = \text{-}\csc 4x\cot 4x + \dfrac{3x^2\csc x^3\cot x^3}{4\sqrt[4]{\csc^3 x^3}}$

m) $f'(x) = 12x\sec^2(3x^2 + 5)\tan(3x^2 + 5)$

n) $f'(x) = 12\tan^2 4x\sec^2 4x - 35\sec^5 7x\tan 7x$

o) $f'(x) = 36x^2 - 63\cos 7x + 3x^2\csc(1 - x^3)\cot(1 - x^3)$

p) $f'(x) = \sec(\sin x)\tan(\sin x)\cos x + \cos(\sec x)\sec x\tan x$

q) $f'(x) = \dfrac{\sec x\tan x\csc x + \sec x\csc x\cot x}{(\csc x)^2} = \sec^2 x$

r) $f'(x) = 1 - \cos^2 x + \sin^2 x = 2\sin^2 x$

s) $f'(x) = \dfrac{5 \sec (5x - 4) \tan (5x - 4)}{3\sqrt[3]{\sec^2 (5x - 4)}}$

t) $f'(x) = 5x^4 (1 - \sec^2 x^5) \sec^2 (x^5 - \tan x^5)$

u) $f'(x) = \dfrac{3}{(x - 4)^2} \csc^2 \left(\dfrac{x - 1}{x - 4}\right)$

v) $f'(x) = 16x \tan^3 (2x^2) \sec^2 (2x^2) - 15 \cot^4 (-3x) \csc^2 (-3x)$

w) $f'(x) = x^2 \cos x + 2 \cos x = (x^2 + 2) \cos x$

x) $f'(x) = \dfrac{2 \sec^2 x}{(1 - \tan x)^2}$

2. a) $f'(x) = 5 \sec^2 5x - 3 \sec x \tan x - 8 \sin^3 (-2x) \cos (-2x)$

b) $f'(x) = \dfrac{2x \tan \sqrt{x} - \dfrac{x^2 \sec^2 \sqrt{x}}{2\sqrt{x}}}{\tan^2 \sqrt{x}}$

c) $f'(x) = \cos x \cot x^2 - 2x \sin x \csc^2 x^2$

d) $f'(x) = 2 \sin x \cos x$

e) $f'(x) = \dfrac{\cot x - x \csc^2 x}{3\sqrt[3]{(x \cot x)^2}}$

f) $f'(x) = 6(x^7 \sec \sqrt{x})^5 \left(7x^6 \sec \sqrt{x} + \dfrac{x^7 \sec \sqrt{x} \tan \sqrt{x}}{2\sqrt{x}}\right)$

g) $f'(x) = -3(4 + \cos x)^2 - (4 + \cos x)^3 \csc x \cot x$

h) $f'(x) = \dfrac{2 \cos 2x \csc 2x + 2 \cot 2x}{\csc^2 2x} = 4 \sin 2x \cos 2x$

i) $f'(x) = 2 \sin x \cos^4 x - 3 \sin^3 x \cos^2 x$
   $= \sin x \cos^2 x (2 \cos^2 x - 3 \sin^2 x)$

j) $f'(x) = 2x - (3x^2 \tan x^2 + 2x^4 \sec^2 x^2)$

k) $f'(x) = -\cos [\tan (\cos x)] \sec^2 (\cos x) \sin x$

l) $f'(x) = \dfrac{x \sec (\sin x^2) \tan (\sin x^2) \cos x^2}{\sqrt{\sec (\sin x^2)}}$

m) $f'(x) = \dfrac{(\cos 3x - 3x \sin 3x)(x^2 + 2) - 2x^2 \cos 3x}{(x^2 + 2)^2}$

n) $f'(x) = \dfrac{1}{2\sqrt{\dfrac{x}{\tan x}}} \left[\dfrac{\tan x - x \sec^2 x}{\tan^2 x}\right]$

o) $f'(x) = \dfrac{3 \sec^2 3x (1 - \cot 2x) - 2 \tan 3x \csc^2 2x}{(1 - \cot 2x)^2}$

p) $f'(x) = 4[\sin x^2 + \tan (x^3 + \cos x)]^3 [2x \cos x^2 + (3x^2 - \sin x) \sec^2 (x^3 + \cos x)]$

q) $f'(x) = \dfrac{5}{3} \sec \left(\dfrac{x}{3}\right) \tan \left(\dfrac{x}{3}\right) + \dfrac{6}{x^2} \csc^2 \left(\dfrac{2}{x}\right)$

r) $f'(x) = \pi \csc \left(-\dfrac{\pi x}{2}\right) + \dfrac{\pi^2 x}{2} \csc \left(-\dfrac{\pi x}{2}\right) \cot \left(-\dfrac{\pi x}{2}\right)$

s) $f'(x) = A\omega \cos (\omega x + \phi)$

t) $f'(x) = -\cos (\cos x) \sin x + \cos^2 x - \sin^2 x$

u) $f'(x) = \cos x \csc x - \sin x \csc x \cot x = 0$

v) $f'(x) = \dfrac{2x^2 \sec^2 x^2 \cos x - \tan x^2 (\cos x - x \sin x)}{(x \cos x)^2}$

w) $f'(x) = \dfrac{(x^3 + \sin x)(3x^2 + \cos x) \sec^2 (x^3 + \sin x) - (3x^2 + \cos x) \tan (x^3 + \sin x)}{(x^3 + \sin x)^2}$

x) $f'(x) = 0$

3. a) $y = \dfrac{\sqrt{2}}{2}x + \dfrac{\sqrt{2}}{2}\left(1 - \dfrac{\pi}{4}\right)$

b) $y = -\dfrac{x}{2} + \dfrac{\pi}{2}; y = 2x - 2\pi$

4. f est croissante sur $\left]-\dfrac{\pi}{4}, 0\right]$ et décroissante sur $\left[0, \dfrac{\pi}{4}\right[$.

5. f est concave vers le haut sur $\left[-\dfrac{\pi}{2}, -\dfrac{\pi}{3}\right] \cup \left[0, \dfrac{\pi}{3}\right]$ et con-

cave vers le bas sur $\left[-\dfrac{\pi}{3}, 0\right] \cup \left[\dfrac{\pi}{3}, \dfrac{\pi}{2}\right]$.

6. a) $f'(x) = \cos x - 1$ et $f''(x) = -\sin x$;

x	$-\dfrac{\pi}{2}$		0	
$f'(x)$	$\nexists$	$-$	0	$-$
$f''(x)$	$\nexists$	$+$	0	$-$
f	$-1 + \dfrac{\pi}{2}$	$\searrow \cup$	0	$\searrow \cap$
E. du G.	$\left(-\dfrac{\pi}{2}, -1 + \dfrac{\pi}{2}\right)$	$\searrow$	$(0, 0)$	$\searrow$
	max.		infl.	

π		$\dfrac{3\pi}{2}$
$-$	$-$	$\nexists$
0	$+$	$\nexists$
$-\pi$	$\searrow \cup$	$-1 - \dfrac{3\pi}{2}$
$(\pi, -\pi)$	$\searrow$	$\left(\dfrac{3\pi}{2}, -1 - \dfrac{3\pi}{2}\right)$
infl.		min.

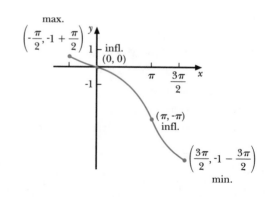

b) $f'(x) = \cos x - \sin x$ et $f''(x) = -\sin x - \cos x$;

x	0		$\dfrac{\pi}{4}$		$\dfrac{3\pi}{4}$	
$f'(x)$	∄	+	0	−	−	−
$f''(x)$	∄	−	−	−	0	+
f	1	↗∩	$\sqrt{2}$	↘∩	0	↘∪
E. du G.	(0, 1)	↗	$\left(\dfrac{\pi}{4}, \sqrt{2}\right)$	↘	$\left(\dfrac{3\pi}{4}, 0\right)$	↘
	min.		max.		infl.	

$\dfrac{5\pi}{4}$		$\dfrac{7\pi}{4}$		2π
0	+	+	+	∄
+	+	0	−	∄
$-\sqrt{2}$	↗∪	0	↗∩	1
$\left(\dfrac{5\pi}{4}, -\sqrt{2}\right)$	↗	$\left(\dfrac{7\pi}{4}, 0\right)$	↗	(2π, 1)
min.		infl.		max.

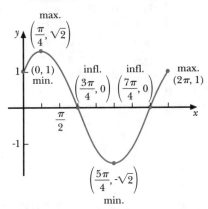

7. a) $f'(x) = 2\sin x \cos x$ et $f''(x) = 2\cos^2 x - 2\sin^2 x$;

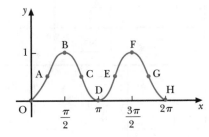

min.: O(0, 0), D(π, 0) et H(2π, 0);

max.: B$\left(\dfrac{\pi}{2}, 1\right)$ et F$\left(\dfrac{3\pi}{2}, 1\right)$;

infl.: A$\left(\dfrac{\pi}{4}, \dfrac{1}{2}\right)$, C$\left(\dfrac{3\pi}{4}, \dfrac{1}{2}\right)$, E$\left(\dfrac{5\pi}{4}, \dfrac{1}{2}\right)$ et G$\left(\dfrac{7\pi}{4}, \dfrac{1}{2}\right)$

b) $f'(x) = -2\pi \sin(\pi x)$ et $f''(x) = -2\pi^2 \cos(\pi x)$;

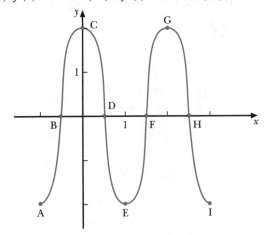

min.: A(-1, -2), E(1, -2) et I(3, -2);

max.: C(0, 2) et G(2, 2);

infl.: B$\left(-\dfrac{1}{2}, 0\right)$, D$\left(\dfrac{1}{2}, 0\right)$, F$\left(\dfrac{3}{2}, 0\right)$ et H$\left(\dfrac{5}{2}, 0\right)$

8. K = 1

9. a) $\dfrac{1}{3}$ b) $\dfrac{2}{3}$ c) $\dfrac{-1}{2}$ d) -1

10. a) $\theta = \dfrac{\pi}{4}$; aucune

   b) $\theta = \dfrac{\pi}{8}$; $\theta = \dfrac{3\pi}{8}$

   c) Aucune; aucune

11. 90°

12. a) $r = 3\sqrt{\pi}$ m.; $\theta = 2$ rad   b) $r = \sqrt{A}$ m.; $\theta = 2$ rad

13. P(8, 2); $\theta \approx 14,04°$

14. a) $\left(\dfrac{3\pi}{2}, 0\right)$ b) $\left(\dfrac{\pi}{2}, 0\right)$

15. a) $\dfrac{d\theta}{dt} = 900 \cos^2 \theta$

   b) 4 rad/h

   c) Environ 34,6 rad/h.

16. a) Environ 0,865 m/min.   b) Environ 0,898 m/min.

17. a) 0,05 rad/s   b) 0,16 rad/s   c) 90°; 120°

18. a) $\dfrac{\pi}{6}$ s   b) 4 cm   c) 12 cm/s

19. a) $\dfrac{d\beta}{dt} = \dfrac{\cos \alpha}{C \cos \beta} \dfrac{d\alpha}{dt}$ b) Environ 0,14 rad/s.

20. a) $x = a\cos\theta + \sqrt{d^2 - a^2 \sin^2 \theta}$

   b) $\dfrac{dx}{dt} = -a\sin\theta \dfrac{d\theta}{dt} - \dfrac{a^2 \sin\theta \cos\theta}{\sqrt{d^2 - a^2 \sin^2\theta}} \dfrac{d\theta}{dt}$

9

TEST RÉCAPITULATIF   *(page 228)*

1. $(\csc x)' = \left(\dfrac{1}{\sin x}\right)'$

$\quad = \dfrac{(1)' \sin x - 1\,(\sin x)'}{(\sin x)^2}$

$\quad = \dfrac{\text{-}\cos x}{\sin^2 x} = \dfrac{(\text{-}1)}{\sin x}\dfrac{\cos x}{\sin x} = \text{-}\csc x \cot x$

2. a) $f'(x) = \dfrac{x\,[\cos(x^3 + \sin x)]\,(3x^2 + \cos x) - \sin(x^3 + \sin x)}{x^2}$

   b) $f'(x) = \dfrac{\text{-}5 \sin(\sin x) \cos x}{2\sqrt{5 \cos(\sin x)}}$

   c) $f'(x) = \text{-}2x \csc^2 x^2 \csc(\text{-}x^3) + 3x^2 \cot x^2 \csc(\text{-}x^3) \cot(\text{-}x^3)$

   d) $f'(x) = (2 + 6x \sec^2 x^2) \sec(2x + 3 \tan x^2) \tan(2x + 3 \tan x^2)$

   e) $f'(x) = \cos[\cos(\tan x)]\,[\text{-}\sin(\tan x)] \sec^2 x$

   f) $f'(x) = \dfrac{\text{-}6 \cos 3x \sin 3x \tan^3 5x - 15 \tan^2 5x \sec^2 5x \cos^2 3x}{\tan^6 5x}$

3. $f'(x) = \dfrac{x \cos x - \sin x}{x^2}$, d'où

$\quad m_{\text{tan}}$ au point $\left(\dfrac{\pi}{2}, f\!\left(\dfrac{\pi}{2}\right)\right) = f'\!\left(\dfrac{\pi}{2}\right) = \dfrac{\text{-}4}{\pi^2}$.

$\quad$ Puisque $y = \dfrac{\text{-}4}{\pi^2} x + b$ passe par le point $\left(\dfrac{\pi}{2}, \dfrac{2}{\pi}\right)$,

$\quad$ on obtient $b = \dfrac{4}{\pi}$, d'où $y = \dfrac{\text{-}4}{\pi^2} x + \dfrac{4}{\pi}$.

4. $f'(x) = 2\left(x - \dfrac{\pi}{2}\right)\left[\cos\left(x - \dfrac{\pi}{2}\right)^2 - 5\right]$; n.c.: 0, $\dfrac{\pi}{2}$ et π

x	0		$\dfrac{\pi}{2}$		π
$f'(x)$	$\nexists$	$+$	0	$-$	$\nexists$
f		$\nearrow$	0	$\searrow$	
			max.		

Donc, f est croissante sur $\left[0, \dfrac{\pi}{2}\right]$ et décroissante sur $\left[\dfrac{\pi}{2}, \pi\right]$.

5. a) $f'(x) = 1 - \sin x$ et $f''(x) = \text{-}\cos x$;

x	0		$\dfrac{\pi}{2}$	
$f'(x)$	$\nexists$	$+$	0	$+$
$f''(x)$	$\nexists$	$-$	0	$+$
f	1	$\nearrow \cap$	$\dfrac{\pi}{2}$	$\nearrow \cup$
E. du G.	$(0, 1)$	$\nearrow$	$\left(\dfrac{\pi}{2}, \dfrac{\pi}{2}\right)$	$\nearrow$
	min.		infl.	

$\dfrac{3\pi}{2}$		2π
$+$	$+$	$\nexists$
0	$-$	$\nexists$
$\dfrac{3\pi}{2}$	$\nearrow \cap$	$2\pi + 1$
$\left(\dfrac{3\pi}{2}, \dfrac{3\pi}{2}\right)$	$\nearrow$	$(2\pi, 2\pi + 1)$
infl.		max.

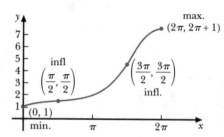

b) Puisque $f(x) = \begin{cases} \sin x & \text{si} \quad 0 \le x \le \pi \\ \text{-}\sin x & \text{si} \quad \pi < x \le 2\pi, \end{cases}$

alors $\quad f'(x) = \begin{cases} \cos x & \text{si} \quad 0 < x < \pi \\ \text{-}\cos x & \text{si} \quad \pi < x < 2\pi \end{cases}$

et $\quad f''(x) = \begin{cases} \text{-}\sin x & \text{si} \quad 0 < x < \pi \\ \sin x & \text{si} \quad \pi < x < 2\pi. \end{cases}$

x	0		$\dfrac{\pi}{2}$	
$f'(x)$	$\nexists$	$+$	0	$-$
$f''(x)$	$\nexists$	$-$	$-$	$-$
f	0	$\nearrow \cap$	1	$\searrow \cap$
E. du G.	$(0, 0)$	$\nearrow$	$\left(\dfrac{\pi}{2}, 1\right)$	$\searrow$
	min.		max.	

π		$\dfrac{3\pi}{2}$		2π
$\nexists$	$+$	0	$-$	$\nexists$
$\nexists$	$-$	$-$	$-$	$\nexists$
0	$\nearrow \cap$	1	$\searrow \cap$	0
$(\pi, 0)$	$\nearrow$	$\left(\dfrac{3\pi}{2}, 1\right)$	$\searrow$	$(2\pi, 0)$
min.		max.		min.

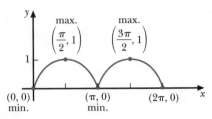

c) Le point $(\pi, 0)$ est un point anguleux.

6. Soit y, la hauteur du triangle, et x, la longueur de la base du triangle.

a) Puisque $y = 5 \sin \theta$, alors $\dfrac{dy}{dt} = 5 \cos \theta \, \dfrac{d\theta}{dt}$.

Ainsi, $\dfrac{dy}{dt}\Big|_{\theta = \frac{\pi}{3}} = 5 \left(\cos \dfrac{\pi}{3}\right)(0{,}03) = 0{,}075$ cm/s.

b) Puisque $A = \dfrac{25 \sin \theta \cos \theta}{2}$,

alors $\dfrac{dA}{dt} = \dfrac{25}{2}(\cos^2 \theta - \sin^2 \theta)\dfrac{d\theta}{dt}$.

Ainsi, $\dfrac{dA}{dt}\Big|_{\theta = \frac{\pi}{6}} = \dfrac{25}{2}\left(\cos^2 \dfrac{\pi}{6} - \sin^2 \dfrac{\pi}{6}\right)(0{,}03)$

$= 0{,}1875$ cm²/s.

c) Mathématisation du problème.

$A(\theta) = \dfrac{25 \sin \theta \cos \theta}{2}$ doit être maximale,

où dom $A = \left[0, \dfrac{\pi}{2}\right]$.

Analyse de la fonction.

$A'(\theta) = \dfrac{25}{2}\left[\cos^2 \theta - \sin^2 \theta\right]$; n.c. : $\dfrac{\pi}{4}$

$A''(\theta) = \text{-}50 \sin \theta \cos \theta.$

Puisque $A'\left(\dfrac{\pi}{4}\right) = 0$ et $A''\left(\dfrac{\pi}{4}\right) < 0$, alors le point

$\left(\dfrac{\pi}{4}, A\left(\dfrac{\pi}{4}\right)\right)$ est un minimum.

Formulation de la réponse.

$\theta = \dfrac{\pi}{4}$ et l'aire maximale égale 6,25 cm².

9

TEST PRÉLIMINAIRE   *(page 230)*

Partie A

1. a) $\operatorname{dom} f = \mathbb{R} \setminus \left\{ -\dfrac{4}{5}, 2 \right\}$ c) $\operatorname{dom} f = [-4, +\infty[\setminus \{0\}$

   b) $\operatorname{dom} f = \mathbb{R} \setminus \{-2, -1, 2, 4\}$ d) $\operatorname{dom} f = \;]-5, -2] \cup [2, 5[$

2. $D_1 : y = 1$; $D_2 : x = -2$; $D_3 : y = \dfrac{1}{2}x + 1$

3. a) $x^2 - x + 1$

   b) $4x + 1 + \dfrac{5}{x - 2}$

   c) $x^2 - 1 + \dfrac{2}{x^2 + 1}$

Partie B

1. a) $\displaystyle\lim_{x \to 1} \dfrac{x^2 + 2x - 3}{x^2 - 1}$ (indétermination de la forme $\dfrac{0}{0}$)

   $= \displaystyle\lim_{x \to 1} \dfrac{(x - 1)(x + 3)}{(x - 1)(x + 1)} = \lim_{x \to 1} \dfrac{(x + 3)}{(x + 1)} = 2$

   b) $\displaystyle\lim_{x \to 4} \dfrac{\sqrt{x} - 2}{x - 4}$ (indétermination de la forme $\dfrac{0}{0}$)

   $= \displaystyle\lim_{x \to 4} \dfrac{\sqrt{x} - 2}{x - 4} \times \dfrac{\sqrt{x} + 2}{\sqrt{x} + 2} = \lim_{x \to 4} \dfrac{(x - 4)}{(x - 4)(\sqrt{x} + 2)}$

   $= \displaystyle\lim_{x \to 4} \dfrac{1}{\sqrt{x} + 2} = \dfrac{1}{4}$

2. a) ... est croissante sur $[a, b]$.

   b) ... est concave vers le bas sur $[a, b]$.

   c) ... un maximum de f.

   d) ... un point d'inflexion de f.

3. Tableau de variation

x	$-\infty$	-1		0		1	$+\infty$
$f'(x)$		$+$	0	$-$	$-$	$-$	0	$+$
$f''(x)$		$-$	$-$	$-$	0	$+$	$+$	$+$
f		↗∩	4	↘∩	0	↘∪	-4	↗∪
E. du G.		↗	$(-1, 4)$	↘	$(0, 0)$	↘	$(1, -4)$	↗

max. infl. min.

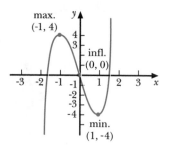

max.
(-1, 4)

infl.
(0, 0)

min.
(1, -4)

QUESTIONS

Section 10.3

Question 1 *(page 236)*

a) i) $\displaystyle\lim_{x \to -\infty} f(x) = 2$

   ii) $\displaystyle\lim_{x \to +\infty} f(x) = -3$

b) $y = 2$ et $y = -3$

Question 2 *(page 239)*

i) $\displaystyle\lim_{x \to -\infty} \dfrac{7x + 1}{x^3 + 2x - 4}$ est une indétermination de la

forme $\dfrac{-\infty}{-\infty}$:

$\displaystyle\lim_{x \to -\infty} \dfrac{7x + 1}{x^3 + 2x - 4} = \lim_{x \to -\infty} \dfrac{x\left(7 + \dfrac{1}{x}\right)}{x^3\left(1 + \dfrac{2}{x^2} - \dfrac{4}{x^3}\right)}$

$= \displaystyle\lim_{x \to -\infty} \dfrac{7 + \dfrac{1}{x}}{x^2\left(1 + \dfrac{2}{x^2} - \dfrac{4}{x^3}\right)}$

$= \dfrac{7}{+\infty} = 0.$

Donc, $y = 0$ est une asymptote horizontale.

ii) $\displaystyle\lim_{x \to +\infty} \dfrac{7x + 1}{x^3 + 2x - 4}$ est une indétermination de la

forme $\dfrac{+\infty}{+\infty}$.

De façon analogue, $\displaystyle\lim_{x \to +\infty} f(x) = 0.$

Donc, $y = 0$ est une asymptote horizontale.

EXERCICES

Exercices 10.1 *(page 232)*

1. Les trois types d'asymptotes sont les asymptotes verticales, les asymptotes horizontales et les asymptotes obliques.

2. a) D_1 est une asymptote verticale. D_2 est une asymptote oblique.

   b) D_1 est une asymptote horizontale. D_2 est une asymptote verticale. D_3 est une asymptote verticale.

   c) D_1 est une asymptote horizontale. D_2 est une asymptote verticale. D_3 est une asymptote oblique.

3. D_1 est une asymptote verticale ; $x = -2$.
   D_4 est une asymptote verticale ; $x = 3$.
   D_2 est une asymptote horizontale ; $y = 1$.

   D_5 est une asymptote oblique ; $y = -\dfrac{1}{2}x - 1$.

4. a) 1   b) $-\infty$ c) 1   d) $+\infty$

Exercices 10.2 *(page 235)*

1. ... $\lim\limits_{x \to a^-} f(x) = -\infty$, $\lim\limits_{x \to a^-} f(x) = +\infty$, $\lim\limits_{x \to a^+} f(x) = -\infty$
   ou $\lim\limits_{x \to a^+} f(x) = +\infty$.

2. a) i) $+\infty$ iii) $+\infty$ v) 0   vii) 2,5

   ii) $+\infty$ iv) $+\infty$ vi) $-\infty$ viii) -2

   b) $x = -6$, $x = -2$ et $x = 0$

3. $x = -\dfrac{\pi}{2}$ et $x = \dfrac{\pi}{2}$

4. a) Le graphique ci-contre n'est évidemment pas le seul qui répond aux quatre conditions.

   b) $x = -3$ et $x = 2$

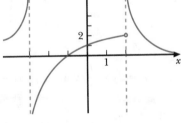

5. a) $\operatorname{dom} f = \mathbb{R} \setminus \{3\}$;

   $\lim\limits_{x \to 3^-} \dfrac{3x}{(x-3)^2} = \dfrac{9}{0^+} = +\infty$ et

   $\lim\limits_{x \to 3^+} \dfrac{3x}{(x-3)^2} = \dfrac{9}{0^+} = +\infty$.

   Donc, $x = 3$ est une asymptote verticale.

   b) $\operatorname{dom} f =]\text{-}3, +\infty[$;

   $\lim\limits_{x \to -3^+} \dfrac{-7x^2}{\sqrt{x+3}} = \dfrac{-63}{0^+} = -\infty$.

   Donc, $x = -3$ est une asymptote verticale.

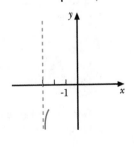

c) $\operatorname{dom} f = \mathbb{R} \setminus \{-4, 1\}$;

   i) Pour $x = -4$, $\lim\limits_{x \to -4^-} \dfrac{2x+1}{(x-1)(x+4)} = \dfrac{-7}{0^+} = -\infty$ et

   $\lim\limits_{x \to -4^+} \dfrac{2x+1}{(x-1)(x+4)} = \dfrac{-7}{0^-} = +\infty$.

   Donc, $x = -4$ est une asymptote verticale.

   ii) Pour $x = 1$, $\lim\limits_{x \to 1^-} \dfrac{2x+1}{(x-1)(x+4)} = \dfrac{3}{0^-} = -\infty$ et

   $\lim\limits_{x \to 1^+} \dfrac{2x+1}{(x-1)(x+4)} = \dfrac{3}{0^+} = +\infty$.

   Donc, $x = 1$ est une asymptote verticale.

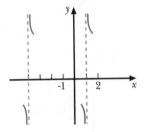

d) $\operatorname{dom} f = \mathbb{R} \setminus \{-3, -1\}$;

   i) Pour $x = -3$, $\lim\limits_{x \to -3^-} \dfrac{x^2+x-6}{x^2+4x+3}$ est une indétermination de la forme $\dfrac{0}{0}$.

   Levons cette indétermination :

   $\lim\limits_{x \to -3^-} \dfrac{x^2+x-6}{x^2+4x+3} = \lim\limits_{x \to -3^-} \dfrac{(x+3)(x-2)}{(x+3)(x+1)}$
   $\hfill \text{(en factorisant)}$

   $= \lim\limits_{x \to -3^-} \dfrac{(x-2)}{(x+1)} \;\; \substack{\text{(en simplifiant,} \\ \text{car } (x+3) \neq 0)}$

   $= \dfrac{5}{2}$.

   De même, $\lim\limits_{x \to -3^+} \dfrac{x^2+x-6}{x^2+4x+3} = \dfrac{5}{2}$.

   Donc, $x = -3$ n'est pas une asymptote verticale.

   ii) Pour $x = -1$, $\lim\limits_{x \to -1^-} \dfrac{x^2+x-6}{x^2+4x+3} = \dfrac{-6}{0^-} = +\infty$ et

   $\lim\limits_{x \to -1^+} \dfrac{x^2+x-6}{x^2+4x+3} = \dfrac{-6}{0^+} = -\infty$.

   Donc, $x = -1$ est une asymptote verticale.

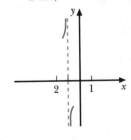

10

e) $x = -2$ et $x = 1$

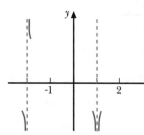

f) $x = 0$

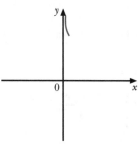

g) f n'a aucune asymptote verticale.

h) $x = 1$ et $x = 2$

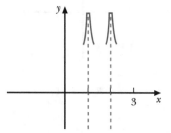

i) $x = 1$

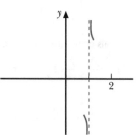

6. a) $k = 3$ b) $k = -16$

Exercices 10.3   (page 241)

1. ... $\lim\limits_{x \to -\infty} f(x) = b$ ou $\lim\limits_{x \to +\infty} f(x) = b$.

2. a) i) -3   ii) 2
    b) $y = -3$ et $y = 2$

3. a) Le graphique suivant n'est évidemment pas le seul qui répond aux deux conditions.

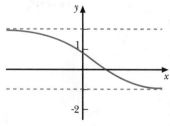

    b) $y = -1$ et $y = 2$

4. a) $\lim\limits_{x \to -\infty} (7x^3 - 4x^2 + 7x - 1) = -\infty$

    b) Indétermination de la forme $+\infty - \infty$:
    $$\lim_{x \to +\infty} (7x^3 - 4x^2 + 7x - 1) =$$
    $$\lim_{x \to +\infty} x^3\left(7 - \frac{4}{x} + \frac{7}{x^2} - \frac{1}{x^3}\right) = +\infty.$$

    c) Indétermination de la forme $+\infty - \infty$:
    $$\lim_{x \to -\infty} (\sqrt{x^2 + 4} + x^3) = \lim_{x \to -\infty} \left(\sqrt{x^2\left(1 + \frac{4}{x^2}\right)} + x^3\right)$$
    $$= \lim_{x \to -\infty} \left(\sqrt{x^2}\,\sqrt{1 + \frac{4}{x^2}} + x^3\right)$$
    $$= \lim_{x \to -\infty} \left(|x|\,\sqrt{1 + \frac{4}{x^2}} + x^3\right)$$
    $$= \lim_{x \to -\infty} \left(-x\,\sqrt{1 + \frac{4}{x^2}} + x^3\right)$$
    $$= \lim_{x \to -\infty} x^3\left(\frac{-\left(\sqrt{1 + \frac{4}{x^2}}\right)}{x^2} + 1\right)$$
    $$= -\infty.$$

5. a) $\lim\limits_{x \to -\infty} \left(7 - \frac{3}{x + 1}\right) = 7$ et $\lim\limits_{x \to +\infty} \left(7 - \frac{3}{x + 1}\right) = 7$.
    Donc, $y = 7$ est une asymptote horizontale.

    b) $\lim\limits_{x \to -\infty} \dfrac{3x^2 - 1}{5x^2 + 4x + 1} = \lim\limits_{x \to -\infty} \dfrac{x^2\left(3 - \frac{1}{x^2}\right)}{x^2\left(5 + \frac{4}{x} + \frac{1}{x^2}\right)}$
    $$= \lim_{x \to -\infty} \frac{3 - \frac{1}{x^2}}{5 + \frac{4}{x} + \frac{1}{x^2}} = \frac{3}{5} \text{ et}$$
    $$\lim_{x \to +\infty} \frac{3x^2 - 1}{5x^2 + 4x + 1} = \frac{3}{5}.$$
    Donc, $y = \dfrac{3}{5}$ est une asymptote horizontale.

    c) $\lim\limits_{x \to -\infty} \dfrac{4x^3}{7x^2 + 1} = \lim\limits_{x \to -\infty} \dfrac{4x^3}{x^2\left(7 + \frac{1}{x^2}\right)} = \lim\limits_{x \to -\infty} \dfrac{4x}{7 + \frac{1}{x^2}} = -\infty.$

    Donc, f n'a pas d'asymptote horizontale lorsque $x \to -\infty$.
    $$\lim_{x \to +\infty} \frac{4x^3}{7x^2 + 1} = +\infty.$$
    Donc, f n'a pas d'asymptote horizontale lorsque $x \to +\infty$.

    d) $\lim\limits_{x \to -\infty} \dfrac{4x + 1}{\sqrt{x^2 + 9}} = \lim\limits_{x \to -\infty} \dfrac{x\left(4 + \frac{1}{x}\right)}{\sqrt{x^2}\sqrt{1 + \frac{9}{x^2}}}$
    $$\lim_{x \to -\infty} \frac{x\left(4 + \frac{1}{x}\right)}{-x\left(\sqrt{1 + \frac{9}{x^2}}\right)} = -4.$$

    Donc, $y = -4$ est une asymptote horizontale lorsque $x \to -\infty$.

$$\lim_{x \to +\infty} \frac{4x + 1}{\sqrt{x^2 + 9}} = \lim_{x \to +\infty} \frac{x\left(4 + \dfrac{1}{x}\right)}{x\left(\sqrt{1 + \dfrac{9}{x^2}}\right)} = 4.$$

Donc, $y = 4$ est une asymptote horizontale lorsque $x \to +\infty$.

6. a) $y = 0$

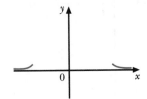

b) $y = 0$

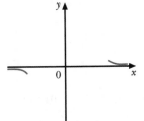

c) $y = 5$

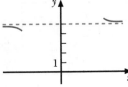

d) $y = -3$

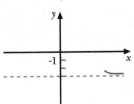

7. a) $y = \dfrac{7}{4}$

b) $y = 0$ lorsque $x \to -\infty$.

c) f n'a aucune asymptote horizontale.

d) $y = -2$

e) $y = -5$ lorsque $x \to -\infty$, $y = 5$ lorsque $x \to +\infty$.

f) $y = \dfrac{1}{3}$ lorsque $x \to -\infty$, $y = -\dfrac{1}{3}$ lorsque $x \to +\infty$.

8. a) $k = 9$ b) $k = 2$

9. Si $n < m$, $y = 0$;

si $n = m$, $y = \dfrac{a_n}{b_m}$;

si $n > m$, Q n'a aucune asymptote horizontale.

Exercices 10.4 *(page 243)*

1. ... $f(x) = mx + b + r(x)$, telle que $\lim_{x \to -\infty} r(x) = 0$

ou $\lim_{x \to +\infty} r(x) = 0$.

2. $D_1 : y = -x - 2$; $D_2 : y = \dfrac{3}{2}x - 3$

3. a) $f(x) = 2x + 1 + \dfrac{1}{x}$; $m = 2$, $b = 1$ et $r(x) = \dfrac{1}{x}$

b) $f(x) = -5x + 6 + \left(\dfrac{-4}{2x - 3}\right)$; $m = -5$, $b = 6$ et

$r(x) = \dfrac{-4}{2x - 3}$

c) $f(x) = 3 + \left(\dfrac{x + 1}{x^2 + 1}\right)$; $m = 0$, $b = 3$ et $r(x) = \dfrac{x + 1}{x^2 + 1}$

d) $f(x) = x + 1 + \left(x^2 + \dfrac{1}{x}\right)$; $m = 1$, $b = 1$ et $r(x) = x^2 + \dfrac{1}{x}$

4. a) Puisque $f(x) = 5x - 1 + \dfrac{7}{x^2}$, et que $\lim_{x \to -\infty} \dfrac{7}{x^2} = 0$ et

$\lim_{x \to +\infty} \dfrac{7}{x^2} = 0$, alors $y = 5x - 1$ est une asymptote oblique.

b) $f(x) = \dfrac{4x^3 - 6x^2 + x - 4}{x^2} = 4x - 6 + \dfrac{x - 4}{x^2}$.

Puisque $\lim_{x \to -\infty} \dfrac{x - 4}{x^2} = \lim_{x \to -\infty} \dfrac{x\left(1 - \dfrac{4}{x}\right)}{x^2} = \lim_{x \to -\infty} \dfrac{1 - \dfrac{4}{x}}{x} = 0$

et que $\lim_{x \to +\infty} \dfrac{x - 4}{x^2} = 0$, alors $y = 4x - 6$ est une asymptote oblique.

c) $f(x) = -1 + \dfrac{x}{1 + x^3}$.

Puisque $m = 0$, f n'a pas d'asymptote oblique.

d) $f(x) = 3x + 1 + \left(x^2 + \dfrac{1}{x}\right)$.

Puisque $\lim_{x \to -\infty} \left(x^2 + \dfrac{1}{x}\right) = +\infty$, d'où $\lim_{x \to -\infty} r(x) \neq 0$, et

que $\lim_{x \to +\infty} \left(x^2 + \dfrac{1}{x}\right) = +\infty$, d'où $\lim_{x \to +\infty} r(x) \neq 0$, alors f n'a pas d'asymptote oblique.

5. a) $y = 3x + 4$ b) $y = -2x - 1$

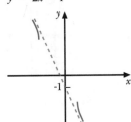
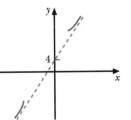

Exercices 10.5 *(page 247)*

1. a) $\text{dom } f = \mathbb{R} \setminus \{-4, 2\}$

b) Asymptotes verticales : $x = -4$ et $x = 2$

c) Asymptotes horizontales : $y = -3$ et $y = 2$

d) Maximums : $(-2, -1)$ et $(5, 6)$
   Minimum : $(0, -3)$

e) Points d'inflexion : $(-1, -2)$ et $(6, 4)$

f)

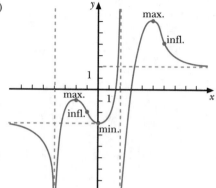

2. a) $\operatorname{dom} f = \mathbb{R} \setminus \{-2, 2\}$; A.V. : $x = -2$ et $x = 2$; A.H. : $y = 0$

$$f'(x) = \frac{-x^2 - 4}{(x^2 - 4)^2} \text{ et } f''(x) = \frac{2x(x^2 + 12)}{(x^2 - 4)^3}$$

x	$-\infty$		-2		0		2		$+\infty$
$f'(x)$		$-$	$\nexists$	$-$		$-$	$\nexists$	$-$	
$f''(x)$		$-$	$\nexists$	$+$	0	$-$	$\nexists$	$+$	
f	0	$\searrow\cap$	$\nexists$	$\searrow\cup$	0	$\searrow\cap$	$\nexists$	$\searrow\cup$	0
E. du G.		$\searrow$	$\nexists$	$\searrow$	(0, 0)	$\searrow$	$\nexists$	$\searrow$	

infl.

c) $\operatorname{dom} f = \mathbb{R} \setminus \{0\}$; A.V. : $x = 0$; A.O. : $y = x$

$$f'(x) = \frac{x^3 - 8}{x^3} \text{ et } f''(x) = \frac{24}{x^4}$$

x	$-\infty$		0		2		$+\infty$
$f'(x)$		$+$	$\nexists$	$-$	0	$+$	
$f''(x)$		$+$	$\nexists$	$+$	$+$	$+$	
f	$-\infty$	$\nearrow\cup$	$\nexists$	$\searrow\cup$	3	$\nearrow\cup$	$+\infty$
E. du G.		$\nearrow$	$\nexists$	$\searrow$	(2, 3)	$\nearrow$	

min.

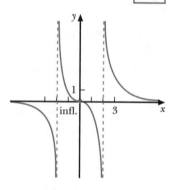

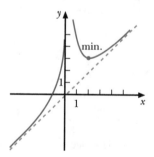

b) $\operatorname{dom} f = \mathbb{R} \setminus \{0\}$; A.V. : $x = 0$

$$f'(x) = \frac{3(x^4 - 1)}{x^2} \text{ et } f''(x) = \frac{6(x^4 + 1)}{x^3}$$

x	$-\infty$		-1		0		1		$+\infty$
$f'(x)$		$+$	0	$-$	$\nexists$	$-$	0	$+$	
$f''(x)$		$-$	$-$	$-$	$\nexists$	$+$	$+$	$+$	
f	$-\infty$	$\nearrow\cap$	-4	$\searrow\cap$	$\nexists$	$\searrow\cup$	4	$\nearrow\cup$	$+\infty$
E. du G.		$\nearrow$	(-1, -4)	$\searrow$	$\nexists$	$\searrow$	(1, 4)	$\nearrow$	

max.   min.

d) $\operatorname{dom} f = \mathbb{R} \setminus \{-1, 1\}$; A.V. : $x = -1$ et $x = 1$; A.H. : $y = 2$

$$f'(x) = \frac{-2x}{(x^2 - 1)^2} \text{ et } f''(x) = \frac{2(3x^2 + 1)}{(x^2 - 1)^3}$$

x	$-\infty$		-1		0		1		$+\infty$
$f'(x)$		$+$	$\nexists$	$+$	0	$-$	$\nexists$	$-$	
$f''(x)$		$+$	$\nexists$	$-$	$-$	$-$	$\nexists$	$+$	
f	2	$\nearrow\cup$	$\nexists$	$\nearrow\cap$	1	$\searrow\cap$	$\nexists$	$\searrow\cup$	2
E. du G.		$\nearrow$	$\nexists$	$\nearrow$	(0, 1)	$\searrow$	$\nexists$	$\searrow$	

max.

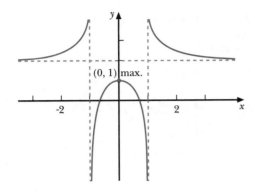

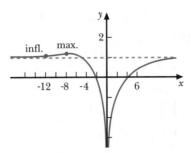

3. a) dom $f = \mathbb{R} \setminus \{0\}$; A.V. : $x = 0$

$$f'(x) = \frac{2x^3 - 1}{x^2} \text{ et } f''(x) = \frac{2(x^3 + 1)}{x^3}$$

min. : $\left(\sqrt[3]{\dfrac{1}{2}}, \sqrt[3]{\dfrac{1}{4}} + \sqrt[3]{2} \right)$

infl. : $(-1, 0)$

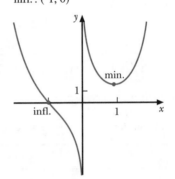

e) dom $f = \mathbb{R} \setminus \{2\}$; A.V. : $x = 2$

$$f'(x) = \frac{2[(x-2)^4 - 1]}{(x-2)^3} \text{ et } f''(x) = \frac{2(x-2)^4 + 6}{(x-2)^4}$$

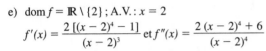

x	$-\infty$		1		2		3		$+\infty$
$f'(x)$		$-$	0	$+$	$\not\exists$	$-$	0	$+$	
$f''(x)$		$+$	$+$	$+$	$\not\exists$	$+$	$+$	$+$	
f	$+\infty$	$\searrow \cup$	2	$\nearrow \cup$	$\not\exists$	$\searrow \cup$	2	$\nearrow \cup$	$+\infty$
E. du G.		$\searrow$	$(1, 2)$	$\nearrow$	$\not\exists$	$\searrow$	$(3, 2)$	$\nearrow$	
			min.				min.		

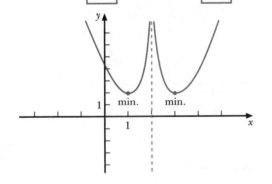

b) dom $f = \mathbb{R}$; A.H. : $y = -1$

$$f'(x) = \frac{-2x}{(x^2 + 1)^2} \text{ et } f''(x) = \frac{2(3x^2 - 1)}{(x^2 + 1)^3}$$

max. : $(0, 0)$

infl. : $\left(\dfrac{-1}{\sqrt{3}}, \dfrac{-1}{4} \right)$ et $\left(\dfrac{1}{\sqrt{3}}, \dfrac{-1}{4} \right)$

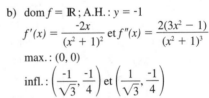

c) dom $f = -\infty, -1[\cup]1, +\infty$; A.V. : $x = -1$ et $x = 1$;
A.H. : $y = -2$ et $y = 2$

$$f'(x) = \frac{2}{\sqrt{(x^2 - 1)^3}} \text{ et } f''(x) = \frac{-6x}{\sqrt{(x^2 - 1)^5}}$$

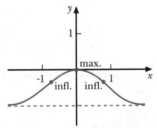

f) dom $f = \mathbb{R} \setminus \{0\}$; A.V. : $x = 0$; A.H. : $y = 1$

$$f'(x) = \frac{2(x + 8)}{x^3} \text{ et } f''(x) = \frac{-4(x + 12)}{x^4}$$

x	$-\infty$		-12		-8		0		$+\infty$
$f'(x)$		$+$	$+$	$+$	0	$-$	$\not\exists$	$+$	
$f''(x)$		$+$	0	$-$	$-$	$-$	$\not\exists$	$-$	
f	1	$\nearrow \cup$	$\dfrac{10}{9}$	$\nearrow \cap$	$\dfrac{9}{8}$	$\searrow \cap$	$\not\exists$	$\nearrow \cap$	1
E. du G.		$\nearrow$	$\left(-12, \dfrac{10}{9}\right)$	$\nearrow$	$\left(-8, \dfrac{9}{8}\right)$	$\searrow$	$\not\exists$	$\nearrow$	
			infl.		max.				

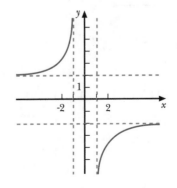

d) $\text{dom} f = \mathbb{R} \setminus \{1\}$; A.V. : $x = 1$; A.O. : $y = 4x + 1$

$$f'(x) = \frac{4x(x-2)}{(x-1)^2} \text{ et } f''(x) = \frac{8}{(x-1)^3}$$

min. : (2, 13)
max. : (0, -3)

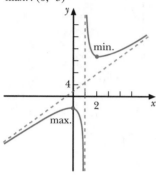

4. $\text{dom} f = \mathbb{R} \setminus \{1\}$; A.V. : $x = 1$; A.O : $y = 4x + 1$ et
$y = -4x - 1$
min. : (0, 3) et (2, 13)

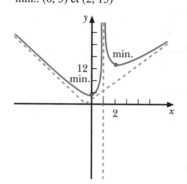

PROBLÈMES DE SYNTHÈSE   *(page 248)*

1. D_1 est une asymptote horizontale lorsque $x \to -\infty$; $y = 1$.
   D_2 est une asymptote verticale ; $x = -4$.
   D_3 est une asymptote oblique lorsque $x \to +\infty$; $y = -x + 1$.

2.

	A.V.	A.H.	A.O.
a)	$x = -2, x = 2$	$y = 3$	aucune
b)	$x = -3$	$y = 0$	aucune
c)	$x = -4, x = 0, x = 1$	aucune	aucune
d)	aucune	$y = -3, y = 3$	aucune
e)	$x = -1$	aucune	$y = 4x - 4$
f)	$x = -2, x = 2$	$y = -5, y = 5$	aucune
g)	$x = -5, x = 5$	$y = -4, y = 4$	aucune
h)	$x = 2$	aucune	$y = 5x - 3$
i)	aucune	$y = 0$	aucune
j)	$x = 0$	$y = 0$	aucune

3. a) $\text{dom} f = \mathbb{R} \setminus \{2\}$; A.V. : $x = 2$; A.H. : $y = -3$

$$f'(x) = \frac{7}{(2-x)^2} \text{ et } f''(x) = \frac{14}{(2-x)^3}$$

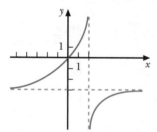

b) $\text{dom} f = \mathbb{R} \setminus \{-2, 2\}$; A.V. : $x = -2$ et $x = 2$; A.H. : $y = 5$

$$f'(x) = \frac{6x}{(4-x^2)^2} \text{ et } f''(x) = \frac{6(3x^2+4)}{(4-x^2)^3}$$

min. : $\left(0, \dfrac{23}{4}\right)$

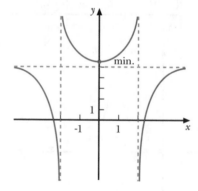

c) $\text{dom} f = -\infty, 2]$

$$f'(x) = \frac{-3x^2}{2\sqrt{8-x^3}} \text{ et } f''(x) = \frac{3x(x^3-32)}{4(8-x^3)^{\frac{3}{2}}}$$

min. : (2, 0)
infl. : $(0, \sqrt{8})$

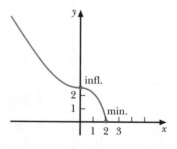

d) $\text{dom} f = \mathbb{R}$; A.H. : $y = 2$

$$f'(x) = \frac{1 - x^2}{(x^2 + 1)^2} \text{ et } f''(x) = \frac{2x(x^2 - 3)}{(x^2 + 1)^3}$$

min. : $(-1, 1{,}5)$

max. : $(1, 2{,}5)$

infl. : $\left(-\sqrt{3}, \dfrac{8 - \sqrt{3}}{4}\right)$, $(0, 2)$ et $\left(\sqrt{3}, \dfrac{8 + \sqrt{3}}{4}\right)$

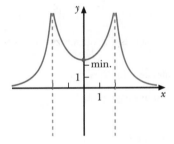

e) $\text{dom} f = \mathbb{R} \setminus \{-2, 2\}$; A.V. : $x = -2$ et $x = 2$; A.H. : $y = 0$

$$f'(x) = \frac{-128x}{(x^2 - 4)^3} \text{ et } f''(x) = \frac{128(5x^2 + 4)}{(x^4 - 4)^4}$$

min. : $(0, 2)$

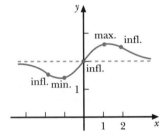

f) $\text{dom} f = \mathbb{R} \setminus \{-\sqrt{3}, 0, \sqrt{3}\}$; A.V. : $x = -\sqrt{3}$, $x = 0$ et $x = \sqrt{3}$; A.H. : $y = 0$

$$f'(x) = \frac{12(1 - x^2)}{(x^3 - 3x)^2} \text{ et } f''(x) = \frac{24(2x^4 - 3x^2 + 3)}{(x^3 - 3x)^3}$$

min. : $(-1, 2)$

max. : $(1, -2)$

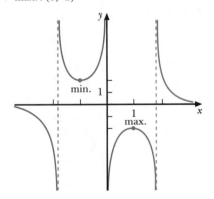

4. a) $\text{dom} f = \mathbb{R} \setminus \{0\}$; A.V. : $x = 0$; A.H. : $y = -1$ et $y = 1$

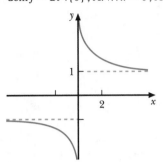

b) $\text{dom} g = -\infty, -2] \cup [2, +\infty$; A.H. : $y = -1$ et $y = 1$

min. : $(2, 0)$

max. : $(-2, 0)$

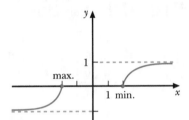

c) $\text{dom} h = [-2, 2]$; A.V. : $x = 0$

min. : $(2, 0)$

max. : $(-2, 0)$

infl. : $\left(-\sqrt{\dfrac{8}{3}}, -\dfrac{\sqrt{2}}{2}\right)$ et $\left(\sqrt{\dfrac{8}{3}}, \dfrac{\sqrt{2}}{2}\right)$

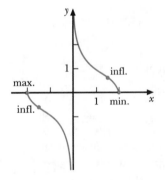

5. a) 150 000 $, ce qui représente les coûts fixes de la compagnie.

b) 153 700 $, ce qui représente les coûts de production pour 100 calculatrices ; 1537 $, soit le coût moyen de fabrication par calculatrice pour une production de 100 calculatrices.

c) $\overline{C}(q) = \dfrac{C(q)}{q} = \dfrac{37q + 150\,000}{q}$

d) $\lim\limits_{q \to +\infty} \overline{C}(q) = 37$, soit 37 $; le coût moyen de fabrication par unité tend vers 37 $ lorsque le nombre d'unités produites tend vers $+\infty$.

e) A.V. : $x = 0$
    A.H. : $y = 37$

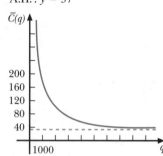

6. a) Les points $(-2, -1)$ et $(2, 1)$; pente $= -\dfrac{1}{4}$.

    b) Le point $(0, 0)$; pente $= 2$.

7. Les points $(0, -1)$ et $(2, 1)$; distance $= \sqrt{2}$.

8. Le point $\left(2, \dfrac{1}{2}\right)$.

TEST RÉCAPITULATIF   *(page 251)*

1. a) V   d) F   g) V   j) V
    b) V   e) V   h) F   k) F
    c) F   f) F   i) V

2. a) non définie   f) 0
    b) -5   g) $-\infty$
    c) non définie   h) $+\infty$
    d) 2   i) 1
    e) 3   j) $-\infty$

3. Asymptotes verticales : $x = -5$ et $x = 4$;
    asymptote horizontale : $y = 3$;
    asymptote oblique : $y = -\dfrac{1}{2}x + 2$

4. a) $\text{dom}\, f = \mathbb{R} \setminus \{-5, 1\}$

    i) Asymptotes verticales

    Pour $x = -5$, $\displaystyle\lim_{x \to -5^-} \dfrac{x^2 - x}{(x - 1)(x + 5)} = \dfrac{30}{0^+} = +\infty$ et

    $\displaystyle\lim_{x \to -5^+} \dfrac{x^2 - x}{(x - 1)(x + 5)} = \dfrac{30}{0^-} = -\infty$.

    Donc, $x = -5$ est une asymptote verticale.

    Pour $x = 1$, $\displaystyle\lim_{x \to 1^-} \dfrac{x^2 - x}{(x - 1)(x + 5)}$ est une indéter-

    mination de la forme $\dfrac{0}{0}$:

    $\displaystyle\lim_{x \to 1^-} \dfrac{x^2 - x}{(x - 1)(x + 5)} = \lim_{x \to 1^-} \dfrac{x(x - 1)}{(x - 1)(x + 5)}$

    $= \displaystyle\lim_{x \to 1^-} \dfrac{x}{(x + 5)} = \dfrac{1}{6}$ et

    $\displaystyle\lim_{x \to 1^+} \dfrac{x^2 - x}{(x - 1)(x + 5)} = \lim_{x \to 1^+} \dfrac{x}{x + 5} = \dfrac{1}{6}$.

    Donc, $x = 1$ n'est pas une asymptote verticale.

    ii) Asymptotes horizontales

    $\displaystyle\lim_{x \to -\infty} \dfrac{x^2 - x}{(x - 1)(x + 5)}$ est une indétermination de la

    forme $\dfrac{+\infty}{+\infty}$:

    $\displaystyle\lim_{x \to -\infty} \dfrac{x^2 - x}{(x - 1)(x + 5)} = \lim_{x \to -\infty} \dfrac{x^2 - x}{x^2 + 4x - 5}$

    $= \displaystyle\lim_{x \to -\infty} \dfrac{x^2 \left(1 - \dfrac{1}{x}\right)}{x^2 \left(1 + \dfrac{4}{x} - \dfrac{5}{x^2}\right)}$

    $= \displaystyle\lim_{x \to -\infty} \dfrac{\left(1 - \dfrac{1}{x}\right)}{\left(1 + \dfrac{4}{x} - \dfrac{5}{x^2}\right)} = 1$.

    Donc, $y = 1$ est une asymptote horizontale lorsque $x \to -\infty$.

    De façon analogue, $\displaystyle\lim_{x \to +\infty} f(x) = 1$.

    Donc, $y = 1$ est une asymptote horizontale lorsque $x \to +\infty$.

    iii) Asymptotes obliques
    Lorsque $x \to -\infty$ et $x \to +\infty$, il y a une asymptote horizontale, alors il ne peut y avoir d'asymptote oblique.

    b) $\text{dom}\, f = \mathbb{R}$

    i) Asymptotes verticales
    f n'a aucune asymptote verticale.

    ii) Asymptotes horizontales

    $\displaystyle\lim_{x \to -\infty} \dfrac{16x + 5}{\sqrt{4x^2 + 1}} = \lim_{x \to -\infty} \dfrac{x\left(16 + \dfrac{5}{x}\right)}{\sqrt{x^2}\sqrt{4 + \dfrac{1}{x^2}}}$

    $= \displaystyle\lim_{x \to -\infty} \dfrac{x\left(16 + \dfrac{5}{x}\right)}{-x\left(\sqrt{4 + \dfrac{1}{x^2}}\right)}$

    $= \displaystyle\lim_{x \to -\infty} \dfrac{-\left(16 + \dfrac{5}{x}\right)}{\sqrt{4 + \dfrac{1}{x^2}}} = -8$.

    Donc, $y = -8$ est une asymptote horizontale lorsque $x \to -\infty$.

$$\lim_{x \to +\infty} \frac{16x + 5}{\sqrt{4x^2 + 1}} = \lim_{x \to +\infty} \frac{16 + \dfrac{5}{x}}{\sqrt{4 + \dfrac{1}{x^2}}} = 8.$$

Donc, $y = 8$ est une asymptote horizontale lorsque $x \to +\infty$.

iii) Asymptotes obliques

f n'a aucune asymptote oblique.

c) $\operatorname{dom} f = \mathbb{R} \setminus \{-3\}$

i)   Asymptotes verticales

$$\lim_{x \to -3^-} \frac{x^2 + 5x + 7}{x + 3} = \frac{1}{0^-} = -\infty \text{ et}$$

$$\lim_{x \to -3^+} \frac{x^2 + 5x + 7}{x + 3} = \frac{1}{0^+} = +\infty.$$

Donc, $x = -3$ est une asymptote verticale.

ii)   Asymptotes horizontales

$$\lim_{x \to -\infty} \frac{x^2 + 5x + 7}{x + 3} = \lim_{x \to -\infty} \frac{x^2\left(1 + \dfrac{5}{x} + \dfrac{7}{x^2}\right)}{x\left(1 + \dfrac{3}{x}\right)}$$

$$= \lim_{x \to -\infty} \frac{x\left(1 + \dfrac{5}{x} + \dfrac{7}{x^2}\right)}{\left(1 + \dfrac{3}{x}\right)} = -\infty \text{ et}$$

$$\lim_{x \to +\infty} \frac{x^2 + 5x + 7}{x + 3} = \lim_{x \to +\infty} \frac{x\left(1 + \dfrac{5}{x} + \dfrac{7}{x^2}\right)}{\left(1 + \dfrac{3}{x}\right)} = +\infty.$$

Donc, f n'a pas d'asymptote horizontale.

iii)   Asymptotes obliques

$$f(x) = \frac{x^2 + 5x + 7}{x + 3} = x + 2 + \frac{1}{x + 3}$$

Puisque $\displaystyle\lim_{x \to -\infty} \frac{1}{x + 3} = 0$ et que $\displaystyle\lim_{x \to +\infty} \frac{1}{x + 3} = 0$,

alors $y = x + 2$ est une asymptote oblique.

5. a) $\operatorname{dom} f = \mathbb{R} \setminus \{-4\}$

$$\lim_{x \to -4^-} \frac{-2x^2 - 12x}{(x + 4)^2} = \frac{16}{0^+} = +\infty \text{ et}$$

$$\lim_{x \to -4^+} \frac{-2x^2 - 12x}{(x + 4)^2} = \frac{16}{0^+} = +\infty.$$

Donc, $x = -4$ est une asymptote verticale.

$$\lim_{x \to -\infty} \frac{-2x^2 - 12x}{x^2 + 8x + 16} = \lim_{x \to -\infty} \frac{x^2\left(-2 - \dfrac{12}{x}\right)}{x^2\left(1 + \dfrac{8}{x} + \dfrac{16}{x^2}\right)} = -2 \text{ et}$$

$$\lim_{x \to +\infty} f(x) = -2.$$

Donc, $y = -2$ est une asymptote horizontale.

$$f'(x) = \frac{-4(x + 12)}{(x + 4)^3} \text{ et } f''(x) = \frac{8(x + 16)}{(x + 4)^4}$$

x	$-\infty$		-16		-12		-4		$+\infty$
$f'(x)$		$-$	$-$	$-$	0	$+$	$\not\exists$	$-$	
$f''(x)$		$-$	0	$+$	$+$	$+$	$\not\exists$	$+$	
f	-2	$\searrow \cap$	$-2,\overline{2}$	$\searrow \cup$	$-2,25$	$\nearrow \cup$	$\not\exists$	$\searrow \cup$	-2
E. du G.		$\searrow$	$(-16, -2,\overline{2})$	$\searrow$	$(-12, -2,25)$	$\nearrow$	$\not\exists$		$\searrow$

infl. (sous -16)   min. (sous -12)

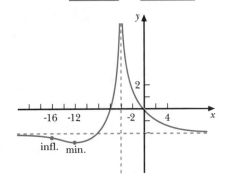

b) $\operatorname{dom} f = \mathbb{R}$

$$\lim_{x \to -\infty} \left(4 + \frac{3x}{\sqrt{x^2 + 1}}\right) = \lim_{x \to -\infty} \left(4 + \frac{3x}{\sqrt{x^2}\left(\sqrt{1 + \dfrac{1}{x^2}}\right)}\right)$$

$$= \lim_{x \to -\infty} \left(4 + \frac{3x}{-x\left(\sqrt{1 + \dfrac{1}{x^2}}\right)}\right)$$

$$= \lim_{x \to -\infty} \left(4 + \frac{-3}{\sqrt{1 + \dfrac{1}{x^2}}}\right) = 1.$$

Donc, $y = 1$ est une asymptote horizontale lorsque $x \to -\infty$.

$$\lim_{x \to +\infty} \left(4 + \frac{3x}{\sqrt{x^2 + 1}}\right) = \lim_{x \to +\infty} \left(4 + \frac{3x}{\sqrt{x^2}\left(\sqrt{1 + \dfrac{1}{x^2}}\right)}\right)$$

$$= \lim_{x \to +\infty} \left(4 + \frac{3}{\sqrt{1 + \dfrac{1}{x^2}}}\right) = 7.$$

Donc, $y = 7$ est une asymptote horizontale lorsque $x \to +\infty$.

$$f'(x) = \frac{3}{(x^2 + 1)^{\frac{3}{2}}} \text{ et } f''(x) = \frac{-9x}{(x^2 + 1)^{\frac{5}{2}}}$$

x	$-\infty$		0		$+\infty$
$f'(x)$		$+$	$+$	$+$	
$f''(x)$		$+$	0	$-$	
f	1	$\nearrow \cup$	4	$\nearrow \cap$	7
E. du G.		$\nearrow$	(0, 4)	$\rightarrow$	

infl.

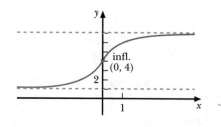

TEST PRÉLIMINAIRE   *(page 253)*

Partie A

1. a) $f(0) = 0$; $g(0) = 1$

   b) $f(1) = 1$; $g(1) = 4$

   c) $f(2) = 16$; $g(2) = 16$

   d) $f(5) = 625$; $g(5) = 1024$

   e) $f(-1) = 1$; $g(-1) = 0,25$

   f) $f\left(\dfrac{1}{2}\right) = 0,0625$; $g\left(\dfrac{1}{2}\right) = 2$

   g) $f\left(-\dfrac{1}{2}\right) = 0,0625$; $g\left(-\dfrac{1}{2}\right) = 0,5$

   h) $f(-5) = 625$; $g(-5) \approx 0,000\ 977$

2. a) a^{x+y} e) $\dfrac{a^x}{b^x}$

   b) a^{x-y} f) 1

   c) a^{xy} g) $\dfrac{1}{a^x}$

   d) $a^x b^x$ h) $x = y$

3. a) 9   c) 5   e) 6   g) 5

   b) -3   d) 0   f) 8   h) -3

   i) 9   k) 0,5   m) 1

   j) 0   l) 5   n) ±4

Partie B

1. $f'(x) = \lim\limits_{h \to 0} \dfrac{f(x+h) - f(x)}{h}$;

   $f'(x) = \lim\limits_{\Delta x \to 0} \dfrac{f(x + \Delta x) - f(x)}{\Delta x}$

2. ... $\dfrac{dy}{dx} = \dfrac{dy}{du}\dfrac{du}{dx}$.

3. a) ax^{a-1}

   b) $u'v + uv'$

   c) $\dfrac{u'v - uv'}{v^2}$

   d) $g'[f(x)]\,f'(x)$

4. a) ... $\boldsymbol{x = a}$ est une asymptote **verticale**.

   b) ... $\boldsymbol{y = b}$ est une asymptote **horizontale**.

QUESTIONS

Section 11.1

Question 1   *(page 254)*

b) et d)

Question 2   *(page 255)*

a)

x	0	1	2	4	10	... $\to +\infty$
$\left(\dfrac{1}{3}\right)^x$	1	$0,\overline{3}$	$0,\overline{1}$	0,012 345...	0,000 016 9...	... $\to 0$

b) $\lim\limits_{x \to +\infty} \left(\dfrac{1}{3}\right)^x = 0$. Donc, $y = 0$ est une asymptote horizontale

   lorsque $x \to {}^+\infty$.

c)

x	-1	-2	-4	-7	-10	-15	... $\to -\infty$
$\left(\dfrac{1}{3}\right)^x$	3	9	81	2187	59 049	14 348 907	... $\to +\infty$

d) $\lim\limits_{x \to -\infty} \left(\dfrac{1}{3}\right)^x = {}^+\infty$. Donc, f n'a pas d'asymptote horizontale

   lorsque $x \to {}^-\infty$.

e) $\operatorname{dom} f = \mathbb{R}$;
   $\operatorname{ima} f =]0, {}^+\infty$

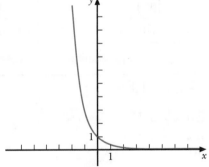

Question 3   *(page 256)*

a) $P(x) = 5000 \times 2^{\frac{1}{3}x}$

b) $P(1) \approx 6300$ bactéries ;

   $P(3) = 10\ 000$ bactéries ;

   $P(24) = 1\ 280\ 000$ bactéries

c) 9 h

Question 4 *(page 256)*

$$Q(x) = R_0 \left(\frac{1}{2}\right)^{\frac{1}{1600}x}$$

Question 5 *(page 256)*

a) $2^x = 8$, d'où $x = 3$.

b) $x^2 = 25$, d'où $x = 5$.

c) $(27)^{\frac{4}{3}} = x$, d'où $x = 81$.

d) $3^x = \frac{1}{9}$, d'où $x = -2$.

Question 6 *(page 257)*

a) $\log_3 81 = 4$

b) $\log_6 \left(\frac{1}{36}\right) = -2$

c) $\log_5 1 = 0$

d) $\log_{\frac{27}{64}} \left(\frac{9}{16}\right) = \frac{2}{3}$

Question 7 *(page 257)*

a) $\log_a 14 = \log_a (2 \times 7) = \log_a 2 + \log_a 7 \approx 2{,}402$

b) $\log_a 6 = \log_a \left(\frac{12}{2}\right) = \log_a 12 - \log_a 2 \approx 1{,}631$

c) $\log_a 8 = \log_a 2^3 = 3 \times \log_a 2 \approx 1{,}893$

d) $\log_2 7 = \dfrac{\log_a 7}{\log_a 2} \approx 2{,}807$

Question 8 *(page 258)*

a) $\left(\frac{1}{3}\right)^y = x$

b)

y	0	1	2	4	10	$\ldots \to +\infty$
x	1	$0{,}\overline{3}$	$0{,}\overline{1}$	0,012 345...	0,000 016 9...	$\ldots \to 0$

c) $\lim\limits_{x \to 0^+} \log_{\frac{1}{3}} x = +\infty$. Donc, $x = 0$ est une asymptote verticale.

d)

y	-1	-2	-3	-4	-10	-15	$\ldots \to -\infty$
x	3	9	27	81	59 049	14 348 907	$\ldots \to +\infty$

e) $\lim\limits_{x \to +\infty} \log_{\frac{1}{3}} x = -\infty$. Donc, f n'a pas d'asymptote horizontale

lorsque $x \to +\infty$.

f) $\operatorname{dom} f = \,]0, +\infty\,$;

$\operatorname{ima} f = \mathbb{R}$

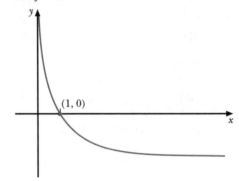

Question 9 *(page 259)*

a) $\operatorname{dom} f = \,]-4, +\infty$

b) $\operatorname{dom} f = \,-\infty, 2[$

c) $\operatorname{dom} f = \mathbb{R}$

d) $\operatorname{dom} f = \,]-3, 3[$

Section 11.2

Question 1 *(page 264)*

a) $f'(x) = 5x^4 5^x + x^5 5^x \ln 5 = x^4 5^x (5 + x \ln 5)$

b) $f'(x) = 4 (\sec^2 4x)\, 3^{\tan 4x} \ln 3$

EXERCICES

Exercices 11.1 *(page 260)*

1. a) $x = \log_m s$

   b) $x = b^p$

   c) $x = \dfrac{\log_3 y - 7}{4}$

   d) $x = \dfrac{e^{5(y-2)} + 1}{3}$

2. a) $x^2 = 25$, d'où $x = 5$.

   b) $144^x = 12$, d'où $x = \dfrac{1}{2}$.

   c) $(0, 1)^{\frac{1}{2}} = x$, d'où $x \approx 0{,}316$.

   d) $x = \dfrac{\ln 10}{\ln 5}$, d'où $x \approx 1{,}431$.

e) $\log_2 B = x \log_8 B$, ainsi $x = \dfrac{\log_2 B}{\log_8 B} = \log_2 8$, d'où $x = 3$.

f) $\log_{27} B = x \log_{\frac{1}{9}} B$, ainsi $x = \dfrac{\log_{27} B}{\log_{\frac{1}{9}} B} = \log_{27} \left(\frac{1}{9}\right)$,

   d'où $x = -\dfrac{2}{3}$.

3. a) $\log_b 15 = \log_b (3 \times 5) = \log_b 3 + \log_b 5 \approx 1{,}392$

   b) $\log_b 0{,}75 = \log_b \dfrac{3}{4} = \log_b 3 - \log_b 4 \approx -0{,}147$

   c) $\log_b 2 = \log_b (4)^{\frac{1}{2}} = \dfrac{1}{2} \log_b 4 \approx 0{,}356$

   d) $\log_b 60 = \log_b (3 \times 5 \times 4) = \log_b 3 + \log_b 5 + \log_b 4$
   $\approx 2{,}104$

11

e) $\log_b 81 = \log_b 3^4 = 4 \log_b 3 \approx 2{,}26$

f) $\log_b \dfrac{12}{5} = \log_b \left(\dfrac{3 \times 4}{5} \right)$

$\qquad = \log_b 3 + \log_b 4 - \log_b 5 \approx 0{,}45$

g) $\log_4 5^2 = 2 \dfrac{\log_b 5}{\log_b 4} \approx 2{,}323$

h) $\log_b \left(\dfrac{9}{20} \right) = \log_b 3^2 - \log_b (4 \times 5)$

$\qquad = 2 \log_b 3 - (\log_b 4 + \log_b 5) \approx \text{-}0{,}409$

4. a) $\operatorname{dom} f = \mathbb{R}$;
   $\operatorname{ima} f = \,]0, {+\infty}$
   Asymptote horizontale : $y = 0$

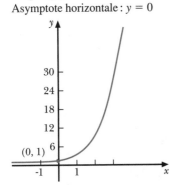

b) $\operatorname{dom} f = \mathbb{R}$;
   $\operatorname{ima} f = \text{-}\infty, 0[$
   Asymptote horizontale : $y = 0$

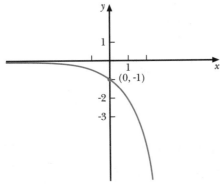

c) $\operatorname{dom} f = \mathbb{R}$;
   $\operatorname{ima} f = \,]\text{-}4, {+\infty}$
   Asymptote horizontale : $y = \text{-}4$

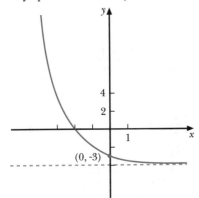

d) $\operatorname{dom} f = \,]0, {+\infty}$;
   $\operatorname{ima} f = \mathbb{R}$
   Asymptote verticale : $x = 0$

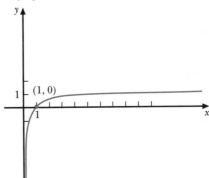

5. a) et ④   c) et ③   e) et ①
   b) et ②   d) et ⑤   f) et ⑥

6. a) et ①   c) et ②
   b) et ③   d) et ④

7. a) $k = 2$; $a = \dfrac{1}{3}$

   b) $k = \text{-}1$; $a = 3$

   c) Il n'existe aucune valeur.

   d) $k = \dfrac{2}{3}$; $a = 3$

8. a) $a = 4$ b) $a = \dfrac{1}{2}$ c) $a = e$

9. a) $P(t) = 400 \times 5^{\frac{1}{24}t}$

   b) $P(5) \approx 559$ bactéries

   c) $P(48) \approx 10\,000$ bactéries

   d) 72 h

10. a) $N(0) = 5000$ insectes

    b) $\dfrac{1}{3}$ correspond au facteur de décroissance de la population d'insectes.

    c) Il faut résoudre $2500 = 5000 \left(\dfrac{1}{3} \right)^{\frac{1}{2}t}$;

    $\dfrac{1}{2} = \left(\dfrac{1}{3} \right)^{\frac{1}{2}t} \Rightarrow \ln \left(\dfrac{1}{2} \right) = \ln \left(\dfrac{1}{3} \right)^{\frac{1}{2}t}$

    $\qquad\qquad\qquad = \dfrac{1}{2} t \ln \left(\dfrac{1}{3} \right),$

    d'où $t = \dfrac{2 \ln \left(\dfrac{1}{2} \right)}{\ln \left(\dfrac{1}{3} \right)} \approx 1{,}26$ h.

    d) $t = \dfrac{2 \ln \left(\dfrac{N}{5000} \right)}{\ln \left(\dfrac{1}{3} \right)}$

11

11. a) $V(t) = 16\,000\,(0,8)^t$

b) $t = \dfrac{\ln\left(\dfrac{V}{16\,000}\right)}{\ln(0,8)}$

c) $V(2) = 10\,240\,\$$

d) $t \approx 3,11$ années

e)

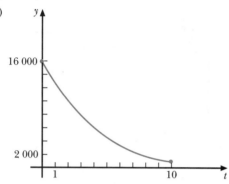

Exercices 11.2 (page 266)

1. a) $(a^x)' = a^x \ln a$

b) $(a^{f(x)})' = a^{f(x)} \ln a\, f'(x)$

c) $(e^x)' = e^x$

d) $(e^{f(x)})' = e^{f(x)} f'(x)$

2. a) $f'(x) = 3^x \ln 3 - 3^{-x} \ln 3 + 3$

b) $f'(x) = \dfrac{5^x \ln 5\, 7^x - 5^x\, 7^x \ln 7}{(7^x)^2} = \dfrac{5^x\,(\ln 5 - \ln 7)}{7^x}$

c) $f'(x) = 4x^3\, 4^{(x^4)} \ln 4$

d) $f'(x) = 4(4^x)^3\, 4^x \ln 4 = 4(4^x)^4 \ln 4$

e) $f'(x) = (2^x \ln 2 + 2x)\, 8^{(2^x + x^2)} \ln 8$

f) $f'(x) = 2^{(6^x)} \ln 2\, 6^x \ln 6$

g) $f'(x) = \dfrac{3x^2 e^x - x^3 e^x}{(e^x)^2} = \dfrac{x^2(3 - x)}{e^x}$

h) $f'(x) = 10x\, e^{x^2}$

i) $f'(x) = 3e^{3x} + 5e^{-5x}$

j) $f'(x) = \dfrac{1}{2\sqrt{x}}\, e^{\sqrt{x}} + \dfrac{\sqrt{e^x}}{2}$

k) $f'(x) = e^{(e^x)} e^x$

l) $f'(x) = 4(e^{x^3} + e^{-8x})^3\, (3x^2 e^{x^3} - 8e^{-8x})$

m) $f'(x) = 8^x + x 8^x \ln 8 = 8^x\,(1 + x \ln 8)$

n) $f'(x) = 12x^2 e^x + 4x^3 e^x = 4x^2 e^x\,(3 + x)$

o) $f'(x) = \dfrac{(3^x + 10^x) - x(3^x \ln 3 + 10^x \ln 10)}{(3^x + 10^x)^2}$

p) $f'(x) = 0$

q) $f'(x) = 6e^{6x} + e^x 6^{e^x} \ln 6$

r) $f'(x) = e^x + ex^{e - 1}$

s) $f'(x) = \sec^2 x\, 7^{\tan x} \ln 7 - 9^x \ln 9 \sin 9^x$

t) $f'(x) = 3x^2 \cos x^3\, 2^{\sin x^3} \ln 2$

u) $f'(x) = 3^{(2^x + e^x)} \ln 3\,(2^x \ln 2 + e^x)$

v) $f'(x) = \dfrac{e^x(e^x - x) - e^x(e^x - 1)}{(e^x - x)^2} = \dfrac{e^x(1 - x)}{(e^x - x)^2}$

w) $f'(x) = \dfrac{(e^x + e^{-x})e^{2x} - 2e^{2x}\,(e^x - e^{-x})}{(e^{2x})^2} = \dfrac{-e^x + 3e^{-x}}{e^{2x}}$

x) $f'(x) = 4^{(5^{(e^x)})} \ln 4\, 5^{(e^x)} \ln 5\, e^x$

3. 1re façon : $[(e^x)^n]' = n(e^x)^{n-1}\, e^x = n(e^x)^n$

   2^e façon : $[(e^x)^n]' = [e^{nx}]' = ne^{nx} = n(e^x)^n$

4. a) m_{tan} au point $(1, f(1)) = f'(1) = \dfrac{2}{3} + \dfrac{1}{3} \ln\left(\dfrac{1}{3}\right)$.

b) m_{tan} au point $(\pi, f(\pi)) = f'(\pi) = 1$.

5. a) Le point $(0, 2)$.

b) Il n'existe aucun point.

6. a) $y = 4x + 1$

b) $y = \dfrac{-1}{4}x + 1$

7. a) $\dfrac{dy}{dx} = \dfrac{2}{x}$

b) $\dfrac{dy}{dx} = \dfrac{1}{\ln a}$

c) $\dfrac{dy}{dx} = \dfrac{2xy^3 - ye^{xy}}{xe^{xy} - 3x^2 y^2}$

Exercices 11.3 (page 269)

1. a) $(\ln x)' = \dfrac{1}{x}$

b) $(\ln f(x))' = \dfrac{f'(x)}{f(x)}$

c) $(\log_a x)' = \dfrac{1}{x \ln a}$

d) $(\log_a f(x))' = \dfrac{f'(x)}{f(x) \ln a}$

2. a) $\dfrac{dy}{dx} = \dfrac{1 - \ln x}{x^2}$

b) $\dfrac{dy}{dx} = \dfrac{1}{\sqrt{x}}\dfrac{1}{2\sqrt{x}} = \dfrac{1}{2x}$

c) $\dfrac{dy}{dx} = 5(x + \ln x^2)^4\left(1 + \dfrac{2}{x}\right)$

d) $\dfrac{dy}{dx} = 4x^3 \ln^5 x + 5x^3 \ln^4 x = x^3 \ln^4 x\,(4 \ln x + 5)$

e) $\dfrac{dy}{dx} = \dfrac{1}{4x\sqrt{\ln \sqrt{x}}}$

f) $\dfrac{dy}{dx} = \dfrac{3x^2 + \dfrac{1}{x}}{x^3 + \ln x} = \dfrac{3x^3 + 1}{x(x^3 + \ln x)}$

g) $\dfrac{dy}{dx} = \dfrac{1}{x \ln 5} + \dfrac{1}{x \ln 7}$

h) $\dfrac{dy}{dx} = \dfrac{3 \log^2 x}{x \ln 10}$

i) $\dfrac{dy}{dx} = \dfrac{12x^3}{(3x^4 + 1) \ln 2}$

j) $\dfrac{dy}{dx} = \dfrac{\log x}{x} + \dfrac{\ln x}{x \ln 10}$

k) $\dfrac{dy}{dx} = \dfrac{-25 \log_7^4 (1 - 5x)}{(1 - 5x) \ln 7}$

l) $\dfrac{dy}{dx} = \dfrac{3^x \ln 3 + \dfrac{1}{x \ln 3}}{(3^x + \log_3 x) \ln \dfrac{1}{2}}$

m) $\dfrac{dy}{dx} = \dfrac{4x^3 - 4x^3 \ln x^4}{x^8} = \dfrac{4(1 - \ln x^4)}{x^5}$

n) $\dfrac{dy}{dx} = 4x^3 \log_4 x + \dfrac{x^3}{\ln 4} = x^3\left(4 \log_4 x + \dfrac{1}{\ln 4}\right)$

o) $\dfrac{dy}{dx} = 5(e^{2x} + \ln \cos x)^4 (2e^{2x} - \tan x)$

p) $\dfrac{dy}{dx} = \dfrac{8[\ln (xe^x)]^7 (e^x + xe^x)}{xe^x} = \dfrac{8(1 + x) \ln^7 (xe^x)}{x}$

q) $\dfrac{dy}{dx} = 0$

r) $\dfrac{dy}{dx} = \dfrac{25 \log_5^4 x^5}{x \ln 5}$

3. a) $y = x - 1$

b) $y = \dfrac{1}{4}x + \ln 4 - 1$

4. a) $\dfrac{dy}{dx} = \dfrac{e^x + \dfrac{1}{x}}{e^y}$ b) $\dfrac{dy}{dx} = y (\ln 10)(\ln x + 1)$

5. Posons $y = f(x)$, alors $H(x) = \ln f(x) = \ln y$.

$\dfrac{dH}{dx} = \dfrac{dH}{dy}\dfrac{dy}{dx}$ (notation de Leibniz)

$= \dfrac{d(\ln y)}{dy}\dfrac{dy}{dx}$ (car $H(x) = \ln y$)

$= \dfrac{1}{y} y'$ (en dérivant)

$= \dfrac{f'(x)}{f(x)}$ (en remplaçant)

Exercices 11.4 (page 272)

1. a) $f'(x) = 1 - \dfrac{8}{x} + \dfrac{12}{x^2} = \dfrac{(x - 6)(x - 2)}{x^2}$;

n.c. : 2 et 6 ; puisque dom $f = {]}0, {+\infty}[$, 0 n'est pas un nombre critique.

x	0		2		6		$+\infty$
$f'(x)$	∄	$+$	0	$-$	0	$+$	
f	∄	↗	$-4 - 8\ln 2$	↘	$4 - 8\ln 6$	↗	
			max.		min.		

max. : $(2, -4 - 8 \ln 2)$ et min. : $(6, 4 - 8 \ln 6)$

b) $f'(x) = \dfrac{x(2 - x)}{e^x}$; n.c. : 0 et 2

$f''(x) = \dfrac{x^2 - 4x + 2}{e^x}$

$f'(0) = 0$ et $f''(0) > 0$, d'où le point $(0, 0)$ est un minimum.

$f'(2) = 0$ et $f''(2) < 0$, d'où le point $\left(2, \dfrac{4}{e^2}\right)$ est un maximum.

2. a) $f'(x) = 1 + \dfrac{2x}{x^2 + 1} = \dfrac{(x + 1)^2}{x^2 + 1} \geq 0 \; \forall \, x \in \mathbb{R}$, d'où f est croissante sur $\mathbb{R}$.

b) $f''(x) = \dfrac{2(1 - x^2)}{(x^2 + 1)^2}$; n.c. : -1 et 1

x	$-\infty$		-1		1		$+\infty$
$f''(x)$		$-$	0	$+$	0	$-$	
f		∩	$-1 + \ln 2$	∪	$1 + \ln 2$	∩	
			infl.		infl.		

f est concave vers le bas sur $-\infty, -1] \cup [1, +\infty$;

f est concave vers le haut sur $[-1, 1]$;

Les points d'inflexion sont $(-1, -1 + \ln 2)$ et $(1, 1 + \ln 2)$.

3. a) dom $f = \mathbb{R}$; A.H. : $y = 0$;

$f'(x) = -2xe^{-x^2}$ et $f''(x) = 2e^{-x^2}(2x^2 - 1)$

x	$-\infty$		$\dfrac{-1}{\sqrt{2}}$	
$f'(x)$		$+$	$+$	$+$
$f''(x)$		$+$	0	$-$
f	0	↗∪	$\dfrac{1}{\sqrt{e}}$	↗∩
E. du G.		↗	$\left(\dfrac{-1}{\sqrt{2}}, \dfrac{1}{\sqrt{e}}\right)$	↱
			infl.	

			$\dfrac{1}{\sqrt{2}}$		$+\infty$
	0				
0	$-$	$-$	$-$		
$-$	$-$	0	$+$		
1	↘∩	$\dfrac{1}{\sqrt{e}}$	↘∪	0	
$(0, 1)$	↘	$\left(\dfrac{1}{\sqrt{2}}, \dfrac{1}{\sqrt{e}}\right)$	↘		
max.		infl.			

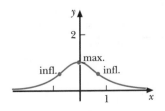

b) dom f = $]0, +\infty[$; A.V.: $x = 0$ et A.H.: $y = 0$;

$$f'(x) = \frac{1 - \ln x}{x^2} \text{ et } f''(x) = \frac{2\ln x - 3}{x^3}$$

x	0		e		$e^{\frac{3}{2}}$		$+\infty$
$f'(x)$	∄	+	0	−	−	−	
$f''(x)$	∄	−	−	−	0	+	
f	∄	↗∩	$\dfrac{1}{e}$	↘∩	$\dfrac{3}{2e^{\frac{3}{2}}}$	↘∪	0
E. du G.		↗	$\left(e, \dfrac{1}{e}\right)$	↘	$\left(e^{\frac{3}{2}}, \dfrac{3}{2e^{\frac{3}{2}}}\right)$	↘	

max.   infl.

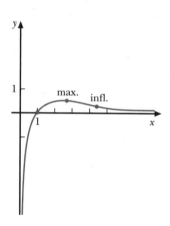

c) dom f = $\mathbb{R}$; A.H.: $y = 0$;

$$f'(x) = (x + 1)e^x \text{ et } f''(x) = (x + 2)e^x$$

x	$-\infty$		-2		-1		$+\infty$
$f'(x)$		−	−	−	0	+	
$f''(x)$		−	0	+	+	+	
f	0	↘∩	$\dfrac{-2}{e^2}$	↘∪	$\dfrac{-1}{e}$	↗∪	$+\infty$
E. du G.		↘	$\left(-2, \dfrac{-2}{e^2}\right)$	↘	$\left(-1, \dfrac{-1}{e}\right)$	↗	

infl.   min.

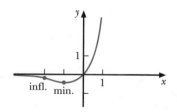

d) dom f = $\mathbb{R}$;

$$f'(x) = \frac{2x}{x^2 + 4} \text{ et } f''(x) = \frac{2(2 - x)(2 + x)}{(x^2 + 4)^2}$$

x	$-\infty$		-2		
$f'(x)$		−	−	−	
$f''(x)$		−	0	+	
f	$+\infty$	↘∩	$\ln 8$	↘∪	
E. du G.		↘	$(-2, \ln 8)$	↘	

infl.

	0		2		$+\infty$
	0	+	+	+	
	+	+	0	−	
	$\ln 4$	↗∪	$\ln 8$	↗∩	$+\infty$
	$(0, \ln 4)$	↗	$(2, \ln 8)$	↗	

min.   infl.

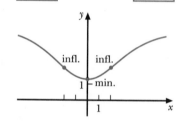

e) dom f = $\mathbb{R}$; A.H.: $y = 0$;

$$f'(x) = (x + 1)^2 e^x \text{ et } f''(x) = (x + 1)(x + 3)e^x$$

x	$-\infty$		-3		-1		$+\infty$
$f'(x)$		+	+	+	0	+	
$f''(x)$		+	0	−	0	+	
f	0	↗∪	$10e^{-3}$	↗∩	$2e^{-1}$	↗∪	$+\infty$
E. du G.		↗	$\left(-3, \dfrac{10}{e^3}\right)$	↗	$\left(-1, \dfrac{2}{e}\right)$	↗	

infl.   infl.

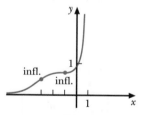

f) dom f = $\mathbb{R} \setminus \{0\}$;

$$f'(x) = 2 + \ln x^2 \text{ et } f''(x) = \frac{2}{x}$$

x	$-\infty$		$\dfrac{-1}{e}$	
$f'(x)$		$+$	0	$-$
$f''(x)$		$-$	$-$	$-$
f	$-\infty$	$\nearrow \cap$	$\dfrac{2}{e}$	$\searrow \cap$
E. du G.		$\rightarrow$	$\left(\dfrac{-1}{e}, \dfrac{2}{e}\right)$	$\searrow$
			max.	

0		$\dfrac{1}{e}$		$+\infty$
$\nexists$	$-$	0	$+$	
$\nexists$	$+$	$+$	$+$	
$\nexists$	$\searrow \cup$	$\dfrac{-2}{e}$	$\nearrow \cup$	$+\infty$
$\nexists$	$\searrow$	$\left(\dfrac{1}{e}, \dfrac{-2}{e}\right)$	$\nearrow$	
		min.		

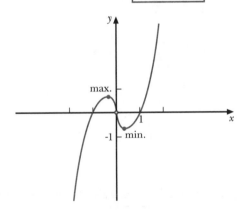

4. Mathématisation du problème.

   a) Soit $(2 - x)$, la longueur de la base, et y, la hauteur du rectangle.

   b) $A(x, y) = (2 - x)y$ doit être maximale.

   c) $y = e^x$

   d) $A(x) = (2 - x)e^x$, où dom $A =]-\infty, 2]$.

   Analyse de la fonction.

   $A'(x) = (1 - x)e^x$; n.c. : 1

   $A''(x) = -xe^x$

   $A'(1) = 0$ et $A''(1) < 0$, d'où le point $(1, A(1))$ est un maximum.

   Formulation de la réponse.

   Les dimensions du rectangle sont 1 unité sur e unités.

5. Mathématisation du problème.

   a) Soit $Q(x, y)$, un point quelconque de la courbe.

   b) $P(x, y) = \dfrac{y - 0}{x - 0} = \dfrac{y}{x}$ doit être minimale.

   c) $y = x^4 \ln x$

   d) $P(x) = \dfrac{x^4 \ln x}{x} = x^3 \ln x$, où dom $P =]0, +\infty[$.

   Analyse de la fonction.

   $P'(x) = x^2(3 \ln x + 1)$

   $P'(x) = 0$ si $3 \ln x + 1 = 0$

   $\qquad 3 \ln x = -1$

   $\qquad \ln x = -\dfrac{1}{3}$, d'où $x = e^{-\frac{1}{3}}$.

x	0		$e^{-\frac{1}{3}}$	$+\infty$
$P'(x)$	$\nexists$	$-$	0	$+$
P	$\nexists$	$\searrow$	$\dfrac{-1}{3e}$	$\nearrow$
			min.	

   Formulation de la réponse.

   Donc, le point cherché est $(e^{-\frac{1}{3}}, f(e^{-\frac{1}{3}}))$,

   c'est-à-dire $\left(e^{-\frac{1}{3}}, \dfrac{-1}{3e^{\frac{4}{3}}}\right)$.

6. a) $Q(0) = 100$ t.m.

   b) $\text{TVM}_{[0, 5]} = \dfrac{Q(5) - Q(0)}{5 - 0} \approx 172{,}86$ t.m./an

   c) $Q'(t) = \dfrac{9000 \times 3^t \ln 3}{(9 + 3^t)^2}$;

   TVI dans 2 ans $= Q'(2) \approx 274{,}65$ t.m./an

   d) dom $Q = [0, +\infty[$

   $\displaystyle\lim_{t \to +\infty} \dfrac{1000 \times 3^t}{9 + 3^t}$ est une indétermination

   de la forme $\dfrac{+\infty}{+\infty}$.

   $\displaystyle\lim_{t \to +\infty} \dfrac{1000 \times 3^t}{9 + 3^t} = \lim_{t \to +\infty} \dfrac{3^t(1000)}{3^t\left(\dfrac{9}{3^t} + 1\right)}$

   $\qquad = \displaystyle\lim_{t \to +\infty} \dfrac{1000}{\left(\dfrac{9}{3^t} + 1\right)} = 1000$,

   donc $y = 1000$ est une asymptote horizontale lorsque $t \to +\infty$.

   $Q'(t) = \dfrac{9000 \times 3^t \ln 3}{(9 + 3^t)^2}$; aucun nombre critique

   $Q''(t) = \dfrac{9000 \times 3^t (\ln 3)^2 (9 - 3^t)}{(9 + 3^t)^3}$; n.c. : 2

t	0		2		$+\infty$
$Q'(t)$	∄	+	+	+	
$Q''(t)$	∄	+	0	−	
Q	100	↗∪	500	↗∩	1000
E. du G.	(0, 100)	↗	(2, 500)	↝	
	min.		infl.		

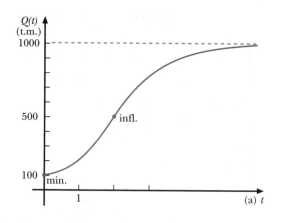

PROBLÈMES DE SYNTHÈSE *(page 273)*

1. a) $P = 5000 \times (2{,}5)^{\frac{t}{15}}$

   b) $t = \dfrac{15 \ln\left(\dfrac{P}{5000}\right)}{\ln (2{,}5)}$

   c) En l'an 2010, $t = 2010 - 1975 = 35$.

   $P = 5000 \times (2{,}5)^{\frac{35}{15}}$, d'où $P \approx 42\,412$ hab.

   d) Si $P = 23\,000$ habitants, alors $t \approx 25$ ans,
   d'où : année $= 1975 + 25$, soit l'an 2000.

   e)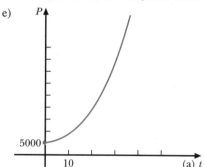

   f)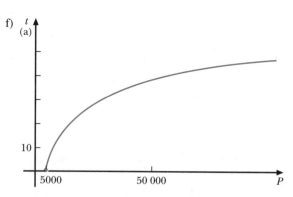

2. a) $f'(x) = \text{-}e^{-x} + 2e^{2x}\tan x + e^{2x}\sec^2 x$

   b) $f'(x) = \dfrac{10^{\cos x}\ln 10\,(\text{-}\sin x)\,8^{\sqrt{x}} - \dfrac{10^{\cos x}\,8^{\sqrt{x}}\ln 8}{2\sqrt{x}}}{(8^{\sqrt{x}})^2}$

   c) $f'(x) = \dfrac{4}{x} - \dfrac{4\ln^3 x}{x} = \dfrac{4}{x}(1 - \ln^3 x)$

   d) $f'(x) = \dfrac{1}{x \ln x \ln 4}$

   e) $f'(x) = \dfrac{\text{-}\csc^2 x - e^{-x}}{(\cot x + e^{-x})\ln 10}$

   f) $f'(x) = e^{(e^x)}\,e^x \sin x + e^{(e^x)}\cos x$

   g) $f'(x) = \pi^{(e^x)}\,e^x \ln \pi + e^{(\pi^x)}\,\pi^x \ln \pi + e^{\pi}\,x^{(e^{\pi}-1)}$

   h) $f'(x) = \ln\left(\dfrac{1}{x}\right) - 1$

   i) $f'(x) = \dfrac{\sec(\ln x)\tan(\ln x)}{x} + \tan x$

   j) $f'(x) = \dfrac{\left(\dfrac{1}{x}\right)e^x - e^x \ln x}{(e^x)^2} = \dfrac{1 - x\ln x}{xe^x}$

   k) $f'(x) = \dfrac{1}{\log e^x \ln 10}$

   l) $f'(x) = \dfrac{\text{-}2\cos x}{(1 - \sin x)(1 + \sin x)} = \text{-}2\sec x$

   m) $f'(x) = \dfrac{2x + e^x}{x^2 + e^x} - \dfrac{2}{e^x - 2}$

   n) $f'(x) = \dfrac{(1 - 2e^{2x})(e^{3x} - 4) - (x - e^{2x})\,3e^{3x}}{(e^{3x} - 4)^2}$

   o) $f'(x) = \dfrac{1}{x\sqrt{\ln x^2}}$

   p) $f'(x) = \dfrac{\text{-}7^{-x}\ln 7 + \dfrac{3x^2 + e^x}{(x^3 + e^x)\ln 6}}{(7^{-x} + \log_6(x^3 + e^x))\ln 5}$

   q) $f'(x) = c_0(1 + i)^x \ln(1 + i)$

   r) $f'(x) = \dfrac{(e^x - e^{-x})(e^x - e^{-x}) - (e^x + e^{-x})(e^x + e^{-x})}{(e^x - e^{-x})^2}$

   $= \dfrac{\text{-}4}{(e^x - e^{-x})^2}$

3. a) $f^{(3)}(x) = 8e^{2x} - 7^{-x}(\ln 7)^3 + \dfrac{2}{x^3}$

   b) $f^{(6)}(x) = 2^6\,e^{2x} + 7^{-x}(\ln 7)^6 - \dfrac{120}{x^6}$

4. a) $\dfrac{dy}{dx} = \dfrac{e^x + \dfrac{1}{x}}{\sec^2 y}$

b) $\dfrac{dy}{dx} = \dfrac{y - \cos x \ln y}{\left(\dfrac{\sin x}{y} - x\right)}$

5. $\dfrac{dy}{dx} = \dfrac{y - e^x \ln y}{\left(\dfrac{e^x}{y} - x\right)}$; $m_{\tan} = \dfrac{dy}{dx}\Big|_{(0,\,1)} = 1$

6. a) $y = 2x - e$ b) $y = -\dfrac{x}{2} + \dfrac{3e}{2}$

7. $P\left(-1, \dfrac{-1}{e}\right)$

8. a) $v(t) = s'(t) = a\omega e^{\omega t} - b\omega e^{-\omega t}$, exprimée en cm/s.

   b) $a(t) = v'(t) = a\omega^2 e^{\omega t} + b\omega^2 e^{-\omega t}$, exprimée en cm²/s.

9. a) $k = \dfrac{\ln 0{,}4}{3}$

   b) $Q'(t) = \dfrac{20 \ln 0{,}4}{3}\, e^{\frac{\ln 0{,}4}{3} t}$

   c) environ -1,33 kg/h ; environ 4,34 kg

10. a) $P(0) = 20\,000$ personnes

    b) $P(2) \approx 710\,921$ personnes

    c) $t \approx 2{,}85$ jours

    d) $P'(t) = \dfrac{99 \times 4\,000\,000}{e^{2t}\,(99e^{-2t} + 1)^2} > 0,\ \forall t \in \operatorname{dom} P$

    e) $2\,000\,000$; cela signifie que, théoriquement, il faut une durée infinie pour que tout le monde connaisse la nouvelle.

11. a) $\operatorname{dom} f = \mathbb{R}$;
    A.H. : $y = 0$
    $f'(x) = e^x(x^2 + 2x - 3)$ et $f''(x) = e^x\,(x^2 + 4x - 1)$
    infl. : (-4,2..., 0,2...) et (0,2..., -3,7...)
    max. : (-3, 0,29...)
    min. : (1, -5,4...)

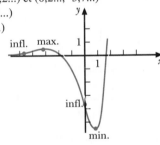

    b) $\operatorname{dom} f = \mathbb{R} \setminus \{3\}$; A.V. : $x = 3$
    $f'(x) = \dfrac{-2}{3 - x}$ et $f''(x) = \dfrac{-2}{(3 - x)^2}$

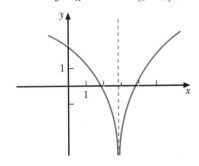

c) $\operatorname{dom} f = \mathbb{R}$; A.H. : $y = 0$
   $f'(x) = \dfrac{(1 - x^2)}{e^{\frac{x^2}{2}}}$ et $f''(x) = \dfrac{x(x^2 - 3)}{e^{\frac{x^2}{2}}}$
   infl. : $(-\sqrt{3},\ \text{-0,38...})$, $(0, 0)$ et $(\sqrt{3},\ 0{,}38...)$
   min. : (-1, -0,6...)
   max. : (1, 0,6...)

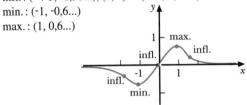

d) $\operatorname{dom} f = \mathbb{R}$;
   $f'(x) = \dfrac{(x - 1)^2}{x^2 + 1}$ et $f''(x) = \dfrac{2(x^2 - 1)}{(x^2 + 1)^2}$
   infl. : $(-1, -1 - \ln 2)$ et $(1, 1 - \ln 2)$

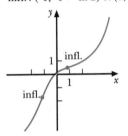

e) $\operatorname{dom} f = [\text{-}\pi,\ \pi[$;
   $f'(x) = e^x(\sin x + \cos x)$ et $f''(x) = 2e^x \cos x$.
   infl. : $\left(-\dfrac{\pi}{2},\ \text{-1,2...}\right)$ et $\left(\dfrac{\pi}{2},\ 3{,}8...\right)$
   max. : $(\text{-}\pi, \text{-1})$ et $\left(\dfrac{3\pi}{4},\ 6{,}4...\right)$
   min. : $\left(-\dfrac{\pi}{4},\ \text{-1,3...}\right)$

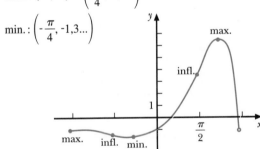

f) $\operatorname{dom} f = \left]\text{-}\dfrac{\pi}{2},\ \dfrac{\pi}{2}\right[$; A.V. : $x = -\dfrac{\pi}{2}$ et $x = \dfrac{\pi}{2}$
   $f'(x) = \text{-tan } x$ et $f''(x) = \text{-sec}^2 x$
   max. : (0, 0)

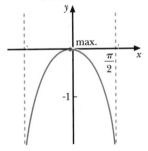

g) $\operatorname{dom} f = [0, \pi]$;

$$f'(x) = \frac{\cos x - \sin x}{e^x} \text{ et } f''(x) = \frac{-2 \cos x}{e^x}$$

min. : $(0, 0)$ et $(\pi, 0)$

max. : $\left(\dfrac{\pi}{4}, 0{,}32...\right)$ \qquad infl. : $\left(\dfrac{\pi}{2}, 0{,}20...\right)$

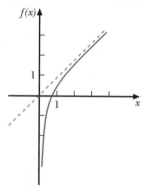

12. a) $x + \ln(1 - e^{-x}) = x + \ln\left(1 - \dfrac{1}{e^x}\right)$

$$= x + \ln\left(\frac{e^x - 1}{e^x}\right)$$

$$= x + \ln(e^x - 1) - \ln e^x$$
$$= x + \ln(e^x - 1) - x$$
$$= \ln(e^x - 1), \forall x \in \,]0, +\infty$$

b) Puisque $f(x) = x + \ln(1 - e^{-x})$
et que $\lim\limits_{x \to +\infty} \ln(1 - e^{-x}) = \ln 1 = 0$,

alors $y = x$ est une asymptote oblique de f
lorsque $x \to +\infty$.

c) $\operatorname{dom} f = \,]0, +\infty$;
$\lim\limits_{x \to 0^+} \ln(e^x - 1) = -\infty$, donc $x = 0$ est une asymptote
verticale.

$$f'(x) = \frac{e^x}{e^x - 1} \text{ et } f''(x) = \frac{-e^x}{(e^x - 1)^2}$$

x	0		$+\infty$
$f'(x)$		$+$	
$f''(x)$		$-$	
f	$-\infty$	$\nearrow \cap$	$+\infty$
E. du G.		$\curvearrowright$	

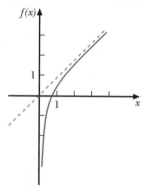

d)

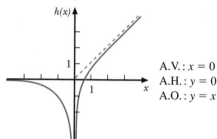

A.V. : $x = 0$
A.O. : $y = x$ et $y = -x$

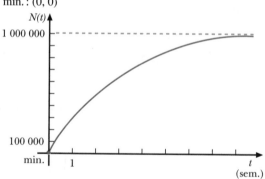

A.V. : $x = 0$
A.H. : $y = 0$
A.O. : $y = x$

13. a) Environ 2 semaines.

b) 1 000 000 disques

c) $N'(t) = \dfrac{1\,000\,000\, e^{-\frac{t}{3}}}{3} > 0$ sur $]0, +\infty$, d'où N est
croissante sur $[0, +\infty$.

d) $N''(t) = \dfrac{-1\,000\,000\, e^{-\frac{t}{3}}}{9} < 0$ sur $]0, +\infty$, d'où TVI est
décroissant sur $]0, +\infty$.

e) A.H. : $y = 1\,000\,000$
min. : $(0, 0)$

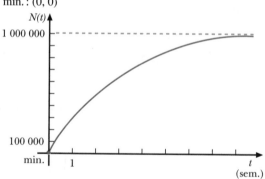

14. a) Il n'existe aucun point.

b) Le point $(-2, -2e^{-2})$.

15. $\dfrac{1}{e}$ unité sur 1 unité.

16. $2e^{-\frac{1}{2}}\, u^2$

TEST RÉCAPITULATIF   *(page 279)*

1. a) $f'(x) = 2 \sec 2x \tan 2x e^{\sec 2x} + (5 \ln 7) \, 7^{5x} \sec^2 7^{5x}$

   b) $f'(x) = \dfrac{4^{\ln x} \ln 4}{x} + \dfrac{25x^4}{1 - x^5}$

   c) $f'(x) = \dfrac{5 \, (8x^7 + 8^{-x} \ln 8) \log^4 (x^8 - 8^{-x})}{(x^8 - 8^{-x}) \ln 10}$

   d) $f'(x) = \dfrac{\left(e^x \ln x + \dfrac{e^x}{x} \right) \cos x + (\sin x) \, e^x \ln x}{\cos^2 x}$

2. La pente de la tangente à la courbe de f est donnée par $f'(x)$,

   où $f'(x) = e^x + xe^x + \dfrac{2x + 2}{x^2 + 2x + 2}$.

   a) $m_{\tan}$ au point $(0, f(0)) = f'(0) = 2$.

   b) Posons $f'(x) = 0$.

   $$e^x + xe^x + \dfrac{2x + 2}{x^2 + 2x + 2} = 0$$

   $$e^x(1 + x) + \dfrac{2(x + 1)}{x^2 + 2x + 2} = 0$$

   $$(x + 1)\left[e^x + \dfrac{2}{x^2 + 2x + 2} \right] = 0, \text{ ainsi } x = \text{-1};$$

   d'où $(\text{-1}, f(\text{-1}))$, c'est-à-dire $\left(\text{-1}, \dfrac{\text{-1}}{e} \right)$ est le point cherché.

3. a) dom $f = \mathbb{R}$;

   $\displaystyle\lim_{x \to -\infty} (2e^x - xe^x + 1) = 1$, donc $y = 1$ est une asymptote horizontale lorsque $x \to -\infty$.

   $\displaystyle\lim_{x \to +\infty} (2e^x - xe^x + 1) = -\infty$, donc f n'a aucune asymptote horizontale lorsque $x \to +\infty$.

   $f'(x) = (1 - x)e^x$; n.c. : 1

   $f''(x) = \text{-}xe^x$; n.c. : 0

x	$-\infty$		0		1		$+\infty$
$f'(x)$		$+$	$+$	$+$	0	$-$	
$f''(x)$		$+$	0	$-$	$-$	$-$	
f	1	$\nearrow\cup$	3	$\nearrow\cap$	$e + 1$	$\searrow\cap$	$-\infty$
E. du G.		$\nearrow$	$(0, 3)$	$\nearrow$	$(1, e + 1)$	$\searrow$	

$(0,3)$ → infl. $(1, e+1)$ → max.

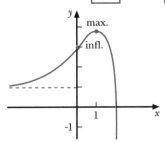

   b) dom $f = \,]0, +\infty[$;

   $\displaystyle\lim_{x \to 0^+} \ln^2 x = +\infty$, donc $x = 0$ est une asymptote verticale.

$\displaystyle\lim_{x \to +\infty} \ln^2 x = +\infty$, donc f n'a aucune asymptote horizontale lorsque $x \to +\infty$.

$f'(x) = \dfrac{2 \ln x}{x}$; n.c. : 1

$f''(x) = \dfrac{2(1 - \ln x)}{x^2}$; n.c. : e

x	0		1		e		$+\infty$
$f'(x)$		$-$	0	$+$	$+$	$+$	
$f''(x)$		$+$	$+$	$+$	$+$	0	$-$
f	$+\infty$	$\searrow\cup$	0	$\nearrow\cup$	1	$\nearrow\cap$	$+\infty$
E. du G.		$\searrow$	$(1, 0)$	$\nearrow$	$(e, 1)$	$\nearrow$	

$(1,0)$ → min. $(e,1)$ → infl.

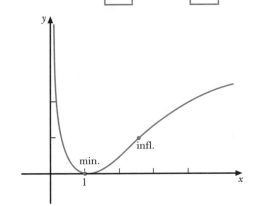

4. Mathématisation du problème.

   Puisque la pente de la tangente à la courbe de f est donnée par $f'(x)$, il faut optimiser la fonction P, où

   $$P(x) = f'(x) = \dfrac{2 \ln x}{x}, \text{ où dom } P = \,]0, +\infty[.$$

   Analyse de la fonction.

   $$P'(x) = \dfrac{2(1 - \ln x)}{x^2} ; \text{ n.c. : } x = e$$

x	0		e		$+\infty$
$P'(x)$	$\nexists$	$+$	0	$-$	
P	$\nexists$	$\nearrow$	$\dfrac{2}{e}$	$\searrow$	

$\dfrac{2}{e}$ → max.

   Formulation de la réponse.

   a) La pente est maximale au point $(e, f(e))$, c'est-à-dire au point $(e, 1)$.

   b) Il n'existe aucun point où la pente est minimale.

11

5. a) Lorsque $T_0 = 32$ et $h = 0,60$, on a $t = 35$;

ainsi, $35 = 32e^{0,6k}$, donc $k = \dfrac{\ln\left(\dfrac{35}{32}\right)}{0,6}$.

D'où $T(h) = 32e^{\frac{\ln\left(\frac{35}{32}\right)}{0,6}h}$.

b) $T(90) \approx 36,6\ °C$

c) $T'(h) = \dfrac{32\ln\left(\dfrac{35}{32}\right)}{0,60}e^{\frac{\ln\left(\frac{35}{32}\right)}{0,6}h}$

$T''(h) = 32\left(\dfrac{\ln\left(\dfrac{35}{32}\right)}{0,60}\right)^2 e^{\frac{\ln\left(\frac{35}{32}\right)}{0,60}h}$

h	0		1,00
$T'(h)$	∄	+	∄
$T''(h)$	∄	+	∄
T	32	↗∪	37,15...
E. du G.	(0, 32)	↗	(1, 37,15...)
	min.		max.

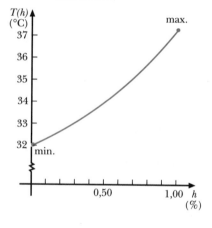

6. Mathématisation du problème.

On doit maximiser les bénéfices $f(x)$ qui sont donnés par :
$$f(x) = 75\,000(1,1)^x - 1000\,(2)^x$$

Analyse de la fonction.

$f'(x) = 75\,000\,(1,1)^x \ln(1,1) - 1000\,(2)^x \ln 2$

$f'(x) = 0$ si

$75\,000(1,1)^x \ln(1,1) = 1000\,(2)^x \ln 2$;

soit

$\dfrac{75\,000\ln(1,1)}{1000\ln 2} = \dfrac{2^x}{(1,1)^x}$

$\left(\dfrac{2}{1,1}\right)^x = \dfrac{75\ln(1,1)}{\ln 2}$,

d'où $\quad x = \dfrac{\ln\left[\dfrac{75\ln(1,1)}{\ln 2}\right]}{\ln\left(\dfrac{2}{1,1}\right)} \approx 3,9$.

x	0		3,9	$+\infty$
$f'(x)$	∄	+	0	−
f	74 000	↗		↘
	min.		max.	

Formulation de la réponse.

Somme affectée à la publicité $\approx 1000(2)^{3,9}\ln 2$

$\approx 10\,347,67\ \$.$

11

TEST PRÉLIMINAIRE *(page 281)*

Partie A

1. Voir chapitre 9.

2. a) $\{\theta \mid \theta = \dfrac{\pi}{2} + 2k\pi,\ \text{où } k \in \mathbf{Z}\}$.

   b) $\{\theta \mid \theta = k\pi,\ \text{où } k \in \mathbf{Z}\}$.

   c) $\{\theta \mid \theta = \dfrac{3\pi}{4} + 2k\pi,\ \text{où } k \in \mathbf{Z}\} \cup \{\theta \mid \theta = \dfrac{5\pi}{4} + 2k\pi,$
      où $k \in \mathbf{Z}\}$.

   d) $\{\theta \mid \theta = \dfrac{\pi}{4} + k\pi,\ \text{où } k \in \mathbf{Z}\}$.

   e) $\{\theta \mid \theta = \pi + 2k\pi,\ \text{où } k \in \mathbf{Z}\}$.

3. a) $\cos^2 x + \sin^2 x = 1$

   b) $1 + \tan^2 x = \sec^2 x$

   c) $1 + \cot^2 x = \csc^2 x$

4. a) $\sin x = \pm\sqrt{1 - \cos^2 x}$

   b) $\cos x = \pm\sqrt{1 - \sin^2 x}$

   c) $\tan x = \pm\sqrt{\sec^2 x - 1}$

   d) $\cot x = \pm\sqrt{\csc^2 x - 1}$

Partie B

1. a) $[\cos f(x)]\, f'(x)$

   b) $[-\sin f(x)]\, f'(x)$

   c) $[\sec^2 f(x)]\, f'(x)$

   d) $[-\csc^2 f(x)]\, f'(x)$

   e) $[\sec f(x) \tan f(x)]\, f'(x)$

   f) $[-\csc f(x) \cot f(x)]\, f'(x)$

QUESTIONS

Section 12.1
Question 1 *(page 282)*

a) $\theta = 0{,}201...$

b) $\theta = -0{,}927...$

c) Non définie, car $\dfrac{\pi}{2} \notin [-1, 1]$.

d) $\theta = 0{,}903...$

Question 2 *(page 282)*

a) $0{,}791$

b) $-0{,}5$

c) Non définie, car $1{,}2 \notin [-1, 1]$.

d) x si $x \in [-1, 1]$.

Question 3 *(page 283)*

a) $\dfrac{\pi}{2}$

b) $1{,}982...$

c) x si $x \in [-1, 1]$.

Section 12.2
Question 1 *(page 286)*

a) $\dfrac{\pi}{3}$

b) $-1{,}249...$

c) x

Question 2 *(page 287)*

a) $\dfrac{\pi}{4}$

b) $\dfrac{\pi}{6}$

c) $0{,}321...$

d) x

EXERCICES

Exercices 12.1 *(page 285)*

1. a) $\dfrac{\pi}{6}$

   b) $-\dfrac{\pi}{3}$

   c) Non définie.

   d) π

   e) Non définie.

   f) $2{,}498...$

2. a) $...\, H'(x) = \dfrac{f'(x)}{\sqrt{1 - [f(x)]^2}}$.

   b) $...\, H'(x) = \dfrac{-f'(x)}{\sqrt{1 - [f(x)]^2}}$.

3. a) $f'(x) = \dfrac{\text{Arc} \sin x}{2\sqrt{x}} + \dfrac{\sqrt{x}}{\sqrt{1 - x^2}}$

b) $f'(x) = \dfrac{7x^6 - 3}{\sqrt{1 - (x^7 - 3x)^2}}$

c) $f'(x) = \dfrac{2x^3}{\sqrt{\text{Arc} \sin x^4} \sqrt{1 - x^8}}$

d) $f'(x) = \dfrac{\dfrac{25x}{\sqrt{1 - (5x)^2}} - 5\,\text{Arc} \sin 5x}{(5x)^2}$

$= \dfrac{5x - \sqrt{1 - 25x^2}\,\text{Arc} \sin 5x}{5x^2\sqrt{1 - 25x^2}}$

e) $f'(x) = \dfrac{\text{Arc} \cos x + \dfrac{x}{\sqrt{1 - x^2}}}{(\text{Arc} \cos x)^2}$

$= \dfrac{\sqrt{1 - x^2}\,\text{Arc} \cos x + x}{(\text{Arc} \cos x)^2\sqrt{1 - x^2}}$

f) $f'(x) = \dfrac{-(3x^2 - 6x)}{\sqrt{1 - (x^3 - 3x^2 + 1)^2}}$

g) $f'(x) = 3x^2\,\text{Arc} \cos x^2 - \dfrac{2x^4}{\sqrt{1 - x^4}}$

h) $f'(x) = \dfrac{\sin x - \dfrac{2x}{\sqrt{1 - x^4}}}{\sqrt{1 - (\cos x - \text{Arc} \cos x^2)^2}}$

$= \dfrac{\sqrt{1 - x^4} \sin x - 2x}{\sqrt{1 - x^4}\sqrt{1 - (\cos x - \text{Arc} \cos x^2)^2}}$

i) $f'(x) = 0$

j) $f'(x) = \dfrac{1}{\sqrt{1 - x^2}\,\text{Arc} \sin x} + \dfrac{1}{x\sqrt{1 - (\ln x)^2}}$

k) $f'(x) = \dfrac{\sec^2 x}{\sqrt{1 - \tan^2 x}} + \dfrac{\csc^2 x}{\sqrt{1 - \cot^2 x}}$

l) $f'(x) = \dfrac{\dfrac{-2x\,\text{Arc} \sin x^3}{\sqrt{1 - x^4}} - \dfrac{3x^2\,\text{Arc} \cos x^2}{1 - x^6}}{(\text{Arc} \sin x^3)^2}$

4. a) $\dfrac{-4}{\sqrt{15}}$

b) 3

5. En posant $y = f(x)$, alors $H(x) = \text{Arc} \sin f(x) = \text{Arc} \sin y$,

d'où $\dfrac{dH}{dx} = \dfrac{dH}{dy}\dfrac{dy}{dx}$ \qquad (notation de Leibniz)

$= \dfrac{d}{dy}(\text{Arc} \sin y)\dfrac{dy}{dx}$ \qquad (en substituant)

$= \dfrac{1}{\sqrt{1 - y^2}}\,y'$ \qquad (en dérivant)

$= \left[\dfrac{1}{\sqrt{1 - [f(x)]^2}}\right] f'(x)$ \quad (car $y = f(x)$)

$= \dfrac{f'(x)}{\sqrt{1 - [f(x)]^2}}.$

Exercices 12.2 *(page 288)*

1. a) $\dfrac{\pi}{4}$

b) $-\dfrac{\pi}{6}$

c) $0,615...$

d) $\dfrac{\pi}{3}$

e) $0,0099...$

f) $\dfrac{5\pi}{6}$

2. a) ... $H'(x) = \dfrac{f'(x)}{1 + [f(x)]^2}.$

b) ... $H'(x) = \dfrac{-f'(x)}{1 + [f(x)]^2}.$

3. a) $f'(x) = \dfrac{2x + \cos x}{1 + (x^2 + \sin x)^2}$

b) $f'(x) = (\sec^2 x + 3)\,\text{Arc} \tan x + \dfrac{(\tan x + 3x)}{1 + x^2}$

c) $f'(x) = \dfrac{7x^6}{2\sqrt{\text{Arc} \tan (x^7 - 1)}\,[1 + (x^7 - 1)^2]}$

d) $f'(x) = 12[\text{Arc} \tan (\sin x + x^3)]^{11}\dfrac{\cos x + 3x^2}{1 + (\sin x + x^3)^2}$

e) $f'(x) = \cos x\,\text{Arc} \cot x - \dfrac{\sin x - 3}{1 + x^2}$

f) $f'(x) = \dfrac{-(2x - \sec^2 x)}{1 + (x^2 - \tan x)^2}$

g) $f'(x) = \dfrac{1}{3}(\text{Arc} \cot x^2)^{-\frac{2}{3}}\dfrac{-2x}{1 + x^4}$

h) $f'(x) = \dfrac{-1}{1 + (x^2 + \text{Arc} \cot x^3)^2}\left[2x - \dfrac{3x^2}{1 + x^6}\right]$

i) $f'(x) = \dfrac{\text{Arc} \cot x}{1 + x^2} - \dfrac{\text{Arc} \tan x}{1 + x^2}$

j) $f'(x) = \dfrac{\dfrac{2x}{1 + x^4}\,\text{Arc} \cot 2x + \dfrac{2}{1 + 4x^2}\,\text{Arc} \tan x^2}{(\text{Arc} \cot 2x)^2}$

k) $f'(x) = \dfrac{e^x}{[1 + (e^x)^2]\,\text{Arc} \tan e^x}$

l) $f'(x) = \dfrac{\cos x}{[1 + (\sin x)^2][1 + (\text{Arc} \tan (\sin x))^2]}$

4. a) $\dfrac{dy}{dx} = \dfrac{-2(1 + y^2)\,\text{Arc} \tan y}{x}$

b) $\dfrac{dy}{dx} = \dfrac{3(1 + x^2y^2)}{x\sqrt{1 - x^2}} - \dfrac{y}{x}$

5. a) $y = x$

b) $y = \dfrac{x}{2} + \left(\dfrac{\pi}{4} - \dfrac{1}{2}\right)$

Exercices 12.3 *(page 292)*

1. a) $\dfrac{\pi}{3}$

   b) Non définie.

   c) π

   d) $\dfrac{\pi}{2}$

   e) $\dfrac{\pi}{2}$

   f) $\dfrac{5\pi}{2}$

2. a) $\dots H'(x) = \dfrac{f'(x)}{f(x)\sqrt{[f(x)]^2 - 1}}$.

   b) $\dots H'(x) = \dfrac{-f'(x)}{f(x)\sqrt{[f(x)]^2 - 1}}$.

3. a) $f'(x) = \dfrac{\dfrac{x^3}{\sqrt{x^2-1}} - 4x^3 \,\text{Arc sec } x}{x^8}$

   b) $f'(x) = \dfrac{\cos x}{(2+\sin x)\sqrt{(2+\sin x)^2 - 1}}$

   c) $f'(x) = \left[\dfrac{1}{(3 - \text{Arc sec } x)\sqrt{(3 - \text{Arc sec } x)^2 - 1}}\right]\dfrac{-1}{x\sqrt{x^2 - 1}}$

d) $f'(x) = 5(\text{Arc sec } x^3)^4 \dfrac{3}{x\sqrt{x^6-1}} = \dfrac{15(\text{Arc sec } x^3)^4}{x\sqrt{x^6-1}}$

e) $f'(x) = (3x^2 + \csc^2 x)\,\text{Arc csc } x - \dfrac{x^3 - \cot x}{x\sqrt{x^2-1}}$

f) $f'(x) = \dfrac{-5x^4}{(x^5-1)\sqrt{(x^5-1)^2-1}}$

g) $f'(x) = \dfrac{-1}{(x - \text{Arc csc } x)\sqrt{(x - \text{Arc csc } x)^2 - 1}}\left[1 + \dfrac{1}{x\sqrt{x^2-1}}\right]$

h) $f'(x) = \dfrac{-(3x^2 - \cos x)}{2\sqrt{\text{Arc csc }(x^3 - \sin x)}\,(x^3 - \sin x)\sqrt{(x^3 - \sin x)^2 - 1}}$

i) $f'(x) = 7(\text{Arc sec } x^2 - \sec x^3)^6\left[\dfrac{2}{x\sqrt{x^4-1}} - 3x^2 \sec x^3 \tan x^3\right]$

j) $f'(x) = \dfrac{\sec x \tan x + 3x^2}{(\sec x + x^3)\sqrt{(\sec x + x^3)^2 - 1}}$

k) $f'(x) = \dfrac{4 \,\text{Arc csc } 4^x}{x\sqrt{4x^8-1}} - \dfrac{\ln 4 \,\text{Arc sec } 2x^4}{\sqrt{(4^x)^2 - 1}}$

l) $f'(x) = \dfrac{1}{x}$

4. $y = \dfrac{-1}{2\sqrt{3}}\,x + \left(\dfrac{\pi}{6} + \dfrac{1}{\sqrt{3}}\right)$

PROBLÈMES DE SYNTHÈSE   *(page 292)*

1. a) 0,643... rad.

   b) 0,841... rad.

   c) 0,614... rad.

2. a) 0,8

   b) 0,970...

   c) $-\dfrac{\pi}{2}$

   d) Non définie.

   e) -0,980...

   f) 1,657...

3. a) x^2

   b) $\sqrt{1 - x^2}$

   c) $\dfrac{x}{\sqrt{x^2+1}}$

   d) $\dfrac{x}{\sqrt{1-x^2}}$

4. a) $f'(x) = \dfrac{3x^2 - 3}{\sqrt{1 - (x^3 - 3x)^2}}$

b) $f'(x) = 5[x - \text{Arc tan } 2x]^4\left(\dfrac{4x^2 - 1}{1 + 4x^2}\right)$

c) $f'(x) = \dfrac{\cos x - 1}{(\sin x - x)\sqrt{(\sin x - x)^2 - 1}}$

d) $f'(x) = \text{Arc sin } x^5 + \dfrac{5x^5}{\sqrt{1 - x^{10}}}$

e) $f'(x) = \dfrac{(2x \cos x - x^2 \sin x)\,\text{Arc sin } x - \dfrac{x^2 \cos x}{\sqrt{1-x^2}}}{(\text{Arc sin } x)^2}$

f) $f'(x) = \dfrac{-2(1 + x^2)}{(1 - x^2)^2 \sqrt{1 - \left(\dfrac{2x}{1-x^2}\right)^2}}$

g) $f'(x) = \cos x \sqrt{\text{Arc tan } x} + \dfrac{\sin x}{2\sqrt{\text{Arc tan } x}\,(1 + x^2)}$

h) $f'(x) = \dfrac{-2}{(2x-1)\sqrt{(2x-1)^2 - 1}} + \dfrac{4}{x\sqrt{x^8-1}}$

i) $f'(x) = \dfrac{-e^x}{[(e^x)^2 + 1]\,\text{Arc cot }(e^x)}$

12

j) $f'(x) = \dfrac{-4[\text{Arc csc (Arc tan } x)]^3}{\text{Arc tan } x \sqrt{(\text{Arc tan } x)^2 - 1}\,(1 + x^2)}$

k) $f'(x) = \dfrac{\text{Arc cos } x + \text{Arc sin } x}{\sqrt{1 - x^2}\,(\text{Arc cos } x)^2}$

l) $f'(x) = 2x - \cos x \text{ Arc cot } 3x + \dfrac{3 \sin x}{1 + 9x^2}$

m) $f'(x) = \dfrac{-(3x^2 + \cos x)}{2\sqrt{\text{Arc cos }(x^3 + \sin x)}\sqrt{1 - (x^3 + \sin x)^2}}$

n) $f'(x) = \dfrac{e^{\text{Arc sin } x}}{\sqrt{1 - x^2}}\,[1 + \text{Arc sin } x]$

5. a) $\dfrac{dy}{dx} = \dfrac{-(1 + y^2)}{1 + x^2}$

b) $\dfrac{dy}{dx} = \dfrac{1}{\dfrac{2y}{(y^2 + 2)\sqrt{(y^2 + 2)^2 - 1}} - 3y^2}$

6. $y = -x + \left(1 + \dfrac{\pi}{4}\right)$

7. a) $\dfrac{dy}{dx} = \dfrac{y - \dfrac{1}{\sqrt{1 - x^2}}}{\dfrac{1}{1 + y^2} - x}$

b) $y = -x$

8. $f'(x) = \dfrac{3x^2 - 12}{1 + (x^3 - 12x)^2}$; n.c. : -2 et 2

x	$-\infty$		-2		2		$+\infty$
$f'(x)$		+	0	−	0	+	
f		↗	$f(-2)$	↘	$f(2)$	↗	
			max.		min.		

f est croissante sur $-\infty$, -2] $\cup$ [2, $+\infty$;

f est décroissante sur [-2, 2] ;

maximum : (-2, Arc tan 16) ;

minimum : (2, Arc tan (-16)).

9. $f''(x) = \dfrac{x}{\sqrt{(1 - x^2)^3}}$; n.c. : 0

x	-1		0		1
$f''(x)$	$\nexists$	−	0	+	$\nexists$
f		$\cap$	0	$\cup$	
			infl.		

f est concave vers le bas sur [-1, 0] ;

f est concave vers le haut sur [0, 1] ;

le point (0, 0) est un point d'inflexion de f.

10. a) $f'(x) = \dfrac{-1}{x\sqrt{x^2 - 1}} \leq 0 \ \forall x \in \,]1, +\infty$, d'où f est

décroissante sur [1, $+\infty$.

b) $f''(x) = \dfrac{2x^2 - 1}{x^2(x^2 - 1)\sqrt{x^2 - 1}} \geq 0 \ \forall x \in \,]1, +\infty$,

d'où f est concave vers le haut sur [1, $+\infty$.

11. $f''(x) = \dfrac{2(x - 4)}{[1 + (x - 4)^2]^2}$; n.c. : 4

x	$-\infty$		4		$+\infty$
$f''(x)$		−	0	+	
f		$\cap$	3	$\cup$	
			infl.		

Le point (4, 3) est un point d'inflexion de f.

12. a) $f\left(\dfrac{1}{2}\right) = \dfrac{\pi}{2}$ et $f\left(-\dfrac{\sqrt{3}}{2}\right) = \dfrac{\pi}{2}$.

b) $f'(x) = 0$

c) Oui, car si $f(x)$ est égale à une constante, alors $f'(x) = 0$; $f(x) = \dfrac{\pi}{2}$.

13. a) dom $f = [-1, 1]$;

$f'(x) = \dfrac{4}{\sqrt{1 - x^2}}$; n.c. : -1 et 1

$f''(x) = \dfrac{4x}{\sqrt{(1 - x^2)^3}}$; n.c. : 0

x	-1		0		1
$f'(x)$	$\nexists$	+	+	+	$\nexists$
$f''(x)$	$\nexists$	−	0	+	$\nexists$
f	$\dfrac{-7\pi}{2}$	↗$\cap$	$\dfrac{-3\pi}{2}$	↗$\cup$	$\dfrac{\pi}{2}$
E. du G.	$\left(-1, \dfrac{-7\pi}{2}\right)$	⤴	$\left(0, \dfrac{-3\pi}{2}\right)$	⤴	$\left(1, \dfrac{\pi}{2}\right)$
	min.		infl.		max.

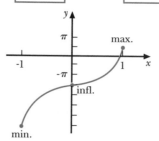

b) dom $f = \mathbb{R}$;

$f'(x) = \dfrac{2x}{\sqrt{3}\left(1 + \dfrac{x^4}{3}\right)} = \dfrac{2\sqrt{3}\,x}{(3 + x^4)}$; n.c. : 0

$f''(x) = \dfrac{6\sqrt{3}\,(1 - x^4)}{(3 + x^4)^2}$; n.c. : -1 et 1

$\left.\begin{array}{l} \displaystyle\lim_{x \to -\infty} f(x) = \dfrac{\pi}{2} \\[2mm] \displaystyle\lim_{x \to +\infty} f(x) = \dfrac{\pi}{2} \end{array}\right\}$ donc, $y = \dfrac{\pi}{2}$ est une asymptote horizontale.

x	$-\infty$		-1	
$f'(x)$		$-$	$-$	$-$
$f''(x)$		$-$	0	$+$
f	$\dfrac{\pi}{2}$	$\searrow\cap$	$\dfrac{\pi}{6}$	$\searrow\cup$
E. du G.		$\searrow$	$\left(-1, \dfrac{\pi}{6}\right)$	$\searrow$
			infl.	

0		1		$+\infty$
0	$+$	$+$	$+$	
$+$	$+$	0	$-$	
0	$\nearrow\cup$	$\dfrac{\pi}{6}$	$\nearrow\cap$	$\dfrac{\pi}{2}$
$(0, 0)$	$\nearrow$	$\left(1, \dfrac{\pi}{6}\right)$	$\nearrow$	
min.		infl.		

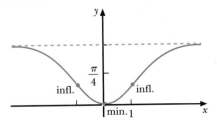

c) $\operatorname{dom} f = [-1, 1]$;
$f'(x) = \operatorname{Arc\,sin} x$; n.c. : 0

$$f''(x) = \frac{1}{\sqrt{1 - x^2}} \text{ ; n.c. : -1 et 1}$$

x	-1		0		1
$f'(x)$	$-$	$-$	0	$+$	$+$
$f''(x)$	$\not\exists$	$+$	$+$	$+$	$\not\exists$
f	$\dfrac{\pi}{2}$	$\searrow\cup$	1	$\nearrow\cup$	$\dfrac{\pi}{2}$
E. du G.	$\left(-1, \dfrac{\pi}{2}\right)$	$\searrow$	$(0, 1)$	$\nearrow$	$\left(1, \dfrac{\pi}{2}\right)$
	max.		min.		max.

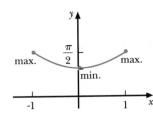

d) $\operatorname{dom} f = \,]\text{-}2, 3]$;

$$f'(x) = \frac{1}{1 + x^2} - \frac{1}{2} = \frac{1 - x^2}{2(1 + x^2)} \text{ ; n.c. : -1, 1 et 3}$$

$$f''(x) = \frac{-2x}{(1 + x^2)^2} \text{ ; n.c. : 0}$$

$$\lim_{x \to -2^+} f(x) = -0{,}107\dots$$

x	-2		-1	
$f'(x)$	$\not\exists$	$-$	0	$+$
$f''(x)$	$\not\exists$	$+$	$+$	$+$
f	$\not\exists$	$\searrow\cup$	$-0{,}28\dots$	$\nearrow\cup$
E. du G.		$\searrow$	$(-1, -0{,}28\dots)$	$\nearrow$
			min.	

0		1		3
$+$	$+$	0	$-$	$\not\exists$
0	$-$	$-$	$-$	$\not\exists$
0	$\nearrow\cap$	$0{,}28\dots$	$\searrow\cap$	$-0{,}25\dots$
$(0, 0)$	$\nearrow$	$(1, 0{,}28\dots)$	$\searrow$	$(3, -0{,}25\dots)$
infl.		max.		min.

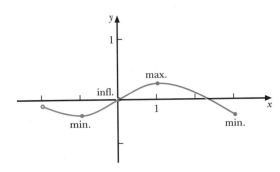

e) $\operatorname{dom} f = \mathbb{R}$, donc f n'a aucune asymptote verticale.
$$\lim_{x \to -\infty} (x + \operatorname{Arc\,cot} x) = -\infty + \pi = -\infty \text{ et}$$
$$\lim_{x \to +\infty} (x + \operatorname{Arc\,cot} x) = +\infty + 0 = +\infty,$$
donc f n'a aucune asymptote horizontale.

Pour déterminer les asymptotes obliques, on peut exprimer f sous la forme suivante :
$f(x) = mx + b + g(x)$, où $\displaystyle\lim_{x \to \pm\infty} g(x) = 0$.

Pour $x \to -\infty$, on obtient
$f(x) = [x + \pi] + [\operatorname{Arc\,cot} x - \pi]$,
où $\displaystyle\lim_{x \to -\infty} (\operatorname{Arc\,cot} x - \pi) = 0$,
d'où $y = x + \pi$ est une asymptote oblique lorsque $x \to -\infty$.

Pour $x \to +\infty$, on obtient
$f(x) = x + \operatorname{Arc\,cot} x$, où $\displaystyle\lim_{x \to +\infty} \operatorname{Arc\,cot} x = 0$,
d'où $y = x$ est une asymptote oblique lorsque $x \to +\infty$.

$$f'(x) = \frac{x^2}{1 + x^2} \text{ ; n.c. : 0}$$

$$f''(x) = \frac{2x}{(1 + x^2)^2} \text{ ; n.c. : 0}$$

x	$-\infty$		0		$+\infty$
$f'(x)$		+	0	+	
$f''(x)$		−	0	+	
f	$-\infty$	$\nearrow \cap$	$\dfrac{\pi}{2}$	$\nearrow \cup$	$+\infty$
E. du G.		$\nearrow$	$\left(0, \dfrac{\pi}{2}\right)$	$\searrow$	

infl.

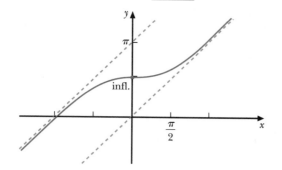

infl.

14. Mathématisation du problème.

La pente de la tangente à la courbe définie par $y = \text{Arc sin } x$ doit être minimale. Or, la pente de la tangente à la courbe est donnée par la dérivée.

On obtient donc $P(x) = m_{\tan} = (\text{Arc sin } x)'$, d'où

$P(x) = \dfrac{1}{\sqrt{1 - x^2}}$ doit être minimale, où dom $P = \,]-1, 1[$.

Analyse de la fonction.

$P'(x) = \dfrac{x}{\sqrt{(1 - x^2)^3}}$; n.c. : 0

x	-1		0		1
$P'(x)$	$\nexists$	−	0	+	$\nexists$
P	$\nexists$	$\searrow$	1	$\nearrow$	$\nexists$

min.

Formulation de la réponse.

La pente de la tangente à la courbe est minimale au point $(0, f(0))$, c'est-à-dire $(0, \text{Arc sin } 0)$, donc au point $(0, 0)$.

La pente minimale $= f'(0) = 1$.

15. Mathématisation du problème.

Puisque $\tan \theta = \dfrac{y}{x} = \dfrac{\sqrt{x - 1}}{x}$,

alors $\theta = \text{Arc tan}\left(\dfrac{\sqrt{x - 1}}{x}\right)$ doit être maximal,

où $x \in [1, +\infty$.

Analyse de la fonction.

$\dfrac{d\theta}{dx} = \dfrac{2 - x}{2(x^2 + x - 1)\sqrt{x - 1}}$; n.c. : 2

x	1		2		$+\infty$
$\dfrac{d\theta}{dx}$	$\nexists$	+	0	−	
θ	0	$\nearrow$		$\searrow$	

max.

Formulation de la réponse.

L'angle θ est maximal lorsque la droite passe par le point $(2, f(2))$, c'est-à-dire $(2, 1)$.

16.

a) Puisque $\tan \theta = \dfrac{50}{x}$, alors $\theta = \text{Arc tan}\left(\dfrac{50}{x}\right)$.

b) $\dfrac{d\theta}{dt} = \dfrac{d}{dx}\left(\text{Arc tan}\left(\dfrac{50}{x}\right)\right)\dfrac{dx}{dt}$

$= \left(\dfrac{\dfrac{-50}{x^2}}{1 + \left(\dfrac{50}{x}\right)^2}\right)\dfrac{dx}{dt}$

$= \left(\dfrac{-50}{x^2 + 2500}\right)\dfrac{dx}{dt}$

c) En posant $\dfrac{dx}{dt} = -2$ et $x = 40$, on obtient

$\dfrac{d\theta}{dt}\bigg|_{x = 2} = 0{,}024...\ \text{rad/s}$.

17. Mathématisation du problème.

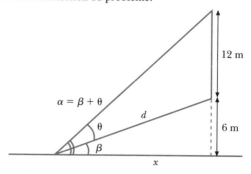

$\tan \alpha = \dfrac{18}{x}$, d'où $\alpha = \text{Arc tan}\left(\dfrac{18}{x}\right)$.

$\tan \beta = \dfrac{6}{x}$, d'où $\beta = \text{Arc tan}\left(\dfrac{6}{x}\right)$.

$\theta = \alpha - \beta = \left[\text{Arc tan}\left(\dfrac{18}{x}\right) - \text{Arc tan}\left(\dfrac{6}{x}\right)\right]$ doit être

maximal, où $x \in \,]0, +\infty$.

12

Analyse de la fonction.

$$\frac{d\theta}{dx} = \frac{-\dfrac{18}{x^2}}{1 + \left(\dfrac{18}{x}\right)^2} - \frac{-\dfrac{6}{x^2}}{1 + \left(\dfrac{6}{x}\right)^2} = \frac{-18}{x^2 + 324} + \frac{6}{x^2 + 36}$$

x	0		$\sqrt{108}$		$+\infty$
$\dfrac{d\theta}{dx}$		$+$	0	$-$	
θ		↗		↘	

max.

$\dfrac{d\theta}{dx} = 0$ si $\dfrac{18}{x^2 + 324} = \dfrac{6}{x^2 + 36}$, alors $x = \sqrt{108}$.

Formulation de la réponse.

L'angle est maximal lorsque $x = \sqrt{108}$, d'où $d = 12$ m.

TEST RÉCAPITULATIF   (page 296)

1. $\csc (\operatorname{Arc} \csc x) = x$

(car $y = \operatorname{Arc} \csc x \Leftrightarrow x = \csc y$, par définition)

$[\csc (\operatorname{Arc} \csc x)] = (x)'$

(en dérivant les deux membres de l'équation)

$[-\csc (\operatorname{Arc} \csc x) \cot (\operatorname{Arc} \csc x)] (\operatorname{Arc} \csc x)' = 1$

(car $[\csc f(x)]' = [-\csc f(x) \cot f(x)] f'(x)$),

d'où on obtient:

$(\operatorname{Arc} \csc x)' = \dfrac{1}{-\csc (\operatorname{Arc} \csc x) \cot (\operatorname{Arc} \csc x)}$

$= \dfrac{-1}{\csc y \cot y}$ (car $\operatorname{Arc} \csc x = y$)

$= \dfrac{-1}{x \sqrt{\csc^2 y - 1}}$ (car $\csc y = x$ et $\cot y = \pm\sqrt{\csc^2 y - 1}$,

or $y \in \left]0, \dfrac{\pi}{2}\right] \cup \left]\pi, \dfrac{3\pi}{2}\right]$,

d'où $\cot y = \sqrt{\csc^2 y - 1}$)

$= \dfrac{-1}{x\sqrt{x^2 - 1}}$ (car $\csc y = x$).

x	1		
$f'(x)$	$\nexists$		$+$
$f''(x)$	$\nexists$		$-$
f	$3 - \dfrac{\pi}{2}$		↗∩
E. du G.	$\left(1, 3 - \dfrac{\pi}{2}\right)$		↗

min.

	2		3
	$+$	$+$	$\nexists$
	0	$+$	$\nexists$
	3	↗∪	$3 + \dfrac{\pi}{2}$
	$(2, 3)$	↗	$\left(3, 3 + \dfrac{\pi}{2}\right)$

infl.   max.

2. a) $f'(x) = \dfrac{\dfrac{3(x + \operatorname{Arc} \tan 2x)}{\sqrt{1 - (3x + 1)^2}} - \operatorname{Arc} \sin (3x + 1)\left[1 + \dfrac{2}{1 + 4x^2}\right]}{(x + \operatorname{Arc} \tan 2x)^2}$

b) $h'(t) = \dfrac{-5}{2\sqrt{\operatorname{Arc} \cot 5t}\,(1 + 25t^2)} - \dfrac{6\,[\operatorname{Arc} \csc (2t^2)]^3}{t\sqrt{4t^4 - 1}}$

c) $g'(x) = \dfrac{-4x \operatorname{Arc} \cos x^2 \operatorname{Arc} \sec (x - 1)}{\sqrt{1 - x^4}} + \dfrac{(\operatorname{Arc} \cos x^2)^2}{(x - 1)\sqrt{(x - 1)^2 - 1}}$

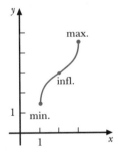

3. a) $\operatorname{dom} f = [1, 3]$;

$f'(x) = \dfrac{1}{\sqrt{1 - (x - 2)^2}}$; n.c.: 1 et 3

$f''(x) = \dfrac{(x - 2)}{\sqrt{(1 - (x - 2)^2)^3}}$; n.c.: 2

b) $\operatorname{dom} f = \mathbb{R}$;

$f'(x) = \dfrac{-3x^2}{1 + x^6}$; n.c.: 0

$f''(x) = \dfrac{6x\,(2x^6 - 1)}{(1 + x^6)^2}$; n.c.: 0, $-\sqrt[6]{0,5}$ et $\sqrt[6]{0,5}$

12

$\lim\limits_{x \to -\infty} f(x) = \pi$, donc $y = \pi$ est une asymptote horizontale lorsque $x \to -\infty$.

$\lim\limits_{x \to +\infty} f(x) = 0$, donc $y = 0$ est une asymptote horizontale lorsque $x \to +\infty$.

x	$-\infty$			$-\sqrt[6]{0,5}$	
$f'(x)$		$-$		$-$	$-$
$f''(x)$		$-$		0	$+$
f	π	$\searrow \cap$		$2,18...$	$\searrow \cup$
E. du G.		$\searrow$		$(-\sqrt[6]{0,5}, 2,18...)$	$\searrow$
				infl.	

0			$\sqrt[6]{0,5}$		$+\infty$
0		$-$	$-$	$-$	
0		$-$	0	$+$	
$\dfrac{\pi}{2}$		$\searrow \cap$	$0,95...$	$\searrow \cup$	0
$\left(0, \dfrac{\pi}{2}\right)$		$\searrow$	$(\sqrt[6]{0,5}, 0,95...)$	$\searrow$	
infl.			infl.		

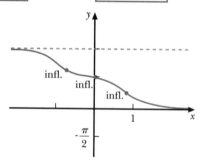

4. Mathématisation du problème.

$P(x) = (3x - \text{Arc cot } x)' = 3 + \dfrac{1}{1 + x^2}$ doit être maximale, où dom $P = \mathbb{R}$.

Analyse de la fonction.

$P'(x) = \dfrac{-2x}{(1 + x^2)^2}$; n.c. : 0

x	$-\infty$	0	$+\infty$
$P'(x)$	$+$	0	$-$
P	$\nearrow$	4	$\searrow$
		max.	

Formulation de la réponse.

La pente de la tangente à la courbe est maximale au point $(0, f(0))$, c'est-à-dire $\left(0, -\dfrac{\pi}{2}\right)$.

La pente maximale $= f'(0) = 4$.

5. Puisque $\sin \theta = \dfrac{x}{60}$,

alors $\theta = \text{Arc sin}\left(\dfrac{x}{60}\right)$,

$\dfrac{d\theta}{dt} = \dfrac{d}{dx}\left(\text{Arc sin}\left(\dfrac{x}{60}\right)\right)\dfrac{dx}{dt}$

$= \dfrac{1}{60\sqrt{1 - \left(\dfrac{x}{60}\right)^2}} \dfrac{dx}{dt}$.

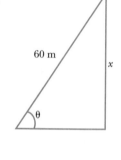

En posant $\dfrac{dx}{dt} = 5$ et $x = 20$, on obtient

$\dfrac{d\theta}{dt}\bigg|_{x = 20} = 0,088...$ rad/s.

TEST PRÉLIMINAIRE   *(page 298)*

Partie A

1. a) $A = \dfrac{55}{4}$ unités

   b) $A = f(0)\dfrac{1}{4} + f\left(\dfrac{1}{4}\right)\dfrac{1}{4} + f\left(\dfrac{1}{2}\right)\dfrac{1}{4} + f\left(\dfrac{3}{4}\right)\dfrac{1}{4}$

   $= \dfrac{39}{32}$ unité²

Partie B

1. a) $y' = 2 \cos 2x$

   b) $y' = -2x \sin x^2$

   c) $y' = \sec^2 x$

   d) $y' = 3x^2 \csc^2 (-x^3)$

   e) $y' = \dfrac{\sec \sqrt{x} \tan \sqrt{x}}{2\sqrt{x}}$

f) $y' = -3 \csc (3x + 1) \cot (3x + 1)$

g) $y' = 4e^{4x}$

h) $y' = \dfrac{-2x}{1 - x^2}$

i) $y' = 3\,5^{3x} \ln 5$

j) $y' = \dfrac{7}{\sqrt{1 - 49x^2}}$

k) $y' = \dfrac{1}{3x^{\frac{2}{3}}\left(1 + x^{\frac{2}{3}}\right)}$

l) $y' = \dfrac{2}{x\sqrt{16x^4 - 1}}$

2. a) $[K\,f(x)]' = K\,f'(x)$

   b) $[f(x) + g(x)]' = f'(x) + g'(x)$

QUESTIONS

Section 13.1

Question 1   *(page 299)*

a) $dy = (xe^{x^2})'\, dx$ (par définition)

   $= (e^{x^2} + 2x^2e^{x^2})\, dx$

b) $du = \left(\dfrac{\cos x}{x}\right)'\, dx$ (par définition)

   $= \left(\dfrac{-x \sin x - \cos x}{x^2}\right) dx$

Question 2   *(page 299)*

Puisque $y = \sqrt{13 - x^2}$, alors $dy = \dfrac{-x}{\sqrt{13 - x^2}}\, dx$.

Ainsi, $dy = \dfrac{2}{3} \times (-0,6) = -0,4$.

Section 13.2

Question 1   *(page 300)*

a) $f(x) = x^5$, car $(x^5)' = 5x^4$.

b) $f(x) = \sin x$, car $(\sin x)' = \cos x$.

Question 2   *(page 302)*

a) $\displaystyle\int x^2\, dx = \dfrac{x^3}{3} + C$

b) $\displaystyle\int x^{\frac{3}{4}}\, dx = \dfrac{4}{7}x^{\frac{7}{4}} + C$

c) $\displaystyle\int \sqrt[3]{u}\, du = \int u^{\frac{1}{3}}\, du = \dfrac{3}{4}u^{\frac{4}{3}} + C$

d) $\displaystyle\int \dfrac{1}{v^2}\, dv = \int v^{-2}\, dv = \dfrac{-1}{v} + C$

Section 13.3

Question 1   *(page 307)*

a) $u = (5 - 7x)$; $-\dfrac{(5 - 7x)^9}{63} + C$

b) $u = x^5 + 1$; $\dfrac{6}{5}\sqrt{x^5 + 1} + C$

Question 2   *(page 308)*

a) $u = 3x + 1$; $\dfrac{\sin (3x + 1)}{3} + C$

b) $u = 2x + 1$; $\dfrac{\tan (2x + 1)}{2} + C$

c) $u = \tan x$; $\dfrac{\tan^3 x}{3} + C$

Question 3   *(page 309)*

a) $u = 4x - 1$; $\dfrac{e^{4x - 1}}{4} + C$

b) $u = 1 - x^3$; $-\dfrac{1}{3} \ln |1 - x^3| + C$

c) $u = x^5$; $\dfrac{4^{x^4}}{5 \ln 4} + C$

Section 13.4

Question 1   *(page 311)*

a) $\dfrac{100\,(101)\,(201)}{6} = 338\,350$ (formule 2, $k = 100$)

b) $\dfrac{99\,(100)}{2} = 4950$ (formule 1, $k = 99$)

c) $\dfrac{100^2\,(101)^2}{4} = 25\,502\,500$ (formule 3, $k = 100$)

Question 2   *(page 311)*

a) $\dfrac{(n-1)\,n}{2}$ (formule 1, où $k = n-1$)

b) $\dfrac{(n-1)\,n\,(2n-1)}{6}$ (formule 2, où $k = n-1$)

c) $\dfrac{(n-1)^2\,n^2}{4}$ (formule 3, où $k = n-1$)

Section 13.5

Question 1   *(page 317)*

a) $e^x \Big|_0^1 = e - 1$

b) $\ln |x| \Big|_1^e = \ln e - \ln 1 = 1$

Question 2   *(page 319)*

$$A_{-2}^1 = \int_{-2}^1 (-x^2 - x + 6)\,dx$$

$$= \left(-\frac{x^3}{3} - \frac{x^2}{2} + 6x \right) \Big|_{-2}^1$$

$$= \left[-\frac{(1)^3}{3} - \frac{(1)^2}{2} + 6 \right] - \left[-\frac{(-2)^3}{3} - \frac{(-2)^2}{2} + 6(-2) \right]$$

$$= -\frac{1}{3} - \frac{1}{2} + 6 - \frac{8}{3} + \frac{4}{2} + 12 = \frac{33}{2}, \text{ donc } \frac{33}{2} \text{ unités}^2.$$

Question 3   *(page 319)*

$f(x) = 0$ si $x = -3$ ou $x = 1$. D'où

$$A_{-3}^1 = \int_{-3}^1 (-x^2 - 2x + 3)\,dx = \left(-\frac{x^3}{3} - x^2 + 3x \right) \Big|_{-3}^1$$

$$= \left[-\frac{1}{3} - 1 + 3 \right] - \left[-\frac{27}{3} - 9 - 9 \right]$$

$$= \frac{32}{3}, \text{ donc } \frac{32}{3} \text{ unités}^2.$$

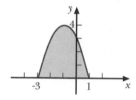

Question 4   *(page 321)*

$$A = \int_1^2 [f(x) - g(x)]\,dx$$

$$= \int_1^2 (x^2 - x)\,dx$$

$$= \left(\frac{x^3}{3} - \frac{x^2}{2} \right) \Big|_1^2$$

$$= \left[\frac{8}{3} - 2 \right] - \left[\frac{1}{3} - \frac{1}{2} \right] = \frac{5}{6}, \text{ donc } \frac{5}{6} \text{ unité}^2.$$

EXERCICES

Exercices 13.1   *(page 299)*

1. ... $dy = f'(x)\,dx$.

2. a) $dy = (4x^3 - 3^x \ln 3)\,dx$

   b) $du = 3x^2 \sec^2 x^3\,dx$

   c) $ds = \dfrac{-\sin \sqrt{t}}{2\sqrt{t}}\,dt$

   d) $dy = \dfrac{2x \cos x^2}{\sin x^2}\,dx$

   e) $du = \dfrac{xe^x \sec (e^x) \tan (e^x) - \sec (e^x)}{x^2}\,dx$

   f) $dy = \dfrac{3x^2}{1 + (x^3 - 1)^2}\,dx$

3. a) $dy = -2(3 - x)\,dx$

   En remplaçant x par 0 et dx par 0,1, on obtient

   $\quad dy = -0,6.$

   b) $dy = -\sin x\,dx$

   En remplaçant x par $\dfrac{\pi}{6}$ et dy par $\dfrac{1}{3}$, on obtient

   $$dy = \left(-\sin \frac{\pi}{6} \right)\left(\frac{1}{3} \right) = -\frac{1}{6}.$$

   c) $dy = 0,08$

4. a) $du = 7x^6\,dx$, d'où $x^6\,dx = \dfrac{du}{7}$.

   b) $du = (12x^2 - 6x)\,dx = 2(6x^2 - 3x)\,dx$,
      d'où $(6x^2 - 3x)\,dx = \dfrac{du}{2}$.

   c) $du = (12x^2 - 6x)\,dx = 6(2x^2 - x)\,dx$,
      d'où $(2x^2 - x)\,dx = \dfrac{du}{6}$.

   d) $du = \dfrac{2}{x}\,dx$, d'où $\dfrac{dx}{x} = \dfrac{du}{2}$.

5. a) $\dfrac{du}{2}$ c) $-3\,du$ e) $2u\,du$

   b) $\dfrac{du}{-8}$ d) $\dfrac{du}{u}$ f) $\dfrac{du}{3u}$

Exercices 13.2 *(page 304)*

1. a) ... $F'(x) = f(x)$ ... la constante d'intégration.

   b) $x + C$

   c) ... $\dfrac{x^{a+1}}{a+1} + C$, $\forall a \in \mathbb{R}$ et $a \neq -1$.

   d) $K \int f(x)\, dx$

   e) $\int f(x)\, dx + \int g(x)\, dx - \int h(x)\, dx$

   f) $\tan x^3 + C$

2. a) $\dfrac{3}{5} x^{\frac{5}{3}} + C$

   b) $2x + C$

   c) $\dfrac{x^{e+1}}{e+1} + C$

   d) $\dfrac{4x^{\frac{3}{2}}}{3} + C$

   e) $\dfrac{x^{\frac{7}{4}}}{7} + C$

   f) $48 x^{\frac{1}{8}} + C$

   g) $-\dfrac{1}{x^2} + C$

   h) $\dfrac{400 x^{\frac{3}{4}}}{3} + C$

   i) $\dfrac{\left(\frac{1}{3}\right)^x}{\ln\left(\frac{1}{3}\right)} + C$

   j) $e^x + C$

   k) $\dfrac{5^x}{\ln 5} + C$

   l) $3 \ln |x| + C$

3. a) $\dfrac{5x^4}{4} + \dfrac{14 x^{\frac{3}{2}}}{3} + \dfrac{8 x^{\frac{11}{8}}}{11} + C$

   b) $\dfrac{2x^7}{7} - \dfrac{7x^3}{3} - \dfrac{2}{x} + C$

   c) $\dfrac{x^4}{12} - \dfrac{3^x}{8 \ln 3} - 3 e^x + C$

   d) $-2 \cos x + 4 \operatorname{Arc\,sin} x + C$

   e) $\dfrac{\sec x}{2} + \dfrac{\cot x}{4} + C$

   f) $\dfrac{3}{8} \sin x - \dfrac{8}{3} \ln |x| + \dfrac{3}{5} x + C$

   g) $5 \operatorname{Arc\,tan} x - 5 \tan x + ex + C$

   h) $\sqrt{x} - \dfrac{1}{3} \operatorname{Arc\,sec} x - 4 \csc x + C$

4. a) $\dfrac{x^4}{4} - \dfrac{x^2}{2} + C$

   b) $\dfrac{3x^4}{4} - \dfrac{x^2}{2} + 5 \ln |x| + C$

   c) $x + 2 \ln |x| - \dfrac{1}{x} + C$

   d) $\dfrac{x^2}{2} + x + \dfrac{6}{7} x^{\frac{7}{6}} + C$

   e) $t - \csc t + C$

   f) $\dfrac{x^{10}}{5} + x^8 + 2x^6 + 2x^4 + x^2 + C$

Exercices 13.3 *(page 310)*

1. a) $u = x^2 + 1$; $\dfrac{(x^2+1)^6}{12} + C$

   b) $u = 3 + 2x$; $\dfrac{(3+2x)^{\frac{3}{2}}}{3} + C$

   c) $u = 3 - 2x$; $\dfrac{-(3-2x)^8}{16} + C$

   d) $u = 5 - 3x^2$; $\dfrac{-8(5-3x^2)^{\frac{5}{4}}}{15} + C$

   e) $u = \dfrac{x^3}{3} + x$; $\dfrac{1}{2}\left(\dfrac{x^3}{3} + x\right)^2 + C$

   f) $u = 1 - 6x^2$; $\dfrac{-\sqrt{1-6x^2}}{2} + C$

2. a) $u = 3x$; $\dfrac{\sin 3x}{3} + C$

   b) $u = 1 - 6x$; $\dfrac{\cos(1-6x)}{6} + C$

   c) $u = 4x - 1$; $\dfrac{\tan(4x-1)}{4} + C$

   d) $u = 4x$; $\dfrac{\sec 4x}{4} + C$

   e) $u = 1 - 40x$; $\dfrac{\cot(1-40x)}{10} + C$

   f) $u = 7x$; $\dfrac{-\csc 7x}{7} + C$

   g) $u = \sin 3x$; $\dfrac{\sin^3 3x}{9} + C$

   h) $u = \cos x$; $\dfrac{1}{2 \cos^2 x} + C$

   i) $u = \tan x$; $\dfrac{\tan^6 x}{6} + C$

3. a) $u = 4x - 1$; $\dfrac{5 e^{4x-1}}{4} + C$

   b) $u = 2x + 1$; $\dfrac{7}{2} \ln |2x+1| + C$

   c) $u = \sec x$; $\dfrac{4^{\sec x}}{\ln 4} + C$

   d) $u = 1 - 4x$; $\dfrac{-5^{1-4x}}{4 \ln 5} + C$

   e) $u = -x$; $-e^{-x} + C$

   f) $u = 1 - x^4$; $-2 \ln |1 - x^4| + C$

4. a) $u = 5x$; $\dfrac{\operatorname{Arc\,tan} 5x}{5} + C$

   b) $u = 10x$; $\dfrac{7 \operatorname{Arc\,tan} 10x}{10} + C$

   c) $u = \tan x$; $\operatorname{Arc\,sec}(\tan x) + C$

   d) $u = 3x$; $8 \operatorname{Arc\,sec} 3x + C$

   e) $u = 6x$; $\dfrac{\operatorname{Arc\,sin} 6x}{6} + C$

   f) $u = e^x$; $\operatorname{Arc\,sin}(e^x) + C$

13

Exercices 13.4 *(page 315)*

1. a) $\dfrac{4096 \times 4097}{2} = 8\,390\,656$ (formule 1, où $k = 150$)

   b) $1^3 + 2^3 + 3^3 + ... + 16^3 = \dfrac{16^2 \times 17^2}{4} = 18\,496$
   (formule 3, où $k = 16$)

   c) $1^2 + 2^2 + 3^2 + ... + 64^2 = \dfrac{64 \times 65 \times 129}{6} = 89\,440$
   (formule 2, où $k = 64$)

2. a) $s_5 = f(0)\dfrac{1}{5} + f\left(\dfrac{1}{5}\right)\dfrac{1}{5} + f\left(\dfrac{2}{5}\right)\dfrac{1}{5} + f\left(\dfrac{3}{5}\right)\dfrac{1}{5} + f\left(\dfrac{4}{5}\right)\dfrac{1}{5}$

   $= \dfrac{1}{5}\left[f(0) + f\left(\dfrac{1}{5}\right) + f\left(\dfrac{2}{5}\right) + f\left(\dfrac{3}{5}\right) + f\left(\dfrac{4}{5}\right)\right]$

   $= \dfrac{1}{5}\left[1 + \left(\dfrac{2}{25} + 1\right) + \left(\dfrac{8}{25} + 1\right) + \left(\dfrac{18}{25} + 1\right) + \left(\dfrac{32}{25} + 1\right)\right]$

   $= \dfrac{185}{125}$

   $= 1{,}48\ u^2$

   b) $S_5 = f\left(\dfrac{1}{5}\right)\dfrac{1}{5} + f\left(\dfrac{2}{5}\right)\dfrac{1}{5} + f\left(\dfrac{3}{5}\right)\dfrac{1}{5} + f\left(\dfrac{4}{5}\right)\dfrac{1}{5} + f(1)\dfrac{1}{5}$

   $= \dfrac{1}{5}\left[\left(\dfrac{2}{25} + 1\right) + \left(\dfrac{8}{25} + 1\right) + \left(\dfrac{18}{25} + 1\right) + \left(\dfrac{32}{25} + 1\right) + 3\right]$

   $= \dfrac{235}{125}$

   $= 1{,}88\ u^2$

   c) $s_4 = f\left(\dfrac{1}{2}\right)\dfrac{1}{2} + f(1)\dfrac{1}{2} + f\left(\dfrac{3}{2}\right)\dfrac{1}{2} + f(2)\dfrac{1}{2}$

   $= \dfrac{1}{2}\left[f\left(\dfrac{1}{2}\right) + f(1) + f\left(\dfrac{3}{2}\right) + f(2)\right]$

   $= \dfrac{1}{2}\left[\left(9 - \dfrac{1}{4}\right) + (9 - 1) + \left(9 - \dfrac{9}{4}\right) + (9 - 4)\right]$

   $= \dfrac{57}{4}$

   $= 14{,}25\ u^2$

   d) $S_4 = f(0)\dfrac{1}{2} + f\left(\dfrac{1}{2}\right)\dfrac{1}{2} + f(1)\dfrac{1}{2} + f\left(\dfrac{3}{2}\right)\dfrac{1}{2}$

   $= \dfrac{1}{2}\left[9 + \left(9 - \dfrac{1}{4}\right) + (9 - 1) + \left(9 - \dfrac{9}{4}\right)\right]$

   $= \dfrac{65}{4}$

   $= 16{,}25\ u^2$

3. a) $s_6 = f(0)\dfrac{1}{6} + f\left(\dfrac{1}{6}\right)\dfrac{1}{6} + f\left(\dfrac{2}{6}\right)\dfrac{1}{6} + f\left(\dfrac{3}{6}\right)\dfrac{1}{6} + f\left(\dfrac{4}{6}\right)\dfrac{1}{6} + f\left(\dfrac{5}{6}\right)\dfrac{1}{6}$

   $= \dfrac{1}{6}\left[f(0) + f\left(\dfrac{1}{6}\right) + f\left(\dfrac{2}{6}\right) + f\left(\dfrac{3}{6}\right) + f\left(\dfrac{4}{6}\right) + f\left(\dfrac{5}{6}\right)\right]$

   $= \dfrac{1}{6}\left[0 + \dfrac{3}{6} + \dfrac{6}{6} + \dfrac{9}{6} + \dfrac{12}{6} + \dfrac{15}{6}\right]$

$= \dfrac{45}{36}$

$= 1{,}25\ u^2$

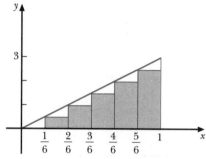

   b) $s_{100} = f(0)\dfrac{1}{100} + f\left(\dfrac{1}{100}\right)\dfrac{1}{100} + f\left(\dfrac{2}{100}\right)\dfrac{1}{100} + ... + f\left(\dfrac{99}{100}\right)\dfrac{1}{100}$

   $= \dfrac{1}{100}\left[f(0) + f\left(\dfrac{1}{100}\right) + f\left(\dfrac{2}{100}\right) + ... + f\left(\dfrac{99}{100}\right)\right]$

   $= \dfrac{1}{100}\left[0 + 3\left(\dfrac{1}{100}\right) + 3\left(\dfrac{2}{100}\right) + ... + 3\left(\dfrac{99}{100}\right)\right]$

   $= \dfrac{3}{(100)^2}[1 + 2 + 3 + ... + 99]$

   $= \dfrac{3}{(100)^2}\left[\dfrac{99 \times 100}{2}\right]$ (formule 1, où $k = 99$)

   $= \dfrac{297}{200}$

   $= 1{,}485\ u^2$

   c) $s_6 \le s_{100} \le$ aire réelle

4. a)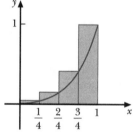

   $S_4 = f\left(\dfrac{1}{4}\right)\dfrac{1}{4} + f\left(\dfrac{2}{4}\right)\dfrac{1}{4} + f\left(\dfrac{3}{4}\right)\dfrac{1}{4} + f(1)\dfrac{1}{4}$

   $= \dfrac{1}{4}\left[\left(\dfrac{1}{4}\right)^3 + \left(\dfrac{2}{4}\right)^3 + \left(\dfrac{3}{4}\right)^3 + (1)^3\right]$

   $= \dfrac{100}{256}$

   $\approx 0{,}39\ u^2$

   b) $S_{100} = f\left(\dfrac{1}{100}\right)\dfrac{1}{100} + f\left(\dfrac{2}{100}\right)\dfrac{1}{100} + f\left(\dfrac{3}{100}\right)\dfrac{1}{100} + ... + f\left(\dfrac{99}{100}\right)\dfrac{1}{100} + f(1)\dfrac{1}{100}$

   $= \dfrac{1}{100}\left[\left(\dfrac{1}{100}\right)^3 + \left(\dfrac{2}{100}\right)^3 + \left(\dfrac{3}{100}\right)^3 + ... + \left(\dfrac{99}{100}\right)^3 + \left(\dfrac{100}{100}\right)^3\right]$

   $= \dfrac{1}{(100)^4}[1^3 + 2^3 + 3^3 + ... + 100^3]$

   $= \dfrac{1}{(100)^4} \dfrac{(100)^2\,(101)^2}{4}$ (formule 3, où $k = 100$)

$$= \frac{(101)^2}{4(100)^2}$$

$$\approx 0{,}255 \ u^2$$

c) Aire réelle $\leq S_{100} \leq S_4$

5. a)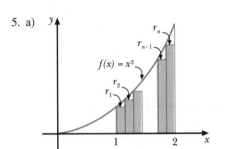

b) $s = \lim_{n \to +\infty} s_n$

$$= \lim_{n \to +\infty} \frac{14n^2 - 9n + 1}{6n^2} \qquad \text{(indétermination de la forme } \frac{+\infty}{+\infty} \text{)}$$

$$= \lim_{n \to +\infty} \frac{n^2 \left(14 - \dfrac{9}{n} + \dfrac{1}{n^2} \right)}{6n^2}$$

$$= \lim_{n \to +\infty} \frac{14 - \dfrac{9}{n} + \dfrac{1}{n^2}}{6} \qquad \text{(en simplifiant } n^2 \text{)}$$

$$= \frac{7}{3} \ u^2$$

$$S = \lim_{n \to +\infty} S_n = \frac{7}{3} \ u^2 \qquad \text{(de façon analogue)}$$

c) Puisque $s = S = \dfrac{7}{3}$, alors $A_1^2 = \dfrac{7}{3} \ u^2$.

6. a) $s_n = \dfrac{n-1}{2n}$; $s = \dfrac{1}{2}$; $S_n = \dfrac{n+1}{2n}$; $S = \dfrac{1}{2}$; $A_0^1 = \dfrac{1}{2} \ u^2$

b) $s_n = \dfrac{10n^2 - 15n + 5}{6n^2}$; $s = \dfrac{5}{3}$;

$S_n = \dfrac{10n^2 + 15n + 5}{6n^2}$; $S = \dfrac{5}{3}$; $A_0^1 = \dfrac{5}{3} \ u^2$

c) $s_n = \dfrac{n^2 - 2n + 1}{4n^2}$; $s = \dfrac{1}{4}$;

$S_n = \dfrac{n^2 + 2n + 1}{4n^2}$; $S = \dfrac{1}{4}$; $A_0^1 = \dfrac{1}{4} \ u^2$

7. Ces fonctions sont des fonctions constantes.

Exercices 13.5 (page 321)

1. a) ... $F(x) \Big|_a^b = F(b) - F(a)$, puisque $F'(x) = f(x)$.

b) ... $\displaystyle\int_a^b f(x) \ dx$.

c) ... $\displaystyle\int_a^b [f(x) - g(x)] \ dx$.

2. a) $2x \Big|_1^3 = 4$

b) $x^2 \Big|_{-1}^2 = 3$

c) $\dfrac{2^x}{\ln 2} \Big|_{-1}^2 = \dfrac{4}{\ln 2} - \dfrac{1}{2 \ln 2}$

d) $\dfrac{x^3}{3} \Big|_{-1}^2 = 3$

e) $\left(x - \dfrac{x^2}{2} \right) \Big|_2^5 = \dfrac{-15}{2}$

f) $\dfrac{x^6}{6} \Big|_{-3}^3 = 0$

g) $\sin \theta \Big|_{-\frac{\pi}{2}}^{\frac{\pi}{2}} = 2$

h) $\tan \theta \Big|_{-\frac{\pi}{4}}^0 = 1$

i) $(3e^x - 2x) \Big|_0^1 = 3e - 5$

j) $\left(\ln |x| - \dfrac{1}{x} \right) \Big|_1^2 = \ln 2 + \dfrac{1}{2}$

k) $\text{Arc} \sin x \Big|_0^{\frac{1}{2}} = \dfrac{\pi}{6}$

l) $\text{Arc} \tan x \Big|_{-1}^1 = \dfrac{\pi}{2}$

3. a) $A = \displaystyle\int_2^5 x^2 \ dx$

$$= \dfrac{x^3}{3} \Big|_2^5$$

$$= \dfrac{117}{3} \ u^2$$

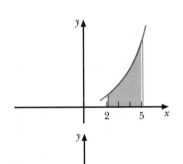

b) $A = \displaystyle\int_{-3}^0 x^2 \ dx$

$$= \dfrac{x^3}{3} \Big|_{-3}^0$$

$$= 9 \ u^2$$

c) $A = \displaystyle\int_{-3}^3 x^2 \ dx$

$$= \dfrac{x^3}{3} \Big|_{-3}^3$$

$$= 18 \ u^2$$

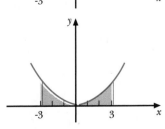

d) $A = \int_0^\pi \sin x \, dx$

$= -\cos x \Big|_0^\pi$

$= 2 \, u^2$

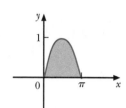

e) $A = \int_0^1 e^x \, dx$

$= e^x \Big|_0^1$

$= (e - 1) \, u^2$

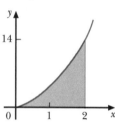

f) $A = \int_0^2 (x^3 + x^2 + x) \, dx$

$= \left(\dfrac{x^4}{4} + \dfrac{x^3}{3} + \dfrac{x^2}{2} \right) \Big|_0^2$

$= \dfrac{26}{3} \, u^2$

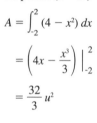

4. a) En posant $(4 - x^2) = 0$, on obtient $x = -2$ ou $x = 2$.

$A = \int_{-2}^2 (4 - x^2) \, dx$

$= \left(4x - \dfrac{x^3}{3} \right) \Big|_{-2}^2$

$= \dfrac{32}{3} \, u^2$

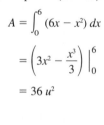

b) En posant $(6x - x^2) = 0$, on obtient $x = 0$ ou $x = 6$.

$A = \int_0^6 (6x - x^2) \, dx$

$= \left(3x^2 - \dfrac{x^3}{3} \right) \Big|_0^6$

$= 36 \, u^2$

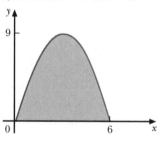

c) En posant $(x^3 - 6x^2 + 8x) = 0$, on obtient $x = 0$, $x = 2$ ou $x = 4$.

$A = \int_0^2 (x^3 - 6x^2 + 8x) \, dx$

$= \left(\dfrac{x^4}{4} - 2x^3 + 4x^2 \right) \Big|_0^2$

$= 4 \, u^2$

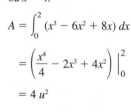
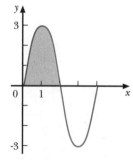

5. a) Puisque $g(x) \geq f(x)$ sur $[5, 8]$, alors

$A = \int_5^8 (x - 4) \, dx$

$= \left(\dfrac{x^2}{2} - 4x \right) \Big|_5^8$

$= \dfrac{15}{2} \, u^2.$

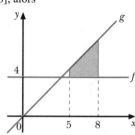

b) Puisque $f(x) \geq g(x)$ sur $[1, 2]$, alors

$A = \int_1^2 [(6x - x^2) - (x^2 - 2x)] \, dx$

$= \int_1^2 (-2x^2 + 8x) \, dx$

$= \dfrac{22}{3} \, u^2.$

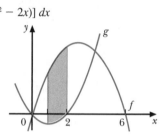

6. a) $A = \int_{-4}^{-2} (0 - x) \, dx$

$= \dfrac{-x^2}{2} \Big|_{-4}^{-2}$

$= 6 \, u^2$

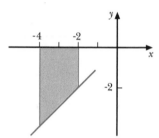

b) $A = \int_{-4}^{-2} (0 - x^3) \, dx$

$= \dfrac{-x^4}{4} \Big|_{-4}^{-2}$

$= 60 \, u^2$

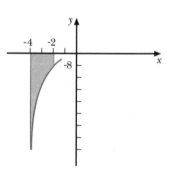

c) $A = \int_\pi^{2\pi} (0 - \sin x) \, dx$

$= \cos x \Big|_\pi^{2\pi}$

$= 2 \, u^2$

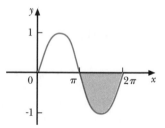

7. a) En posant $x + 2 = 4 - x^2$,
on obtient $x^2 + x - 2 = 0$,
c'est-à-dire $(x + 2)(x - 1) = 0$, d'où $x = -2$ ou $x = 1$.

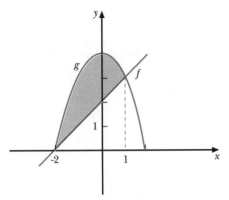

Puisque $g(x) \geq f(x)$ sur [-2, 1], alors

$$A = \int_{-2}^{1} [4 - x^2] - (x + 2)] \, dx$$

$$= \int_{-2}^{1} (2 - x^2 - x) \, dx$$

$$= \left(2x - \frac{x^3}{3} - \frac{x^2}{2}\right) \Big|_{-2}^{1}$$

$$= \frac{9}{2} \, u^2.$$

b) En posant $6x - x^2 = x^2 - 2x$, on obtient $x = 0$ ou $x = 4$.

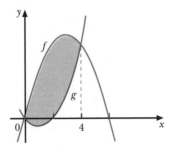

Puisque $f(x) \geq g(x)$ sur [0, 4], alors

$$A = \int_{0}^{4} [(6x - x^2) - (x^2 - 2x)] \, dx$$

$$= \int_{0}^{4} (8x - 2x^2) \, dx$$

$$= \left(4x^2 - \frac{2x^3}{3}\right) \Big|_{0}^{4}$$

$$= \frac{64}{3} \, u^2.$$

PROBLÈMES DE SYNTHÈSE *(page 322)*

1. a) $dy = \left(\frac{10}{3} x^{\frac{7}{3}} - 15x^2\right) dx$

   b) $du = \frac{-31}{(2x + 7)^2} \, dx$

   c) $dy = (e^{\tan x} \sec^2 x + 4^x \ln 4) \, dx$

   d) $dv = 6 \sin^2 (2t - 3) \cos (2t - 3) \, dt$

   e) $dy = -3 \cot (3x - 1) \, dx$

   f) $dy = \frac{6x}{\sqrt{1 - 9x^4}} \, dx$

2. $dy = 3{,}12$

3. a) $\frac{u^6 \, du}{3}$

   b) $\frac{3 \, du}{4}$

   c) $-e^u \, du$

   d) $-du$

4. a) $y + C$

   b) $\frac{x^8}{8} + \frac{7^x}{\ln 7} + C$

   c) $t^2 + \frac{1}{4} \ln |t| - \frac{4}{t} + C$

   d) $5e^u - 4 \operatorname{Arc} \tan u + \frac{4}{5} u^{\frac{5}{4}} + C$

   e) $-3 \cos x - \frac{\sin x}{3} + 2 \csc x + C$

   f) $5 \sec x - \frac{\cot x}{\sqrt{5}} - \tan x + C$

   g) $4 \operatorname{Arc} \sin x - \frac{14\sqrt{x}}{9} + \frac{\operatorname{Arc} \sec x}{3} + C$

   h) $\frac{x^5}{25} - \frac{4^x}{5 \ln 4} + 4 \ln |x| - \frac{x^2}{8} + 4x + C$

5. a) $\frac{x^3}{3} - x + C$

   b) $3 \ln |x| - \operatorname{Arc} \sec x + C$

   c) $2 \operatorname{Arc} \tan x + C$

   d) $\frac{-x^2}{2} - 3x + C$

   e) $\sec u + C$

   f) $2 \sin x + C$

6. a) $\frac{(x^3 + 1)^6}{18} + C$ h) $\sqrt[3]{1 + 2t^3} + C$

   b) $\frac{x^8}{8} + \frac{2x^5}{5} + x + C$ i) $-3 \cos \left(\frac{x}{3}\right) + C$

   c) $\frac{\ln (x^2 + 1)}{2} + C$ j) $\sin x^2 + C$

   d) $\frac{x^2}{2} + \ln |x| + C$ k) $\cos \left(\frac{1}{x}\right) + C$

   e) $\frac{\sqrt{2x^2 + 3}}{2} + C$ l) $\frac{\theta}{2} + \frac{\sin (2\theta)}{4} + C$

   f) $\frac{\ln |3x + 4|}{3} + C$ m) $\frac{1}{2 \cos^2 x} + C$

   g) $\frac{-1}{3(3x + 4)} + C$ n) $\tan \theta - \theta + C$

13

o) $\dfrac{-\tan(1-3x^2)}{6} + C$ u) $\dfrac{\text{Arc}\tan(x^3)}{3} + C$

p) $\dfrac{\tan^5 s}{5} + C$ v) $4\,\text{Arc}\sin(4x) + C$

q) $\dfrac{-\csc(3x^3 - 1)}{63} + C$ w) $\sqrt{x^2 - 1} - 2\,\text{Arc}\sec x + C$

r) $\ln|\ln x| + C$ x) $\dfrac{\sin 5x}{5} + \dfrac{\tan 7x}{7} + C$

s) $\dfrac{-8^{\cos x}}{\ln 8} + C$ y) $\dfrac{x^5}{5} + \dfrac{e^{x^4}}{4} + C$

t) $2\,e^{\tan x} + C$ z) $\dfrac{e^{2x}}{2} - x + C$

7. a) 15 150   c) 21 755
   b) 6375   d) -5200

8. a) $s_n = \dfrac{5n - 3}{2n}$; $s = \dfrac{5}{2}$; $S_n = \dfrac{5n + 3}{2n}$; $S = \dfrac{5}{2}$;
   $A_0^1 = \dfrac{5}{2} u^2$

   b) $s_n = \dfrac{4n^2 - 3n - 1}{6n^2}$; $s = \dfrac{2}{3}$; $S_n = \dfrac{4n^2 + 3n - 1}{6n^2}$;
   $S = \dfrac{2}{3}$; $A_0^1 = \dfrac{2}{3} u^2$

   c) $s_n = \dfrac{5n^2 - 6n + 1}{6n^2}$; $s = \dfrac{5}{6}$; $S_n = \dfrac{5n^2 + 6n + 1}{6n^2}$;
   $S = \dfrac{5}{6}$; $A_0^1 = \dfrac{5}{6} u^2$

9. a) $A = \displaystyle\int_a^b [f(x) - g(x)]\, dx$

   b) $A = \displaystyle\int_a^b [g(x) - f(x)]\, dx$

   c) $A = \displaystyle\int_a^c [f(x) - g(x)]\, dx + \displaystyle\int_c^b [g(x) - f(x)]\, dx$

10. a) $\dfrac{2}{3}$ d) $\dfrac{-5}{3}$ g) $\dfrac{-67}{36}$
    b) 10   e) 0   h) e^2
    c) $\dfrac{14}{3}$ f) $2e - \dfrac{2}{e}$ i) π

11. a) $A = 63\, u^2$ d) $A = 1\, u^2$
    b) $A = 24\, u^2$ e) $A = \ln 6 - \ln 2 = \ln 3\, u^2$
    c) $A = \dfrac{2}{3} u^2$ f) $A = \dfrac{\pi}{4} u^2$

12. a) $A = \dfrac{4}{3} u^2$

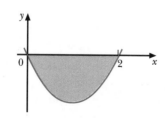

b) $A = \dfrac{125}{6} u^2$

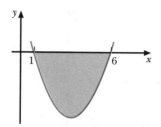

13. a) $\dfrac{14}{3} u^2$ b) $\dfrac{305}{6} u^2$

14. a) $A = \dfrac{1}{2} u^2$

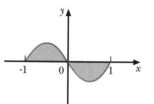

b) $A = 4\, u^2$

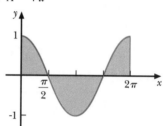

15. a) $A = \dfrac{8}{3} u^2$

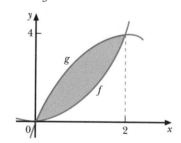

b) $A = \dfrac{1}{2} u^2$

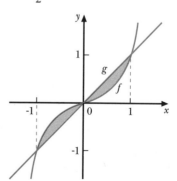

16. $A_1 = A_2 = A_3 = A_4 = \dfrac{1}{4} u^2$

TEST RÉCAPITULATIF   *(page 327)*

1. a) $dy = (5x^4 + 6\sin^2 2x \cos 2x)\, dx$

   b) $du = \left(3e^{3x} \ln x^2 + \dfrac{2e^{3x}}{x}\right) dx$

2. a) $\ldots \displaystyle\int x^a\, dx = \dfrac{x^{a+1}}{a+1} + C$, si $a \neq -1$.

   b) $\displaystyle\int \dfrac{1}{x}\, dx = \ln|x| + C$

   c) $\displaystyle\int [a\, f(x) + b\, g(x)]\, dx = a \int f(x)\, dx + b \int g(x)\, dx$

   d) $\displaystyle\int \sin x\, dx = -\cos x + C$

   e) $\displaystyle\int \sec^2 x\, dx = \tan x + C$

   f) $\displaystyle\int e^u\, du = e^u + C$

   g) $\displaystyle\int 5^u\, du = \dfrac{5^u}{\ln 5} + C$

   h) $\displaystyle\int \dfrac{1}{\sqrt{1-x^2}}\, dx = \text{Arc} \sin x + C$

3. a) $\dfrac{5x^4}{4} - \dfrac{7x^2}{2} + 2x + C$

   b) $\dfrac{2}{3}x^{\frac{3}{2}} - 12x^{\frac{1}{3}} - \dfrac{5}{x} - 6\ln|x| + C$

   c) Si on pose $u = 3x^2 + 4$, alors $du = 6x\, dx$. D'où

   $$\int (3x^2 + 4)^5\, 4x\, dx = \dfrac{2}{3}\int u^5\, du$$

   $$= \dfrac{u^6}{9} + C$$

   $$= \dfrac{(3x^2 + 4)^6}{9} + C.$$

   d) Si on pose $u = \dfrac{3x}{4}$, alors $du = \dfrac{3}{4}\, dx$. D'où

   $$\int \sec\left(\dfrac{3x}{4}\right)\tan\left(\dfrac{3x}{4}\right) dx = \dfrac{4}{3}\int \sec u \tan u\, du$$

   $$= \dfrac{4}{3}\sec u + C$$

   $$= \dfrac{4}{3}\sec\left(\dfrac{3x}{4}\right) + C.$$

   e) Si on pose $u = \sin\left(\dfrac{2x}{3}\right)$, alors $du = \dfrac{2}{3}\cos\left(\dfrac{2x}{3}\right) dx$.

   D'où $\displaystyle\int \sin^4\left(\dfrac{2x}{3}\right)\cos\left(\dfrac{2x}{3}\right) dx = \dfrac{3}{2}\int u^4\, du$

   $$= \dfrac{3}{2}\dfrac{u^5}{5} + C$$

   $$= \dfrac{3}{10}\left(\sin\left(\dfrac{2x}{3}\right)\right)^5 + C.$$

   f) Si on pose $u = \text{Arc} \tan x$, alors $du = \dfrac{1}{1+x^2}\, dx$. D'où

   $$\int \dfrac{e^{\text{Arc} \tan x}}{1+x^2}\, dx = \int e^u\, du$$

   $$= e^u + C$$

   $$= e^{\text{Arc} \tan x} + C.$$

4. a)

   $$S_4 = f\left(\dfrac{1}{4}\right)\dfrac{1}{4} + f\left(\dfrac{2}{4}\right)\dfrac{1}{4} + f\left(\dfrac{3}{4}\right)\dfrac{1}{4} + f(1)\dfrac{1}{4}$$

   $$= \dfrac{1}{4}\left[\left(\dfrac{1}{4}\right)^3 + 1 + \left(\dfrac{2}{4}\right)^3 + 1 + \left(\dfrac{3}{4}\right)^3 + 1 + 2\right]$$

   $$= \dfrac{356}{256}$$

   $$\approx 1{,}39 \text{ unité}^2$$

   b) $S_n = f\left(\dfrac{1}{n}\right)\dfrac{1}{n} + f\left(\dfrac{2}{n}\right)\dfrac{1}{n} + f\left(\dfrac{3}{n}\right)\dfrac{1}{n} + \ldots + f(1)\dfrac{1}{n}$

   $$= \dfrac{1}{n}\left[\left(\dfrac{1}{n}\right)^3 + 1 + \left(\dfrac{2}{n}\right)^3 + 1 + \left(\dfrac{3}{n}\right)^3 + 1 + \ldots + \left(\dfrac{n}{n}\right)^3 + 1\right]$$

   $$= \dfrac{1}{n}\left[(1 + 1 + 1 + \ldots + 1) + \dfrac{1}{n^3}(1^3 + 2^3 + \ldots + n^3)\right]$$

   $$= \dfrac{1}{n}\left[n + \dfrac{1}{n^3}\dfrac{n^2(n+1)^2}{4}\right] \qquad \text{(formule 3)}$$

   $$= \dfrac{5n^2 + 2n + 1}{4n^2}$$

   et, de façon analogue,

   $$s_n = \dfrac{5n^2 - 2n + 1}{4n^2}.$$

   c) $S = \displaystyle\lim_{n \to +\infty} S_n = \lim_{n \to +\infty} \dfrac{5n^2 + 2n + 1}{4n^2}$

   $$= \lim_{n \to +\infty} \dfrac{n^2\left(5 + \dfrac{2}{n} + \dfrac{1}{n^2}\right)}{n^2(4)}$$

   $$= \lim_{n \to +\infty} \dfrac{5 + \dfrac{2}{n} + \dfrac{1}{n^2}}{4} = \dfrac{5}{4}$$

   et, de façon analogue,

   $$s = \lim_{n \to +\infty} s_n = \dfrac{5}{4}.$$

13

d) Puisque $s = S = \dfrac{5}{4}$, alors $A_0^1 = \dfrac{5}{4} u^2$.

e) $A_0^1 = \displaystyle\int_0^1 (x^3 + 1)\, dx = \left(\dfrac{x^4}{4} + x\right)\Big|_0^1 = \dfrac{5}{4} u^2$

5. a) $\displaystyle\int_{-2}^3 (x^2 - 3x - 4)\, dx = \left(\dfrac{x^3}{3} - \dfrac{3x^2}{2} - 4x\right)\Big|_{-2}^3 = -\dfrac{95}{6}$

   b) $\displaystyle\int_0^\pi (\sin x + \cos x)\, dx = (\text{-}\cos x + \sin x)\,\Big|_0^\pi = 2$

6. En posant $6 + x - x^2 = 0$,

   c'est-à-dire $(3 - x)(2 + x) = 0$, on obtient $x = \text{-}2$ et $x = 3$.

   $A = \displaystyle\int_{-1}^3 (6 + x - x^2)\, dx$

   $ = \left(6x + \dfrac{x^2}{2} - \dfrac{x^3}{3}\right)\Big|_{-1}^3$

   $ = \dfrac{56}{3} u^2$

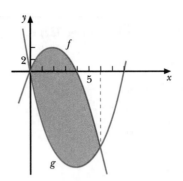

$A = \displaystyle\int_0^6 [(4x - x^2) - (x^2 - 8x)]\, dx$

$ = \displaystyle\int_0^6 (\text{-}2x^2 + 12x)\, dx$

$ = \left(\dfrac{\text{-}2x^3}{3} + 6x^2\right)\Big|_0^6$

$ = 72\, u^2.$

7. En posant $f(x) = g(x)$,

   c'est-à-dire $4x - x^2 = x^2 - 8$

   $ 2x^2 - 12x = 0,$

   $ 2x(x - 6) = 0,$ on obtient $x = 0$ et $x = 6$.

13

Index

Définitions

$\mathbb{N} = \{1, 2, 3, 4, \ldots\}$
$\mathbb{Z} = \{\ldots, -2, -1, 0, 1, 2, 3, \ldots\}$
$\mathbb{Q} = \left\{ \dfrac{a}{b} \;\middle|\; a, b \in \mathbb{Z}, \text{ et } b \neq 0 \right\}$

$\mathbb{R}$ = ensemble des nombres réels

Décomposition en facteurs

$a^2 + 2ab + b^2 = (a + b)^2$
$a^2 - 2ab + b^2 = (a - b)^2$
$a^2 - b^2 = (a + b)(a - b)$
$a^3 - b^3 = (a - b)(a^2 + ab + b^2)$
$a^3 + b^3 = (a + b)(a^2 - ab + b^2)$
$a^4 - b^4 = (a + b)(a - b)(a^2 + b^2)$

Zéros de l'équation quadratique

$ax^2 + bx + c = 0$, si

$$x = \frac{-b + \sqrt{b^2 - 4ac}}{2a} \text{ ou } x = \frac{-b - \sqrt{b^2 - 4ac}}{2a}.$$

Développements

$(a + b)^3 = a^3 + 3a^2b + 3ab^2 + b^3$
$(a - b)^3 = a^3 - 3a^2b + 3ab^2 - b^3$
$(a + b)^4 = a^4 + 4a^3b + 6a^2b^2 + 4ab^3 + b^4$
$(a - b)^4 = a^4 - 4a^3b + 6a^2b^2 - 4ab^3 + b^4$

Abréviations

centimètre	cm
décimètre	dm
degré (d'arc)	°
heure	h
jour	d
kilomètre	km
mètre	m
minute	min
newton	N
radian	rad
seconde	s

Théorème de Pythagore

$a^2 + b^2 = c^2$

Identités trigonométriques

$\sin^2 A + \cos^2 A = 1$
$\tan^2 A + 1 = \sec^2 A$
$\cot^2 A + 1 = \csc^2 A$
$\sin (A + B) = \sin A \cos B + \cos A \sin B$
$\sin (A - B) = \sin A \cos B - \cos A \sin B$
$\cos (A + B) = \cos A \cos B - \sin A \sin B$
$\cos (A - B) = \cos A \cos B + \sin A \sin B$
$\sin (2A) = 2 \sin A \cos A$
$\cos (2A) = \cos^2 A - \sin^2 A$

Remarque : Les propriétés suivantes ne s'appliquent que si les expressions sont définies.

Lois des exposants

$a^m a^n = a^{m+n}$
$(a^m)^n = a^{mn}$
$(ab)^m = a^m b^m$
$\left(\dfrac{a}{b}\right)^m = \dfrac{a^m}{b^m}$
$\dfrac{a^m}{a^n} = a^{m-n}$
$a^{-m} = \dfrac{1}{a^m}$
$a^0 = 1$

Radicaux

$a^{\frac{1}{n}} = \sqrt[n]{a}$
$a^{\frac{m}{n}} = \sqrt[n]{a^m} = (\sqrt[n]{a})^m$
$\sqrt[n]{ab} = \sqrt[n]{a}\sqrt[n]{b}$
$\sqrt[n]{\dfrac{a}{b}} = \dfrac{\sqrt[n]{a}}{\sqrt[n]{b}}$
$\sqrt[n]{a^n} = |a|$, si n est pair.
$\sqrt[n]{a^n} = a$, si n est impair.

Lois des logarithmes

$\log_a (MN) = \log_a M + \log_a N$
$\log_a \left(\dfrac{M}{N}\right) = \log_a M - \log_a N$
$\log_a (M^k) = k \log_a M$
$\log_a M = \dfrac{\log_b M}{\log_b a}$
$\log a = \log_{10} a$
$\ln a = \log_e a$
$\log_a 1 = 0$
$\log_a a = 1$

FORMULES DE DÉRIVATION		FORMULES D'INTÉGRATION

FORMULES DE DÉRIVATION

Fonction	Dérivée
1. K, constante	**1.** 0
2. x, identité	**2.** 1
3. $Kf(x)$	**3.** $Kf'(x)$
4. $f(x) \pm g(x)$	**4.** $f'(x) \pm g'(x)$
5. $f(x)\,g(x)$	**5.** $f'(x)\,g(x) + f(x)\,g'(x)$
6. x^r	**6.** rx^{r-1}
7. $\dfrac{f(x)}{g(x)}$	**7.** $\dfrac{f'(x)\,g(x) - f(x)\,g'(x)}{g^2(x)}$
8. $[f(x)]^r$	**8.** $r[f(x)]^{r-1}f'(x)$
9. $f(g(x))$	**9.** $f'(g(x))g'(x)$
10. $\sin f(x)$	**10.** $[\cos f(x)]f'(x)$
11. $\cos f(x)$	**11.** $[-\sin f(x)]f'(x)$
12. $\tan f(x)$	**12.** $[\sec^2 f(x)]f'(x)$
13. $\cot f(x)$	**13.** $[-\csc^2 f(x)]f'(x)$
14. $\sec f(x)$	**14.** $[\sec f(x)\tan f(x)]\,f'(x)$
15. $\csc f(x)$	**15.** $[-\csc f(x)\cot f(x)]\,f'(x)$
16. Arc $\sin f(x)$	**16.** $\dfrac{f'(x)}{\sqrt{1 - [f(x)]^2}}$
17. Arc $\cos f(x)$	**17.** $\dfrac{-f'(x)}{\sqrt{1 - [f(x)]^2}}$
18. Arc $\tan f(x)$	**18.** $\dfrac{f'(x)}{1 + [f(x)]^2}$
19. Arc $\cot f(x)$	**19.** $\dfrac{-f'(x)}{1 + [f(x)]^2}$
20. Arc $\sec f(x)$	**20.** $\dfrac{f'(x)}{f(x)\sqrt{[f(x)]^2 - 1}}$
21. Arc $\csc f(x)$	**21.** $\dfrac{-f'(x)}{f(x)\sqrt{[f(x)]^2 - 1}}$
22. $a^{f(x)}$	**22.** $a^{f(x)}\ln a\, f'(x)$
23. $e^{f(x)}$	**23.** $e^{f(x)}\,f'(x)$
24. $\ln f(x)$	**24.** $\dfrac{f'(x)}{f(x)}$
25. $\log_a f(x)$	**25.** $\dfrac{f'(x)}{f(x)\ln a}$

FORMULES D'INTÉGRATION

A. Définition de l'intégrale indéfinie

$$\int f(x)\,dx = F(x) + C, \text{ si } F'(x) = f(x).$$

B. Propriétés de l'intégrale

1. $\displaystyle\int Kf(x)\,dx = K\int f(x)\,dx$

2. $\displaystyle\int [f(x) \pm g(x)]\,dx = \int f(x)\,dx \pm \int g(x)\,dx$

C. Primitives de fonctions élémentaires

1. $\displaystyle\int x^a\,dx = \dfrac{x^{a+1}}{a+1} + C, \ \forall\, a \in \mathbb{R} \text{ et } a \neq -1.$

2. $\displaystyle\int \dfrac{1}{x}\,dx = \ln |x| + C$

3. $\displaystyle\int e^x\,dx = e^x + C$

4. $\displaystyle\int a^x\,dx = \dfrac{a^x}{\ln a} + C, \text{ où } a > 0 \text{ et } a \neq 1.$

5. $\displaystyle\int \sin x\,dx = -\cos x + C$

6. $\displaystyle\int \cos x\,dx = \sin x + C$

7. $\displaystyle\int \sec^2 x\,dx = \tan x + C$

8. $\displaystyle\int \csc^2 x\,dx = -\cot x + C$

9. $\displaystyle\int \sec x \tan x\,dx = \sec x + C$

10. $\displaystyle\int \csc x \cot x\,dx = -\csc x + C$

11. $\displaystyle\int \dfrac{1}{\sqrt{1 - x^2}}\,dx = \text{Arc }\sin x + C$

12. $\displaystyle\int \dfrac{1}{1 + x^2}\,dx = \text{Arc }\tan x + C$

13. $\displaystyle\int \dfrac{1}{x\sqrt{x^2 - 1}}\,dx = \text{Arc }\sec x + C$